JORGE LUIS BORGES

OBRAS COMPLETAS

OBRAS COMPLETAS DE JORGE LUIS BORGES

FERVOR DE BUENOS AIRES
LUNA DE ENFRENTE
CUADERNO SAN MARTÍN
EVARISTO CARRIEGO
DISCUSIÓN
HISTORIA UNIVERSAL DE LA INFAMIA
HISTORIA DE LA ETERNIDAD
FICCIONES
EL ALEPH
OTRAS INQUISICIONES
EL HACEDOR
EL OTRO, EL MISMO
PARA LAS SEIS CUERDAS
ELOGIO DE LA SOMBRA
EL INFORME DE BRODIE
EL ORO DE LOS TIGRES

JORGE LUIS BORGES

OBRAS COMPLETAS

EMECÉ EDITORES
BUENOS AIRES

Edición dirigida y realizada por
CARLOS V. FRÍAS

IMPRESO EN ARGENTINA — PRINTED IN ARGENTINA
Queda hecho el depósito que previene la ley número 11.723
© EMECÉ EDITORES, S. A. — Buenos Aires, 1974

A Leonor Acevedo de Borges

Quiero dejar escrita una confesión, que a un tiempo será íntima y general, ya que las cosas que le ocurren a un hombre les ocurren a todos. Estoy hablando de algo ya remoto y perdido, los días de mi santo, los más antiguos. Yo recibía los regalos y yo pensaba que no era más que un chico y que no había hecho nada, absolutamente nada, para merecerlos. Por supuesto, nunca lo dije; la niñez es tímida. Desde entonces me has dado tantas cosas y son tantos los años y los recuerdos. Padre, Norah, los abuelos, tu memoria y en ella la memoria de los mayores —los patios, los esclavos, el aguatero, la carga de los húsares del Perú y el oprobio de Rosas—, tu prisión valerosa, cuando tantos hombres callábamos, las mañanas del Paso del Molino, de Ginebra y de Austin, las compartidas claridades y sombras, tu fresca ancianidad, tu amor a Dickens y a Eça de Queiroz, Madre, vos misma.

Aquí estamos hablando los dos, *et tout le reste est littérature,* como escribió, con excelente literatura, Verlaine.

J.L.B.

Fervor de Buenos Aires
(1923)

Fervor de Buenos Aires
(1923)

PRÓLOGO

No he reescrito el libro. He mitigado sus excesos barrocos, he limado asperezas, he tachado sensiblerías y vaguedades y, en el decurso de esta labor a veces grata y otras veces incómoda, he sentido que aquel muchacho que en 1923 lo escribió ya era esencialmente —¿qué significa esencialmente?— el señor que ahora se resigna o corrige. Somos el mismo; los dos descreemos del fracaso y del éxito, de las escuelas literarias y de sus dogmas; los dos somos devotos de Schopenhauer, de Stevenson y de Whitman. Para mí, Fervor de Buenos Aires prefigura todo lo que haría después. Por lo que dejaba entrever, por lo que prometía de algún modo, lo aprobaron generosamente Enrique Díez-Canedo y Alfonso Reyes.

Como los de 1969, los jóvenes de 1923 eran tímidos. Temerosos de una íntima pobreza, trataban como ahora, de escamotearla bajo inocentes novedades ruidosas. Yo, por ejemplo, me propuse demasiados fines: remedar ciertas fealdades (que me gustaban) de Miguel de Unamuno, ser un escritor español del siglo diecisiete, ser Macedonio Fernández, descubrir las metáforas que Lugones ya había descubierto, cantar un Buenos Aires de casas bajas y, hacia el poniente o hacia el sur, de quintas con verjas.

En aquel tiempo, buscaba los atardeceres, los arrabales y la desdicha; ahora, las mañanas, el centro y la serenidad.

J.L.B.

Buenos Aires, 18 de agosto de 1969.

A QUIEN LEYERE

Si las páginas de este libro consienten algún verso feliz, perdóneme el lector la descortesía de haberlo usurpado yo, previamente. Nuestras nadas poco difieren; es trivial y fortuita la circunstancia de que seas tú el lector de estos ejercicios, y yo su redactor.

LAS CALLES

Las calles de Buenos Aires
ya son mi entraña.
No las ávidas calles,
incómodas de turba y de ajetreo,
sino las calles desganadas del barrio,
casi invisibles de habituales,
enternecidas de penumbra y de ocaso
y aquellas más afuera
ajenas de árboles piadosos
donde austeras casitas apenas se aventuran,
abrumadas por inmortales distancias,
a perderse en la honda visión
de cielo y de llanura.
Son para el solitario una promesa
porque millares de almas singulares las pueblan,
únicas ante Dios y en el tiempo
y sin duda preciosas.
Hacia el Oeste, el Norte y el Sur
se han desplegado —y son también la patria— las calles:
ojalá en los versos que trazo
estén esas banderas.

LA RECOLETA

Convencidos de caducidad
por tantas nobles certidumbres del polvo,
nos demoramos y bajamos la voz
entre las lentas filas de panteones,
cuya retórica de sombra y de mármol
promete o prefigura la deseable
dignidad de haber muerto.
Bellos son los sepulcros,
el desnudo latín y las trabadas fechas fatales,
la conjunción del mármol y de la flor
y las plazuelas con frescura de patio
y los muchos ayeres de la historia
hoy detenida y única.
Equivocamos esa paz con la muerte
y creemos anhelar nuestro fin
y anhelamos el sueño y la indiferencia.
Vibrante en las espadas y en la pasión
y dormida en la hiedra,
sólo la vida existe.
El espacio y el tiempo son formas suyas,
son instrumentos mágicos del alma,
y cuando ésta se apague,
se apagarán con ella el espacio, el tiempo y la muerte,
como al cesar la luz
caduca el simulacro de los espejos
que ya la tarde fue apagando.
Sombra benigna de los árboles,
viento con pájaros que sobre las ramas ondea,
alma que se dispersa en otras almas,
fuera un milagro que alguna vez dejaran de ser,
milagro incomprensible,
aunque su imaginaria repetición
infame con horror nuestros días.
Estas cosas pensé en la Recoleta,
en el lugar de mi ceniza.

EL SUR

Desde uno de tus patios haber mirado
las antiguas estrellas,
desde el banco de
la sombra haber mirado
esas luces dispersas
que mi ignorancia no ha aprendido a nombrar
ni a ordenar en constelaciones,
haber sentido el círculo del agua
en el secreto aljibe,
el olor del jazmín y la madreselva,
el silencio del pájaro dormido,
el arco del zaguán, la humedad
—esas cosas, acaso, son el poema.

CALLE DESCONOCIDA

Penumbra de la paloma
llamaron los hebreos a la iniciación de la tarde
cuando la sombra no entorpece los pasos
y la venida de la noche se advierte
como una música esperada y antigua,
como un grato declive.
En esa hora en que la luz
tiene una finura de arena,
di con una calle ignorada,
abierta en noble anchura de terraza,
cuyas cornisas y paredes mostraban
colores blandos como el mismo cielo
que conmovía el fondo.
Todos —la medianía de las casas,
las modestas balaustradas y llamadores,
tal vez una esperanza de niña en los balcones
entró en mi vano corazón
con limpidez de lágrima.
Quizá esa hora de la tarde de plata
diera su ternura a la calle,
haciéndola tan real como un verso
olvidado y recuperado.
Sólo después reflexioné
que aquella calle de la tarde era ajena,
que toda casa es un candelabro
donde las vidas de los hombres arden
como velas aisladas,
que todo inmeditado paso nuestro
camina sobre Gólgotas.

LA PLAZA SAN MARTÍN

A Macedonio Fernández

En busca de la tarde
fui apurando en vano las calles.
Ya estaban los zaguanes entorpecidos de sombra.
Con fino bruñimiento de caoba
la tarde entera se había remansado en la plaza,
serena y sazonada,
bienhechora y sutil como una lámpara,
clara como una frente,
grave como ademán de hombre enlutado.
Todo sentir se aquieta
bajo la absolución de los árboles
—jacarandás, acacias—
cuyas piadosas curvas
atenúan la rigidez de la imposible estatua
y en cuya red se exalta
la gloria de las luces equidistantes
del leve azul y de la tierra rojiza.
¡Qué bien se ve la tarde
desde el fácil sosiego de los bancos!
Abajo
el puerto anhela latitudes lejanas
y la honda plaza igualadora de almas
se abre como la muerte, como el sueño.

EL TRUCO

Cuarenta naipes han desplazado la vida.
Pintados talismanes de cartón
nos hacen olvidar nuestros destinos
y una creación risueña
va poblando el tiempo robado
con las floridas travesuras
de una mitología casera.
En los lindes de la mesa
la vida de los otros se detiene.
Adentro hay un extraño país:
las aventuras del envido y del quiero,
la autoridad del as de espadas,
como don Juan Manuel, omnipotente,
y el siete de oros tintineando esperanza.
Una lentitud cimarrona
va demorando las palabras
y como las alternativas del juego
se repiten y se repiten,
los jugadores de esta noche
copian antiguas bazas:
hecho que resucita un poco, muy poco,
a las generaciones de los mayores
que legaron al tiempo de Buenos Aires
los mismos versos y las mismas diabluras.

UN PATIO

Con la tarde
se cansaron los dos o tres colores del patio.
Esta noche, la luna, el claro círculo,
no domina su espacio.
Patio, cielo encauzado.
El patio es el declive
por el cual se derrama el cielo en la casa.
Serena,
la eternidad espera en la encrucijada de estrellas.
Grato es vivir en la amistad oscura
de un zaguán, de una parra y de un aljibe.

INSCRIPCIÓN SEPULCRAL

Para mi bisabuelo, el coronel Isidoro Suárez

Dilató su valor sobre los Andes.
Contrastó montañas y ejércitos.
La audacia fue costumbre de su espada.
Impuso en la llanura de Junín
término venturoso a la batalla
y a las lanzas del Perú dio sangre española.
Escribió su censo de hazañas
en prosa rígida como los clarines belísonos.
Eligió el honroso destierro.
Ahora es un poco de ceniza y de gloria.

LA ROSA

La rosa,
la inmarcesible rosa que no canto,
la que es peso y fragancia,
la del negro jardín en la alta noche,
la de cualquier jardín y cualquier tarde,
la rosa que resurge de la tenue
ceniza por el arte de la alquimia,
la rosa de los persas y de Ariosto,
la que siempre está sola,
la que siempre es la rosa de las rosas,
la joven flor platónica,
la ardiente y ciega rosa que no canto,
la rosa inalcanzable.

BARRIO RECONQUISTADO

Nadie vio la hermosura de las calles
hasta que pavoroso en clamor
se derrumbó el cielo verdoso
en abatimiento de agua y de sombra.
El temporal fue unánime
y aborrecible a las miradas fue el mundo,
pero cuando un arco bendijo
con los colores del perdón la tarde,
y un olor a tierra mojada
alentó los jardines,
nos echamos a caminar por las calles
como por una recuperada heredad,
y en los cristales hubo generosidades de sol
y en las hojas lucientes
dijo su trémula inmortalidad el estío.

SALA VACÍA

Los muébles de caoba perpetúan
entre la indecisión del brocado
su tertulia de siempre.
Los daguerrotipos
mienten su falsa cercanía
de tiempo detenido en un espejo
y ante nuestro examen se pierden
como fechas inútiles
de borrosos aniversarios.
Desde hace largo tiempo
sus angustiadas voces nos buscan
y ahora apenas están
en las mañanas iniciales de nuestra infancia.
La luz del día de hoy
exalta los cristales de la ventana
desde la calle de clamor y de vértigo
y arrincona y apaga la voz lacia
de los antepasados.

ROSAS

En la sala tranquila
cuyo reloj austero derrama
un tiempo ya sin aventuras ni asombro
sobre la decente blancura
que amortaja la pasión roja de la caoba,
alguien, como reproche cariñoso,
pronunció el nombre familiar y temido.
La imagen del tirano
abarrotó el instante,
no clara como un mármol en la tarde,
sino grande y umbría
como la sombra de una montaña remota
y conjeturas y memorias
sucedieron a la mención eventual
como un eco insondable.
Famosamente infame
su nombre fue desolación en las casas,
idolátrico amor en el gauchaje
y horror del tajo en la garganta.
Hoy el olvido borra su censo de muertes,
porque son venales las muertes
si las pensamos como parte del Tiempo,
esa inmortalidad infatigable
que anonada con silenciosa culpa las razas
y en cuya herida siempre abierta
que el último dios habrá de restañar el último día,
cabe toda la sangre derramada.
No sé si Rosas
fue sólo un ávido puñal como los abuelos decían;
creo que fue como tú y yo
un hecho entre los hechos
que vivió en la zozobra cotidiana
y dirigió para exaltaciones y penas
la incertidumbre de otros.

Ahora el mar es una larga separación
entre la ceniza y la patria.
Ya toda vida, por humilde que sea,
puede pisar su nada y su noche.
Ya Dios lo habrá olvidado
y es menos una injuria que una piedad
demorar su infinita disolución
con limosnas de odio.

FINAL DE AÑO

Ni el pormenor simbólico
de reemplazar un tres por un dos
ni esa metáfora baldía
que convoca un lapso que muere y otro que surge
ni el cumplimiento de un proceso astronómico
aturden y socavan
la altiplanicie de esta noche
y nos obligan a esperar
las doce irreparables campanadas.
La causa verdadera
es la sospecha general y borrosa
del enigma del Tiempo;
es el asombro ante el milagro
de que a despecho de infinitos azares,
de que a despecho de que somos
las gotas del río de Heráclito,
perdure algo en nosotros:
inmóvil.

CARNICERÍA

Más vil que un lupanar
la carnicería rubrica como una afrenta la calle.
Sobre el dintel
una ciega cabeza de vaca
preside el aquelarre
de carne charra y mármoles finales
con la remota majestad de un ídolo.

ARRABAL

A Guillermo de Torre

El arrabal es el reflejo de nuestro tedio.
Mis pasos claudicaron
cuando iban a pisar el horizonte
y quedé entre las casas,
cuadriculadas en manzanas
diferentes e iguales
como si fueran todas ellas
monótonos recuerdos repetidos
de una sola manzana.
El pastito precario,
desesperadamente esperanzado,
salpicaba las piedras de la calle
y divisé en la hondura
los naipes de colores del poniente
y sentí *Buenos Aires*.
Esta ciudad que yo creí mi pasado
es mi porvenir, mi presente;
los años que he vivido en Europa son ilusorios,
yo estaba siempre (y estaré) en Buenos Aires.

REMORDIMIENTO POR CUALQUIER MUERTE

Libre de la memoria y de la esperanza,
ilimitado, abstracto, casi futuro,
el muerto no es un muerto: es la muerte.
Como el Dios de los místicos,
de Quien deben negarse todos los predicados,
el muerto ubicuamente ajeno
no es sino la perdición y ausencia del mundo.
Todo se lo robamos,
no le dejamos ni un color ni una sílaba:
aquí está el patio que ya no comparten sus ojos,
allí la acera donde acechó su esperanza.
Hasta lo que pensamos podría estarlo pensando él también
nos hemos repartido como ladrones
el caudal de las noches y de los días.

JARDÍN

Zanjones,
sierras ásperas,
médanos,
sitiados por jadeantes singladuras
y por las leguas de temporal y de arena
que desde el fondo del desierto se agolpan.
En un declive está el jardín.
Cada arbolito es una selva de hojas.
Lo asedian vanamente
los estériles cerros silenciosos
que apresuran la noche con su sombra
y el triste mar de inútiles verdores.
Todo el jardín es una luz apacible
que ilumina la tarde.
El jardincito es como un día de fiesta
en la pobreza de la tierra.

Yacimientos del Chubut, 1922

INSCRIPCIÓN EN CUALQUIER SEPULCRO

No arriesgue el mármol temerario
gárrulas transgresiones al todopoder del olvido,
enumerando con prolijidad
el nombre, la opinión, los acontecimientos, la patria.
Tanto abalorio bien adjudicado está a la tiniebla
y el mármol no hable lo que callan los hombres.
Lo esencial de la vida fenecida
—la trémula esperanza,
el milagro implacable del dolor y el asombro del goce—
siempre perdurará.
Ciegamente reclama duración el alma arbitraria
cuando la tiene asegurada en vidas ajenas,
cuando tú mismo eres el espejo y la réplica
de quienes no alcanzaron tu tiempo
y otros serán (y son) tu inmortalidad en la tierra.

LA VUELTA

Al cabo de los años del destierro
volví a la casa de mi infancia
y todavía me es ajeno su ámbito.
Mis manos han tocado los árboles
como quien acaricia a alguien que duerme
y he repetido antiguos caminos
como si recobrara un verso olvidado
y vi al desparramarse la tarde
la frágil luna nueva
que se arrimó al amparo sombrío
de la palmera de hojas altas,
como a su nido el pájaro.
¡Qué caterva de cielos
abarcará entre sus paredes el patio,
cuánto heroico poniente
militará en la hondura de la calle
y cuánta quebradiza luna nueva
infundirá al jardín su ternura,
antes que vuelva a reconocerme la casa
y de nuevo sea un hábito!

AFTERGLOW

Siempre es conmovedor el ocaso
por indigente o charro que sea,
pero más conmovedor todavía
es aquel brillo desesperado y final
que herrumbra la llanura
cuando el sol último se ha hundido.
Nos duele sostener esa luz tirante y distinta,
esa alucinación que impone al espacio
el unánime miedo de la sombra
y que cesa de golpe
cuando notamos su falsía,
como cesan los sueños
cuando sabemos que soñamos.

AMANECER

En la honda noche universal
que apenas contradicen los faroles
una racha perdida
ha ofendido las calles taciturnas
como presentimiento tembloroso
del amanecer horrible que ronda
los arrabales desmantelados del mundo.
Curioso de la sombra
y acobardado por la amenaza del alba
reviví la tremenda conjetura
de Schopenhauer y de Berkeley
que declara que el mundo
es una actividad de la mente,
un sueño de las almas,
sin base ni propósito ni volumen.
Y ya que las ideas
no son eternas como el mármol
sino inmortales como un bosque o un río,
la doctrina anterior
asumió otra forma en el alba
y la superstición de esa hora
cuando la luz como una enredadera
va a implicar las paredes de la sombra,
doblegó mi razón
y trazó el capricho siguiente:
Si están ajenas de sustancia las cosas
y si esta numerosa Buenos Aires
no es más que un sueño
que erigen en compartida magia las almas,
hay un instante
en que peligra desaforadamente su ser
y es el instante estremecido del alba,
cuando son pocos los que sueñan el mundo
y sólo algunos trasnochadores conservan,
cenicienta y apenas bosquejada,
la imagen de las calles
que definirán después con los otros.
¡Hora en que el sueño pertinaz de la vida

corre peligro de quebranto,
hora en que le sería fácil a Dios
matar del todo Su obra!

Pero de nuevo el mundo se ha salvado.
La luz discurre inventando sucios colores
y con algún remordimiento
de mi complicidad en el resurgimiento del día
solicito mi casa,
atónita y glacial en la luz blanca,
mientras un pájaro detiene el silencio
y la noche gastada
se ha quedado en los ojos de los ciegos.

BENARÉS

Falsa y tupida
como un jardín calcado en un espejo,
la imaginada urbe
que no han visto nunca mis ojos
entreteje distancias
y repite sus casas inalcanzables.
El brusco sol,
desgarra la compleja oscuridad
de templos, muladares, cárceles, patios
y escalará los muros
y resplandecerá en un río sagrado.
Jadeante
la ciudad que oprimió un follaje de estrellas
desborda el horizonte
y en la mañana llena
de pasos y de sueño
la luz va abriendo como ramas las calles.
Juntamente amanece
en todas las persianas que miran al oriente
y la voz de un almuédano
apesadumbra desde su alta torre
el aire de este día
y anuncia a la ciudad de los muchos dioses
la soledad de Dios.
(Y pensar
que mientras juego con dudosas imágenes,
la ciudad que canto, persiste
en un lugar predestinado del mundo,
con su topografía precisa,
poblada como un sueño,
con hospitales y cuarteles
y lentas alamedas
y hombres de labios podridos
que sienten frío en los dientes.)

AUSENCIA

Habré de levantar la vasta vida
que aún ahora es tu espejo:
cada mañana habré de reconstruirla.
Desde que te alejaste,
cuántos lugares se han tornado vanos
y sin sentido, iguales
a luces en el día.
Tardes que fueron nicho de tu imagen,
músicas en que siempre me aguardabas,
palabras de aquel tiempo,
yo tendré que quebrarlas con mis manos.
¿En qué hondonada esconderé mi alma
para que no vea tu ausencia
que como un sol terrible, sin ocaso,
brilla definitiva y despiadada?
Tu ausencia me rodea
como la cuerda a la garganta,
el mar al que se hunde.

LLANEZA

A Haydée Lange

Se abre la verja del jardín
con la docilidad de la página
que una frecuente devoción interroga
y adentro las miradas
no precisan fijarse en los objetos
que ya están cabalmente en la memoria.
Conozco las costumbres y las almas
y ese dialecto de alusiones
que toda agrupación humana va urdiendo.
No necesito hablar
ni mentir privilegios;
bien me conocen quienes aquí me rodean,
bien saben mis congojas y mi flaqueza.
Eso es alcanzar lo más alto,
lo que tal vez nos dará el Cielo:
no admiraciones ni victorias
sino sencillamente ser admitidos
como parte de una Realidad innegable,
como las piedras y los árboles.

CAMINATA

Olorosa como un mate curado
la noche acerca agrestes lejanías
y despeja las calles
que acompañan mi soledad,
hèchas de vago miedo y de largas líneas.
La brisa trae corazonadas de campo,
dulzura de las quintas, memorias de los álamos,
que harán temblar bajo rigideces de asfalto
la detenida tierra viva
que oprime el peso de las casas.
En vano la furtiva noche felina
inquieta los balcones cerrados
que en la tarde mostraron
la notoria esperanza de las niñas.
También está el silencio en los zaguanes.
En la cóncava sombra
vierten un tiempo vasto y generoso
los relojes de la medianoche magnífica,
un tiempo caudaloso
donde todo soñar halla cabida,
tiempo de anchura de alma, distinto
de los avaros términos que miden
las tareas del día.
Yo soy el único espectador de esta calle;
si dejara de verla se moriría.
(Advierto un largo paredón erizado
de una agresión de aristas
y un farol amarillo que aventura
su indecisión de luz.
También advierto estrellas vacilantes.)
Grandiosa y viva
como el plumaje oscuro de un Ángel
cuyas alas tapan el día,
la noche pierde las mediocres calles.

LA NOCHE DE SAN JUAN

El poniente implacable en esplendores
quebró a filo de espada las distancias.
Suave como un sauzal está la noche.
Rojos chisporrotean
los remolinos de las bruscas hogueras;
leña sacrificada
que se desangra en altas llamaradas,
bandera viva y ciega travesura.
La sombra es apacible como una lejanía;
hoy las calles recuerdan
que fueron campo un día.
Toda la santa noche la soledad rezando
su rosario de estrellas desparramadas.

CERCANÍAS

Los patios y su antigua certidumbre,
los patios cimentados
en la tierra y el cielo.
Las ventanas con reja
desde la cual la calle
se vuelve familiar como una lámpara.
Las alcobas profundas
donde arde en quieta llama la caoba
y el espejo de tenues resplandores
es como un remanso en la sombra.
Las encrucijadas oscuras
que lancean cuatro infinitas distancias
en arrabales de silencio.
He nombrado los sitios
donde se desparrama la ternura
y estoy solo y conmigo.

SÁBADOS

A C. G.

Afuera hay un ocaso, alhaja oscura
engastada en el tiempo,
y una honda ciudad ciega
de hombres que no te vieron.
La tarde calla o canta.
Alguien descrucifica los anhelos
clavados en el piano.
Siempre, la multitud de tu hermosura.

* * *

A despecho de tu desamor
tu hermosura
prodiga su milagro por el tiempo.
Está en ti la ventura
como la primavera en la hoja nueva.
Ya casi no soy nadie,
soy tan sólo ese anhelo
que se pierde en la tarde.
En ti está la delicia
como está la crueldad en las espadas.

* * *

Agravando la reja está la noche.
En la sala severa
se buscan como ciegos nuestras dos soledades.
Sobrevive a la tarde
la blancura gloriosa de tu carne.
En nuestro amor hay una pena
que se parece al alma.

* * *

Tú
que ayer sólo eras toda la hermosura
eres también todo el amor, ahora.

TROFEO

Como quien recorre una costa
maravillado de la muchedumbre del mar,
albriciado de luz y pródigo espacio,
yo fui el espectador de tu hermosura
durante un largo día.
Nos despedimos al anochecer
y en gradual soledad
al volver por la calle cuyos rostros aún te conocen,
se oscureció mi dicha, pensando
que de tan noble acopio de memorias
perdurarían escasamente una o dos
para ser decoro del alma
en la inmortalidad de su andanza.

ATARDECERES

La clara muchedumbre de un poniente
ha exaltado la calle,
la calle abierta como un ancho sueño
hacia cualquier azar.
La límpida arboleda
pierde el último pájaro, el oro último.
La mano jironada de un mendigo
agrava la tristeza de la tarde.

El silencio que habita los espejos
ha forzado su cárcel.
La oscuridá es la sangre
de las cosas heridas.
En el incierto ocaso
la tarde mutilada
fue unos pobres colores.

CAMPOS ATARDECIDOS

El poniente de pie como un Arcángel
tiranizó el camino.
La soledad poblada como un sueño
se ha remansado alrededor del pueblo.
Los cencerros recogen la tristeza
dispersa de la tarde. La luna nueva
es una vocecita desde el cielo.
Según va anocheciendo
vuelve a ser campo el pueblo.

El poniente que no se cicatriza
aún le duele a la tarde.
Los trémulos colores se guarecen
en las entrañas de las cosas.
En el dormitorio vacío
la noche cerrará los espejos.

DESPEDIDA

Entre mi amor y yo han de levantarse
trescientas noches como trescientas paredes
y el mar será una magia entre nosotros.
No habrá sino recuerdos.
Oh tardes merecidas por la pena,
noches esperanzadas de mirarte,
campos de mi camino, firmamento
que estoy viendo y perdiendo....
Definitiva como un mármol
entristecerá tu ausencia otras tardes.

LÍNEAS QUE PUDE HABER ESCRITO
Y PERDIDO HACIA 1922

Silenciosas batallas del ocaso
en arrabales últimos,
siempre antiguas derrotas de una guerra en el cielo,
albas ruinosas que nos llegan
desde el fondo desierto del espacio
como desde el fondo del tiempo,
negros jardines de la lluvia, una esfinge de un libro
que yo tenía miedo de abrir
y cuya imagen vuelve en los sueños,
la corrupción y el eco que seremos,
la luna sobre el mármol,
árboles que se elevan y perduran
como divinidades tranquilas,
la mutua noche y la esperada tarde,
Walt Whitman, cuyo nombre es el universo,
la espada valerosa de un rey
en el silencioso lecho de un río,
los sajones, los árabes y los godos
que, sin saberlo, me engendraron,
¿soy yo esas cosas y las otras
o son llaves secretas y arduas álgebras
de lo que no sabremos nunca?

NOTAS

CALLE DESCONOCIDA. Es inexacta la noticia de los primeros versos. De Quincey (*Writings*, tercer volumen, página 293) anota que, según la nomenclatura judía, la penumbra del alba tiene el nombre de penumbra de la paloma; la del atardecer, del cuervo.

EL TRUCO. En esta página de dudoso valor asoma por primera vez una idea que me ha inquietado siempre. Su declaración más cabal está en "Sentirse en muerte" (*El idioma de los argentinos*, 1928) y en la "Nueva refutación del tiempo" (*Otras inquisiciones*, 1952).

Su error, ya denunciado por Parménides y Zenón de Elea, es postular que el tiempo está hecho de instantes individuales, que es dable separar unos de otros, así como el espacio de puntos.

ROSAS. Al escribir este poema, yo no ignoraba que un abuelo de mis abuelos era antepasado de Rosas. El hecho nada tiene de singular, si consideramos la escasez de la población y el carácter casi incestuoso de nuestra historia.

Hacia 1922 nadie presentía el revisionismo. Este pasatiempo consiste en "revisar" la historia argentina, no para indagar la verdad sino para arribar a una conclusión de antemano resuelta: la justificación de Rosas o de cualquier otro déspota disponible. Sigo siendo, como se ve, un salvaje unitario.

Luna de enfrente
(1925)

PRÓLOGO

Hacia 1905, Hermann Bahr decidió: El único deber, ser moderno. *Veintitantos años después, yo me impuse también esa obligación del todo superflua. Ser moderno es ser contemporáneo, ser actual; todos fatalmente lo somos. Nadie —fuera de cierto aventurero que soñó Wells— ha descubierto el arte de vivir en el futuro o en el pasado. No hay obra que no sea de su tiempo; la escrupulosa novela histórica Salammbô, cuyos protagonistas son los mercenarios de las guerras púnicas, es una típica novela francesa del siglo diecinueve. Nada sabemos de la literatura de Cartago, que verosímilmente fue rica, salvo que no podía incluir un libro como el de Flaubert.*

Olvidadizo de que ya lo era, quise también ser argentino. Incurrí en la arriesgada adquisición de uno o dos diccionarios de argentinismos, que me suministraron palabras que hoy puedo apenas descifrar: madrejón, espadaña, estaca pampa...

La ciudad de Fervor de Buenos Aires no deja nunca de ser íntima; la de este volumen tiene algo de ostentoso y de público. No quiero ser injusto con él. Una que otra composición —El general Quiroga va en coche al muere— posee acaso toda la vistosa belleza de una calcomanía; otras —Manuscrito hallado en un libro de Joseph Conrad— no deshonran, me permito afirmar, a quien las compuso. El hecho es que las siento ajenas; no me conciernen sus errores ni sus eventuales virtudes.

Poco he modificado este libro. Ahora, ya no es mío.

J.L.B.

Buenos Aires, 25 de agosto de 1969.

CALLE CON ALMACÉN ROSADO

Ya se le van los ojos a la noche en cada bocacalle
y es como una sequía husmeando lluvia.
Ya todos los caminos están cerca,
y hasta el camino del milagro.
El viento trae el alba entorpecida.
El alba es nuestro miedo de hacer cosas distintas y se nos viene
  encima.
Toda la santa noche he caminado
y su inquietud me deja
en esta calle que es cualquiera.
Aquí otra vez la seguridad de la llanura
en el horizonte
y el terreno baldío que se deshace en yuyos y alambres
y el almacén tan claro como la luna nueva de ayer tarde.
Es familiar como un recuerdo la esquina
con esos largos zócalos y la promesa de un patio.
¡Qué lindo atestiguarte, calle de siempre, ya que miraron tan
  pocas cosas mis días!
Ya la luz raya el aire.
Mis años recorrieron los caminos de la tierra y del agua
y sólo a vos te siento, calle dura y rosada.
Pienso si tus paredes concibieron la aurora,
almacén que en la punta de la noche eres claro.
Pienso y se me hace voz ante las casas
la confesión de mi pobreza:
no he mirado los ríos ni la mar ni la sierra,
pero intimó conmigo la luz de Buenos Aires
y yo forjo los versos de mi vida y mi muerte con esa luz de calle.
Calle grande y sufrida,
eres la única música de que sabe mi vida.

AL HORIZONTE DE UN SUBURBIO

Pampa:
Yo diviso tu anchura que ahonda las afueras,
yo me estoy desangrando en tus ponientes.

Pampa:
Yo te oigo en las tenaces guitarras sentenciosas
y en altos benteveos y en el ruido cansado
de los carros de pasto que vienen del verano.

Pampa:
El ámbito de un patio colorado me basta
para sentirte mía.

Pampa:
Yo sé que te desgarran
surco y callejones y el viento que te cambia.
Pampa sufrida y macha que ya estás en los cielos,
no sé si eres la muerte. Sé que estás en mi pecho.

AMOROSA ANTICIPACIÓN

Ni la intimidad de tu frente clara como una fiesta
ni la costumbre de tu cuerpo, aún misterioso y tácito y de niña,
ni la sucesión de tu vida asumiendo palabras o silencios
serán favor tan misterioso
como mirar tu sueño implicado
en la vigilia de mis brazos.
Virgen milagrosamente otra vez por la virtud absolutoria del
    sueño,
quieta y resplandeciente como una dicha que la memoria elige,
me darás esa orilla de tu vida que tú misma no tienes.
Arrojado a quietud,
divisaré esa playa última de tu ser
y te veré por vez primera, quizá,
como Dios ha de verte,
desbaratada la ficción del Tiempo,
sin el amor, sin mí.

UNA DESPEDIDA

Tarde que socavó nuestro adiós.
Tarde acerada y deleitosa y monstruosa como un ángel oscuro.
Tarde cuando vivieron nuestros labios en la desnuda intimidad
    de los besos.
El tiempo inevitable se desbordaba
    sobre el abrazo inútil.
Prodigábamos pasión juntamente, no para nosotros sino para la
    soledad ya cercana.
Nos rechazó la luz; la noche había llegado con urgencia.
Fuimos hasta la verja en esa gravedad de la sombra que ya el
    lucero alivia.
Como quien vuelve de un perdido prado yo volví de tu abrazo.
Como quien vuelve de un país de espadas yo volví de tus lágrimas.
Tarde que dura vívida como un sueño
    entre las otras tardes.
Después yo fui alcanzando y rebasando
    noches y singladuras.

EL GENERAL QUIROGA VA EN COCHE AL MUERE

El madrejón desnudo ya sin una sed de agua
y una luna perdida en el frío del alba
y el campo muerto de hambre, pobre como una araña.

El coche se hamacaba rezongando la altura;
un galerón enfático, enorme, funerario.
Cuatro tapaos con pinta de muerte en la negrura
tironeaban seis miedos y un valor desvelado.

Junto a los postillones jineteaba un moreno.
Ir en coche a la muerte ¡qué cosa más oronda!
El general Quiroga quiso entrar en la sombra
llevando seis o siete degollados de escolta.

Esa cordobesada bochinchera y ladina
(meditaba Quiroga) ¿qué ha de poder con mi alma?
Aquí estoy afianzado y metido en la vida
como la estaca pampa bien metida en la pampa.

Yo, que he sobrevivido a millares de tardes
y cuyo nombre pone retemblor en las lanzas,
no he de soltar la vida por estos pedregales.
¿Muere acaso el pampero, se mueren las espadas?

Pero al brillar el día sobre Barranca Yaco
hierros que no perdonan arreciaron sobre él;
la muerte, que es de todos, arreó con el riojano
y una de puñaladas lo mentó a Juan Manuel.

Ya muerto, ya de pie, ya inmortal, ya fantasma,
se presentó al infierno que Dios le había marcado,
y a sus órdenes iban, rotas y desangradas,
las ánimas en pena de hombres y de caballos.

JACTANCIA DE QUIETUD

Escrituras de luz embisten la sombra, más prodigiosas que meteoros.
La alta ciudad inconocible arrecia sobre el campo.
Seguro de mi vida y de mi muerte, miro los ambiciosos y quisiera entenderlos.
Su día es ávido como el lazo en el aire.
Su noche es tregua de la ira en el hierro, pronto en acometer.
Hablan de humanidad.
Mi humanidad está en sentir que somos voces de una misma penuria.
Hablan de patria.
Mi patria es un latido de guitarra, unos retratos y una vieja espada,
la oración evidente del sauzal en los atardeceres.
El tiempo está viviéndome.
Más silencioso que mi sombra, cruzo el tropel de su levantada codicia.
Ellos son imprescindibles, únicos, merecedores del mañana.
Mi nombre es alguien y cualquiera.
Paso con lentitud, como quien viene de tan lejos que no espera llegar.

MONTEVIDEO

Resbalo por tu tarde como el cansancio por la piedad de un declive.
La noche nueva es como un ala sobre tus azoteas.
Eres el Buenos Aires que tuvimos, el que en los años se alejó quietamente.
Eres nuestra y fiestera, como la estrella que duplican las aguas.
Puerta falsa en el tiempo, tus calles miran al pasado más leve.
Claror de donde la mañana nos llega, sobre las dulces aguas turbias.
Antes de iluminar mi celosía tu bajo sol bienaventura tus quintas.
Ciudad que se oye como un verso.
Calles con luz de patio.

MANUSCRITO HALLADO EN UN LIBRO
DE JOSEPH CONRAD

En las trémulas tierras que exhalan el verano,
El día es invisible de puro blanco. El día
Es una estría cruel en una celosía,
Un fulgor en las costas y una fiebre en el llano.

Pero la antigua noche es honda como un jarro
De agua cóncava. El agua se abre a infinitas huellas,
Y en ociosas canoas, de cara a las estrellas,
El hombre mide el vago tiempo con el cigarro.

El humo desdibuja gris las constelaciones
Remotas. Lo inmediato pierde prehistoria y nombre.
El mundo es unas cuantas tiernas imprecisiones.
El río, el primer río. El hombre, el primer hombre.

SINGLADURA

El mar es una espada innumerable y una plenitud de pobreza.
La llamarada es traducible en ira, el manantial en tiempo, y la cisterna en clara aceptación.
El mar es solitario como un ciego.
El mar es un antiguo lenguaje que ya no alcanzo a descifrar.
En su hondura, el alba es una humilde tapia encalada.
De su confín surge el claror, igual que una humareda.
Impenetrable como de piedra labrada
persiste el mar ante los muchos días.
Cada tarde es un puerto.
Nuestra mirada flagelada de mar camina por su cielo:
Última playa blanda, celeste arcilla de las tardes.
¡Qué dulce intimidad la del ocaso en el huraño mar!
Claras como una feria brillan las nubes.
La luna nueva se ha enredado a un mástil.
La misma luna que dejamos bajo un arco de piedra y cuya luz agraciará los sauzales.
En la cubierta, quietamente, yo comparto la tarde con mi hermana, como un trozo de pan.

DAKAR

Dakar está en la encrucijada del sol, del desierto y del mar.
El sol nos tapa el firmamento, el arenal acecha en los caminos, el mar es un encono.
He visto un jefe en cuya manta era más ardiente lo azul que en el cielo incendiado.
La mezquita cerca del biógrafo luce una claridad de plegaria.
La resolana aleja las chozas, el sol como un ladrón escala los muros.
África tiene en la eternidad su destino, donde hay hazañas, ídolos, reinos, arduos bosques y espadas.
Yo he logrado un atardecer y una aldea.

LA PROMISIÓN EN ALTA MAR

No he recobrado tu cercanía, mi patria, pero ya tengo tus estrellas.
Lo más lejano del firmamento las dijo y ahora se pierden en su gracia los mástiles.
Se han desprendido de las altas cornisas como un asombro de palomas.
Vienen del patio donde el aljibe es una torre inversa entre dos cielos.
Vienen del creciente jardín cuya inquietud arriba al pie del muro como un agua sombría.
Vienen de un lacio atardecer de provincia, manso como un yuyal.
Son inmortales y vehementes; no ha de medir su eternidad ningún pueblo.
Ante su firmeza de luz todas las noches de los hombres se curvarán como hojas secas.
Son un claro país y de algún modo está mi tierra en su ámbito.

DULCIA LINQUIMUS ARVA

Una amistad hicieron mis abuelos
con esta lejanía
y conquistaron la intimidad de los campos
y ligaron a su baquía
la tierra, el fuego, el aire, el agua.
Fueron soldados y estancieros
y apacentaron el corazón con mañanas
y el horizonte igual que una bordona
sonó en la hondura de su austera jornada.
Su jornada fue clara como un río
y era fresca su tarde como el agua
oculta del aljibe
y las cuatro estaciones fueron para ellos
como los cuatro versos de la copla esperada.
Descifraron lejanas polvaredas
en carretas o en caballadas
y los alegró el resplandor
con que aviva el sereno la espadaña.
Uno peleó contra los godos,
otro en el Paraguay cansó su espada;
todos supieron del abrazo del mundo
y fue mujer sumisa a su querer la campaña.
Altos eran sus días
hechos de cielo y llano.
Sabiduría de campo afuera la suya,
la de aquél que está firme en el caballo
y que rige a los hombres de la llanura
y los trabajos y los días
y las generaciones de los toros.
Soy un pueblero y ya no sé de esas cosas,
soy hombre de ciudad, de barrio, de calle:
los tranvías lejanos me ayudan la tristeza
con esa queja larga que sueltan en las tardes.

CASI JUICIO FINAL

Mi callejero *no hacer nada* vive y se suelta por la variedad de la noche.
La noche es una fiesta larga y sola.
En mi secreto corazón yo me justifico y ensalzo:
He atestiguado el mundo; he confesado la rareza del mundo.
He cantado lo eterno: la clara luna volvedora y las mejillas que apetece el amor.
He conmemorado con versos la ciudad que me ciñe y los arrabales que se desgarran.
He dicho asombro donde otros dicen solamente costumbre.
Frente a la canción de los tibios, encendí mi voz en ponientes.
A los antepasados de mi sangre y a los antepasados de mis sueños he exaltado y cantado.
He sido y soy.
He trabado en firmes palabras mi sentimiento que pudo haberse disipado en ternura.
El recuerdo de una antigua vileza vuelve a mi corazón.
Como el caballo muerto que la marea inflige a la playa, vuelve a mi corazón.
Aún están a mi lado, sin embargo, las calles y la luna.
El agua sigue siendo dulce en mi boca y las estrofas no me niegan su gracia.
Siento el pavor de la belleza; ¿quién se atreverá a condenarme si esta gran luna de mi soledad me perdona?

MI VIDA ENTERA

Aquí otra vez, los labios memorables, único y semejante a vosotros.
He persistido en la aproximación de la dicha y en la intimidad de la pena.
He atravesado el mar.
He conocido muchas tierras; he visto una mujer y dos o tres hombres.
He querido a una niña altiva y blanca y de una hispánica quietud.
He visto un arrabal infinito donde se cumple una insaciada inmortalidad de ponientes.
He paladeado numerosas palabras.
Creo profundamente que eso es todo y que ni veré ni ejecutaré cosas nuevas.
Creo que mis jornadas y mis noches se igualan en pobreza y en riqueza a las de Dios y a las de todos los hombres.

ÚLTIMO SOL EN VILLA ORTÚZAR

Tarde como de Juicio Final.
La calle es una herida abierta en el cielo.
Ya no sé si fue Ángel o un ocaso la claridad que ardió en la
 hondura.
Insistente, como una pesadilla, carga sobre mí la distancia.
Al horizonte un alambrado le duele.
El mundo está como inservible y tirado.
En el cielo es de día, pero la noche es traicionera en las zanjas.
Toda la luz está en las tapias azules y en ese alboroto de chicas.
Ya no sé si es un árbol o es un dios, ése que asoma por la verja
 herrumbrada.
Cuántos países a la vez: el campo, el cielo, las afueras.
Hoy he sido rico de calles y de ocaso filoso y de la tarde hecha
 estupor.
Lejos, me devolveré a mi pobreza.

PARA UNA CALLE DEL OESTE

Me darás una ajena inmortalidad, calle sola.
Eres ya sombra de mi vida.
Atraviesas mis noches con tu segura rectitud de estocada.
La muerte —tempestad oscura e inmóvil— desbandará mis horas.
Alguien recogerá mis pasos y usurpará mi devoción y esa estrella.
(La lejanía como un largo viento ha de flagelar su camino.)
Aclarado de noble soledad, pondrá una misma anhelación en tu
  cielo.
Pondrá esa misma anhelación que yo soy.
Yo resurgiré en su venidero asombro de ser.
En tí otra vez:
Calle que dolorosamente como una herida te abres.

VERSOS DE CATORCE

A mi ciudad de patios cóncavos como cántaros
y de calles que surcan las leguas como un vuelo,
a mi ciudad de esquinas con aureola de ocaso
y arrabales azules, hechos de firmamento,

a mi ciudad que se abre clara como una pampa,
yo volví de las tierras antiguas del naciente
y recobré sus casas y la luz de sus casas
y esa modesta luz que urgen los almacenes

y supe en las orillas, del querer, que es de todos
y a punta de poniente desangré el pecho en salmos
y canté la aceptada costumbre de estar solo
y el retazo de pampa colorada de un patio.

Dije las calesitas, noria de los domingos,
y el paredón que agrieta la sombra de un paraiso,
y el destino que acecha tácito, en el cuchillo,
y la noche olorosa como un mate curado.

Yo presentí la entraña de la voz *las orillas*,
palabra que en la tierra pone el azar del agua
y que da a las afueras su aventura infinita
y a los vagos campitos un sentido de playa.

Así voy devolviéndole a Dios unos centavos
del caudal infinito que me pone en las manos.

Cuaderno San Martín
(1929)

As to an occasional copy of verses, there are few men who have leisure to read, and are possessed of any music in their souls, who are not capable of versifying on some ten or twelve occasions during their natural lives: at a proper conjunction of the stars. There is no harm in taking advantage of such occasions.

FitzGerald. En una carta a Bernard Barton (1842).

PRÓLOGO

He hablado mucho, he hablado demasiado, sobre la poesía como brusco don del Espíritu, sobre el pensamiento como una actividad de la mente; he visto en Verlaine el ejemplo de puro poeta lírico; en Emerson, de poeta intelectual. Creo ahora que en todos los poetas que merecen ser releídos ambos elementos coexisten. ¿Cómo clasificar a Shakespeare o a Dante?

En lo que se refiere a los ejercicios de este volumen, es notorio que aspiran a la segunda categoría. Debo al lector algunas observaciones. Ante la indignación de la crítica, que no perdona que un autor se arrepienta, escribo ahora Fundación mítica de Buenos Aires y no Fundación mitológica, ya que la última palabra sugiere macizas divinidades de mármol. Las dos piezas de Muertes de Buenos Aires —título que debo a Eduardo Gutiérrez— imperdonablemente exageran la connotación plebeya de la Chacarita y la connotación patricia de la Recoleta. Pienso que el énfasis de Isidoro Acevedo hubiera hecho sonreír a mi abuelo.

Fuera de Llaneza, La noche que en el sur lo velaron. es acaso el primer poema auténtico que escribí.

J.L.B.

Buenos Aires, 1969.

FUNDACIÓN MÍTICA DE BUENOS AIRES

¿Y fue por este río de sueñera y de barro
que las proas vinieron a fundarme la patria?
Irían a los tumbos los barquitos pintados
entre los camalotes de la corriente zaina.

Pensando bien la cosa, supondremos que el río
era azulejo entonces como oriundo del cielo
con su estrellita roja para marcar el sitio
en que ayunó Juan Díaz y los indios comieron.

Lo cierto es que mil hombres y otros mil arribaron
por un mar que tenía cinco lunas de anchura
y aun estaba poblado de sirenas y endriagos
y de piedras imanes que enloquecen la brújula.

Prendieron unos ranchos trémulos en la costa,
durmieron extrañados. Dicen que en el Riachuelo,
pero son embelecos fraguados en la Boca.
Fue una manzana entera y en mi barrio: en Palermo.

Una manzana entera pero en mitá del campo
expuesta a las auroras y lluvias y suestadas.
La manzana pareja que persiste en mi barrio:
Guatemala, Serrano, Paraguay, Gurruchaga.

Un almacén rosado como revés de naipe
brilló y en la trastienda conversaron un truco;
el almacén rosado floreció en un compadre,
ya patrón de la esquina, ya resentido y duro.

El primer organito salvaba el horizonte
con su achacoso porte, su habanera y su gringo.
El corralón seguro ya opinaba YRIGOYEN,
algún piano mandaba tangos de Saborido.

Una cigarrería sahumó como una rosa
el desierto. La tarde se había ahondado en ayeres,
los hombres compartieron un pasado ilusorio.
Sólo faltó una cosa: la vereda de enfrente.

A mí se me hace cuento que empezó Buenos Aires:
La juzgo tan eterna como el agua y el aire.

ELEGÍA DE LOS PORTONES

A Francisco Luis Bernárdez

> Barrio Villa Alvear: entre las calles Nicaragua, Arroyo Maldonado, Canning y Rivera. Muchos terrenos baldíos existen aún y su importancia es reducida.
>
> MANUEL BILBAO: Buenos Aires, 1902.

Esta es una elegía
de los rectos portones que alargaban su sombra
en la plaza de tierra.
Ésta es una elegía
que se acuerda de un largo resplandor agachado
que los atardeceres daban a los baldíos.
(En los pasajes mismos había cielo bastante
para toda una dicha
y las tapias tenían el color de las tardes.)
Ésta es una elegía
de un Palermo trazado con vaivén de recuerdo
y que se va en la muerte chica de los olvidos.

Muchachas comentadas por un vals de organito
o por los mayorales de corneta insolente
de los 64,
sabían en las puertas la gracia de su espera.
Había huecos de tunas
y la ribera hostil del Maldonado
—menos agua que barro en la sequía—
y zafadas veredas en que flameaba el corte
y una frontera de silbatos de hierro.

Hubo cosas felices,
cosas que sólo fueron para alegrar las almas:
el arriate del patio
y el andar hamacado del compadre.

Palermo del principio, vos tenías
unas cuantas milongas para hacerte valiente
y una baraja criolla para tapar la vida
y unas albas eternas para saber la muerte.

El día era más largo en tus veredas
que en las calles del centro,
porque en los huecos hondos se aquerenciaba el cielo.
Los carros de costado sentencioso
cruzaban tu mañana
y eran en las esquinas tiernos los almacenes
como esperando un ángel.
Desde mi calle de altos (es cosa de una legua)
voy a buscar recuerdos a tus calles nocheras.
Mi silbido de pobre penetrará en los sueños
de los hombres que duermen.

Esa higuera que asoma sobre una parecita
se lleva bien con mi alma
y es más grato el rosado firme de tus esquinas
que el de las nubes blandas.

CURSO DE LOS RECUERDOS

Recuerdo mío del jardín de casa:
vida benigna de las plantas,
vida cortés de misteriosa
y lisonjeada por los hombres.

Palmera la más alta de aquel cielo
y conventillo de gorriones;
parra firmamental de uva negra,
los días del verano dormían a tu sombra.

Molino colorado:
remota rueda laboriosa en el viento,
honor de nuestra casa, porque a las otras
iba el río bajo la campanita del aguatero.

Sótano circular de la base
que hacías vertiginoso el jardín,
daba miedo entrever por una hendija
tu calabozo de agua sutil.

Jardín, frente a la verja cumplieron sus caminos
los sufridos carreros
y el charro carnaval aturdió
con insolentes murgas.

El almacén, padrino del malevo,
dominaba la esquina;
pero tenías cañaverales para hacer lanzas
y gorriones para la oración.

El sueño de tus árboles y el mío
todavía en la noche se confunden
y la devastación de la urraca
dejó un antiguo miedo en mi sangre.

Tus contadas varas de fondo
se nos volvieron geografía;
un alto era "la montaña de tierra"
y una temeridad su declive.

Jardín, yo cortaré mi oración
para seguir siempre acordándome:
voluntad o azar de dar sombra
fueron tus árboles.

ISIDORO ACEVEDO

Es verdad que lo ignoro todo sobre él
—salvo los nombres de lugar y las fechas:
fraudes de la palabra—
pero con temerosa piedad he rescatado su último día,
no el que los otros vieron, el suyo,
y quiero distraerme de mi destino para escribirlo.
Adicto a la conversación porteña del truco,
alsinista y nacido del buen lado del Arroyo del Medio,
comisario de frutos del país en el mercado antiguo del Once,
comisario de la tercera,
se batió cuando Buenos Aires lo quiso
en Cepeda, en Pavón y en la playa de los Corrales.

Pero mi voz no debe asumir sus batallas,
porque él se las llevó en un sueño esencial.
Porque lo mismo que otros hombres escriben versos,
hizo mi abuelo un sueño.

Cuando una congestión pulmonar lo estaba arrasando
y la inventiva fiebre le falseó la cara del día,
congregó los ardientes documentos de su memoria
para fraguar su sueño.

Esto aconteció en una casa de la calle Serrano,
en el verano ardido del novecientos cinco.
Soñó con dos ejércitos
que entraban en la sombra de una batalla;
enumeró los comandos, las banderas, las unidades.
"Ahora están parlamentando los jefes", dijo en voz que le oyeron
y quiso incorporarse para verlos.

Hizo leva de pampa:
vio terreno quebrado para que pudiera aferrarse la infantería
y llanura resuelta para que el tirón de la caballería fuera
    invencible.
Hizo una leva última,
congregó los miles de rostros que el hombre sabe, sin saber,
    después de los años:
caras de barba que se estarán desvaneciendo en daguerrotipos,
caras que vivieron junto a la suya en el Puente Alsina y Cepeda.

Entró a saco en sus días
para esa visionaria patriada que necesitaba su fe, no que una
    flaqueza le impuso;
juntó un ejército de sombras porteñas
para que lo mataran.

Así, en el dormitorio que miraba al jardín,
murió en un sueño por la patria.

En metáfora de viaje me dijeron su muerte; no la creí.
Yo era chico, yo no sabía entonces de muerte, yo era inmortal;
yo lo busqué por muchos días por los cuartos sin luz.

LA NOCHE QUE EN EL SUR LO VELARON

A Letizia Álvarez de Toledo

Por el deceso de alguien
—misterio cuyo vacante nombre poseo y cuya realidad no abarcamos—
hay hasta el alba una casa abierta en el Sur,
una ignorada casa que no estoy destinado a rever,
pero que me espera esta noche
con desvelada luz en las altas horas del sueño,
demacrada de malas noches, distinta,
minuciosa de realidad.

A su vigilia gravitada en muerte camino
por las calles elementales como recuerdos,
por el tiempo abundante de la noche,
sin más oíble vida
que los vagos hombres de barrio junto al apagado almacén
y algún silbido solo en el mundo.

Lento el andar, en la posesión de la espera,
llego a la cuadra y a la casa y a la sincera puerta que busco
y me reciben hombres obligados a gravedad
que participaron de los años de mis mayores,
y nivelamos destinos en una pieza habilitada que mira al patio
—patio que está bajo el poder y en la integridad de la noche—
y decimos, porque la realidad es mayor, cosas indiferentes
y somos desganados y argentinos en el espejo
y el mate compartido mide horas vanas.

Me conmueven las menudas sabidurías
que en todo fallecimiento se pierden
—hábito de unos libros, de una llave, de un cuerpo entre los otros—.
Yo sé que todo privilegio, aunque oscuro, es de linaje de milagro
y mucho lo es el de participar en esta vigilia,
reunida alrededor de lo que no se sabe: del Muerto,
reunida para acompañar y guardar su primera noche en la muerte.

(El velorio gasta las caras;
los ojos se nos están muriendo en lo alto como Jesús.)

¿Y el muerto, el increíble?
Su realidad está bajo las flores diferentes de él
y su mortal hospitalidad nos dará
un recuerdo más para el tiempo
y sentenciosas calles del Sur para merecerlas despacio
y brisa oscura sobre la frente que vuelve
y la noche que de la mayor congoja nos libra:
la prolijidad de lo real.

MUERTES DE BUENOS AIRES

I

LA CHACARITA

Porque la entraña del cementerio del sur
fue saciada por la fiebre amarilla hasta decir basta;
porque los conventillos hondos del sur
mandaron muerte sobre la cara de Buenos Aires
y porque Buenos Aires no pudo mirar esa muerte,
a paladas te abrieron
en la punta perdida del oeste,
detrás de las tormentas de tierra
y del barrial pesado y primitivo que hizo a los cuarteadores.
Allí no había más que el mundo
y las costumbres de las estrellas sobre unas chacras,
y el tren salía de un galpón en Bermejo
con los olvidos de la muerte:
muertos de barba derrumbada y ojos en vela,
muertas de carne desalmada y sin magia.

Trapacerías de la muerte —sucia como el nacimiento del hombre—
siguen multiplicando tu subsuelo y así reclutas
tu conventillo de ánimas, tu montonera clandestina de huesos
que caen al fondo de tu noche enterrada
lo mismo que a la hondura de un mar.

Una dura vegetación de sobras en pena
hace fuerza contra tus paredones interminables
cuyo sentido es perdición,
y convencidas de mortalidad las orillas
apuran su caliente vida a tus pies
en calles traspasadas por una llamarada baja de barro
o se aturden con desgano de bandoneones
o con balidos de cornetas sonsas en carnaval.
(El fallo de destino más para siempre,
que dura en mí lo escuché esa noche en tu noche
cuando la guitarra bajo la mano del orillero
dijo lo mismo que las palabras, y ellas decían:
La muerte es vida vivida,

*la vida es muerte que viene;
la vida no es otra cosa
que muerte que anda luciendo.)*

Mono del cementerio, la Quema
gesticula advenediza muerte a tus pies.
Gastamos y enfermamos la realidad: 210 carros
infaman las mañanas, llevando
a esa necrópolis de humo
las cotidianas cosas que hemos contagiado de muerte.
Cúpulas estrafalarias de madera y cruces en alto
se mueven —piezas negras de un ajedrez final— por tus calles
y su achacosa majestad va encubriendo
las vergüenzas de nuestras muertes.
En tu disciplinado recinto
la muerte es incolora, hueca, numérica;
se disminuye a fechas y a nombres,
muertes de la palabra.

Chacarita:
desaguadero de esta patria de Buenos Aires, cuesta final,
barrio que sobrevives a los otros, que sobremueres,
lazareto que estás en esta muerte no en la otra vida,
he oído tu palabra de caducidad y no creo en ella,
porque tu misma convicción de angustia es acto de vida
y porque la plenitud de una sola rosa es más que tus mármoles.

II

LA RECOLETA

Aquí es pundonorosa la muerte,
aquí es la recatada muerte porteña,
la consanguínea de la duradera luz venturosa
del atrio del Socorro
y de la ceniza minuciosa de los braseros
y del fino dulce de leche de los cumpleaños
y de las hondas dinastías de patios.
Se acuerdan bien con ella
esas viejas dulzuras y también los viejos rigores.

Tu frente es el pórtico valeroso
y la generosidad de ciego del árbol
y la dicción de pájaros que aluden, sin saberla, a la muerte

y el redoble, endiosador de pechos, de los tambores
en los entierros militares;
tu espalda, los tácitos conventillos del norte
y el paredón de las ejecuciones de Rosas.
Crece en disolución bajo los sufragios de mármol
la nación irrepresentable de muertos
que se deshumanizaron en tu tiniebla
desde que María de los Dolores Maciel, niña del Uruguay
—simiente de tu jardín para el cielo—
se durmió, tan poca cosa, en tu descampado.

Pero yo quiero demorarme en el pensamiento
de las livianas flores que son tu comentario piadoso
—suelo amarillo bajo las acacias de tu costado,
flores izadas a conmemoración en tus mausoleos—
y en el porqué de su vivir gracioso y dormido
junto a las terribles reliquias de los que amamos.

Dije el enigma y diré también su palabra:
siempre las flores vigilaron la muerte,
porque siempre los hombres incomprensiblemente supimos
que su existir dormido y gracioso
es el que mejor puede acompañar a los que murieron
sin ofenderlos con soberbia de vida,
sin ser más vida que ellos.

A FRANCISCO LÓPEZ MERINO

Si te cubriste, por deliberada mano, de muerte,
si tu voluntad fue rehusar todas las mañanas del mundo,
es inútil que palabras rechazadas te soliciten,
predestinadas a imposibilidad y a derrota.

Sólo nos queda entonces
decir el deshonor de las rosas que no supieron demorarte,
el oprobio del día que te permitió el balazo y el fin.

¿Qué sabrá oponer nuestra voz
a lo confirmado por la disolución, la lágrima, el mármol?
Pero hay ternuras que por ninguna muerte son menos:
las íntimas, indescifrables noticias que nos cuenta la música,
la patria que condesciende a higueras y aljibe,
la gravitación del amor, que nos justifica.

Pienso en ellas y pienso también, amigo escondido,
que tal vez a imagen de la predilección, obramos la muerte,
que la supiste de campanas, niña y graciosa,
hermana de tu aplicada letra de colegial,
y que hubieras querido distraerte en ella como en un sueño.

Si esto es verdad y si cuando el tiempo nos deja,
nos queda un sedimento de eternidad, un gusto del mundo,
entonces es ligera tu muerte,
como los versos en que siempre estás esperándonos,
entonces no profanarán tu tiniebla
estas amistades que invocan.

BARRIO NORTE

Esta declaración es la de un secreto
que está vedado por la inutilidad y el descuido,
secreto sin misterio ni juramento
que sólo por la indiferencia lo es:
hábitos de hombres y de anocheceres lo tienen,
lo preserva el olvido, que es el modo más pobre del misterio.

Alguna vez era una amistad este barrio,
un argumento de aversiones y afectos, como las otras cosas de amor;
apenas si persiste esa fe
en unos hechos distanciados que morirán:
en la milonga que de las Cinco Esquinas se acuerda,
en el patio como una firme rosa bajo las paredes crecientes,
en el despintado letrero que dice todavía *La Flor del Norte*,
en los muchachos de guitarra y baraja del almacén,
en la memoria detenida del ciego.

Ese disperso amor es nuestro desanimado secreto.

Una cosa invisible está pereciendo del mundo,
un amor no más ancho que una música.
Se nos aparta el barrio,
los balconcitos retacones de mármol no nos enfrentan cielo.
Nuestro cariño se acobarda en desganos,
la estrella de aire de las Cinco Esquinas es otra.

Pero sin ruido y siempre,
en cosas incomunicadas, perdidas, como lo están siempre las cosas,
en el gomero con su veteado cielo de sombra,
en la bacía que recoge el primer sol y el último,
perdura ese hecho servicial y amistoso,
esa lealtad oscura que mi palabra está declarando:
el barrio.

EL PASEO DE JULIO

Juro que no por deliberación he vuelto a la calle
de alta recova repetida como un espejo,
de parrillas con la trenza de carne de los Corrales,
de prostitución encubierta por lo más distinto: la música.

Puerto mutilado sin mar, encajonada racha salobre,
resaca que te adheriste a la tierra: Paseo de Julio,
aunque recuerdos míos, antiguos hasta la ternura, te saben
nunca te sentí patria.

Sólo poseo de ti una deslumbrada ignorancia,
una insegura propiedad como la de los pájaros en el aire,
pero mi verso es de interrogación y de prueba
y para obedecer lo entrevisto.

Barrio con lucidez de pesadilla al pie de los otros,
tus espejos curvos denuncian el lado de fealdad de las caras,
tu noche calentada en lupanares pende de la ciudad.

Eres la perdición fraguándose un mundo
con los reflejos y las deformaciones de éste;
sufres de caos, adoleces de irrealidad,
te empeñas en jugar con naipes raspados la vida;
tu alcohol mueve peleas,
tus griegas manosean envidiosos libros de magia.

¿Será porque el infierno es vacío
que es espuria tu misma fauna de monstruos
y la sirena prometida por ese cartel es muerta y de cera?

Tienes la inocencia terrible
de la resignación, del amanecer, del conocimiento,
la del espíritu no purificado, borrado
por los días del destino

y que ya blanco de muchas luces, ya nadie,
sólo codicia lo presente, lo actual, como los hombres viejos.

Detrás de los paredones de mi suburbio, los duros carros
rezarán con varas en alto a su imposible dios de hierro y de polvo,
pero, ¿qué dios, qué ídolo, qué veneración la tuya, Paseo de
Julio?

Tu vida pacta con la muerte;
toda felicidad, con sólo existir, te es adversa.

Evaristo Carriego
(1930)

> ...*a mode of truth, not of truth coherent and central, but angular and splintered.*
>
> DE QUINCEY. *Writings*, XI, 68.

PRÓLOGO

Yo creí, durante años, haberme criado en un suburbio de Buenos Aires, un suburbio de calles aventuradas y de ocasos visibles. Lo cierto es que me crié en un jardín, detrás de una verja con lanzas, y en una biblioteca de ilimitados libros ingleses. Palermo del cuchillo y de la guitarra andaba (me aseguran) por las esquinas, pero quienes poblaron mis mañanas y dieron agradable horror a mis noches fueron el bucanero ciego de Stevenson, agonizando bajo las patas de los caballos, y el traidor que abandonó a su amigo en la luna, y el viajero del tiempo, que trajo del porvenir una flor marchita, y el genio encarcelado durante siglos en el cántaro salomónico, y el profeta velado del Jorasán, que detrás de las piedras y de la seda ocultaba la lepra.

¿Qué había, mientras tanto, del otro lado de la verja con lanzas? ¿Qué destinos vernáculos y violentos fueron cumpliéndose a unos pasos de mí, en el turbio almacén o en el azaroso baldío? ¿Cómo fue aquel Palermo o cómo hubiera sido hermoso que fuera?

A esas preguntas quiso contestar este libro, menos documental que imaginativo.

J.L.B.

DECLARACIÓN

Pienso que el nombre de Evaristo Carriego pertenecerá a la ecclesia visibilis *de nuestras letras, cuyas instituciones piadosas —cursos de declamación, antologías, historias de la literatura nacional— contarán definitivamente con él. Pienso también que pertenecerá a la más verdadera y reservada* ecclesia invisibilis, *a la dispersa comunidad de los justos, y que esa mejor inclusión no se deberá a la fracción de llanto de su palabra. He procurado razonar esos pareceres.*

He considerado también —quizá con preferencia indebida— la realidad que se propuso imitar. He querido proceder por definición, no por suposición: peligro voluntario, pues adivino que mencionar calle Honduras y abandonarse a la repercusión casual de ese nombre, es método menos falible —y más descansado— que definirlo con prolijidad. El encariñado con los temas de Buenos Aires no se impacientará con esas demoras. Para él, añadí los capítulos del suplemento.

He utilizado el libro servicialísimo de Gabriel y los estudios de Melián Lafinur y de Oyuela. Mi gratitud quiere reconocer también otros nombres: Julio Carriego, Félix Lima, doctor Marcelino del Mazo, José Olave, Nicolás Paredes, Vicente Rossi.

J.L.B.

Buenos Aires, 1930.

I

PALERMO DE BUENOS AIRES

La vindicación de la antigüedad de Palermo se debe a Paul Groussac. La registran los *Anales de la Biblioteca*, en una nota de la página 360 del tomo cuarto; las pruebas o instrumentos fueron publicadas mucho después en el número 242 de *Nosotros*. Nos retraen un siciliano Domínguez (Domenico) de Palermo de Italia, que añadió el nombre de su patria a su nombre, quizá para mantener algún apelativo no hispanizable, *y entró a beinte años y está casado con hija de conquistador*. Este, pues, Domínguez Palermo, proveedor de carne de la ciudad entre los años de 1605 y 14, poseía un corral cerca del Maldonado, destinado al encierro o a la matanza de hacienda cimarrona. Degollada y borrada ha sido esa hacienda, pero nos queda la precisa mención de *una mula tordilla que anda en la chácara de Palermo, término de esta ciudad*. La veo absurdamente clara y chiquita, en el fondo del tiempo, y no quiero sumarle detalles. Bástenos verla sola: el entreverado estilo incesante de la realidad, con su puntuación de ironías, de sorpresas, de previsiones extrañas como las sorpresas, sólo es recuperable por la novela, intempestiva aquí. Afortunadamente, el copioso estilo de la realidad no es el único: hay el del recuerdo también, cuya esencia no es la ramificación de los hechos, sino la perduración de rasgos aislados. Esa poesía es la natural de nuestra ignorancia y no buscaré otra.

En los tanteos de Palermo están la chacra decente y el matadero soez; tampoco faltaba en sus noches alguna lancha contrabandista holandesa que atracaba en el bajo, ante las cortaderas cimbradas. Recuperar esa casi inmóvil prehistoria sería tejer insensatamente una crónica de infinitesimales procesos: las etapas de la distraída marcha secular de Buenos Aires sobre Palermo, entonces unos vagos terrenos anegadizos a espaldas de la patria. Lo más directo, según el proceder cinematográfico, sería proponer una continuidad de figuras que cesan: un arreo de mulas viñateras, las chúcaras con la cabeza vendada; un agua quieta y larga, en la que están sobrenadando unas hojas de sauce; una vertiginosa *alma en pena* enhorquetada en zancos, vadeando los torrenciales terceros; el campo abierto sin ninguna cosa que hacer; las huellas del pisoteo porfiado de una hacienda, rumbo a los corrales del Norte; un paisano (contra la madrugada) que se apea del caballo rendido y le degüella el ancho pescuezo; un humo que se desentiende en el aire. Así hasta la fundación de Don Juan Manuel: padre ya mitológico de Palermo, no meramente histórico, como ese Domínguez-Domenico de Groussac. La fundación fue a brazo partido. Una quinta dulce de tiempo en el camino a Barracas era lo acostumbrado entonces. Pero Rosas quería edificar, quería la casa hija de él, no saturada de forasteros destinos no probada por ellos. Miles de carradas de tierra negra fueron traídas de los *alfalfares de Rosas* (después Belgrano) para nivelar y abonar el suelo arcilloso, hasta que el barro cimarrón de Palermo y la tierra ingrata se conformaron a su voluntad.

Hacia el cuarenta, Palermo ascendió a cabeza mandona de la República, corte del dictador y palabra de maldición para los unitarios. No relato su historia para no deslucir lo demás. Básteme enumerar *esa casa grande blanqueada llamada su Palacio* (Hudson, *Far Away and Long Ago*, página 108) y los naranjales y la pileta de paredes de ladrillo y baranda de fierro, donde se animaba el bote del Restaurador a esa navegación tan frugal que comentó Schiaffino: *El paseo acuático a bajo nivel debía ser poco placentero, y en tan corto circuito equivalía a la navegación en petiso.* Pero Rosas estaba tranquilo; alzando la mirada veía la silueta, recortada en el cielo, de los centinelas que hacían la guardia junto a la baranda, escrutando el horizonte con el ojo avizor del tero. Esa corte ya se desgarraba en orillas: el agachado campamento de adobe crudo de la División Hernández y el rancherío de pelea y pasión de las cuarteleras morenas, los Cuartos de Palermo. El barrio, lo están viendo, fue siempre naipe de dos palos, moneda de dos caras.

Duró doce años ese ardido Palermo, en la zozobra de la exigente presencia de un hombre obeso y rubio que recorría los caminos limpitos, de pantalón azul militar con vivo colorado y chaleco punzó y sombrero de ala muy ancha, y que solía manejar y cimbrar una caña larga, cetro como de aire, liviano. De Palermo salió en un atardecer ese hombre temeroso a comandar la mera espantada o batalla de antemano perdida que se libró en Caseros; en Palermo entró el otro Rosas, Justo José, con su empaque de toro chúcaro y el cintillo mazorquero punzó alrededor del adefesio de la galera y el uniforme rumboso de general. Entró, y si los panfletos de Ascasubi no nos equivocan:

> *en la entrada de Palermo*
> *ordenó poner colgados*
> *a dos hombres infelices,*
> *que después de afusilados*
> *los suspendió en los ombúes,*

*hasta que de allí a pedazos
se cayeron de podridos...*

Ascasubi, luego, se fija en la arrumbada tropa entrerriana del Ejército Grande:

> *Entretanto en los barriales
> de Palermo amontonaos
> cuasi todos sin camisa,
> estaban sus Entre-rianos
> (como él dice) miserables,
> comiendo terneros flacos
> y vendiendo las cacharpas...*

Miles de días que no se sabe el recuerdo, zonas empañadas del tiempo, crecieron y se gastaron después, hasta arribar, a través de fundaciones individuales —la Penitenciaría el año 77, el hospital Norte el 82, el hospital Rivadavia el 87— al Palermo de vísperas del noventa, en que los Carriego compraron casa. De ese Palermo de 1889 quiero escribir. Diré sin restricción lo que sé, sin omisión ninguna, porque la vida es pudorosa como un delito, y no sabemos cuáles son los énfasis para Dios. Además, siempre lo circunstancial es patético.[1] Escribo todo, a riesgo de escribir verdades notorias, pero que traspapelará mañana el descuido, que es el modo más pobre del misterio y su primera cara.[2]

Más allá del ramal del ferrocarril del Oeste, que iba por Cen-

[1] "Lo patético, casi siempre, está en el detalle de las circunstancias menudas", observa Gibbon en una de las notas finales del capítulo quincuagésimo de su *Decline and Fall*.

[2] Yo afirmo —sin remilgado temor ni novelero amor de la paradoja— que solamente los países nuevos tienen pasado; es decir, recuerdo autobiográfico de él; es decir, tienen historia viva. Si el tiempo es sucesión, debemos reconocer que donde densidad mayor hay de hechos, más tiempo corre y que el más caudaloso es el de este inconsecuente lado del mundo. La conquista y colonización de estos reinos —cuatro fortines temerosos de barro prendidos en la costa y vigilados por el pendiente horizonte, arco disparador de malones— fueron de tan efímera operación que un abuelo mío, en 1872, pudo comandar la última batalla de importancia contra los indios, realizando, después de la mitad del siglo diecinueve, obra conquistadora del dieciséis. Sin embargo, ¿a qué traer destinos ya muertos? Yo no he sentido el liviano tiempo en Granada, a la sombra de torres cientos de veces más antiguas que las higueras, y sí en Pampa y Triunvirato: insípido lugar de tejas anglizantes ahora, de hornos humosos de ladrillos hace tres años, de potreros caóticos hace cinco. El tiempo —emoción europea de hombres numerosos de días, y como su vindicación y corona— es de más imprudente circulación en estas repúblicas. Los jóvenes, a su pesar lo sienten. Aquí somos del mismo tiempo que el tiempo, somos hermanos de él.

troamérica, haraganeaba entre banderas de rematadores el barrio, no sólo sobre el campo elemental, sino sobre el despedazado cuerpo de quintas, loteadas brutalmente para ser luego pisoteadas por almacenes, carbonerías, traspatios, conventillos, barberías y corralones. Hay jardín ahogado de barrio, de esos con palmeras enloquecidas entre material y entre fierros, que es la reliquia degenerada y mutilada de una gran quinta.

Palermo era una despreocupada pobreza. La higuera oscurecía sobre el tapial; los balconcitos de modesto destino daban a días iguales; la perdida corneta del manisero exploraba el anochecer. Sobre la humildad de las casas no era raro algún jarrón de mampostería, coronado áridamente de tunas: planta siniestra que en el dormir universal de las otras parece corresponder a una zona de pesadilla, pero que es tan sufrida realmente y vive en los terrenos más ingratos y en el aire desierto, y la consideran distraídamente un adorno. Había felicidades también: el arriate del patio, el andar entonado del compadre, la balaustrada con espacios de cielo.

El chorreado caballo verdinoso y su Garibaldi no deprimían los Portones antiguos. (La dolencia es general: no queda plaza que no esté padeciendo su guarango de bronce.) El Botánico, astillero silencioso de árboles, patria de todos los paseos de la capital, hacía esquina con la desmantelada plaza de tierra; no así el Jardín Zoológico, que se llamaba entonces *las fieras* y estaba más al norte. Ahora (olor a caramelo y a tigre) ocupa el lugar donde alborotaron hace cien años los Cuartos de Palermo. Sólo unas calles —Serrano, Canning, Coronel— estaban ariscamente empedradas, con intervención de trotadoras lisas para las chatas imponentes como un desfile y para las rumbosas victorias. La calle Godoy Cruz la repechaba a los barquinazos el 64, vehículo servicial que se reparte, con la poderosa sombra anterior de Don Juan Manuel, la fundación de Palermo. La visera ladeada y la corneta milonguera del mayoral inducían la admiración o las emulaciones del barrio, pero el inspector —dudador profesional de la rectitud— era una institución combatida, y no faltó compadre que se enjaretó el boleto en la bragueta, repitiendo con indignación que si lo quería no tenían más que sacarlo.

Busco realidades más nobles. Hacia el confín con Balvanera, hacia el este, abundaban los caserones con recta sucesión de patios, los caserones amarillos o pardos con puerta en forma de arco —arco repetido especularmente en el otro zaguán— y con delicada puerta cancel de hierro. Cuando las noches impacientes de octubre sacaban sillas y personas a la vereda y las casas ahondadas se dejaban ver hasta el fondo y había amarilla luz en los patios, la calle era confidencial y liviana y las casas huecas eran como linternas en fila. Esa impresión de irrealidad y de serenidad es mejor recordada por mí en una historia o símbolo, que parece haber estado siempre conmigo. Es un instante desgarrado de un cuento que oí en un almacén y que era a la vez trivial y enredado. Sin mayor seguridad lo recobro. El héroe de esa perdularia Odisea era el eterno criollo acosado por la justicia, delatado esa vez por un sujeto contrahecho y odioso, pero con la guitarra como no hay dos. El cuento, el salvado rato del cuento, refiere cómo el héroe se pudo evadir de la cárcel, cómo tenía que cumplir su venganza en una sola noche, cómo buscó en vano al traidor, cómo vagando por las calles con luna el viento rendido le trajo indicaciones de la guitarra, cómo siguió esa huella entre los laberintos y las inconstancias del viento, cómo redobló esquinas de Buenos Aires, cómo arribó al umbral apartado en que guitarreaba el traidor, cómo abriéndose paso entre los oyentes lo alzó sobre el cuchillo, cómo salió aturdido y se fue, dejando muertos y callados atrás al delator y su guitarra cuentera.

Hacia el poniente quedaba la miseria gringa del barrio, su desnudez. El término *las orillas* cuadra con sobrenatural precisión a esas puntas ralas, en que la tierra asume lo indeterminado del mar y parece digna de comentar la insinuación de Shakespeare: *La tierra tiene burbujas, como las tiene el agua.* Hacia el poniente había callejones de polvo que iban empobreciéndose tarde afuera; había lugares en que un galpón del ferrocarril o un hueco de pitas o una brisa casi confidencial inauguraba malamente la pampa. O si no, una de esas casas petizas sin revocar, de ventana baja, de reja —a veces con una amarilla estera atrás, con figuras— que la soledad de Buenos Aires parece criar, sin participación humana visible. Después: el Maldonado, reseco y amarillo zanjón, estirándose sin destino desde la Chacarita y que por un milagro espantoso pasaba de la muerte de sed a las disparatadas extensiones de agua violenta, que arreaban con el rancherío moribundo de las orillas. Hará unos cincuenta años, después de ese irregular zanjón o muerte, empezaba el cielo: un cielo de relinchos y crines y pasto dulce, un cielo caballar, los *happy hunting-grounds* haraganes de las caballadas eméritas de la policía. Hacia el Maldonado raleaba el malevaje nativo y lo sustituía el calabrés, gente con quien nadie quería meterse, por la peligrosa buena memoria de su rencor, por sus puñaladas traicioneras a largo plazo. Ahí se entristecía Palermo, pues las vías de hierro del Pacífico bordeaban el arroyo, descargando esa peculiar tristeza de las cosas esclavizadas y grandes, de las barreras altas como pértigo de carreta en descanso, de los derechos terraplenes y andenes. Una frontera de humo trabajador, una frontera de vagones brutos en movimientos, cerraba ese costado; atrás, crecía o se emperraba el arroyo. Lo están encarcelando ahora: ese casi infinito flanco de soledad que se acavernaba hace poco, a la vuelta de la truquera confitería de *La Paloma*, será reemplazado por una calle tilinga, de tejas anglizantes. Del Maldonado no quedará sino nuestro recuerdo, alto y solo, y el mejor sainete argentino y los dos tangos que se llaman así —uno primitivo, actualidad que no se preocupa, mero plano del baile, ocasión de jugarse entero en los cortes; otro, un dolorido tango-canción, al estilo boquense— y algún clisé apocado que no facilitará lo esencial, la impresión de espacio, y una equivocada otra vida en la imaginación de quienes no lo vivieron. Pensándolo, no creo que el Maldonado fuera distinto de otras localidades muy pobres, pero la idea de su chusma, desaforándose en rotos burdeles, a la sombra de la inundación y del fin, mandaba en la imaginación popular. Así, en el hábil sainete que mencioné, el arroyo no es un socorrido telón de fondo: es una presencia, mucho más importante que el pardo Nava y que la china Dominga y que el Títere. (El puente Alsina, con su todavía no cicatrizado ayer cuchillero y su memoria de la patriada grande del ochenta, lo ha desbancado en la mitología de Buenos Aires. En lo que se refiere a la realidad, es de fácil observación que los barrios más pobres suelen ser los más apocados y que florece en ellos una despavorida decencia.) Del lado del arroyo zarpaban las tormentas altas de tierra que toldaban el día, y el malón de aire del pampero que golpeaba todas las puertas que miraban al sur y dejaban en el zaguán una flor de cardo, y la arrasadora nube de langostas que trataba de espantar a gritos la gente [1], y la soledad y la lluvia. A polvo tenía gusto esa orilla.

Hacia el agua zaina del río, hacia el bosque, se hacía duro el barrio. La primera edificación de esa punta fueron los mataderos del Norte, que abarcaron unas dieciocho manzanas entre las venideras calles Anchorena, Las Heras, Austria y Beruti, y ahora sin más reliquia verbal que el nombre *la Tablada*, que le escuché decir a un carrero, insipiente de su antigua justificación. He inducido al lector a la imaginación de ese dilatado recinto de muchas cuadras, y aunque los corrales desaparecieron el setenta, la figura es típica del lugar, atravesado siempre de fincas —el cementerio, el hospital Rivadavia, la cárcel, el mercado, el corralón municipal, el presente lavadero de lanas, la cervecería, la quinta de Hale— con pobrerío de golpeados destinos alrededor. Esa quinta era por dos razones mentada: por los perales que la chiquilinada del barrio saqueaba en clandestinos malones y por el aparecido que visitaba el costado de la calle Agüero, reclinada

---

[1] Destruirlas era cosa de herejes, porque llevaban la señal de la cruz: marca de su emisión y repartición especiales de parte del Señor.

en el brazo de un farol la cabeza imposible. Porque a los verdaderos peligros de un compadraje cuchillero y soberbio, había que sumar los fantásticos de una mitología forajida; la *viuda* y el estrafalario *chancho de lata*, sórdidos como el bajo, fueron las más temidas criaturas de esa religión de barrial. Antes había sido una quema ese norte: es natural que gravitaran en su aire basuras de almas. Quedan esquinas pobres que si no se vienen abajo es porque están apuntalándolas todavía los compadritos muertos.

Bajando por la calle de Chavango (después Las Heras) el último boliche del camino era *La Primera Luz*, nombre que, a pesar de aludir a sus madrugadores hábitos, deja una impresión —justa— de ciegas calles atascadas sin nadie, y al fin, a las cansadas vueltas, una humana luz de almacén. Entre los fondos del cementerio colorado del Norte y los de la Penitenciaría, se iba incorporando del polvo un suburbio chato y despedazado, sin revocar: su notoria denominación, la Tierra del Fuego. Escombros del principio, esquinas de agresión o de soledad, hombres furtivos que se llaman silbando y que se dispersan de golpe en la noche lateral de los callejones, nombraban su carácter. El barrio era una esquina final. Un malevaje de a caballo, un malevaje de chambergo mitrero sobre los ojos y de apaisanada bombacha, sostenía por inercia o por impulsión una guerra de duelos individuales con la policía. La hoja del peleador orillero, sin ser tan larga —era lujo de valientes usarla corta— era de mejor temple que el machete adquirido por el Estado, vale decir con predilección del costo más alto y el material más ruin. La dirigía un brazo más ganoso de atropellar, mejor conocedor de los rumbos instantáneos del entrevero. Por la sola virtud de la rima, ha sobrevivido a un desgaste de cuarenta años un rato de ese empuje:

> Hágase a un lao, se lo ruego,
> que soy de la Tierra'el Juego.[1]

No sólo de peleas; esa frontera era de guitarras también.

*

Escribo estos recuperados hechos, y me solicita con arbitrariedad aparente el agradecido verso de *"Home-Thoughts"*: *Here and here did England help me*, que Browning escribió pensando en una abnegación sobre el mar y en el alto navío torneado como un alfil en que Nelson cayó, y que repetido por mí —traducido también el nombre de patria, pues para Browning no era menos

---

[1] Taullard, 233.

inmediato el de su Inglaterra— me sirve como símbolo de noches solas, de caminatas extasiadas y eternas por la infinitud de los barrios. Porque Buenos Aires es hondo, y nunca, en la desilusión o el penar, me abandoné a sus calles sin recibir inesperado consuelo, ya de sentir irrealidad, ya de guitarras desde el fondo de un patio, ya de roce de vidas. *Here and here did England help me,* aquí y aquí me vino a ayudar Buenos Aires. Esa razón es una de las razones por las que resolví componer este primer capítulo.

II

UNA VIDA DE EVARISTO CARRIEGO

Que un individuo quiera despertar en otro individuo recuerdos que no pertenecieron más que a un tercero, es una paradoja evidente. Ejecutar con despreocupación esa paradoja, es la inocente voluntad de toda biografía. Creo también que el haberlo conocido a Carriego no rectifica en este caso particular la dificultad del propósito. Poseo recuerdos de Carriego: recuerdos de recuerdos de otros recuerdos, cuyas mínimas desviaciones originales habrán oscuramente crecido, en cada nuevo ensayo. Conservan, lo sé, el idiosincrásico sabor que llamo Carriego y que nos permite identificar un rostro en una muchedumbre. Es innegable, pero ese liviano archivo mnemónico —intención de la voz, costumbres de su andar y de su quietud, empleo de los ojos— es, por escrito, la menos comunicable de mis noticias acerca de él. Únicamente la trasmite la palabra *Carriego*, que demanda la mutua posesión de la propia imagen que deseo comunicar. Hay otra paradoja.

Escribí que a las relaciones de Evaristo Carriego les basta la mención de su nombre para imaginárselo; añado que toda descripción puede satisfacerlos, sólo con no desmentir crasamente la ya formada representación que prevén. Repito esta de Giusti, en el número 219 de *Nosotros: magro poeta de ojitos hurgadores, siempre trajeado de negro, que vivía en el arrabal.* La indicación de muerte, presente en lo de *trajeado siempre de negro* y en el adjetivo, no faltaba en el vivacísimo rostro, que traslucía sin mayor divergencia las líneas de la calavera interior. La vida, la más urgente vida, estaba en los ojos. También los recordó con justicia el discurso fúnebre de Marcelo del Mazo. *Esa acentuación única de sus ojos, con tan poca luz y tan riquísimo gesto,* escribió.

Carriego era entrerriano, de Paraná. Fue abuelo suyo el doctor Evaristo Carriego, escritor de ese libro de papel moreno y tapas tiesas que se llama con entera razón *Páginas olvidadas* (Santa Fe, 1895) y que mi lector, si tiene costumbre de revolver los turbios purgatorios de libros viejos de la calle Lavalle, habrá tenido en las manos alguna vez. Tenido y dejado, porque la pasión escrita en ese libro es circunstancial. Se trata de una suma de páginas partidarias de urgencia, en que todo es requisado para la acción, desde los latines caseros hasta Macaulay o el Plutarco según Garnier. Su valentía es de alma: cuando la legislatura del Paraná resolvió levantarle a Urquiza una estatua en vida, el único diputado que protestó fue el doctor Carriego, en oración hermosa aunque inútil. Carriego el antecesor es memorable aquí, no sólo por su posible herencia polémica sino por la tradición literaria de que se valdría el nieto después para borronear esas primeras cosas endebles que son la condición de las válidas.

Carriego era, de generaciones atrás, entrerriano. La entonación entrerriana del criollismo, afín a la oriental, reune lo decorativo y lo despiadado igual que los tigres. Es batalladora, su símbolo es la lanza montonera de las patriadas. Es dulce: una dulzura bochornosa y mortal, una dulzura sin pudor, tipifica las más belicosas páginas de Leguizamón, de Elías Regules y de Silva Valdés. Es grave: la República Oriental, donde la entonación a que me refiero es más evidente, no ha escrito un solo buen humor, una sola dicha, desde los mil cuatrocientos epigramas hispanocoloniales propuestos por Acuña de Figueroa. Puesta a versificar, vacila entre la acuarela y el crimen; su tema no es la aceptación de destino del Martín Fierro, sino las calenturas de la caña o de la divisa, bien endulzadas. Está colaborando en ese sentir una efusión que no comprendemos, el árbol; una impiedad que no encarnamos, el indio. Su gravedad parece derivar de un más sobresaltado rigor: Sombra, porteño, conoció los derechos rumbos de la llanura, el arreo de las haciendas y un duelo ocasional a cuchillo; oriental, habría conocido también la carga de caballería de las patriadas, el duro arreo de hombres, el contrabando... Carriego sabía por tradición ese criollismo romántico y lo misturó con el criollismo resentido de los suburbios.

A las razones evidentes de su criollismo —linaje provinciano y vivir en las orillas de Buenos Aires— debemos agregar una razón paradójica: la de su alguna sangre italiana, articulada en el apellido materno Giorello. Escribo sin malicia; el criollismo del íntegramente criollo es una fatalidad, el del mestizado una decisión, una conducta preferida y resuelta. La veneración de lo étnico inglés que se lee en el *inspired Eurasian journalist* Kipling ¿no es una prueba más (si la fisonómica no bastara) de su tiznada sangre?

Carriego solía vanagloriarse *A los gringos no me basta con aborrecerlos; yo los calumnio*, pero el desenfreno alegre de esa declaración prueba su no verdad. El criollo, con la seguridad de su ascetismo y del que está en su casa, lo considera al gringo un menor. Su misma felicidad le hace gracia, su apoteosis espesa. Es de común observación que el italiano lo puede todo en esta república, salvo ser tomado realmente en serio por los desalojados por él. Esa benevolencia con fondo completo de sorna, es el desquite reservado de los *hijos del país*.

Los españoles eran otra preferencia de su aversión. La acepción callejera del español —el fanático que ha reemplazado el auto de fe con el Diccionario de Galicismos, el mucamo en la selva de plumeros— era también la suya. Huelga añadir que esta previsión o prejuicio no le estorbó algunas amistades hispanas, como la del doctor Severiano Lorente, que parecía llevar consigo el tiempo ocioso y generoso de España (el ancho tiempo musulmán que engendró el *Libro de las Mil y Una Noches*) y que se demoraba hasta el alba, en el Royal Keller, ante su medio litro.

Carriego creía tener una obligación con su barrio pobre: obligación que el estilo bellaco de la fecha traducía en rencor, pero que él sentiría como una fuerza. Ser pobre implica una más inmediata posesión de la realidad, un atropellar el primer gusto áspero de las cosas: conocimiento que parece faltar a los ricos, como si todo les llegara filtrado. Tan adeudado se creyó Evaristo Carriego a su ambiente, que en dos distintas ocasiones de su obra se disculpa de escribirle versos a una mujer, como si la consideración del pobrerío amargo de la vecindad fuera el único empleo lícito de su destino.

Los hechos de su vida, con ser infinitos e incalculables, son de fácil aparente dicción y los enumera servicialmente Gabriel en su libro del novecientos veintiuno. Se nos confía en él que nuestro Evaristo Carriego nació en 1883, el 7 de mayo, y que rindió el tercer año del nacional y que frecuentaba la redacción del diario *La Protesta* y que falleció el día 13 de octubre del novecientos doce, y otras puntuales e invisibles noticias que encargan despreocupadamente a quien las recibe el salteado trabajo del narrador, que es restituir a imágenes los informes. Yo pienso que la sucesión cronológica es inaplicable a Carriego, hombre de conversada vida y paseada. Enumerarlo, seguir el orden de sus días, me parece imposible; mejor buscar su eternidad, sus repeticiones. Sólo una descripción intemporal, morosa con amor, puede devolvérnoslo.

Literariamente, sus juicios de condenación y de elogio ignoraban la duda. Era muy alacrán: maldecía de los más justificados nombres famosos con esa evidente sinrazón que suele no ser más que una cortesía al propio cenáculo, una lealtad de creer que la reunión presente es perfecta y no podría ser mejorada por la adición de nadie. La revelación de la capacidad estética de la palabra se operó en él, como en casi todos los argentinos, mediante los desconsuelos y los éxtasis de Almafuerte: afición que la amistad personal corroboró después. El *Quijote* era su más frecuente lectura. Con *Martín Fierro* debe haber ejercido el proceder común de su tiempo: unas apasionadas lecturas clandestinas cuando muchacho, un gusto sin dictamen. Era aficionado también a las calumniadas biografías de guapos que hizo Eduardo Gutiérrez, desde la semirromántica de Moreira hasta la desengañadamente realista de Hormiga Negra, el de San Nicolás (*¡del Arroyo y no me arrollo!*). Francia, país entonces de recomendado entusiasmo, había subdelegado para él su representación en Georges D'Esparbés, en alguna novela de Víctor Hugo y en las de Dumas. También solía publicar en su conversación esas preferencias guerreras. La muerte erótica del caudillo Ramírez, desmontado a lanzazos del caballo y decapitado por defender a su Delfina, y la de Juan Moreira, que pasó de los ardientes juegos del lupanar a las bayonetas policiales y los balazos, eran muy contadas por él. No descuidaba la crónica de su tiempo: las puñaladas de bailecito y de esquina, los relatos de hierro que dejan recaer su valor en quien está contándolos. *Su conversación* —escribía Giusti después— *evocaba los patios de vecindad, los quejumbrosos organillos, los bailes, los velorios, los guapos, los lugares de perdición, su carne de presidio y de hospital. Hombres del Centro, le escuchábamos encantados, como si nos contase fábulas de un lejano país.* Él se sabía delicado y mortal, pero leguas rosadas de Palermo estaban respaldándolo.

Escribía poco, lo que significa que sus borradores eran orales. En la caminada noche callejera, en la plataforma de los Lacroze, en las tardías vueltas a casa, iba tramando versos. Al otro día —por lo común después de almorzar, hora veteada de indolencia pero sin apurones— los precisaba en el papel. Ni fatigó la noche ni se atrevió jamás a la ceremonia desconsolada de madrugar para escribir. Antes de entregar un original, ponía a prueba su inmediata eficacia, leyéndolo o repitiéndolo a los amigos. De éstos, uno que se menciona invariablemente es Carlos de Soussens.

La noche que Soussens me descubrió, era una de las fechas acostumbradas en la conversación de Carriego. Éste lo quería y lo malquería por razones iguales. Le gustaba su condición de francés, de hombre asimilado a los prestigios de Dumas padre, de Verlaine y de Napoleón; le molestaba su condición anexa de gringo, de hombre sin muertos en América. Además, el oscilante Soussens era más bien un francés aproximativo: era, como él *circunloqueaba* y repitió Carriego en un verso, *caballero de Friburgo*, francés que no alcanzaba a francés y no salía de suizo. Le gustaba, en abstracto, su condición libérrima de bohemio; le molestaba —hasta la reflexión pedagógica y la censura— su complicada haraganería, su alcoholización, su rutina de postergaciones y de enredos. Esa aversión dice que el Evaristo Carriego de la honesta tradición criolla era el esencial y no el trasnochador de *Los inmortales*.

Pero el amigo más real de Carriego fue Marcelo del Mazo, que sentía por él esa casi perpleja admiración que el instintivo suele producir en el hombre de letras. Del Mazo, escritor olvidado con injusticia, ejercía en el arte la misma cortesía exacerbada que en el trato común, y las piedades o las delicadezas del mal eran su argumento. Publicó en 1910 *Los vencidos* (segunda serie), libro ignorado que reserva unas páginas virtualmente famosas, como la diatriba contra las personas de edad —menos entigrecida pero mejor observada que la de Swift (*Travels into Several Remote Nations*, III, 10) — y la que se llama *La última*. Otros escritores de la amistad de Carriego fueron Jorge Borges, Gustavo Caraballo, Félix Lima, Juan Más y Pi, Álvaro Melián Lafinur, Evar Méndez, Antonio Monteavaro, Florencio Sánchez, Emilio Suárez Calimano, Soiza Reilly.

Declaro ahora sus amistades de barrio, en las que fue riquísimo. La más operativa fue la del caudillo Paredes, entonces el patrón de Palermo. Esa amistad la buscó Evaristo Carriego a los catorce años. Tenía la lealtad disponible, inquirió el nombre del caudillo de la parroquia, le noticiaron quién, lo buscó, se abrió camino entre los fornidos pretorianos de chambergo alto, le dijo que él era Evaristo Carriego, de Honduras. Esto sucedió en el mercado que está en la plaza Güemes; el muchacho no se movió hasta el alba de ahí, codeándose con guapos, tuteando —la ginebra es confianzuda— asesinos. Porque la votación se dirimía entonces a hachazos, y las puntas norte y sur de la capital producían, en razón directa de su población criolla y de su miseria, el *elemento electoral* que los despachaba. Ese *elemento* operaba en la provincia también: los caudillos de barrio iban donde los precisaba el partido y llevaban sus hombres. Ojo y acero —ajados *nacionales* de papel y profundos revólveres— depositaban su voto independiente. La aplicación de la ley Sáenz Peña, el novecientos doce, desbandó esas milicias. No le hace; la desvelada noche que referí es de 1897 recién, y manda Paredes. Paredes es el criollo rumboso, en entera posesión de su realidad: el pecho dilatado de hombría, la presencia mandona, la melena negra insolente, el bigote flameado, la grave voz usual que deliberadamente se afemina y se arrastra en la provocación, el sentencioso andar, el manejo de la posible anécdota heroica, del dicharacho, del naipe habilidoso, del cuchillo y de la guitarra, la seguridad infinita. Es hombre de a caballo también, porque se ha criado en un Palermo anterior a este del carreraje, en el de la distancia y las quintas. Es el varón de los asados homéricos y del contrapunto incansable. Del contrapunto dije; a los treinta años de esa cargada noche me dedicaría unas décimas, de las que no olvidaré este acierto impensado, esta resolución de amistad: *A usté, compañero Borges, Lo saludo enteramente.* Es visteador de ley, pero malevo que ha querido faltarle ha sido sujetado, no con el *fierro* igual, sino con el rebenque mandón o con la mano abierta, para mantener disciplina. Los amigos, lo mismo que los muertos y las ciudades, colaboran en cada hombre, y hay renglón de *El alma del suburbio: pues ya una vez lo hizo ca... er de un hachazo*, en que parece retumbar la voz de Paredes, ese trueno cansado y fastidiado de las imprecaciones criollas. Por Nicolás Paredes conoció Evaristo Carriego la gente cuchillera de la sección, la flor de Dios te libre. Mantuvo por un tiempo con ellos una despareja amistad, una amistad profesionalmente criolla con efusiones de almacén y juramentos leales de gaucho y *vos me conocés che hermano* y las otras morondangas del género. Ceniza de esa frecuentación son las algunas décimas en lunfardo que Carriego se desentendió de firmar y de las que he juntado dos series: una agradeciéndole a Félix Lima el envío de su libro de crónicas *Con los nueve*; otra, cuyo nombre parece una irrisión de *Dies irae*, llamada *Día de bronca* y publicada sobre el seudónimo *El Barretero* en la revista policial ,*L. C.* En el suplemento de este segundo capítulo copio algunas.

No se le conocieron hechos de amor. Sus hermanos tienen el recuerdo de una mujer de luto que solía esperar en la vereda y que mandaba cualquier chico a buscarlo. Lo embromaban: nunca le sonsacaron su nombre.

Arribo a la cuestión de su enfermedad, que pienso importantísima. Es creencia general que la tuberculosis lo ardió: opinión desmentida por su familia, aconsejada tal vez por dos supersticiones, la de que es denigrativo ese mal, la de que se hereda. Salvo sus deudos, todos aseveran que murió tísico. Tres consideraciones vindican esa general opinión de sus amistades: la inspirada movilidad y vitalidad de la conversación de Carriego, favor posible de un estado febril; la figura, insistida con obsesión, de la escupida roja; la solicitud urgente de aplauso. Él se sabía dedicado a la muerte y sin otra posible inmortalidad que la de sus palabras escritas; por eso, la impaciencia de gloria. Imponía sus versos en el café, ladeaba la conversación a temas vecinos de los versificados ·por él, denigraba con elogios indiferentes o con reprobaciones totales a los colegas de aptitud peligrosa; decía, como quien se distrae, *mi talento*. Además, había preparado o se había agenciado un sofisma, que vaticinaba que la entera poesía contemporánea iba a perecer por retórica, salvo la suya, que podía subsistir como documento —como si la afición retórica no fuera documental de un siglo, también. *Tenía sobrada razón* —escribe del Mazo— *al requerir personalmente la atención general hacia su obra. Comprendía que la consagración lentísima alcanza en vida a contados ancianos, y sabiendo que no produciría en amontonamiento de libros, abría el espíritu ambiente a la belleza y grave-*

dad de sus versos. Ese proceder no significaba una vanidad: era la parte mecánica de la gloria, era una obligación del mismo orden que la de corregir las pruebas. La premonición de la incesante muerte la urgía. Codiciaba Carriego el futuro tiempo generoso de los demás, el afecto de ausentes. Por esa abstracta conversación con las almas, llegó a desentenderse del amor y de la desprevenida amistad, y se redujo a ser su propia publicidad y su apóstol.

Puedo intercalar una historia. Una mujer ensangrentada, italiana, que huía de los golpes de su marido, irrumpió una tarde en el patio de los Carriego. Éste salió indignado a la calle y dijo las cuatro duras palabras que había que decir. El marido (un cantinero vecino) las toleró sin contestación, pero guardó rencor. Carriego, sabiendo que la fama es artículo de primera necesidad, aunque vergonzante, publicó un suelto de vistosa reprobación en *Última Hora* sobre la brutalidad de ese gringo. Su resultado fue inmediato: el hombre, vindicada públicamente su condición de bruto, depuso entre ajenas chacotas halagadoras el malhumor; la golpeada anduvo sonriente unos días; la calle Honduras se sintió más real cuando se leyó impresa. Quien así podía traslucir en los otros esa apetencia clandestina de fama, adolecía de ella también.

La perduración en el recuerdo de los demás lo tiranizaba. Cuando alguna definitiva pluma de acero resolvió que Almafuerte, Lugones y Enrique Banchs integraban ya el triunvirato —¿o sería el tricornio o el trimestre?— de la poesía argentina, Carriego proponía en los cafés la deposición de Lugones, para que no tuviera que molestar su propia inclusión ese arreglo ternario.

Las variantes raleaban: sus días eran un solo día. Hasta su muerte vivió en el 84 de Honduras, hoy 3784. Era infaltable los domingos en casa nuestra, de vuelta del hipódromo. Repensando las frecuencias de su vivir —los desabridos despertares caseros, el gusto de travesear con los chicos, la copa grande de guindado oriental o caña de naranja en el vecino almacén de Charcas y Malabia, las tenidas en el bar de Venezuela y Perú, la discutidora amistad, las italianas comidas porteñas en la Cortada, la conmemoración de versos de Gutiérrez Nájera y de Almafuerte, la asistencia viril a la casa de zaguán rosado como una niña, el cortar un gajito de madreselva al orillar una tapia, el hábito y el amor de la noche— veo un sentido de inclusión y de círculo en su misma trivialidad. Son actos comunísticos, pero el sentido fundamental de *común* es el de compartido entre todos. Esas frecuencias que enuncié de Carriego, yo sé que nos lo acercan. Lo repiten infinitamente en nosotros, como si Carriego perdurara disperso en nuestros destinos, como si cada uno de nosotros fuera por unos segundos Carriego. Creo que literalmente así es, y que esas momentáneas identidades (¡no repeticiones!) que aniquilan el supuesto correr del tiempo, prueban la eternidad.

Inferir de un libro las inclinaciones de su escritor parece operación muy fácil, máxime si olvidamos que éste no redacta siempre lo que prefiere, sino lo de menor empeño y lo que se figura esperan de él. Esas borrosas imágenes suficientes de campo de a caballo, que son el fondo de toda conciencia argentina, no podían faltar en Carriego. En ellas hubiera querido vivir. Otras incidentales (de azar domiciliario al principio, de ensayo aventurero después, de cariño al fin) eran, sin embargo, las que defenderían su memoria: el patio que es ocasión de serenidad, rosa para los días, el fuego humilde de San Juan, revolcándose como un perro en mitad de la calle, la estaca de la carbonería, su bloque de apretada tiniebla, sus muchos leños, la mampara de fierro del conventillo, los hombres de la esquina rosada. Ellas lo confiesan y aluden. Yo espero que Carriego lo entendió así alegre y resignadamente, en una de sus callejeras noches finales; yo imagino que el hombre es poroso para la muerte y que su inmediación lo suele vetear de hastíos y de luz, de vigilancias milagrosas y previsiones.

III

LAS MISAS HEREJES

Antes de considerar este libro, conviene repetir que todo escritor empieza por un concepto ingenuamente físico de lo que es arte. Un libro, para él, no es una expresión o una concatenación de expresiones, sino literalmente un *volumen*, un prisma de seis caras rectangulares hecho de finas láminas de papel que deben presentar una carátula, una falsa carátula, un epígrafe en bastardilla, un prefacio en una cursiva mayor, nueve o diez partes con una versal al principio, un índice de materias, un *ex libris* con un relojito de arena y con un resuelto latín, una concisa fe de erratas, unas hojas en blanco, un colofón interlineado y un pie de imprenta: objetos que es sabido constituyen el arte de escribir. Algunos estilistas (generalmente los del inimitable pasado) ofrecen además un prólogo del editor, un retrato dudoso, una firma autógrafa, un texto con variantes, un espeso aparato crítico, unas lecciones propuestas por el editor, una lista de autoridades y unas lagunas, pero se entiende que eso no es para todos... Esa confusión de papel de Holanda con estilo, de Shakespeare con Jacobo Peuser, es indolentemente común, y perdura (apenas adecentada) entre los retóricos, para cuyas informales almas acústicas una poesía es un mostradero de acentos, rimas, elisiones, diptongaciones y otra fauna fonética. Escribo esas miserias características de todo primer libro, para destacar las inusuales virtudes de este que considero.

Irrisorio sin embargo sería negar que las *Misas herejes* es un libro de aprendizaje. No entiendo definir así la inhabilidad, sino estas dos costumbres: el deleitarse casi físicamente con determinadas palabras —por lo común, de resplandor y de autoridad— y la simple y ambiciosa determinación de definir por enésima vez los hechos eternos. No hay versificador incipiente que no acometa una definición de la noche, de la tempestad, del apetito carnal, de la luna: hechos que no requieren definición porque ya poseen nombre, vale decir, una representación compartida. Carriego incide en esas dos prácticas.

Tampoco se le puede absolver de la acusación de borroso. Es tan evidente la distancia entre la incomunicada palabrería de composiciones —de descomposiciones, más bien— como *Las últimas etapas* y la rectitud de sus buenas páginas ulteriores en

La canción del barrio, que no se debe ni recalcar ni omitir. Vincular esas naderías con el simbolismo es desconocer deliberadamente las intenciones de Laforgue o de Mallarmé. No es preciso ir tan lejos: el verdadero y famoso padre de esa relajación fue Rubén Darío, hombre que a trueque de importar del francés unas comodidades métricas, amuebló a mansalva sus versos en el *Petit Larousse* con una tan infinita ausencia de escrúpulos que *panteísmo* y *cristianismo* eran palabras sinónimas para él y que al representarse *aburrimiento* escribía *nirvana*.[1] Lo divertido es que el formulador de la etiología simbolista, José Gabriel, no se resuelve a no encontrar símbolos en las *Misas herejes,* y expende a los lectores de la página 36 de su libro, esta solución más bien insoluble del soneto *El clavel: Ha de decir* (Carriego) *que intentó darle un beso a una mujer, y que ella, intransigente, interpuso su mano entre ambas bocas (y esto no se sabe sino después de muy penosos esfuerzos); pero no, decirlo así, sería pedestre, no sería poético, y entonces llama* clavel y rojo heraldo de amatorios credos *a sus labios, y al acto negativo de la hembra, la ejecución del* clavel con *la guillotina de sus nobles dedos.*

Así la aclaración; véase ahora el interpretado soneto:

> *Fue al surgir de una duda insinuativa*
> *cuando hirió tu severa aristocracia,*
> *como un símbolo rojo de mi audacia,*
> *un clavel que tu mano no cultiva.*
>
> *Hubo quizá una frase sugestiva*
> *o advirtió una intención tu perspicacia,*
> *pues tu serenidad llena de gracia*
> *fingió una rebelión despreciativa.*
>
> *Y así, en tu vanidad, por la impaciente*
> *condena de tu orgullo intransigente,*
> *mi rojo heraldo de amatorios credos*
>
> *mereció, por su símbolo atrevido,*
> *como un apóstol o como un bandido*
> *la guillotina de tus nobles dedos.*

El clavel es fuera de duda un clavel de veras, una guaranga flor popular deshecha por la niña y el simbolismo (el mero gon-

---

[1] Conservo estas impertinencias para castigarme por haberlas escrito. En aquel tiempo creía que los poemas de Lugones eran superiores a los de Darío. Es verdad que también creía que los de Quevedo eran superiores a los de Góngora. *(Nota de 1954.)*

gorismo) es el del explicativo español, que lo traduce en labios. Lo no discutible es que una fuerte mayoría de las *Misas herejes* ha incomodado seriamente a los críticos. ¿Cómo justificar esas incontinencias inocuas en el especial poeta del suburbio? A tan escandalizada interrogación creo satisfacer con esta respuesta: Esos principios de Evaristo Carriego son también del suburbio, no en el superficial sentido temático de que versan sobre él, sino en el sustancial de que así versifican los arrabales. Los pobres gustan de esa pobre retórica, afición que no suelen extender a sus descripciones realistas. La paradoja es tan admirable como inconsciente: se discute la autenticidad popular de un escritor en virtud de las únicas páginas de ese escritor que al pueblo le gustan. Ese gusto es por afinidad: el palabreo, el desfile de términos abstractos, la sensiblería, son los estigmas de la versificación orillera, inestudiosa de cualquier acento local menos del gauchesco, íntima de Joaquín Castellanos y de Almafuerte, no de letras de tango. Recuerdos de glorieta y de almacén me asesoran aquí; el arrabal se surte de arrabalero en la calle Corrientes, pero lo altilocuente abstracto es lo suyo y es la materia que trabajan los payadores. Repetido sea con brevedad: esa pecadora mayoría de las *Misas herejes* no habla de Palermo, pero Palermo pudo haberla inventado. Pruébelo este barullo:

> *Y en el salmo coral, que sinfoniza*
> *un salvaje ciclón sobre la pauta,*
> *venga el robusto canto que presagie,*
> *con la alegre fiereza de una diana*
> *que recorriese como un verso altivo*
> *el soberbio delirio de la gama,*
> *el futuro cercano de los triunfos*
> *futuro precursor de las revanchas;*
> *el instante supremo en que se agita*
> *la misión terrenal de las canallas...*

Es decir: una tempestad puesta en salmo que debe contener un canto que debe parecerse a una diana que debe parecerse a un verso, y la predicción de un porvenir recién precursor encomendada al canto que debe parecerse a la diana que se parece a un verso. Sería una declaración de rencor prolongar la cita: básteme jurar que esa rapsodia de payador abombado por el endecasílabo rebasa los doscientos renglones y que ninguna de sus muchas estrofas puede lamentar una carencia de tempestades, de banderas, de cóndores, de vendas maculadas y de martillos. Eliminen su mal recuerdo estas décimas, de pasión lo bastante circunstancial para que las pensemos biográficas, y que tan bien han de llevarse con la guitarra:

> *Que este verso, que has pedido,*
> *vaya hacia ti, como enviado*
> *de algún recuerdo volcado*
> *en una tierra de olvido...*
> *para insinuarte al oído*
> *su agonía más secreta,*
> *cuando en tus noches, inquieta,*
> *por las memorias, tal vez,*
> *leas, siquiera una vez,*
> *las estrofas del poeta.*
>
> *¿Yo...? Vivo con la pasión*
> *de aquel ensueño remoto,*
> *que he guardado como un voto,*
> *ya viejo, del corazón.*
> *Y sé en mi amarga obsesión*
> *que mi cabeza cansada*
> *caerá, recién, libertada*
> *de la prisión de ese ensueño*
> *¡cuando duerma el postrer sueño*
> *sobre la postrer almohada!*

Paso a rever las composiciones realistas que integran *El alma del suburbio*, en la que podemos escuchar ¡al fin! la voz de Carriego, tan ausente de las menos favorecidas partes. Las reveré en su orden, omitiendo voluntariamente unas dos: *De la aldea* (cromo de intención andaluza y de una trivialidad categórica) y *El guapo*, que dejo para una consideración final más extensa.

La primera, *El alma del suburbio*, refiere un atardecer en la esquina. La calle popular hecha patio, es su descripción, la consoladora posesión de lo elemental que les queda a los pobres: la magia servicial de los naipes, el trato humano, el organito con su habanera y su gringo, la espaciada frescura de la oración, el discutidero eterno sin rumbo, los temas de la carne y la muerte. No se olvidó Evaristo Carriego del tango, que se quebraba con diablura y bochinche por las veredas, como recién salido de las casas de la calle Junín, y que era cielo de varones nomás, igual que la visteada [1]:

---

[1] La épica circunstanciada del tango ha sido escrita ya: su autor, Vicente Rossi; su nombre en librería, *Cosas de negros* (1926), obra clásica en nuestras letras y que por la sola intensidad de su estilo tendrá en todos razón. Para Rossi, el tango es afro-montevideano, del Bajo, el tango tiene motas

> *En la calle, la buena gente derrocha*
> *sus guarangos decires más lisonjeros,*
> *porque al compás de un tango, que es La Morocha,*
> *lucen ágiles cortes dos orilleros.*

Sigue una página de misterioso renombre, *La viejecita*, festejada cuando se publicó, porque su liviana dosis de realidad, indistinta ahora, era infinitesimalmente más fuerte que la de las rapsodias coetáneas. La crítica, por la misma facilidad de servir elogios, corre el albur de profetizar. Los encomios que se aplicaron a *La viejecita* son los que merecería *El guapo* después; los dedicados en 1862 a *Los mellizos de la Flor* de Ascasubi, son una profecía escrupulosa de *Martín Fierro*.

Detrás del mostrador es una oposición entre la urgente vida barullera de los borrachos y la mujer hermosa, bruta y tapiada,

> *detrás del mostrador como una estatua*

que impávida les enloquece el deseo

> *y pasa sin dolor, así, inconsciente,*
> *su vida material de carne esclava:*

la tragedia opaca de un alma que no ve su destino.

La siguiente página, *El amasijo*, es el reverso deliberado de *El guapo*. En ella se denuncia con ira santa nuestra peor realidad: el guapo de entrecasa, la doble calamidad de la mujer gritada y golpeada y del malevo que con infamia se *emperra* en esa pobre hombría vanidosa de la opresión:

> *Dejó de castigarla, por fin cansado*
> *de repetir el diario brutal ultraje*
> *que habrá de contar luego, felicitado,*
> *en la rueda insolente del compadraje...*

Sigue *En el barrio*, página cuyo hermoso motivo es el acompañamiento eterno y la eterna letra de la guitarra, proferidos no por una convención como es hábito, sino literalmente para in-

---

en la raíz. Para Laurentino Mejías, (*La policía por dentro*, II, 1913, Barcelona) es afro-porteño, inaugurado en los machacones candombes de la Concepción y de Monserrat, amalevado después en los peringundines: el de Lorea, el de la Boca del Riachuelo y el de Solís. Lo bailaban también en las casas malas de la calle del Temple, sofocado el organito de contrabando por el colchón pedido a uno de los lechos venales, ocultas las armas de la concurrencia en los albañales vecinos, en previsión de un raid policial.

dicar un efectivo amor. El episodio de esa reanimación de símbolos es de embargada luz, pero es fuerte. Desde el primitivo patio de tierra o patio colorado, llama con ira de pasión la urgente milonga

> *que escucha insensible la despreciativa*
> *moza, que no quiere salir de la pieza.*
>
> *Sobre el rostro adusto tiene el guitarrero*
> *viejas cicatrices de cárdeno brillo,*
> *en el pecho un hosco rencor pendenciero*
> *y en los negros ojos la luz del cuchillo.*
>
> *Y no es para el otro su constante enojo.*
> *A ese desgraciado que a golpes maneja*
> *le hace el mismo caso, por bruto y por flojo,*
> *que al pucho que olvida detrás de la oreja.*
>
> *Pues tiene unas ganas su altivez airada*
> *de concluir con todas las habladurías.*
> *¡Tan capaz se siente de hacer una hombrada*
> *de la que hable el barrio tres o cuatro días...!*

La estrofa antefinal es de orden dramático; parece dicha por el mismo tajeado. Es intencionado también el último verso, la apurada atención de unos pocos días que el barrio, mal acostumbrado entonces, dedicaba a una muerte, lo pasajero de la gloria de poner un barbijo.

Después está *Residuo de fábrica*, que es la piadosa notificación de una pena, donde lo que más importa quizá es la versión instintiva de las enfermedades como una imperfección, una culpa.

> *Ha tosido de nuevo. El hermanito*
> *que a veces en la pieza se distrae*
> *jugando sin hablarle, se ha quedado*
> *de pronto serio, como si pensase.*
>
> *Después se ha levantado y bruscamente*
> *se ha ido, murmurando al alejarse,*
> *con algo de pesar y mucho de asco:*
> *—que la puerca otra vez escupe sangre.*

Entiendo que el énfasis de emoción de la estrofa penúltima está en la circunstancia cruel: *sin hablarle.*

Sigue *La queja*, que es una premonición fastidiosa de no sé cuántas letras fastidiosas de tango, una biografía del esplendor, desgaste, declinación y oscuridad final de una mujer de todos.

El tema es de ascendencia horaciana —Lydia, la primera de esa estéril dinastía infinita, enloquece de ardiente soledad como enloquecen las madres de los caballos, *matres equorum,* y en su ya desertada pieza *amat janua limen,* la hoja se ha prendido al umbral— y desagua en Contursi, pasando por Evaristo Carriego, cuyo *harlot's progress* sudamericano, completado por la tuberculosis, no cuenta mayormente en la serie.

La sigue *La guitarra*, descaminada enumeración de imágenes bobas, indigna del autor de *En el barrio* y que parece desdeñar o ignorar las situaciones de eficacia poética motivadas por el instrumento: la música prodigada a la calle, el aire venturoso que nos es triste por el recuerdo incidental que le unimos, las amistades que apadrina y corona. Yo he visto amistarse dos hombres y empezar a correr parejo sus almas, mientras punteaban en las dos guitarras un *gato* que parecía el alegre sonido de esa confluencia.

La última es *Los perros del barrio*, que es una sorda reverberación de Almafuerte, pero que tradujo una realidad, pues el pobrerío de esas orillas abundó siempre en perros, ya por lo centinelas que son, ya por curiosear su vivir, que es una diversión que no cansa, ya por incuria. Alegoriza indebidamente Carriego esa perrada pordiosera y sin ley, pero trasmite su caliente vida en montón, su chusma de apetitos. Quiero repetir este verso

cuando beben agua de luna en los charcos

y aquel otro de

aullando exorcismos contra la perrera,

que tira de uno de mis fuertes recuerdos: la visitación disparatada de ese infiernito, vaticinado por ladridos en pena, y precedido —cerca— por una polvareda de chicos pobres, que espantaban a gritos y pedradas otra polvareda de perros, para resguardarlos del lazo.

Me falta considerar *El guapo*, exaltación precedida por una famosa dedicatoria al también guapo electoral alsinista *San* Juan Moreira. Es una ferviente presentación [1], cuya virtud reside también en los énfasis laterales: en el

conquistó a la larga renombre de osado

---

[1] Lástima, en los versos finales, la mención arbitraria del mosquetero.

que está significando las muchas candidaturas a ese renombre, y en esa casi mágica indicación de poderío erótico:

caprichos de hembra que tuvo la daga.

En *El guapo*, también las omisiones importan. El guapo no era un salteador ni un rufián ni obligatoriamente un cargoso; era la definición de Carriego: un *cultor del coraje*. Un estoico, en el mejor de los casos; en el peor, un profesional del barullo, un especialista de la intimidación progresiva, un veterano del ganar sin pelear: menos indigno —siempre— que su presente desfiguración italiana de *cultor de la infamia*, de malevito dolorido por la vergüenza de no ser canflinflero. Vicioso del alcohol del peligro o calculista ganador a pura presencia: eso era el guapo, sin implicar una cobardía lo último. (Si una comunidad resuelve que el valor es la primera virtud, la simulación del valor será tan general como la de la belleza entre las muchachas o la de pensamiento inventor entre los que publican; pero ese mismo aparentado valor será un aprendizaje.)

Pienso en el *guapo* antiguo, persona de Buenos Aires que me interesa con más justificada atracción que ese otro mito más popular de Carriego (Gabriel, 57) *la costurerita que dio aquel mal paso* y su contratiempo orgánico-sentimental. Su profesión carrero, amansador de caballos o matarife; su educación, cualquiera de las esquinas de la ciudad, y éstas principalmente: la del sur, el Alto —el circuito Chile, Garay, Balcarce, Chacabuco—, la del norte, la Tierra del Fuego —el circuito Las Heras, Arenales, Pueyrredón, Coronel—, otras, el Once de Setiembre, la Batería, los Corrales Viejos.[1] No era siempre un rebelde: el comité alquilaba su temi-

[1] ¿Su nombre? Entrego a la leyenda esta lista, que debo a la activa amabilidad de D. José Olave. Se refiere a las dos últimas décadas del siglo que pasó. Siempre despertará una suficiente imagen, aunque borrosa, de chinos de pelea, duros y ascéticos en el polvoriento suburbio lo mismo que las tunas.

PARROQUIA DEL SOCORRO

Avelino Galeano (del Regimiento Guardia Provincial). Alejo Albornoz (muerto en pelea por el que sigue, en calle Santa Fe). Pío Castro.
Ventajeros, guapos ocasionales: Tomás Medrano. Manuel Flores.

PARROQUIA DEL PILAR, ANTIGUA

Juan Muraña, Romualdo Suárez, alias *El Chileno*. Tomás Real. Florentino Rodríguez. Juan Tink (hijo de ingleses, que acabó inspector de policía en Avellaneda). Raimundo Renovales (matarife).
Ventajeros, guapos ocasionales: Juan Ríos. Damasio Suárez, alias *Carnaza*.

bilidad y su esgrima, y le dispensaba su protección. La policía, entonces, tenía miramientos con él: en un desorden, el guapo no iba a dejarse arrear, pero daba —y cumplía— su palabra de concurrir después. Las tutelares influencias del comité restaban toda zozobra a ese rito. Temido y todo, no pensaba en renegar de su condición; un caballo aperado en plata vistosa, unos pesos para el reñidero o el monte, bastaban para iluminar sus domingos. Podía no ser fuerte: uno de los guapos de la Primera, el Petiso Flores, era un tapecito a lo víbora, una miseria, pero con el cuchillo una luz. Podía no ser un provocador: el guapo Juan Muraña, famoso, era una obediente máquina de pelear, un hombre sin más rasgos diferenciales que la seguridad letal de su brazo y una incapacidad perfecta de miedo. No sabía cuándo proceder, y pedía con los ojos —alma servil— la venia de su patrón de turno. Una vez en pelea, tiraba solamente a matar. No quería *criar cuervos*. Hablaba, sin temor y sin preferencia, de las muertes que cobró —mejor: que el destino obró a través de él, pues existen hechos de una tan infinita responsabilidad (el de procrear un hombre o matarlo) que el remordimiento o la vanagloria por ellos es una insensatez. Murió lleno de días, con su constelación de muertes en el recuerdo, ya borrosa sin duda.

PARROQUIA DE BELGRANO

Atanasio Peralta (muerto en pelea con muchos). Juan González. Eulogio Muraña, alias *Cuervito*.
Ventajeros: José Díaz. Justo González.
Nunca peleaban en montón, siempre con arma blanca, solos.
El menosprecio británico del cuchillo se ha hecho tan general, que puedo recordar con derecho el concepto vernáculo: Para el criollo la única pelea seria, de hombres, era la que permitía un riesgo de muerte. El puñetazo era un mero prólogo del acero, una provocación.

IV

LA CANCIÓN DEL BARRIO

Mil novecientos doce. Hacia los muchos corralones de la calle Cerviño o hacia los cañaverales y huecos del Maldonado —zona dejada con galpones de zinc, llamados diversamente *salones*, donde flameaba el tango, a diez centavos la pieza y la compañera— se trenzaba todavía el orilleraje y alguna cara de varón quedaba historiada, o amanecía con desdén un compadrito muerto con una puñalada humana en el vientre; pero en general, Palermo se conducía como Dios manda, y era una cosa decentita, infeliz, como cualquier otra comunidad gringo-criolla. El júbilo astrológico del Centenario era tan difunto como sus leguas de lanilla azul de banderas, como sus bordalesas de brindis, sus cohetes botaratés, sus luminarias municipales en el herrumbrado cielo de la plaza de Mayo y su luminaria predestinada el cometa Halley, ángel de aire y de fuego a quien le cantaron el tango *Independencia* los organitos. Ya la gimnasia interesaba más que la muerte: los chicos ignoraban el visteo por atender al *football*, rebautizado por desidia vernácula el foba. Palermo se apuraba hacia la sonsera: la siniestra edificación *art nouveau* brotaba como una hinchada flor hasta de los barriales. Los ruidos eran otros:, ahora la campanilla del biógrafo —ya con su buen anverso americano de coraje a caballo y su reverso erótico-sentimental europeo— se entreveraba con el cansado retumbar de las chatas y con el silbato del afilador. Salvo algunos pasajes, no quedaba calle por empedrar. La densidad de la población era doble: el censo que registró en mil novecientos cuatro un total de ochenta mil almas para las circunscripciones de Las Heras y de Palermo de San Benito, registraría el catorce uno de ciento ochenta mil. El tranvía mecánico chirriaba por las aburridas esquinas. Cattaneo, en la imaginación popular, había desbancado a Moreira... Ese casi invisible Palermo, matero y progresista, es el de *La canción del barrio*.

Carriego, que publicó en mil novecientos ocho *El alma del suburbio*, dejó en mil novecientos doce los materiales de *La canción del barrio*. Este segundo título es mejor en limitación y en veracidad que el primero. *Canción* es de una intención más lúcida que *alma; suburbio* es una titulación recelosa, un aspaviento de hombre que tiene miedo de perder el último tren. Nadie nos ha informado *Vivo en el suburbio de Tal;* todos prefieren avisar en qué barrio. Esa alusión *el barrio* no es menos íntima, servicial y unidora en la parroquia de la Piedad que en Saavedra. La distinción es pertinente: el manejo de palabras de lejanía para elucidar las cosas de esta república, deriva de una propensión a rastrearnos barbarie. Al paisano lo quieren resolver por la pampa; al compadrito por los ranchos de fierro viejo. Ejemplo: el periodista o artefacto vascuence J. M. Salaverría, en un libro que desde el título se equivoca: *El poema de la pampa, Martín Fierro y el criollismo español.* Criollismo español es un contrasentido deliberado, hecho para asombrar (lógicamente, una *contradictio in adjecto*); *poema de la pampa* es otro menos voluntario percance. Pampa, según información de Ascasubi, era para los antiguos paisanos el desierto donde merodeaban los indios. [1] Basta repasar el *Martín Fierro* para saber que es el poema, no de la pampa, sino del hombre desterrado a la pampa, del hombre rechazado por la civilización pastoril centrada en las estancias como pueblos y en el *pago* sociable. A Fierro, al todovaleroso hombre Fierro, le dolía aguantar la soledad, quiere decir la pampa.

> *Y en esa hora de la tarde*
> *En que tuito se adormece,*
> *Que el mundo dentrar parece*
> *A vivir en pura calma,*
> *Con las tristezas del alma*
> *Al pajonal enderiece.*

> *Es triste en medio del campo*
> *Pasarse noches enteras*
> *Contemplando en sus carreras*
> *Las estrellas que Dios cria,*
> *Sin tener más compañía*
> *Que su delito y las fieras.*

Y estas estrofas para siempre, que son el momento más patético de la historia:

> *Cruz y Fierro de una estancia*
> *Una tropilla se arriaron—*
> *Por delante se la echaron*
> *como criollos entendidos,*
> *Y pronto sin ser sentidos*

[1] Ahora es un exclusivo término literario, que en el campo llama la atención.

*Por la frontera cruzaron.
Y cuando la habían pasao
Una madrugada clara,
Le dijo Cruz que mirara ·
Las últimas poblaciones
Y a Fierro dos lagrimones
Le rodaron por la cara.*

Otro Salaverría —de cuyo nombre no quiero acordarme, porque lo demás de sus libros tiene mi admiración— habla ¡cuando no! del *payador pampero, que a la sombra del ombú, en la infinita calma del desierto, entona acompañado de la guitarra española las monótonas décimas de Martín Fierro*; pero el escritor es tan monótono, décimo, infinito, español, calmoso, desierto y acompañado, que no se fija que en el Martín Fierro no hay décimas. La predisposición a rastrearnos barbarie es muy general: Santos Vega (cuya entera leyenda es que haya una leyenda de Santos Vega, según las cuatrocientas páginas de monografía de Lehmann-Nitsche pueden evidenciarlo) armó o heredó la copla que dice: *Si este novillo me mata — No me entierren en sagrao; — Entiérrenme en campo verde — Donde me pise el ganao,* y su evidentísima idea (*Si soy tan torpe, renuncio a que me lleven al cementerio*) ha sido festejada como declaración panteísta de hombre que quiere que lo pisen muerto las vacas. [1]

[1] Hacer del paisano un recorredor infinito del desierto, es un contrasentido romántico; asegurar, como lo hace nuestro mejor prosista de pelea, Vicente Rossi, que el gaucho es el *guerrero nómade charrúa*, es asegurar meramente que a esos desapegados charrúas les dijeron *gauchos*: Conchabo primitivo de una palabra, que resuelve muy poco. Ricardo Güiraldes, para su versión del hombre de campo como hombre de vagancia, tuvo que recurrir al gremio de los troperos. Groussac, en su conferencia de 1893, habla del gaucho fugitivo *hacia el lejano sur, en lo que de la pampa queda*, pero lo sabido de todos es que en el lejano sur no quedan gauchos porque no los hubo antes, y que donde perduran es en los cercanos partidos de hábito criollo. Más que en lo étnico (el gaucho pudo ser blanco, negro, chino, mulato o zambo), más que en lo lingüístico (el gaucho riograndense habla una variedad brasileña del portugués) y más que en lo geográfico (vastas regiones de Buenos Aires, de Entre Ríos, de Córdoba y de Santa Fe son ahora gringas), el rasgo diferencial del gaucho está en el ejercicio cabal de un tipo primitivo de ganadería.

Destino calumniado también el de los compadritos. Hará bastante más de cien años los nombraban así a los porteños pobres, que no tenían para vivir en la inmediación de la Plaza Mayor, hecho que les valió también el nombre de orilleros. Eran literalmente el pueblo: tenían su terrenito de un cuarto de manzana y su casa propia, más allá de la calle Tucumán o la calle Chile o la entonces calle de Velarde: Libertad-Salta. Las connotaciones desbancaron más tarde la idea principal: Ascasubi, en la revisión

Las orillas adolecen también de una atribución enconada. El arrabalero y el tango las representan. En anterior capítulo escribí cómo el arrabal se surte de arrabalero en la calle Corrientes y cómo las efusiones de *El Cantaclaro*, de los discos de fonógrafo y de la radio, aclimatan esa jerigonza de actor en Avellaneda o en Coghlan. Su pedagogía no es fácil: cada tango nuevo redactado en el sedicente idioma popular, es un acertijo, sin que le falten las perplejas variantes, los corolarios, los lugares oscuros y la razonada discordia de comentadores. La tiniebla es lógica: el pueblo no precisa añadirse color local; el simulador discurre que sí, pero se le va la mano en la operación. En lo que se refiere a la música, tampoco el tango es el natural sonido de los barrios; lo fue de los burdeles nomás. Lo representativo de veras es la milonga. Su versión corriente es un infinito saludo, una ceremoniosa gestación de ripios zalameros, corroborados por el grave latido de la guitarra. Alguna vez narra sin apuro cosas de sangre, duelos que tienen tiempo, muertes de valerosa charlada provocación; otra, le da por simular el tema del destino. Los aires y los argumentos suelen variar; lo que no varía es la entonación del cantor, atiplada como de ñato, arrastrada, con apurones de fastidio, nunca gritona, entre conversadora y cantora. El tango está en el tiempo, en los desaires y contrariedades del tiempo; el chacaneo aparente de la milonga ya es de eternidad. La milonga es una de las grandes conversaciones de Buenos Aires; el truco es la otra. El truco lo investigaré en capítulo aparte; básteme dejar escrito que, entre los pobres, *el hombre alegra al hombre,* como el hijo mayor de

---

de su *Gallo* número doce, pudo escribir: *compadrito: mozo soltero, bailarín, enamorado y cantor.* El imperceptible Monner Sans, virrey clandestino, lo hizo equivaler a *matasiete, farfantón y perdonavidas,* y demandó: *¿Por qué compadre se toma siempre aquí en mala parte?,* investigación de que se aligeró en seguida escribiendo, con su tan envidiada ortografía, sano gracejo, etc.: *Vayan ustedes a saber.* Segovia lo define a insultos: *Individuo jactancioso, falso, provocativo y traidor.* No es para tanto. Otros confunden *guarango y compadrito:* están equivocados, el compadre puede no ser guarango, como no lo suele ser el paisano. Compadrito, siempre, es el plebeyo ciudadano que tira a fino; otras atribuciones son el coraje que se florea, la invención o la práctica del dicharacho, el zurdo empleo de palabras insignes. Indumentaria, usó la común de su tiempo, con agregación o acentuación de algunos detalles: hacia el noventa fueron características suyas el chambergo negro requintado de copa altísima, el saco cruzado, el pantalón francés con trencilla, apenas acordeonado en la punta, el botín negro con botonadura o elástico, de taco alto; ahora (1929) prefiere el chambergo gris en la nuca, el pañuelo copioso, la camisa rosa o granate, el saco abierto, algún dedo tieso de anillos, el pantalón derecho, el botín negro, como espejo, de caña clara.

Lo que a Londres el *cockney,* es a nuestras ciudades el compadrito.

Martín Fierro entendió en la prisión.[1] El aniversario, el día de los muertos, el día del santo, el día patrio, el bautismo, la noche de San Juan, una enfermedad, las vísperas de año, todo se le hace ocasión de ver gente. La muerte da el velorio: conversadero general que no le cerró a nadie la puerta, visita a quien murió. Tan evidente es esa patética sociabilidad de la gente baja, que el doctor Evaristo Federico Carriego, para hacer burla de los recién desembarazados *recibos,* escribió que se parecían muchísimo a los velorios. El suburbio es el agua abombada y los callejones, pero es también la balaustrada celeste y la madreselva pendiente y la jaula con el canario.[2] *Gente atenciosa,* suelen las comadres decir.

Pobrerío conversador, el de nuestro Carriego. Su pobreza no es la desesperada o congénita del europeo pobre (a lo menos del europeo novelado por el naturalismo ruso) sino la pobreza confiada en la lotería, en el comité, en las influencias, en la baraja que puede tener su misterio, en la quiniela de módica posibilidad, en las recomendaciones o, a falta de otra más circunstanciada y baja razón, en la pura esperanza. Una pobreza que se consuela con jerarquías —los Requena de Balvanera, los Luna de San Cristóbal Norte— que resultan simpáticas por su misma apelación al misterio y que nos encarna tan bien cierto dignísimo compadrito de José Álvarez: *Yo nací en la calle Maipú, ¿sabés?... en la casa e los Garcías y h'estao acostumbrao a darme con gente y no con basura... ¡Bueno!... Y si no lo sabés, sabelo... a mí me cristianaron en la Mercé y jue mi padrino un italiano que tenía almacén al lao de casa y que se murió pa la fiebre grande... ¡Ile tomando el peso!*

Entiendo que la lacra sustancial de *La canción del barrio* es la insistencia sobre lo definido por Shaw: *mera mortalidad o infortunio (Man and Superman, XXXII).* Sus páginas publican desgracias; tienen la sola gravedad del destino bruto, no menos incom-

---

[1] Y antes que el hijo de Martín Fierro, el dios Odin. Uno de los libros sapienciales de la Edad Mayor (*Hávamál*, 47) le atribuye la sentencia *Mathr er mannz gaman*, que se traduce literalmente *El hombre es la alegría del hombre*.

[2] En las afueras están las involuntarias bellezas de Buenos Aires, que son también las únicas —la liviana calle navegadora Blanco Encalada, las desvalidas esquinas de Villa Crespo, de San Cristóbal Sur, de Barracas, la majestad miserable de las orillas de la estación de cargas La Paternal y de Puente Alsina— más expresivas, creo, que las obras hechas con deliberación de belleza: la Costanera, el Balneario y el Rosedal, y la felicitada efigie de Pellegrini, con la revolcada bandera, y el tempestuoso pedestal incoherente que parece aprovechar los escombros de la demolición de un cuarto de baño, y los reticentes cajoncitos de Virasoro, que para no delatar el íntimo mal gusto, se esconde en la pelada abstención.

prensible por su escritor que por quien los lee. No les asombra el mal, no nos conducen a esa meditación de su origen, que resolvieron directamente los gnósticos con su postulación de una divinidad menguante o gastada, puesta a improvisar este mundo con material adverso. Es la reacción de Blake. *Dios, que hizo al cordero, ¿te hizo?* interroga al tigre. Tampoco es objeto de esas páginas el hombre que sobrevive al mal, el varón que a pesar de sufrir injurias —y de causarlas— mantiene limpia el alma. Es la reacción estoica de Hernández, de Almafuerte, de Shaw por segunda vez, de Quevedo.

> *Alma robusta, en penas se examina,*
> *Y trabajos ansiosos y mortales*
> *Cargan, mas no derriban nobles cuellos*

se lee en las *Musas castellanas,* en su libro segundo. Tampoco lo distrae a Carriego la perfección del mal, la precisión y como inspiración del destino en sus persecuciones, el arrebato escénico de la desgracia. Es la reacción de Shakespeare:

> *All strange and terrible events are welcome,*
> *But comforts we despise: our size of sorrow,*
> *Proportion'd to our cause, must be as great*
> *As that which makes it.*

Carriego apela solamente a nuestra piedad.

Aquí es inevitable una discusión. La opinión general, tanto la conversada como la escrita, ha resuelto que esas provocaciones de lástima son la justificación y virtud de la obra de Carriego. Yo debo disentir, aunque solo. Una poesía que vive de contrariedades domésticas y que se envicia en persecuciones menudas, imaginando o registrando incompatibilidades para que las deplore el lector, me parece una privación, un suicidio. El argumento es cualquier emoción lisiada, cualquier disgusto; el estilo es chismoso, con todas las interjecciones, ponderaciones, falsas piedades y preparatorios recelos que ejercen las comadres. Una torcida opinión (que tengo la decencia de no entender) afirma que esa presentación de miserias implica una generosa bondad. Implica una indelicadeza, más bien. Producciones como *Mamboretá* o *El nene está enfermo* o *Hay que cuidarla mucho, hermana, mucho* —tan frecuentadas por la distracción de las antologías y por la declamación— no pertenecen a la literatura sino al delito: son un deliberado chantaje sentimental, reducible a esta fórmula: *Yo le presento un padecer; si Ud. no se conmueve, es un desalmado.* Copio este final de una pieza (*El otoño, muchachos*):

...*¡Qué tristona
anda, desde hace días, la vecina!
¿La tendrá así algún nuevo desengaño?
Otoño melancólico y lluvioso
¿qué dejarás, otoño, en casa este año?
¿qué hoja te llevarás? Tan silencioso
llegas que nos das miedo.*
*Sí, anochece
y te sentimos, en la paz casera,
entrar sin un rumor... ¡Cómo envejece
nuestra tía soltera!*

Esa apresurada *tía soltera*, engendrada en el apurón del verso final para que pueda encarnizarse en ella el otoño, es buen indicio de la caridad de esas páginas. El humanitarismo es siempre inhumano: cierto film ruso prueba la iniquidad de la guerra mediante la infeliz agonía de un jamelgo muerto a balazos; naturalmente, por los que dirigen el film.

Hecha esa restricción —cuyo decente fin es robustecer y curtir la fama de Carriego, probando que no le hace falta el socorro de esas quejosas páginas— quiero confesar con alacridad las verdaderas virtudes de su obra póstuma. Su decurso tiene afinaciones de ternura, invenciones y adivinaciones de la ternura, tan precisas como ésta:

*Y cuando no estén, ¿durante
cuánto tiempo aún se oirá
su voz querida en la casa
desierta?*
*¿Cómo serán
en el recuerdo las caras
que ya no veremos más?*

O esta racha de conversación con una calle, esta secreta posesión inocente:

*Nos eres familiar como una cosa
que fuese nuestra: solamente nuestra.*

O esta encadenación, emitida tan de una vez como si fuera una sola extensa palabra:

*No. Te digo que no. Sé lo que digo:
nunca más, nunca más tendremos novia,*

y pasarán los años pero nunca
más volveremos a querer a otra.
Ya lo ves. Y pensar que nos decías,
afligida quizá de verte sola,
que cuando te murieses
ni te recordaríamos. ¡Qué tonta!
Sí. Pasarán los años, pero siempre
como un recuerdo bueno, a toda hora
estarás con nosotros.
Con nosotros... Porque eras cariñosa
como nadie lo fue. Te lo decimos
tarde, ¿no es cierto? Un poco tarde ahora
que no nos puedes escuchar. Muchachas,
como tú ha habido pocas.
No temas nada, te recordaremos,
y te recordaremos a ti sola:
ninguna más, ninguna más. Ya nunca
más volveremos a querer a otra.

El modo repetidor de esa página es el de cierta página de Enrique Banch, *Balbuceo*, en *El Cascabel del halcón* (1909), que la supera inconmensurablemente línea por línea (*Nunca podría decirte — todo lo que te queremos: es como un montón de estrellas — todo lo que te queremos*, etcétera), pero que parece mentira, mientras la de Evaristo Carriego es verdad.

Pertenece también a *La canción del barrio* la mejor poesía de Carriego, la intitulada *Has vuelto*.

Has vuelto, organillo. En la acera
hay risas. Has vuelto llorón y cansado
como antes.
          El ciego te espera
las más de las noches sentado
a la puerta. Calla y escucha. Borrosas
memorias de cosas lejanas
evoca en silencio, de cosas
de cuando sus ojos tenían mañanas,
de cuando era joven... la novia... ¡quién sabe!

El verso animador de la estrofa no es el final, es el prefinal, y estoy creyendo que Evaristo Carriego lo ubicó así para sortear el énfasis. Una de sus primeras composiciones —*El alma del suburbio*— había tratado el mismo sujeto, y es hermoso comparar la solución antigua (cuadro realista hecho de observaciones particulares) con la definitiva y límpida fiesta donde están convocados los símbolos preferidos por él: la costurerita que dio aquel mal paso, el organito, la esquina desmantelada, el ciego, la luna.

... Pianito que cruzas la calle cansado
moliendo el eterno
familiar motivo que el año pasado
gemía a la luna de invierno:
con tu voz gangosa dirás en la esquina
la canción ingenua, la de siempre, acaso
esa preferida de nuestra vecina
la costurerita que dio aquel mal paso.
Y luego de un valse te irás como una
tristeza que cruza la calle desierta,
y habrá quien se quede mirando la luna
desde alguna puerta.
... Anoche, después que te fuiste,
cuando todo el barrio volvía al sosiego
—qué triste—
lloraban los ojos del ciego.

La ternura es corona de los muchos días, de los años. Otra virtud del tiempo, ya operativa en este libro segundo y ni sospechada o verosímil en el anterior, es el buen humorismo. Es condición que implica un delicado carácter: nunca se distraen los innobles en ese puro goce simpático de las debilidades ajenas, tan imprescindible en el ejercicio de la amistad. Es condición que se lleva con el amor: Soame Jenyns, escritor del mil setecientos, pensó con reverencia que la parte de la felicidad de los bienaventurados y de los ángeles derivaría de una percepción exquisita de lo ridículo.

Copio, ejemplo de sereno humorismo, estos versos:

¿Y la viuda de la esquina?
La viuda murió anteayer.
¡Bien decía la adivina,
que cuando Dios determina
ya no hay nada más que hacer!

Los expedientes de su gracia deben ser dos: primero, el de poner en boca de una adivina esa no adivinatoria moralidad sobre lo inescrutable de los actos de la Providencia; segundo, el respeto impertérrito del vecindario, que alega sabiamente esa distracción.

Pero la más deliberada página de humorismo dejada por Carriego es *El casamiento*. Es la más porteña también. *En el barrio* es casi una guapeada entrerriana; *Has vuelto* es un solo frágil minuto, una flor de tiempo, de un solo atardecer. El casamiento, en cambio, es tan esencial de Buenos Aires como los cielitos de Hilario Ascasubi o el Fausto criollo o la humorística de Macedonio Fernández o el astillado arranque fiestero de los tangos de Greco, de Arolas y de Saborido. Es una articulación habilísima de los muchos infalibles rasgos de una fiesta pobre. No falta el rencor desaforado del vecindario.

> *En la acera de enfrente varias chismosas*
> *que se encuentran al tanto de lo que pasa,*
> *aseguran que para ver ciertas cosas*
> *mucho mejor sería quedarse en casa.*
>
> *Alejadas del cara de presidiario*
> *que sugiere torpezas, unas vecinas*
> *pretenden que ese sucio vocabulario*
> *no debieran oírlo las chiquilinas.*
>
> *Aunque —tal acontece— todo es posible,*
> *sacando consecuencias poco oportunas,*
> *lamenta una insidiosa la incomprensible*
> *suerte que, por desgracia, tienen algunas.*
>
> *Y no es el primer caso... Si bien le extraña*
> *que haya salido sonso... pues en enero*
> *del año que trascurre, si no se engaña*
> *dio que hablar con el hijo del carnicero.*

El orgullo de antemano herido, la casi desesperada decencia:

> *El tío de la novia, que se ha creído*
> *obligado a fijarse si el baile toma*
> *buen carácter, afirma, medio ofendido,*
> *que no se admiten cortes, ni aun en broma.*
>
> *—Que, la modestia a un lado, no se la pega*
> *ninguno de esos vivos... seguramente.*
> *La casa será pobre, nadie lo niega:*
> *todo lo que se quiera, pero decente.—*

Los disgustos con los que se puede contar:

> *La polka de la silla dará motivo*
> *a serios incidentes, nada improbables:*

> *nunca falta un rechazo despreciativo
> que acarrea disgustos irremediables.*
>
> *Ahora, casualmente, se ha levantado
> indignada la prima del guitarrero,
> por el doble sentido mal arreglado
> del propio guarango del compañero.*

La sinceridad afligente:

> *En el comedor, donde se bebe a gusto,
> casi lamenta el novio que no se pueda
> correr la de costumbre... pues, y esto es justo,
> la familia le pide que no se exceda.*

La función pacificadora del guapo, amigo de la casa:

> *Como el guapo es amigo de evitar toda
> provocación que aleje la concurrencia,
> ha ordenado que apenas les sirvan soda
> a los que ya borrachos buscan pendencia.*
>
> *Y previendo la bronca, después del gesto
> único en él, declara que aunque le cueste
> ir de nuevo a la cárcel, se halla dispuesto
> a darle un par de hachazos al que proteste.*

Perdurarán también de este libro: *El velorio*, que repite la técnica de *El casamiento; La lluvia en la casa vieja*, que declara esa exultación de lo elemental, cuando la lluvia se desplaza en el aire igual que una humareda y no hay hogar que no se sienta un fortín; y unos conversados sonetos autobiográficos de la serie *Íntimas*. Éstos cargan destino: son de condición serenada, pero su resignación o acomodación es después de penas. Copio este renglón de uno de ellos, limpio y mágico:

> *cuando aún eras prima de la luna.*

Y esta nada indiscreta declaración, suficiente con todo:

> *Anoche, terminada ya la cena
> y mientras saboreaba el café amargo
> me puse a meditar un rato largo:
> el alma como nunca de serena.*

Bien lo sé que la copa no está llena
de todo lo mejor, y sin embargo,
por pereza quizás, ni un solo cargo
le hago a la suerte, que no ha sido buena...

Pero como por una virtud rara
no le muestro a la vida mala cara
ni en las horas que son más fastidiosas,

nunca nadie podrá tener derecho
a exigirme una mueca. ¡Tantas cosas
se pueden ocultar bien en el pecho!

Una digresión última, que de inmediato dejará de ser una digresión. Lindas y todo, las figuraciones del amanecer, de la pampa, del anochecer, que presenta el *Fausto* de Estanislao del Campo, adolecen de frustración y de malestar: contaminación operada por la sola mención preliminar de los bastidores escénicos. La irrealidad de las orillas es más sutil: deriva de su provisorio carácter, de la doble gravitación de la llanura chacarera o ecuestre y de la calle de altos, de la propensión de sus hombres a considerarse del campo o de la ciudad, jamás orilleros. Carriego, en esta materia indecisa, pudo trabajar su obra.

V

UN POSIBLE RESUMEN

Carriego, muchacho de tradición entrerriana, criado en las orillas del norte de Buenos Aires, determinó aplicarse a una versión poética de esas orillas. Publicó, en mil novecientos ocho, *Misas herejes*: libro despreocupado, aparente, que registra diez consecuencias de ese deliberado propósito de localismo y veintisiete muestras desiguales de versificación: alguna de buen estilo trágico —*Los lobos*—, otra de sentir delicado —*Tu secreto, En silencio*—, pero en general invisibles. Las páginas de observación del barrio son las que importan. Repiten la valerosa idea que tiene de sí mismo el suburbio, gustaron con entero derecho. Tipo de esa manera preliminar son *El alma del suburbio, El guapo, En el barrio*. Carriego se estableció en esos temas, pero su exigencia de conmover lo indujo a una lacrimosa estética socialista, cuya inconsciente reducción al absurdo efectuarían mucho después los de Boedo. Tipo de esa manera segunda, que ha usurpado hasta la noticia de las demás, con afeminación de su gloria, son *Hay que cuidarla mucho, hermana, mucho, Lo que dicen los vecinos, Mamboretá*. Ensayó después una manera narrativa, con innovación de humorismo: tan indispensable en un poeta de Buenos Aires. Tipo de esa manera última —la mejor— son *El casamiento, El velorio, Mientras el barrio duerme*. También, a lo largo del tiempo, había anotado algunas intimidades: *Murria, Tu secreto, De sobremesa*.

¿Qué porvenir el de Carriego? No hay una posteridad judicial sin posteridad, dedicada a emitir fallos irrevocables, pero los hechos me parecen seguros. Creo que algunas de sus páginas —acaso *El casamiento, Has vuelto, El alma del suburbio, En el barrio*— conmoverán suficientemente a muchas generaciones argentinas. Creo que fue el primer espectador de nuestros barrios pobres y que para la historia de nuestra poesía, eso importa. El primero, es decir el descubridor, el inventor.

Truly I loved the man, on this side idolatry, as much as any.

VI

PÁGINAS COMPLEMENTARIAS

I. DEL SEGUNDO CAPÍTULO

Décimas en lunfardo, que publicó Evaristo Carriego en la revista policial L. C. *(jueves veintiséis de setiembre de 1912) sobre el seudónimo* El Barretero.

Compadre: si no le he escrito
perdone... ¡Estoy reventao!
Ando con un entripao,
que de continuar palpito
que he de seguir derechito
camino de Triunvirato;
pues ya tengo para rato
con esta suerte cochina:
Hoy se me espiantó la mina
¡y si viera con qué gato!

Sí, hermano, como le digo:
¡viera qué gato ranero!
mishio, roñoso, fulero,
mal lancero y peor amigo.
¡Si se me encoge el ombligo
de pensar el trinquetazo
que me han dao! El bacanazo
no vale ni una escupida
y lo que es de ella, en la vida
me soñé este chivatazo.

Yo los tengo junaos. ¡Viera
lo que uno sabe de viejo!
No hay como correr parejo
para estar bien en carrera.
Lo engrupen con la manquera
con que tal vez ni serán
del pelotón, y se van
en fija, de cualquier modo.

*Cuando uno se abre en el codo
ya no hay caso: ¡se la dan!*

*¡Pero tan luego a mi edá
que me suceda esta cosa!
Si es p'abrirse la piojosa
de la bronca que me da.
Porque es triste, a la verdá
—el decirlo es necesario—
que con el lindo prontuario
que con tanto sacrificio
he lograo en el servicio,
me hayan agarrao de otario.*

*Bueno: ¿que ésta es quejumbrona
y escrita como sin gana?
Échele la culpa al rana
que me espiantó la cartona.
¡Tigrero de la madona,
veremos cómo se hamaca,
si es que el cuerpo no me saca
cuando me toque la mía.
Hasta luego.
        —Todavía
tengo que afilar la faca!*

II. DEL CUARTO CAPÍTULO

EL TRUCO

Cuarenta naipes quieren desplazar la vida. En las manos cruje el mazo nuevo o se traba el viejo: morondangas de cartón que se animarán, un as de espadas que será omnipotente como don Juan Manuel, caballitos panzones de donde copió los suyos Velázquez. El tallador baraja esas pinturitas. La cosa es fácil de decir y aun de hacer, pero lo mágico y desaforado del juego —del hecho de jugar— despunta en la acción. 40 es el número de los naipes y 1 por 2 por 3 por 4... por 40, el de maneras en que pueden salir. Es una cifra delicadamente puntual en su enormidad, con inmediato predecesor y único sucesor, pero no escrita nunca. Es una remota cifra de vértigo que parece disolver en su muchedumbre a los que barajan. Así, desde el principio, el central misterio del juego se ve adornado con un otro misterio, el de que haya números. Sobre la mesa, desmantelada para que resbalen las cartas, esperan los garbanzos en su montón, aritmetizados también. La trucada se arma; los jugadores, acriollados de golpe, se aligeran del yo habitual. Un yo distinto, un yo casi antepasado y vernáculo, enreda los proyectos del juego. El idioma es otro de golpe. Prohibiciones tiránicas, posibilidades e imposibilidades astutas, gravitan sobre todo decir. Mencionar *flor* sin tener tres cartas de un palo, es hecho delictuoso y punible, pero si uno ya dijo *envido*, no importa. Mencionar uno de los lances del truco es empeñarse en él: obligación que sigue desdoblando en eufemismos a cada término. Quiebro vale por quiero, envite por envido, una *olorosa* o una *jardinera* por flor. Muy bien suele retumbar en boca de los que pierden este sentención de caudillo de atrio: *A ley de juego, todo está dicho: falta envido y truco, y si hay flor, ¡contraflor al resto!* El diálogo se entusiasma hasta el verso, más de una vez. El truco sabe recetas de aguante para los perdedores; versos para la exultación. El truco es memorioso como una fecha. Milongas de fogón y de pulpería, jaranas de velorio, bravatas del roquismo y tejedorismo, zafadurías de las casas de Junín y de su madrastra del Temple, son del comercio humano por él. El truco es buen cantor, máxime cuando gana o finge ganar: canta en la punta de las calles de nochecita, desde los almacenes con luz.

La habitualidad del truco es mentir. La manera de su engaño no es la del poker: mera desanimación o desabrimiento de no fluctuar, y de poner a riesgo un alto de fichas cada tantas jugadas; es acción de voz mentirosa, de rostro que se juzga *semblanteado* y que se defiende, de tramposa y desatinada palabrería. Una potenciación del engaño ocurre en el truco: ese jugador rezongón que ha tirado sus cartas sobre la mesa, puede ser ocultador de un buen juego (astucia elemental) o tal vez nos está mintiendo con la verdad para que descreamos de ella (astucia al cuadrado). Cómodo en el tiempo y conversador está el juego criollo, pero su cachaza es de picardía. Es una superposición de caretas, y su espíritu es el de los baratijeros Mosche y Daniel que en mitad de la gran llanura de Rusia se saludaron.

—¿Adónde vas, Daniel? —dijo el uno.
—A Sebastopol —dijo el otro.

Entonces, Mosche lo miró fijo y dictaminó:
—Mientes, Daniel. Me respondes que vas a Sebastopol para que yo piense que vas a Nijni-Novgórod, pero lo cierto es que vas realmente a Sebastopol. ¡Mientes, Daniel!

Considero los jugadores de truco. Están como escondidos en el ruido criollo del diálogo; quieren espantar a gritos la vida. Cuarenta naipes —amuletos de cartón pintado, mitología barata, exorcismos— le bastan para conjurar el vivir común. Juegan de espaldas a las transitadas horas del mundo. La pública y urgente realidad en que estamos todos, linda con su reunión y no pasa; el recinto de su mesa es otro país. Lo pueblan el envido y el quiero, la *olorosa* cruzada y la inesperabilidad de su don, el ávido folletín de cada partida, el 7 de oros tintineando esperanza y otras apasionadas bagatelas del repertorio. Los truqueros viven ese alucinado mundito. Lo fomentan con dicharachos criollos que no se apuran, lo cuidan como a un fuego. Es un mundo angosto, lo sé: fantasma de política de parroquia y de picardías, mundo inventado al fin por hechiceros de corralón y brujos de barrio, pero no por eso menos reemplazador de este mundo real y menos inventivo y diabólico en su ambición.

Pensar un argumento local como este del truco y no salirse de él o no ahondarlo —las dos figuras pueden simbolizar aquí un acto igual, tanta es su precisión— me parece una gravísima fruslería. Yo deseo no olvidar aquí un pensamiento sobre la pobreza del truco. Las diversas estadas de su polémica, sus vuelcos, sus corazonadas, sus cábalas, no pueden no volver. Tienen con

las experiencias que repetirse. ¿Qué es el truco para un ejercitado
en él, sino una costumbre? Mírese también a lo rememorativo
del juego, a su afición por fórmulas tradicionales. Todo jugador,
en verdad, no hace ya más que reincidir en bazas remotas. Su
juego es una repetición de juegos pasados, vale decir, de ratos
de vivires pasados. Generaciones ya invisibles de criollos están
como enterradas vivas en él: son él, podemos afirmar sin metáfora. Se trasluce que el tiempo es una ficción, por ese pensar. Así,
desde los laberintos de cartón pintado del truco, nos hemos acercado a la metafísica: única justificación y finalidad de todos los
temas.

VII

LAS INSCRIPCIONES DE LOS CARROS

Importa que mi lector se imagine un carro. No cuesta imaginárselo grande, las ruedas traseras más altas que las delanteras como con reserva de fuerza, el carrero criollo fornido como la obra de madera y fierro en que está, los labios distraídos en un silbido o con avisos paradójicamente suaves a los tironeadores caballos: a los tronqueros seguidores y al cadenero en punta (proa insistente para los que precisan comparación). Cargado o sin cargar es lo mismo, salvo que volviendo vacío, resulta menos atado a empleo su paso y más entronizado el pescante, como si la connotación militar que fue de los carros en el imperio montonero de Atila, permaneciera en él. La calle pisada puede ser Montes de Oca o Chile o Patricios o Rivera o Valentín Gómez, pero es mejor Las Heras, por lo heterogéneo de su tráfico. El tardío carro es allí distanciado perpetuamente, pero esa misma postergación se le hace victoria, como si la ajena celeridad fuera despavorida urgencia de esclavo, y la propia demora, posesión entera de tiempo, casi de eternidad. (Esa posesión temporal es el infinito capital criollo, el único. A la demora la podemos exaltar a inmovilidad: posesión del espacio.) Persiste el carro, y una inscripción está en su costado. El clasicismo del suburbio así lo decreta y aunque esa desinteresada yapa expresiva, sobrepuesta a las visibles expresiones de resistencia, forma, destino, altura, realidad, confirme la acusación de habladores que los conferenciantes europeos nos reparten, yo no puedo esconderla, porque es el argumento de esta noticia. Hace tiempo que soy cazador de esas escrituras: epigrafía de corralón que supone caminatas y desocupaciones más poéticas que las efectivas piezas coleccionadas, que en estos italianados días ralean.

No pienso volcar ese colecticio capital de chirolas sobre la mesa, sino mostrar algunas. El proyecto es de retórica, como se ve. Es consabido que los que metodizaron esa disciplina, comprendían en ella todos los servicios de la palabra, hasta los irrisorios o humildes del acertijo, del *calembour*, del acróstico, del anagrama, del laberinto, del laberinto cúbico, de la empresa. Si esta última, que es figura simbólica y no palabra, ha sido admitida, entiendo que la inclusión de la sentencia carrera es irreprochable. Es una variante indiana del lema, género que nació en los escudos. Además, conviene asimilar a las otras letras la sentencia de carro, para que se desengañe el lector y no espere portentos de mi requisa. ¿Cómo pretenderlos aquí, cuando no los hay o nunca los hay en las premeditadas antologías de Menéndez y Pelayo o de Palgrave?

Una equivocación es muy llana: la de recibir por genuino lema de carro, el nombre de la casa a que pertenece. *El modelo de la Quinta Bollini*, rubro perfecto de la guarangada sin inspiración, puede ser de los que advertí; *La madre del Norte*, carro de Saavedra, lo es. Lindo nombre es este último y le podemos probar dos explicaciones. Una, la no creíble, es la de ignorar la metáfora y suponer al Norte parido por ese carro, fluyendo en casas y almacenes y pinturerías, de su paso inventor. Otra es la que previeron ustedes, la de atender. Pero nombres como éste, corresponden a otro género literario menos casero, el de las empresas comerciales: género que abunda en apretadas obras maestras como la sastrería *El coloso de Rodas* por Villa Urquiza y la fábrica de camas *La dormitológica* por Belgrano, pero que no es de mi jurisdicción.

La genuina letra de carro no es muy diversa. Es tradicionalmente asertiva —*La flor de la plaza Vértiz, El vencedor*— y suele estar como aburrida de guapa. Así *El anzuelo, La balija, El garrote*. Me está gustando el último, pero se me borra al acordarme de este otro lema, de Saavedra también y que declara viajes dilatados como navegaciones, práctica de los callejones pampeanos y polvaredas altas: *El barco*.

Una especie definida del género es la inscripción en los carritos repartidores. El regateo y la charla cotidiana de la mujer los ha distraído de la preocupación del coraje, y sus vistosas letras prefieren el alarde servicial o la galantería. *El liberal, Viva quien me protege, El vasquito del Sur, El picaflor, El lecherito del porvenir, El buen mozo, Hasta mañana, El record de Talcahuano, Para todos sale el sol*, pueden ser alegres ejemplos. *Qué me habrán hecho tus ojos* y *Donde cenizas quedan fuego hubo*, son de más individuada pasión. *Quien envidia me tiene desesperado muere*, ha de ser una intromisión española. *No tengo apuro* es criollo clavado. La displicencia o severidad de la frase breve suele corregirse también, no sólo por lo risueño del decir, sino por la profusión de las frases. Yo he visto carrito frutero que, además de su presumible nombre *El preferido del barrio*, afirmaba en dístico satisfecho

Yo lo digo y lo sostengo
Que a nadie envidia le tengo.

y comentaba la figura de una pareja de bailarines tangueros sin mucha luz, con la resuelta indicación *Derecho viejo*. Esa charlatanería de la brevedad, ese frenesí sentencioso, me recuerda la dicción del célebre estadista danés Polonio, de *Hamlet*, o la del Polonio natural, Baltazar Gracián.

Vuelvo a las inscripciones clásicas. *La media luna de Morón* es lema de un carro altísimo con barandas ya marineras de fierro, que me fue dado contemplar una húmeda noche en el centro puntual de nuestro Mercado de Abasto, reinando a doce patas y cuatro ruedas sobre la fermentación lujosa de olores. *La soledad* es mote de una carreta que he visto por el sur de la provincia de Buenos Aires y que manda distancia. Es el propósito de *El barco* otra vez, pero menos oscuro. *Qué le importa a la vieja que la hija me quiera* es de omisión imposible, menos por su ausente agudeza que por su genuino tono de corralón. Es lo que puede observarse también de *Tus besos fueron míos*, afirmación derivada de un vals, pero que por estar escrita en un carro se adorna de insolencia. *Qué mira, envidioso* tiene algo de mujerengo y de presumido. *Siento orgullo* es muy superior, en dignidad de sol y de alto pescante, a las más efusivas acriminaciones de Boedo. *Aquí viene Araña* es un hermoso anuncio. *Pa la rubia, cuándo* lo es más, no sólo por su apócope criollo y por su anticipada preferencia por la morena, sino por el irónico empleo del adverbio *cuándo*, que vale aquí por *nunca*. (A ese renunciado *cuándo* lo conocí primero en una intransferible milonga, que deploro no poder estampar en voz baja o mitigar pudorosamente en latín. Destaco en su lugar esta parecida, criolla de Méjico, registrada en el libro de Rubén Campos *El folklore y la música mexicana*: Dicen que me han de quitar —las veredas por donde ando; —las veredas quitarán, —pero la querencia, cuándo. *Cuándo, mi vida* era también una salida habitual de los que canchaban, al atajarse el palo tiznado o el cuchillo del otro.) *La rama está florida* es una noticia de alta serenidad y de magia. *Casi nada, Me lo hubieras dicho* y *Quién lo diría*, son incorregibles de buenos. Implican drama, están en la circulación de la realidad. Corresponden a frecuencias de la emoción: son como del destino, siempre. Son ademanes perdurados por la escritura, son una afirmación incesante. Su alusividad es la del conversador orillero que no puede ser directo narrador o razonador y que se complace en discontinuidades, en generalidades, en fintas: sinuosas como el corte. Pero el honor, pero la tenebrosa flor de este censo, es la opaca inscripción *No llora el perdido*, que nos mantuvo escandalosamente intrigados a Xul Solar y a mí, hechos, sin embargo, a entender los misterios delicados de Robert Browning, los baladíes de Mallarmé y los meramente cargosos de Góngora. *No llora el perdido*; le paso ese clavel retinto al lector.

No hay ateísmo literario fundamental. Yo creía descreer de la literatura, y me he dejado aconsejar por la tentación de reunir estas partículas de ella. Me absuelven dos razones. Una es la democrática superstición que postula méritos reservados en cualquier obra anónima, como si supiéramos entre todos lo que no sabe nadie, como si fuera nerviosa la inteligencia y cumpliera mejor en las ocasiones en que no la vigilan. Otra es la facilidad de juzgar lo breve. Nos duele admitir que nuestra opinión de una línea pueda no ser final. Confiamos nuestra fe a los renglones, ya que no a los capítulos. Es inevitable en este lugar la mención de Erasmo: incrédulo y curioseador de proverbios.

Esta página empezará a ponerse erudita después de muchos días. Ninguna referencia bibliográfica puedo suministrar, salvo este párrafo casual de un predecesor mío en estos afectos. Pertenece a los borradores desanimados de verso clásico que se llaman versos libres ahora.

Lo recuerdo así:

Los carros de costado sentencioso
franqueaban tu mañana
y eran en las esquinas tiernos los almacenes
como esperando un ángel.

Me gustan más las inscripciones de carro, flores corraloneras.

VIII

HISTORIAS DE JINETES

Son muchas y podrían ser infinitas. La primera es modesta; luego la ahondarán las que siguen.

Un estanciero del Uruguay había adquirido un establecimiento de campo (estoy seguro de que ésa es la palabra que usó) en la provincia de Buenos Aires. Trajo del Paso de los Toros a un domador, hombre de toda su confianza pero muy chúcaro. Lo alojó en una fonda cerca del Once. A los tres días fue en su busca; lo encontró mateando en su pieza, en el último piso. Le preguntó qué le había parecido Buenos Aires, y resultó que el hombre no se había asomado a la calle una sola vez.

La segunda no es muy distinta. En 1903, Aparicio Saravia sublevó la campaña del Uruguay; en alguna etapa de la contienda se temió que sus hombres pudieran irrumpir en Montevideo. Mi padre, que se encontraba allí, fue a pedir consejo a un pariente, Luis Melián Lafinur, el historiador. Éste le dijo que no había peligro, "porque el gaucho le teme a la ciudad". En efecto, las tropas de Saravia se desviaron y mi padre comprobó con algún asombro que el estudio de la Historia puede ser útil y no sólo agradable. [1]

La tercera que referiré, también pertenece a la tradición oral de mi casa. A fines de 1870, fuerzas de López Jordán comandadas por un gaucho a quien le decían *El Chumbiao* cercaron la ciudad de Paraná. Una noche, aprovechando un descuido de la guarnición, los montoneros lograron atravesar las defensas y dieron, a caballo, toda la vuelta de la plaza central, golpeándose la boca y burlándose. Luego, entre pifias y silbidos, se fueron. La guerra no era para ellos la ejecución coherente de un plan sino un juego de hombría.

---

[1] Burton escribe que los beduinos, en las ciudades árabes, se tapan las narices con el pañuelo o con algodones; Ammiano, que los hunos tenían tanto miedo de las casas como de los sepulcros. Análogamente, los sajones que irrumpieron en Inglaterra en el siglo v, no se atrevieron a morar en las ciudades romanas que conquistaron. Las dejaron caerse a pedazos y compusieron luego elegías para lamentar esas ruinas.

La cuarta de las historias, la última, está en las páginas de un libro admirable: *L'Empire des Steppes* (1939), del orientalista Grousset. Dos párrafos del capítulo dos pueden ayudar a entenderla; he aquí el primero:

"La guerra de Gengis-khan contra los Kin, empezada en 1211, debía con breves treguas prolongarse hasta su muerte (1227), para ser rematada por su sucesor (1234). Los mogoles, con su móvil caballería, podían arrasar los campos y las poblaciones abiertas, pero durante mucho tiempo ignoraron el arte de tomar las plazas fortificadas por los ingenieros chinos. Además, guerreaban en China como en la estepa, por incursiones sucesivas, al cabo de las cuales se retiraban con su botín, dejando que en la retaguardia los chinos volvieran a ocupar las ciudades, levantaran las ruinas, repararan las brechas y rehicieran las fortificaciones, de tal modo que en el curso de aquella guerra los generales mogoles se vieron obligados a reconquistar dos o tres veces las mismas plazas."

He aquí el segundo:

"Los mogoles tomaron a Pekín, pasaron a degüello la población, saquearon las casas y después les prendieron fuego. La destrucción duró un mes. Evidentemente, los nómadas no sabían qué hacer con una gran ciudad y no atinaban con la manera de utilizarla para la consolidación y extensión de su poderío. Hay ahí un caso interesante para los especialistas de la geografía humana: el embarazo de las gentes de las estepas cuando, sin transición, el azar les entrega viejos países de civilización urbana. Queman y matan, no por sadismo, sino porque se encuentran desconcertados y no saben obrar de otra suerte."

He aquí, ahora, la historia que todas las autoridades confirman: Durante la última campaña de Gengis-khan, uno de sus generales observó que sus nuevos súbditos chinos no le servirían para nada, puesto que eran ineptos para la guerra, y que, por consiguiente, lo más juicioso era exterminarlos a todos, arrasar las ciudades y hacer del casi interminable Imperio Central un dilatado campo de pastoreo para las caballadas. Así, por lo menos, aprovecharían la tierra, ya que lo demás era inútil. El khan iba a seguir este aviso, cuando otro consejero le hizo notar que más provechoso era fijar impuestos a las tierras y a las mercaderías. La civilización se salvó, los mogoles envejecieron en las ciudades que habían anhelado destruir y sin duda acabaron por estimar, en jardines simétricos, las despreciables y pacíficas artes de la prosodia y de la cerámica.

Remotas en el tiempo y en el espacio, las historias que he congregado son una sola; el protagonista es eterno, y el receloso peón que pasa tres días ante una puerta que da a un último patio es, aunque venido a menos, el mismo que, con dos arcos, un lazo hecho de crin y un alfanje, estuvo a punto de arrasar y borrar, bajo los cascos del caballo estepario, el reino más antiguo del mundo. Hay un agrado en percibir, bajo los disfraces del tiempo, las eternas especies del jinete y de la ciudad [1]; ese agrado, en el caso de estas historias, puede dejarnos un sabor melancólico, ya que los argentinos (por obra del gaucho de Hernández o por gravitación de nuestro pasado) nos identificamos con el jinete, que es el que pierde al fin. Los centauros vencidos por los lapitas, la muerte del pastor de ovejas Abel a manos de Caín, que era labrador, la derrota de la caballería de Napoleón por la infantería británica en Waterloo, son emblemas y sombras de ese destino.

Jinete que se aleja y se pierde, con una sugestión de derrota, es asimismo en nuestras letras el gaucho. Así, en el *Martín Fierro*:

> *Cruz y Fierro de una estancia*
> *Una tropilla se arriaron,*
> *Por delante se la echaron*
> *Como criollos entendidos*
> *y pronto, sin ser sentidos,*
> *Por la frontera cruzaron.*
>
> *Y cuando la habían pasao,*
> *Una madrugada clara,*
> *Le dijo Cruz que mirara*
> *Las últimas poblaciones*
> *Y a Fierro dos lagrimones*
> *Le rodaron por la cara.*
>
> *Y siguiendo el fiel del rumbo*
> *Se entraron en el desierto...*

Y en *El payador*, de Lugones:
"Dijérase que lo hemos visto desaparecer tras los collados familiares, al tranco de su caballo, despacito, porque no vayan a creer

---

[1] Es fama que Hidalgo, Ascasubi, Estanislao del Campo y Lussich abundaron en versiones jocosas del diálogo del jinete con la ciudad.

que es de miedo, con la última tarde que iba pardeando como el ala de la torcaz, bajo el chambergo lóbrego y el poncho pendiente de los hombros en decaídos pliegues de bandera a media asta."

Y en *Don Segundo Sombra*:
"La silueta reducida de mi padrino apareció en la lomada. Mi vista se ceñía enérgicamente sobre aquel pequeño movimiento en la pampa somnolienta. Ya iba a llegar a lo alto del camino y desaparecer. Se fue reduciendo como si lo cortaran de abajo en repetidos tajos. Sobre el punto negro del chambergo, mis ojos se aferraron con afán de hacer perdurar aquel rezago."

El espacio, en los textos supracitados, tiene la misión de significar el tiempo y la historia.

La figura del hombre sobre el caballo es secretamente patética. Bajo Atila, Azote de Dios, bajo Gengis-khan y bajo Timur, el jinete destruye y funda con violento fragor dilatados reinos, pero sus destrucciones y fundaciones son ilusorias. Su obra es efímera como él. Del labrador procede la palabra *cultura*, de las ciudades la palabra *civilización*, pero el jinete es una tempestad que se pierde. En el libro *Die Germanen der Völkerwanderung* (Stuttgart, 1939), Capelle observa, a este propósito, que los griegos, los romanos y los germanos eran pueblos agrícolas.

IX

EL PUÑAL

A Margarita Bunge

En un cajón hay un puñal.

Fue forjado en Toledo, a fines del siglo pasado; Luis Melián Lafinur se lo dio a mi padre, que lo trajo del Uruguay; Evaristo Carriego lo tuvo alguna vez en la mano.

Quienes lo ven tienen que jugar un rato con él; se advierte que hace mucho que lo buscaban; la mano se apresura a apretar la empuñadura que la espera; la hoja obediente y poderosa juega con precisión en la vaina.

Otra cosa quiere el puñal.

Es más que una estructura hecha de metales; los hombres lo pensaron y lo formaron para un fin muy preciso; es, de algún modo, eterno, el puñal que anoche mató a un hombre en Tacuarembó y los puñales que mataron a César. Quiere matar, quiere derramar brusca sangre.

En un cajón del escritorio, entre borradores y cartas, interminablemente sueña el puñal su sencillo sueño de tigre, y la mano se anima cuando lo rige porque el metal se anima, el metal que presiente en cada contacto al homicida para quien lo crearon los hombres.

A veces me da lástima. Tanta dureza, tanta fe, tan impasible o inocente soberbia, y los años pasan, inútiles.

X

PRÓLOGO A UNA EDICIÓN DE LAS POESÍAS
COMPLETAS DE EVARISTO CARRIEGO

Todos, ahora, vemos a Evaristo Carriego en función del suburbio y propendemos a olvidar que Carriego es (como el guapo, la costurerita y el gringo) un personaje de Carriego, así como el suburbio en que lo pensamos es una proyección y casi una ilusión de su obra. Wilde sostenía que el Japón —las imágenes que esa palabra despierta— había sido inventado por Hokusai; en el caso de Evaristo Carriego, debemos postular una acción recíproca: el suburbio crea a Carriego y es recreado por él. Influyen en Carriego el suburbio real y el suburbio de Trejo y de las milongas; Carriego impone su visión del suburbio; esa visión modifica la realidad. (La modificarán después, mucho más, el tango y el sainete.)

¿Cómo se produjeron los hechos, cómo pudo ese pobre muchacho Carriego llegar a ser el que ahora será para siempre? Quizás el mismo Carriego, interrogado, no podría decírnoslo. Sin otro argumento que mi incapacidad para imaginar de otra manera las cosas, propongo esta versión al lector:

Un día entre los días del año 1904, en una casa que persiste en la calle Honduras, Evaristo Carriego leía con pesar y con avidez un libro de la gesta de Charles de Baatz, señor de Artagnan. Con avidez, porque Dumas le ofrecía lo que a otros ofrecen Shakespeare o Balzac o Walt Whitman, el sabor de la plenitud de la vida; con pesar porque era joven, orgulloso, tímido y pobre, y se creía desterrado de la vida. La vida estaba en Francia, pensó, en el claro contacto de los aceros, o cuando los ejércitos del Emperador anegaban la tierra, pero a mí me ha tocado el siglo xx, el tardío siglo xx, y un mediocre arrabal sudamericano... En esa cavilación estaba Carriego cuando algo sucedió. Un rasguido de laboriosa guitarra, la despareja hilera de casas bajas vistas por la ventana, Juan Muraña tocándose el chambergo para contestar a un saludo (Juan Muraña que anteanoche *marcó* a Suárez el

Chileno), la luna en el cuadrado del patio, un hombre viejo con un gallo de riña, algo, cualquier cosa. Algo que no podremos recuperar, algo cuyo sentido sabemos pero no cuya forma, algo cotidiano y trivial y no percibido hasta entonces, que reveló a Carriego que el universo (que se da entero en cada instante, en cualquier lugar, y no sólo en las obras de Dumas) también estaban ahí, en el mero presente, en Palermo, en 1904. *Entrad, que también aquí están los dioses,* dijo Heráclito de Éfeso a las personas que lo hallaron calentándose en la cocina.

Yo he sospechado alguna vez que cualquier vida humana, por intrincada y populosa que sea, consta en realidad de un momento: el momento en que el hombre sabe para siempre quién es. Desde la imprecisable revelación que he tratado de intuir, Carriego es Carriego. Ya es el autor de aquellos versos que años después le será permitido inventar:

> *Le cruzan el rostro, de estigmas violentos*
> *Hondas cicatrices, y tal vez le halaga*
> *llevar imborrables adornos sangrientos:*
> *Caprichos de hembra que tuvo la daga.*

En el último, casi milagrosamente, hay un eco de la imaginación medieval del consorcio del guerrero con su arma, de esa imaginación que Detlev von Liliencron fijó en otros versos ilustres:

> *In die Friesen trug er sein Schwert Hilfnot,*
> *das hat ihn heute betrogen...*

Buenos Aires, noviembre de 1950.

XI

HISTORIA DEL TANGO

Vicente Rossi, Carlos Vega y Carlos Muzzio Sáenz Peña, investigadores puntuales, han historiado de diversa manera el origen del tango. Nada me cuesta declarar que suscribo a todas sus conclusiones, y aun a cualquier otra. Hay una historia del destino del tango, que el cinematógrafo periódicamente divulga; el tango, según esa versión sentimental, habría nacido en el suburbio, en los conventillos (en la Boca del Riachuelo, generalmente, por las virtudes fotográficas de esa zona); el patriciado lo habría rechazado, al principio; hacia 1910, adoctrinado por el buen ejemplo de París, habría franqueado finalmente sus puertas a ese interesante orillero. Ese *Bildungsroman*, esa "novela de un joven pobre", es ya una especie de verdad inconcusa o de axioma; mis recuerdos (y he cumplido los cincuenta años) y las indagaciones de naturaleza oral que he emprendido, ciertamente no la confirman.

He conversado con José Saborido, autor de *Felicia* y de *La morocha*, con Ernesto Poncio, autor de *Don Juan*, con los hermanos de Vicente Greco, autor de *La viruta* y de *La Tablada*, con Nicolás Paredes, caudillo que fue de Palermo, y con algún payador de su relación. Los dejé hablar; cuidadosamente me abstuve de formular preguntas que sugirieran determinadas contestaciones. Interrogados sobre la procedencia del tango, la topografía y aun la geografía de sus informes era singularmente diversa: Saborido (que era oriental) prefirió una cuna montevideana; Poncio (que era del barrio del Retiro) optó por Buenos Aires y por su barrio; los porteños del Sur invocaron la calle Chile; los del Norte, la meretricia calle del Temple o la calle Junín.

Pese a las divergencias que he enumerado y que sería fácil enriquecer interrogando a platenses o a rosarinos, mis asesores concordaban en un hecho esencial: el origen del tango en los lupanares. (Asimismo en la data de ese origen, que para nadie fue muy anterior al ochenta o posterior al noventa). El instrumental primitivo de las orquestas —piano, flauta, violín, después bandoneón— confirma, por el costo, ese testimonio; es una prueba de que el tango no surgió en las orillas, que se bastaron siempre, nadie lo ignora, con las seis cuerdas de la guitarra. Otras confirmaciones no faltan: la lascivia de las figuras, la connotación evidente de ciertos títulos (*El choclo, El fierrazo*), la circunstancia, que de chico pude observar en Palermo y años después en la Chacarita y en Boedo, de que en las esquinas lo bailaban parejas de hombres, porque las mujeres del pueblo no querían participar en un baile de perdularias. Evaristo Carriego la fijó en sus *Misas herejes*:

> *En la calle, la buena gente derrocha*
> *sus guarangos decires más lisonjeros,*
> *porque al compás de un tango, que es* La morocha,
> *lucen ágiles* cortes *dos orilleros.*

En otra página de Carriego se muestra, con lujo de afligentes detalles, una pobre fiesta de casamiento; el hermano del novio está en la cárcel, hay dos muchachos pendencieros que el guapo tiene que pacificar con amenazas, hay recelo y rencor y chocarrería, pero

> *El tío de la novia, que se ha creído*
> *obligado a fijarse si el baile toma*
> *buen carácter, afirma, medio ofendido;*
> *que no se admiten* cortes, *ni aun en broma...*
> *Que, la modestia a un lado, no se la pega*
> *ninguno de esos vivos... seguramente.*
> *La casa será pobre, nadie lo niega,*
> *todo lo que se quiera, pero decente—.*

El hombre momentáneo y severo que nos dejan entrever, para siempre, las dos estrofas, significa muy bien la primera reacción del pueblo ante el tango, *ese reptil de lupanar* como lo definiría Lugones con laconismo desdeñoso (*El payador*, página 117). Muchos años requirió el Barrio Norte para imponer el tango —ya adecentado por París, es verdad— a los conventillos, y no sé si del todo lo ha conseguido. Antes era una orgiástica diablura; hoy es una manera de caminar.

EL TANGO PENDENCIERO

La índole sexual del tango fue advertida por muchos, no así la índole pendenciera. Es verdad que las dos son modos o manifestaciones de un mismo impulso, y así la palabra *hombre*, en todas las lenguas que sé, connota capacidad sexual y capacidad belicosa, y la palabra *virtus*, que en latín quiere decir coraje, procede de *vir*, que es varón. Parejamente, en una de las páginas de *Kim* un afghán declara: "A los quince años, yo había matado a un hombre y procreado a un hombre" (*When I was fifteen, I had shot my man and begot my man*), como si los dos actos fueran, esencialmente, uno.

Hablar de tango pendenciero no basta; yo diría que el tango y que las milongas, expresan directamente algo que los poetas, muchas veces, han querido decir con palabras: la convicción de que pelear puede ser una fiesta. En la famosa *Historia de los Godos* que Jordanes compuso en el siglo VI, leemos que Atila, antes de la derrota de Châlons, arengó a sus ejércitos y les dijo que la fortuna había reservado para ellos *los júbilos* de esa batalla (*certaminis hujus gaudia*). En la Ilíada se habla de aqueos para quienes la guerra era más dulce que regresar en huecas naves a su querida tierra natal y se dice que Paris, hijo de Príamo, corrió con pies veloces a la batalla, como el caballo de agitada crin que busca a las yeguas. En la vieja epopeya sajona que inicia las literaturas germánicas, en el Beowulf, el rapsoda llama *sweorda gelac* (juego de espadas) a la batalla. *Fiesta de vikings* le dijeron en el siglo XI los poetas escandinavos. A principios del siglo XVII, Quevedo, en una de sus jácaras, llamó a un duelo *danza de espadas*, lo cual es casi el *juego de espadas* del anónimo anglosajón. El espléndido Hugo, en su evocación de la batalla de Waterloo, dijo que los soldados, comprendiendo que iban a morir en aquella fiesta (*comprenant qu'ils allaient mourir dans cette fête*), saludaron a su dios, de pie en la tormenta.

Estos ejemplos, que al azar de mis lecturas he ido anotando, podrían, sin mayor diligencia, multiplicarse y acaso en la *Chanson de Roland* o en el vasto poema de Ariosto hay lugares congéneres. Alguno de los registrados aquí —el de Quevedo o el de Atila, digamos— es de irrecusable eficacia; todos, sin embargo, adolecen del pecado original de lo literario: son estructuras de palabras, formas hechas de símbolos. *Danza de espadas*, por ejemplo, nos invita a unir dos representaciones dispares, la del baile y la del combate, para que la primera sature de alegría a la última, pero no habla directamente con nuestra sangre, no recrea en nosotros esa alegría. Schopenhauer (*Welt als Wille und Vorstellung*, 1, 52) ha escrito que la música no es menos inmediata que el mundo mismo; sin mundo, sin un caudal común de memorias evocables por el lenguaje, no habría, ciertamente, literatura, pero la música prescinde del mundo, podría haber música y no mundo. La música es la voluntad, la pasión; el tango antiguo, como música, suele directamente trasmitir esa belicosa alegría cuya expresión verbal ensayaron, en edades remotas, rapsodas griegos y germánicos. Ciertos compositores actuales buscan ese tono valiente y elaboran, a veces con felicidad, milongas del bajo de la Batería o del Barrio del Alto, pero sus trabajos, de letra y música estudiosamente anticuadas, son ejercicios de nostalgia de lo que fue, llantos por lo perdido, esencialmente tristes aunque la tonada sea alegre. Son a las bravías e inocentes milongas que registra el libro de Rossi lo que *Don Segundo Sombra* es a *Martín Fierro* o a *Paulino Lucero*.

En un diálogo de Oscar Wilde se lee que la música nos revela un pasado personal que hasta ese momento ignorábamos y nos mueve a lamentar desventuras que no nos ocurrieron y culpas que no cometimos; de mí confesaré que no suelo oír *El Marne* o *Don Juan* sin recordar con precisión un pasado apócrifo, a la vez estoico y orgiástico, en el que he desafiado y peleado para caer al fin, silencioso, en un oscuro duelo a cuchillo. Tal vez la misión del tango sea ésa: dar a los argentinos la certidumbre de haber sido valientes, de haber cumplido ya con las exigencias del valor y el honor.

UN MISTERIO PARCIAL

Admitida una función compensatoria del tango, queda un breve misterio por resolver. La independencia de América fue, en buena parte, una empresa argentina; hombres argentinos pelearon en lejanas batallas del continente, en Maipú, en Ayacucho, en Junín. Después hubo las guerras civiles, la guerra del Brasil, las campañas contra Rosas y Urquiza, la guerra del Paraguay, la guerra de frontera contra los indios... Nuestro pasado militar es copioso, pero lo indiscutible es que el argentino, en trance de pensarse valiente, no se identifica con él (pese a la preferencia que en las escuelas se da al estudio de la historia) sino con las vastas figuras genéricas del Gaucho y del Compadre. Si no me engaño, este rasgo instintivo y paradójico tiene su explicación. El argentino hallaría su símbolo en el gaucho y no en el militar, porque el valor cifrado en aquél por las tradiciones orales no está al servicio de una causa y es puro. El gaucho y el compadre son imaginados como rebeldes; el argentino, a diferencia de los americanos del Norte y de casi todos los europeos, no se identifica con el Estado. Ello puede atribuirse al hecho general de que el Estado es una inconcebible abstracción [1]; lo cierto es que el argentino es un individuo, no un ciudadano. Aforismos como el de Hegel "El Estado es la realidad de la idea moral" le parecen bromas siniestras. Los films elaborados en Hollywood repetidamente

[1] El Estado es impersonal; el argentino sólo concibe una relación personal. Por eso, para él, robar dineros públicos no es un crimen. Compruebo un hecho, no lo justifico o disculpo.

proponen a la admiración el caso de un hombre (generalmente, un periodista) que busca la amistad de un criminal para entregarlo después a la policía; el argentino, para quien la amistad es una pasión y la policía una *maffia*, siente que ese "héroe" es un incomprensible canalla. Siente con don Quijote que "allá se lo haya cada uno con su pecado" y que "no es bien que los hombres honrados sean verdugos de los otros hombres, no yéndoles nada en ello" (*Quijote*, 1, XXII). Más de una vez, ante las vanas simetrías del estilo español, he sospechado que diferimos insalvablemente de España; esas dos líneas del *Quijote* han bastado para convencerme de error; son como el símbolo tranquilo y secreto de una afinidad. Profundamente la confirma una noche de la literatura argentina: esa desesperada noche en la que un sargento de la policía rural gritó que no iba a consentir el delito de que se matara a un valiente y se puso a pelear contra sus soldados, junto al desertor Martín Fierro.

LAS LETRAS

De valor desigual, ya que notoriamente proceden de centenares y de miles de plumas heterogéneas, las letras de tango que la inspiración o la industria han elaborado integran, al cabo de medio siglo, un casi inextricable *corpus poeticum* que los historiadores de la literatura argentina leerán o, en todo caso, vindicarán. Lo popular, siempre que el pueblo ya no lo entienda, siempre que lo hayan anticuado los años, logra la nostálgica veneración de los eruditos y permite polémicas y glosarios; es verosímil que hacia 1990 surja la sospecha o la certidumbre de que la verdadera poesía de nuestro tiempo no está en *La urna* de Banchs o en *Luz de provincia* de Mastronardi, sino en las piezas imperfectas que se atesoran en *El alma que canta*. Esta suposición es melancólica. Una culpable negligencia me ha vedado la adquisición y el estudio de ese repertorio caótico, pero no desconozco su variedad y el creciente ámbito de sus temas. Al principio, el tango no tuvo letra o la tuvo obscena y casual. Algunos la tuvieron agreste (*Yo soy la fiel compañera — del noble gaucho porteño*) porque los compositores buscaban la popular, y la mala vida y los arrabales no eran materia poética, entonces. Otros, como la milonga congénere [1], fueron alegres y vistosas bravatas (*En el tango soy tan*

---

[1] *Yo soy del barrio del Alto,*
Soy del barrio del Retiro.
Yo soy aquel que no miro
Con quién tengo que pelear,
Y a quien en milonguear,
Ninguno se puso a tiro.

taura — que cuando hago un doble corte — corre la voz por el Norte — si es que me encuentro en el Sur). Después, el género historió, como ciertas novelas del naturalismo francés o como ciertos grabados de Hogarth, las vicisitudes locales del *harlot's progress* (*Luego fuiste la amiguita — de un viejo boticario — y el hijo de un comisario — todo el vento te sacó*); después, la deplorada conversión de los barrios pendencieros o menesterosos a la decencia (*Puente Alsina, — ¿dónde está ese malevaje?* o *¿Dónde están aquellos hombres y esas chinas, — vinchas rojas y chambergos que Requena conoció? — ¿Dónde está mi Villa Crespo de otros tiempos? — Se vinieron los judíos, Triunvirato se acabó*). Desde muy temprano, las zozobras del amor clandestino o sentimental habían atareado las plumas (*¿No te acordás que conmigo — te pusistes un sombrero — y aquel cinturón de cuero — que a otra mina la afané?*). Tangos de recriminación, tangos de odio, tangos de burla y de rencor se escribieron, reacios a la transcripción y al recuerdo. Todo el trajín de la ciudad fue entrando en el tango; la mala vida y el suburbio no fueron los únicos temas. En el prólogo de las sátiras, Juvenal memorablemente escribió que todo lo que mueve a los hombres —el deseo, el temor, la ira, el goce carnal, las intrigas, la felicidad— sería materia de su libro; con perdonable exageración podríamos aplicar su famoso *quidquid agunt homines*, a la suma de las letras de tango. También podríamos decir que éstas forman una inconexa y vasta *comédie humaine* de la vida de Buenos Aires. Es sabido que Wolf, a fines del siglo XVIII, escribió que la Ilíada, antes de ser una epopeya, fue una serie de cantos y de rapsodias; ello permite, acaso, la profecía de que las letras de tango formarán, con el tiempo, un largo poema civil, o sugerirán a algún ambicioso la escritura de ese poema.

Es conocido el parecer de Andrew Fletcher: "Si me dejan escribir todas las baladas de una nación, no me importa quién escriba las leyes"; el dictamen sugiere que la poesía común o tradicional puede influir en los sentimientos y dictar la conducta. Aplicada la conjetura al tango argentino, veríamos en éste un espejo de nuestras realidades y a la vez un mentor o un modelo, de influjo ciertamente maléfico. La milonga y el tango de los orígenes podían ser tontos o, a lo menos, atolondrados, pero eran valerosos y alegres; el tango posterior es un resentido que deplora con lujo sentimental las desdichas propias y festeja con desvergüenza las desdichas ajenas.

Recuerdo que hacia 1926 yo daba en atribuir a los italianos (y más concretamente a los genoveses del barrio de la Boca) la degeneración de los tangos. En aquel mito, o fantasía, de un tango "criollo" maleado por los "gringos", veo un claro síntoma, ahora, de ciertas herejías nacionalistas que han asolado el mundo después —a impulso de los gringos, naturalmente. No el bandoneón, que yo apodé cobarde algún día, no los aplicados compositores de un suburbio fluvial, han hecho que el tango sea lo que es, sino la República entera. Además, los criollos viejos que engendraron el tango se llamaban Bevilacqua, Greco o de Bassi...

A mi denigración del tango de la etapa actual alguien querrá objetar que el pasaje de valentía o baladronada a tristeza no es necesariamente culpable y puede ser indicio de madurez. Mi imaginario contendor bien puede agregar que el inocente y valeroso Ascasubi es al quejoso Hernández lo que el primer tango es al último y que nadie —salvo, acaso, Jorge Luis Borges— se ha animado a inferir de esa disminución de felicidad que *Martín Fierro* es inferior a *Paulino Lucero*. La respuesta es fácil: La diferencia no sólo es de tono hedónico: es de tono moral. En el tango cotidiano de Buenos Aires, en el tango de las veladas familiares y de las confiterías decentes, hay una canallería trivial, un sabor de infamia que ni siquiera sospecharon los tangos del cuchillo y del lupanar.

Musicalmente, el tango no debe de ser importante; su única importancia es la que le damos. La reflexión es justa, pero tal vez es aplicable a todas las cosas. A nuestra muerte personal, por ejemplo, o a la mujer que nos desdeña... El tango puede discutirse, y lo discutimos, pero encierra, como todo lo verdadero, un secreto. Los diccionarios musicales registran, por todos aprobada, su breve y suficiente definición; esa definición es elemental y no promete dificultades, pero el compositor francés o español que, confiado en ella, urde correctamente un "tango", descubre, no sin estupor, que ha urdido algo que nuestros oídos no reconocen, que nuestra memoria no hospeda y que nuestro cuerpo rechaza. Diríase que sin atardeceres y noches de Buenos Aires no puede hacerse un tango y que en el cielo nos espera a los argentinos la idea platónica del tango, su forma universal (esa forma que apenas deletrean *La Tablada* o *El Choclo*), y que esa especie venturosa tiene, aunque humilde, su lugar en el universo.

EL DESAFÍO

Hay un relato legendario o histórico, o hecho de historia y de leyenda a la vez (lo cual, acaso, es otra manera de decir legendario), que prueba el culto del coraje. Sus mejores versiones escritas pueden buscarse en las novelas de Eduardo Gutiérrez, olvidadas ahora con injusticia, en el *Hormiga Negra* o el *Juan Moreira*; de las orales, la primera que oí provenía de un barrio que demarcaron una cárcel, un río y un cementerio y que se llamó la Tierra del Fuego. El protagonista de esa versión era Juan Muraña, carrero y cuchillero en el que convergen todos los cuentos de coraje que andan por las orillas del Norte. Esa primera versión era simple. Un hombre de los Corrales o de Barracas, sabedor de la fama de Juan Muraña (a quien no ha visto nunca), viene a pelearlo desde su suburbio del Sur; lo provoca en un almacén, los dos salen a pelear a la calle; se hieren, Muraña, al fin, lo *marca* y le dice:

—*Te dejo con vida para que volvás a buscarme.*

Lo desinteresado de aquel duelo lo grabó en mi memoria; mis conversaciones (mis amigos harto lo saben) no prescindieron de él; hacia 1927 lo escribí y con enfático laconismo lo titulé *Hombres pelearon*; años después, la anécdota me ayudó a imaginar un cuento afortunado, ya que no bueno, *Hombre de la esquina rosada*; en 1950, Adolfo Bioy Casares y yo la retomamos para urdir el libro de un film que las empresas rechazaron con entusiasmo y que se llamaría *Los orilleros*. Creí, al cabo de tan dilatadas fatigas, haberme despedido de la historia del duelo generoso; este año, en Chivilcoy, recogí una versión harto superior, que ojalá sea la verdadera, aunque las dos muy bien pueden serlo, ya que el destino se complace en repetir las formas y lo que pasó una vez pasa muchas. Dos cuentos mediocres y un film que tengo por muy bueno salieron de la versión deficiente; nada puede salir de la otra, que es perfecta y cabal. Como me la contaron la contaré, sin adiciones de matáforas o de paisaje. La historia, me dijeron, ocurrió en el partido de Chivilcoy, hacia mil ochocientos setenta y tantos. Wenceslao Suárez es el nombre del héroe, que desempeña la tarea de trenzador y vive en un ranchito. Es hombre de cuarenta o de cincuenta años; tiene reputación de valiente y es harto inverosímil (dados los hechos de la historia que narro) que no deba una o dos muertes, pero éstas, cometidas en buena ley, no perturban su conciencia o manchan su fama. Una tarde, en la vida pareja de ese hombre ocurre un hecho insólito: en la pulpería le notician que ha llegado una carta para él. Don Wenceslao no sabe leer; el pulpero descifra con lentitud una ceremoniosa misiva, que tampoco ha de ser de puño y letra de quien la manda. En representación de unos amigos que saben estimar la destreza y la verdadera serenidad, un desconocido saluda a don Wenceslao, mentas de cuya fama han atravesado el Arroyo del Medio, y le ofrece la hospitalidad de su humilde casa, en un pueblo de Santa Fe. Wenceslao Suárez dicta una contestación al pulpero; agradece la fineza, explica que no se anima a dejar sola a su madre, ya muy entrada en años, e invita al otro a Chivilcoy, a su rancho, donde no faltarán un asado y unas copas de vino.

Pasan los meses y un hombre en un caballo aperado de un modo algo distinto al de la región pregunta en la pulpería las señas de la casa de Suárez. Éste, que ha venido a comprar carne, oye la pregunta y le dice quén es; el forastero le recuerda las cartas que se escribieron hace un tiempo. Suárez celebra que el otro se haya decidido a venir; luego se van los dos a un campito y Suárez prepara el asado. Comen y beben y conversan. ¿De qué? Sospecho que de temas de sangre, de temas bárbaros, pero con atención y prudencia. Han almorzado y el grave calor de la siesta carga sobre la tierra cuando el forastero convida a don Wenceslao a que se hagan unos tiritos. Rehusar sería una deshonra. Vistean los dos y juegan a pelear al principio, pero Wenceslao no tarda en sentir que el forastero se propone matarlo. Entiende, al fin, el sentido de la carta ceremoniosa y deplora haber comido y bebido tanto. Sabe que se cansará antes que el otro, que es todavía un muchacho. Con sorna o cortesía, el forastero le propone un descanso. Don Wenceslao accede, y, en cuanto reanudan el duelo, permite al otro que lo hiera en la mano izquierda, en la que lleva el poncho, arrollado. [1] El cuchillo entra en la muñeca, la mano queda como muerta, colgando. Suárez, de un gran salto, recula, pone la mano ensangrentada en el suelo, la pisa con la bota, la arranca, amaga un golpe al pecho del forastero y le abre el vientre de una puñalada. Así acaba la historia, salvo que para algún relator queda el santafesino en el campo y, para otro (que le mezquina la dignidad de morir), vuelve a su provincia. En esta versión última, Suárez le hace la primera cura con la caña que quedó del almuerzo...

En la gesta del Manco Wenceslao —así ahora se llama Suárez, para la gloria— la mansedumbre o cortesía de ciertos rasgos (el trabajo de trenzador, el escrúpulo de no dejar sola a la madre, las dos caras floridas, la conversación, el almuerzo) mitigan o acentúan con felicidad la tremenda fábula; tales rasgos le dan un carácter épico y aun caballeresco que no hallaremos, por ejemplo, salvo que hayamos resuelto encontrarlo, en las peleas de borracho del *Martín Fierro* o en la congénere y más pobre versión de Juan Muraña y el surero. Un rasgo común a las dos es, quizá, significativo. En ambas el provocador resulta derrotado. Ello puede deberse a la mera y miserable necesidad de que triunfe

---

[1] De esa vieja manera de combatir a capa y espada, habla Montaigne en sus *Ensayos* (I, 49) y cita un pasaje de César: *Sinistras sagis involvunt, gladiosque distringunt.* Lugones, en la página 54 de *El payador*, trae un lugar análogo del romance de Bernardo del Carpio:

> Revolviendo el manto al brazo,
> La espada fuera a sacar.

el campeón local, pero también, y así lo preferiríamos, a una tácita condena de la provocación en estas ficciones heroicas o, y esto sería lo mejor, a la oscura y trágica convicción de que el hombre siempre es artífice de su propia desdicha, como el Ulises del canto XXVI del Infierno. Emerson, que alabó en las biografías de Plutarco "un estoicismo que no es de las escuelas sino de la sangre", no hubiera desdeñado esta historia.

Tendríamos, pues, a hombres de pobrísima vida, a gauchos y orilleros de las regiones ribereñas del Plata y del Paraná, creando, sin saberlo, una religión, con su mitología y sus mártires, la dura y ciega religión del coraje, de estar listo a matar y a morir. Esa religión es vieja como el mundo, pero habría sido redescubierta, y vivida, en estas repúblicas, por pastores, matarifes, troperos, prófugos y rufianes. Su música estaría en los estilos, en las milongas y en los primeros tangos. He escrito que es antigua esa religión; en una saga del siglo XII se lee:

—"Dime cuál es tu fe —dijo el conde.

—Creo en mi fuerza —dijo Sigmund."

Wenceslao Suárez y su anónimo contrincante y otros que la mitología ha olvidado o ha incorporado a ellos, profesaron sin duda esa fe viril, que bien puede no ser una vanidad sino la conciencia de que en cualquier hombre está Dios.

XII

DOS CARTAS

(La publicación de uno de los capítulos que integran la Historia del tango *valió a su autor estas dos cartas, que ahora enriquecen el libro.)*

C. del Uruguay (E. R.), 27 de enero de 1953.

Señor
JORGE LUIS BORGES

He leído en "La Nación" del 28 de diciembre "El Desafío".

Dado el interés que usted manifiesta por hechos de la naturaleza del que narra, pienso que le será grato conocer uno que contaba mi padre, fallecido hace muchos años, diciéndose testigo presencial del mismo.

Lugar: el saladero "San José" de Puerto Ruiz, próximo a Gualeguay, que giraba bajo la firma Laurencena, Parachú y Marcó.

Época: Allá por los 60.

Entre el personal del saladero, casi exclusivamente de vascos, figuraba un negro de nombre Fustel, cuya fama como diestro en el manejo del facón había trascendido los límites de la provincia, como usted verá.

Un buen día llegó a Puerto Ruiz un paisano lujosamente vestido al estilo de la época: chiripá de merino negro, calzoncillo cribado, pañuelo de seda al cuello, cinto cubierto de monedas de plata, en buen caballo aperado regiamente: freno, pretal, estribos y cabezada de plata con adornos de oro y facón haciendo juego.

Se dio a conocer diciendo que venía del saladero "Fray Bentos", donde se había enterado de la fama de Fustel, y que, considerándose muy hombre, deseaba probarse con él.

Fue fácil ponerles en contacto, y no habiendo motivos de ninguna clase de malquerencia, se concertó el lance para el día y hora determinados, en el mismo lugar.

En el centro de una gran rueda formada por todo el personal del saladero y vecinos, comenzó la pelea, en la que ambos hombres demostraban admirable destreza.

Después de largo rato de lucha, el negro Fustel consiguió alcanzar a su rival con la punta del facón en la frente, haciéndole una herida que aunque pequeña empezó a manar bastante sangre.

Al verse herido, el forastero tiró el facón y, tendiéndole la mano a su contrincante, le dijo: "Usted es más hombre, amigo".

Se hicieron muy buenos amigos, y al despedirse se cambiaron los facones en prueba de amistad.

Se me ocurre que manejado por su prestigiosa pluma, este hecho, que creo histórico (mi padre nunca mintió), podría servirle para rehacer el libreto de su film, cambiando el nombre de "Los orilleros" por "Nobleza Gaucha", o algo parecido.

Lo saluda con especial consideración

ERNESTO T. MARCÓ

Chivilcoy, diciembre 28 de 1952.

Señor Jorge Luis Borges, en *La Nación.*

De mi distinguida consideración:

Ref.: *Comentarios a* El Desafío *(28/12/52)*

Escribo esto con un propósito de información y no de rectificación, por cuanto lo esencial no sufre alteración alguna, variando sólo algunas formas del hecho.

Muchas veces escuché a mi padre detalles del duelo que sirve a la sustancia de *El Desafío* aparecido en *La Nación* de hoy, quien a la sazón habitaba en un campo de su propiedad sito en las proximidades de la "Pulpería de Doña Hipólita", cuya playa aledaña fue el escenario en que se desarrolló el terrible duelo entre Wenceslao y el paisano azuleño —el mismo visitante se lo dijo a Wenceslao que procedía del Azul, hasta donde llegaran las mentas de la destreza de éste— que vino a dirimir posiciones.

Cerca de una parva de pasto seco comieron los rivales, seguramente estudiándose, y cuando tal vez los ánimos se acaloraron, vino la invitación a un visteo hecha por el sureño y aceptada en el acto por el nuestro.

Saltarín como era el azuleño, resultaba inalcanzable para el facón de su rival, prolongándose la lucha en perjuicio de Wenceslao. Desde arriba de la parva un peón de Doña Hipólita, que había cerrado la puerta de su pulpería en vista del cariz de la cuestión, presenciaba atemorizado las alternativas de la pelea. Resuelto Wenceslao a obtener una decisión, descubrió su guardia ofreciendo su brazo izquierdo protegido por el poncho que tenía arrollado. Cayó como el rayo el del Azul con un terrible hachazo descargado sobre la muñeca de su contrincante al tiempo que la punta aguzada del facón de Wenceslao lo alcanzaba en un ojo. Un alarido salvaje rasgó el silencio de la pampa, y el azuleño puesto en fuga se refugió tras la sólida puerta de la pulpería mientras Wenceslao pisaba su mano izquierda sostenida por una tira de piel y de un tajo la separaba del brazo, metía el muñón en la pechera de su blusa y corría tras del fugitivo, rugiendo como un león y reclamando su presencia para continuar la lucha.

Desde ese entonces a Wenceslao se le conocía por el manco Wenceslao. Vivía de su trabajo en tientos. Nunca provocaba. Su presencia en las pulperías fue prenda de paz, pues bastaba su enérgica advertencia proferida calmosamente, con su voz varonil, para desalentar a los pendencieros. Dentro de esa pobreza fue un señor. Su vida sencilla tuvo trascendencia, porque su orgullosa personalidad no toleró el insulto y ni siquiera el desdén, y su profundo conocimiento de las debilidades humanas le hizo dudar de la imparcialidad de la justicia de aquel entonces y por eso acostumbróse a hacérsela por sí mismo. Ahí estuvo su error, en cuanto a su propia conservación.

La trastada de un gringo lo obligó a proceder, y de allí partió su desgracia. Una numerosa comisión policial integrada por civiles lo acorraló en una pulpería donde fuera en busca de los vicios. La lucha a arma blanca, de 5 a 1, se resolvía ventajosamente para Wenceslao cuando el certero disparo de un civil tendió para siempre al héroe del cuartel 13.

Lo demás es exacto. Vivía en un rancho con la madre. Los vecinos, entre ellos mi padre, lo ayudaron para construirlo. Nunca robó.

Hago propicia la oportunidad para saludar al talentoso escritor con expresiones de mi admiración y simpatía.

JUAN B. LAUHIRAT

Discusión
(1932)

Discusión
(1932)

> *Esto es lo malo de no hacer imprimir las obras: que se va la vida en rehacerlas.*
> ALFONSO REYES. *Cuestiones gongorinas*, 60.

PRÓLOGO

Las páginas recopiladas en este libro no precisan mayor elucidación. El arte narrativo y la magia, Films *y* La postulación de la realidad *responden a cuidados idénticos y creo que llegan a ponerse de acuerdo.* Nuestras imposibilidades *no es el charro ejercicio de invectiva que dijeron algunos; es un informe reticente y dolido de ciertos caracteres de nuestro ser que no son tan gloriosos* [1]. Una vindicación del falso Basílides *y* Una vindicación de la cábala *son resignados ejercicios de anacronismo: no restituyen el difícil pasado — operan y divagan con él.* La duración del Infierno *declara mi afición incrédula y persistente por las dificultades teológicas.* Digo lo mismo de La penúltima versión de la realidad. Paul Groussac *es la más prescindible página del volumen. La intitulada* El otro Whitman *omite voluntariamente el fervor que siempre me ha dictado su tema; deploro no haber destacado algo más las numerosas invenciones retóricas del poeta, más imitadas ciertamente y más bellas que las de Mallarmé o las de Swinburne.* La perpetua carrera de Aquiles y la tortuga *no solicita otra virtud que la de su acopio de informes.* Las versiones homéricas *son mis primeras letras —que no creo ascenderán a segundas— de helenista adivinatorio.*

Vida y muerte le han faltado a mi vida. De esa indigencia, mi laborioso amor por estas minucias. No sé si la disculpa del epígrafe me valdrá.

Buenos Aires, 1932.

---

[1] El artículo, que ahora parecería muy débil, no figura en esta reedición. (Nota de 1955.)

LA POESÍA GAUCHESCA

Es fama que le preguntaron a Whistler cuánto tiempo había requerido para pintar uno de sus *nocturnos* y que respondió: "Toda mi vida." Con igual rigor pudo haber dicho que había requerido todos los siglos que precedieron al momento en que lo pintó. De esa correcta aplicación de la ley de causalidad se sigue que el menor de los hechos presupone el inconcebible universo e, inversamente, que el universo necesita del menor de los hechos. Investigar las causas de un fenómeno, siquiera de un fenómeno tan simple como la literatura gauchesca, es proceder en infinito; básteme la mención de *dos* causas que juzgo principales.

Quienes me han precedido en esta labor se han limitado a una: la vida pastoril que era típica de las cuchillas y de la pampa. Esa causa, apta sin duda para la amplificación oratoria y para la digresión pintoresca, es insuficiente; la vida pastoril ha sido típica de muchas regiones de América, desde Montana y Oregón hasta Chile, pero esos territorios, hasta ahora, se han abstenido enérgicamente de redactar *El gaucho Martín Fierro*. No bastan, pues, el duro pastor y el desierto. El *cowboy*, a pesar de los libros documentales de Will James y del insistente cinematógrafo, pesa menos en la literatura de su país que los chacareros del Middle West o que los hombres negros del Sur... Derivar la literatura gauchesca de su materia, el gaucho, es una confusión que desfigura la notoria verdad. No menos necesario para la formación de ese género que la pampa y que las cuchillas fue el carácter urbano de Buenos Aires y de Montevideo. Las guerras de la Independencia, la guerra del Brasil, las guerras anárquicas, hicieron que hombres de cultura civil se compenetraran con el gauchaje; de la azarosa conjunción de esos dos estilos vitales, del asombro que uno produjo en otro, nació la literatura gauchesca. Denostar (algunos lo han hecho) a Juan Cruz Varela o a Francisco Acuña de Figueroa por no haber ejercido, o inventado, esa literatura, es una necedad; sin las humanidades que representan sus odas y paráfrasis, Martín Fierro, en una pulpería de la frontera, no hubiera asesinado, cincuenta años después, al moreno. Tan dilatado y tan incalculable es el arte, tan secreto su juego. Tachar de artificial o de inveraz a la literatura gauchesca porque ésta no es obra de gauchos, sería pedantesco y ridículo; sin embargo, no hay cultivador de ese género que no haya sido alguna vez, por su generación o las venideras, acusado de falsedad. Así, para Lugones, el *Aniceto* de Ascasubi "es un pobre diablo, mezcla de filosofastro y de zumbón"; para Vicente Rossi, los protagonistas del *Fausto* son "dos chacareros chupistas y charlatanes"; Vizcacha, "un mensual anciano, maniático"; Fierro, "un fraile federal-oribista con barba y chiripá". Tales definiciones, claro está, son meras curiosidades de la inventiva; su débil y remota justificación es que todo gaucho de la literatura (todo personaje de la literatura) es, de alguna manera, el literato que lo ideó. Se ha repetido que los héroes de Shakespeare son independientes de Shakespeare; para Bernard Shaw, sin embargo, "*Macbeth* es la tragedia del hombre de letras moderno, como asesino y cliente de brujas"... Sobre la mayor o menor autenticidad de los gauchos escritos, cabe observar, tal vez, que para casi todos nosotros, el gaucho es un objeto ideal, prototípico. De ahí un dilema: si la figura que el autor nos propone se ajusta con rigor a ese prototipo, la juzgamos trillada y convencional; si difiere, nos sentimos burlados y defraudados. Ya veremos después que de todos los héroes de esa poesía, Fierro es el más individual, el que menos responde a una tradición. El arte, siempre, opta por lo individual, lo concreto; el arte no es platónico.

Emprendo, ahora, el examen sucesivo de los poetas.

El iniciador, el Adán, es Bartolomé Hidalgo, montevideano. La circunstancia de que en 1810 fue barbero parece haber fascinado a la crítica; Lugones, que lo censura, estampa la voz "rapabarbas"; Rojas, que lo pondera, no se resigna a prescindir de "rapista". Lo hace, de una plumada, payador, y lo describe en forma ascendente, con acopio de rasgos minuciosos e imaginarios: "vestido el chiripá sobre su calzoncillo abierto en cribas; calzadas las espuelas en la bota sobada del caballero gaucho; abierta sobre el pecho la camiseta oscura, henchida por el viento de las pampas, alzada sobre la frente el ala del chambergo, como si fuera siempre galopando la tierra natal; ennoblecida la cara barbuda por su ojo experto en las baquías de la inmensidad y de la gloria". Harto más memorables que esas licencias de la iconografía, y la sastrería, me parecen dos circunstancias, también registradas por Rojas: el hecho de que Hidalgo fue un soldado, el hecho de que, antes de inventar al capataz Jacinto Chano y al gaucho Ramón Contreras, abundó —disciplina singular en un payador— en sonetos y en odas endecasílabas. Carlos Roxlo juzga que las composiciones rurales de Hidalgo "no han sido superadas aún por ninguno de los que han descollado, imitándolo". Yo pienso lo contrario; pienso que ha sido superado por muchos y que sus diálogos, ahora, lindan con el olvido. Pienso también que su paradójica gloria radica en esa dilatada y diversa superación filial. Hidalgo sobrevive en los otros, Hidalgo es de algún modo los otros. En mi corta experiencia de narrador, he comprobado que saber cómo habla un personaje es saber quién es, que descubrir una entonación, una voz, una sintaxis peculiar, es haber descubierto un destino. Bartolomé Hidalgo descubre la entonación del gaucho; eso es mucho. No repetiré líneas suyas; inevitablemente incurriríamos en el anacronismo de condenarlas, usando como canon las de sus continuadores famosos. Básteme recordar que en las ajenas melodías que oiremos está la voz de Hidalgo, inmortal, secreta y modesta.

Hidalgo falleció oscuramente de una enfermedad pulmonar, en el pueblo de Morón, hacia 1823. Hacia 1841, en Montevideo, rompió a cantar, multiplicado en insolentes seudónimos, el cordobés Hilario Ascasubi. El porvenir no ha sido piadoso con él, ni siquiera justo.

Ascasubi, en vida, fue el "Béranger del Río de la Plata"; muerto, es un precursor borroso de Hernández. Ambas definiciones, como se ve, lo traducen en mero borrador —erróneo ya en el tiempo, ya en el espacio— de otro destino humano. La primera, la contemporánea, no le hizo mal: quienes la apadrinaban no carecían de una directa noción de quién era Ascasubi, y de una suficiente noticia de quién era el francés; ahora, los dos conocimientos ralean. La honesta gloria de Béranger ha declinado, aunque dispone todavía de tres columnas en la *Encyclopaedia Britannica,* firmadas por nadie menos que Stevenson; y la de Ascasubi... La segunda, la de premonición o aviso del *Martín Fierro,* es una insensatez: es accidental el parecido de las dos obras, nulo el de sus propósitos. El motivo de esa atribución errónea es curioso. Agotada la edición príncipe de Ascasubi de 1872 y rarísima en librería la de 1900, la empresa *La cultura argentina* quiso facilitar al público, alguna de sus obras. Razones de largura y de seriedad eligieron el *Santos Vega,* impenetrable sucesión de trece mil versos, de siempre acometida y siempre postergada lectura. La gente, fastidiada, ahuyentada, tuvo que recurrir a ese respetuoso sinónimo de la incapacidad meritoria: el concepto de precursor. Pensarlo precursor de su declarado discípulo, Estanislao del Campo, era demasiado evidente; resolvieron emparentarlo con José Hernández. El proyecto adolecía de esta molestia, que razonaremos después: la superioridad del precursor, en esas pocas páginas ocasionales —las descripciones del amanecer, del malón— cuyo tema es igual. Nadie se demoró en esa paradoja, nadie pasó de esta comprobación evidente: la general inferioridad de Ascasubi. (Escribo con algún remordimiento; uno de los distraídos fui yo, en cierta consideración inútil sobre Ascasubi.) Una liviana meditación, sin embargo, habría demostrado que postulados bien los propósitos de los dos escritores, una frecuente superioridad parcial de Aniceto era de prever. ¿Qué fin se proponía Hernández? Uno, limitadísimo: la historia del destino de Martín Fierro, referida por éste. No intuimos los hechos, sino al paisano Martín Fierro contándolos. De ahí que la omisión, o atenuación del color local sea típica de Hernández. No especifica día y noche, el pelo de los caballos: afectación que en nuestra literatura de ganaderos tiene correlación con la británica de especificar los aparejos, los derroteros y las maniobras, en su literatura del mar, pampa de los ingleses. No silencia la realidad, pero sólo se refiere a ella en función del carácter del héroe. (Lo mismo, con el ambiente marinero, hace Joseph Conrad.) Así, los muchos bailes que necesariamente figuran en su relato no son nunca descritos. Ascasubi, en cambio, se propone la intuición directa del baile, del juego discontinuo de los cuerpos que se están entendiendo (*Paulino Lucero*, pág. 204):

> *Sacó luego a su aparcera*
> *la Juana Rosa a bailar*
> *y entraron a menudiar*
> *media caña y caña entera.*
> *¡Ah, china! si la cadera*
> *del cuerpo se le cortaba,*
> *pues tanto lo mezquinaba*
> *en cada dengue que hacía,*
> *que medio se le perdía*
> *cuando Lucero le entraba.*

Y esta otra décima vistosa, como baraja nueva (*Aniceto el Gallo*, pág. 176):

> *Velay Pilar, la Porteña*
> *linda de nuestra campaña,*
> *bailando la media caña:*
> *vean si se desempeña*
> *y el garbo con que desdeña*
> *los entros de ese gauchito,*
> *que sin soltar el ponchito*
> *con la mano en la cintura*
> *le dice en esa postura:*
> *¡mi alma! yo soy compadrito.*

Es iluminativo también cotejar la noticia de los malones que hay en el *Martín Fierro* con la inmediata presentación de Ascasubi. Hernández (*La vuelta*, canto cuarto) quiere destacar el horror juicioso de Fierro ante la desatinada depredación; Ascasubi (*Santos Vega*, XIII), las leguas de indios que se vienen encima:

> *Pero al invadir la Indiada*
> *se siente, porque a la fija*
> *del campo la sabandija*
> *juye delante asustada*
> *y envuelto en la manguiada*
> *vienen perros cimarrones,*
> *zorros, avestruces, liones,*
> *gamas, liebres y venaos*
> *y cruzan atribulaos*
> *por entre las poblaciones.*
>
> *Entonces los ovejeros*
> *coliando bravos torean*
> *y también revolotean*
> *gritando los teruteros;*
> *pero, eso sí, los primeros*
> *que anuncian la novedá*
> *con toda seguridá*
> *cuando los pampas avanzan*
> *son los chajases que lanzan*
> *volando: ¡chajá! ¡chajá!*
>
> *Y atrás de esas madrigueras*
> *que los salvajes espantan,*
> *campo ajuera se levantan*
> *como nubes, polvaderas*
> *preñadas todas enteras*
> *de pampas desmelenaos*
> *que al trote largo apuraos,*
> *sobre los potros tendidos*
> *cargan pegando alaridos*
> *y en media luna formaos.*

Lo escénico otra vez, otra vez la fruición de contemplar. En esa inclinación está para mí la singularidad de Ascasubi, no en las virtudes de su ira unitaria, destacada por Oyuela y por Rojas. Éste (*Obras*, IX, pág. 671) imagina la desazón que sus payadas bárbaras produjeron, sin duda, en don Juan Manuel y recuerda el asesinato, dentro de la plaza sitiada de Montevideo, de Florencio Varela. El caso es incomparable: Varela, fundador y redactor de *El Comercio del Plata*, era persona internacionalmente visible; Ascasubi, payador incesante, se reducía a improvisar los versos caseros del lento y vivo truco del sitio.

Ascásubi, en la bélica Montevideo, cantó un odio feliz. El *facit indignatio versum* de Juvenal no nos dice la razón de su estilo; tajeador a más no poder, pero tan desaforado y cómodo en las injurias que parece una diversión o una fiesta, un gusto de vistear. Eso deja entrever una suficiente décima de 1849 (*Paulino Lucero*, pág. 336):

>*Señor patrón, allá va*
>*esa carta ¡de mi flor!*
>*con la que al Restaurador*
>*le retruco desde acá.*
>*Si usté la lé, encontrará*
>*a lo último del papel*
>*cosas de que nuestro aquel*
>*allá también se reirá;*
>*porque a decir la verdá*
>*es gaucho don Juan Manuel.*

Pero contra ese mismo Rosas, tan gaucho, moviliza bailes que parecen evolucionar como ejércitos. Vuelva a serpear y a resonar esta primera vuelta de su *media caña del campo, para los libres*:

>*Al potro que en diez años*
>*naides lo ensilló,*
>*don Frutos en Cagancha*
>>*se le acomodó,*
>>*y en el repaso*
>>*le ha pegado un rigor*
>>*superiorazo.*
>*Querelos mi vida —a los Orientales*
>*que son domadores— sin dificultades.*
>*¡Que viva Rivera! ¡que viva Lavalle!*
>*Tenémelo a Rosas... que no se desmaye.*
>>*Media caña,*
>>*a campaña,*
>>*Caña entera,*
>>*como quiera.*
>*Vamos a Entre Ríos, que allá está Badana,*
>*a ver si bailamos esta Media Caña:*
>*que allá está Lavalle tocando el violín,*
>*y don Frutos quiere seguirla hasta el fin.*
>>*Los de Cagancha*
>>*se le afirman al diablo*
>>*en cualquier cancha.*

Copio, también, esta peleadora felicidad (*Paulino Lucero*, página 58):

> *Vaya un cielito rabioso*
> *cosa linda en ciertos casos*
> *en que anda el hombre ganoso*
> *de divertirse a balazos.*

Coraje florido, gusto de los colores límpidos y de los objetos precisos, pueden definir a Ascasubi. Así, en el principio del *Santos Vega*:

> *El cual iba pelo a pelo*
> *en un potrillo bragao,*
> *flete lindo como un dao*
> *que apenas pisaba el suelo*
> *de livianito y delgao.*

Y esta mención de una figura (*Aniceto el Gallo*, pág. 147):

> *Velay la estampa del Gallo*
> *que sostiene la bandera*
> *de la Patria verdadera*
> *del Veinticinco de Mayo.*

Ascasubi, en *La refalosa*, presenta el pánico normal de los hombres en trance de degüello; pero razones evidentes de fecha le prohibieron el anacronismo de practicar la única invención literaria de la guerra de mil novecientos catorce; el patético tratamiento del miedo. Esa invención —paradójicamente preludiada por Rudyard Kipling, tratada luego con delicadeza por Sheriff y con buena insistencia periodística por el concurrido Remarque— les quedaba todavía muy a trasmano a los hombres de mil ochocientos cincuenta.

Ascasubi peleó en Ituzaingó, defendió las trincheras de Montevideo, peleó en Cepeda, y dejó en versos resplandecientes sus días. No hay el arrastre de destino en sus líneas que hay en el *Martín Fierro*; hay esa despreocupada, dura inocencia de los hombres de acción, huéspedes continuos de la aventura y nunca del asombro. Hay también su buena zafaduría, porque su destino era la guitarra insolente del compadrito y los fogones de la tropa. Hay asimismo (virtud correlativa de ese vicio y también popular) la felicidad prosódica: el verso baladí que por la sola entonación ya está bien.

De los muchos seudónimos de Ascasubi, *Aniceto el Gallo* fue el más famoso; acaso el menos agraciado, también. Estanislao del Campo, que lo imitaba, eligió el de *Anastasio el Pollo*. Ese nombre ha quedado vinculado a una obra celebérrima: el *Fausto*. Es sabido el origen de ese afortunado ejercicio; Groussac, no sin alguna inevitable perfidia, lo ha referido así: "Estanislao del Campo, oficial mayor del gobierno provincial, tenía ya despachados sin gran estruendo muchos expedientes en versos de cualquier metro y jaez, cuando por agosto del 66, asistiendo a una exhibición del *Fausto* de Gounod en el Colón, ocurrióle fingir, entre los espectadores del paraíso, al gaucho Anastasio, quien luego refería a un aparcero sus impresiones, interpretando a su modo las fantásticas escenas. Con un poco de vista gorda al argumento, la parodia resultaba divertidísima, y recuerdo que yo mismo festejé en la *Revista Argentina* la reducción para guitarra, de la aplaudida partitura... Todo se juntaba para el éxito; la boga extraordinaria de la ópera, recién estrenada en Buenos Aires; el sesgo cómico del 'pato' entre el diablo y el doctor, el cual, así parodiado, retrotraía el drama, muy por encima del poema de Goethe, hasta sus orígenes populares y medievales; el sonsonete fácil de las redondillas, en que el trémolo sentimental alternaba diestramente con los puñados de sal gruesa; por fin, en aquellos años de criollismo triunfante, el sabor a mate cimarrón del diálogo gauchesco, en que retozaba a su gusto el hijo de la pampa, si no tal cual fuera jamás en la realidad, por lo menos como lo habían compuesto y 'convencionalizado' cincuenta años de mala literatura."

Hasta aquí, Groussac. Nadie ignora que ese docto escritor creía obligatorio el desdén en su trato con meros sudamericanos; en el caso de Estanislao del Campo (a quien, inmediatamente después llama "payador de bufete"), agrega a ese desdén una impostura o, por lo menos, una supresión de la verdad. Pérfidamente lo define como empleado público; minuciosamente olvida que se batió en el sitio de Buenos Aires, en la batalla de Cepeda, en Pavón y en la revolución del 74. Uno de mis abuelos, unitario, que militó con él, solía recordar que del Campo vestía el uniforme de gala para entrar en batalla y que saludó, puesta la diestra en el quepí, las primeras balas de Pavón.

El *Fausto* ha sido muy diversamente juzgado. Calixto Oyuela, nada benévolo con los escritores gauchescos, lo ha calificado de joya. Es un poema que, al igual de los primitivos, podría prescindir de la imprenta, porque vive en muchas memorias. En memorias de mujeres, singularmente. Ello no importa una censura; hay escritores de indudable valor —Marcel Proust, D. H. Lawrence, Virginia Woolf— que suelen agradar a las mujeres más que a los hombres... Los detractores del *Fausto* lo acusan de ignorancia y de falsedad. Hasta el pelo del caballo del héroe ha sido examinado y reprobado. En 1896, Rafael Hernández —hermano de José Hernández— anota: "Ese parejero es de color *overo rosado*, justamente el color que no ha dado jamás un parejero, y conseguirlo sería tan raro como hallar un gato de tres colores"; en 1916 confirma Lugones: "Ningún criollo jinete y rumboso como el protagonista, monta en caballo overo rosado: animal siempre despreciable cuyo destino es tirar el balde en las estancias, o servir de cabalgadura a los muchachos mandaderos." También han sido condenados los versos últimos de la famosa décima inicial:

> *Capaz de llevar un potro*
> *A sofrenarlo en la luna.*

Rafael Hernández observa que al potro no se le pone freno, sino bocado, y que sofrenar el caballo "no es propio de criollo jinete, sino de gringo rabioso". Lugones confirma, o transcribe: "Ningún gaucho sujeta su caballo, sofrenándolo. Esta es una criollada falsa de gringo fanfarrón, que anda jineteando la yegua de su jardinera."

Yo me declaro indigno de terciar en esas controversias rurales; soy más ignorante que el reprobado Estanislao del Campo. Apenas si me atrevo a confesar que aunque los gauchos de más firme ortodoxia menosprecien el pelo overo rosado, el verso

> *En un overo rosao*

sigue —misteriosamente— agradándome. También se ha censurado que un rústico pueda comprender y narrar el argumento de una ópera. Quienes así lo hacen, olvidan que todo arte es convencional; también lo es la payada biográfica de Martín Fierro.

Pasan las circunstancias, pasan los hechos, pasa la erudición de los hombres versados en el pelo de los caballos; lo que no pasa, lo que tal vez será inagotable, es el placer que da la contemplación de la felicidad y de la amistad. Ese placer, quizá no menos raro en las letras que en este mundo corporal de nuestros destinos, es en mi opinión la virtud central del poema. Muchos han alabado las descripciones del amanecer, de la pampa, del anochecer, que el *Fausto* presenta; yo tengo para mí que la mención preliminar de los bastidores escénicos las ha contaminado de falsedad. Lo esencial es el diálogo, es la clara amistad que trasluce el diálogo. No pertenece el *Fausto* a la realidad argentina, pertenece —como el tango, como el truco, como Irigoyen— a la mitología argentina.

Más cerca de Ascasubi que de Estanislao del Campo, más cerca de Hernández que de Ascasubi, está el autor que paso a considerar: Antonio Lussich. Que yo sepa, sólo circulan dos informes de su obra, ambos insuficientes. Copio íntegro el primero, que bastó para incitar mi curiosidad. Es de Lugones y figura en la página 189 de *El Payador*.

"Don Antonio Lussich, que acababa de escribir un libro felicitado por Hernández, *Los Tres Gauchos Orientales,* poniendo en escena tipos gauchos de la revolución uruguaya llamada *campaña de Aparicio,* dióle, a lo que parece, el oportuno estímulo. De haberle enviado esa obra, resultó que Hernández tuviera la feliz ocurrencia. La obra del señor Lussich apareció editada en Buenos Aires por la imprenta de la *Tribuna* el 14 de junio de 1872. La carta con que Hernández felicitó a Lussich, agradeciéndole el envío del libro, es del 20 del mismo mes y año. *Martín Fierro* apareció en diciembre. Gallardos y generalmente apropiados al lenguaje y peculiaridades del campesino, los versos del señor Lussich formaban cuartetas, redondillas, décimas y también aquellas sextinas de payador que Hernández debía adoptar como las más típicas."

El elogio es considerable, máxime si atendemos al propósito nacionalista de Lugones, que era exaltar el *Martín Fierro* y a su reprobación incondicional de Bartolomé Hidalgo, de Ascasubi, de Estanislao del Campo, de Ricardo Gutiérrez, de Echeverría. El otro informe, incomparable de reserva y de longitud, consta en la *Historia crítica de la literatura uruguaya* de Carlos Roxlo. "La musa" de Lussich, leemos en la página 242 del segundo tomo "es excesivamente desaliñada y vive en calabozo de prosaísmos; sus descripciones carecen de luminosa y pintoresca policromía".

El mayor interés de la obra de Lussich es su anticipación evidente del inmediato y posterior *Martín Fierro*. La obra de Lussich profetiza, siquiera de manera esporádica, los rasgos diferenciales del *Martín Fierro*; bien es verdad que el trato de este último les da un relieve extraordinario que en el texto original acaso no tienen.

El libro de Lussich, al principio, es menos una profecía del *Martín Fierro* que una repetición de los coloquios de Ramón Contreras y Chano. Entre *amargo* y *amargo,* tres veteranos cuentan las patriadas que hicieron. El procedimiento es el habitual, pero los hombres de Lussich no se ciñen a la noticia histórica y abundan en pasajes autobiográficos. Esas frecuentes digresiones de orden personal y patético, ignoradas por Hidalgo o por Ascasubi, son las que prefiguran el *Martín Fierro,* ya en la entonación, ya en los hechos, ya en las mismas palabras.

Prodigaré las citas, pues he podido comprobar que la obra de Lussich es, virtualmente, inédita.

Vaya como primera transcripción el desafío de estas décimas:

> Pero me llaman matrero
> Pues le juyo a la catana,
> Porque ese toque de diana
> En mi oreja suena fiero;
> Libre soy como el pampero
> Y siempre libre viví,
> Libre fui cuando salí
> Dende el vientre de mi madre
> Sin más perro que me ladre
> Que el destino que corrí...
>
> Mi envenao tiene una hoja
> Con un letrero en el lomo
> Que dice: cuando yo asomo
> Es pa que alguno se encoja.
> Sólo esta cintura afloja
> Al disponer de mi suerte,
> Con él yo siempre fui juerte
> Y altivo como el lión;
> No me salta el corazón
> Ni le recelo a la muerte.
>
> Soy amacho tirador,
> Enlazo lindo y con gusto;
> Tiro las bolas tan justo
> Que más que acierto es primor.
> No se encuentra otro mejor
> Pa reboliar una lanza,
> Soy mentao por mi pujanza;
> Como valor, juerte y crudo
> El sable a mi empuje rudo
> ¡Jué pucha! que hace matanza.

Otros ejemplos, esta vez con su correspondencia inmediata o conjetural.

Dice Lussich:

> Yo tuve ovejas y hacienda;
> Caballos, casa y manguera;
> Mi dicha era verdadera
> ¡Hoy se me ha cortao la rienda!

Carchas, majada y querencia
Volaron con la patriada,
Y hasta una vieja enramada
¡Que cayó... supe en mi ausencia!

La guerra se lo comió
Y el rastro de lo que jué
Será lo que encontraré
Cuando al pago caiga yo.

Dirá Hernández:

Tuve en mi pago en un tiempo
Hijos, hacienda y mujer
Pero empecé a padecer,
Me echaron a la frontera
¡Y qué iba a hallar al volver!
Tan sólo hallé la Tapera.

Dice Lussich:

Me alcé con tuito el apero,
Freno rico y de coscoja
Riendas nuevitas en hoja
Y trensadas con esmero;
Una carona de cuero
de vaca, muy bien curtida;
Hasta una manta fornida
Me truje de entre las carchas,
Y aunque el chapiao no es pa marchas
Lo chanté al pingo en seguida.

Hice sudar al bolsillo
Porque nunca fui tacaño:
Traiba un gran poncho de paño
Que me alcanzaba al tobillo
Y un machazo cojinillo
Pa descansar mi osamenta;
Quise pasar la tormenta
Guarecido de hambre y frío
Sin dejar del pilcherio
Ni una argolla ferrugienta.

Mis espuelas macumbé,
Mi rebenque con virolas,

DISCUSIÓN

>   Rico facón, güenas bolas,
>   Manea y bosal saqué.
>   Dentro el tirador dejé
>   Diez pesos en plata blanca
>   Pa allegarme a cualquier banca
>   Pues al naipe tengo apego,
>   Y a más presumo en el juego
>   No tener la mano manca.
>
>   Copas, fiador y pretal,
>   Estribos y cabezadas
>   Con nuestras armas bordadas,
>   De la gran Banda Oriental.
>   No he güelto a ver otro igual
>   Recao tan cumpa y paquete
>   ¡Ahijuna! encima del flete
>   Como un sol aquello era
>   ¡Ni recordarlo quisiera!
>   Pa qué, si es al santo cuete.
>
>   Monté un pingo barbiador
>   Como una luz de ligero
>   ¡Pucha, si pa un entrevero
>   Era cosa superior!
>   Su cuerpo daba calor
>   Y el herraje que llevaba
>   Como la luna brillaba
>   Al salir tras de una loma.
>   Yo con orgullo y no es broma
>   En su lomo me sentaba.

Dirá Hernández:

>   Yo llevé un moro de número
>   ¡Sobresaliente el matucho!
>   Con él gané en Ayacucho
>   Más plata que agua bendita.
>   Siempre el gaucho necesita
>   Un pingo pa fiarle un pucho.
>
>   Y cargué sin dar más güeltas
>   Con las prendas que tenía;
>   Jergas, poncho, cuanto había
>   En casa, tuito lo alcé.
>   A mi china la dejé
>   Media desnuda ese día.

No me faltaba una guasca;
Esa ocasión eché el resto:
Bozal, maniador, cabresto,
Lazo, bolas y manea.
¡El que hoy tan pobre me vea
Tal vez no creerá todo esto!

Dice Lussich:

Y ha de sobrar monte o sierra
Que me abrigue en su guarida,
Que ande la fiera se anida
También el hombre se encierra.

Dirá Hernández:

Ansí es que al venir la noche
Iba a buscar mi guarida.
Pues ande el tigre se anida
También el hombre lo pasa,
Y no quería que en las casas
Me rodiara la partida.

Se advierte que en octubre o noviembre de 1872, Hernández estaba *tout sonore encore* de los versos que en junio del mismo año le dedicó el amigo Lussich. Se advertirá también la concisión del estilo de Hernández, y su ingenuidad voluntaria. Cuando Fierro enumera: *Hijos, hacienda y mujer,* o exclama, luego de mencionar unos tientos:

¡El que hoy tan pobre me vea
Tal vez no crerá todo esto!

sabe que los lectores urbanos no dejarán de agradecer esas simplicidades. Lussich, más espontáneo o atolondrado, no procede jamás de ese modo. Sus ansiedades literarias eran de otro orden, y solían parar en imitaciones de las ternuras más insidiosas del *Fausto:*

Yo tuve un nardo una vez
Y lo acariciaba tanto
Que su purísimo encanto
Duró lo menos un mes.

Pero ¡ay! una hora de olvido
Secó hasta su última hoja.
Así también se deshoja
La ilusión de un bien perdido.

En la segunda parte, que es de 1873, esas imitaciones alternan con otras facsimilares del *Martín Fierro*, como si reclamara lo suyo D. Antonio Lussich.

Huelgan otras confrontaciones. Bastan las anteriores, creo, para justificar esta conclusión: los diálogos de Lussich son un borrador del libro definitivo de Hernández. Un borrador incontinente, lánguido, ocasional, pero utilizado y profético.

Llego a la obra máxima, ahora: el *Martín Fierro*.

Sospecho que no hay otro libro argentino que haya sabido provocar de la crítica un dispendio igual de inutilidades. Tres profusiones ha tenido el error con nuestro *Martín Fierro:* una, las admiraciones que condescienden; otra, los elogios groseros, ilimitados; otra, la digresión histórica o filológica. La primera es la tradicional: su prototipo está en la incompetencia benévola de los sueltos de periódicos y de las cartas que usurpan el cuaderno de la edición popular, sus continuadores son insignes y de los otros. Inconscientes disminuidores de lo que alaban, no dejan nunca de celebrar en el *Martín Fierro* la falta de retórica: palabra que les sirve para nombrar la retórica deficiente —lo mismo que si emplearan *arquitectura* para significar la intemperie, los derrumbes y las demoliciones. Imaginan que un libro puede no pertenecer a las letras: el *Martín Fierro* les agrada contra el arte y contra la inteligencia. El entero resultado de su labor cabe en estas líneas de Rojas: "Tanto valiera repudiar el arrullo de la paloma porque no es un madrigal o la canción del viento porque es una oda. Así esta pintoresca payada se ha de considerar en la rusticidad de su forma y en la ingenuidad de su fondo como una voz elemental de la naturaleza."

La segunda —la del hiperbólico elogio— no ha realizado hasta hoy sino el sacrificio inútil de sus "precursores" y una forzada igualación con el *Cantar del Cid* y con la *Comedia* dantesca. Al hablar del coronel Ascasubi, he discutido la primera de esas actividades; de la segunda, básteme referir que su perseverante método es el de pesquisar versos contrahechos o ingratos en las epopeyas antiguas —como si las afinidades en el error fueran probatorias. Por lo demás, todo ese operoso manejo deriva de una superstición: presuponer que determinados géneros literarios (en este caso particular, la epopeya) valen formalmente más que otros. La estrafalaria y cándida necesidad de que el *Martín Fierro* sea épico ha pretendido comprimir, siquiera de un modo simbólico, la historia secular de la patria, con sus generaciones, sus destierros, sus agonías, sus batallas de Tucumán y de Ituzaingó, en las andanzas de un cuchillero de mil ochocientos setenta. Oyuela (*Antología poética hispano-americana*, tomo tercero, notas), ha desbaratado ya ese *complot*. "El asunto del *Martín Fierro*", anota, "no es propiamente *nacional,* ni menos de raza, ni se relaciona en modo alguno con nuestros orígenes como pueblo, ni como nación políticamente constituida. Trátase en él de las dolorosas vicisitudes de la vida de un gaucho, *en el último tercio del siglo anterior,* en la época de la decadencia y próxima desaparición de este tipo local y transitorio nuestro, ante una organización social que lo aniquila, contadas o cantadas por el mismo protagonista."

La tercera distrae con mejores tentaciones. Afirma con delicado error, por ejemplo, que el *Martín Fierro* es una presentación de la pampa. El hecho es que a los hombres de la ciudad, la campaña sólo nos puede ser presentada como un descubrimiento gradual, como una serie de experiencias posibles. Es el procedimiento de las novelas de aprendizaje pampeano, The Purple Land (1885) de Hudson, y *Don Segundo Sombra* (1926) de Güiraldes, cuyos protagonistas van identificándose con el campo. No es el procedimiento de Hernández, que presupone deliberadamente la pampa y los hábitos diarios de la pampa, sin detallarlos nunca —omisión verosímil en un gaucho, que habla para otros gauchos. Alguien querrá oponerme estos versos, y los precedidos por ellos:

> Yo he conocido esta tierra
> En que el paisano vivía
> Y su ranchito tenía,
> Y sus hijos y mujer.
> Era una delicia el ver
> Cómo pasaba sus días.

El tema, entiendo, no es la miserable edad de oro que nosotros percibiríamos; es la destitución del narrador, su presente nostalgia.

Rojas sólo deja lugar en el porvenir para el estudio filológico del poema — vale decir, para una discusión melancólica sobre la palabra *cantra* o *contramilla,* más adecuada a la infinita duración del Infierno que al plazo relativamente efímero de nuestra vida. En ese particular, como en todos, una deliberada subordinación del color local es típica de *Martín Fierro.* Comparado con el de los "precursores", su léxico parece rehuir los rasgos diferenciales del lenguaje del campo, y solicitar el *sermo plebeius* común. Recuerdo que de chico pudo sorprenderme su sencillez, y que me pareció de compadre criollo, no de paisano. El *Fausto* era mi norma de habla rural. Ahora —con algún conocimiento de la campaña— el predominio del soberbio cuchillero de pulpería sobre el paisano reservado y solícito, me parece evidente, no tanto por el léxico manejado, cuanto por las repetidas bravatas y el acento agresivo.

Otro recurso para descuidar el poema lo ofrecen los proverbios. Esas lástimas —según las califica definitivamente Lugones— han sido consideradas más de una vez parte sustantiva del libro. Inferir la ética del *Martín Fierro,* no de los destinos que presenta, sino de los mecánicos dicharachos hereditarios que estorban su decurso, o de las moralidades foráneas que lo epilogan, es una distracción que sólo la reverencia de lo tradicional pudo recomendar. Prefiero ver en esas prédicas, meras verosimilitudes o marcas del estilo directo. Creer en su valor nominal es obligarse infinitamente a contradicción. Así, en el canto séptimo de *La ida* ocurre esta copla que lo significa entero al paisano:

> *Limpié el facón en los pastos,*
> *Desaté mi redomón,*
> *Monté despacio, y salí*
> *Al tranco pa el cañadón.*

No necesito restaurar la perdurable escena: el hombre sale de matar, resignado. El mismo hombre que después nos quiere servir esta moralidad:

> *La sangre que se redama*
> *No se olvida hasta la muerte.*
> *La impresión es de tal suerte*
> *Que a mi pesar, no lo niego,*
> *Cai como gotas de juego*
> *En la alma del que la vierte.*

La verdadera ética del criollo está en el relato: la que presume que la sangre vertida no es demasiado memorable, y que a los hombres les ocurre matar. (El inglés conoce la locución *kill his man,* cuya directa versión es *matar a su hombre,* descífrese *matar al hombre que tiene que matar todo hombre.)* Quién no debía una muerte en mi tiempo, le oí quejarse con dulzura una tarde a un señor de edad. No me olvidaré tampoco de un orillero, que me dijo con gravedad: "Señor Borges, yo habré estado en la cárcel muchas veces, pero siempre por homicidio."

Arribo, así, por eliminación de los percances tradicionales, a una directa consideración del poema. Desde el verso decidido que lo inaugura, casi todo él está en primera persona: hecho que juzgo capital. Fierro cuenta su historia, a partir de la plena edad viril, tiempo en que el hombre *es*, no dócil tiempo en que lo está buscando la vida. Eso algo nos defrauda: no en vano somos lectores de Dickens, inventor de la infancia, y preferimos la morfología de los caracteres a su adultez. Queríamos saber cómo se llega a ser Martín Fierro...

¿Qué intención la de Hernández? Contar la historia de Martín Fierro, y en esa historia, su carácter. Sirven de prueba todos los episodios del libro. El *cualquiera tiempo pasado*, normalmente *mejor*, del canto segundo, es la verdad del sentimiento del héroe, no de la desolada vida de las estancias en el tiempo de Rosas. La fornida pelea con el negro, en el canto séptimo, no corresponde ni a la sensación de pelear ni a las momentáneas luces y sombras que rinde la memoria de un hecho, sino al paisano Martín Fierro contándola. (En la guitarra, como solía cantarla a media voz Ricardo Güiraldes, como el chacaneo del acompañamiento recalca bien su intención de triste coraje.) Todo lo corrobora; básteme destacar algunas estrofas. Empiezo por esta comunicación total de un destino:

> *Había un gringuito cautivo*
> *Que siempre hablaba del barco*
> *Y lo ahugaron en un charco*
> *Por causante de la peste.*
> *Tenía los ojos celestes*
> *Como potrillito zarco.*

Entre las muchas circunstancias de lástima —atrocidad e inutilidad de esa muerte, recuerdo verosímil del barco, rareza de que venga a ahogarse a la pampa quien atravesó indemne el mar—, la eficacia máxima de la estrofa está en esa posdata o adición patética del recuerdo: *tenía los ojos celestes como potrillo zarco*, tan significativa de quien supone ya contada una cosa, y a quien le restituye la memoria una imagen más.

Tampoco en vano asumen la primera persona estas líneas:

> *De rodillas a su lao*
> *Yo lo encomendé a Jesús.*
> *Faltó a mis ojos la luz,*
> *Tuve un terrible desmayo.*
> *Caí como herido del rayo*
> *Cuando lo vi muerto a Cruz.*

Cuando lo vio muerto a Cruz. Fierro, por un pudor de la

pena, da por sentado el fallecimiento del compañero, finge haberlo mostrado.

Esa postulación de una realidad me parece significativa de todo el libro. Su tema —lo repito— no es la imposible presentación de todos los hechos que atravesaron la conciencia de un hombre, ni tampoco la desfigurada, mínima parte que de ellos puede rescatar el recuerdo, sino la narración del paisano, el hombre que se muestra al contar. El proyecto comporta así una doble invención: la de los episodios y la de los sentimientos del héroe, retrospectivos estos últimos o inmediatos. Ese vaivén impide la declaración de algunos detalles: no sabemos, por ejemplo, si la tentación de azotar a la mujer del negro asesinado es una brutalidad de borracho o —eso preferiríamos— una desesperación del aturdimiento, y esa perplejidad de los motivos lo hace más real. En esta discusión de episodios me interesa menos la imposición de una determinada tesis que este convencimiento central: la índole novelística del *Martín Fierro*, hasta en los pormenores. Novela, novela de organización instintiva o premeditada, es el *Martín Fierro*: única definición que puede trasmitir puntualmente la clase de placer que nos da y que condice sin escándalo con su fecha. Ésta, quién no lo sabe, es la del siglo novelístico por antonomasia: el de Dostoievski, el de Zola, el de Butler, el de Flaubert, el de Dickens. Cito esos nombres evidentes, pero prefiero unir al de nuestro criollo el de otro americano, también de vida en que abundaron el azar y el recuerdo, el íntimo, insospechado Mark Twain de *Huckleberry Finn*.

Dije que una novela. Se me recordará que las epopeyas antiguas representan una preforma de la novela. De acuerdo, pero asimilar el libro de Hernández a esa categoría primitiva es agotarse inútilmente en un juego de fingir coincidencias, es denunciar a toda posibilidad de un examen. La legislación de la épica —metros heroicos, intervención de los dioses, destacada situación política de los héroes— no es aplicable aquí. Las condiciones novelísticas, sí lo son.

LA PENÚLTIMA VERSIÓN DE LA REALIDAD

Francisco Luis Bernárdez acaba de publicar una apasionada noticia de las especulaciones ontológicas del libro *The Manhood of Humanity* (La edad viril de la humanidad), compuesto por el conde Korzybski: libro que desconozco. Deberé atenerme, por consiguiente, en esta consideración general de los productos metafísicos de ese patricio, a la límpida relación de Bernárdez. Por cierto, no pretenderé sustituir el buen funcionamiento asertivo de su prosa con la mía dubitativa y conversada. Traslado el resumen inicial:

Tres dimensiones tiene la vida, según Korzybski. Largo, ancho y profundidad. La primera dimensión corresponde a la vida vegetal. La segunda dimensión pertenece a la vida animal. La tercera dimensión equivale a la vida humana. La vida de los vegetales es una vida en longitud. La vida de los animales es una vida en latitud. La vida de los hombres es una vida en profundidad.

Creo que una observación elemental, aquí es permisible; la de lo sospechoso de una sabiduría que se funda, no sobre un pensamiento, sino sobre una mera comodidad clasificatoria, como lo son las tres dimensiones convencionales. Escribo *convencionales*, porque —separadamente— ninguna de las dimensiones existe: siempre se dan volúmenes, nunca superficies, líneas ni puntos. Aquí, para mayor generosidad en lo palabrero, se nos propone una aclaración de los tres convencionales órdenes de lo orgánico, planta-bestia-hombre, mediante los no menos convencionales órdenes del espacio: largor-anchura-profundidad (este último en el sentido traslaticio de tiempo). Frente a la incalculable y enigmática realidad, no creo que la mera simetría de dos de sus clasificaciones humanas baste para dilucidarla y sea otra cosa que un vacío halago aritmético. Sigue la notificación de Bernárdez:

La vitalidad vegetal se define en su hambre de Sol. La vitalidad animal, en su apetito de espacio. Aquélla es estática. Ésta es dinámica. El estilo vital de las plantas, criaturas directas, es una pura quietud. El estilo vital de los animales, criaturas indirectas, es un libre movimiento.

La diferencia sustantiva entre la vida vegetal y la vida animal reside en una noción. La noción de espacio. Mientras las plantas la ignoran, los animales la poseen. Las unas, afirma Korzybski, viven acopiando energía, y los otros, amontonando espacio. Sobre ambas existencias, estáticas y erráticas, la existencia humana divulga su originalidad superior. ¿En qué consiste esta suprema originalidad del hombre? En que, vecino al vegetal que acopia energía y al animal que amontona espacio, el hombre acapara tiempo.

Esta ensayada clasificación ternaria del mundo parece una divergencia o un préstamo de la clasificación cuaternaria de Rudolf Steiner. Éste, más generoso de una unidad con el universo, arranca de la historia natural, no de la geometría, y ve en el hombre una suerte de catálogo o de resumen de la vida no humana. Hace corresponder la mera *estadía* inerte de los minerales con la del hombre muerto; la furtiva y silenciosa de las plantas con la del hombre que duerme, la solamente actual y olvidadiza de los animales con la del hombre que sueña. (Lo cierto, lo torpemente cierto, es que despedazamos los cadáveres eternos de los primeros y que aprovechamos el dormir de las otras para devorarlas o hasta para robarles alguna flor y que infamamos el soñar de los útimos a pesadilla. A un caballo le ocupamos el único minuto que tiene —minuto sin salida, minuto del grandor de una hormiga y que no se alarga en recuerdos o en esperanzas— y lo encerramos entre las varas de un carro y bajo el régimen criollo o Santa Federación del carrero.) Dueño de esas tres jerarquías es, según Rudolf Steiner, el hombre, que además tiene el *yo:* vale decir, la memoria de lo pasado y la previsión de lo porvenir, vale decir, el tiempo. Como se ve, la atribución de únicos habitantes del tiempo concedida a los hombres, de únicos previsores e históricos, no es original de Korzybski. Su implicación —maravilladora también— de que los animales están en la pura actualidad o eternidad y fuera del tiempo, tampoco lo es. Steiner lo enseña; Schopenhauer lo postula continuamente en ese tratado, llamado con modestia capítulo, que está en el segundo volumen del *Mundo como voluntad y representación,* y que versa sobre la muerte. Mauthner (*Woerterbuch der Philosophie,* III, pág. 436) lo propone con ironía. *Parece,* escribe, *que los animales no tienen sino oscuros presentimientos de la sucesión temporal y de la duración. En cambio el hombre, cuando es además un psicólogo de la nueva escuela, puede diferenciar en el tiempo dos impresiones que sólo estén separadas por 1/500 de segundo.* Gaspar Martín, que ejerce la metafísica en Buenos Aires, declara esa intemporalidad de los animales y aun de los niños como una verdad consabida. Escribe así: La idea de tiempo falta en los animales y es en el hombre de adelantada cultura en quien primeramente aparece (*El tiempo,* 1924). Sea de Schopenhauer o de Mauthner o de la tradición teosófica o hasta de Korzybski, lo cierto es que esa visión de la sucesiva y ordenadora conciencia humana frente al momentáneo universo, es efectivamente grandiosa. [1]

Prosigue el expositor: *El materialismo dijo al hombre: Hazte rico de espacio. Y el hombre olvidó su propia tarea. Su noble tarea de acumulador de tiempo.* Quiero decir que el hombre se dio a la conquista de las cosas visibles. A la conquista de personas y de territorios. Así nació la falacia del progresismo. Y como una consecuencia brutal, nació la sombra del progresismo. Nació el imperialismo.

Es preciso, pues, restituir a la vida humana su tercera dimensión. Es necesario profundizarla. Es menester encaminar a la humanidad hacia su destino racional y valedero. Que el hombre vuelva a capitalizar siglos en vez de capitalizar leguas. Que la vida humana sea más intensa en lugar de ser más extensa.

Declaro no entender lo anterior. Creo delusoria la oposición entre los dos conceptos incontrastables de espacio y de tiempo. Me consta que la genealogía de esa equivocación es ilustre y que entre sus mayores está el nombre magistral de Spinoza, que dio a su indiferente divinidad —*Deus sive Natura*— los atributos de pensamiento (vale decir, de tiempo sentido) y de extensión, (vale decir, de espacio). Pienso que para un buen idealismo, el espacio no es sino una de las formas que integran la cargada fluencia del tiempo. Es uno de los episodios del tiempo y, contrariamente al consenso natural de los ametafísicos, está situado en él, y no viceversa. Con otras palabras: la relación espacial —más arriba, izquierda, derecha— es una especificación como tantas otras, no una continuidad.

Por lo demás, acumular espacio no es lo contrario de acumular tiempo: es uno de los modos de realizar esa para nosotros única operación. Los ingleses que por impulsión ocasional o genial del escribiente Clive o de Warren Hastings conquistaron la India, no acumularon solamente espacio, sino tiempo: es decir, experiencias, experiencias de noches, días, descampados, montes, ciudades, astucias, heroísmos, traiciones, dolores, destinos, muertes, pestes, fieras, felicidades, ritos, cosmogonías, dialectos, dioses, veneraciones.

Vuelvo a la consideración metafísica. El espacio es un incidente en el tiempo y no una forma universal de intuición, como impuso Kant. Hay enteras provincias del Ser que no lo requieren: las de la olfación y audición. Spencer, en su punitivo examen de los razonamientos de los metafísicos (*Principios de psicología,* parte séptima, capítulo cuarto), ha razonado bien esa independencia y la fortifica así, a los muchos renglones, con esta reducción a lo absurdo: *Quien pensare que el olor y el sonido tienen*

---

[1] Habría que agregar el nombre de Séneca (*Epístolas a Lucilio*, 124).

por forma de intuición el espacio, fácilmente se convencerá de su error con sólo buscar el costado izquierdo o derecho de un sonido o con tratar de imaginarse un olor al revés.

Schopenhauer, con extravagancia menor y mayor pasión, había declarado ya esa verdad. *La música,* escribe, *es una tan inmediata objetividad de la voluntad, como el universo* (obra citada, volumen primero, libro tercero, capítulo 52). Es postular que la música no precisa del mundo.

Quiero complementar esas dos imaginaciones ilustres con una mía, que es derivación y facilitación de ellas. Imaginemos que el entero género humano sólo se abasteciera de realidades mediante la audición y el olfato. Imaginemos anuladas así las percepciones oculares, táctiles y gustativas y el espacio que éstas definen. Imaginemos también —crecimiento lógico— una más afinada percepción de lo que registran los sentidos restantes. La humanidad —tan afantasmada a nuestro parecer por esta catástrofe— seguiría urdiendo su historia. La humanidad se olvidaría de que hubo espacio. La vida, dentro de su no gravosa ceguera y su incorporeidad, sería tan apasionada y precisa como la nuestra. De esa humanidad hipotética (no menos abundosa de voluntades, de ternuras, de imprevisiones) no diré que entraría en la cáscara de nuez proverbial: afirmo que estaría fuera y ausente de todo espacio.

1928

LA SUPERSTICIOSA ÉTICA DEL LECTOR

La condición indigente de nuestras letras, su incapacidad de atraer, han producido una superstición del estilo, una distraída lectura de atenciones parciales. Los que adolecen de esa superstición entienden por estilo no la eficacia o la ineficacia de una página, sino las habilidades aparentes del escritor: sus comparaciones, su acústica, los episodios de su puntuación y de su sintaxis. Son indiferentes a la propia convicción o propia emoción: buscan tecniquerías (la palabra es de *Miguel de Unamuno*) que les informarán si lo escrito tiene el derecho o no de agradarles. Oyeron que la adjetivación no debe ser trivial y opinarán que está mal escrita una página si no hay sorpresas en la juntura de adjetivos con sustantivos, aunque su finalidad general esté realizada. Oyeron que la concisión es una virtud y tienen por conciso a quien se demora en diez frases breves y no a quien maneje una larga. (Ejemplos normativos de esa charlatanería de la brevedad, de ese frenesí sentencioso, pueden buscarse en la dicción del célebre estadista danés Polonio, de *Hamlet,* o del Polonio natural, Baltasar Gracián.) Oyeron que la cercana repetición de unas sílabas es cacofónica y simularán que en prosa les duele, aunque en verso les agencie un gusto especial, pienso que simulado también. Es decir, no se fijan en la eficacia del mecanismo, sino en la disposición de sus partes. Subordinan la emoción a la ética, a una etiqueta indiscutida más bien. Se ha generalizado tanto esa inhibición que ya no van quedando lectores, en el sentido ingenuo de la palabra, sino que todos son críticos potenciales.

Tan recibida es esta superstición que nadie se atreverá a admitir ausencia de estilo, en obras que lo tocan, máxime si son clásicas. No hay libro bueno sin su atribución estilística, de la que nadie puede prescindir — excepto su escritor. Séanos ejemplo el *Quijote*. La crítica española, ante la probada excelencia de esa novela, no ha querido pensar que su mayor (y tal vez único irrecusable) valor fuera el psicológico, y le atribuye dones de estilo, que a muchos parecerán misteriosos. En verdad, basta revisar unos párrafos del *Quijote* para sentir que Cervantes no era estilista (a lo menos en la presente acepción acústico-decorativa de la palabra) y que le interesaban demasiado los destinos de Quijote y de Sancho para dejarse distraer por su propia voz. La *Agudeza y arte de ingenio* de Baltasar Gracián —tan laudativa de otras prosas que narran, como la del *Guzmán de Alfarache*— no se resuelve a acordarse de Don Quijote. Quevedo versifica en broma su muerte y se olvida de él. Se objetará que los dos ejemplos son negativos; Leopoldo Lugones, en nuestro tiempo, emite un juicio explícito: "El estilo es la debilidad de Cervantes, y los estragos causados por su influencia han sido graves. Pobreza de color, inseguridad de estructura, párrafos jadeantes que nunca aciertan con el final, desenvolviéndose en convólvulos interminables; repeticiones, falta de proporción, ese fue el legado de los que no viendo sino en la forma la suprema realización de la obra inmortal, se quedaron royendo la cáscara cuyas rugocidades escondían la fortaleza y el sabor" (*El imperio jesuítico*, página 59). También nuestro Groussac: "Si han de describirse las cosas como son, deberemos confesar que una buena mitad de la obra es de forma por demás floja y desaliñada, la cual harto justifica lo del *humilde idioma* que los rivales de Cervantes le achacaban. Y con esto no me refiero única ni principalmente a las impropiedades verbales, a las intolerables repeticiones o retruécanos ni a los retazos de pesada grandilocuencia que nos abruman, sino a la contextura generalmente desmayada de esa prosa de sobremesa" (*Crítica literaria*, página 41). Prosa de sobremesa, prosa conversada y no declamada, es la de Cervantes, y otra no le hace falta. Imagino que esa misma observación será justiciera en el caso de Dostoievski o de Montaigne o de Samuel Butler.

Esta vanidad del estilo se ahueca en otra más patética vanidad, la de la perfección. No hay un escritor métrico, por casual y nulo que sea, que no haya cincelado (el verbo suele figurar en su conversación) su soneto perfecto, monumento minúsculo que custodia su posible inmortalidad, y que las novedades y aniquilaciones del tiempo deberán respetar. Se trata de un soneto sin ripios, generalmente, pero que es un ripio todo él: es decir, un residuo, una inutilidad. Esa falacia en perduración (Sir Thomas Browne: *Urn Burial*) ha sido formulada y recomendada por Flaubert en esta sentencia: La corrección (en el sentido más elevado de la palabra) obra con el pensamiento lo que obraron las aguas de la Estigia con el cuerpo de Aquiles: lo hacen invulnerable e indestructible (*Correspondance*, II, pág. 199). El juicio es terminante, pero no ha llegado hasta mí ninguna experiencia que lo confirme. (Prescindo de las virtudes tónicas de la Estigia; esa reminiscencia infernal no es un argumento, es un énfasis.) La página de perfección, la página de la que ninguna palabra puede ser alterada sin daño, es la más precaria de todas. Los cambios del lenguaje borran los sentidos laterales y los matices; la página "perfecta" es la que consta de esos delicados valores y la que con facilidad mayor se desgasta. Inversamente, la página que tiene vocación de inmortalidad puede atravesar el fuego de las erratas, de las versiones aproximativas, de las distraídas lecturas, de las incomprensiones, sin dejar el alma en la prueba. No se puede inpunemente variar (así lo afirman quienes restablecen su texto) ninguna línea de las fabricadas por Góngora; pero el Quijote gana póstumas batallas contra sus traductores y sobrevive a toda descuidada versión. Heine, que nunca lo escuchó en español, lo pudo celebrar para siempre. Más vivo es el fantasma alemán o escandinavo o indostánico del Quijote que los ansiosos artificios verbales del estilista.

Yo no quisiera que la moralidad de esta comprobación fuera entendida como de desesperación o nihilismo. Ni quiero fomentar negligencias ni creo en una mística virtud de la frase torpe y del epíteto chabacano. Afirmo que la voluntaria emisión de esos dos o tres agrados menores —distracciones oculares de la metáfora, auditivas del ritmo y sorpresivas de la interjección o el hipérbaton— suele probarnos que la pasión del tema tratado manda en el escritor, y eso es todo. La asperidad de una frase le es tan indiferente a la genuina literatura como su suavidad. La economía prosódica no es menos forastera del arte que la caligrafía o la ortografía o la puntuación: certeza que los orígenes judiciales de la retórica y los musicales del canto nos escondieron siempre. La preferida equivocación de la literatura de hoy es el énfasis. Palabras definitivas, palabras que postulan sabidurías adivinas o angélicas o resoluciones de una más que humana firmeza —*único, nunca, siempre, todo, perfección, acabado*— son del comercio habitual de *todo* escritor. No piensan que decir de más una cosa es tan de inhábiles como no decirla del todo, y que la descuidada generalización e intensificación es una pobreza y que así la siente el lector. Sus imprudencias causan una depreciación del idioma. Así ocurre en francés, cuya locución *Je suis navré* suele significar *No iré a tomar el té con ustedes,* y cuyo *aimer* ha sido rebajado a *gustar.* Ese hábito hiperbólico del francés está en su lenguaje escrito asimismo: Paul Valéry, héroe de la lucidez que organiza, traslada unos olvidables y olvidados renglones de Lafontaine y asevera de ellos (contra alguien): *ces plus beaux vers du monde* (*Variété,* 84).

Ahora quiero acordarme del porvenir y no del pasado. Ya se practica la lectura en silencio, síntoma venturoso. Ya hay lector callado de versos. De esa capacidad sigilosa a una escritura puramente ideográfica —directa comunicación de experiencias, no de sonidos— hay una distancia incansable, pero siempre menos dilatada que el porvenir.

Releo estas negaciones y pienso: Ignoro si la música sabe desesperar de la música y si el mármol del mármol, pero la literatura es un arte que sabe profetizar aquel tiempo en que habrá enmudecido, y encarnizarse con la propia virtud y enamorarse de la propia disolución y cortejar su fin.

1930

EL OTRO WHITMAN

Cuando el remoto compilador del *Zohar* tuvo que arriesgar alguna noticia de su indistinto Dios —divinidad tan pura que ni siquiera el atributo de *ser* puede sin blasfemia aplicársele— discurrió un modo prodigioso de hacerlo. Escribió que su cara era trescientas setenta veces más ancha que diez mil mundos; entendió que lo gigantesco puede ser una forma de lo invisible y aun de lo abstracto. Así el caso de Whitman. Su fuerza es tan avasalladora y tan evidente que sólo percibimos que es fuerte.

La culpa no es sustancialmente de nadie. Los hombres de las diversas Américas permanecemos tan incomunicados que apenas nos conocemos por referencia, contados por Europa. En tales casos, Europa suele ser sinécdoque de París. A París le interesa menos el arte que la política del arte: mírese la tradición pandillera de su literatura y de su pintura, siempre dirigidas por comités y con sus dialectos políticos: uno parlamentario, que habla de izquierdas y derechas; otro militar, que habla de vanguardias y retaguardias. Dicho con mejor precisión: les interesa la economía del arte, no sus resultados. La economía de los versos de Whitman les fue tan inaudita que no lo conocieron a Whitman. Prefirieron clasificarlo: encomiaron su *licence majestueuse*, lo hicieron precursor de los muchos inventores caseros del verso libre. Además, remedaron la parte más desarmable de su dicción: las complacientes enumeraciones geográficas, históricas y circunstanciales que enfiló Whitman para cumplir con cierta profecía de Emerson, sobre el poeta digno de América. Esos remedos o recuerdos fueron el futurismo, el unanimismo. Fueron y son toda la poesía francesa de nuestro tiempo, salvo la que deriva de Poe. (De la buena teoría de Poe, quiero decir, no de su deficiente práctica.) Muchos ni siquiera advirtieron que la enumeración es uno de los procedimientos poéticos más antiguos —recuérdense los salmos de la Escritura y el primer coro de *Los persas* y el catálogo homérico de las naves— y que su mérito esencial no es la longitud, sino el delicado ajuste verbal, las "simpatías y diferencias" de las palabras. No lo ignoró Walt Whitman:

*And of the threads that connect the stars and of wombs and of
the father-stuff.*

O:

From what the divine husband knows, from the work of fatherhood.

O:

I am as one disembodied, triumphant, dead.

El asombro, con todo, labró una falseada imagen de Whitman: la de un varón meramente saludador y mundial, un insistente Hugo inferido desconsideradamente a los hombres por reiterada vez. Que Whitman en grave número de sus páginas fue esa desdicha, es cosa que no niego; básteme demostrar que en otras mejores fue poeta de un laconismo trémulo y suficiente, hombre de destino comunicado, no proclamado. Ninguna demostración como traducir alguna de sus poesías:

ONCE I PASSED THROUGH A POPULOUS CITY

Pasé una vez por una populosa ciudad, estampando para futuro empleo en la mente sus espectáculos, su arquitectura, sus costumbres, sus tradiciones.
Pero ahora de toda esa ciudad me acuerdo sólo de una mujer que encontré casualmente, que me demoró por amor.
Día tras día y noche tras noche estuvimos juntos — todo lo demás hace tiempo que lo he olvidado.
Recuerdo, afirmo, sólo esa mujer que apasionadamente se apegó a mí.
Vagamos otra vez, nos queremos, nos separamos otra vez.
Otra vez me tiene de la mano, yo no debo irme.
Yo la veo cerca a mi lado con silenciosos labios, dolida y trémula.

WHEN I READ THE BOOK

Cuando leí el libro, la biografía famosa,
Y esto es entonces (dije yo) lo que el escritor llama la vida de un hombre,
¿Y así piensa escribir alguno de mí cuando yo esté muerto?
(Como si alguien pudiera saber algo sobre mi vida;
Yo mismo suelo pensar que sé poco o nada sobre mi vida real.
Sólo unas cuantas señas, unas cuantas borrosas claves e indicaciones
Intento, para mi propia información, resolver aquí.)

WHEN I HEARD THE LEARNED ASTRONOMER

Cuando oí al docto astrónomo
Cuando me presentaron en columnas las pruebas, los guarismos,
Cuando me señalaron los mapas y los diagramas, para medir, para dividir y sumar,
Cuando desde mi asiento oí al docto astrónomo que disertaba con mucho aplauso en la cátedra,

Qué pronto me sentí inexplicablemente aturdido y hastiado,
Hasta que escurriéndome afuera me alejé solo
En el húmedo místico aire de la noche, y de tiempo en tiempo,
Miré en silencio perfecto las estrellas.

Así Walt Whitman. No sé si estará de más indicar —yo recién me fijo— que esas tres confesiones importan un idéntico tema: la peculiar poesía de la arbitrariedad y la privación. Simplificación final del recuerdo, inconocibilidad y pudor de nuestro vivir, negación de los esquemas intelectuales y aprecio de las noticias primarias de los sentidos, son las respectivas moralidades de esos poemas. Es como si dijera Whitman: Inesperado y elusivo es el mundo, pero su misma contingencia es una riqueza, ya que ni siquiera podemos determinar lo pobres que somos, ya que todo es regalo. ¿Una lección de la mística de la parquedad, y ésa de Norte América?

Una sugestión última. Estoy pensando que Whitman —hombre de infinitos inventos, simplificado por la ajena visión en mero gigante— es un abreviado símbolo de su patria. La historia mágica de los árboles que tapan el bosque puede servir, invertida mágicamente, para declarar mi intención. Porque una vez hubo una selva tan infinita que nadie recordó que era de árboles; porque entre dos mares hay una nación de hombres tan fuerte que nadie suele recordar que es de hombres. De hombres de humana condición.

1929

UNA VINDICACIÓN DE LA CÁBALA

Ni es ésta la primera vez que se intenta ni será la última que falla, pero la distinguen dos hechos. Uno es mi inocencia casi total del idioma hebreo; otro es la circunstancia de que no quiero vindicar la doctrina, sino los procedimientos hermenéuticos o criptográficos que a ella conducen. Estos procedimientos, como se sabe, son la lectura vertical de los textos sagrados, la lectura llamada *bouestrophedon* (de derecha a izquierda, un renglón, de izquierda a derecha el siguiente) metódica sustitución de unas letras del alfabeto por otras, la suma del valor numérico de las letras, etc. Burlarse de tales operaciones es fácil, prefiero procurar entenderlas.

Es evidente que su causa remota es el concepto de la inspiración mecánica de la Biblia. Ese concepto, que hace de evangelistas y profetas, secretarios impersonales de Dios que escriben al dictado, está con imprudente energía en la *Formula consensus helvética*, que reclama autoridad para las consonantes de la Escritura y hasta para los puntos diacríticos — que las versiones primitivas no conocieron. (Ese preciso cumplimiento en el hombre, de los propósitos literarios de Dios, es la inspiración o entusiasmo: palabra cuyo recto sentido es endiosamiento.) Los islamitas pueden vanagloriarse de exceder esa hipérbole, pues han resuelto que el original del Corán —*la madre del Libro*— es uno de los atributos de Dios, como Su misericordia o Su ira, y lo juzgan anterior al idioma, a la Creación. Asimismo hay teólogos luteranos, que no se arriesgan a englobar la Escritura entre las cosas creadas y la definen como una encarnación del Espíritu.

Del Espíritu: ya nos está rozando un misterio. No la divinidad general, sino la hipóstasis tercera de la divinidad, fue quien dictó la Biblia. Es la opinión común; Bacon, en 1625, escribió: *El lápiz del Espíritu Santo se ha demorado más en las aflicciones de Job que en las felicidades de Salomón*.[1] También su contemporáneo John Donne: *El Espíritu Santo es un escritor elocuente, un vehemente y un copioso escritor, pero no palabrero; tan alejado de un estilo indigente como de uno superfluo.*

---

[1] Sigo la versión latina: *diffusius tractavit Jobi afflictiones*. En inglés, con mejor acierto, había escrito: *hath laboured more*.

Imposible definir el Espíritu y silenciar la horrenda sociedad trina y una de la que forma parte. Los católicos laicos la consideran un cuerpo colegiado infinitamente correcto, pero también infinitamente aburrido; los *liberales*, un vano cancerbero teológico, una superstición que los muchos adelantos del siglo ya se encargarán de abolir. La trinidad, claro es, excede esas fórmulas. Imaginada de golpe, su concepción de un padre, un hijo y un espectro, articulados en un solo organismo, parece un caso de teratología intelectual, una deformación que sólo el horror de una pesadilla pudo parir. Así lo creo, pero trato de reflexionar que todo objeto cuyo fin ignoramos, es provisoriamente monstruoso. Esa observación general se ve agravada aquí por el misterio profesional del objeto.

Desligada del concepto de redención, la distinción de las tres personas en una tiene que parecer arbitraria. Considerada como una necesidad de la fe, su misterio fundamental no se alivia, pero despuntan su intención y su empleo. Entendemos que renunciar a la Trinidad —a la Dualidad, por lo menos— es hacer de Jesús un delegado ocasional del Señor, un incidente de la historia, no el auditor imperecedero, continuo, de nuestra devoción. Si el Hijo no es también el Padre, la redención no es obra directa divina; si no es eterno, tampoco lo será el sacrificio de haberse rebajado a hombre y haber muerto en la cruz. *Nada menos que una infinita excelencia pudo satisfacer por un alma perdida para infinitas edades*, instó Jeremyas Taylor. Así puede justificarse el dogma, si bien los conceptos de la generación del Hijo por el Padre y de la procesión del Espíritu por los dos, insinúan heréticamente una prioridad, sin contar su culpable condición de meras metáforas. La teología, empeñada en diferenciarlas, resuelve que no hay motivo de confusión, puesto que el resultado de una es el Hijo, de la otra el Espíritu. Generación eterna del Hijo, procesión eterna del Espíritu, es la soberbia decisión de Ireneo: invención de un acto sin tiempo, de un mutilado *zeitloses Zeitwort*, que podemos rechazar o venerar, pero no discutir. El infierno es una mera violencia física, pero las tres inextricables personas importan un horror intelectual, una infinitud ahogada, especiosa, como de contrarios espejos. Dante las quiso figurar con el signo de una reverberación de círculos diáfanos, de diverso color; Donne, por el de complicadas serpientes, ricas e indisolubles. *Toto coruscat trinitas mysterio*, escribió San Paulino; *Fulge en pleno misterio la trinidad*.

Si el Hijo es la reconciliación de Dios con el mundo, el Espíritu —principio de la santificación, según Atanasio; ángel entre los otros, para Macedonio— no consiente mejor definición que la de ser la intimidad de Dios con nosotros, su inmanencia en los pechos. (Para los socinianos —temo que con suficiente razón— no era más que una locución personificada, una metáfora de las operaciones divinas, trabajaba luego hasta el vértigo.) Mera formación sintáctica o no, lo cierto es que la tercera ciega persona de la enredada trinidad es el reconocido autor de las Escrituras. Gibbon, en aquel capítulo de su obra que trata del Islam, incluye un censo general de las publicaciones del Espíritu Santo, calculadas con cierta timidez en unas ciento y pico; pero la que me interesa ahora es el Génesis: materia de la Cábala.

Los cabalistas, como ahora muchos cristianos, creían en la divinidad de esa historia, en su deliberada redacción por una inteligencia infinita. Las consecuencias de ese postulado son muchas. La distraída evacuación de un texto corriente —verbigracia, de las menciones efímeras del periodismo— tolera una cantidad sensible de azar. Comunican —postulándolo— un hecho: informan que el siempre irregular asalto de ayer obró en tal calle, tal esquina, a las tales horas de la mañana, receta no representable por nadie y que se limita a señalarnos el sitio Tal, donde suministran informes. En indicaciones así, la extensión y la acústica de los párrafos son necesariamente casuales. Lo contrario ocurre en los versos, cuya ordinaria ley es la sujeción del sentido a las necesidades (o supersticiones) eufónicas. Lo casual en ellos no es el sonido, es lo que significan. Así en el primer Tennyson, en Verlaine, en el último Swinburne: dedicados tan sólo a la expresión de estados generales, mediante las ricas aventuras de su prosodia. Consideremos un tercer escritor, el intelectual. Éste, ya en su manejo de la prosa (Valéry, De Quincey), ya en el del verso, no ha eliminado ciertamente el azar, pero ha rehusado en lo posible, y ha restringido, su alianza incalculable. Remotamente se aproxima al Señor, para Quien el vago concepto de azar ningún sentido tiene. Al Señor, al perfeccionado Dios de los teólogos, que sabe de una vez —*uno intelligendi actu*— no solamente todos los hechos de este repleto mundo, sino los que tendrían su lugar si el más evanescente de ellos cambiara — los imposibles, también.

Imaginemos ahora esa inteligencia estelar, dedicada a manifestarse, no en dinastías ni en aniquilaciones ni en pájaros, sino en voces escritas. Imaginemos asimismo, de acuerdo con la teoría pre-agustiniana de inspiración verbal, que Dios dicta, palabra por palabra lo que se propone decir.[1] Esa premisa (que fue la que

---

[1] Orígenes atribuyó tres sentidos a las palabras de la Escritura: el histórico, el moral y el místico, correspondientes al cuerpo, al alma y al espíritu que integran el hombre; Juan Escoto Erígena, un infinito número de sentidos, como los tornasoles del plumaje del pavo real.

asumieron los cabalistas) hace de la Escritura un texto absoluto, donde la colaboración del azar es calculable en cero. La sola concepción de ese documento es un prodigio superior a cuantos registran sus páginas. Un libro impenetrable a la contingencia, un mecanismo de infinitos propósitos, de variaciones infalibles, de revelaciones que acechan, de superposiciones de luz ¿cómo no interrogarlo hasta lo absurdo, hasta lo prolijo numérico, según hizo la cábala?

1931

UNA VINDICACIÓN DEL FALSO BASÍLIDES

Hacia 1905, yo sabía que las páginas omniscientes (de A a All) del primer volumen del *Diccionario enciclopédico hispano-americano* de Montaner y Simón, incluian un breve y alarmante dibujo de una especie de rey, con perfilada cabeza de gallo, torso viril con brazos abiertos que gobernaban un escudo y un látigo, y lo demás una mera cola enroscada que le servía de tronco. Hacia 1916, leí esta oscura enumeración de Quevedo: *Estaba el maldito Basílides heresiarca. Estaba Nicolás antioqueno, Carpócrates y Cerintho y el infame Ebión. Vino luego Valentino, el que dio por principio de todo, el mar y el silencio.* Hacia 1923, recorrí en Ginebra no sé qué libro heresiológico en alemán, y supe que el aciago dibujo representaba cierto dios misceláneo, que había horriblemente venerado el mismo Basílides. Supe también qué hombres desesperados y admirables fueron los gnósticos, y conocí sus especulaciones ardientes. Más adelante pude interrogar los libros especiales de Mead (en la versión alemana: *Fragmente eines verschollenen Glaubens*, 1902) y de Wolfgang Schultz · (*Dokumente der Gnosis*, 1910) y los artículos de Wilhelm Bousset en la *Encyclopaedia Britannica*. Hoy me he propuesto resumir e ilustrar una de sus cosmogonías: la de Basílides heresiarca, precisamente. Sigo en un todo la notificación de Ireneo. Me consta que muchos la invalidan, pero sospecho que esta desordenada revisión de sueños difuntos puede admitir también la de un sueño que no sabemos si habitó en soñador alguno. La herejía basilidiana, por otra parte, es la de configuración más sencilla. Nació en Alejandría, dicen que a los cien años de la cruz, dicen que entre los sirios y griegos. La teología, entonces, era una pasión popular.

En el principio de la cosmogonía de Basílides hay un Dios. Esta divinidad carece majestuosamente de nombre, así como de origen; de ahí su aproximada nominación de *pater innatus*. Su medio es el *pleroma* o la plenitud: el inconcebible museo de los arquetipos platónicos, de las esencias inteligibles, de los universales. Es un Dios inmutable, pero de su reposo emanaron siete divinidades subalternas que, condescendiendo a la acción, dotaron y presidieron un primer cielo. De esta primer corona demiúrgica procedió una segunda, también con ángeles, potestades y tronos, y éstos fundaron otro cielo más bajo, que era el duplicado simétrico del inicial. Este segundo cónclave se vio reproducido en uno terciario, y éste en otro inferior, y de este modo hasta

365. El señor del cielo del fondo es el de la Escritura, y su fracción de divinidad tiende a cero. Él y sus ángeles fundaron este cielo visible, amasaron la tierra inmaterial que estamos pisando y se la repartieron después. El razonable olvido ha borrado las precisas fábulas que esta cosmogonía atribuyó al origen del hombre, pero el ejemplo de otras imaginaciones coetáneas nos permite salvar esa omisión, siquiera en forma vaga y conjetural. En el fragmento publicado por Hilgenfeld, la tiniebla y la luz habían coexistido siempre, ignorándose, y cuando se vieron al fin, la luz apenas miró y se dio vuelta, pero la enamorada oscuridad se apoderó de su reflejo o recuerdo, y ese fue el principio del hombre. En el análogo sistema de Satornilo, el cielo les depara a los ángeles obradores una momentánea visión, y el hombre es fabricado a su imagen, pero se arrastra por el suelo como una víbora, hasta que el apiadado Señor le trasmite una centella de su poder. Lo común a esas narraciones es lo que importa: nuestra temeraria o culpable improvisación por una divinidad deficiente, con material ingrato. Vuelvo a la historia de Basílides. Removida por los ángeles onerosos del dios hebreo, la baja humanidad mereció la lástima del Dios intemporal, que le destinó un redentor. Éste debió asumir un cuerpo ilusorio, pues la carne degrada. Su impasible fantasma colgó públicamente en la cruz, pero el Cristo esencial atravesó los cielos superpuestos y se restituyó al *pleroma*. Los atravesó indemne, pues conocía el nombre secreto de sus divinidades. *Y los que saben la verdad de esta historia*, concluye la profesión de fe trasladada por Ireneo, *se sabrán libres del poder de los príncipes que han edificado este mundo. Cada cielo tiene su propio nombre y lo mismo cada ángel y señor y cada potestad de ese cielo. El que sepa sus nombres incomparables los atravesará invisible y seguro, igual que el redentor. Y como el Hijo no fue reconocido por nadie, tampoco el gnóstico. Y estos misterios no deberán ser pronunciados, sino guardados en silencio. Conoce a todos, que nadie te conozca.*

La cosmogonía numérica del principio ha degenerado hacia el fin en magia numérica, 365 pisos de cielo, a siete potestades por cielo, requieren la improbable retención de 2.555 amuletos orales: idioma que los años redujeron al precioso nombre del redentor, que es Caulacau, y al del inmóvil Dios, que es Abraxas. La salvación, para esta desengañada herejía, es un esfuerzo mnemotécnico de los muertos, así como el tormento del salvador es una ilusión óptica — dos simulacros que misteriosamente condicen con la precaria realidad de su mundo.

Escarnecer la vana multiplicación de ángeles nominales y de reflejados cielos simétricos de esa cosmogonía, no es del todo difícil. El principio taxativo de Occam: *Entia non sunt multiplican-*

da praeter necessitatem, podría serle aplicado —arrasándola. Por mi parte, creo anacrónico o inútil ese rigor. La buena conversión de esos pesados símbolos vacilantes es lo que importa. Dos intenciones veo en ellos: la primera es un lugar común de la crítica; la segunda —que no presumo erigir en descubrimiento— no ha sido recalcada hasta hoy. Empiezo por la más ostensible. Es la de resolver sin escándalo el problema del mal, mediante la hipotética inserción de una serie gradual de divinidades entre el no menos hipotético Dios y la realidad. En el sistema examinado, esas derivaciones de Dios decrecen y se abaten a medida que se van alejando, hasta fondear en los abominables poderes que borrajearon con adverso material a los hombres. En el de Valentino —que *no* dio por principio de todo, el mar y el silencio—, una diosa caída (Achamoth) tiene con una sombra dos hijos, que son el fundador del mundo y el diablo. A Simón el Mago le achacan una exasperación de esa historia: el haber rescatado a Elena de Troya, antes hija primera de Dios y luego condenada por los ángeles a trasmigraciones dolorosas, de un lupanar de marineros en Tiro.[1] Los treinta y tres años humanos de Jesucristo y su anochecer en la cruz no eran suficiente expiación para los duros gnósticos.

Falta considerar el otro sentido de esas invenciones oscuras. La vertiginosa torre de cielos de la herejía basilidiana, la proliferación de sus ángeles, la sombra planetaria de los demiurgos trastornando la tierra, la maquinación de los círculos inferiores contra el *pleroma*, la densa población, siquiera inconcebible o nominal, de esa vasta mitología, miran también a la disminución de este mundo. No nuestro mal, sino nuestra central insignificancia, es predicada en ellas. Como en los caudalosos ponientes de la llanura, el cielo es apasionado y monumental y la tierra es pobre. Ésa es la justificadora intención de la cosmogonía melodramática de Valentino, que devana un infinito argumento de dos hermanos sobrenaturales que se reconocen, de una mujer caída, de una burlada intriga poderosa de los ángeles malos y de un casamiento final. En ese melodrama o folletín, la creación de este mundo es un mero aparte. Admirable idea: el mundo imaginado como un proceso esencialmente fútil, como un reflejo lateral y perdido de viejos episodios celestes. La creación como hecho casual.

[1] Elena, hija dolorosa de Dios. Esa divina filiación no agota los contactos de su leyenda con la de Jesucristo. A éste le asignaron los de Basílides un cuerpo insustancial; de la trágica reina se pretendió que sólo su *eidolon* o simulacro fue arrebatado a Troya. Un hermoso espectro nos redimió; otro cundió en batallas y Homero. Véase, para este docetismo de Elena, el *Fedro* de Platón y el libro *Adventures among Books* de Andrew Lang, páginas 237-248.

El proyecto fue heroico; el sentimiento religioso ortodoxo y la teología repudian esa posibilidad con escándalo. La creación primera, para ellos, es acto libre y necesario de Dios. El universo, según deja entender San Agustín, no comenzó en el tiempo, sino simultáneamente con él —juicio que niega toda prioridad del Creador. Strauss da por ilusoria la hipótesis de un momento inicial, pues éste contaminaría de temporalidad no sólo a los instantes ulteriores, sino también a la eternidad "precedente".

Durante los primeros siglos de nuestra era, los gnósticos disputaron con los cristianos. Fueron aniquilados, pero nos podemos representar su victoria posible. De haber triunfado Alejandría y no Roma, las estrambóticas y turbias historias que he resumido aquí serían coherentes, majestuosas y cotidianas. Sentencias como la de Novalis: *La vida es una enfermedad del espíritu* [1], o la desesperada de Rimbaud: *La verdadera vida está ausente; no estamos en el mundo*, fulminarían en los libros canónicos. Especulaciones como la desechada de Richter sobre el origen estelar de la vida y su casual diseminación en este planeta, conocerían el asenso incondicional de los laboratorios piadosos. En todo caso, ¿qué mejor don que ser insignificantes podemos esperar, qué mayor gloria para un Dios que la de ser absuelto del mundo?

1931

---

[1] Ese dictamen —*Leben ist eine Krankheit des Geistes, ein leidenschaftliches Tun*— debe su difusión a Carlyle, que lo destacó en su famoso artículo de la *Foreign Review*, 1829. No coincidencias momentáneas, sino un redescubrimiento esencial de las agonías y de las luces del gnosticismo, es el de los *Libros proféticos* de **William Blake**.

LA POSTULACIÓN DE LA REALIDAD

Hume notó para siempre que los argumentos de Berkeley no admiten la menor réplica y no producen la menor convicción; yo desearía, para eliminar los de Croce, una sentencia no menos educada y mortal. La de Hume no me sirve, porque la diáfana doctrina de Croce tiene la facultad de persuadir, aunque ésta sea la única. Su defecto es ser inmanejable; sirve para cortar una discusión, no para resolverla.

Su fórmula —recordará mi lector— es la identidad de lo estético y de lo expresivo. No la rechazo, pero quiero observar que los escritores de hábito clásico más bien rehuyen lo expresivo. El hecho no ha sido considerado hasta ahora; me explicaré.

El romántico, en general con pobre fortuna, quiere incesantemente expresar; el clásico prescinde contadas veces de una petición de principio. Distraigo aquí de toda connotación histórica las palabras *clásico* y *romántico*; entiendo por ellas dos arquetipos de escritor (dos procederes). El clásico no desconfía del lenguaje, cree en la suficiente virtud de cada uno de sus signos. Escribe, por ejemplo: "Después de la partida de los godos y la separación del ejército aliado, Atila se maravilló del vasto silencio que reinaba sobre los campos de Châlons: la sospecha de una estratagema hostil lo demoró unos días dentro del círculo de sus carros, y su retravesía del Rin confesó la postrer victoria lograda en nombre del imperio occidental. Meroveo y sus francos, observando una distancia prudente y magnificando la opinión de su número con los muchos fuegos que encendían cada noche, siguieron la retaguardia de los hunos hasta los confines de Turingia. Los de Turingia militaban en las fuerzas de Atila: atravesaron, en el avance y en la retirada, los territorios de los francos; cometieron tal vez entonces las atrocidades que fueron vindicadas unos ochenta años después, por el hijo de Clovis. Degollaron a sus rehenes: doscientas doncellas fueron torturadas con implacable y exquisito furor; sus cuerpos fueron descuartizados por caballos indómitos, o aplastados sus huesos bajo el rodar de los carros, y sus miembros insepultos fueron abandonados en los caminos como una presa para perros y buitres." (Gibbon, *Decline and Fall of the Roman Empire, XXXV*.) Basta el inciso *Después de la partida de los godos* para percibir el carácter mediato de esta escritura, generalizadora y abstracta hasta lo invisible. El autor nos propone un juego de símbolos, organizados rigurosamente sin duda, pero cuya animación eventual queda a cargo nuestro. No es realmente expresivo: se limita a registrar una realidad, no a representarla. Los ricos hechos a cuya póstuma alusión nos convida, importaron cargadas experiencias, percepciones, reacciones; éstas pueden inferirse de su relato, pero no están en él. Dicho con mejor precisión: no escribe los primeros contactos de la realidad, sino su elaboración final en concepto. Es el método clásico, el observado siempre por Voltaire, por Swift, por Cervantes. Copio un segundo párrafo, ya casi abusivo, de este último: "Finalmente a Lotario le pareció que era menester en el espacio y lugar que daba la ausencia de Anselmo, apretar el cerco a aquella fortaleza, y así acometió a su presunción con las alabanzas de su hermosura, porque no hay cosa que más presto rinda y allane las encastilladas torres de la vanidad de las hermosas que la misma vanidad puesta en las lenguas de la adulación. En efecto, él con toda diligencia minó la roca de su entereza con tales pertrechos, que aunque Camila fuera toda de bronce, viniera al suelo. Lloró, rogó, ofreció, aduló, porfió y fingió Lotario con tantos sentimientos, con muestras de tantas veras, que dio al través con el recato de Camila, y vino a triunfar de lo que menos se pensaba y más deseaba." (*Quijote*, I, capítulo 34.)

Pasajes como los anteriores, forman la extensa mayoría de la literatura mundial, y aun la menos indigna. Repudiarlos para no incomodar a una fórmula, sería inconducente y ruinoso. Dentro de su notoria ineficacia, son eficaces; falta resolver esa contradicción.

Yo aconsejaría esta hipótesis: la imprecisión es tolerable o verosímil en la literatura, porque a ella propendemos siempre en la realidad. La simplificación conceptual de estados complejos es muchas veces una operación instantánea. El hecho mismo de percibir, de atender, es de orden selectivo: toda atención, toda fijación de nuestra conciencia, comporta una deliberada omisión de lo no interesante. Vemos y oímos a través de recuerdos, de temores, de previsiones. En lo corporal, la inconciencia es una necesidad de los actos físicos. Nuestro cuerpo sabe articular este difícil párrafo, sabe tratar con escaleras, con nudos, con pasos a nivel, con ciudades, con ríos correntosos, con perros, sabe atravesar una calle sin que nos aniquile el tránsito, sabe engendrar, sabe respirar, sabe dormir, sabe tal vez matar: nuestro cuerpo, no nuestra inteligencia. Nuestro vivir es una serie de adaptaciones, vale decir, una educación del olvido. Es admirable que la primer noticia de Utopía que nos dé Thomas Moore, sea su perpleja ignorancia de la "verdadera" longitud de uno de sus puentes...

Releo, para mejor investigación de lo clásico, el párrafo de

Gibbon, y doy con una casi imperceptible y ciertamente inocua metáfora, la del reinado del silencio. Es un proyecto de expresión —ignoro si malogrado o feliz— que no parece condecir con el estricto desempeño legal del resto de su prosa. Naturalmente, la justifica su invisibilidad, su índole ya convencional. Su empleo nos permite definir otra de las marcas del clasicismo: la creencia de que una vez fraguada una imagen, ésta constituye un bien público. Para el concepto clásico, la pluralidad de los hombres y de los tiempos es accesoria, la literatura es siempre una sola. Los sorprendentes defensores de Góngora la vindicaban de la imputación de innovar — mediante la prueba documental de la buena ascendencia erudita de sus metáforas. El hallazgo romántico de la personalidad no era ni presentido por ellos. Ahora, todos estamos tan absortos en él, que el hecho de negarlo o de descuidarlo es sólo una de tantas habilidades para "ser personal". En lo que se refiere a la tesis de que el lenguaje poético debe ser uno, cabe señalar su evanescente resurrección de parte de Arnold, que propuso reducir el vocabulario de los traductores homéricos al de la *Authorized Versión* de la Escritura, sin otro alivio que la intercalación eventual de algunas libertades de Shakespeare. Su argumento era el poderío y la difusión de las palabras bíblicas...

La realidad que los escritores clásicos proponen es cuestión de confianza, como la paternidad para cierto personaje de los *Lehrjahre*. La que procuran agotar los románticos es de carácter impositivo más bien: su método continuo es el énfasis, la mentira parcial. No inquiero ilustraciones: todas las páginas de prosa o de verso que son profesionalmente actuales pueden ser interrogadas con éxito.

La postulación clásica de la realidad puede asumir tres modos, muy diversamente accesibles. El de trato más fácil consiste en una notificación general de los hechos que importan. (Salvadas unas incómodas alegorías, el supracitado texto de Cervantes no es mal ejemplo de ese modo primero y espontáneo de los procedimientos clásicos.) El segundo consiste en imaginar una realidad más compleja que la declarada al lector y referir sus derivaciones y efectos. No sé de mejor ilustración que la apertura del fragmento heroico de Tennyson, *Mort d'Arthur*, que reproduzco en desentonada prosa española, por el interés de su técnica. Vierto literalmente: *Así, durante todo el día, retumbó el ruido bélico por las montañas junto al mar invernal, hasta que la tabla del rey Artús, hombre por hombre, había caído en Lyonness en torno de su señor, el rey Artús: entonces, porque su herida era profunda, el intrépido Sir Bediver lo alzó, Sir Bediver el último de sus caballeros, y lo condujo a una capilla cerca del campo, un presbiterio roto, con una cruz rota, que estaba en un oscuro brazo de terreno árido. De un lado yacía el Océano; del otro lado, un agua grande, y la luna era llena.* Tres veces ha postulado esa narración una realidad más compleja: la primera, mediante el artificio gramatical del adverbio *así;* la segunda y mejor, mediante la manera incidental de trasmitir un hecho: *porque su herida era profunda;* la tercera, mediante la inesperada adición de *y la luna era llena.* Otra eficaz ilustración de ese método la proporciona Morris, que después de relatar el mítico rapto de uno de los remeros de Jasón por las ligeras divinidades de un río, cierra de este modo la historia: *El agua ocultó a las sonrojadas ninfas y al despreocupado hombre dormido. Sin embargo, antes de perderlos el agua, una atravesó corriendo aquel prado y recogió del pasto la lanza con moharra de bronce, el escudo claveteado y redondo, la espada con el puño de marfil, y la cota de mallas, y luego se arrojó a la corriente. Así, quién podrá contar esas cosas, salvo que el viento las contara o el pájaro que desde el cañaveral las vio y escuchó.* Este testimonio final de seres no mentados aún, es lo que nos importa.

El tercer método, el más difícil y eficiente de todos, ejerce la invención circunstancial. Sirva de ejemplo cierto memorabilísimo rasgo de *La gloria de Don Ramiro:* ese aparatoso *caldo de torrezno, que se servía en una sopera con candado para defenderlo de la voracidad de los pajes,* tan insinuativo de la miseria decente, de la retahíla de criados, del caserón lleno de escaleras y vueltas y de distintas luces. He declarado un ejemplo corto, lineal, pero sé de dilatadas obras —las rigurosas novelas imaginativas de Wells [1], las exasperadamente verosímiles de Daniel Defoe— que

[1] Así *El hombre invisible.* Ese personaje —un estudiante solitario de química en el desesperado invierno de Londres— acaba por reconocer que los privilegios del estado invisible no cubren los inconvenientes. Tiene que ir descalzo y desnudo, para que un sobretodo apresurado y unas botas autónomas no afiebren la ciudad. Un revólver, en su trasparente mano, es de ocultación imposible. Antes de asimilados, también lo son los alimentos deglutidos por él. Desde el amanecer sus párpados nominales no detienen la luz y debe acostumbrarse a dormir como con los ojos abiertos. Inútil asimismo echar el brazo afantasmado sobre los ojos. En la calle los accidentes de tránsito lo prefieren y siempre está con el temor de morir aplastado. Tiene que huir de Londres. Tiene que refugiarse en pelucas, en quevedos ahumados, en narices de carnaval, en sospechosas barbas, en guantes, *para que no vean que es invisible.* Descubierto, inicia en un villorrio de tierra adentro un miserable Reino del Terror. Hiere, para que lo respeten, a un hombre. Entonces el comisario lo hace rastrear por perros, lo acorralan cerca de la estación y lo matan.

Otro ejemplo habilísimo de fantasmagoría circunstancial es el cuento de Kipling, *The Finest Story in the World,* de su recopilación de 1893 *Many Inventions.*

no frecuentan otro proceder que el desenvolvimiento o la serie de esos pormenores lacónicos de larga proyección. Asevero lo mismo de las novelas cinematográficas de Josef von Sternberg, hechas también de significativos momentos. Es método admirable y difícil, pero su aplicabilidad general lo hace menos estrictamente literario que los dos anteriores, y en particular que el segundo. Este suele funcionar a pura síntaxis, a pura destreza verbal. Pruébelo estos versos de Moore:

> *Je suis ton amant, et la blonde*
> *Gorge tremble sous mon baiser,*

cuya virtud reside en la transición de pronombre posesivo a artículo determinado, en el empleo sorprendente de *la*. Su reverso simétrico está en la siguiente línea de Kipling:

> *Little they trust to sparrow — dust that stop the seal in his sea!*

Naturalmente, *his* está regido por *seal*. Que detienen a la foca en su *mar*.

1931

FILMS

Escribo mi opinión de unos films estrenados últimamente.

El mejor, a considerable distancia de los otros: *El asesino Karamasoff* (Filmreich). Su director (Ozep) ha eludido sin visible incomodidad los aclamados y vigentes errores de la producción alemana —la simbología lóbrega, la tautología o vana repetición de imágenes equivalentes, la obscenidad, las aficiones teratológicas, el satanismo— sin tampoco incurrir en los todavía menos esplendorosos de la escuela soviética: la omisión absoluta de caracteres, la mera antología fotográfica, las burdas seducciones del comité. (De los franceses no hablo: su mero y pleno afán hasta ahora es el de no parecer norteamericanos — riesgo que ciertamente no corren.) Yo desconozco la espaciosa novela de la que fue excavado este film: culpa feliz que me ha permitido gozarlo, sin la continua tentación de superponer el espectáculo actual sobre la recordada lectura, a ver si coincidían. Así, con inmaculada prescindencia de sus profanaciones nefandas y de sus meritorias fidelidades —ambas inimportantes—, el presente film es poderosísimo. Su realidad, aunque puramente alucinatoria, sin subordinación ni cohesión, no es menos torrencial que la de *Los muelles de Nueva York*, de Josef von Sternberg. Su presentación de una genuina, candorosa felicidad después de un asesinato, es uno de sus altos momentos. Las fotografías —la del amanecer ya preciso, la de las bolas monumentales de billar aguardando el impacto, la de la mano clerical de Smerdiakov, retirando el dinero— son excelentes, de invención y de ejecución.

Paso a otro film. El que misteriosamente se nombra *Luces de la ciudad* de Chaplin ha conocido el aplauso incondicional de todos nuestros críticos; verdad es que su impresa aclamación es más bien una prueba de nuestros irreprochables servicios telegráficos y postales, que un acto personal, presuntuoso. ¿Quién iba a atreverse a ignorar que Charlie Chaplin es uno de los dioses más seguros de la mitología de nuestro tiempo, un colega de las inmóviles pesadillas de Chirico, de las fervientes ametralladoras de Scarface Al, del universo finito aunque ilimitado, de las espaldas cenitales de Greta Garbo, de los tapiados ojos de Gandhi? ¿Quién a desconocer que su novísima *comédie lar-*

moyante era de antemano asombrosa? En realidad, en la que creo realidad, este visitadísimo film del espléndido inventor y protagonista de *La quimera del oro* no pasa de una lánguida antología de pequeños percances, impuestos a una historia sentimental. Alguno de estos episodios es nuevo; otro, como el de la alegría técnica del basurero ante el providencial (y luego falaz) elefante que debe suministrarle una dosis de *raison d'être*, es una reedición facsimilar del incidente del basurero troyano y del falso caballo de los griegos, del pretérito film *La vida privada de Elena de Troya*. Objeciones más generales pueden aducirse también contra *City Lights*. Su carencia de realidad sólo es comparable a su carencia, también desesperante, de irrealidad. Hay películas reales —*El acusador de sí mismo, Los pequeros, Y el mundo marcha*, hasta *La melodía de Broadway*—; las hay de voluntaria irrealidad: las individualísimas de Borzage, las de Harry Langdon, las de Buster Keaton, las de Eisenstein. A este segundo género correspondían las travesuras primitivas de Chaplin, apoyadas sin duda por la fotografía superficial, por la espectral velocidad de la acción, y por los fraudulentos bigotes, insensatas barbas postizas, agitadas pelucas y levitones portentosos de los actores. *City Lights* no consigue esa realidad, y se queda en inconvincente. Salvo la ciega luminosa, que tiene lo extraordinario de la hermosura, y salvo el mismo Charlie, siempre tan disfrazado y tan tenue, todos sus personajes son temerariamente normales. Su destartalado argumento pertenece a la difusa técnica conjuntiva de hace veinte años. Arcaísmo y anacronismo son también géneros literarios, lo sé; pero su manejo deliberado es cosa distinta de su perpetración infeliz. Consigno mi esperanza —demasiadas veces satisfecha— de no tener razón.

En *Marruecos* de Sternberg, también es perceptible el cansancio, si bien en grado menos todopoderoso y suicida. El laconismo fotográfico, la organización exquisita, los procedimientos oblicuos y suficientes de *La ley del hampa*, han sido reemplazados aquí por la mera acumulación de comparsas, por los brochazos de excesivo color local. Sternberg, para significar Marruecos, no ha imaginado un medio menos brutal que la trabajosa falsificación de una ciudad mora en suburbios de Hollywood, con lujo de albornoces y piletas y altos muecines guturales que preceden el alba y camellos con sol. En cambio, su argumento general es bueno, y a su resolución en claridad, en desierto, en punto de partida otra vez, es la de nuestro primer *Martín Fierro* o la de la novela *Sanin* del ruso Arzibáshef. *Marruecos* se deja ver con simpatía, pero no con el goce intelectual que produce *La batida*, la heroica.

* * *

Los rusos descubrieron que la fotografía oblicua (y por consiguiente deforme) de un botellón, de una cerviz de toro o de una columna, era de un valor plástico superior a la de mil y un *extras* de Hollywood, rápidamente disfrazados de asirios y luego barajados hasta la total vaguedad por Cecil B. de Mille. También descubrieron que las convenciones del Middle West —méritos de la denuncia y del espionaje, felicidad final y matrimonial, intacta integridad de las prostitutas, concluyente *upper cut* administrado por un joven abstemio— podían ser canjeadas por otras no menos admirables. (Así, en uno de los más altos films del Soviet, un acorazado bombardea a quemarropa el abarrotado puerto de Odesa, sin otra mortandad que la de unos leones de mármol. Esa puntería inocua se debe a que es un virtuoso acorazado maximalista.) Tales descubrimientos fueron propuestos a un mundo saturado hasta el fastidio por las emisiones de Hollywood. El mundo los honró, y estiró su agradecimiento hasta pretender que la cinematografía soviética había obliterado para siempre a la americana. (Eran los años en que Alejandro Block anunciaba, con el acento peculiar de Walt Whitman, que los rusos eran escitas.) Se olvidó, o se quiso olvidar, que la mayor virtud del film ruso era su interrupción de un régimen californiano continuo. Se olvidó que era imposible contraponer algunas buenas o excelentes violencias (*Iván el Terrible, El acorazado Potemkin*, tal vez *Octubre*) a una vasta y compleja literatura, ejercitada con desempeño feliz en todos los géneros, desde la incomparable comicidad (Chaplin, Buster Keaton y Langdon) hasta las puras invenciones fantásticas: mitología del Krazy Kat y de Bimbo. Cundió la alarma rusa; Hollywood reformó o enriqueció alguno de sus hábitos fotográficos y no se preocupó mayormente.

King Vidor, sí. Me refiero al desigual director de obras tan memorables como *Aleluya* y tan innecesarias y triviales como *Billy the Kid*: púdica historiación de las veinte muertes (sin contar mejicanos) del más mentado peleador de Arizona, hecha sin otro mérito que el acopio de tomas panorámicas y la metódica prescindencia de *close-ups* para significar el desierto. Su obra más reciente, *Street Scene*, adaptada de la comedia del mismo nombre del ex-expresionista Elmer Rice, está inspirada por el mero afán negativo de no parecer "standard". Hay un insatisfactorio mínimo de argumento. Hay un héroe virtuoso, pero manoseado por un compadrón. Hay una pareja romántica, pero toda unión legal o sacramental les está prohibida. Hay un glorioso y excesivo italiano, *larger than life*, que tiene a su evidente cargo toda la comicidad de la obra, y cuya vasta irrealidad cae también sobre sus normales colegas. Hay personajes que parecen de veras y hay otros disfrazados. No es, sustancialmente, una obra realista; es la frustración o la represión de una obra romántica.

Dos grandes escenas la exaltan: la del amanecer, donde el rico proceso de la noche está compendiado por una música; la del asesinato, que nos es presentado indirectamente, en el tumulto y en la tempestad de los rostros.

1932

EL ARTE NARRATIVO Y LA MAGIA

El análisis de los procedimientos de la novela ha conocido escasa publicidad. La causa histórica de esta continuada reserva es la prioridad de otros géneros; la causa fundamental, la casi inextricable complejidad de los artificios novelescos, que es laborioso desprender de la trama. El analista de una pieza forense o de una elegía dispone de un vocabulario especial y de la facilidad de exhibir párrafos que se bastan; el de una dilatada novela carece de términos convenidos y no puede ilustrar lo que afirma con ejemplos inmediatamente fehacientes. Solicito, pues, un poco de resignación para las verificaciones que siguen.

Empezaré por considerar la faz novelesca del libro *The Life and Death of Jason* (1867) de William Morris. Mi fin es literario, no histórico: de ahí que deliberadamente omita cualquier estudio, o apariencia de estudio, de la filiación helénica del poema. Básteme copiar que los antiguos —entre ellos, Apolonio de Rodas— habían versificado ya las etapas de la hazaña argonáutica, y mencionar un libro intermedio, de 1474, *Les faits et prouesses du noble et vaillant chevalier Jason,* inaccesible en Buenos Aires, naturalmente, pero que los comentadores ingleses podrían revisar.

El arduo proyecto de Morris era la narración verosímil de las aventuras fabulosas de Jasón, rey de Iolcos. La sorpresa lineal, recurso general de la lírica, no era posible en esa relación de más de diez mil versos. Esta necesitaba ante todo una fuerte apariencia de veracidad, capaz de producir esa espontánea suspensión de la duda, que constituye, para Coleridge, la fe poética. Morris consigue despertar esa fe; quiero investigar cómo.

Solicito un ejemplo del primer libro. Aeson, antiguo rey de Iolcos, entrega su hijo a la tutela selvática del centauro Quirón. El problema reside en la difícil verosimilitud del centauro. Morris lo resuelve insensiblemente. Empieza por mencionar esa estirpe, entreverándola con nombres de fieras que también son extrañas.

Where bears and wolves the centaurs' arrows find.

explica sin asombro. Esa mención primera, incidental, es continuada a los treinta versos por otra, que se adelanta a la descripción. El viejo rey ordena a un esclavo que se dirija con el niño a la selva que está al pie de los montes y que sople en un cuerno de marfil para que aparezca el centauro, que será (le advierte) *de grave fisonomía y robusto*, y que se arrodille ante él. Siguen las órdenes, hasta parar en la tercera mención, negativa engañosamente. El rey le recomienda que no le inspire ningún temor el centauro. Después, como pesaroso del hijo que va a perder, trata de imaginar su futura vida en la selva, entre los *quick-eyed centaurs* —rasgo que los anima, justificado por su condición famosa de arqueros.[1] El esclavo cabalga con el hijo y se apea al amanecer, ante un bosque. Se interna a pie entre las encinas, con el hijito cargado. Sopla en el cuerno entonces, y espera. Un mirlo está cantando en esa mañana, pero el hombre ya empieza a distinguir un ruido de cascos, y siente un poco de temor en el corazón, y se distrae del niño, que siempre forcejea por alcanzar el cuerno brillante. Aparece Quirón: nos dicen que antes fue de pelo manchado, pero en la actualidad casi blanco, no muy distinto del color de su melena humana, y con una corona de hojas de encina en la transición de bruto a persona. El esclavo cae de rodillas. Anotemos, de paso, que Morris puede no comunicar al lector su imagen del centauro ni siquiera invitarnos a tener una, le basta con nuestra continua fe en sus palabras, como en el mundo real.

Idéntica persuasión pero más gradual, la del episodio de las sirenas, en el libro catorce. Las imágenes preparatorias son de dulzura. La cortesía del mar, la brisa de olor anaranjado, la peligrosa música reconocida primero por la hechicera Medea, su previa operación de felicidad en los rostros de los marineros que apenas tenían conciencia de oírla, el hecho verosímil de que al principio no se distinguían bien las palabras, dicho en modo indirecto:

> *And by their faces could the queen behold*
> *How sweet it was, although no tale it told,*
> *To those worn toilers o'er the bitter sea,*

anteceden la aparición de esas divinidades. Éstas, aunque avistadas finalmente por los remeros, siempre están a alguna distancia, implícita en la frase circunstancial:

> *for they were near enow*
> *To see the gusty wind of evening blow*
> *Long locks of hair across those bodies white*
> *With golden spray hiding some dear delight.*

[1] *Cf.* el verso:
Cesare armato, con li occhi grifagni
(Inferno IV. 123)

El último pormenor: *el rocío de oro* —¿de sus violentos rizos, del mar, de ambos o de cualquiera?— *ocultando alguna querida delicia*, tiene otro fin, también: el de significar su atracción. Ese doble propósito se repite en una circunstancia siguiente: la neblina de lágrimas ansiosas, que ofusca la visión de los hombres. (Ambos artificios son del mismo orden que el de la corona de ramas en la figuración del centauro.) Jasón, desesperado hasta la ira por las sirenas [1], las apoda *brujas del mar* y hace que cante Orfeo,

[1] A lo largo del tiempo, las sirenas cambian de forma. Su primer historiador, el rapsoda del duodécimo libro de la Odisea, no nos dice cómo eran; para Ovidio, son pájaros de plumaje rojizo y cara de virgen; para Apolonio de Rodas, de medio cuerpo para arriba son mujeres, y en lo restante, pájaros; para el maestro Tirso de Molina (y para la heráldica) "la mitad mujeres, peces la mitad". No menos discutible es su índole; *ninfas* las llama; el diccionario clásico de Lemprière entiende que son ninfas, el de Quicherat que son monstruos y el de Grimal que son demonios. Moran en una isla del poniente, cerca de la isla de Circe, pero el cadáver de una de ellas, Parténope, fue encontrado en Campania, y dio su nombre a la famosa ciudad que ahora lleva el de Nápoles, y el geógrafo Estrabón vio su tumba y presenció los juegos gimnásticos y la carrera con antorchas que periódicamente se celebraban para honrar su memoria.

La Odisea refiere que las sirenas atraían y perdían a los navegantes y que Ulises, para oír su canto y no perecer, tapó con cera los oídos de sus remeros y ordenó que lo sujetaran al mástil. Para tentarlo, las sirenas prometían el conocimiento de todas las cosas del mundo: "Nadie ha pasado por aquí en su negro bajel, sin haber escuchado de nuestra boca la voz dulce como el panal, y haberse regocijado con ella, y haber proseguido más sabio. Porque sabemos todas las cosas: cuántos afanes padecieron argivos y troyanos en la ancha Tróada por determinación de los dioses, y sabemos cuánto sucederá en la Tierra fecunda (Odisea, XII). Una tradición recogida por el mitólogo Apolodoro, en su *Biblioteca*, narra que Orfeo desde la nave de los argonautas, cantó con más dulzura que las sirenas y que éstas se precipitaron al mar y quedaron convertidas en rocas, porque su ley era morir cuando alguien no sintiera su hechizo. También la Esfinge se precipitó de lo alto cuando adivinaron su enigma.

En el siglo VI, una sirena fue capturada y bautizada en el norte de Gales, y llegó a figurar como una santa en ciertos almanaques antiguos, bajo el nombre de Murgan. Otra, en 1403, pasó por una brecha en un dique, y habitó en Haarlem hasta el día de su muerte. Nadie la comprendía, pero le enseñaron a hilar y veneraba como por instinto la cruz. Un cronista del siglo XVI razonó que no era un pescado porque sabía hilar, y que no era una mujer porque podía vivir en el agua.

El idioma inglés distingue la sirena clásica (Siren) de las que tienen cola de pez *(mermaids)*. En la formación de estas últimas habían influido por analogía los tritones, divinidades del cortejo de Poseidón.

En el décimo libro de la *República*, ocho sirenas presiden la rotación de los ocho cielos concéntricos.

Sirena: supuesto animal marino, leemos en un diccionario brutal, el dulcísimo. Viene la tensión, y Morris tiene el maravilloso escrúpulo de advertirnos que las canciones atribuidas por él a la boca imbesada de las sirenas y a la de Orfeo no encierran más que un transfigurado recuerdo de lo cantado entonces. La misma precisión insistente de sus colores —los bordes amarillos de la playa, la dorada espuma, la rosa gris— nos puede enternecer, porque parecen frágilmente salvados de ese antiguo crepúsculo. Cantan las sirenas para aducir una felicidad que es vaga como el agua —*Such bodies garlanded with gold, so faint, so fair*—; canta Orfeo oponiendo las venturas firmes de la tierra. Prometen las sirenas un indolente cielo submarino, *roofed over by the changeful sea (techado por el variable mar)* según repetiría —¿dos mil quinientos años después, o sólo cincuenta?— Paul Valéry. Cantan y alguna discernible contaminación de su peligrosa dulzura entra en el canto correctivo de Orfeo. Pasan los argonautas al fin, pero un alto ateniense, terminada ya la tensión y largo el surco atrás de la nave, atraviesa corriendo las filas de los remeros y se tira desde la popa al mar.

Paso a una segunda ficción, el *Narrative of A. Gordon Pym* (1838) de Poe. El secreto argumento de esa novela es el temor y la vilificación de lo blanco. Poe finge unas tribus que habitan en la vecindad del Círculo Antártico, junto a la patria inagotable de ese color, y que de generaciones atrás han padecido la terrible visitación de los hombres y de las tempestades de la blancura. El blanco es anatema para esas tribus y puedo confesar que lo es también, cerca del último renglón del último capítulo, para los condignos lectores. Los argumentos de ese libro son dos: uno inmediato, de vicisitudes marítimas; otro infalible, sigiloso y creciente, que sólo se revela al final. *Nombrar un objeto,* dicen que dijo Mallarmé, *es suprimir las tres cuartas partes del goce del poema, que reside en la felicidad de ir adivinando; el sueño es sugerirlo.* Niego que el escrupuloso poeta haya redactado esa numérica frivolidad de *las tres cuartas partes*, pero la idea general le conviene y la ejecutó ilustremente en su presentación lineal de un ocaso:

> *Victorieusement fuit le suicide beau*
> *Tison de gloire, sang par écume, or, tempête!*

La sugirió, sin duda, el *Narrative of A. Gordon Pym*. El mismo impersonal color blanco ¿no es mallarmeano? (Creo que Poe prefirió ese color, por intuiciones o razones idénticas a las declaradas luego por Melville, en el capítulo *The Whiteness of the Whale* de su también espléndida alucinación *Moby Dick*.) Imposible exhibir o analizar aquí la novela entera, básteme traducir un rasgo ejemplar, subordinado —como todos— al secreto argumento. Se trata de la oscura tribu que mencioné y de los riachuelos de su isla. Determinar que su agua era colorada o azul, hubiera sido recusar demasiado toda posibilidad de blancura. Poe resuelve ese problema así, enriqueciéndonos: *Primero nos negamos a probarla, suponiéndola corrompida. Ignoro cómo dar una idea justa de su naturaleza, y no lo conseguiré sin muchas palabras. A pesar de correr con rapidez por cualquier desnivel, nunca parecía límpida, salvo al despeñarse en un salto. En casos de poco declive, era tan consistente como una infusión espesa de goma arábiga, hecha en agua común. Éste, sin embargo, era el menos singular de sus caracteres. No era incolora ni era de un color invariable, ya que su fluencia proponía a los ojos todos los matices del púrpura, como los tonos de una seda cambiante. Dejamos que se asentara en una vasija y comprobamos que la entera masa del líquido estaba separada en vetas distintas, cada una de tono individual, y que esas vetas no se mezclaban. Si se pasaba la hoja de un cuchillo a lo ancho de las vetas, el agua se cerraba inmediatamente, y al retirar la hoja desaparecería el rastro. En cambio, cuando la hoja era insertada con precisión entre dos de las vetas, ocurría una perfecta separación, que no se rectificaba en seguida.*

Rectamente se induce de lo anterior que el problema central de la novelística es la causalidad. Una de las variedades del género, la morosa novela de caracteres, finge o dispone una concatenación de motivos que se proponen no diferir de los del mundo real. Su caso, sin embargo, no es el común. En la novela de continuas vicisitudes, esa motivación es improcedente, y lo mismo en el relato de breves páginas y en la infinita novela espectacular que compone Hollywood con los plateados *ídola* de Joan Crawford y que las ciudades releen. Un orden muy diverso los rige, lúcido y atávico. La primitiva claridad de la magia.

Ese procedimiento o ambición de los antiguos hombres ha sido sujetado por Frazer a una conveniente ley general, la de la simpatía, que postula un vínculo inevitable entre cosas distantes, ya porque su figura es igual —magia imitativa, homeopática— ya por el hecho de una cercanía anterior —magia contagiosa. Ilustración de la segunda era el ungüento curativo de Kenelm Digby, que se aplicaba no a la vendada herida, sino al acero delincuente que la infirió— mientras aquélla, sin el rigor de bárbaras curaciones, iba cicatrizando. De la primera los ejemplos son infinitos. Los pieles rojas de Nebraska revestían cueros crujientes de bisonte con la cornamenta y la crin y machacaban día y noche sobre el desierto un baile tormentoso, para que los bisontes llegaran. Los hechiceros de la Australia Central se infieren una herida en el antebrazo que hace correr la sangre.

para que el cielo imitativo o coherente se desangre en lluvia también. Los malayos de la Península suelen atormentar o denigrar una imagen de cera, para que perezca su original. Las mujeres estériles de Sumatra cuidan un niño de madera y lo adornan, para que sea fecundo su vientre. Por iguales razones de analogía, la raíz amarilla de la cúrcuma sirvió para combatir la ictericia, y la infusión de ortigas debió contrarrestar la urticaria. El catálogo entero de esos atroces o irrisorios ejemplos es de enumeración imposible; creo, sin embargo, haber alegado bastantes para demostrar que la magia es la coronación o pesadilla de lo causal, no su contradicción. El milagro no es menos forastero en ese universo que en el de los astrónomos. Todas las leyes naturales lo rigen, y otras imaginarias. Para el supersticioso, hay una necesaria conexión no sólo entre un balazo y un muerto, sino entre un muerto y una maltratada efigie de cera o la rotura profética de un espejo o la sal que se vuelca o trece comensales terribles.

Esa peligrosa armonía, esa frenética y precisa causalidad, manda en la novela también. Los historiadores sarracenos de quienes trasladó el doctor José Antonio Conde su *Historia de la dominación de los árabes en España*, no escriben de sus reyes y jalifas que fallecieron, sino *Fue conducido a las recompensas y premios* o *Pasó a la misericordia del Poderoso* o *Esperó el destino tantos años, tantas lunas y tantos días.* Ese recelo de que un hecho temible pueda ser atraído por su mención, es impertinente o inútil en el asiático desorden del mundo real, no así en una novela, que debe ser un juego preciso de vigilancias, ecos y afinidades. Todo episodio, en un cuidadoso relato, es de proyección ulterior. Así, en una de las fantasmagorías de Chesterton, un desconocido acomete a un desconocido para que no lo embista un camión, y esa violencia necesaria, pero alarmante, prefigura su acto final de declararlo insano para que no lo puedan ejecutar por un crimen. En otra, una peligrosa y vasta conspiración integrada por un solo hombre (con socorro de barbas, de caretas y de seudónimos) es anunciada con tenebrosa exactitud en el dístico:

> As all stars shrivel in the single sun,
> The words are many, but The Word is one

que viene a descifrarse después, con permutación de mayúsculas:

> The words are many, but the word is One.

En una tercera la *maquette* inicial —la mención escueta de un indio que arroja su cuchillo a otro y lo mata— es el estricto reverso del argumento: un hombre apuñalado por su amigo con una flecha, en lo alto de una torre. Cuchillo volador, flecha que se deja empuñar. Larga repercusión tienen las palabras. Ya señalé una vez que la sola mención preliminar de los bastidores escénicos contamina de incómoda irrealidad las figuraciones del amanecer, de la pampa, del anochecer, que ha intercalado Estanislao del Campo en el *Fausto*. Esa teleología de palabras y de episodios es omnipresente también en los buenos films. Al principiar *A cartas vistas (The Showdown)*, unos aventureros se juegan a los naipes una prostituta, o su turno; al terminar, uno de ellos ha jugado la posesión de la mujer que quiere. El diálogo inicial de *La ley del hampa* versa sobre la delación, la primera escena es un tiroteo en una avenida; esos rasgos resultan premonitorios del asunto central. En *Fatalidad (Dishonored)* hay temas recurrentes: la espada, el beso, el gato, la traición, las uvas, el piano. Pero la ilustración más cabal de un orbe autónomo de corroboraciones, de presagios, de monumentos, es el predestinado *Ulises* de Joyce. Basta el examen del libro expositivo de Gilbert o, en su defecto, de la vertiginosa novela.

Procuro resumir lo anterior. He distinguido dos procesos causales: el natural, que es el resultado incesante de incontrolables e infinitas operaciones; el mágico, donde profetizan los pormenores, lúcido y limitado. En la novela, pienso que la única posible honradez está con el segundo. Quede el primero para la simulación psicológica.

1932

PAUL GROUSSAC

He verificado en mi biblioteca diez tomos de Groussac. Soy un lector hedónico: jamás consentí que mi sentimiento del deber interviniera en afición tan personal como la adquisición de libros, ni probé fortuna dos veces con autor intratable, eludiendo un libro anterior con un libro nuevo, ni compré libros —crasamente— en montón. Esa perseverada decena evidencia, pues, la continua legibilidad de Groussac, la condición que se llama *readableness* en inglés. En español es virtud rarísima: todo escrupuloso estilo contagia a los lectores una sensible porción de la molestia con que fue trabajado. Fuera de Groussac, sólo he comprobado en Alfonso Reyes una ocultación o invisibilidad igual del esfuerzo.

El solo elogio no es iluminativo; precisamos una definición de Groussac. La tolerada o recomendada por él —la de considerarlo un mero viajante de la discreción de París, un misionero de Voltaire entre el mulataje— es deprimente de la nación que lo afirma y del varón que se pretende realzar, subordinándolo a tan escolares empleos. Ni Groussac era un hombre clásico —esencialmente lo era mucho más José Hernández— ni esa pedagogía era necesaria. Por ejemplo: la novela argentina no es ilegible por faltarle mesura, sino por falta de imaginación, de fervor. Digo lo mismo de nuestro vivir general.

Es evidente que hubo en Paul Groussac otra cosa que las reprensiones del profesor, que la santa cólera de· la inteligencia ante la ineptitud aclamada. Hubo un placer desinteresado en el desdén. Su estilo se acostumbró a despreciar, creo que sin mayor incomodidad para quien lo ejercía. El *facit indignatio versum* no nos dice la razón de su prosa: mortal y punitiva más de una vez, como en cierta causa célebre de *La Biblioteca*, pero en general reservada, cómoda en la ironía, retráctil. Supo deprimir bien, hasta con cariño; fue impreciso o inconvincente para elogiar. Basta recorrer las pérfidas conferencias hermosas que tratan de Cervantes y después la apoteosis vaga de Shakespeare, basta cotejar esta buena ira —*Sentiríamos que la circunstancia de haberse puesto en venta el alegato del doctor Piñero fuera un obstáculo serio para su difusión, y que este sazonado fruto de un año y medio de vagar diplomático se limitara a causar "impresión" en la casa de Coni. Tal no sucederá, Dios mediante, y al menos en cuanto dependa de nosotros, no se cumplirá tan melancólico destino*—, con estas ignominias o incontinencias: *Después del do-*

rado triunfo de las mieses que a mi llegada presenciara, lo que ahora contemplo, en los horizontes esfumados por la niebla azul, es la fiesta alegre de la vendimia, que envuelve en un inmenso festón de sana poesía la rica prosa de los lagares y fábricas. Y lejos, muy lejos de los estériles bulevares y sus teatros enfermizos, he sentido de nuevo bajo mis plantas el estremecimiento de la Cibeles antigua, eternamente fecunda y joven, para quien el reposado invierno no es sino la gestación de otra primavera próxima... Ignoro si se podrá inducir que el buen gusto era requisado por él con fines exclusivos de terrorismo, pero el malo para uso personal.

No hay muerte de escritor sin el inmediato planteo de un problema ficticio, que reside en indagar —o profetizar— qué parte quedará de su obra. Ese problema es generoso, ya que postula la existencia posible de hechos intelectuales eternos, fuera de la persona o circunstancias que los produjeron; pero también es ruin, porque parece husmear corrupciones. Yo afirmo que el problema de la inmortalidad es más bien dramático. Persiste el hombre total o desaparece. Las equivocaciones no dañan: si son características, son preciosas. Groussac, persona inconfundible, Renán quejoso de su gloria a trasmano, no puede no quedar. Su mera inmortalidad sudamericana corresponderá a la inglesa de Samuel Johnson: los dos autoritarios, doctos, mordaces.

La sensación incómoda de que en las primeras naciones de Europa o en Norte América hubiera sido un escritor casi imperceptible, hará que muchos argentinos le nieguen primacía en nuestra desmantelada república. Ella, sin embargo, le pertenece.

1929

LA DURACIÓN DEL INFIERNO

Especulación que ha ido fatigándose con los años, la del Infierno. Lo descuidan los mismos predicadores, desamparados tal vez de la pobre, pero servicial, alusión humana, que las hogueras eclesiásticas del Santo Oficio eran en este mundo: tormento temporal sin duda, pero no indigno dentro de las limitaciones terrenas, de ser una metáfora del inmortal, del perfecto dolor sin destrucción, que conocerán para siempre los herederos de la ira divina. Sea o no satisfactoria esta hipótesis, no es discutible una lasitud general en la propaganda de ese establecimiento. (Nadie se sobresalte aquí: la voz *propaganda* no es de genealogía comercial, sino católica; es una reunión de los cardenales.) En el siglo II, el cartaginés Tertuliano, podía imaginarse el Infierno y prever su operación con este discurso: Os agradan las representaciones; esperad la mayor, el Juicio Final. Qué admiración en mí, qué carcajadas, qué celebraciones, qué júbilo, cuando vea tantos reyes soberbios y dioses engañosos doliéndose en la prisión más ínfima de la tiniebla; tantos magistrados que persiguieron el nombre del Señor, derritiéndose en hogueras más feroces que las que azuzaron jamás contra los cristianos; tantos graves filósofos ruborizándose en las rojas hogueras con sus auditores ilusos; tantos aclamados poetas temblando no ante el tribunal de Midas, sino de Cristo; tantos actores trágicos, más elocuentes ahora en la manifestación de un tormento tan genuino... (*De spectaculis*, 30; cita y versión de Gibbon.) El mismo Dante, en su gran tarea de prever en modo anecdótico algunas decisiones de la divina Justicia relacionadas con el Norte de Italia, ignora un entusiasmo igual. Después, los infiernos literarios de Quevedo —mera oportunidad chistosa de anacronismos— y de Torres Villarroel —mera oportunidad de metáforas— sólo evidenciarán la creciente usura del dogma. La decadencia del Infierno está en ellos casi como en Baudelaire, ya tan incrédulo de los imperecederos tormentos que simula adorarlos. (Una etimología significativa deriva el inocuo verbo francés *géner* de la poderosa palabra de la Escritura *gehenna*.)

Paso a considerar el Infierno. El distraído artículo pertinente del *Diccionario enciclopédico hispano-americano* es de lectura útil, no por sus menesterosas noticias o por su despavorida teología de sacristán, sino por la perplejidad que se le entrevé. Empieza por observar que la noción de infierno no es privativa de la Iglesia católica, precaución cuyo sentido intrínseco es: *No vayan a decir los masones que esas brutalidades las introdujo la Iglesia*, pero se acuerda acto continuo de que el Infierno es dogma, y añade con algún apuro: *Gloria inmarcesible es del cristianismo atraer hacia sí cuantas verdades se hallaban esparcidas entre las falsas religiones.* Sea el Infierno un dato de la religión natural o solamente de la religión revelada, lo cierto es que ningún otro asunto de la teología es para mí de igual fascinación y poder. No me refiero a la mitología simplicísima de conventillo —estiércol, asadores, fuego y tenazas— que ha ido vegetando a su pie y que todos los escritores han repetido, con deshonra de su imaginación y de su decencia.[1] Hablo de la estricta noción —*lugar de castigo eterno para los malos*— que constituye el dogma sin otra obligación que la de ubicarlo *in loco reali*, en un lugar preciso, y *a beatorum sede distincto*, diverso del que habitan los elegidos. Imaginar lo contrario, sería siniestro. En el capítulo quincuagésimo de su Historia, Gibbon quiere restarle maravilla al Infierno y escribe que los dos vulgarísimos ingredientes de fuego y de oscuridad bastan para crear una sensación de dolor, que puede ser agravada infinitamente por la idea de una perduración sin fin. Ese reparo descontentadizo prueba tal vez que la preparación de infiernos es fácil, pero no mitiga el espanto admirable de su invención. El atributo de eternidad es el horroroso. El de continuidad —el hecho de que la divina persecución carece de intervalos, de que en el Infierno no hay sueño— lo es más aún, pero es de imaginación imposible. La eternidad de la pena es lo disputado.

Dos argumentos importantes y hermosos hay para invalidar esa eternidad. El más antiguo es el de la inmortalidad condicional o aniquilación. La inmortalidad, arguye ese comprensivo razonamiento, no es atributo de la naturaleza humana caída, es don de Dios en Cristo. No puede ser movilizada, por consiguiente, contra el mismo individuo a quien se le otorga. No es una maldición, es un don. Quien la merece la merece con cielo; quien se prueba indigno de recibirla, *muere para morir*, como escribe Bunyan, muere sin resto. El infierno, según esa piadosa teoría, es el nombre humano blasfematorio del olvido de Dios. Uno de sus propagadores fue Whately, el autor de ese opúsculo de famosa recordación: *Dudas históricas sobre Napoleón Bonaparte*.

―――――
[1] Sin embargo, el *amateur* de infiernos hará bien en no descuidar estas infracciones honrosas: el infierno sabiano, cuyos cuatro vestíbulos superpuestos admiten hilos de agua sucia en el piso, pero cuyo recinto principal es dilatado, polvoriento, sin nadie; el infierno de Swedenborg, cuya lobreguez no perciben los condenados que han rechazado el cielo; el infierno de Bernard Shaw (*Man and Superman*, páginas 86-137), que distrae vanamente su eternidad con los artificios del lujo, del arte, de la erótica y del renombre.

Especulación más curiosa es la presentada por el teólogo evangélico Rothe, en 1869. Su argumento —ennoblecido también por la secreta misericordia de negar el castigo infinito de los condenados— observa que eternizar el castigo es eternizar el Mal. Dios, afirma, no puede querer *esa* eternidad para Su universo. Insiste en el escándalo de suponer que el hombre pecador y el diablo burlen para siempre las benévolas intenciones de Dios. (La teología sabe que la creación del mundo es obra de amor. El término *predestinación*, para ella, se refiere a la predestinación a la gloria; la reprobación es meramente el reverso, es una no elección traducible en pena infernal, pero que no constituye un acto especial de la bondad divina.) Aboga, en fin, por una vida decreciente, menguante, para los réprobos. Los antevé, merodeando por las orillas de la Creación, por los huecos del infinito espacio, manteniéndose con sobras de vida. Concluye así: Como los demonios están alejados incondicionalmente de Dios y le son incondicionalmente enemigos, su actividad es contra el reino de Dios, y los organiza en reino diabólico, que debe naturalmente elegir un jefe. La cabeza de ese gobierno demoníaco —el Diablo— debe ser imaginada como cambiante. Los individuos que asumen el trono de ese reino sucumben a la fantasmidad de su ser, pero se renuevan entre la descendencia diabólica. (*Dogmatik*, I, 248.)

Arribo a la parte más inverosímil de mi tarea: las razones elaboradas por la humanidad a favor de la eternidad del infierno. Las resumiré en orden creciente de significación. La primera es de índole disciplinaria: postula que la temibilidad del castigo radica precisamente en su eternidad y que ponerla en duda es invalidar la eficacia del dogma y hacerle el juego al Diablo. Es argumento de orden policial, y no creo merezca refutación. El segundo se escribe así: *La pena debe ser infinita porque la culpa lo es, por atentar contra la majestad del Señor, que es Ser infinito.* Se ha observado que esta demostración prueba tanto que se puede colegir que no prueba nada: prueba que no hay culpa venial, que son imperdonables todas las culpas. Yo agregaría que es un caso perfecto de frivolidad escolástica y que su engaño es la pluralidad de sentidos de la voz *infinito*, que aplicada al Señor quiere decir *incondicionado*, y a pena quiere decir *incesante*, y a culpa nada que yo sepa entender. Además, argüir que es infinita una falta por ser atentatoria de Dios que es Ser infinito, es como argüir que es santa porque Dios lo es, o como pensar que las injurias inferidas a un tigre han de ser rayadas.

Ahora se levanta sobre mí el tercero de los argumentos, el único. Se escribe así, tal vez: *Hay eternidad de cielo y de infierno porque la dignidad del libre albedrío así lo precisa; o tenemos*

la facultad de obrar para siempre o es una delusión este yo. La virtud de ese razonamiento no es lógica, es mucho más: es enteramente dramática. Nos impone un juego terrible, nos concede el atroz derecho de pernos, de insistir en el mal, de rechazar las operaciones de la gracia, de ser alimento del fuego que no se acaba, de hacer fracasar a Dios en nuestro destino, del cuerpo sin claridad en lo eterno y del *detestabile cum cacodaemonibus consortium.* Tu destino es cosa de veras, nos dice, condenación eterna y salvación eterna están en tu minuto; esa responsabilidad es tu honor. Es sentimiento parecido al de Bunyan: *Dios no jugó al convencerme, el demonio no jugó al tentarme, ni jugué yo al hundirme como en un abismo sin fondo, cuando las aflicciones del infierno se apoderaron de mí; tampoco debo jugar ahora al contarlas. (Grace abounding to the chief of sinners; the preface.)*
Yo creo que en el impensable destino nuestro, en que rigen infamias como el dolor carnal, toda estrafalaria cosa es posible, hasta la perpetuidad de un Infierno, pero también que es una irreligiosidad creer en él.

*

Posdata. En esta página de mera noticia puedo comunicar también la de un sueño. Soñé que salía de otro —populoso de cataclismos y de tumultos— y que me despertaba en una pieza irreconocible. Clareaba: una detenida luz general definía el pie de la cama de fierro, la silla estricta, la puerta y la ventana cerradas, la mesa en blanco. Pensé con miedo *¿dónde estoy?* y comprendí que no lo sabía. Pensé *¿quién soy?* y no me pude reconocer. El miedo creció en mí. Pensé: Esta vigilia desconsolada ya es el Infierno, esta vigilia sin destino será mi eternidad. Entonces desperté de veras: temblando.

LAS VERSIONES HOMÉRICAS

Ningún problema tan consustancial con las letras y con su modesto misterio como el que propone una traducción. Un olvido animado por la vanidad, el temor de confesar procesos mentales que adivinamos peligrosamente comunes, el conato de mantener intacta y central una reserva incalculable de sombra, velan las tales escrituras directas. La traducción, en cambio, parece destinada a ilustrar la discusión estética. El modelo propuesto a su imitación es un texto visible, no un laberinto inestimable de proyectos pretéritos o la acatada tentación momentánea de una facilidad. Bertrand Russell define un objeto externo como un sistema circular, irradiante, de impresiones posibles; lo mismo puede aseverarse de un texto, dadas las repercusiones incalculables de lo verbal. Un parcial y precioso documento de las vicisitudes que sufre queda en sus traducciones. ¿Qué son las muchas de la Ilíada de Chapman a Magnien sino diversas perspectivas de un hecho móvil, sino un largo sorteo experimental de omisiones y de énfasis? (No hay esencial necesidad de cambiar de idioma, ese deliberado juego de la atención no es imposible dentro de una misma literatura.) Presuponer que toda recombinación de elementos es obligatoriamente inferior a su original, es presuponer que el borrador 9 es obligatoriamente inferior al borrador H — ya que no puede haber sino borradores. El concepto de *texto definitivo* no corresponde sino a la religión o al cansancio.

La superstición de la inferioridad de las traducciones —amonedada en el consabido adagio italiano— procede de una distraída experiencia. No hay un buen texto que no parezca invariable y definitivo si lo practicamos un número suficiente de veces. Hume identificó la idea habitual de causalidad con la sucesión. Así un buen film, visto una segunda vez, parece aun mejor; propendemos a tomar por necesidades las que no son más que repeticiones. Con los libros famosos, la primera vez ya es segunda, puesto que los abordamos sabiéndolos. La precavida frase común de *releer a los clásicos* resulta de inocente veracidad. Ya no sé si el informe: *En un lugar de la Mancha, de cuyo nombre no quiero acordarme, no ha mucho tiempo que vivía un hidalgo de los de lanza en astillero, adarga antigua, rocín flaco y galgo corredor*, es bueno para una divinidad imparcial; sé únicamente que toda modificación es sacrílega y que no puedo concebir otra iniciación del Quijote. Cervantes, creo, prescindió de esa leve superstición, y tal vez no hubiera identificado ese párrafo. Yo, en cambio, no podré sino repudiar cualquier divergencia. El Quijote, debido a mi ejercicio congénito del español, es un monumento uniforme, sin otras variaciones que las deparadas por el editor, el encuadernador y el cajista; la Odisea, gracias a mi oportuno desconocimiento del griego, es una librería internacional de obras en prosa y verso, desde los pareados de Chapman hasta la *Authorized Version* de Andrew Lang o el drama clásico francés de Bérard o la *saga* vigorosa de Morris o la irónica novela burguesa de Samuel Butler. Abundo en la mención de nombres ingleses, porque las letras de Inglaterra siempre intimaron con esa epopeya del mar, y la serie de sus versiones de la Odisea bastaría para ilustrar su curso de siglos. Esa riqueza heterogénea y hasta contradictoria no es principalmente imputable a la evolución del inglés o a la mera longitud del original o a los desvíos o diversa capacidad de los traductores, sino a esta circunstancia, que debe ser privativa de Homero: la dificultad categórica de saber lo que pertenece al poeta y lo que pertenece al lenguaje. A esa dificultad feliz debemos la posibilidad de tantas versiones, todas sinceras, genuinas y divergentes.

No conozco ejemplo mejor que el de los adjetivos homéricos. El divino Patroclo, la tierra sustentadora, el vinoso mar, los caballos solípedos, las mojadas olas, la negra nave, la negra sangre, las queridas rodillas, son expresiones que recurren, conmovedoramente a destiempo. En un lugar, se habla de los *ricos varones que beben el agua negra del Esepo*; en otro, de un rey trágico, que *desdichado en Tebas la deliciosa, gobernó a los cadmeos, por determinación fatal de los dioses*. Alexander Pope (cuya traducción fastuosa de Homero interrogaremos después) creyó que esos epítetos inamovibles eran de carácter litúrgico. Remy de Gourmont, en su largo ensayo sobre el estilo, escribe que debieron ser encantadores alguna vez, aunque ya no lo sean. Yo he preferido sospechar que esos fieles epítetos eran lo que todavía son las preposiciones: obligatorios y modestos sonidos que el uso añade a ciertas palabras y sobre los que no se puede ejercer originalidad. Sabemos que lo correcto es construir *andar a pie*, no *por pie*. El rapsoda sabía que lo correcto era adjetivar *divino Patroclo*. En caso alguno, habría un propósito estético. Doy sin entusiasmo estas conjeturas; lo único cierto es la imposibilidad de apartar lo que pertenece al escritor de lo que pertenece al lenguaje. Cuando leemos en Agustín Moreto (si nos resolvemos a leer a Agustín Moreto):

Pues en casa tan compuestas
¿Qué hacen todo el santo día?

sabemos que la santidad de ese día es ocurrencia del idioma español y no del escritor. De Homero, en cambio, ignoramos infinitamente los énfasis.

Para un poeta lírico o elegíaco, esa nuestra inseguridad de sus intenciones hubiera sido aniquiladora, no así para un expositor puntual de vastos argumentos. Los hechos de la Ilíada y la Odisea sobreviven con plenitud, pero han desaparecido Aquiles y Ulises, lo que Homero se representaba al nombrarlos, y lo que en realidad pensó de ellos. El estado presente de sus obras es parecido al de una complicada ecuación que registra relaciones precisas entre cantidades incógnitas. Nada de mayor posible riqueza para los que traducen. El libro más famoso de Browning consta de diez informaciones detalladas de un solo crimen, según los implicados en él. Todo el contraste deriva de los caracteres, no de los hechos, y es casi tan intenso y tan abismal como el de diez versiones justas de Homero.

La hermosa discusión Newman-Arnold (1861-62), más importante que sus dos interlocutores, razonó extensamente las dos maneras básicas de traducir. Newman vindicó en ella el modo literal, la retención de todas las singularidades verbales; Arnold, la severa eliminación de los detalles que distraen o detienen, la subordinación del siempre irregular Homero de cada línea al Homero esencial o convencional, hecho de llaneza sintáctica, de llaneza de ideas, de rapidez que fluye, de altura. Esta conducta puede suministrar los agrados de la uniformidad y la gravedad; aquélla, de los continuos y pequeños asombros.

Paso a considerar algunos destinos de un solo texto homérico. Interrogo los hechos comunicados por Ulises al espectro de Aquiles, en la ciudad de los cimerios, en la noche incesante (Odisea, XI). Se trata de Neoptolemo, el hijo de Aquiles. La versión literal de Buckley es así: *Pero cuando hubimos saqueado la alta ciudad de Príamo, teniendo su porción y premio excelente, incólume se embarcó en una nave, ni maltrecho por el bronce filoso ni herido al combatir cuerpo a cuerpo, como es tan común en la guerra; porque Marte confusamente delira.* La de los también literales pero arcaizantes Butcher y Lang: *Pero la escarpada ciudad de Príamo una vez saqueada, se embarcó ileso con su parte del despojo y con un noble premio; no fue destruido por las lanzas agudas ni tuvo heridas en el apretado combate: y muchos tales riesgos hay en la guerra, porque Ares se enloquece confusamente.* La de Cowper, de 1791: *Al fin, luego que saqueamos la levantada villa de Príamo, cargado de abundantes despojos seguro se embarcó, ni de lanza o venablo en nada ofendido, ni en la refriega por el filo de los alfanjes, como en la guerra suele acontecer, donde son repartidas las heridas promiscuamente, según la voluntad del fogoso Marte.* La que en 1725 dirigió Pope: *Cuando los dioses coronaron de conquista las armas, cuando los soberbios muros de Troya humearon por tierra, Grecia, para recompensar las gallardas fatigas de su soldado, colmó su armada de incontables despojos. Así, grande de gloria, volvió seguro del estruendo marcial, sin una cicatriz hostil, y aunque las lanzas arreciaron en torno en tormentas de hierro, su vano juego fue inocente de heridas.* La de George Chapman, de 1614: *Despoblada Troya la alta, ascendió a su hermoso navío, con grande acopio de presa y de tesoro, seguro y sin llevar ni un rastro de lanza que se arroja de lejos o de apretada espada, cuyas heridas son favores que concede la guerra, que él (aunque solicitado) no halló. En las apretadas batallas, Marte no suele contender: se enloquece.* La de Butler, que es de 1900: *Una vez ocupada la ciudad, él pudo cobrar y embarcar su parte de los beneficios habidos, que era una fuerte suma. Salió sin un rasguño de toda esa peligrosa campaña. Ya se sabe: todo está en tener suerte.*

Las dos versiones del principio —las literales— pueden conmover por una variedad de motivos: la mención reverencial del saqueo, la ingenua aclaración de que uno suele lastimarse en la guerra, la súbita juntura de los infinitos desórdenes de la batalla en un solo dios, el hecho de la locura en el dios. Otros agrados subalternos obran también: en uno de los textos que copio, el buen pleonasmo de *embarcarse en un barco*; en otro, el uso de la conjunción copulativa por la causal [1], en *y muchos*

---

[1] Otro hábito de Homero es el buen abuso de las conjunciones adversativas. Doy unos ejemplos:

Muere, pero yo recibiré mi destino donde le plazca a Zeus, y a los otros dioses inmortales. Ilíada, XXII.

Astíoque, hija de Actor: una modesta virgen cuando ascendió a la parte superior de la morada de su padre, pero el dios la abrazó secretamente. Ilíada, II.

(Los mirmidones) eran como lobos carnívoros, en cuyos corazones hay fuerza, que habiendo derribado en las montañas un gran ciervo ramado, desgarrándolo lo devoran; pero los hocicos de todos están colorados de sangre. Ilíada, XVI.

Rey Zeus, dodoneo, pelasgo, que presides lejos de aquí sobre la inverniza Dodona; pero habitan alrededor tus ministros, que tienen los pies sin lavar y duermen en el suelo. Ilíada, XVI.

Mujer, regocíjate en nuestro amor, y cuando el año vuelva darás hijos gloriosos a luz —porque los hechos de los inmortales no son en vano—, pero tú cuídalos. Vete ahora a tu casa y no lo descubras, pero soy Poseidón, estremecedor de la tierra. Odisea, XI.

Luego percibí el vigor de Hércules, una imagen; pero él entre los dioses inmortales se alegra con banquetes, y tiene a Hebe la de hermosos tobillos, tales riesgos hay en la guerra. La tercer versión —la de Cowper— es la más inocua de todas: es literal, hasta donde los deberes del acento miltónico lo permiten. La de Pope es extraordinaria. Su lujoso dialecto (como el de Góngora) se deja definir por el empleo desconsiderado y mecánico de los superlativos. Por ejemplo: la solitaria nave negra del héroe se le multiplica en escuadra. Siempre subordinadas a esa amplificación general, todas las líneas de su texto caen en dos grandes clases: unas, en lo puramente oratoria —*Cuando los dioses coronaron de conquista las armas*—; otras, en lo visual: *Cuando los soberbios muros de Troya humearon por tierra.* Discursos y espectáculos: ese es Pope. También es espectacular el ardiente Chapman, pero su movimiento es lírico, no oratorio. Butler, en cambio, demuestra su determinación de eludir todas las oportunidades visuales y de resolver el texto de Homero en una serie de noticias tranquilas.

¿Cuál de esas muchas traducciones es fiel?, querrá saber tal vez mi lector. Repito que ninguna o que todas. Si la fidelidad tiene que ser a las imaginaciones de Homero, a los irrecuperables hombres y días que él se representó, ninguna puede serlo para nosotros; todas, para un griego del siglo diez. Si a los propósitos que tuvo, cualquiera de las muchas que trascribí, salvo las literales, que sacan toda su virtud del contraste con hábitos presentes. No es imposible que la versión calmosa de Butler sea la más fiel.

1932

---

niña del poderoso Zeus y de Hera, la de sandalias que son de oro. Odisea, XI.
Agregó la vistosa traducción que hizo de este último pasaje George Chapman:

> Down with these was thrust
> The idol of the force of Hercules,
> But his firm self did no such fate oppress.
> He feasting lives amongst th'Immortal States
> White-ankled Hebe and himself made mates
> In heav'nly nuptials. Hebe, Jove's dear race
> And Juno's whom the golden sandals grace.

LA PERPETUA CARRERA DE AQUILES
Y LA TORTUGA

Las implicaciones de la palabra *joya* —valiosa pequeñez, delicadeza que no está sujeta a la fragilidad, facilidad suma de traslación, limpidez que no excluye lo impenetrable, flor para los años— la hacen de uso legítimo aquí. No sé de mejor calificación para la paradoja de Aquiles, tan indiferente a las decisivas refutaciones que desde más de veintitrés siglos la derogan, que ya podemos saludarla inmortal. Las reiteradas visitas del misterio que esa perduración postula, las finas ignorancias a que fue invitada por ella la humanidad, son generosidades que no podemos no agradecerle. Vivámosla otra vez, siquiera para convencernos de perplejidad y de arcano íntimo. Pienso dedicar unas páginas —unos compartidos minutos— a su presentación y a la de sus correctivos más afamados. Es sabido que su inventor fue Zenón de Elea, discípulo de Parménides, negador de que pudiera suceder algo en el universo.

La biblioteca me facilita un par de versiones de la paradoja gloriosa. La primera es la del hispanísimo diccionario Hispano-Americano, en su volumen vigésimo tercero, y se reduce a esta cautelosa noticia: *El movimiento no existe: Aquiles no podría alcanzar a la perezosa tortuga*. Declino esa reserva y busco la menos apurada exposición de G. H. Lewes, cuya *Biographical History of Philosophy* fue la primer lectura especulativa que yo abordé, no sé si vanidosa o curiosamente. Escribo de esta manera su exposición: Aquiles, símbolo de rapidez, tiene que alcanzar la tortuga, símbolo de morosidad. Aquiles corre diez veces más ligero que la tortuga y le da diez metros de ventaja. Aquiles corre esos diez metros, la tortuga corre uno; Aquiles corre ese metro, la tortuga corre un decímetro; Aquiles corre ese decímetro, la tortuga corre un centímetro; Aquiles corre ese centímetro, la tortuga un milímetro; Aquiles el milímetro, la tortuga un décimo de milímetro, y así infinitamente, de modo que Aquiles puede correr para siempre sin alcanzarla. Así la paradoja inmortal.

Paso a las llamadas refutaciones. Las de mayores años —la de Aristóteles y la de Hobbes— están implícitas en la formulada por Stuart Mill. El problema, para él, no es más que uno de tantos ejemplos de la falacia de confusión. Cree, con esta distinción, abrogarlo:

En la conclusión del sofisma, *para siempre* quiere decir cualquier imaginable lapso de tiempo; en las premisas, cualquier número de subdivisiones de tiempo. Significa que podemos dividir diez unidades por diez, y el cociente otra vez por diez, cuantas veces queramos, y que no encuentran fin las subdivisiones del recorrido, ni por consiguiente las del tiempo en que se realiza. Pero un ilimitado número de subdivisiones puede efectuarse con lo que es limitado. El argumento no prueba otra infinitud de duración que la contenible en cinco minutos. Mientras los cinco minutos no hayan pasado, lo que falta puede ser dividido por diez, y otra vez por diez, cuantas veces se nos antoje, lo cual es compatible con el hecho de que la duración total sea cinco minutos. Prueba, en resumen, que atravesar ese espacio finito requiere un tiempo infinitamente divisible, pero no infinito. (Mill, *Sistema de lógica,* libro quinto, capítulo siete.)

No anteveo el parecer del lector, pero estoy sintiendo que la proyectada refutación de Stuart Mill no es otra cosa que una exposición de la paradoja. Basta fijar la velocidad de Aquiles a un segundo por metro, para establecer el tiempo que necesita.

$$10+1+\frac{1}{10}+\frac{1}{100}+\frac{1}{1000}+\frac{1}{10.000}\ldots$$

El límite de la suma de esta infinita progresión geométrica es doce (más exactamente, once y un quinto; más exactamente, once con tres veinticincoavos), pero no es alcanzado nunca. Es decir, el trayecto del héroe será infinito y éste correrá para siempre, pero su derrotero se extenuará antes de doce metros, y su eternidad no verá la terminación de doce segundos. Esa disolución metódica, esa ilimitada caída en precipicios cada vez más minúsculos, no es realmente hostil al problema: es imaginárselo bien. No olvidemos tampoco de atestiguar que los corredores decrecen, no sólo por la disminución visual de la perspectiva, sino por la disminución admirable a que los obliga la ocupación de sitios microscópicos. Realicemos también que esos precipicios eslabonados corrompen el espacio y con mayor vértigo el tiempo vivo, en su doble desesperada persecución de la inmovilidad y del éxtasis.

Otra voluntad de refutación fue la comunicada en mil novecientos diez por Henri Bergson, en el notorio *Ensayo sobre los datos inmediatos de la conciencia*: nombre que comienza por ser una petición de principio. Aquí está su página:

Por una parte, atribuimos al movimiento la divisibilidad misma del espacio que recorre, olvidando que puede dividirse bien un objeto, pero no un acto; por otra, nos habituamos a proyectar este acto mismo en el espacio, a aplicarlo a la línea que recorre el móvil, a solidificarlo, en una palabra. De esta confusión entre el movimiento y el espacio recorrido nacen, en nuestra opinión, los sofismas de la escuela de Elea; porque el intervalo que separa dos puntos es infinitamente divisible, y si el movimiento se compusiera de partes como las del intervalo, jamás el intervalo sería franqueado. Pero la verdad es que cada uno de los pasos de Aquiles es un indivisible acto simple, y que después de un número dado de estos actos, Aquiles hubiera adelantado a la tortuga. La ilusión de los Eleatas provenía de la identificación de esta serie de actos individuales *sui generis*, con el espacio homogéneo que los apoya. Como este espacio puede ser dividido y recompuesto según una ley cualquiera, se creyeron autorizados a rehacer el movimiento total de Aquiles, no ya con pasos de Aquiles, sino con pasos de tortuga. A Aquiles persiguiendo una tortuga sustituyeron, en realidad, dos tortugas regladas la una sobre la otra, dos tortugas de acuerdo en dar la misma clase de pasos o de actos simultáneos, para no alcanzarse jamás. ¿Por qué Aquiles adelanta a la tortuga? Porque cada uno de los pasos de Aquiles y cada uno de los pasos de la tortuga son indivisibles en tanto que movimientos, y magnitudes distintas en tanto que espacio: de suerte que no tardará en darse la suma, para el espacio recorrido por Aquiles, como una longitud superior a la suma del espacio recorrido por la tortuga y de la ventaja que tenía respecto de él. Es lo que no tiene en cuenta Zenón cuando recompone el movimiento de Aquiles, según la misma ley que el movimiento de la tortuga, olvidando que sólo el espacio se presta a un modo de composición y descomposición arbitrarias, y confundiéndolo así con el movimiento. (*Datos inmediatos*, versión española de Barnés, páginas 89, 90. Corrijo, de paso, alguna distracción evidente del traductor.) El argumento es concesivo. Bergson admite que es infinitamente divisible el espacio, pero niega que lo sea el tiempo. Exhibe dos tortugas en lugar de una para distraer al lector. Acollara un tiempo y un espacio que son incompatibles: el brusco tiempo discontinuo de James, con su *perfecta efervescencia de novedad*, y el espacio divisible hasta lo infinito de la creencia común.

Arribo, por eliminación, a la única refutación que conozco, a la única de inspiración condigna del original, virtud que la estética de la inteligencia está reclamando. Es la formulada por Russell. La encontré en la obra nobilísima de William James, *Some Problems of Philosophy*, y la concepción total que postula puede estudiarse en los libros ulteriores de su inventor —*Introduction to Mathematical Philosophy*, 1919; *Our Knowledge of the External World*, 1926— libros de una lucidez inhumana, insatisfactorios e intensos. Para Russell, la operación de contar es (intrínsecamente) la de equiparar dos series. Por ejemplo, si los primogénitos de todas las casas de Egipto fueron muertos por el Ángel, salvo los que habitaban en casa que tenía en la puerta una señal roja, es evidente que tantos se salvaron como señales rojas había, sin que esto importe enumerar cuántos fueron. Aquí es indefinida la cantidad; otras operaciones hay en que es infinita también. La serie natural de los números es infinita, pero podemos demostrar que son tantos los impares como los pares.

Al 1 corresponde el 2
,, 3 ,, ,, 4
,, 5 ,, ,, 6, etcétera.

La prueba es tan irreprochable como baladí, pero no difiere de la siguiente de que hay tantos múltiplos de tres mil dieciocho como números hay.

Al 1 corresponde el 3018
,, 2 ,, ,, 6036
,, 3 ,, ,, 9054
,, 4 ,, ,, 12072, etcétera.

Lo mismo puede afirmarse de sus potencias, por más que éstas se vayan rarificando a medida que progresemos.

Al 1 corresponde el 3018
,, 2 ,, ,, 3018^2, el 9.108.324
,, 3..., etcétera.

Una genial aceptación de estos hechos ha inspirado la fórmula de que una colección infinita —verbigracia, la serie de los números naturales— es una colección cuyos miembros pueden desdoblarse a su vez en series infinitas. La parte, en esas elevadas latitudes de la numeración, no es menos copiosa que el todo: la cantidad precisa de puntos que hay en el universo es la que hay en un metro de universo, o en un decímetro, o en la más honda trayectoria estelar. El problema de Aquiles cabe dentro de esa heroica respuesta. Cada sitio ocupado por la tortuga guarda proporción con otro de Aquiles, y la minuciosa correspondencia, punto por punto, de ambas series simétricas, basta para publicarlas iguales. No queda ningún remanente periódico de la ventaja inicial dada a la tortuga: el punto final en su trayecto, el último en el trayecto de Aquiles y el último en el tiempo de la carrera, son términos que matemáticamente coinciden. Tal es la solución de Russell. James, sin recusar la superioridad técnica del contrario, prefiere disentir. Las declaraciones de Russell (escribe) eluden la verdadera dificultad, que atañe a la categoría *creciente* del infinito, no a la categoría *estable*, que es la única tenida en cuenta por él, cuando presupone que la carrera ha sido corrida y que el problema es el de equilibrar los trayectos. Por otra parte, no se precisan dos: el de cada cual de los corredores o el mero lapso del tiempo vacío, implica la dificultad, que es la de alcanzar una meta cuando un previo intervalo sigue presentándose vuelta a vuelta y obstruyendo el camino (*Some Problems of Philosophy*, 1911, pág. 181).

He arribado al final de mi noticia, no de nuestra cavilación. La paradoja de Zenón de Elea, según indicó James, es atentatoria no solamente a la realidad del espacio, sino a la más invulnerable y fina del tiempo. Agrego que la existencia en un cuerpo físico, la permanencia inmóvil, la fluencia de una tarde en la vida, se alarman de aventura por ella. Esa descomposición, es mediante la sola palabra *infinito*, palabra (y después concepto) de zozobra que hemos engendrado con temeridad y que una vez consentida en un pensamiento, estalla y lo mata. (Hay otros escarmientos antiguos contra el comercio de tan alevosa palabra: hay la leyenda china del cetro de los reyes de Liang, que era disminuido en una mitad por cada nuevo rey; el cetro, mutilado por dinastías, persiste aún.) Mi opinión, después de las calificadísimas que he presentado, corre el doble riesgo de parecer impertinente y trivial. La formularé, sin embargo: Zenón es incontestable, salvo que confesemos la idealidad del espacio y del tiempo. Aceptemos el idealismo, aceptemos el crecimiento concreto de lo percibido, y eludiremos la pululación de abismos de la paradoja.

¿Tocar a nuestro concepto del universo, por ese pedacito de tiniebla griega?, interrogará mi lector.

NOTA SOBRE WALT WHITMAN

El ejercicio de las letras puede promover la ambición de construir un libro absoluto, un libro de los libros que incluya a todos como un arquetipo platónico, un objeto cuya virtud no aminoren los años. Quienes alimentaron esa ambición eligieron elevados asuntos: Apolonio de Rodas, la primer nave que atravesó los riesgos del mar; Lucano, la contienda de César y de Pompeyo, cuando las águilas guerrearon contra las águilas; Camoens, las armas lusitanas en el Oriente; Donne, el círculo de las transmigraciones de un alma, según el dogma pitagórico; Milton, la más antigua de las culpas y el Paraíso; Firdusí, los tronos de los sasánidas. Góngora, creo, fue el primero en juzgar que un libro importante puede prescindir de un tema importante; la vaga historia que refieren las *Soledades* es deliberadamente baladí, según lo señalaron y reprobaron Cascales y Gracián (Cartas filológicas, VIII; El Criticón, II, 4). A Mallarmé no le bastaron temas triviales; los buscó negativos: la ausencia de una flor o de una mujer, la blancura de la hoja de papel antes del poema. Como Pater, sintió que todas las artes propenden a la música, el arte en que la forma es el fondo; su decorosa profesión de fe *Tout aboutit a un livre* parece compendiar la sentencia homérica de que los dioses tejen desdichas para que a las futuras generaciones no les falte algo que cantar (Odisea, VIII, *in fine*). Yeats, hacia el año mil novecientos, buscó lo absoluto en el manejo de símbolos que despertaran la memoria genérica, o gran Memoria, que late bajo las mentes individuales; cabría comparar esos símbolos con los ulteriores arquetipos de Jung. Barbusse, en *L'enfer*, libro olvidado con injusticia, evitó (trató de evitar) las limitaciones del tiempo mediante el relato poético de los actos fundamentales del hombre; Joyce, en *Finnegans Wake*, mediante la simultánea presentación de rasgos de épocas distintas. El deliberado manejo de anacronismos, para forjar una apariencia de eternidad, también ha sido practicado por Pound y por T. S. Eliot.

He recordado algunos procedimientos; ninguno más curioso que el ejercido, en 1855, por Whitman. Antes de considerarlo, quiero transcribir unas opiniones que más o menos prefiguran lo que diré. La primera es la del poeta inglés Lascelles Abercrombie. "Whitman —leemos— extrajo de su noble experiencia esa figura vívida y personal que es una de las pocas cosas grandes de la literatura moderna: la figura de él mismo." La segunda es de Sir Edmund Gosse: "No hay un Walt Whitman verdadero... Whitman es la literatura en estado de protoplasma: un organismo intelectual tan sencillo que se limita a reflejar a cuantos se aproximan a él." La tercera es mía.[1] "Casi todo lo escrito sobre Whitman está falseado por dos interminables errores. Uno es la sumaria identificación de Whitman, hombre de letras, con Whitman, héroe semidivino de *Leaves of Grass* como don Quijote lo es del *Quijote*; otro, la insensata adopción del estilo y vocabulario de sus poemas, vale decir, del mismo sorprendente fenómeno que se quiere explicar."

Imaginemos que una biografía de Ulises (basada en testimonios de Agamenón, de Laertes, de Polifemo, de Calipso, de Penélope, de Telémaco, del porquero, de Escila y Caribdis) indicara que éste nunca salió de Itaca. La decepción que nos causaría ese libro, felizmente hipotético, es la que causan todas las biografías de Whitman. Pasar del orbe paradisíaco de sus versos a la insípida crónica de sus días es una transición melancólica. Paradójicamente, esa melancolía inevitable se agrava cuando el biógrafo quiere disimular que hay dos Whitman: el "amistoso y elocuente salvaje" de *Leaves of Grass* y el pobre literato que lo inventó.[2] Éste jamás estuvo en California o en Platte Cañón; aquél improvisa un apóstrofe en el segundo de esos lugares *(Spirit that formed this scene)* y ha sido minero en el otro *(Starting from Paumanok, 1)*. Éste, en 1859, estaba en Nueva York; aquél, el dos de diciembre de ese año, asistió en Virginia a la ejecución del viejo abolicionista John Brown *(Year of meteors)*. Éste nació en Long Island; aquél también *(Starting from Paumanok)*, pero asimismo en uno de los estados del Sur *(Longings for home)*. Éste fue casto, reservado y más bien taciturno; aquél efusivo y orgiástico. Multiplicar esas discordias es fácil; más importante es comprender que el mero vagabundo feliz que proponen los versos de *Leaves of Grass* hubiera sido incapaz de escribirlos.

Byron y Baudelaire dramatizaron, en ilustres volúmenes, sus desdichas; Whitman, su felicidad. (Treinta años después, en Sils-Maria, Nietzsche descubriría a Zarathustra; ese pedagogo es feliz, o, en todo caso, recomienda la felicidad, pero tiene el defecto de no existir.) Otros héroes románticos —Vathek es el primero de la serie, Edmond Teste no es el último— prolijamente acentúan sus diferencias; Whitman, con impetuosa humildad, quiere parecerse a todos los hombres. *Leaves of Grass* advierte, "es el canto

[1] En esta edición, pág. 206.
[2] Reconocen muy bien esa diferencia Henry Seidel Canby (Walt Whitman, 1943) y Mark Van Doren en la antología de la Viking Press (1945). Nadie más, que yo sepa.

de un gran individuo colectivo, popular, varón o mujer" (*Complete Writings*, V, 192). O, inmortalmente (*Song of Myself*, 17):

Éstos son en verdad los pensamientos de todos los
Hombres en todos los lugares y épocas; no son originales míos.
Si son menos tuyos que míos, son nada o casi nada.
Si no son el enigma y la solución del enigma, son nada.
Si no están cerca y lejos, son nada.

Éste es el pasto que crece donde hay tierra y hay agua,
Éste es el aire común que baña el planeta.

El panteísmo ha divulgado un tipo de frases en las que se declara que Dios es diversas cosas contradictorias o (mejor aún) misceláneas. Su prototipo es éste: "El rito soy, la ofrenda soy, la libación de manteca soy, el fuego soy" (Bhagavadgita, IX, 16). Anterior, pero ambiguo, es el fragmento 67 de Heráclito: "Dios es día y noche, invierno y verano, guerra y paz, hartura y hambre." Plotino describe a sus alumnos un cielo inconcebible, en el que "todo está en todas partes, cualquier cosa es todas las cosas, el sol es todas las estrellas, y cada estrella es todas las estrellas y el sol" (*Enneadas*, V, 8,4). Attar, persa del siglos XII, canta la dura peregrinación de los pájaros en busca de su rey, el Simurg; muchos perecen en los mares, pero los sobrevivientes descubren que ellos son el Simurg y que el Simurg es cada uno de ellos y todos. Las posibilidades retóricas de esa extensión del principio de identidad parecen infinitas. Emerson, lector de los hindúes y de Attar, deja el poema Brahma; de los dieciséis versos que lo componen, quizá el más memorable es éste: *When me they fly, I am the wings* (Si huyen de mí yo soy las alas). Análogo, pero de voz más elemental, es *Ich bin der Eine und bin Beide*, de Stefan George *(Der Stern des Bundes)*. Walt Whitman renovó ese procedimiento. No lo ejerció, como otros, para definir la divinidad o para jugar con las "simpatías y diferencias" de las palabras; quiso identificarse, en una suerte de ternura feroz, con todos los hombres. Dijo (*Crossing Brookling Ferry*, 7):

He sido terco, vanidoso, ávido, superficial, astuto, cobarde, maligno;
El lobo, la serpiente y el cerdo no faltaban en mí...

También (*Song of Myself*, 33):

Yo soy el hombre. Yo sufrí. Ahí estaba.
El desdén y la tranquilidad de los mártires;
La madre, sentenciada por bruja, quemada ante los hijos, con leña seca;
El esclavo acosado que vacila, se apoya contra el cerco, jadeante, cubierto de sudor;

Las puntadas que le atraviesan las piernas y el pescuezo, las crueles municiones y balas;
Todo eso lo siento, lo soy.

Todo eso lo sintió y lo fue Whitman, pero fundamentalmente fue —no en la mera historia, en el mito— lo que denotan estos dos versos (*Song of Myself*, 24):

Walt Whitman, un cosmos, hijo de Manhattan,
Turbulento, carnal, sensual, comiendo, bebiendo, engendrando.

También fue el que sería en el porvenir, en nuestra venidera nostalgia, creada por estas profecías que la anunciaron (*Full of life, now*):

Lleno de vida, hoy, compacto, visible,
Yo, de cuarenta años de edad el año ochenta y tres de los Estados,
A ti, dentro de un siglo o de muchos siglos,
A ti, que no has nacido, te busco.
Estás leyéndome. Ahora el invisible soy yo,
Ahora eres tú, compacto, visible, el que intuye los versos y el que me busca,
Pensando lo feliz que sería si yo pudiera ser tu compañero.
Sé feliz como si yo estuviera contigo. (No tengas demasiada seguridad de que no estoy contigo.)

O (*Songs of Parting*, 4,5):

>¡Camarada! Éste no es un libro;
>El que me toca, toca a un hombre.
>(¿Es de noche? ¿Estamos solos aquí?...).
>Te quiero, me despojo de esta envoltura.
>Soy como algo incorpóreo, triunfante, muerto.[1]

Walt Whitman, hombre, fue director del *Brooklyn Eagle*, y leyó sus ideas fundamentales en las páginas de Emerson, de Hegel y de Volney; Walt Whitman, personaje poético, las edujo del contacto de América, ilustrado por experiencias imaginarias en las alcobas de New Orleans y en los campos de batalla de Georgia. Un hecho falso puede ser esencialmente cierto. Es fama que Enrique I de Inglaterra no volvió a sonreír después de la muerte

---

[1] Es intrincado el mecanismo de estos apóstrofes. Nos emociona que al poeta le emocionara prever nuestra emoción. Cf. estas líneas de Flecker, dirigidas al poeta que lo leerá, después de mil años:

>O friend unseen, unborn, unknown,
>Student of our sweet English tongue
>Read out my words at night, alone:
>I was a poet, I was young.

de su hijo; el hecho, quizá falso, puede ser verdadero como símbolo del abatimiento del rey. Se dijo, en 1914, que los alemanes habían torturado y mutilado a unos rehenes belgas; la especie, a no dudarlo, era falsa, pero compendiaba útilmente los infinitos y confusos horrores de la invasión. Aun más perdonable es el caso de quienes atribuyen una doctrina a experiencias vitales y no a tal biblioteca o a tal epítome. Nietzsche, en 1874, se burló de la tesis pitagórica de que la historia se repite cíclicamente (*Vom Nutzen und Nachtheil der Historie*, 2); en 1881, en un sendero de los bosques de Silvaplana, concibió de pronto esa tesis (*Ecce homo*, 9). Lo tosco, lo bajamente policial, es hablar de plagio; Nietzsche, interrogado, replicaría que lo importante es la transformación que una idea puede obrar en nosotros, no el mero hecho de razonarla.[1] Una cosa es la abstracta proposición de la unidad divina; otra, la ráfaga que arrancó del desierto a unos pastores árabes y los impulsó a una batalla que no ha cesado y cuyos límites fueron la Aquitania y el Ganges. Whitman se propuso exhibir un demócrata ideal, no formular una teoría.

Desde que Horacio, con imagen platónica o pitagórica, predijo su celeste metamorfosis, es clásico en las letras el tema de la inmortalidad del poeta. Quienes lo frecuentaron, lo hicieron en función de la vanagloria *(Not marble, not the gilded monuments)*, cuando no del soborno y de la venganza; Whitman deriva de su manejo una relación personal con cada futuro lector. Se confunde con él y dialoga con el otro, con Whitman *(Salut au monde*, 3):

¿Qué oyes, Walt Whitman?

Así se desdobló en el Whitman eterno, en ese amigo que es un viejo poeta americano de mil ochocientos y tantos y también su leyenda y también cada uno de nosotros y también la felicidad. Vasta y casi inhumana fue la tarea, pero no fue menor la victoria.

---

[1] Tanto difieren la razón y la convicción que las más graves objeciones a cualquier doctrina filosófica suelen preexistir en la obra que la proclama. Platón, en el *Parménides*, anticipa el argumento del tercer hombre que le opondrá Aristóteles, Berkeley (*Dialogues*, 3), las refutaciones de Hume.

AVATARES DE LA TORTUGA

Hay un concepto que es el corruptor y el desatinador de los otros. No hablo del Mal cuyo limitado imperio es la ética; hablo del infinito. Yo anhelé compilar alguna vez su móvil historia. La numerosa Hidra (monstruo palustre que viene a ser una prefiguración o un emblema de las progresiones geométricas) daría conveniente horror a su pórtico; la coronarían las sórdidas pesadillas de Kafka y sus capítulos centrales no desconocerían las conjeturas de ese remoto cardenal alemán —Nicolás de Krebs, Nicolás de Cusa— que en la circunferencia vio un polígono de un número infinito de ángulos y dejó escrito que una línea infinita sería una recta, sería un triángulo, sería un círculo y sería una esfera (*De docta ignorantia*, I, 13). Cinco, siete años de aprendizaje metafísico, teológico, matemático, me capacitarían (tal vez) para planear decorosamente ese libro. Inútil agregar que la vida me prohíbe esa esperanza, y aun ese adverbio.

A esa ilusoria *Biografía del infinito* pertenecen de alguna manera estas páginas. Su propósito es registrar ciertos avatares de la segunda paradoja de Zenón.

Recordemos, ahora, esa paradoja.

Aquiles corre diez veces más ligero que la tortuga y le da una ventaja de diez metros. Aquiles corre esos diez metros, la tortuga corre uno; Aquiles corre ese metro, la tortuga corre un decímetro; Aquiles corre ese decímetro, la tortuga corre un centímetro; Aquiles corre ese centímetro, la tortuga un milímetro; Aquiles Piesligeros el milímetro, la tortuga un décimo de milímetro y así infinitamente, sin alcanzarla... Tal es la versión habitual. Wilhelm Capelle (*Die Vorsokratiker*, 1935, pág. 178) traduce el texto original de Aristóteles: "El segundo argumento de Zenón es el llamado Aquiles. Razona que el más lento no será alcanzado por el más veloz, pues el perseguidor tiene que pasar por el sitio que el perseguido acaba de evacuar, de suerte que el más lento siempre le lleva una determinada ventaja". El problema no cambia, como se ve; pero me gustaría conocer el nombre del poeta que lo dotó de un héroe y de una tortuga. A esos competidores mágicos y a la serie

$$10 + 1 + \frac{1}{10} + \frac{1}{100} + \frac{1}{1000} + \frac{1+\ldots}{10,000}$$

debe el argumento su difusión. Casi nadie recuerda el que lo antecede —el de la pista—, aunque su mecanismo es idéntico. El movimiento es imposible (arguye Zenón) pues el móvil debe atravesar el medio para llegar al fin, y antes el medio del medio, y antes el medio del medio, del medio y antes... [1]

Debemos a la pluma de Aristóteles la comunicación y la primera refutación de esos argumentos. Los refuta con una brevedad quizá desdeñosa, pero su recuerdo le inspira el famoso *argumento del tercer hombre* contra la doctrina platónica. Esa doctrina quiere demostrar que dos individuos que tienen atributos comunes (por ejemplo dos hombres) son meras apariencias temporales de un arquetipo eterno. Aristóteles interroga si los muchos hombres y el Hombre —los individuos temporales y el Arquetipo— tienen atributos comunes. Es notorio que sí; tienen los atributos generales de la humanidad. En ese caso, afirma Aristóteles, habrá que postular *otro arquetipo* que los abarque a todos y después un cuarto... Patricio de Azcárate, en una nota de su traducción de la Metafísica, atribuye a un discípulo de Aristóteles esta presentación: "Si lo que se afirma de muchas cosas a la vez es un ser aparte, distinto de las cosas de que se afirma (y esto es lo que pretenden los platonianos), es preciso que haya un tercer *hombre*. Es una denominación que se aplica a los individuos y a la idea. Hay, pues, un tercer hombre distinto de los hombres particulares y de la idea. Hay al mismo tiempo un cuarto que estará en la misma relación con éste y con la idea de los hombres particulares; después un quinto y así hasta el infinito". Postulamos dos individuos, a y b, que integran el género c. Tendremos entonces

$$a + b = c$$

Pero también, según Aristóteles:

$$a + b + c = d$$
$$a + b + c + d = e$$
$$a + b + c + d + e = f ...$$

En rigor no se requieren dos individuos: bastan el individuo y el género para determinar el *tercer hombre* que denuncia Aristóteles. Zenón de Elea recurre a la infinita regresión contra el movimiento y el número; su refutador, contra las formas universales.[2]

---

[1] Un siglo después, el sofista chino Hui Tzu razonó que un bastón al que cercenan la mitad cada día, es interminable (H. A. Giles: Chuang Tzu, 1889, pág. 453).

[2] En el *Parménides* —cuyo carácter zenoniano es irrecusable— Platón dis

El próximo avatar de Zenón que mis desordenadas notas registran es Agripa, el escéptico. Éste niega que algo pueda probarse, pues toda prueba requiere una prueba anterior (*Hypotyposes*, I, 166). Sexto Empírico arguye parejamente que las definiciones son vanas, pues habría que definir cada una de las voces que se usan y, luego, definir la definición (*Hypotyposes*, II, 207). Mil seiscientos años después, Byron, en la dedicatoria de *Don Juan*, escribirá de Coleridge: "I wish he would explain His Explanation."

Hasta aquí, el *regressus in infinitum* ha servido para negar; Santo Tomás de Aquino recurre a él (*Suma Teológica*, 1, 2, 3) para afirmar que hay Dios. Advierte que no hay cosa en el universo que no tenga una causa eficiente y que esa causa claro está, es el efecto de otra causa anterior. El mundo es un interminable encadenamiento de causas y cada causa es un efecto. Cada estado proviene del anterior y determina el subsiguiente, pero la serie general pudo no haber sido, pues los términos que la forman son condicionales, es decir, aleatorios. Sin embargo, el mundo es; de ellos podemos inferir una no contingente causa primera que será la divinidad. Tal es la prueba cosmológica; la prefiguran Aristóteles y Platón; Leibniz la redescubre.[1]

Hermann Lotze apela al *regressus* para no comprender que una alteración del objeto A pueda producir una alteración del objeto B. Razona que si A y B son independientes, postular un influjo de A sobre B es postular un tercer elemento C, un elemento que para operar sobre B requerirá un cuarto elemento D, que no podrá operar sin E, que no podrá operar sin F...

---

curre un argumento muy parecido para demostrar que el uno es realmente muchos. Si el uno existe, participa del ser; por consiguiente, hay dos partes en él, que son el ser y el uno, pero cada una de esas partes es una y es, de modo que encierra otras dos, que encierran también otras dos: infinitamente. Russell (*Introduction to Mathematical Philosophy*, 1919, pág. 138) sustituye a la progresión geométrica de Platón una progresión aritmética. Si el uno existe, el uno participa del ser; pero como son diferentes el ser y el uno, existe el dos; pero como son diferentes el ser y el dos, existe el tres, etc. Chuang Tzu (Waley: *Three Ways of Thought in Ancient China*, pág. 25) recurre al mismo interminable *regressus* contra los monistas que declaraban que las Diez Mil Cosas (el Universo) son una sola. Por lo pronto —arguye— la unidad cósmica y la declaración de esa unidad ya son dos cosas: esas dos y la declaración de su dualidad ya son tres; esas tres y la declaración de su trinidad ya son cuatro... Russell opina que la vaguedad del término *ser* basta para invalidar el razonamiento. Agrega que los números no existen, que son meras ficciones lógicas.

[1] Un eco de esa prueba, ahora muerta, retumba en el primer verso del *Paradiso*: "La gloria de Colviche tutto move".

Para eludir esa multiplicación de quimeras, resuelve que en el mundo hay un solo objeto: una infinita y absoluta sustancia equiparable al Dios de Spinoza. Las causas transitivas se reducen a causas inmanentes; los hechos, a manifestaciones o modos de la sustancia cósmica.[1]

Análogo, pero todavía más alarmante, es el caso de F. H. Bradley. Este razonador (*Appearance and Reality*, 1897, páginas 19-34) no se limita a combatir la relación causal; niega todas las relaciones. Pregunta si una relación está relacionada con sus términos. Le responden que sí e infiere que ello es admitir la existencia de otras dos relaciones, y luego de otras dos. En el axioma *la parte es menor que el todo* no percibe dos términos y la relación *menor que*; percibe tres (*parte, menor que, todo*) cuya vinculación implica otras dos relaciones, y así hasta lo infinito. En el juicio *Juan es mortal*, percibe tres conceptos inconjugables (el tercero es la cópula) que no acabaremos de unir. Transforma todos los conceptos en objetos incomunicados, durísimos. Refutarlo es contaminarse de irrealidad.

Lotze interpone los abismos periódicos de Zenón entre la causa y el efecto; Bradley, entre el sujeto y el predicado, cuando no entre el sujeto y los atributos; Lewis Carroll (*Mind*, volumen cuarto, página 278) entre la segunda premisa del silogismo y la conclusión. Refiere un diálogo sin fin, cuyos interlocutores son Aquiles y la tortuga. Alcanzado ya el término de su interminable carrera, los dos atletas conversan apaciblemente de geometría. Estudian este claro razonamiento:

a) Dos cosas iguales a una tercera son iguales entre sí.
b) Los dos lados de este triángulo son iguales a MN.
z) Los dos lados de este triángulo son iguales entre sí.

La tortuga acepta las premisas a y b, pero niega que justifiquen la conclusión. Logra que Aquiles interpole una proposición hipotética.

a) Dos cosas iguales a una tercera son iguales entre sí.
b) Los dos lados de este triángulo son iguales a MN.
c) Si a y b son válidas, z es válida.
z) Los dos lados de este triángulo son iguales entre sí.

Hecha esa breve aclaración, la tortuga acepta la validez de a, b y c, pero no de z. Aquiles, indignado, interpola:

d) Si a, b y c son válidas, z es válida.

Carroll observa que la paradoja del griego comporta una infinita serie de distancias que disminuyen y que en la propuesta por él crecen las distancias.

---

[1] Sigo la exposición de James (*A Pluralistic Universe*, 1909, págs. 55-60). Cf. Wentscher: *Fechner und Lotze*, 1924, páginas 166-171.

Un ejemplo final, quizá el más elegante de todos, pero también el que menos difiere de Zenón. William James (*Some Problems of Philosophy*, 1911, pág. 182) niega que puedan transcurrir catorce minutos, porque antes es obligatorio que hayan pasado siete, y antes de siete, tres minutos y medio, y antes de tres y medio, un minuto y tres cuartos; y así hasta el fin, hasta el invisible fin, por tenues laberintos de tiempo.

Descartes, Hobbes, Leibniz, Mill, Renouvier, Georg Cantor, Gomperz, Russell y Bergson han formulado explicaciones —no siempre inexplicables y vanas— de la paradoja de la tortuga. (Yo he registrado algunas.) Abundan asimismo, como ha verificado el lector, sus aplicaciones. Las históricas no la agotan: el vertiginoso *regressus in infinitum* es acaso aplicable a todos los temas. A la estética: tal verso nos conmueve por tal motivo, tal motivo por tal otro motivo... Al problema del conocimiento: conocer es reconocer, pero es preciso haber conocido para reconocer, pero conocer es reconocer... ¿Cómo juzgar esa dialéctica? ¿Es un legítimo instrumento de indagación o apenas una mala costumbre?

Es aventurado pensar que una coordinación de palabras (otra cosa no son las filosofías) pueda parecerse mucho al universo. También es aventurado pensar que de esas coordinaciones ilustres, alguna —siquiera de modo infinitesimal— no se parezca un poco más que otras. He examinado las que gozan de cierto crédito; me atrevo a asegurar que sólo en la que formuló Schopenhauer he reconocido algún rasgo del universo. Según esa doctrina, el mundo es una fábrica de la voluntad. El arte —siempre— requiere irrealidades visibles. Básteme citar una: la dicción metafórica o numerosa o cuidadosamente casual de los interlocutores de un drama... Admitamos lo que todos los idealistas admiten: el carácter alucinatorio del mundo. Hagamos lo que ningún idealista ha hecho: busquemos irrealidades que confirmen ese carácter. Las hallaremos, creo, en las antinomias de Kant y en la dialéctica de Zenón.

"*El mayor hechicero* (escribe memorablemente Novalis) *sería el que se hechizara hasta el punto de tomar sus propias fantasmagorías por apariciones autónomas. ¿No sería ése nuestro caso?*". Yo conjeturo que así es. Nosotros (la indivisa divinidad que opera en nosotros) hemos soñado el mundo. Lo hemos soñado resistente, misterioso, visible, ubicuo en el espacio y firme en el tiempo; pero hemos consentido en su arquitectura tenues y eternos intersticios de sinrazón para saber que es falso.

VINDICACIÓN DE "BOUVARD ET PÉCUCHET"

La historia de Bouvard y de Pécuchet es engañosamente simple. Dos copistas (cuya edad, como la de Alonso Quijano, frisa con los cincuenta años) traban una estrecha amistad Una herencia les permite dejar su empleo y fijarse en el campo, ahí ensayan la agronomía, la jardinería, la fabricación de conservas, la anatomía, la arqueología, la historia, la mnemónica, la literatura, la hidroterapia, el espiritismo, la gimnasia, la pedagogía, la veterinaria, la filosofía y la religión; cada una de esas disciplinas heterogéneas les depara un fracaso al cabo de veinte o treinta años. Desencantados (ya veremos que la "acción" no ocurre en el tiempo sino en la eternidad), encargan al carpintero un doble pupitre, y se ponen a copiar, como antes.[1]

Seis años de su vida, los últimos, dedicó Flaubert a la consideración y a la ejecución de ese libro, que al fin quedó inconcluso, y que Gosse, tan devoto de *Madame Bovary*, juzgaría una aberración, y Rémy de Gourmont, la obra capital de la literatura francesa, y casi de la literatura.

Emile Faguet ("el grisáceo Faguet" lo llamó alguna vez Gerchunoff) publicó en 1899 una monografía, que tiene la virtud de agotar los argumentos contra *Bouvard et Pécuchet*, lo cual es una comodidad para el examen crítico de la obra. Flaubert, según Faguet, soñó una epopeya de la idiotez humana y superfluamente le dio (movido por recuerdos de Pangloss y Candide y, tal vez de Sancho y Quijote) *dos* protagonistas que no se complementan y no se oponen y cuya dualidad no pasa de ser un artificio verbal. Creados o postulados esos fantoches, Flaubert les hace leer una biblioteca, *para que no la entiendan*. Faguet denuncia lo pueril de este juego, y lo peligroso, ya que Flaubert, para idear las reacciones de sus dos imbéciles, leyó mil quinientos tratados de agronomía, pedagogía, medicina, física, metafísica, etc., con el propósito de no comprenderlos. Observa Faguet: "Si uno se obstina en leer desde el punto de vista de un hombre que lee sin entender, en muy poco tiempo se logra no entender absolutamente nada y ser obtuso por cuenta propia." El hecho es que cinco años de convivencia fueron transformando a Flaubert en Pécuchet y Bouvard o (más precisamente) a Pécuchet y Bouvard en Flaubert. Aquéllos, al principio, son dos idiotas, menos-

---

[1] Creo percibir una referencia irónica al propio destino de Flaubert.

preciados y vejados por el autor, pero en el octavo capítulo ocurren las famosas palabras: "Entonces una facultad lamentable surgió en su espíritu, la de ver la estupidez y no poder, ya, tolerarla." Y después: "Los entristecían cosas insignificantes: los avisos de los periódicos, el perfil de un burgués, una tontería oída al azar." Flaubert, en este punto, se reconcilia con Bouvard y con Pécuchet, Dios con sus criaturas. Ello sucede acaso en toda obra extensa, o simplemente viva (Sócrates llega a ser Platón; Peer Gynt a ser Ibsen), pero aquí sorprendemos el instante en que el soñador, para decirlo con una metáfora afín, nota que está soñándose y que las formas de su sueño son él.

La primera edición de *Bouvard et Pécuchet* es de marzo de 1881. En abril, Henry Céard ensayó esta definición: "una especie de Fausto en dos personas". En la edición de la *Pléiade*, Dumesnil confirma: "Las primeras palabras del monólogo de Fausto, al comienzo de la primera parte, son todo el plan de *Bouvard et Pécuchet*." Esas palabras en que Fausto deplora haber estudiado en vano filosofía, jurisprudencia, medicina y ¡ay! teología. Faguet, por lo demás, ya había escrito: "*Bouvard et Pécuchet* es la historia de un Fausto que fuera también un idiota." Retengamos este epigrama, en el que de algún modo se cifra toda la intrincada polémica.

Flaubert declaró que uno de sus propósitos era la revisión de todas las ideas modernas; sus detractores argumentan que el hecho de que la revisión esté a cargo de dos imbéciles basta, en buena ley, para invalidarla. Inferir de los percances de estos payasos la vanidad de las religiones, de las ciencias y de las artes, no es otra cosa que un sofisma insolente o que una falacia grosera. Los fracasos de Pécuchet no comportan un fracaso de Newton.

Para rechazar esta conclusión, lo habitual es negar la premisa. Digeon y Dumesnil invocan, así, un pasaje de Maupassant, confidente y discípulo de Flaubert, en el que se lee que Bouvard y Pécuchet son "dos espíritus bastante lúcidos, mediocres y sencillos". Dumesnil subraya el epíteto "lúcidos", pero el testimonio de Maupassant —o del propio Flaubert, si se consiguiera— nunca será tan convincente como el texto mismo de la obra, que parece imponer la palabra "imbéciles".

La justificación de *Bouvard et Pécuchet*, me atrevo a sugerir, es de orden estético y poco o nada tiene que ver con las cuatro figuras y los diecinueve modos del silogismo. Una cosa es el rigor lógico y otra la tradición ya casi instintiva de poner las palabras fundamentales en boca de los simples y de los locos. Recordemos la reverencia que el Islam tributa a los idiotas, porque se entiende que sus almas han sido arrebatadas al cielo;

recordemos aquellos lugares de la Escritura en que se lee que Dios escogió lo necio del mundo para avergonzar a los sabios. O, si los ejemplos concretos son preferibles, pensemos en *Manalive* de Chesterton, que es una visible montaña de simplicidad y un abismo de divina sabiduría, o en aquel Juan Escoto, que razonó que el mejor nombre de Dios es *Nihilum* (Nada) y que "él mismo no sabe qué es, porque no es un qué...". El emperador Moctezuma dijo que los bufones enseñan más que los sabios, porque se atreven a decir la verdad; Flaubert (que, al fin y al cabo, no elaboraba una demostración rigurosa, una *Destructio Philosophorum*, sino una sátira) pudo muy bien haber tomado la precaución de confiar sus últimas dudas y sus más secretos temores a dos irresponsables.

Una justificación más profunda cabe entrever. Flaubert era devoto de Spencer; en los *First Principles* del maestro se lee que el universo es inconocible, por la suficiente y clara razón de que explicar un hecho es referirlo a otro más general y de que ese proceso no tiene fin [1] nos conduce a una verdad ya tan general que no podemos referirla a otra alguna; es decir, explicarla. La ciencia es una esfera finita que crece en el espacio infinito; cada nueva expansión le hace comprender una zona mayor de lo desconocido, pero lo desconocido es inagotable. Escribe Flaubert: "Aún no sabemos casi nada y queríamos adivinar esa última palabra que no nos será revelada nunca. El frenesí de llegar a una conclusión es la más funesta y estéril de las manías." El arte opera necesariamente con símbolos; la mayor esfera es un punto en el infinito; dos absurdos copistas pueden representar a Flaubert y también a Schopenhauer o a Newton.

Taine repitió a Flaubert que el sujeto de su novela exigía una pluma del siglo XVIII, la concisión y la mordacidad (*le mordant*) de un Jonathan Swift. Acaso habló de Swift, porque sintió de algún modo la afinidad de los dos grandes y tristes escritores. Ambos odiaron con ferocidad minuciosa la estupidez humana; ambos documentaron ese odio, compilando a lo largo de los años frases triviales y opiniones idiotas; ambos quisieron abatir las ambiciones de la ciencia. En la tercera parte de *Gulliver*, Swift describe una venerada y vasta academia, cuyos individuos proponen que la humanidad prescinda del lenguaje oral para no gastar los pulmones. Otros ablandan el mármol para la fabricación de almohadas y de almohadillas; otros aspiran a propagar una variedad de ovejas sin lana; otro creen resolver los enigmas del universo mediante una armazón de madera con manijas de

---

[1] Agripa el Escéptico argumentó que toda prueba exige a su vez una prueba, y así hasta lo infinito.

hierro, que combina palabras al azar. Esta invención va contra el *Arte magna* de Lulio...

René Descharmes ha examinado, y reprobado, la cronología de *Bouvard et Pécuchet*. La acción requiere unos cuarenta años; los protagonistas tienen sesenta y ocho cuando se entregan a la gimnasia, el mismo año en que Pécuchet descubre el amor. En un libro tan poblado de circunstancias, el tiempo, sin embargo, está inmóvil; fuera de los ensayos y fracasos de los dos Faustos (o del Fausto bicéfalo) nada ocurre; faltan las vicisitudes comunes y la fatalidad y el azar. "Las comparsas del desenlace son las del preámbulo; nadie viaja, nadie se muere", observa Claude Digeon. En otra página concluye: "La honestidad intelectual de Flaubert le hizo una terrible jugada: lo llevó a recargar su cuento filosófico, a conservar su pluma de novelista para escribirlo."

Las negligencias o desdenes o libertades del último Flaubert han desconcertado a los críticos; yo creo ver en ellas un símbolo. El hombre que con *Madame Bovary* forjó la novela realista fue también el primero en romperla. Chesterton, apenas ayer, escribía: "La novela bien puede morir con nosotros." El instinto de Flaubert presintió esa muerte, que ya está aconteciendo —¿no es el *Ulises*, con sus planos y horarios y precisiones, la espléndida agonía de un género?—, y en el quinto capítulo de la obra condenó las novelas "estadísticas o etnográficas" de Balzac y, por extensión, las de Zola. Por eso, el tiempo de *Bouvard et Pécuchet* se inclina a la eternidad; por eso, los protagonistas no mueren y seguirán copiando, cerca de Caen, su anacrónico *Sottisier*, tan ignorantes de 1914 como de 1870; por eso, la obra mira, hacia atrás, a las parábolas de Voltaire y de Swift y de los orientales y, hacia adelante, a las de Kafka.

Hay, tal vez, otra clave. Para escarnecer los anhelos de la humanidad, Swift los atribuyó a pigmeos o a simios; Flaubert, a dos sujetos grotescos. Evidentemente, si la historia universal es la historia de Bouvard y de Pécuchet, todo lo que la integra es ridículo y deleznable.

FLAUBERT Y SU DESTINO EJEMPLAR

En un artículo destinado a abolir o a desanimar el culto de Flaubert en Inglaterra, John Middleton Murry observa que hay dos Flaubert: uno, un hombrón huesudo, querible, más bien sencillo, con el aire y la risa de un paisano, que vivió agonizando sobre la cultura intensiva de media docena de volúmenes desparejos; otro, un gigante incorpóreo, un símbolo, un grito de guerra, una bandera. Declaro no entender esta oposición; el Flaubert que agonizó para producir una obra avara y preciosa es, exactamente, el de la leyenda y (si los cuatro volúmenes de su correspondencia no nos engañan) también el de la historia. Más importante que la importante literatura premeditada y realizada por él es este Flaubert, que fue el primer Adán de una especie nueva: la del hombre de letras como sacerdote, como asceta y casi como mártir.

La antigüedad, por razones que ya veremos, no pudo producir este tipo. En el *Ion* se lee que el poeta "es una cosa liviana, alada y sagrada, que nada puede componer hasta estar inspirado, que es como si dijéramos loco". Semejante doctrina del espíritu que sopla donde quiere (Juan, 3: 8) era hostil a una valoración personal del poeta, rebajado a instrumento momentáneo de la divinidad. En las ciudades griegas o en Roma es inconcebible un Flaubert; quizá el hombre que más se le aproximó fue Píndaro, el poeta sacerdotal, que comparó sus odas a caminos pavimentados, a una marea, a tallas de oro y de marfil y a edificios, y que sentía y encarnaba la dignidad de la profesión de las letras.

A la doctrina "romántica" de la inspiración que los clásicos profesaron [1], cabe agregar un hecho: el sentimiento general de que Homero ya había agotado la poesía o, en todo caso, había descubierto la forma cabal de la poesía, el poema heroico. Alejandro de Macedonia ponía todas las noches bajo la almohada su puñal y su Ilíada, y Thomas de Quincey refiere que un pastor inglés juró desde el púlpito "por la grandeza de los padecimientos humanos, por la grandeza de las aspiraciones humanas, por la inmortalidad de las creaciones humanas, ¡por la Ilíada, por la Odisea!". El enojo de Aquiles y los rigores de la vuelta de Ulises no son temas universales; en esa limitación, la posteridad fundó una esperanza. Imponer a otras fábulas, invocación por

---

[1] Su reverso es la doctrina "clásica" del romántico Poe, que hace de la labor del poeta un ejercicio intelectual.

invocación, batalla por batalla, máquina sobrenatural por máquina sobrenatural, el curso y la configuración de la Ilíada, fue el máximo propósito de los poetas, durante veinte siglos. Burlarse de él es muy fácil, pero no de la Eneida, que fue su consecuencia dichosa. (Lemprière discretamente incluye a Virgilio entre los beneficios de Homero.) En el siglo XIV, Petrarca, devoto de la gloria romana, creyó haber descubierto en las guerras púnicas la durable materia de la epopeya; Tasso, en el XVI, optó por la primera cruzada. Dos obras, o dos versiones de una obra, le dedicó; una es famosa, la *Gerusalemme liberata*; otra, la *Conquistata*, que quiere ajustarse más a la Ilíada, es apenas una curiosidad literaria. En ella se atenúan los énfasis del texto original, operación que, ejecutada sobre una obra esencialmente enfática, puede equivaler a su destrucción. Así, en la *Liberata* (VIII, 23), leemos de un hombre malherido y valiente que no se acaba de morir:

La vita no, ma la virtù sostenta quel cadavere indomito e feroce

En la revisión, hipérbole y eficacia desaparecen:

La vita no, ma la virtù sostenta,
il cavaliere indomito e feroce.

Milton, después, vive para construir un poema heroico. Desde la niñez, acaso antes de haber escrito una línea, se sabe dedicado a las letras. Teme haber nacido demasiado tarde para la épica (demasiado lejos de Homero, demasiado lejos de Adán) y en una latitud demasiado fría, pero se ejercita en el arte de versificar, durante muchos años. Estudia el hebreo, el arameo, el italiano, el francés, el griego y, naturalmente, el latín. Compone hexámetros latinos y griegos y endecasílabos toscanos. Es continente, porque siente que la incontinencia puede gastar su facultad poética. Escribe, a los treinta y tres años, que el poeta debe ser un poema, "es decir, una composición y arquetipo de las cosas mejores" y que nadie indigno de alabanza debe atreverse a celebrar "hombres heroicos o ciudades famosas". Sabe que un libro que los hombres no dejarán morir saldrá de su pluma, pero el sujeto no le ha sido aún revelado y lo busca en la *Matière de Bretagne* y en los dos Testamentos. En un papel casual (que hoy es el Manuscrito de Cambridge) anota un centenar de temas posibles. Elige, al fin, la caída de los ángeles y del hombre, tema histórico en aquel siglo, aunque ahora lo juzguemos simbólico o mitológico. [1]

---

[1] Sigamos las variaciones de un rasgo homérico, a lo largo del tiempo.

Milton, Tasso y Virgilio se consagraron a la ejecución de poemas; Flaubert fue el primero en consagrarse (doy su rigor etimológico a esta palabra) a la creación de una obra puramente estética *en prosa*. En la historia de las literaturas, la prosa es posterior al verso; esta paradoja incitó la ambición de Flaubert. "La prosa ha nacido ayer", escribió. "El verso es por excelencia la forma de las literaturas antiguas. Las combinaciones de la métrica se han agotado; no así las de la prosa." Y en otro lugar: "La novela espera a su Homero."

El poema de Milton abarca el cielo, el infierno, el mundo y el caos, pero es todavía una Ilíada, una Ilíada del tamaño del universo; Flaubert, en cambio, no quiso repetir o superar un modelo anterior. Pensó que cada cosa sólo puede decirse de un modo y que es obligación del escritor dar con ese modo. Clásicos y románticos discutían atronadoramente y Flaubert dijo que sus fracasos podían diferir, pero que sus aciertos eran iguales, porque lo bello siempre es lo preciso, lo justo, y un buen verso de Boileau es un buen verso de Hugo. Creyó en una armonía preestablecida de lo eufónico y de lo exacto y se maravilló de la "relación necesaria entre la palabra justa y la palabra musical". Esta superstición del lenguaje habría hecho tramar a otro escritor un pequeño dialecto de malas costumbres sintácticas y prosódicas; no así a Flaubert, cuya decencia fundamental lo salvó de los riesgos de su doctrina. Con larga probidad persiguió el *mot juste*, que por cierto no excluye el lugar común y que degeneraría, después, en el vanidoso *mot rare* de los cenáculos simbolistas.

La historia cuenta que el famoso Laotsé quiso vivir secretamente y no tener nombre; pareja voluntad de ser ignorado y pareja celebridad marcan el destino de Flaubert. Éste quería no estar en sus libros, o apenas quería estar de un modo invisible, como Dios en sus obras; el hecho es que si no supiéramos previamente que una misma pluma escribió *Salammbô* y *Madame Bovary* no lo adivinaríamos. No menos innegable es que pensar en la obra de Flaubert es pensar en Flaubert, en el ansioso y laborioso trabajador de las muchas consultas y de los borradores inextricables. Quijote y Sancho son más reales que el soldado

---

Helena de Troya, en la Ilíada, teje un tapiz, y lo que teje son batallas y desventuras de la guerra de Troya. En la Eneida, el héroe, prófugo de la guerra de Troya, arriba a Cartago y ve figuradas en un templo escenas de esa guerra y, entre tantas imágenes de guerreros, también la suya. En la segunda "Jerusalén", Godofredo recibe a los embajadores egipcios en un pabellón historiado cuyas pinturas representan sus propias guerras. De las tres versiones, la última es la menos feliz.

español que los inventó, pero ninguna criatura de Flaubert es real como Flaubert. Quienes dicen que su obra capital es la *Correspondencia* pueden argüir que en esos varoniles volúmenes está el rostro de su destino.

Ese destino sigue siendo ejemplar, como lo fue para los románticos el de Byron. A la imitación de la técnica de Flaubert debemos *The Old Wives' Tale* y *O primo Basilio*; su destino se ha repetido, con misteriosas magnificaciones y variaciones, en el Mallarmé (cuyo epigrama *El propósito del mundo es un libro* fija una convicción de Flaubert), en el de Moore, en el de Henry James y en el del intrincado y casi infinito irlandés que tejió el *Ulises*.

EL ESCRITOR ARGENTINO Y LA TRADICIÓN [1]

Quiero formular y justificar algunas proposiciones escépticas sobre el problema del escritor argentino y la tradición. Mi escepticismo no se refiere a la dificultad o imposibilidad de resolverlo, sino a la existencia misma del problema. Creo que nos enfrenta un tema retórico, apto para desarrollos patéticos; más que de una verdadera dificultad mental entiendo que se trata de una apariencia, de un simulacro, de un seudoproblema.

Antes de examinarlo, quiero considerar los planteos y soluciones más corrientes. Empezaré por una solución que se ha hecho casi instintiva, que se presenta sin colaboración de razonamientos; la que afirma que la tradición literaria argentina ya existe en la poesía gauchesca. Según ella, el léxico, los procedimientos, los temas de la poesía gauchesca deben ilustrar al escritor contemporáneo, y son un punto de partida y quizá un arquetipo. Es la solución más común y por eso pienso demorarme en su examen.

Ha sido propuesta por Lugones en *El payador*; ahí se lee que los argentinos poseemos un poema clásico, el *Martín Fierro*, y que ese poema debe ser para nosotros lo que los poemas homéricos fueron para los griegos. Parece difícil contradecir esta opinión, sin menoscabo del *Martín Fierro*. Creo que el *Martín Fierro* es la obra más perdurable que hemos escrito los argentinos; y creo con la misma intensidad que no podemos suponer que el *Martín Fierro* es, como algunas veces se ha dicho, nuestra Biblia, nuestro libro canónico.

Ricardo Rojas, que también ha recomendado la canonización del *Martín Fierro*, tiene una página, en su *Historia de la literatura argentina*, que parece casi un lugar común y que es una astucia.

Rojas estudia la poesía de los gauchescos, es decir, la poesía de Hidalgo, Ascasubi, Estanislao del Campo y José Hernández, y la deriva de la poesía de los payadores, de la espontánea poesía de los gauchos. Hace notar que el metro de la poesía popular es el octosílabo y que los autores de la poesía gauchesca

---

[1] Versión taquigráfica de una clase dictada en el Colegio Libre de Estudios Superiores.

manejan ese metro, y acaba por considerar la poesía de los gauchescos como una continuación o magnificación de la poesía de los payadores.

Sospecho que hay un grave error en esta afirmación; podríamos decir un hábil error, porque se ve que Rojas, para dar raíz popular a la poesía de los gauchescos, que empieza en Hidalgo y culmina en Hernández, la presenta como una continuación o derivación de la de los gauchos, y así Barbolomé Hidalgo es, no el Homero de esta poesía, como dijo Mitre, sino un eslabón.

Ricardo Rojas hace de Hidalgo un payador; sin embargo, según la misma *Historia de la literatura argentina*, este supuesto payador empezó componiendo versos endecasílabos, metro naturalmente vedado a los payadores, que no percibían su armonía, como no percibieron la armonía del endecasílabo los lectores españoles cuando Garcilaso lo importó de Italia.

Entiendo que hay una diferencia fundamental entre la poesía de los gauchos y la poesía gauchesca. Basta comparar cualquier colección de poesías populares con el *Martín Fierro*, con el *Paulino Lucero*, con el *Fausto*, para advertir esa diferencia, que está no menos en el léxico que en el propósito de los poetas. Los poetas populares del campo y del suburbio versifican temas generales: las penas del amor y de la ausencia, el dolor del amor, y lo hacen en un léxico muy general también; en cambio, los poetas gauchescos cultivan un lenguaje deliberadamente popular, que los poetas populares no ensayan. No quiero decir que el idioma de los poetas populares sea un español correcto, quiero decir que si hay incorrecciones son obra de la ignorancia. En cambio, en los poetas gauchescos hay una busca de las palabras nativas, una profusión de color local. La prueba es ésta: un colombiano, un mejicano o un español pueden comprender inmediatamente las poesías de los payadores, de los gauchos, y en cambio necesitan un glosario para comprender, siquiera aproximadamente, a Estanislao del Campo o Ascasubi.

Todo esto puede resumirse así: la poesía gauchesca, que ha producido —me apresuro a repetirlo— obras admirables, es un género literario tan artificial como cualquier otro. En las primeras composiciones gauchescas, en las trovas de Bartolomé Hidalgo, ya hay un propósito de presentarlas en función del gaucho, como dichas por gauchos, para que el lector las lea con una entonación gauchesca. Nada más lejos de la poesía popular. El pueblo —y esto yo lo he observado no sólo en los payadores de la campaña, sino en los de las orillas de Buenos Aires—, cuando versifica, tiene la convicción de ejecutar algo importante, y rehuye instintivamente las voces populares y busca voces y giros altisonantes. Es probable que ahora la poesía gauchesca haya influido en los payadores y éstos abunden también en criollismos, pero en el principio no ocurrió así, y tenemos una prueba (que nadie ha señalado) en el *Martín Fierro*.

El *Martín Fierro* está redactado en un español de entonación gauchesca y no nos deja olvidar durante mucho tiempo que es un gaucho el que canta; abunda en comparaciones tomadas de la vida pastoril; sin embargo, hay un pasaje famoso en que el autor olvida esta preocupación de color local y escribe en un español general, y no habla de temas vernáculos, sino de grandes temas abstractos, del tiempo, del espacio, del mar, de la noche. Me refiero a la payada entre Martín Fierro y el Moreno, que ocupa el fin de la segunda parte. Es como si el mismo Hernández hubiera querido indicar la diferencia entre su poesía gauchesca y la genuina poesía de los gauchos. Cuando esos dos gauchos, Fierro y el Moreno, se ponen a cantar, olvidan toda afectación gauchesca y abordan temas filosóficos. He podido comprobar lo mismo oyendo a payadores de las orillas; éstos rehuyen el versificar en orillero o lunfardo y tratan de expresarse con corrección. Desde luego fracasan, pero su propósito es hacer de la poesía algo alto; algo distinguido, podríamos decir con una sonrisa.

La idea de que la poesía argentina debe abundar en rasgos diferenciales argentinos y en color local argentino me parece una equivocación. Si nos preguntan qué libro es más argentino, el *Martín Fierro* o los sonetos de *La urna* de Enrique Banchs, no hay ninguna razón para decir que es más argentino el primero. Se dirá que en *La urna* de Banchs no está el paisaje argentino, la topografía argentina, la botánica argentina, la zoología argentina; sin embargo, hay otras condiciones argentinas en *La urna*.

Recuerdo ahora unos versos de *La urna* que parecen escritos para que no pueda decirse que es un libro argentino; son los que dicen: "...El sol en los tejados / y en las ventanas brilla. Ruiseñores / quieren decir que están enamorados."

Aquí parece inevitable condenar: "el sol en los tejados y en las ventanas brilla". Enrique Banchs escribió estos versos en un suburbio de Buenos Aires, y en los suburbios de Buenos Aires no hay tejados, sino azoteas; "ruiseñores quieren decir que están enamorados"; el ruiseñor es menos un pájaro de la realidad que de la literatura, de la tradición griega y germánica. Sin embargo, yo diría que en el manejo de estas imágenes convencionales, en esos tejados y en esos ruiseñores anómalos, no estarán desde luego la arquitectura ni la ornitología argentinas, pero están el pudor argentino, la reticencia argentina; la circunstancia de que Banchs, al hablar de ese gran dolor que lo abrumaba, al hablar de esa mujer que lo había dejado y había dejado vacío el mundo para él, recurra a imágenes extranjeras y convencionales como los tejados y los ruiseñores, es significativa: significativa del pudor, de la desconfianza, de las reticencias argentinas; de la dificultad que tenemos para las confidencias, para la intimidad.

Además, no sé si es necesario decir que la idea de que una literatura debe definirse por los rasgos diferenciales del país que la produce es una idea relativamente nueva; también es nueva y arbitraria la idea de que los escritores deben buscar temas de sus países. Sin ir más lejos, creo que Racine ni siquiera hubiera entendido a una persona que le hubiese negado su derecho al título de poeta francés por haber buscado temas griegos y latinos. Creo que Shakespeare se habría asombrado si hubieran pretendido limitarlo a temas ingleses, y si le hubiesen dicho que, como inglés, no tenía derecho a escribir *Hamlet*, de tema escandinavo, o *Macbeth*, de tema escocés. El culto argentino del color local es un reciente culto europeo que los nacionalistas deberían rechazar por foráneo.

He encontrado días pasados una curiosa confirmación de que lo verdaderamente nativo suele y puede prescindir del color local; encontré esta confirmación en la *Historia de la declinación y caída del Imperio Romano* de Gibbon. Gibbon observa que en el libro árabe por excelencia, en el *Alcorán*, no hay camellos; yo creo que si hubiera alguna duda sobre la autenticidad del *Alcorán*, bastaría esta ausencia de camellos para probar que es árabe. Fue escrito por Mahoma, y Mahoma, como árabe, no tenía por qué saber que los camellos eran especialmente árabes; eran para él parte de la realidad, no tenía por qué distinguirlos; en cambio, un falsario, un turista, un nacionalista árabe, lo primero que hubiera hecho es prodigar camellos, caravanas de camellos en cada página; pero Mahoma, como árabe, estaba tranquilo: sabía que podía ser árabe sin camellos. Creo que los argentinos podemos parecernos a Mahoma, podemos creer en la posibilidad de ser argentinos sin abundar en color local.

Séame permitida aquí una confidencia, una mínima confidencia. Durante muchos años, en libros ahora felizmente olvidados, traté de redactar el sabor, la esencia de los barrios extremos de Buenos Aires; naturalmente abundé en palabras locales, no prescindí de palabras como cuchilleros, milonga, tapia, y otras, y escribí así aquellos olvidables y olvidados libros; luego, hará un año, escribí una historia que se llama *La muerte y la brújula* que es una suerte de pesadilla, una pesadilla en que figuran elementos de Buenos Aires deformados por el horror de la pesadilla; pienso allí en el Paseo Colón y lo llamo Rue de Toulon, pienso en las quintas de Adrogué y las llamo Triste-le-Roy; publicada esa historia, mis amigos me dijeron que al fin habían encontrado en lo que yo escribía el sabor de las afueras de Buenos Aires. Precisamente porque no me había propuesto encontrar ese sabor, porque me había abandonado al sueño, pude lograr, al cabo de tantos años, lo que antes busqué en vano.

Ahora quiero hablar de una obra justamente ilustre que suelen invocar los nacionalistas. Me refiero a *Don Segundo Sombra* de Güiraldes. Los nacionalistas nos dicen que *Don Segundo Sombra* es el tipo de libro nacional; pero si comparamos *Don Segundo Sombra* con las obras de la tradición gauchesca, lo primero que notamos son diferencias. *Don Segundo Sombra* abunda en metáforas de un tipo que nada tiene que ver con el habla de la campaña y sí con las metáforas de los cenáculos contemporáneos de Montmartre. En cuanto a la fábula, a la historia, es fácil comprobar en ella el influjo del *Kim* de Kipling, cuya acción está en la India y que fue escrito, a su vez, bajo el influjo de *Huckleberry Finn* de Mark Twain, epopeya del Misisipí. Al hacer esta observación no quiero rebajar el valor de *Don Segundo Sombra*; al contrario, quiero hacer resaltar que para que nosotros tuviéramos ese libro fue necesario que Güiraldes recordara la técnica poética de los cenáculos franceses de su tiempo, y la obra de Kipling que había leído hacía muchos años; es decir, Kipling, y Mark Twain, y las metáforas de los poetas franceses fueron necesarios para este libro argentino, para este libro que no es menos argentino, lo repito, por haber aceptado esas influencias.

Quiero señalar otra contradicción: los nacionalistas simulan venerar las capacidades de la mente argentina pero quieren limitar el ejercicio poético de esa mente a algunos pobres temas locales, como si los argentinos sólo pudiéramos hablar de orillas y estancias y no del universo.

Pasemos a otra solución. Se dice que hay una tradición a la que debemos acogernos los escritores argentinos, y que esa tradición es la literatura española. Este segundo consejo es desde luego un poco menos estrecho que el primero, pero también tiende a encerrarnos; muchas objeciones podrían hacérsele, pero basta con dos. La primera es ésta: la historia argentina puede definirse sin equivocación como un querer apartarse de España, como un voluntario distanciamiento de España. La segunda objeción es ésta: entre nosotros el placer de la literatura española, un placer que yo personalmente comparto, suele ser un gusto adquirido; yo muchas veces he prestado, a personas sin versación literaria especial, obras francesas e inglesas, y estos libros han sido gustados inmediatamente, sin esfuerzo. En cambio, cuando he propuesto a mis amigos la lectura de libros españoles, he comprobado que estos libros les eran difícilmente gustables sin un aprendizaje especial; por eso creo que el hecho de que algunos ilustres escritores argentinos escriban como españoles es menos el testimonio de una capacidad heredada que una prueba de la versatilidad argentina.

Llego a una tercera opinión que he leído hace poco sobre los escritores argentinos y la tradición, y que me ha asombrado mucho. Viene a decir que nosotros, los argentinos, estamos desvinculados del pasado; que ha habido como una solución de continuidad entre nosotros y Europa. Según este singular parecer, los argentinos estamos como en los primeros días de la creación; el hecho de buscar temas y procedimientos europeos es una ilusión, un error; debemos comprender que estamos esencialmente solos, y no podemos jugar a ser europeos.

Esta opinión me parece infundada. Comprendo que muchos la acepten, porque esta declaración de nuestra soledad, de nuestra perdición, de nuestro carácter primitivo tiene, como el existencialismo, los encantos de lo patético. Muchas personas pueden aceptar esta opinión porque una vez aceptada se sentirán solas, desconsoladas y, de algún modo, interesantes. Sin embargo, he observado que en nuestro país, precisamente por ser un país nuevo, hay un gran sentido del tiempo. Todo lo que ha ocurrido en Europa, los dramáticos acontecimientos de los últimos años de Europa, han resonado profundamente aquí. El hecho de que una persona fuera partidaria de los franquistas o de los republicanos durante la guerra civil española, o fuera partidaria de los nazis o de los aliados, ha determinado en muchos casos peleas y distanciamientos muy graves. Esto no ocurriría si estuviéramos desvinculados de Europa. En lo que se refiere a la historia argentina, creo que todos nosotros la sentimos profundamente; y es natural que la sintamos, porque está, por la cronología y por la sangre, muy cerca de nosotros; los nombres, las batallas de las guerras civiles, la guerra de la independencia, todo está, en el tiempo y en la tradición familiar, muy cerca de nosotros.

¿Cuál es la tradición argentina? Creo que podemos contestar fácilmente y que no hay problema en esta pregunta. Creo que nuestra tradición es toda la cultura occidental, y creo también que tenemos derecho a esta tradición, mayor que el que pueden tener los habitantes de una u otra nación occidental. Recuerdo aquí un ensayo de Thorstein Veblen, sociólogo norteamericano, sobre la preeminencia de los judíos en la cultura occidental. Se pregunta si esta preeminencia permite conjeturar una superioridad innata de los judíos, y contesta que no; dice que sobresalen en la cultura occidental, porque actúan dentro de esa cultura y al mismo tiempo no se sienten atados a ella por una devoción especial; "por eso —dice— a un judío siempre le será más fácil que a un occidental no judío innovar en la cultura occidental"; y lo mismo podemos decir de los irlandeses en la cultura de Inglaterra. Tratándose de los irlandeses, no tenemos por qué suponer que la profusión de nombres irlandeses en la literatura y la filosofía británicas se deba a una preeminencia racial, porque muchos de esos irlandeses ilustres (Shaw, Berkeley, Swift) fueron descendientes de ingleses, fueron personas que no tenían sangre celta; sin embargo, les bastó el hecho de sentirse irlandeses, distintos, para innovar en la cultura inglesa. Creo que los argentinos, los sudamericanos en general, estamos en una situación análoga; podemos manejar todos los temas europeos, manejarlos sin supersticiones, con una irreverencia que puede tener, y ya tiene, consecuencias afortunadas.

Esto no quiere decir que todos los experimentos argentinos sean igualmente felices; creo que este problema de la tradición y de lo argentino es simplemente una forma contemporánea, y fugaz del eterno problema del determinismo. Si yo voy a tocar la mesa con una de mis manos, y me pregunto: ¿la tocaré con la mano izquierda o con la mano derecha?; y luego la toco con la mano derecha, los deterministas dirán que yo no podía obrar de otro modo y que toda la historia anterior del universo me obligaba a tocarla con la mano derecha, y que tocarla con la mano izquierda hubiera sido un milagro. Sin embargo, si la hubiera tocado con la mano izquierda me habrían dicho lo mismo: que había estado obligado a tocarla con esa mano. Lo mismo ocurre con los temas y procedimientos literarios. Todo lo que hagamos con felicidad los escritores argentinos pertenecerá a la tradición argentina, de igual modo que el hecho de tratar temas italianos pertenece a la tradición de Inglaterra por obra de Chaucer y de Shakespeare.

Creo, además, que todas estas discusiones previas sobre propósitos de ejecución literaria están basadas en el error de suponer que las intenciones y los proyectos importan mucho. Tomemos el caso de Kipling: Kipling dedicó su vida a escribir en función de determinados ideales políticos, quiso hacer de su obra un instrumento de propaganda y, sin embargo, al fin de su vida hubo de confesar que la verdadera esencia de la obra de un escritor suele ser ignorada por éste; y recordó el caso de Swift, que al escribir *Los viajes de Gulliver* quiso levantar un testimonio contra la humanidad y dejó, sin embargo, un libro para niños. Platón dijo que los poetas son amanuenses de un dios, que los anima contra su voluntad, contra sus propósitos, como el imán anima a una serie de anillos de hierro.

Por eso repito que no debemos temer y que debemos pensar

que nuestro patrimonio es el universo; ensayar todos los temas, y no podemos concretarnos a lo argentino para ser argentinos: porque o ser argentino es una fatalidad y en ese caso lo seremos de cualquier modo, o ser argentino es una mera afectación, una máscara.

Creo que si nos abandonamos a ese sueño voluntario que se llama la creación artística, seremos argentinos y seremos, también, buenos o tolerables escritores.

NOTAS

H. G. Wells y las Parábolas: *The Croquet Player. Star Begotten*

Este año, Wells ha publicado dos libros. El primero —*The Croquet Player*— describe una región pestilencial de confusos pantanos en la que empiezan a ocurrir cosas abominables; al cabo comprendemos que esa región es todo el planeta. El otro —*Star Begotten*— presenta una amistosa conspiración de los habitantes de Marte para regenerar la humanidad por medio de emisiones de rayos cósmicos. Nuestra cultura está amenazada por un renacimiento monstruoso de la estupidez y de la crueldad, quiere significar el primero; nuestra cultura puede ser renovada por una generación un poco distinta, murmura el otro. Los dos libros son dos parábolas, los dos libros plantean el viejo pleito de las alegorías y de los símbolos.

Todos propendemos a creer que la interpretación agota los símbolos. Nada más falso. Busco un ejemplo elemental: el de una adivinanza. Nadie ignora que a Edipo le interrogó la Esfinge tebana: "¿Cuál es el animal que tiene cuatro pies en el alba, dos al mediodía y tres en la tarde?". Nadie tampoco ignora que Edipo respondió que era el hombre. ¿Quién de nosotros no percibe inmediatamente que el desnudo concepto de *hombre* es inferior al mágico animal que deja entrever la pregunta y a la asimilación del hombre común a ese monstruo variable y de setenta años a un día y del bastón de los ancianos a un tercer pie? Esa naturaleza plural es propia de todos los símbolos. Las alegorías, por ejemplo, proponen al lector una doble o triple intuición, no unas figuras que se pueden canjear por nombres sustantivos abstractos. "Los caracteres alegóricos", advierte acertadamente De Quincey (*Writings*, onceno tomo, página 199), "ocupan un lugar intermedio entre las realidades absolutas de la vida humana y las puras abstracciones del entendimiento lógico." La hambrienta y flaca loba del primer canto de la Divina Comedia no es un emblema o letra de la avaricia: es una loba y es también la avaricia, como en los sueños. No desconfiemos demasiado de esa duplicidad; para los místicos el mundo concreto no es más que un sistema de símbolos...

De lo anterior me atrevo a inferir que es absurdo reducir una historia a su moraleja, una parábola a su mera intención, una "forma" a su "fondo". (Ya Schopenhauer ha observado que el público se fija raras veces en la forma, y siempre en el fondo.) En *The Croquet Player* hay una forma que podemos condenar o aprobar, pero no negar; el cuento *Star Begotten*, en cambio, es del todo amorfo. Una serie de vanas discusiones agotan el volumen. El argumento —la inexorable variación del género humano por obra de los rayos cósmicos— no ha sido realizado; apenas si los protagonistas discuten su posibilidad. El efecto es muy poco estimulante. ¡Qué lástima que a Wells no se le haya ocurrido este libro!, piensa con nostalgia el lector. Su anhelo es razonable: el Wells que el argumento exigía no era el conversador enérgico y vago del *World of William Clissold* y de las imprudentes enciclopedias. Era el otro, el antiguo narrador de milagros atroces: el de la historia del viajero que trae del porvenir una flor marchita, el de la historia de los hombres bestiales que gangosean en la noche un credo servil, el de la historia del traidor que huyó de la luna.

EDWARD KASNER AND JAMES NEWMAN: *Mathematics and the Imagination* (Simon and Schuster).

Revisando la biblioteca, veo con admiración que las obras que más he releído y abrumado de notas manuscritas son el *Diccionario de la filosofía* de Mauthner, la *Historia biográfica de la filosofía* de Lewes, la *Historia de la guerra de 1914-1918* de Liddell Hart, la *Vida de Samuel Johnson* de Boswell y la psicología de Gustav Spiller: *The Mind of Man*, 1902. A ese heterogéneo catálogo (que no excluye obras que tal vez son meras costumbres, como la de G. H. Lewes) preveo que los años agregarán este libro amenísimo.

Sus cuatrocientas páginas registran con claridad los inmediatos y accesibles encantos de las matemáticas, los que hasta un mero hombre de letras puede entender, o imaginar que entiende: el incesante mapa de Brouwer, la cuarta dimensión que entrevió More y que declara intuir Howard Hinton, la levemente obscena tira de Moebius, los rudimentos de la teoría de los números transfinitos, las ocho paradojas de Zenón, las líneas paralelas de Desargues que en el infinito se cortan, la notación binaria que Leibniz descubrió en los diagramas del I King, la bella demostración euclidiana de la infinitud estelar de los números primos, el problema de la torre de Hanoi, el silogismo dilemático o bicornuto.

De este último, con el que jugaron los griegos (Demócrito jura que los abderitanos son mentirosos; pero Demócrito es abderitano; luego Demócrito miente; luego no es cierto que los abderitanos son mentirosos; luego Demócrito no miente; luego es verdad que los abderitanos son mentirosos; luego Demócrito miente; luego...), hay casi innumerables versiones que no varían de método, pero sí de protagonistas y de fábula. Aulo Gelio (*Noches áticas*, libro quinto, capítulo X) recurre a un orador y a su alumno; Luis Barahona de Soto (*Angélica*, onceno canto), a dos esclavos; Miguel de Cervantes (*Quijote*, segunda parte, capítulo LI), a un río, a un puente y a una horca; Jeremy Taylor, en alguno de sus sermones, a un hombre que ha soñado con una voz que le revela que todos los sueños son vanos; Bertrand Russell (*Introduction to Mathematical Philosophy*, página 136), al conjunto de todos los conjuntos que no se incluyen a sí mismos.

A esas perplejidades ilustres, me atrevo a agregar ésta:
En Sumatra, alguien quiere doctorarse de adivino. El brujo examinador le pregunta si será reprobado o si pasará. El candidato responde que será reprobado... Ya se presiente la infinita continuación.

GERALD HEARD: *Pain, Sex and Time* (Cassell).

A principios de 1896, Bernard Shaw percibió que en Friedrich Nietzsche había un académico inepto, cohibido por el culto supersticioso del Renacimiento y los clásicos (*Our Theatres in the Nineties*, tomo segundo, página 94). Lo innegable es que Nietzsche, para comunicar al siglo de Darwin su conjetura evolucionista del Superhombre, lo hizo en un libro carcomido, que es una desairada parodia de todos los *Sacred Books of the East*. No arriesgó una sola palabra sobre la anatomía o psicología de la futura especie biológica; se limitó a su moralidad, que identificó (temeroso del presente y del porvenir) con la de César Borgia y los vikings.[1]

---

[1] Alguna vez (*Historia de la eternidad*) he procurado enumerar o recopilar todos los testimonios de la doctrina del Eterno Regreso que fueron anteriores a Nietzsche. Ese vano propósito excede la brevedad de mi erudición y de la vida humana. A los testimonios ya registrados básteme agregar, por ahora, el del Padre Feijoo (*Teatro crítico universal*, tomo cuarto, discurso doce). Éste, como Sir Thomas Browne, atribuye la doctrina a Platón. La fórmula así: "Uno de los delirios de Platón fue, que absuelto todo el círculo del *año magno* (así llamaba a aquel espacio de tiempo en que todos los astros, después de innumerables giros, se han de restituir a la misma postura y orden que antes tuvieron entre sí), se han de renovar todas las cosas; esto es, han de volver a aparecer sobre el teatro del mundo los mismos actores a representar los mismos sucesos, cobrando nueva existencia hombres, brutos, plantas, piedras; en fin, cuanto hubo animado e inanimado en los anteriores siglos, para repetirse en ellos los mismos ejercicios, los mismos acontecimientos, los mismos juegos de la fortuna que tuvieron en su primera existencia."

Heard corrige, a su modo, las negligencias y omisiones de Zarathustra. Linealmente, el estilo de que dispone es harto inferior; para una lectura seguida, es más tolerable. Descree de una superhumanidad, pero anuncia una vasta evolución de las facultades humanas. Esa evolución mental no requiere siglos: hay en los hombres un infatigable depósito de energía nerviosa, que les permite ser incesantemente sexuales, a diferencia de las otras especies, cuya sexualidad es periódica. "La historia", escribe Heard, "es parte de la historia natural. La historia humana es biología, acelerada psicológicamente."

La posibilidad de una evolución ulterior de nuestra conciencia del tiempo es quizá el tema básico de este libro. Heard opina que los animales carecen totalmente de esa conciencia y que su vida discontinua y orgánica es una pura actualidad. Esa conjetura es antigua; ya Séneca la había razonado en la última de las epístolas a Lucilio: *Animalibus tantum, quod brevissimum est in transcursu, datum, prœsens...* También abunda en la literatura teosófica. Rudolf Steiner compara la estadía inerte de los minerales a la de los cadáveres; la vida silenciosa de las plantas a la de los hombres que duermen; las atenciones momentáneas del animal a las del negligente soñador que sueña incoherencias. En el tercer volumen de su admirable *Woerterbuch der Philosophie*, observa Fritz Mauthner: "Parece que los animales no tienen sino oscuros presentimientos de la sucesión temporal y de la duración. En cambio, el hombre, cuando es además un psicólogo de la nueva escuela, puede diferenciar en el tiempo dos impresiones que sólo estén separadas por 1/500 de segundo." En un libro póstumo de Guyau —*La Genèse de l'Idée de Temps*, 1890— hay dos o tres pasajes análogos. Uspenski (*Tertium Organum*, capítulo IX) encara no sin elocuencia el problema; afirma que el mundo de los animales es bidimensional y que son incapaces de concebir una esfera o un cubo. Todo ángulo es para ellos una

---

Son palabras de 1730; las repite el tomo LVI de la Biblioteca de Autores Españoles. Declaran bien la justificación *astrológica* del Regreso.

En el *Timeo*, Platón afirma que los siete planetas, equilibradas sus diversas velocidades, regresarán al punto inicial de partida, pero no infiere de ese vasto circuito una repetición puntual de la historia. Sin embargo, Lucilio Vanini declara: "De nuevo Aquiles irá a Troya; renacerán las ceremonias y religiones; la historia humana se repite; nada hay ahora que no fue; lo que ha sido, será; pero todo ello en general, no (como determina Platón) en particular." Lo escribió en 1616; lo cita Burton en la cuarta sección de la tercera parte del libro *The Anatomy of Melancholy*. Francis Bacon (*Essay*, LVIII, 1625) admite que, cumplido el año platónico, los astros causarán los mismos efectos genéricos, pero niega su virtud para repetir los mismos individuos.

moción, un suceso en el tiempo... Como Edward Carpenter, como Leadbeater, como Dunne, Uspenski profetiza que nuestras mentes prescindirán del tiempo lineal, sucesivo, y que intuirán el universo de un modo angélico: *sub specie œternitatis*.

A la misma conclusión llega Heard, en un lenguaje a veces contaminado de *patois* psiquiátrico y sociológico. Llega, o creo que llega. En el primer capítulo de su libro afirma la existencia de un tiempo inmóvil que nosotros los hombres atravesamos. Ignoro si ese memorable dictamen es una mera negación metafórica del tiempo cósmico, uniforme, de Newton o si literalmente afirma la coexistencia del pasado, del presente y del porvenir. En el último caso (diría Dunne) el tiempo inmóvil degenera en espacio y nuestro movimiento de traslación exige *otro* tiempo...

Que de algún modo evolucione la percepción del tiempo, no me parece inverosímil y es, quizá, inevitable. Que esa evolución pueda ser muy brusca me parece una gratuidad del autor, un estímulo artificial.

GILBERT WATERHOUSE: *A Short History of German Literature* (Methuen, London, 1943).

Equidistantes del marqués de Laplace (que declaró la posibilidad de cifrar en una sola fórmula todos los hechos que serán, que son y que han sido) y del inversamente paradójico doctor Rojas (cuya historia de la literatura argentina es más extensa que la literatura argentina), el señor Gilbert Waterhouse ha redactado en ciento cuarenta páginas una historia no siempre inadecuada de la literatura alemana. El examen de este manual no incita ni al agravio ni al ditirambo; su defecto más evidente, y acaso inevitable, es el que De Quincey reprocha a los juicios críticos alemanes: la omisión de ejemplos ilustrativos. Tampoco es generoso conceder exactamente una *línea* al múltiple Novalis y abusar de esa línea para ubicarlo en un catálogo subalterno de novelistas cuyo modelo fue el *Wilhelm Meister*. (Novalis condenó el *Wilhelm Meister*; Novalis famosamente dijo de Goethe: "Es un poeta práctico. Es en las obras lo que en la mercadería son los ingleses: pulcro, sencillo, cómodo, resistente".) La tradicional exclusión de Schopenhauer y de Fritz Mauthner me indigna, pero no me sorprende ya: el horror de la palabra *filosofía* impide que los críticos reconozcan, en el *Woerterbuch* de uno y en los *Parerga und Paralipomena* de otro, los más inagotables y agradables libros de ensayos de la literatura alemana.

Los alemanes parecen incapaces de obrar sin algún aprendizaje alucinatorio: pueden librar felices batallas o redactar lánguidas e infinitas novelas, pero sólo a condición de creerse "arios puros".

o vikings maltratados por los judíos, o actores de la *Germania* de Tácito. (Sobre esta singular esperanza retrospectiva Friedrich Nietzsche ha opinado: "Todos los germanos auténticos emigraron; la Alemania de hoy es un puesto avanzado de los eslavos y prepara el camino para la rusificación de Europa." Una respuesta análoga merecen los españoles, que se proclaman nietos de los conquistadores de América: los nietos somos los sudamericanos, nosotros; ellos son los sobrinos...) Notoriamente, los dioses han negado a los alemanes la belleza espontánea. Esa privación define lo trágico del culto shakesperiano alemán, que de algún modo se parece a un amor desdichado. El alemán (Lessing, Herder, Goethe, Novalis, Schiller, Schopenhauer, Nietzche, Stefan George...) siente con misteriosa intimidad el mundo de Shakespeare, al mismo tiempo que se sabe incapaz de crear con ese ímpetu y con esa inocencia, con esa delicada felicidad y con ese negligente esplendor. *Unser Shakespeare* —"nuestro Shakespeare" dicen, o dijeron, los alemanes, pero se saben destinados a un arte de naturaleza distinta: arte de símbolos premeditados o de tesis polémicas. No se puede recorrer un libro como el de Gundolf —*Shakespeare und der deutsche Geist*— o como el de Pascal —*William Shakespeare in Germany*— sin percibir esa nostalgia o discordia de la inteligencia alemana, esa tragedia secular cuyo actor no es un hombre, sino muchas generaciones humanas.

Los hombres de otras tierras pueden ser distraidamente atroces, eventualmente heroicos; los alemanes requieren seminarios de abnegación, éticas de la infamia.

De las historias breves de la literatura alemana, la mejor, que yo sepa, es la de Karl Heinemann, publicada por Kroener; la más evitable y penosa, la del doctor Max Koch, invalidada por supersticiones patrióticas y temerariamente inferida al idioma español por una editorial catalana.

LESLIE D. WEATHERHEAD: *After Death* (The Epworth Press London, 1942).

Yo he compilado alguna vez una antología de la literatura fantástica. Admito que esa obra es de las poquísimas que un segundo Noé debería salvar de un segundo diluvio, pero delato la culpable omisión de los insospechados y mayores maestros del género: Parménides, Platón, Juan Escoto Erígena, Alberto Magno, Spinoza, Leibniz, Kant, Francis Bradley. En efecto, ¿qué son los prodigios de Wells o de Edgar Allan Poe —una flor que nos llega del porvenir, un muerto sometido a la hipnosis— confrontados con la invención de Dios, con la teoría laboriosa de un ser que de algún modo es tres y que solitariamente perdura *fuera del tiempo*? ¿Qué es la piedra bezoar ante la armonía preestablecida, quién es el unicornio ante la Trinidad, quién es Lucio Apuleyo ante los multiplicadores de Buddhas del Gran Vehículo, qué son todas las noches de Shahrazad junto a un argumento de Berkeley? He venerado la gradual invención de Dios; también el Infierno y el Cielo (una remuneración inmortal, un castigo inmortal) son admirables y curiosos designios de la imaginación de los hombres.

Los teólogos definen el Cielo como un lugar de sempiterna gloria y ventura y advierten que ese lugar no es el dedicado a los tormentos infernales. El cuarto capítulo de este libro muy razonablemente niega esa división. Arguye que el Infierno y el Cielo no son localidades topográficas, sino estados extremos del alma. Plenamente concuerda con André Gide (*Journal*, página 677) que habla de un Infierno inmanente, ya declarado por el verso de Milton: *Which way I fly is Hell; myself am Hell*; parcialmente con Swedenborg, cuyas irremediables almas perdidas prefieren las cavernas y los pantanos al esplendor insoportable del Cielo. Weatherhead propone la tesis de un solo heterogéneo ultramundo, alternativamente infernal y paradisíaco, según la capacidad de las almas.

Para casi todos los hombres, los conceptos de Cielo y de felicidad son inseparables. En la década final del siglo XIX, Butler proyectó, sin embargo, un Cielo en el que todas las cosas se frustraran ligeramente (pues nadie puede tolerar una dicha total) y un Infierno correlativo, en el que faltara todo estímulo desagradable, salvo los que prohiben el sueño. Bernard Shaw, hacia 1902, instaló en el Infierno las ilusiones de la erótica, de la abnegación, de la gloria y del puro amor imperecedero; en el Cielo, la comprensión de la realidad (*Man and Superman*, tercer acto). Weatherhead es un mediocre y casi inexistente escritor, estimulado por lecturas piadosas, pero intuye que la directa persecución de una pura y perpetua felicidad no será menos irrisoria del otro lado de la muerte que de éste. Escribe: "La concepción más alta de las experiencias gozosas que hemos denominado Cielo es la de servir: es la de una plena y libre participación en la obra de Cristo. Esto podrá ocurrir entre otros espíritus, tal vez en otros mundos; quizá podremos ayudar a que el nuestro se salve."
En otro capítulo afirma: "El dolor del Cielo es intenso, pues cuanto más hayamos evolucionado en este mundo, tanto más podremos compartir en el otro la vida de Dios. Y la vida de Dios es dolorosa. En su corazón están los pecados, las penas, todo el sufrimiento del mundo. Mientras quede un solo pecador

en el universo, no habrá felicidad en el Cielo." (Orígenes, afirmador de una reconciliación final del Creador con todas las criaturas, incluso el diablo, ya ha soñado ese sueño.)

No sé qué opinará el lector, de tales conjeturas semiteosóficas. Los católicos (léase los católicos argentinos) creen en un mundo ultraterreno, pero he notado que no se interesan en él. Conmigo ocurre lo contrario; me interesa y no creo.

M. DAVIDSON: *The Free Will Controversy* (Watts, London, 1943).

Este volumen quiere ser una historia de la vasta polémica secular entre deterministas y partidarios del albedrío. No lo es o imperfectamente lo es, a causa del erróneo método que ha ejercido el autor. Éste se limita a exponer los diversos sistemas filosóficos y a fijar la doctrina de cada uno en lo referente al problema. El método es erróneo o insuficiente, porque se trata de un problema especial cuyas mejores discusiones deben buscarse en textos especiales, no en algún párrafo de las obras canónicas. Que yo sepa, esos textos son el ensayo *The Dilemma of Determinism* de James, el quinto libro de la obra *De consolatione Philosophiae* de Boecio, y los tratados *De divinatione* y *De fato* de Cicerón.

La más antigua de las formas del determinismo es la astrología judiciaria. Así lo entiende Davidson y le dedica los primeros capítulos de su libro. Declara los influjos de los planetas, pero no expone con una claridad suficiente la doctrina estoica de los presagios, según la cual, formando un todo el universo, cada una de sus partes prefigura (siquiera de un modo secreto) la historia de las otras. "Todo cuanto ocurre es un signo de algo que ocurrirá", dijo Séneca (*Naturales quaestiones*, II, 32). Ya Cicerón había explicado: "No admiten los estoicos que los dioses intervengan en cada hendidura del hígado o en cada canto de las aves, cosa indigna, dicen, de la majestad divina e inadmisible de todo punto; sosteniendo, por el contrario, que de tal manera se encuentra ordenado el mundo desde el principio, que a determinados acontecimientos preceden determinadas señales que suministran las entrañas de las aves, los rayos, los prodigios, los astros, los sueños y los furores proféticos... Como todo sucede por el hado, si existiese un mortal cuyo espíritu pudiera abarcar el encadenamiento general de las causas, sería infalible; pues el que conoce las causas de todos los acontecimientos futuros, prevé necesariamente el porvenir." Casi dos mil años después, el marqués de Laplace jugó con la posibilidad de cifrar en una sola fórmula matemática todos los hechos que componen un instante del mundo, para luego extraer de esa fórmula todo el porvenir y todo el pasado.

Davidson omite a Cicerón; también omite al decapitado Boecio. A éste deben los teólogos, sin embargo, la más elegante de las reconciliaciones del albedrío humano con la Providencia Divina. ¿Qué albedrío es el nuestro, si Dios, antes de encender las estrellas, conocía todos nuestros actos y nuestros más recónditos pensamientos? Boecio anota con penetración que nuestra servidumbre se debe a la circunstancia de que Dios sepa de *antemano* cómo obraremos. Si el conocimiento divino fuera contemporáneo de los hechos y no anterior, no sentiríamos que nuestro albedrío queda anulado. Nos abate que nuestro futuro ya esté, con minuciosa prioridad, en la mente de Alguien. Elucidado ese punto, Boecio nos recuerda que para Dios, cuyo puro elemento es la eternidad, no hay antes ni después, ya que la diversidad de los sitios y la sucesión de los tiempos es una y simultánea para Él. Dios no prevé mi porvenir; mi porvenir es una de las partes del único tiempo de Dios, que es el inmutable presente. (Boecio, en este argumento, da a la palabra *providencia* el valor etimológico de *previsión;* ahí está la falacia, pues la providencia, como los diccionarios lo han divulgado, no se limita a prever los hechos; los ordena también.)

He mencionado a James, misteriosamente ignorado por Davidson, que dedica un misterioso capítulo a discutir con Haeckel. Los deterministas niegan que haya en el cosmos un solo hecho posible, *id est*, un hecho que pudo acontecer o no acontecer; James conjetura que el universo tiene un plan general, pero que las minucias de la ejecución de ese plan quedan a cargo de los actores.[1] ¿Cuáles son las minucias para Dios?, cabe preguntar. ¿El dolor físico, los destinos individuales, la ética? Es verosímil que así sea.

SOBRE EL DOBLAJE

Las posibilidades del arte de combinar no son infinitas, pero suelen ser espantosas. Los griegos engendraron la quimera, monstruo con cabeza de león, con cabeza de dragón, con cabeza de cabra; los teólogos del siglo II, la Trinidad, en la que inextricablemente se articulan el Padre, el Hijo y el Espíritu; los zoólogos chinos, el *ti-yiang*, pájaro sobrenatural y bermejo, provisto de seis patas y de cuatro alas, pero sin cara ni ojos; los geómetras

---

[1] El principio de Heisenberg —hablo con temor y con ignorancia— no parece hostil a esa conjetura.

del siglo XIX, el hipercubo, figura de cuatro dimensiones, que encierra un número infinito de cubos y que está limitada por ocho cubos y por veinticuatro cuadrados. Hollywood acaba de enriquecer ese vano museo teratológico; por obra de un maligno artificio que se llama *doblaje*, propone monstruos que combinan las ilustres facciones de Greta Garbo con la voz de Aldonza Lorenzo. ¿Cómo no publicar nuestra admiración ante ese prodigio penoso, ante esas industriosas anomalías fonético-visuales?

Quienes defienden el doblaje razonarán (tal vez) que las objeciones que pueden oponérsele pueden oponerse, también, a cualquier otro ejemplo de traducción. Ese argumento desconoce, o elude, el defecto central: el arbitrio injerto de otra voz y de otro lenguaje. La voz de Hepburn o de Garbo no es contingente; es, para el mundo, uno de los atributos que las definen. Cabe asimismo recordar que la mímica del inglés no es la del español.[1]

Oigo decir que en las provincias el doblaje ha gustado. Trátase de un simple argumento de autoridad; mientras no se publiquen los silogismos de los *connaisseurs* de Chilecito o de Chivilcoy, yo, por lo menos, no me dejaré intimidar. También oigo decir que el doblaje es deleitable, o tolerable, para los que no saben inglés. Mi conocimiento del inglés es menos perfecto que mi desconocimiento del ruso; con todo, yo no me resignaría a rever *Alexander Nevsky* en otro idioma que el primitivo y lo vería con fervor, por novena o décima vez, si dieran la versión original, o una que yo creyera la original. Esto último es importante; peor que el doblaje, peor que la sustitución que importa el doblaje, es la conciencia general de una sustitución, de un engaño.

No hay partidario del doblaje que no acabe por invocar la predestinación y el determinismo. Juran que ese expediente es el fruto de una evolución implacable y que pronto podremos elegir entre ver films doblados y no ver films. Dada la decadencia mundial del cinematógrafo (apenas corregida por alguna solitaria excepción como *La máscara de Demetrio*), la segunda de esas alternativas no es dolorosa. Recientes mamarrachos —pienso en *El diario de un nazi*, de Moscú, en *La historia del doctor Wassell*, de Hollywood— nos instan a juzgarla una suerte de paraíso negativo. *Sight-seeing is the art of disappointment*, dejó

---

[1] Más de un espectador se pregunta: Ya que hay usurpación de voces, ¿por qué no también de figuras? ¿Cuándo será perfecto el sistema? ¿Cuándo veremos directamente a Juana González en el papel de Greta Garbo, en el papel de la Reina Cristina de Suecia?

anotado Stevenson; esa definición conviene al cinematógrafo y, con triste frecuencia, al continuo ejercicio impostergable que se llama vivir.

EL DR. JEKYLL Y EDWARD HYDE, TRANSFORMADOS

Hollywood, por tercera vez, ha difamado a Robert Louis Stevenson. Esta difamación se titula *El hombre y la bestia*: la ha perpetrado Victor Fleming, que repite con aciaga fidelidad los errores estéticos y morales de la versión (de la perversión) de Mamoulian. Empiezo por los últimos, los morales. En la novela de 1886, el doctor Jekyll es moralmente dual, como lo son todos los hombres, en tanto que su hipóstasis —Edward Hyde— es malvada sin tregua y sin aleación; en el film de 1941, el doctor Jekyll es un joven patólogo que ejerce la castidad, en tanto que su hipóstasis —Hyde— es un calavera, con rasgos de sadista y de acróbata. El Bien, para los pensadores de Hollywood, es el noviazgo con la pudorosa y pudiente Miss Lana Turner; el Mal (que de tal modo preocupó a David Hume y a los heresiarcas de Alejandría), la cohabitación ilegal con Fröken Ingrid Bergman o Miriam Hopkins. Inútil advertir que Stevenson es del todo inocente de esa limitación o deformación del problema. En el capítulo final de la obra, declara los defectos de Jekyll: la sensualidad y la hipocresía; en uno de los *Ethical Studies* —año de 1888— quiere enumerar "todas las manifestaciones de lo verdaderamente diabólico" y propone esta lista: "la envidia, la malignidad, la mentira, el silencio mezquino, la verdad calumniosa, el difamador, el pequeño tirano, el quejoso envenenador de la vida doméstica." (Yo afirmaría que la ética no abarca los hechos sexuales, si no los contaminan la traición, la codicia, o la vanidad.)

La estructura del film es aun más rudimental que su teología. En el libro, la identidad de Jekyll y de Hyde es una sorpresa: el autor la reserva para el final del noveno capítulo. El relato alegórico finge ser un cuento policial; no hay lector que adivine que Hyde y Jekyll son la misma persona; el propio título nos hace postular que son dos. Nada tan fácil como trasladar al cinematógrafo ese procedimiento. Imaginemos cualquier problema policial: dos actores que el público reconoce figuran en la trama (George Raft y Spencer Tracy, digamos); pueden usar palabras análogas, pueden mencionar hechos que presuponen un pasado común; cuando el problema es indescifrable, uno de ellos absorbe la droga mágica y se cambia en el otro. (Por supuesto, la buena ejecución de este plan comportaría dos o tres reajustes fonéticos: la modificación de los nombres de los protagonistas). Más civilizado que yo, Victor Fleming elude todo asombro y todo misterio: en las escenas iniciales del film, Spencer Tracy apura sin miedo el versátil brebaje y se transforma en Spencer Tracy con distinta peluca y rasgos negroides.

Más allá de la parábola dualista de Stevenson y cerca de la *Asamblea de los pájaros* que compuso (en el siglo XII de nuestra era) Farid ud-din Attar, podemos concebir un film panteísta cuyos cuantiosos personajes, al fin, se resuelven en Uno, que es perdurable.

Historia universal de la infamia
(1935)

PRÓLOGO A LA PRIMERA EDICIÓN

Los ejercicios de prosa narrativa que integran este libro fueron ejecutados de 1933 a 1934. Derivan, creo, de mis relecturas de Stevenson y de Chesterton y aun de los primeros films de von Sternberg y tal vez de cierta biografía de Evaristo Carriego. Abusan de algunos procedimientos: las enumeraciones dispares, la brusca solución de continuidad, la reducción de la vida entera de un hombre a dos o tres escenas. (Ese propósito visual rige también el cuento "Hombre de la Esquina Rosada".) No son, no tratan de ser, psicológicos.

En cuanto a los ejemplos de magia que cierran el volumen, no tengo otro derecho sobre ellos que los de traductor y lector. A veces creo que los buenos lectores son cisnes aun más tenebrosos y singulares que los buenos autores. Nadie me negará que las piezas atribuidas por Valéry a su pluscuamperfecto Edmond Teste valen notoriamente menos que las de su esposa y amigos.

Leer, por lo pronto, es una actividad posterior a la de escribir: más resignada, más civil, más intelectual.

J. L. B.

Buenos Aires, 27 de mayo de 1935.

PRÓLOGO A LA EDICIÓN DE 1954

Yo diría que barroco es aquel estilo que deliberadamente agota (o quiere agotar) sus posibilidades y que linda con su propia caricatura. En vano quiso remedar Andrew Lang, hacia mil ochocientos ochenta y tantos, la Odisea de Pope; la obra ya era su parodia y el parodista no pudo exagerar su tensión. Barroco (Baroco) es el nombre de uno de los modos del silogismo; el siglo XVIII lo aplicó a determinados abusos de la arquitectura y de la pintura del XVII; yo diría que es barroca la etapa final de todo arte, cuando éste exhibe y dilapida sus medios. El barroquismo es intelectual y Bernard Shaw ha declarado que toda labor intelectual es humorística. Este humorismo es involuntario en la obra de Baltasar Gracián; voluntario o consentido, en la de John Donne.

Ya el excesivo título de estas páginas proclama su naturaleza barroca. Atenuarlas hubiera equivalido a destruirlas; por eso prefiero, esta vez, invocar la sentencia quod scripsi, scripsi *(Juan, 19, 22) y reimprimirlas, al cabo de veinte años, tal cual. Son el irresponsable juego de un tímido que no se animó a escribir cuentos y que se distrajo en falsear y tergiversar (sin justificación estética alguna vez) ajenas historias. De estos ambiguos ejercicios pasó a la trabajosa composición de un cuento directo —Hombre de la Esquina Rosada— que firmó con el nombre de un abuelo de sus abuelos, Francisco Bustos, y que ha logrado un éxito singular y un poco misterioso.*

En su texto, que es de entonación orillera, se notará que he intercalado algunas palabras cultas: vísceras, conversiones, *etc. Lo hice, porque el compadre aspira a la finura, o (esta razón excluye la otra, pero es quizá la verdadera) porque los compadres son individuos y no hablan siempre como el Compadre, que es una figura platónica.*

Los doctores del Gran Vehículo enseñan que lo esencial del universo es la vacuidad. Tienen plena razón en lo referente a esa mínima parte del universo que es este libro. Patíbulos y piratas lo pueblan y la palabra infamia *aturde en el título, pero bajo los tumultos no hay nada. No es otra cosa que apariencia, que una superficie de imágenes; por eso mismo puede acaso agradar. El hombre que lo ejecutó era asaz desdichado, pero se entretuvo escribiéndolo; ojalá algún reflejo de aquel placer alcance a los lectores.*

En la sección Etcétera *he incorporado tres piezas nuevas.*

J. L. B.

I inscribe this book to S. D.: English, innumerable and an Angel. Also: I offer her that kernel of myself that I have saved, somehow — the central heart that deals not in words, traffics not with dreams and is untouched by time, by joy, by adversities.

EL ATROZ REDENTOR LAZARUS MORELL

LA CAUSA REMOTA

En 1517 el P. Bartolomé de las Casas tuvo mucha lástima de los indios que se extenuaban en los laboriosos infiernos de las minas de oro antillanas, y propuso al emperador Carlos V la importación de negros, que se extenuaran en los laboriosos infiernos de las minas de oro antillanas. A esa curiosa variación de un filántropo debemos infinitos hechos: los *blues* de Handy, el éxito logrado en París por el pintor doctor oriental D. Pedro Figari, la buena prosa cimarrona del también oriental D. Vicente Rossi, el tamaño mitológico de Abraham Lincoln, los quinientos mil muertos de la Guerra de Secesión, los tres mil trescientos millones gastados en pensiones militares, la estatua del imaginario Falucho, la admisión del verbo *linchar* en la decimotercera edición del Diccionario de la Academia, el impetuoso film *Aleluya*, la fornida carga a la bayoneta llevada por Soler al frente de sus *Pardos y Morenos* en el Cerrito, la gracia de la señorita de Tal, el moreno que asesinó Martín Fierro, la deplorable rumba *El Manisero*, el napoleonismo arrestado y encalabozado de Toussaint Louverture, la cruz y la serpiente en Haití, la sangre de las cabras degolladas por el machete del *papaloi*, la habanera madre del tango, el candombe.

Además: la culpable y magnífica existencia del atroz redentor Lazarus Morell.

EL LUGAR

El Padre de las Aguas, el Mississipi, el río más extenso del mundo, fue el digno teatro de ese incomparable canalla. (Álvarez de Pineda lo descubrió y su primer explorador fue el capitán Hernando de Soto, antiguo conquistador del Perú, que distrajo los meses de prisión del Inca Atahualpa, enseñándole el juego del ajedrez. Murió y le dieron por sepultura sus aguas.)

El Mississipi es río de pecho ancho; es un infinito y oscuro hermano del Paraná, del Uruguay, del Amazonas y del Orinoco.

Es un río de aguas mulatas; más de cuatrocientos millones de toneladas de fango insultan anualmente el Golfo de Méjico, descargadas por él. Tanta basura venerable y antigua ha construido un delta, donde los gigantescos cipreses de los pantanos crecen de los despojos de un continente en perpetua disolución, y donde laberintos de barro, de pescados muertos y de juncos, dilatan las fronteras y la paz de su fétido imperio. Más arriba, a la altura del Arkansas y del Ohío, se alargan tierras bajas también. Las habita una estirpe amarillenta de hombres escuálidos, propensos a la fiebre, que miran con avidez las piedras y el hierro, porque entre ellos no hay otra cosa que arena y leña y agua turbia.

LOS HOMBRES

A principios del siglo diecinueve (la fecha que nos interesa) las vastas plantaciones de algodón que había en las orillas eran trabajadas por negros, de sol a sol. Dormían en cabañas de madera, sobre el piso de tierra. Fuera de la relación madre-hijo, los parentescos eran convencionales y turbios. Nombres tenían, pero podían prescindir de apellidos. No sabían leer. Su enternecida voz de falsete canturreaba un inglés de lentas vocales. Trabajaban en filas, encorvados bajo el rebenque del capataz. Huían, y hombres de barba entera saltaban sobre hermosos caballos y los rastreaban fuertes perros de presa.

A un sedimento de esperanzas bestiales y miedos africanos habían agregado las palabras de la Escritura: su fe por consiguiente era la de Cristo. Cantaban hondos y en montón: *Go down Moses*. El Mississippi les servía de magnífica imagen del sórdido Jordán.

Los propietarios de esa tierra trabajadora y de esas negradas eran ociosos y ávidos caballeros de melena, que habitaban en largos caserones que miraban al río — siempre con un pórtico pseudo griego de pino blanco. Un buen esclavo les costaba mil dólares y no duraba mucho. Algunos cometían la ingratitud de enfermarse y morir. Había que sacar de esos inseguros el mayor rendimiento. Por eso los tenían en los campos desde el primer sol hasta el último; por eso requerían de las fincas una cosecha anual de algodón o tabaco o azúcar. La tierra, fatigada y manoseada por esa cultura impaciente, quedaba en pocos años exhausta: el desierto confuso y embarrado se metía en las plantaciones. En las chacras abandonadas, en los suburbios, en los cañaverales apretados y en los lodazales abyectos, vivían los *poor whites*, la canalla blanca. Eran pescadores, vagos cazadores, cuatreros. De los negros solían mendigar pedazos de comida robada y mantenían en su postración un orgullo: el de la sangre sin un tizne, sin mezcla. Lazarus Morell fue uno de ellos.

EL HOMBRE

Los daguerrotipos de Morell que suelen publicar las revistas americanas no son auténticos. Esa carencia de genuinas efigies de hombre tan memorable y famoso, no debe ser casual. Es verosímil suponer que Morell se negó a la placa bruñida; esencialmente para no dejar inútiles rastros, de paso para alimentar su misterio... Sabemos, sin embargo, que no fue agraciado de joven y que los ojos demasiado cercanos y los labios lineales no predisponían a su favor. Los años, luego, le confirieron esa peculiar majestad que tienen los canallas encanecidos, los criminales venturosos e impunes. Era un caballero antiguo del Sur, pese a la niñez miserable y a la vida afrentosa. No desconocía las Escrituras y predicaba con singular convicción. "Yo lo vi a Lazarus Morell en el púlpito", anota el dueño de una casa de juego en Baton Rouge, Luisiana, "y escuché sus palabras edificantes y vi las lágrimas acudir a sus ojos. Yo sabía que era un adúltero, un ladrón de negros y un asesino en la faz del Señor, pero también mis ojos lloraron".

Otro buen testimonio de esas efusiones sagradas es el que suministra el propio Morell. "Abrí al azar la Biblia, di con un conveniente versículo de San Pablo y prediqué una hora y veinte minutos. Tampoco malgastaron ese tiempo Crenshaw y los compañeros, porque se arrearon todos los caballos del auditorio. Los vendimos en el Estado de Arkansas, salvo un colorado muy brioso que reservé para mi uso particular. A Crenshaw le agradaba también, pero yo le hice ver que no le servía."

EL MÉTODO

Los caballos robados en un Estado y vendidos en otro fueron apenas una digresión en la carrera delincuente de Morell, pero prefiguraron el método que ahora le aseguraba su buen lugar en una Historia Universal de la Infamia. Este método es único, no solamente por las circunstancias *sui generis* que lo determinaron, sino por la abyección que requiere, por su fatal manejo de la esperanza y por el desarrollo gradual, semejante a la atroz evolución de una pesadilla. Al Capone y Bugs Moran operan con ilustres capitales y con ametralladoras serviles en una gran ciudad, pero su negocio es vulgar. Se disputan un monopolio, eso es todo... En cuanto a cifras de hombres, Morell llegó a comandar unos mil, todos juramentados. Doscientos integraban el Consejo Alto, y éste promulgaba las órdenes que los restantes ochocientos cumplían. El riesgo recaía en los subalternos. En caso de rebelión, eran entregados a la justicia o arrojados al río correntoso de aguas pesadas, con una segura piedra a los pies. Eran con frecuencia mulatos. Su facinerosa misión era la siguiente:

Recorrían —con algún momentáneo lujo de anillos, para inspirar respeto— las vastas plantaciones del Sur. Elegían un negro desdichado y le proponían la libertad. Le decían que huyera de su patrón, para ser vendido por ellos una segunda vez, en alguna finca distante. Le darían entonces un porcentaje del precio de su venta y lo ayudarían a otra evasión. Lo conducirían después a un Estado libre. Dinero y libertad; dólares resonantes de plata con libertad, ¿qué mejor tentación iban a ofrecerle? El esclavo se atrevía a su primera fuga.

El natural camino era el río. Una canoa, la cala de un vapor, un lanchón, una gran balsa como un cielo con una casilla en la punta o con elevadas carpas de lona; el lugar no importaba, sino el saberse en movimiento, y seguro sobre el infatigable río... Lo vendían en otra plantación. Huía otra vez a los cañaverales o a las barrancas. Entonces los terribles bienhechores (de quienes empezaba ya a desconfiar) aducían gastos oscuros y declaraban que tenían que venderlo una última vez. A su regreso le darían el porcentaje de las dos ventas y la libertad. El hombre se dejaba vender, trabajaba un tiempo y desafiaba en la última fuga el riesgo de los perros de presa y de los azotes. Regresaba con sangre, con sudor, con desesperación y con sueño.

LA LIBERTAD FINAL

Falta considerar el aspecto jurídico de estos hechos. El negro no era puesto a la venta por los sicarios de Morell hasta que el dueño primitivo no hubiera denunciado su fuga y ofrecido una recompensa a quien lo encontrara. Cualquiera entonces lo podía retener, de suerte que su venta ulterior era un abuso de confianza, no un robo. Recurrir a la justicia civil era un gasto inútil, porque los daños no eran nunca pagados.

Todo eso era lo más tranquilizador, pero no para siempre. El negro podía hablar; el negro, de puro agradecido o infeliz, era capaz de hablar. Unos jarros de whisky de centeno en el prostíbulo de El Cairo, Illinois, donde el hijo de perra nacido esclavo iría a malgastar esos pesos fuertes que ellos no tenían por qué darle, y se le derramaba el secreto. En esos años, un Partido Abolicionista agitaba el Norte, una turba de locos peligrosos que negaban la propiedad y predicaban la libertad de los negros y los incitaban a huir. Morell no iba a dejarse confundir con esos anarquistas. No era un yankee, era un hombre blanco del Sur hijo y nieto de blancos, y esperaba retirarse de los negocios y ser un caballero y tener sus leguas de algodonal y sus inclinadas filas de esclavos. Con su experiencia, no estaba para riesgos inútiles.

El prófugo esperaba la libertad. Entonces los mulatos nebulosos de Lazarus Morell se trasmitían una orden que podía no pasar de una seña y lo libraban de la vista, del oído, del tacto, del día, de la infamia, del tiempo, de los bienhechores, de la misericordia, del aire, de los perros, del universo, de la esperanza, del sudor y de él mismo. Un balazo, una puñalada baja o un golpe, y las tortugas y los barbos del Mississippi recibían la última información.

LA CATÁSTROFE

Servido por hombres de confianza, el negocio tenía que prosperar. A principios de 1834 unos setenta negros habían sido "emancipados" ya por Morell, y otros se disponían a seguir a esos precursores dichosos. La zona de operaciones era mayor y era necesario admitir nuevos afiliados. Entre los que prestaron el juramento había un muchacho, Virgil Stewart, de Arkansas, que se destacó muy pronto por su crueldad. Este muchacho era sobrino de un caballero que había perdido muchos esclavos. En agosto de 1834 rompió su juramento y delató a Morell y a los otros. La casa de Morell en Nueva Orleans fue cercada por la justicia. Morell, por una imprevisión o un soborno, pudo escapar.

Tres días pasaron. Morell estuvo escondido ese tiempo en una casa antigua, de patios con enredaderas y estatuas, de la calle Toulouse. Parece que se alimentaba muy poco y que solía recorrer descalzo las grandes habitaciones oscuras, fumando pensativos cigarros. Por un esclavo de la casa remitió dos cartas a la ciudad de Natchez y otra a Red River. El cuarto día entraron en la casa tres hombres y se quedaron discutiendo con él hasta el amanecer. El quinto, Morell se levantó cuando oscurecía y pidió una navaja y se rasuró cuidadosamente la barba. Se vistió y salió. Atravesó con lenta serenidad los suburbios del Norte. Ya en pleno campo, orillando las tierras bajas del Mississippi, caminó más ligero.

Su plan era de un coraje borracho. Era el de aprovechar los últimos hombres que todavía le debían reverencia: los serviciales negros del Sur. Éstos habían visto huir a sus compañeros y no los habían visto volver. Creían, por consiguiente en su libertad.

El plan de Morell era una sublevación total de los negros, la toma y el saqueo de Nueva Orleans y la ocupación de su territorio. Morell, despeñado y casi deshecho por la traición, meditaba una respuesta continental: una respuesta donde lo criminal se exaltaba hasta la redención y la historia. Se dirigió con ese fin a Natchez, donde era más profunda su fuerza. Copio su narración de ese viaje:

"Caminé cuatro días antes de conseguir un caballo. El quinto hice alto en un riachuelo para abastecerme de agua y sestear. Yo estaba sentado en un leño, mirando el camino andado esas horas, cuando vi acercarse un jinete en un caballo oscuro de buena estampa. En cuanto lo avisté, determiné quitarle el caballo. Me paré, le apunté con una hermosa pistola de rotación y le di la orden de apear. La ejecutó y yo tomé en la zurda las riendas y le mostré el riachuelo y le ordené que fuera caminando delante. Caminó unas doscientas varas y se detuvo. Le ordené que se desvistiera. Me dijo: 'Ya que está resuelto a matarme, déjeme rezar antes de morir'. Le respondí que no tenía tiempo de oír sus oraciones. Cayó de rodillas y le descerrajé un balazo en la nuca. Le abrí de un tajo el vientre, le arranqué las vísceras y lo hundí en el riachuelo. Luego recorrí los bolsillos y encontré cuatrocientos dólares con treinta y siete centavos y una cantidad de papeles que no me demoré en revisar. Sus botas eran nuevas, flamantes, y me quedaban bien. Las mías, que estaban muy gastadas, las hundí en el riachuelo.

"Así obtuve el caballo que precisaba, para entrar en Natchez."

LA INTERRUPCIÓN

Morell capitaneando pobladas negras que soñaban ahorcarlo, Morell ahorcado por ejércitos negros que soñaba capitanear —me duele confesar que la historia del Mississippi no aprovechó esas oportunidades suntuosas. Contrariamente a toda justicia poética (o simetría poética) tampoco el río de sus crímenes fue su tumba. El dos de enero de 1835, Lazarus Morell falleció de una congestión pulmonar en el hospital de Natchez, donde se había hecho internar bajo el nombre de Silas Buckley. Un compañero de la sala común lo reconoció. El dos y el cuatro, quisieron sublevarse los esclavos de ciertas plantaciones, pero los reprimieron sin mayor efusión de sangre.

EL IMPOSTOR INVEROSÍMIL TOM CASTRO

Ese nombre le doy porque bajo ese nombre lo conocieron por calles y por casas de Talcahuano, de Santiago de Chile y de Valparaíso, hacia 1850, y es justo que lo asuma otra vez, ahora que retorna a estas tierras —siquiera en calidad de mero fantasma y de pasatiempo del sábado.[1] El registro de nacimiento de Wapping lo llama Arthur Orton y lo inscribe en la fecha 7 de junio de 1834. Sabemos que era hijo de un carnicero, que su infancia conoció la miseria insípida de los barrios bajos de Londres y que sintió el llamado del mar. El hecho no es insólito. *Run away to sea*, huir al mar, es la rotura inglesa tradicional de la autoridad de los padres, la iniciación heroica. La geografía la recomienda y aun la Escritura (Psalmos, CVII): *Los que bajan en barcas a la mar, los que comercian en las grandes aguas; ésos ven las obras de Dios y sus maravillas en el abismo*. Orton huyó de su deplorable suburbio color rosa tiznado y bajó en un barco a la mar y contempló con el habitual desengaño la Cruz del Sur, y desertó en el puerto de Valparaíso. Era persona de una sosegada idiotez. Lógicamente, hubiera podido (y debido) morirse de hambre, pero su confusa jovialidad, su permanente sonrisa y su mansedumbre infinita le conciliaron el favor de cierta familia de Castro, cuyo nombre adoptó. De ese episodio sudamericano no quedan huellas, pero su gratitud no decayó, puesto que en 1861 reaparece en Australia, siempre con ese nombre: Tom Castro. En Sydney conoció a un tal Bogle, un negro sirviente. Bogle, sin ser hermoso, tenía ese aire reposado y monumental, esa solidez como de obra de ingeniería que tiene el hombre negro entrado en años, en carnes y en autoridad. Tenía una segunda condición, que determinados manuales de etnografía han negado a su raza: la ocurrencia genial. Ya veremos luego la prueba. Era un varón morigerado y decente, con los antiguos apetitos africanos muy corregidos por el uso y abuso del calvinismo. Fuera de las visitas del dios (que describiremos después) era absolutamente normal, sin otra irregularidad que un pudoroso y largo temor que lo demoraba en las bocacalles, recelando del Este, del Oeste, del Sur y del Norte, del violento vehículo que daría fin a sus días.

Orton lo vio un atardecer en una desmantelada esquina de Sydney, creándose decisión para sortear la imaginaria muerte. Al

---

[1] Esta metáfora me sirve para recordar al lector que estas biografías infames aparecieron en el suplemento sabático de un diario de la tarde.

rato largo de mirarlo le ofreció el brazo y atravesaron asombrados los dos la calle inofensiva. Desde ese instante de un atardecer ya difunto, un protectorado se estableció: el del negro inseguro y monumental sobre el obeso tarambana de Wapping. En setiembre de 1865, ambos leyeron en un diario local un desolado aviso.

EL IDOLATRADO HOMBRE MUERTO

En las postrimerías de abril de 1854 (mientras Orton provocaba las efusiones de la hospitalidad chilena, amplia como sus patios) naufragó en aguas del Atlántico el vapor *Mermaid*, procedente de Río de Janeiro, con rumbo a Liverpool. Entre los que perecieron estaba Roger Charles Tichborne, militar inglés criado en Francia, mayorazgo de una de las principales familias católicas de Inglaterra. Parece inverosímil, pero la muerte de ese joven afrancesado, que hablaba inglés con el más fino acento de París y despertaba ese incomparable rencor que sólo causan la inteligencia, la gracia y la pedantería francesas, fue un acontecimiento trascendental en el destino de Orton, que jamás lo había visto. Lady Tichborne, horrorizada madre de Roger, rehusó creer en su muerte y publicó desconsolados avisos en los periódicos de más amplia circulación. Uno de esos avisos cayó en las blandas manos funerarias del negro Bogle, que concibió un proyecto genial.

LAS VIRTUDES DE LA DISPARIDAD

Tichborne era un esbelto caballero de aire envainado, con los rasgos agudos, la tez morena, el pelo negro y lacio, los ojos vivos y la palabra de una precisión ya molesta; Orton era un palurdo desbordante, de vasto abdomen, rasgos de una infinita vaguedad, cutis que tiraba a pecoso, pelo ensortijado castaño, ojos dormilones y conversación ausente o borrosa. Bogle inventó que el deber de Orton era embarcarse en el primer vapor para Europa y satisfacer la esperanza de Lady Tichborne, declarando ser su hijo. El proyecto era de una insensata ingeniosidad. Busco un fácil ejemplo. Si un impostor en 1914 hubiera pretendido hacerse pasar por el Emperador de Alemania, lo primero que habría falsificado serían los bigotes ascendentes, el brazo muerto, el entrecejo autoritario, la capa gris, el ilustre pecho condecorado y el alto yelmo. Bogle era más sutil: hubiera presentado un kaiser lampiño, ajeno de atributos militares y de águilas honrosas y con el brazo izquierdo en un estado de indudable salud. No precisamos la metáfora; nos consta que presentó un Tichborne fofo, con sonrisa amable de imbécil, pelo castaño y una inmejorable ignorancia del idioma francés. Bogle sabía que un facsímil perfecto del anhelado Roger Charles Tichborne era de imposible obtención. Sabía también que todas las similitudes logradas no harían otra cosa que destacar ciertas diferencias inevitables. Renunció, pues, a todo parecido. Intuyó que la enorme ineptitud de la pretensión sería una convincente prueba de que no se trataba de un fraude, que nunca hubiera descubierto de ese modo flagrante los rasgos más sencillos de convicción. No hay que olvidar tampoco la colaboración todopoderosa del tiempo: catorce años de hemisferio austral y de azar pueden cambiar a un hombre.

Otra razón fundamental: Los repetidos e insensatos avisos de Lady Tichborne demostraban su plena seguridad de que Roger Charles no había muerto, su voluntad de reconocerlo.

EL ENCUENTRO

Tom Castro, siempre servicial, escribió a Lady Tichborne. Para fundar su identidad invocó la prueba fehaciente de dos lunares ubicados en la tetilla izquierda y de aquel episodio de su niñez, tan afligente pero por lo mismo tan memorable, en que lo acometió un enjambre de abejas. La comunicación era breve y a semejanza de Tom Castro y de Bogle, prescindía de escrúpulos ortográficos. En la imponente soledad de un hotel de París, la dama la leyó y la releyó con lágrimas felices, y en pocos días encontró los recuerdos que le pedía su hijo.

El dieciséis de enero de 1867, Roger Charles Tichborne se anunció en ese hotel. Lo precedió su respetuoso sirviente, Ebenezer Bogle. El día de invierno era de muchísimo sol; los ojos fatigados de Lady Tichborne estaban velados de llanto. El negro abrió de par en par las ventanas. La luz hizo de máscara: la madre reconoció al hijo pródigo y le franqueó su abrazo. Ahora que de veras lo tenía, podía prescindir del diario y las cartas que él le mandó desde Brasil: meros reflejos adorados que habían alimentado su soledad de catorce años lóbregos. Se las devolvía con orgullo: ni una faltaba.

Bogle sonrió con toda discreción: ya tenía dónde documentarse el plácido fantasma de Roger Charles.

AD MAJOREM DEI GLORIAM

Ese reconocimiento dichoso —que parece cumplir una tradición de las tragedias clásicas— debió coronar esta historia, dejando tres felicidades aseguradas o a lo menos probables: la de la madre verdadera, la del hijo apócrifo y tolerante, la del conspirador recompensado por la apoteosis providencial de su industria. El Destino (tal es el nombre que aplicamos a la infinita operación incesante de millares de causas entreveradas) no lo resolvió así. Lady Tichborne murió en 1870 y los parientes entablaron querella contra Arthur Orton por usurpación de estado civil. Desprovistos de lágrimas y de soledad, pero no de codicia, jamás creyeron en el obeso y casi analfabeto hijo pródigo que resurgió tan intempestivamente de Australia. Orton contaba con el apoyo de los innumerables acreedores que habían determinado que él era Tichborne, para que pudiera pagarles.

Asimismo contaba con la amistad del abogado de la familia, Edward Hopkins y con la del anticuario Francis J. Baigent. Ello no bastaba, con todo. Bogle pensó que para ganar la partida era imprescindible el favor de una fuerte corriente popular. Requirió el sombrero de copa y el decente paraguas y fue a buscar inspiración por las decorosas calles de Londres. Era el atardecer; Bogle vagó hasta que una luna del color de la miel se duplicó en el agua rectangular de las fuentes públicas. El dios lo visitó. Bogle chistó a un carruaje y se hizo conducir al departamento del anticuario Baigent. Éste mandó una larga carta al *Times*, que aseguraba que el supuesto Tichborne era un descarado impostor. La firmaba el padre Goudron, de la Sociedad de Jesús. Otras denuncias igualmente papistas la sucedieron. Su efecto fue inmediato: las buenas gentes no dejaron de adivinar que Sir Roger Charles era blanco de un complot abominable de los jesuítas.

EL CARRUAJE

Ciento noventa días duró el proceso. Alrededor de cien testigos prestaron fe de que el acusado era Tichborne — entre ellos, cuatro compañeros de armas del regimiento seis de dragones. Sus partidarios no cesaban de repetir que no era un impostor, ya que de haberlo sido hubiera procurado remedar los retratos juveniles de su modelo. Además, Lady Tichborne lo había reconocido y es evidente que una madre no se equivoca. Todo iba bien, o más o menos bien, hasta que una antigua querida de Orton compareció ante el tribunal para declarar. Bogle no se inmutó con esa pérfida maniobra de los "parientes"; requirió galera y paraguas y fue a implorar una tercera iluminación por las decorosas calles de Londres. No sabremos nunca si la encontró. Poco antes de llegar a Primrose Hill, lo alcanzó el terrible vehículo que desde el fondo de los años lo perseguía. Bogle lo vio venir, lanzó un grito, pero no atinó con la salvación. Fue proyectado con violencia contra las piedras. Los mareadores cascos del jamelgo le partieron el cráneo.

EL ESPECTRO

Tom Castro era el fantasma de Tichborne, pero un pobre fantasma habitado por el genio de Bogle. Cuando le dijeron que éste había muerto, se aniquiló. Siguió mintiendo, pero con escaso entusiasmo y con disparatadas contradicciones. Era fácil prever el fin.

El 27 de febrero de 1874, Arthur Orton (alias) Tom Castro fue condenado a catorce años de trabajos forzados. En la cárcel se hizo querer; era su oficio. Su comportamiento ejemplar le valió una rebaja de cuatro años. Cuando esa hospitalidad final lo dejó —la de la prisión— recorrió las aldeas y los centros del Reino Unido, pronunciando pequeñas conferencias en las que declaraba su inocencia o afirmaba su culpa. Su modestia y su anhelo de agradar eran tan duraderos que muchas noches comenzó por defensa y acabó por confesión, siempre al servicio de las inclinaciones del público.

El 2 de abril de 1898 murió.

LA VIUDA CHING, PIRATA

La palabra *corsarias* corre el albur de despertar un recuerdo que es vagamente incómodo: el de una ya descolorida zarzuela, con sus teorías de evidentes mucamas, que hacían de piratas coreográficas en mares de notable cartón. Sin embargo, ha habido corsarias: mujeres hábiles en la maniobra marinera, en el gobierno de tripulaciones bestiales y en la persecución y saqueo de naves de alto bordo. Una de ellas fue Mary Read, que declaró una vez que la profesión de pirata no era para cualquiera, y que, para ejercerla con dignidad, era preciso ser un hombre de coraje, como ella. En los charros principios de su carrera, cuando no era aún capitana, uno de sus amantes fue injuriado por el matón de a bordo. Mary lo retó a duelo, y se batió con él a dos manos, según la antigua usanza de las islas del Mar Caribe: el profundo y precario pistolón en la mano izquierda, el sable fiel en la derecha. El pistolón falló, pera la espada se portó como buena... Hacia 1720 la arriesgada carrera de Mary Read fue interrumpida por una horca española, en Santiago de la Vega (Jamaica).

Otra pirata de esos mares fue Anne Bonney, que era una irlandesa resplandeciente, de senos altos y de pelo fogoso, que más de una vez arriesgó su cuerpo en el abordaje de naves. Fue compañera de armas de Mary Read, y finalmente de horca. Su amante, el capitán John Rackam, tuvo también su nudo corredizo en esa función. Anne, despectiva, dio con esa áspera variante de la reconvención de Aixa a Boabdil: "Si te hubieras batido como un hombre, no te ahorcarían como a un perro."

Otra, más venturosa y longeva, fue una pirata que operó en las aguas del Asia, desde el Mar Amarillo hasta los ríos de la frontera del Annam. Hablo de la aguerrida viuda de Ching.

LOS AÑOS DE APRENDIZAJE

Hacia 1797, los accionistas de las muchas escuadras piráticas de ese mar fundaron un consorcio y nombraron almirante a un tal Ching, hombre justiciero y probado. Éste fue tan severo y ejemplar en el saqueo de las costas, que los habitantes despavoridos imploraron con dádivas y lágrimas el socorro imperial. Su lastimosa petición no fue desoída: recibieron la orden de poner fuego a sus aldeas, de olvidar sus quehaceres de pesquería, de emigrar tierra adentro y aprender una ciencia desconocida llamada agricultura. Así lo hicieron, y los frustrados invasores no hallaron sino costas desiertas. Tuvieron que entregarse, por consiguiente, al asalto de naves: depredación aun más nociva que la anterior, pues molestaba seriamente al comercio. El gobierno imperial no vaciló, y ordenó a los antiguos pescadores el abandono del arado y la yunta y la restauración de remos y redes. Éstos se amotinaron, fieles al antiguo temor, y las autoridades resolvieron otra conducta: nombrar al almirante Ching, jefe de los Establos Imperiales. Éste iba a aceptar el soborno. Los accionistas lo supieron a tiempo, y su virtuosa indignación se manifestó en un plato de orugas envenenadas, cocidas con arroz. La golosina fue fatal: el antiguo almirante y jefe novel de los Establos Imperiales entregó su alma a las divinidades del mar. La viuda, transfigurada por la doble traición, congregó a los piratas, les reveló el enredado caso y los instó a rehusar la clemencia falaz del Emperador y el ingrato servicio de los accionistas de afición envenenadora. Les propuso el abordaje por cuenta propia y la votación de un nuevo almirante. La elegida fue ella. Era una mujer sarmentosa, de ojos dormidos y sonrisa cariada. El pelo renegrido y aceitado tenía más resplandor que los ojos.

A sus tranquilas órdenes, las naves se lanzaron al peligro y al alto mar.

EL COMANDO

Trece años de metódica aventura se sucedieron. Seis escuadrillas integraban la armada, bajo banderas de diverso color: la roja, la amarilla, la verde, la negra, la morada y la de la serpiente, que era de la nave capitana. Los jefes se llamaban Pájaro y Piedra, Castigo de Agua de la Mañana, Joya de la Tripulación, Ola con Muchos Peces y Sol Alto. El reglamento, redactado por la viuda Ching en persona, es de una inapelable severidad, y su estilo justo y lacónico prescinde de las desfallecidas flores retóricas que prestan una majestad más bien irrisoria a la manera china oficial, de la que ofreceremos después algunos alarmantes ejemplos. Copio algunos artículos:

"*Todos los bienes trasbordados de naves enemigas pasarán a un depósito y serán allí registrados. Una quinta parte de lo aportado por cada pirata le será entregada después; el resto quedará en el depósito. La violación de esta ordenanza es la muerte.*

"*La pena del pirata que hubiere abandonado su puesto sin*

permiso especial, será la perforación pública de sus orejas. La reincidencia en esta falta es la muerte.

"*El comercio con las mujeres arrebatadas en las aldeas queda prohibido sobre cubierta; deberá limitarse a la bodega y nunca sin el permiso del sobrecargo. La violación de esta ordenanza es la muerte.*"

Informes suministrados por prisioneros aseguran que el rancho de estos piratas consistía principalmente en galleta, en obesas ratas cebadas y arroz cocido, y que, en los días de combate, solían mezclar pólvora con su alcohol. Naipes y dados fraudulentos, la copa y el rectángulo del "fantan", la visionaria pipa del opio y la lamparita, distraían las horas. Dos espadas de empleo simultáneo eran las armas preferidas. Antes del abordaje, se rociaban los pómulos y el cuerpo con una infusión de ajo; seguro talismán contra las ofensas de las bocas de fuego.

La tripulación viajaba con sus mujeres, pero el capitán con su harem, que era de cinco o seis, y que solían renovar las victorias.

HABLA KIA-KING, EL JOVEN EMPERADOR

A mediados de 1809 se promulgó un edicto imperial, del que traslado la primera parte y la última. Muchos criticaron su estilo:

"*Hombres desventurados y dañinos, hombres que pisan el pan, hombres que desatienden el clamor de los cobradores de impuestos y de los huérfanos, hombres en cuya ropa interior están figurados el fénix y el dragón, hombres que niegan la verdad de los libros impresos, hombres que dejan que sus lágrimas corran mirando el Norte, molestan la ventura de nuestros ríos y la antigua confianza de nuestros mares. En barcos averiados y deleznables afrontan noche y día la tempestad. Su objeto no es benévolo: no son ni fueron nunca los verdaderos amigos del navegante. Lejos de prestarle ayuda, lo acometen con ferocísimo impulso y lo convidan a la ruina, a la mutilación o a la muerte. Violan así las leyes naturales del Universo, de suerte que los ríos se desbordan, las riberas se anegan. los hijos se vuelven contra los padres y los principios de humedad y sequía son alterados...*

"*...Por consiguiente te encomiendo el castigo, Almirante Kvo-Lang. No pongas en olvido que la clemencia es un atributo imperial y que sería presunción en un súbito intentar asumirla. Sé cruel, sé justo, sé obedecido. sé victorioso.*"

La referencia incidental a las embarcaciones averiadas era, naturalmente, falsa. Su fin era levantar el coraje de la expedición de Kvo-lang. Noventa días después, las fuerzas de la viuda Ching se enfrentaron con las del Imperio Central. Casi mil naves combatieron de sol a sol. Un coro mixto de campanas, de tambores, de cañonazos, de imprecaciones, de gongs y de profecías, acompañó la acción. Las fuerzas del Imperio fueron deshechas. Ni el prohibido perdón ni la recomendada crueldad tuvieron ocasión de ejercerse. Kvo-Lang observó un rito que nuestros generales derrotados optan por omitir: el suicidio.

LAS RIBERAS DESPAVORIDAS

Entonces los seiscientos juncos de guerra y los cuarenta mil piratas victoriosos de la Viuda soberbia remontaron las bocas del Si-Kiang, multiplicando incendios y fiestas espantosas y huérfanos a babor y estribor. Hubo aldeas enteras arrasadas. En una sola de ellas, la cifra de los prisioneros pasó de mil. Ciento veinte mujeres que solicitaron el confuso amparo de los juncales y arrozales vecinos, fueron denunciadas por el incontenible llanto de un niño y vendidas luego en Macao. Aunque lejanas, las miserables lágrimas y lutos de esa depredación llegaron a noticias de Kia-King, el Hijo del Cielo. Ciertos historiadores pretenden que le dolieron menos que el desastre de su expedición punitiva. Lo cierto es que organizó una segunda, terrible en estandartes, en marineros, en soldados, en pertrechos de guerra, en provisiones, en augures y astrólogos. El comando recayó esta vez en Ting-Kvei. Esa pesada muchedumbre de naves remontó el delta del Si-Kiang y cerró el paso de la escuadra pirática. La Viuda se aprestó para la batalla. La sabía difícil, muy difícil, casi desesperada; noches y meses de saqueo y de ocio habían aflojado a sus hombres. La batalla nunca empezaba. Sin apuro el sol se levantaba y se ponía sobre las cañas trémulas. Los hombres y las armas velaban. Los mediodías eran más poderosos, las siestas infinitas.

EL DRAGÓN Y LA ZORRA

Sin embargo, altas bandadas perezosas de livianos dragones surgían cada atardecer de las naves de la escuadra imperial y se posaban con delicadeza en el agua y en las cubiertas enemigas. Eran aéreas construcciones de papel y de caña, a modo de cometas, y su plateada o roja superficie repetía idénticos caracteres. La Viuda examinó con ansiedad esos regulares meteoros y leyó en ellos la lenta y confusa fábula de un dragón, que siempre había protegido a una zorra, a pesar de sus largas ingratitudes y constantes delitos. Se adelgazó la luna en el cielo y las figuras de papel y de caña traían cada tarde la misma historia, con casi imperceptibles variantes. La Viuda se afligía y pensaba. Cuando la luna se llenó en el cielo y en el agua rojiza, la historia pareció tocar a su fin. Nadie podía predecir si un ilimitado perdón o si un ilimitado castigo se abatirían sobre la zorra, pero el inevitable fin se acercaba. La Viuda comprendió. Arrojó sus dos espadas al río, se arrodilló en un bote y ordenó que la condujeran hasta la nave del comando imperial.

Era el atardecer: el cielo estaba lleno de dragones, esta vez amarillos. La Viuda murmuraba una frase: "La zorra busca el ala del dragón", dijo al subir a bordo.

LA APOTEOSIS

Los cronistas refieren que la zorra obtuvo su perdón y dedicó su lenta vejez al contrabando de opio. Dejó de ser la Viuda; asumió un nombre cuya traducción española es Brillo de la Verdadera Instrucción.

Desde aquel día (escribe un historiador) *los barcos recuperaron la paz. Los cuatro mares y los ríos innumerables fueron seguros y felices caminos.*

Los labradores pudieron vender las espadas y comprar bueyes para el arado de sus campos. Hicieron sacrificios, ofrecieron plegarias en las cumbres de las montañas y se regocijaron durante el día cantando atrás de biombos.

EL PROVEEDOR DE INIQUIDADES MONK EASTMAN

LOS DE ESTA AMÉRICA

Perfilados bien por un fondo de paredes celestes o de cielo alto, dos compadritos envainados en seria ropa negra bailan sobre zapatos de mujer un baile gravísimo, que es el de los cuchillos parejos, hasta que de una oreja salta un clavel porque el cuchillo ha entrado en un hombre, que cierra con su muerte horizontal el baile sin música. Resignado, el otro se acomoda el chambergo y consagra su vejez a la narración de ese duelo tan limpio. Ésa es la historia detallada y total de nuestro malevaje. La de los hombres de pelea en Nueva York es más vertiginosa y más torpe.

LOS DE LA OTRA

La historia de las bandas de Nueva York (revelada en 1928 por Herbert Asbury en un decoroso volumen de cuatrocientas páginas en octavo) tiene la confusión y la crueldad de las cosmogonías bárbaras, y mucho de su ineptitud gigantesca: sótanos de antiguas cervecerías habilitadas para conventillos de negros, una raquítica Nueva York de tres pisos, bandas de forajidos como los Ángeles del Pantano (*Swamp Angels*) que merodeaban entre laberintos de cloacas, bandas de forajidos como los *Daybreak Boys* (Muchachos del Alba) que reclutaban asesinos precoces de diez y once años, gigantes solitarios y descarados como los Galerudos Fieros (*Plug Uglies*) que procuraban la inverosímil risa del prójimo con un firme sombrero de copa lleno de lana y los vastos faldones de la camisa ondeados por el viento del arrabal, pero con un garrote en la diestra y un pistolón profundo; bandas de forajidos como los Conejos Muertos (*Dead Rabbits*) que entraban en batalla bajo la enseña de un conejo muerto en un palo; hombres como Johnny Dolan el Dandy, famoso por el rulo aceitado sobre la frente, por los bastones con cabeza de mono y por el fino aparatito de cobre que solía calzarse en el pulgar para vaciar los ojos del adversario; hombres como Kit Burns, capaz de decapitar de un solo mordisco una rata viva; hombres como Blind Danny Lyons, muchacho rubio de ojos muertos inmensos, rufián de tres rameras que circulaban con orgullo por él; filas de casas de farol colorado, como las dirigidas por siete hermanas de New England, que destinaban las ganancias de Nochebuena a la caridad; reñideros de ratas famélicas y de perros; casas de juego chinas; mujeres como la repetida viuda Red Norah, amada y ostentada por todos los varones que dirigieron la banda de los *Gophers*; mujeres como Lizzie the Dove, que se enlutó cuando lo ejecutaron a Danny Lyons y murió degollada por Gentle Maggie, que le discutió la antigua pasión del hombre muerto y ciego; motines como el de una semana salvaje de 1863, que incendiaron cien edificios y por poco se adueñan de la ciudad; combates callejeros en los que el hombre se perdía como en el mar porque lo pisoteaban hasta la muerte; ladrones y envenadores de caballos como Yoske Nigger —tejen esa caótica historia. Su héroe más famoso es Edward Delaney, alias William Delaney, alias Joseph Marvin, alias Joseph Morris, alias Monk Eastman, jefe de mil doscientos hombres.

EL HÉROE

Esas fintas graduales (penosas como un juego de caretas que no se sabe bien cuál es cuál) omiten su nombre verdadero — si es que nos atrevemos a pensar que hay tal cosa en el mundo. Lo cierto es que en el Registro Civil de Williamsburg, Brooklyn, el nombre es Edward Ostermann, americanizado en Eastman después. Cosa extraña, ese malevo tormentoso era hebreo. Era hijo de un patrón de restaurant de los que anuncian Kosher, donde varones de rabínicas barbas pueden asimilar sin peligro la carne desangrada y tres veces limpia de terneras degolladas con rectitud. A los diecinueve años, hacia 1892, abrió con el auxilio de su padre una pajarería. Curiosear el vivir de los animales, contemplar sus pequeñas decisiones y su inescrutable inocencia, fue una pasión que lo acompañó hasta el final. En ulteriores épocas de esplendor, cuando rehusaba con desdén los cigarros de hoja de los pecosos *sachems* de Tammany o visitaba los mejores prostíbulos en un coche automóvil precoz, que parecía el hijo natural de una góndola, abrió un segundo y falso comercio, que hospedaba cien gatos finos y más de cuatrocientas palomas —que no estaban en venta para cualquiera. Los quería individualmente y solía recorrer a pie su distrito con un gato feliz en el brazo, y otros que lo seguían con ambición.

Era un hombre ruinoso y monumental. El pescuezo era corto, como de toro, el pecho inexpugnable, los brazos peleadores y largos, la nariz rota, la cara aunque historiada de cicatrices menos importante que el cuerpo, las piernas chuecas como de jinete o de marinero. Podía prescindir de camisa como también de saco, pero no de una galerita rabona sobre la ciclópea cabeza.

Los hombres cuidan su memoria. Físicamente, el pistolero convencional de los films es un remedo suyo, no del epiceno y fofo Capone. De Wolheim dicen que lo emplearon en Hollywood porque sus rasgos aludían directamente a los del deplorado Monk Eastman... Éste salía a recorrer su imperio forajido con una paloma de plumaje azul en el hombro, igual que un toro con un benteveo en el lomo.

Hacia 1894 abundaban los salones de bailes públicos en la ciudad de Nueva York. Eastman fue el encargado en uno de ellos de mantener el orden. La leyenda refiere que el empresario no lo quiso atender y que Monk demostró su capacidad, demoliendo con fragor el par de gigantes que detentaban el empleo. Lo ejerció hasta 1899, temido y solo.

Por cada pendenciero que serenaba, hacía con el cuchillo una marca en el brutal garrote. Cierta noche, una calva resplandeciente que se inclinaba sobre un bock de cerveza le llamó la atención, y la desmayó de un mazazo. "¡Me faltaba una marca para cincuenta!", exclamó después.

EL MANDO

Desde 1899 Eastman no era sólo famoso. Era caudillo electoral de una zona importante, y cobraba fuertes subsidios de las casas de farol colorado, de los garitos, de las pindongas callejeras y los ladrones de ese sórdido feudo. Los comités lo consultaban para organizar fechorías, y los particulares también. He aquí sus honorarios: 15 dólares una oreja arrancada, 19 una pierna rota, 25 un balazo en una pierna, 25 una puñalada, 100 el negocio entero. A veces, para no perder la costumbre, Eastman ejecutaba personalmente una comisión.

Una cuestión de límites (sutil y malhumorada como las otras que posterga el derecho internacional) lo puso en frente de Paul Kelly, famoso capitán de otra banda. Balazos y entreveros de las patrullas habían determinado un confín. Eastman lo atravesó un amanecer y lo acometieron cinco hombres. Con esos brazos vertiginosos de mono y con la cachiporra hizo rodar a tres, pero le metieron dos balas en el abdomen y lo abandonaron por muerto. Eastman se sujetó la herida caliente con el pulgar y el índice y caminó con pasos de borracho hasta el hospital. La vida, la alta fiebre y la muerte se lo disputaron varias semanas, pero sus labios no se rebajaron a delatar a nadie. Cuando salió, la guerra era un hecho y floreció en continuos tiroteos hasta el diecinueve de agosto del novecientos tres.

LA BATALLA DE RIVINGTON

Unos cien héroes vagamente distintos de las fotografías que estarán desvaneciéndose en los prontuarios, unos cien héroes saturados de humo de tabaco y de alcohol, unos cien héroes de sombrero de paja con cinta de colores, unos cien héroes afectados quien más quien menos de enfermedades vergonzosas, de caries, de dolencias de las vías respiratorias o del riñón, unos cien héroes tan insignificantes o espléndidos como los de Troya o Junín, libraron ese renegrido hecho de armas en la sombra de los arcos del *Elevated*. La causa fue el tributo exigido por los pistoleros de Kelly al empresario de una casa de juego, compadre de Monk Eastman. Uno de los pistoleros fue muerto, y el tiroteo consiguiente creció a batalla de incontados revólveres. Desde el amparo de los altos pilares hombres de rasurado mentón tiraban silenciosos, y eran el centro de un despavorido horizonte de coches de alquiler cargados de impacientes refuerzos, con artillería Colt en los puños. ¿Qué sintieron los protagonistas de esa batalla? Primero (creo) la brutal convicción de que el estrépito insensato de cien revólveres los iba a aniquilar en seguida; segundo (creo) la no menos errónea seguridad de que si la descarga inicial no los derribó, eran invulnerables. Lo cierto es que pelearon con fervor, parapetados por el hierro y la noche. Dos veces intervino la policía y dos la rechazaron. A la primer vislumbre del amanecer el combate murió, como si fuera obsceno o espectral. Debajo de los grandes arcos de ingeniería quedaron siete heridos de gravedad, cuatro cadáveres y una paloma muerta.

LOS CRUJIDOS

Los políticos parroquiales, a cuyo servicio estaba Monk Eastman, siempre desmintieron públicamente que hubiera tales bandas, o aclararon que se trataba de meras sociedades recreativas. La indiscreta batalla de Rivington los alarmó. Citaron a los dos capitanes para intimarles la necesidad de una tregua. Kelly (buen sabedor de que los políticos eran más aptos que todos los revólveres Colt para entorpecer la acción policial) dijo acto continuo que sí; Eastman (con la soberbia de su gran cuerpo bruto) ansiaba más detonaciones y más refriegas. Empezó por rehusar y tuvieron que amenazarlo con la prisión. Al fin los dos ilustres malevos conferenciaron en un bar, cada uno con un cigarro de hoja en la boca, la diestra en el revólver, y su vigilante nube de pistoleros alrededor. Arribaron a una decisión muy americana: confiar a un match de box la disputa. Kelly era un boxeador habilísimo. El duelo se realizó en un galpón y fue estrafalario. Ciento cuarenta espectadores lo vieron, entre compadres de galera torcida y mujeres de frágil peinado monumental. Duró dos horas y terminó en completa extenuación. A la semana chisporrotearon los tiroteos. Monk fue arrestado, por enésima vez. Los protectores se distrajeron de él con alivio; el juez le vaticinó, con toda verdad, diez años de cárcel.

EASTMAN CONTRA ALEMANIA

Cuando el todavía perplejo Monk salió de Sing Sing, los mil doscientos forajidos de su comando estaban desbandados. No los supo juntar y se resignó a operar por su cuenta. El ocho de setiembre de 1917 promovió un desorden en la vía pública. El nueve, resolvió participar en otro desorden y se alistó en un regimiento de infantería.

Sabemos varios rasgos de su campaña. Sabemos que desaprobó con fervor la captura de prisioneros y que una vez (con la sola culata del fusil) impidió esa práctica deplorable. Sabemos que logró evadirse del hospital para volver a las trincheras. Sabemos que se distinguió en los combates cerca de Montfaucon. Sabemos que después opinó que muchos bailecitos del Bowery eran más bravos que la guerra europea.

EL MISTERIOSO, LÓGICO FIN

El veinticinco de diciembre de 1920 el cuerpo de Monk Eastman amaneció en una de las calles centrales de Nueva York. Había recibido cinco balazos. Desconocedor feliz de la muerte, un gato de lo más ordinario lo rondaba con cierta perplejidad.

EL ASESINO DESINTERESADO BILL HARRIGAN

La imagen de las tierras de Arizona, antes que ninguna otra imagen: la imagen de las tierras de Arizona y de Nuevo México, tierras con un ilustre fundamento de oro y de plata, tierras vertiginosas y aéreas, tierras de la meseta monumental y de los delicados colores, tierras con blanco resplandor de esqueleto pelado por los pájaros. En esas tierras, otra imagen, la de Billy the Kid: el jinete clavado sobre el caballo, el joven de los duros pistoletazos que aturden el desierto, el emisor de balas invisibles que matan a distancia, como una magia.

El desierto veteado de metales, árido y reluciente. El casi niño que al morir a los veintiún años debía a la justicia de los hombres veintiuna muertes —"sin contar mejicanos".

EL ESTADO LARVAL

Hacia 1859 el hombre que para el terror y la gloria sería Billy the Kid nació en un conventillo subterráneo de Nueva York. Dicen que lo parió un fatigado vientre irlandés, pero se crio entre negros. En ese caos de catinga y de motas gozó el primado que conceden las pecas y una crencha rojiza. Practicaba el orgullo de ser blanco; también era esmirriado, chúcaro, soez. A los doce años militó en la pandilla de los *Swamp Angels* (Ángeles de la Ciénaga), divinidades que operaban entre las cloacas. En las noches con olor a niebla quemada emergían de aquel fétido laberinto, seguían el rumbo de algún marinero alemán, lo desmoronaban de un cascotazo, lo despojaban hasta de la ropa interior, y se restituian después a la otra basura. Los comandaba un negro encanecido, Gas Houser Jonas, también famoso como envenenador de caballos.

A veces, de la buhardilla de alguna casa jorobada cerca del agua, una mujer volcaba sobre la cabeza de un transeúnte un balde de ceniza. El hombre se agitaba y se ahogaba. En seguida los Ángeles de la Ciénaga pululaban sobre él, lo arrebataban por la boca de un sótano y lo saqueaban.

Tales fueron los años de aprendizaje de Bill Harrigan, el futuro Billy the Kid. No desdeñaba las ficciones teatrales; le gustaba asistir (acaso sin ningún presentimiento de que eran símbolos y letras de su destino) a los melodramas de cowboys.

GO WEST!

Si los populosos teatros del Bowery (cuyos concurrentes vociferaban "¡Alcen el trapo!" a la menor impuntualidad del telón) abundaban en esos melodramas de jinete y balazo, la facilísima razón es que América sufría entonces la atracción del Oeste. Detrás de los ponientes estaba el oro de Nevada y de California. Detrás de los ponientes estaba el hacha demoledora de cedros, la enorme cara babilónica del bisonte, el sombrero de copa y el numeroso lecho de Brigham Young, las ceremonias y la ira del hombre rojo, el aire despejado de los desiertos, la desaforada pradera, la tierra fundamental cuya cercanía apresura el latir de los corazones como la cercanía del mar. El Oeste llamaba. Un continuo rumor acompasado pobló esos años: el de millares de hombres americanos ocupando el Oeste. En esa progresión, hacia 1872, estaba el siempre aculebrado Bill Harrigan, huyendo de una celda rectangular.

DEMOLICIÓN DE UN MEJICANO

La Historia (que, a semejanza de cierto director cinematográfico, procede por imágenes discontinuas) propone ahora la de una arriesgada taberna, que está en el todopoderoso desierto igual que en alta mar. El tiempo, una destemplada noche del año 1873; el preciso lugar, el Llano Estacado (New Mexico). La tierra es casi sobrenaturalmente lisa, pero el cielo de nubes a desnivel, con desgarrones de tormenta y de luna, está lleno de pozos que se agrietan y de montañas. En la tierra hay el cráneo de una vaca, ladridos y ojos de coyote en la sombra, finos caballos y la luz alargada de la taberna. Adentro, acodados en el único mostrador, hombres cansados y fornidos beben un alcohol pendenciero y hacen ostentación de grandes monedas de plata, con una serpiente y un águila. Un borracho canta impasiblemente. Hay quienes hablan un idioma con muchas eses, que ha de ser español, puesto que quienes lo hablan son despreciados. Bill Harrigan, rojiza rata de conventillo, es de los bebedores. Ha concluido un par de aguardientes y piensa pedir otro más, acaso porque no le queda un centavo. Lo anonadan los hombres de aquel desierto. Los ve tremendos, tempestuosos, felices, odiosamente sabios en el manejo de hacienda cimarrona y de altos caballos. De golpe hay un silencio total, sólo ignorado por la desatinada voz del borracho. Ha entrado un mejicano más que fornido, con cara de india vieja. Abunda en un desaforado sombrero y en dos pistolas laterales. En duro inglés desea las buenas noches a todos los gringos hijos de perra que están bebiendo. Nadie recoge el desafío. Bill pregunta quién es, y le susurran temerosamente que el *Dago* —el *Diego*— es Belisario Villagrán, de Chihuahua. Una detonación retumba en seguida. Parapetado por aquel cordón de hombres altos, Bill ha disparado sobre el intruso. La copa cae del puño de Villagrán; después, el hombre entero. El hombre no precisa otra bala. Sin dignarse mirar al muerto lujoso, Bill reanuda la plática. "¿De veras?", dice.[1] "Pues yo soy Bill Harrigan, de New York." El borracho sigue cantando, insignificante.

Ya se adivina la apoteosis. Bill concede apretones de manos y acepta adulaciones, hurras y whiskies. Alguien observa que no hay marcas en su revólver y le propone grabar una para significar la muerte de Villagrán. Billy the Kid se queda con la navaja de ese alguien, pero dice "que no vale la pena anotar mejicanos". Ello, acaso, no basta. Bill, esa noche, tiende su frazada junto al cadáver y duerme hasta la aurora —ostentosamente.

MUERTES PORQUE SÍ

De esa feliz detonación (a los catorce años de edad) nació Billy the Kid el Héroe y murió el furtivo Bill Harrigan. El muchachuelo de la cloaca y del cascotazo ascendió a hombre de frontera. Se hizo jinete; aprendió a estribar derecho sobre el caballo a la manera de Wyoming o Texas, no con el cuerpo echado hacia atrás, a la manera de Oregón y de California. Nunca se pareció del todo a su leyenda, pero se fue acercando. Algo del compadrito de Nueva York perduró en el *cowboy*; puso en los mejicanos el odio que antes le inspiraban los negros, pero las últimas palabras que dijo fueron (malas) palabras en español. Aprendió el arte vagabundo de los troperos. Aprendió el otro, más difícil, de mandar hombres; ambos lo ayudaron a ser un buen ladrón de hacienda. A veces, las guitarras y los burdeles de Méjico lo arrastraban.

Con la lucidez atroz del insomnio, organizaba populosas orgías que duraban cuatro días y cuatro noches. Al fin, asqueado, pagaba la cuenta a balazos. Mientras el dedo del gatillo no le falló, fue el hombre más temido (y quizá más nadie y más solo) de esa frontera. Garrett, su amigo, el sheriff que después lo mató, le dijo

[1] *Is that so?, he drawled.*

una vez: "Yo he ejercitado mucho la puntería, matando búfalos." "Yo la he ejercitado más, matando hombres", replicó suavemente. Los pormenores son irrecuperables, pero sabemos que debió hasta veintiuna muertes — "sin contar mejicanos". Durante siete arriesgadísimos años practicó ese lujo: el coraje.

La noche del veinticinco de julio de 1880, Billy the Kid atravesó al galope de su overo la calle principal, o única, de Fort Sumner. El calor apretaba y no habían encendido las lámparas; el comisario Garrett, sentado en un sillón de hamaca en un corredor, sacó el revólver y le descerrajó un balazo en el vientre. El overo siguió; el jinete se desplomó en la calle de tierra. Garrett le encajó un segundo balazo. El pueblo (sabedor de que el herido era Billy the Kid) trancó bien las ventanas. La agonía fue larga y blasfematoria. Ya con el sol bien alto, se fueron acercando y lo desarmaron; el hombre estaba muerto. Le notaron ese aire de cachivache que tienen los difuntos.

Lo afeitaron, lo envainaron en ropa hecha y lo exhibieron al espanto y las burlas en la vidriera del mejor almacén.

Hombres a caballo o en tílbury acudieron de leguas a la redonda. El tercer día lo tuvieron que maquillar. El cuarto día lo enterraron con júbilo.

EL INCIVIL MAESTRO DE CEREMONIAS KOTSUKÉ NO SUKÉ

El infame de este capítulo es el incivil maestro de ceremonias Kotsuké no Suké, aciago funcionario que motivó la degradación y la muerte del señor de la Torre de Ako y no se quiso eliminar como un caballero cuando la apropiada venganza lo conminó. Es hombre que merece la gratitud de todos los hombres, porque despertó preciosas lealtades y fue la negra y necesaria ocasión de una empresa inmortal. Un centenar de novelas, de monografías, de tesis doctorales y de óperas, conmemoran el hecho —para no hablar de las efusiones en porcelana, en lapislázuli veteado y en laca. Hasta el versátil celuloide lo sirve, ya que la Historia Doctrinal de los Cuarenta y Siete Capitanes —tal es su nombre— es la más repetida inspiración del cinematógrafo japonés. La minuciosa gloria que esas ardientes atenciones afirman es algo más que justificable: es inmediatamente justa para cualquiera.

Sigo la relación de A. B. Mitford, que omite las continuas distracciones que obra el color local y prefiere atender al movimiento del glorioso episodio. Esa buena falta de "orientalismo" deja sospechar que se trata de una versión directa del japonés.

LA CINTA DESATADA

En la desvanecida primavera de 1702 el ilustre señor de la Torre de Ako tuvo que recibir y agasajar a un enviado imperial. Dos mil trescientos años de cortesía (algunos mitológicos), habían complicado angustiosamente el ceremonial de la recepción. El enviado representaba al emperador, pero a manera de alusión o de símbolo: matiz que no era menos improcedente recargar que atenuar. Para impedir errores harto fácilmente fatales, un funcionario de la corte de Yedo lo precedía en calidad de maestro de ceremonias. Lejos de la comodidad cortesana y condenado a una *villégiature* montaraz, que debió parecerle un destierro, Kira Kotsuké no Suké impartía, sin gracia, las instrucciones. A veces dilataba hasta la insolencia el tono magistral. Su discípulo, el señor de la Torre, procuraba disimular esas burlas. No sabía replicar y la disciplina le vedaba toda violencia. Una mañana, sin embargo, la cinta del zapato del maestro se desató y éste le pidió que la atara. El caballero lo hizo con humildad, pero con indignación interior. El incivil maestro de ceremonias le dijo que, en verdad, era incorregible, y que sólo un patán era capaz de frangollar un nudo tan torpe. El señor de la Torre sacó la espada y le tiró un hachazo. El otro huyó, apenas rubricada la frente por un hilo tenue de sangre... Días después dictaminaba el tribunal militar contra el heridor y lo condenaba al suicidio. En el patio central de la Torre de Ako elevaron una tarima de fieltro rojo y en ella se mostró el condenado y le entregaron un puñal de oro y piedras y confesó públicamente su culpa y se fue desnudando hasta la cintura, y se abrió el vientre, con las dos heridas rituales, y murió como un *samurai*, y los espectadores más alejados no vieron sangre porque el fieltro era rojo. Un hombre encanecido y cuidadoso lo decapitó con la espada: el consejero Kuranosuké, su padrino.

EL SIMULADOR DE LA INFAMIA

La Torre de Takumi no Kami fue confiscada; sus capitanes desbandados, su familia arruinada y oscurecida, su nombre vinculado a la execración. Un rumor quiere que la idéntica noche que se mató, cuarenta y siete de sus capitanes deliberaran en la cumbre de un monte y planearan, con toda precisión, lo que se produjo un año más tarde. Lo cierto es que debieron proceder entre justificadas demoras y que alguno de sus concilios tuvo lugar, no en la cumbre difícil de una montaña, sino en una capilla en un bosque, mediocre pabellón de madera blanca, sin otro adorno que la caja rectangular que contiene un espejo. Apetecían la venganza, y la venganza debió parecerles inalcanzable.

Kira Kotsuké no Suké, el odiado maestro de ceremonias, había fortificado su casa y una nube de arqueros y de esgrimistas custodiaba su palanquín. Contaba con espías incorruptibles, puntuales y secretos. A ninguno celaban y vigilaban como al presunto capitán de los vengadores: Kuranosuké, el consejero. Éste lo advirtió por azar y fundó su proyecto vindicatorio sobre ese dato.

Se mudó a Kioto, ciudad insuperada en todo el imperio por el color de sus otoños. Se dejó arrebatar por los lupanares, por las casas de juego y por las tabernas. A pesar de sus canas, se codeó con rameras y con poetas, y hasta con gente peor. Una vez lo expulsaron de una taberna y amaneció dormido en el umbral, la cabeza revolcada en un vómito.

Un hombre de Satsuma lo conoció, y dijo con tristeza y con ira: *¿No es éste, por ventura, aquel consejero de Asano Takumi no Kami, que lo ayudó a morir y que en vez de vengar a su señor se* *entrega a los deleites y a la vergüenza? ¡Oh, tú indigno del nombre de Samurai!*

Le pisó la cara dormida y se la escupió. Cuando los espías denunciaron esa pasividad, Kotsuké no Suké sintió un gran alivio.

Los hechos no pararon ahí. El consejero despidió a su mujer y al menor de sus hijos, y compró una querida en un lupanar, famosa infamia que alegró el corazón y relajó la temerosa prudencia del enemigo. Éste acabó por despachar la mitad de sus guardias.

Una de las noches atroces del invierno de 1703 los cuarenta y siete capitanes se dieron cita en un desmantelado jardín de los alrededores de Yedo, cerca de un puente y de la fábrica de barajas. Iban con las banderas de su señor. Antes de emprender el asalto, advirtieron a los vecinos que no se trataba de un atropello, sino de una operación militar de estricta justicia.

LA CICATRIZ

Dos bandas atacaron el palacio de Kira Kotsuké no Suké. El consejero comandó la primera, que atacó la puerta del frente; la segunda, su hijo mayor, que estaba por cumplir dieciséis años y que murió esa noche. La historia sabe los diversos momentos de esa pesadilla tan lúcida: el descenso arriesgado y pendular por las escaleras de cuerda, el tambor del ataque, la precipitación de los defensores, los arqueros apostados en la azotea, el directo destino de las flechas hacia los órganos vitales del hombre, las porcelanas infamadas de sangre, la muerte ardiente que después es glacial; los impudores y desórdenes de la muerte. Nueve capitanes murieron; los defensores no eran menos valientes y no se quisieron rendir. Poco después de media noche toda resistencia cesó.

Kira Kotsuké no Suké, razón ignominiosa de esas lealtades, no aparecía. Lo buscaron por todos los rincones de ese conmovido palacio, y ya desesperaban de encontrarlo cuando el consejero notó que las sábanas de su lecho estaban aún tibias. Volvieron a buscar y descubrieron una estrecha ventana, disimulada por un espejo de bronce. Abajo, desde un patiecito sombrío, los miraba un hombre de blanco. Una espada temblorosa estaba en su diestra. Cuando bajaron, el hombre se entregó sin pelear. Le rayaba la frente una cicatriz: viejo dibujo del acero de Takumi no Kami.

Entonces, los sangrientos capitanes se arrojaron a los pies del aborrecido y le dijeron que eran los oficiales del señor de la

Torre, de cuya perdición y cuyo fin él era culpable, y le rogaron que se suicidara, como un *samurai* debe hacerlo.

En vano propusieron ese decoro a su ánimo servil. Era varón inaccesible al honor; a la madrugada tuvieron que degollarlo.

EL TESTIMONIO

Ya satisfecha su venganza (pero sin ira, y sin agitación, y sin lástima), los capitanes se dirigieron al templo que guarda las reliquias de su señor.

En un caldero llevan la increíble cabeza de Kira Kotsuké no Suké y se turnan para cuidarla. Atraviesan los campos y las provincias, a la luz sincera del día. Los hombres los bendicen y lloran. El príncipe de Sendai los quiere hospedar, pero responden que hace casi dos años que los aguarda su señor. Llegan al oscuro sepulcro y ofrendan la cabeza del enemigo.

La Suprema Corte emite su fallo. Es el que esperan: se les otorga el privilegio de suicidarse. Todos lo cumplen, algunos con ardiente serenidad, y reposan al lado de su señor. Hombres y niños vienen a rezar al sepulcro de esos hombres tan fieles.

EL HOMBRE DE SATSUMA

Entre los peregrinos que acuden, hay un muchacho polvoriento y cansado que debe haber venido de lejos. Se prosterna ante el monumento de Oishi Kuranosuké, el consejero, y dice en voz alta: *Yo te vi tirado en la puerta de un lupanar de Kioto y no pensé que estabas meditando la venganza de tu señor, y te creí un soldado sin fe y te escupí en la cara. He venido a ofrecerte satisfacción.* Dijo esto y cometió *harakiri*.

El prior se condolió de su valentía y le dio sepultura en el lugar donde los capitanes reposan.

Éste es el final de la historia de los cuarenta y siete hombres leales —salvo que no tiene final, porque los otros hombres, que no somos leales tal vez, pero que nunca perderemos del todo la esperanza de serlo, seguiremos honrándolos con palabras.

EL TINTORERO ENMASCARADO
HÁKIM DE MERV

A Angélica Ocampo

Si no me equivoco, las fuentes originales de información acerca de Al Moqanna, el Profeta Velado (o más estrictamente, Enmascarado) del Jorasán, se reducen a cuatro: a) las excertas de la *Historia de los jalifas* conservadas por Baladhuri, b) el *Manual del gigante o Libro de la precisión y la revisión* del historiador oficial de los Abbasidas, ibn abi Tair Tarfur, c) el códice árabe titulado *La aniquilación de la rosa,* donde se refutan las herejías abominables de la *Rosa oscura* o *Rosa escondida,* que era el libro canónico del Profeta, d) unas monedas sin efigie desenterradas por el ingeniero Andrusov en un desmonte del Ferrocarril Trascaspiano. Esas monedas fueron depositadas en el Gabinete Numismático de Tehrán y contienen dísticos persas que resumen o corrigen ciertos pasajes de la *Aniquilación.* La Rosa original se ha perdido, ya que el manuscrito encontrado en 1899 y publicado no sin ligereza por el *Morgenländisches Archiv* fue declarado apócrifo por Horn y luego por sir Percy Sykes.

La fama occidental del Profeta se debe a un gárrulo poema de Moore, cargado de saudades y de suspiros de conspirador irlandés.

LA PÚRPURA ESCARLATA

A los 120 años de la Hégira y 736 de la Cruz, el hombre Hákim, que los hombres de aquel tiempo y de aquel espacio apodarían luego El Velado, nació en el Turquestán. Su patria fue la antigua ciudad de Merv, cuyos jardines y viñedos y prados miran tristemente al desierto. El mediodía es blanco y deslumbrador, cuando no lo oscurecen nubes de polvo que ahogan a los hombres y dejan una lámina blancuzca en los negros racimos.

Hákim se crio en esa fatigada ciudad. Sabemos que un hermano de su padre lo adiestró en el oficio de tintorero: arte de impíos, de falsarios y de inconstantes que inspiró los primeros anatemas de su carrera pródiga. *Mi cara es de oro* (declara en una página famosa de la Aniquilación) *pero he macerado la púrpura y he sumergido en la segunda noche la lana sin cardar y he saturado en la tercera noche la lana preparada, y los emperadores de las islas aun se disputan esa ropa sangrienta. Así pequé en los años de juventud y trastorné los verdaderos colores de las criaturas. El Ángel me decía que los carneros no eran del color de los tigres, el Satán me decía que el Poderoso quería que lo fueran y se valía de mi astucia y mi púrpura. Ahora yo sé que el Ángel y el Satán erraban la verdad y que todo color es aborrecible.*

El año 146 de la Hégira, Hákim desapareció de su patria. Encontraron destruidas las calderas y cubas de inmersión, así como un alfanje de Shiraz y un espejo de bronce.

EL TORO

En el fin de la luna de xabán del año 158, el aire del desierto estaba muy claro y los hombres miraban el poniente en busca de la luna de ramadán, que promueve la mortificación y el ayuno. Eran esclavos, limosneros, chalanes, ladrones de camellos y matarifes. Gravemente sentados en la tierra aguardaban el signo, desde el portón de un paradero de caravanas en la ruta de Merv. Miraban el ocaso, y el color del ocaso era el de la arena.

Del fondo del desierto vertiginoso (cuyo sol da la fiebre, así como su luna da el pasmo) vieron adelantarse tres figuras, que les parecieron altísimas. Las tres eran humanas y la del medio tenía cabeza de toro. Cuando se aproximaron, vieron que éste usaba una máscara y que los otros dos eran ciegos.

Alguien (como en los cuentos de las 1001 Noches) indagó la razón de esa maravilla. *Están ciegos,* el hombre de la máscara declaró, *porque han visto mi cara.*

EL LEOPARDO

El cronista de los Abbasidas refiere que el hombre del desierto (cuya voz era singularmente dulce, o así les pareció por diferir de la brutalidad de su máscara), les dijo que ellos aguardaban el signo de un mes de penitencia, pero que él predicaba un signo mejor: el de toda una vida penitencial y una muerte injuriada. Les dijo que era Hákim hijo de Osmán, y que el año 146 de la Emigración, había penetrado un hombre en su casa y luego de purificarse y rezar, le había cortado la cabeza con un alfanje y la había llevado hasta el cielo. Sobre la derecha mano del hombre (que era el ángel Gabriel) su cabeza había estado ante el Señor, que le dio misión de profetizar y le inculcó palabras tan antiguas que su repetición quemaba las bocas y le infundió un glorioso resplandor que los ojos mortales no toleraban. Tal era la justificación de la Máscara. Cuando todos los hombres de la tierra profesaran la nueva ley, el Rostro les sería descubierto y ellos podrían adorarlo sin riesgo —como ya los ángeles lo adoraban. Proclamada su comisión, Hákim los exhortó a una guerra santa —un *djehad*— y a su conveniente martirio.

Los esclavos, pordioseros, chalanes, ladrones de camellos y matarifes le negaron su fe: una voz gritó *brujo* y otra *impostor*.

Alguien había traído un leopardo —tal vez un ejemplar de esa raza esbelta y sangrienta que los monteros persas educan. Lo cierto es que rompió su prisión. Salvo el profeta enmascarado y los dos acólitos, la gente se atropelló para huir. Cuando volvieron, había enceguecido la fiera. Ante los ojos luminosos y muertos, los hombres adoraron a Hákim y confesaron su virtud sobrenatural.

EL PROFETA VELADO

El historiador oficial de los Abbasidas narra sin mayor entusiasmo los progresos de Hákim el Velado en el Jorasán. Esa provincia —muy conmovida por la desventura y crucifixión de su más famoso caudillo— abrazó con desesperado fervor la doctrina de la Cara Resplandeciente, y le tributó su sangre y su oro. (Hákim, ya entonces, descartó su efigie brutal por un cuádruple velo de seda blanca recamado de piedras. El color emblemático de los Banú Abbás era el negro; Hákim eligió el color blanco —el más contradictorio— para el Velo Resguardador, los pendones y los turbantes.) La campaña se inició bien. Es verdad que en el *Libro de la precisión* las banderas del Jalifa son en todo lugar victoriosas, pero como el resultado más frecuente de esas victorias es la destitución de generales y el abandono de castillos inexpugnables, el avisado lector sabe a qué atenerse. A fines de la luna de rejeb del año 161, la famosa ciudad de Nishapur abrió sus puertas de metal al Enmascarado; a principio del 162, la de Astarabad. La actuación militar de Hákim (como la de otro más afortunado Profeta) se reducía a la plegaria en voz de tenor, pero elevada a la Divinidad desde el lomo de un camello rojizo, en el corazón agitado de las batallas. A su alrededor silbaban las flechas, sin que lo hirieran nunca. Parecía buscar el peligro: la noche que unos detestados leprosos rondaron su palacio, les ordenó comparecer, los besó y les entregó plata y oro.

Delegaba las fatigas de gobernar en seis o siete adeptos. Era estudioso de la meditación y la paz: un harem de 114 mujeres ciegas trataba de aplacar las necesidades de su cuerpo divino.

LOS ESPEJOS ABOMINABLES

Siempre que sus palabras no invaliden la fe ortodoxa, el Islam tolera la aparición de amigos confidenciales de Dios, por indiscretos o amenazadores que sean. El profeta, quizá, no hubiera desdeñado los favores de ese desdén, pero sus partidarios, sus victorias y la cólera pública del Jalifa —que era Mohamed Al Mahdí— lo obligaron a la herejía. Esa disensión lo arruinó, pero antes le hizo definir los artículos de una religión personal, si bien con evidentes infiltraciones de las prehistorias gnósticas.

En el principio de la cosmogonía de Hákim hay un Dios espectral. Esa divinidad carece majestuosamente de origen, así como de nombre y de cara. Es un Dios inmutable, pero su imagen proyectó nueve sombras que, condescendiendo a la acción, dotaron y presidieron un primer cielo. De esa primera corona demiúrgica procedió una segunda, también con ángeles, potestades y tronos, y éstos fundaron otro cielo más abajo, que era el duplicado simétrico del inicial. Ese segundo conclave se vio reproducido en uno terciario y ése en otro inferior, y así hasta 999. El señor del cielo del fondo es el que rige —sombra de sombras de otras sombras— y su fracción de divinidad tiende a cero.

La tierra que habitamos es un error, una incompetente parodia. Los espejos y la paternidad son abominables, porque la multiplican y afirman. El asco es la virtud fundamental. Dos disciplinas (cuya elección dejaba libre el profeta) pueden conducirnos a ella: la abstinencia y el desenfreno, el ejercicio de la carne o su castidad.

El paraíso y el infierno de Hákim no eran menos desesperados. *A los que niegan la Palabra, a los que niegan el Enjoyado Velo y el Rostro* (dice una imprecación que se conserva de la Rosa Escondida), *les prometo un Infierno maravilloso, porque cada uno de ellos reinará sobre 999 imperios de fuego, y en cada imperio 999 montes de fuego, y en cada monte 999 torres de fuego, y en cada torre 999 pisos de fuego, y en cada piso 999 lechos de fuego, y en cada lecho estará él y 999 formas de fuego (que tendrán su cara y su voz) lo torturarán para siempre.* En otro lugar corrobora: *Aquí en la vida padecéis en un cuerpo; en la muerte y la Retribución, en innumerables.* El paraíso es menos concreto. *Siempre es de noche y hay piletas de piedra, y la felicidad de ese paraíso es la felicidad peculiar de las despedidas, de la renunciación y de los que saben que duermen.*

EL ROSTRO

El año 163 de la Emigración y quinto de la Cara Resplandeciente, Hákim fue cercado en Sanam por el ejército del Jalifa. Provisiones y mártires no faltaban, y se aguardaba el inminente socorro de una caterva de ángeles de luz. En eso estaban cuando un espantoso rumor atravesó el castillo. Se refería que una mujer adúltera del harem, al ser estrangulada por los eunucos, había gritado que a la mano derecha del profeta le faltaba el dedo anular y que carecían de uñas los otros. El rumor cundió entre los fieles. A pleno sol, en una elevada terraza, Hákim pedía una victoria o un signo a la divinidad familiar. Con la cabeza doblegada, servil —como si corrieran contra una lluvia—, dos capitanes le arrancaron el Velo recamado de piedras.

Primero, hubo un temblor. La prometida cara del Apóstol, la cara que había estado en los cielos, era en efecto blanca, pero con la blancura peculiar de la lepra manchada. Era tan abultada o increíble que les pareció una careta. No tenía cejas; el párpado inferior del ojo derecho pendía sobre la mejilla senil; un pesado racimo de tubérculos le comía los labios; la nariz inhumana y achatada era como de león.

La voz de Hákim ensayó un engaño final. *Vuestro pecado abominable os prohibe percibir mi esplendor...* comenzó a decir.

No lo escucharon, y lo atravesaron con lanzas.

HOMBRE DE LA ESQUINA ROSADA

A Enrique Amorim

A mí, tan luego, hablarme del finado Francisco Real. Yo lo conocí, y eso que éstos no eran sus barrios porque él sabía tallar más bien por el Norte, por esos laos de la laguna de Guadalupe y la Batería. Arriba de tres veces no lo traté, y ésas en una misma noche, pero es noche que no se me olvidará, como que en ella vino la Lujanera porque sí, a dormir en mi rancho y Rosendo Juárez dejó, para no volver, el Arroyo. A ustedes, claro que les falta la debida esperiencia para reconocer ese nombre, pero Rosendo Juárez el Pegador, era de los que pisaban más fuerte por Villa Santa Rita. Mozo acreditao para el cuchillo era uno de los hombres de D. Nicolás Paredes, que era uno de los hombres de Morel. Sabía llegar de lo más paquete al quilombo, en un oscuro, con las prendas de plata; los hombres y los perros lo respetaban y las chinas también; nadie inoraba que estaba debiendo dos muertes; usaba un chambergo alto, de ala finita, sobre la melena grasienta; la suerte lo mimaba, como quien dice. Los mozos de la Villa le copiábamos hasta el modo de escupir. Sin embargo, una noche nos ilustró la verdadera condición de Rosendo.

Parece cuento, pero la historia de esa noche rarísima empezó por un placero insolente de ruedas coloradas, lleno hasta el tope de hombres, que iba a los barquinazos por esos callejones de barro duro, entre los hornos de ladrillos y los huecos, y dos de negro, déle guitarriar y aturdir, y el del pescante que les tiraba un fustazo a los perros sueltos que se le atravesaban al moro, y un emponchado iba silencioso en el medio, y ése era el Corralero de tantas mentas, y el hombre iba a peliar y a matar. La noche era una bendición de tan fresca; dos de ellos iban sobre la capota volcada, como si la soledá juera un corso. Ése jué el primer sucedido de tantos que hubo, pero recién después lo supimos. Los muchachos estábamos dende temprano en el salón de Julia, que era un galpón de chapas de cinc, entre el camino de Gauna y el Maldonado. Era un local que usté lo divisaba de lejos, por la luz que mandaba a la redonda el farol sinvergüenza, y por el barullo también. La Julia, aunque de humilde color, era de lo más conciente y formal, así que no faltaban musicantes, güen beberaje y compañeras resistentes pal baile. Pero la Lujanera, que era la mujer de Rosendo, las sobraba lejos a todas. Se murió, señor, y digo que hay años en que ni pienso en ella, pero había que verla en sus días, con esos ojos. Verla, no daba sueño.

La caña, la milonga, el hembraje, una condescendiente mala palabra de boca de Rosendo, una palmada suya en el montón que yo trataba de sentir como una amistá: la cosa es que yo estaba lo más feliz. Me tocó una compañera muy seguidora, que iba como adivinándome la intención. El tango hacía su voluntá con nosotros y nos arriaba y nos perdía y nos ordenaba y nos volvía a encontrar. En esa diversión estaban los hombres, lo mismo que en un sueño, cuando de golpe me pareció crecida la música, y era que ya se entreveraba con ella la de los guitarreros del coche, cada vez más cercano. Después, la brisa que la trajo tiró por otro rumbo, y volví a atender a mi cuerpo y al de la compañera y a las conversaciones del baile. Al rato largo llamaron a la puerta con autoridá, un golpe y una voz. En seguida un silencio general, una pechada poderosa a la puerta y el hombre estaba adentro. El hombre era parecido a la voz.

Para nosotros no era todavía Francisco Real, pero sí un tipo alto, fornido, trajeado enteramente de negro, y una chalina de un color como bayo, echada sobre el hombro. La cara recuerdo que era aindiada, esquinada.

Me golpeó la hoja de la puerta al abrirse. De puro atolondrado me le juí encima y le encajé la zurda en la facha, mientras con la derecha sacaba el cuchillo filoso que cargaba en la sisa del chaleco, junto al sobaco izquierdo. Poco iba a durarme la atropellada. El hombre, para afirmarse, estiró los brazos y me hizo a un lado, como despidiéndose de un estorbo. Me dejó agachado detrás, todavía con la mano abajo del saco, sobre el arma inservible. Siguió como si tal cosa, adelante. Siguió, siempre más alto que cualquiera de los que iba desapartando, siempre como sin ver. Los primeros —puro italianaje mirón— se abrieron como abanico, apurados. La cosa no duró. En el montón siguiente ya estaba el Inglés esperándolo, y antes de sentir en el hombro la mano del forastero, se le durmió con un planazo que tenía listo. Jué ver ese planazo y jué venírsele ya todos al humo. El establecimiento tenía más de muchas varas de fondo, y lo arriaron como un cristo, casi de punta a punta, a pechadas, a silbidos y a salivasos. Primero le tiraron trompadas, después, al ver que ni se atajaba los golpes, puras cachetadas a mano abierta o con el fleco inofensivo de las chalinas, como riéndose de él. También, como reservándolo pa Rosendo, que no se había movido para eso de la paré del fondo, en la que hacía espaldas, callado. Pitaba con apuro su cigarrillo, como si ya entendiera lo que vimos claro después. El Corralero fue empujado hasta él, firme y ensangrentado, con ese viento de chamuchina pifiadora detrás. Silbando, chicoteado, escupido, recién habló cuando se enfrentó con Rosendo. Entonces lo miró y se despejó la cara con el antebrazo y dijo estas cosas:

—Yo soy Francisco Real, un hombre del Norte. Yo soy Francisco Real, que le dicen el Corralero. Yo les he consentido a estos infelices que me alzaran la mano, porque lo que estoy buscando es un hombre. Andan por ahí unos bolaceros diciendo que en estos andurriales hay uno que tiene mentas de cuchillero, y de malo, y que le dicen el Pegador. Quiero encontrarlo pa que me enseñe a mí, que soy naides, lo que es un hombre de coraje y de vista.

Dijo esas cosas y no le quitó los ojos de encima. Ahora le relucía un cuchillón en la mano derecha, que en fija lo había traído en la manga. Alrededor se habían ibo abriendo los que empujaron, y todos los mirábamos a los dos, en un gran silencio. Hasta la jeta del mulato ciego que tocaba el violín, acataba ese rumbo.

En eso, oigo que se desplazaban atrás, y me veo en el marco de la puerta seis o siete hombres, que serían la barra del Corralero. El más viejo, un hombre apaisanado, curtido, de bigote entrecano, se adelantó para quedarse como encandilado por tanto hembraje y tanta luz, y se descubrió con respeto. Los otros vigilaban, listos para dentrar a tallar si el juego no era limpio.

¿Qué le pasaba mientras tanto a Rosendo, que no lo sacaba pisotiando a ese balaquero? Seguía callado, sin alzarle los ojos. El cigarro no sé si lo escupió o si se le cayó de la cara. Al fin pudo acertar con unas palabras, pero tan despacio que a los de la otra punta del salón no nos alcanzó lo que dijo. Volvió Francisco Real a desafiarlo y él a negarse. Entonces, el más muchacho de los forasteros silbó. La Lujanera lo miró aborreciéndolo y se abrió paso con la crencha en la espalda, entre el carreraje y las chinas, y se jué a su hombre y le metió la mano en el pecho y le sacó el cuchillo desenvainado y se lo dio con estas palabras:

—Rosendo, creo que lo estarás precisando.

A la altura del techo había una especie de ventana alargada que miraba al arroyo. Con las dos manos recibió Rosendo el cuchillo y lo filió como si no lo reconociera. Se empinó de golpe hacia atrás y voló el cuchillo derecho y fue a perderse ajuera, en el Maldonado. Yo sentí como un frío.

—De asco no te carneo —dijo el otro, y alzó, para castigarlo, la mano. Entonces la Lujanera se le prendió y le echó los brazos al cuello y lo miró con esos ojos y le dijo con ira:

—Dejalo a ése, que nos hizo creer que era un hombre.

Francisco Real se quedó perplejo un espacio y luego la abrazó como para siempre y les gritó a los musicantes que le metieran tango y milonga y a los demás de la diversión, que bailáramos. La milonga corrió como un incendio de punta a punta. Real bailaba muy grave, pero sin ninguna luz, ya pudiéndola. Llegaron a la puerta y gritó:

—¡Vayan abriendo cancha, señores, que la llevo dormida!

Dijo, y salieron sien con sien, como en la marejada del tango, como si los perdiera el tango.

Debí ponerme colorao de vergüenza. Di unas vueltitas con alguna mujer y la planté de golpe. Inventé que era por el calor y por la apretura y juí orillando la paré hasta salir. Linda la noche, ¿para quién? A la vuelta del callejón estaba el placero, con el par de guitarras derechas en el asiento, como cristianos. Dentré a amargarme de que las descuidaran así, como si ni pa recoger changangos sirviéramos. Me dio coraje de sentir que no éramos naides. Un manotón a mi clavel de atrás de la oreja y lo tiré a un charquito y me quedé un espacio mirándolo, como para no pensar en más nada. Yo hubiera querido estar de una vez en el día siguiente, yo me quería salir de esa noche. En eso, me pegaron un codazo que jue casi un alivió. Era Rosendo, que se escurría solo del barrio.

—Vos siempre has de servir de estorbo, pendejo —me rezongó al pasar, no sé si para desahogarse, o ajeno. Agarró el lado más oscuro, el del Maldonado; no lo volví a ver más.

Me quedé mirando esas cosas de toda la vida —cielo hasta decir basta, el arroyo que se emperraba solo ahí abajo, un caballo dormido, el callejón de tierra, los hornos— y pensé que yo era apenas otro yuyo de esas orillas, criado entre las flores de sapo y las osamentas. ¿Qué iba a salir de esa basura sino nosotros, gritones pero blandos para el castigo, boca y atropellada no más? Sentí después que no, que el barrio cuanto más aporriao, más obligación de ser guapo. ¿Basura? La milonga déle loquiar, y déle bochinchar en las casas, y traía olor a madreselvas el viento. Linda al ñudo la noche. Había de estrellas como para marearse mirándolas, unas encima de otras. Yo forcejiaba por sentir que a mí no me representaba nada el asunto, pero la cobardía de Rosendo y el coraje insufrible del forastero no me querían dejar. Hasta de una mujer para esa noche se había podido aviar el hombre alto. Para ésa y para muchas, pensé, y tal vez para todas, porque la Lujanera era cosa seria. Sabe Dios qué lado agarraron. Muy lejos no podían estar. A lo mejor ya se estaban empleando los dos, en cualesquier cuneta.

Cuando alcancé a volver, seguía como si tal cosa el bailongo.

Haciéndome el chiquito, me entreveré en el montón, y vi que

alguno de los nuestros había rajado y que los norteros tangueaban junto con los demás. Codazos y encontrones no había, pero sí recelo y decencia. La música parecía dormilona, las mujeres que tangueaban con los del Norte, no decían esta boca es mía.
Yo esperaba algo, pero no lo que sucedió.
Ajuera oímos una mujer que lloraba y después la voz que ya conocíamos, pero serena, casi demasiado serena, como si ya no juera de alguien, diciéndole:
—Entrá, m'hija —y luego otro llanto. Luego la voz como si empezara a desesperarse.
—¡Abrí te digo, abrí guacha arrastrada abrí, perra! —.Se abrió en eso la puerta tembleque, y entró la Lujanera, sola. Entró mandada, como si viniera arreándola alguno.
—La está mandando un ánima —dijo el Inglés.
—Un muerto, amigo —dijo entonces el Corralero. El rostro era como de borracho. Entró, y en la cancha que le abrimos todos, como antes, dio unos pasos mareados —alto, sin ver— y se fue al suelo de una vez, como poste. Uno de los que vinieron con él, lo acostó de espaldas y le acomodó el ponchito de almohada. Esos ausilios lo ensuciaron de sangre. Vimos entonces que traiba una herida juerte en el pecho; la sangre le encharcaba y ennegrecía un lengue punzó que antes no le oservé, porque lo tapó la chalina. Para la primera cura, una de las mujeres trujo caña y unos trapos quemados. El hombre no estaba para esplicar. La Lujanera lo miraba como perdida, con los brazos colgando. Todos estaban preguntándose con la cara y ella consiguió hablar. Dijo que luego de salir con el Corralero, se jueron a un campito, y que en eso cae un desconocido y lo llama como desesperado a pelear y le infiere esa puñalada y que ella jura que no sabe quién es y que no es Rosendo. ¿Quién le iba a creer?
El hombre a nuestros pies se moría. Yo pensé que no le había temblado el pulso al que lo arregló. El hombre, sin embargo, era duro. Cuando golpeó, la Julia había estao cebando unos mates y el mate dio la vuelta redonda y volvió a mi mano, antes que falleciera. "Tápenme la cara", dijo despacio, cuando no pudo más. Sólo le quedaba el orgullo y no iba a consentir que le curiosearan los visajes de la agonía. Alguien le puso encima el chambergo negro, que era de copa altísima. Se murió abajo del chambergo, sin queja. Cuando el pecho acostado dejó de subir y bajar, se animaron a descubrirlo. Tenía ese aire fatigado de los difuntos; era de los hombres de más coraje que hubo en aquel entonces, dende la Batería hasta el Sur; en cuanto lo supe muerto y sin habla, le perdí el odio.
—Para morir no se precisa más que estar vivo —dijo una del montón, y otra, pensativa también:

—Tanta soberbia el hombre, y no sirve más que pa juntar moscas.

Entonces los norteros jueron diciéndose una cosa despacio y dos a un tiempo la repitieron juerte después:

—Lo mató la mujer.

Uno le gritó en la cara si era ella, y todos la cercaron. Ya me olvidé que tenía que prudenciar y me les atravesé como luz. De atolondrado, casi pelo el fiyingo. Sentí que muchos me miraban, para no decir todos. Dije como con sorna:

—Fijensén en las manos de esa mujer. ¿Qué pulso ni qué corazón va a tener para clavar una puñalada?

Añadí, medio desganado de guapo:

—¿Quién iba a soñar que el finao, que asegún dicen, era malo en su barrio, juera a concluir de una manera tan bruta y en un lugar tan enteramente muerto como éste, ande no pasa nada, cuando no cae alguno de ajuera para distrairnos y queda para la escupida después?

El cuero no le pidió biaba a ninguno.

En eso iba creciendo en la soledá un ruido de jinetes. Era la policía. Quien más, quien menos, todos tendrían su razón para no buscar ese trato, porque determinaron que lo mejor era traspasar el muerto al arroyo. Recordarán ustedes aquella ventana alargada por la que pasó en un brillo el puñal. Por ahí pasó después el hombre de negro. Lo levantaron entre muchos y de cuanto centavos y cuanta zoncera tenía, lo alijeraron esas manos y alguno le hachó un dedo para refalarle el anillo. Aprovechadores, señor, que así se le animaban a un pobre dijunto indefenso, después que lo arregló otro más hombre. Un envión y el agua torrentosa y sufrida se lo llevó. Para que no sobrenadara, no sé si le arrancaron las vísceras, porque preferí no mirar. El de bigote gris no me quitaba los ojos. La Lujanera aprovechó el apuro para salir.

Cuando echaron su vistazo los de la ley, el baile estaba medio animado. El ciego del violín le sabía sacar unas habaneras de las que ya no se oyen. Ajuera estaba queriendo clariar. Unos postes de ñandubay sobre una lomada estaban como sueltos, porque los alambrados finitos no se dejaban divisar tan temprano.

Yo me fui tranquilo a mi rancho, que estaba a unas tres cuadras. Ardía en la ventana una lucesita, que se apagó en seguida. De juro que me apuré a llegar, cuando me di cuenta. Entonces, Borges, volví a sacar el cuchillo corto y filoso que yo sabía cargar aquí, en el chaleco, junto al sobaco izquierdo, y le pegué otra revisada despacio, y estaba como nuevo, inocente, y no quedaba ni un rastrito de sangre.

ETCÉTERA

A Néstor Ibarra

UN TEÓLOGO EN LA MUERTE

Los ángeles me comunicaron que cuando falleció Melanchton, le fue suministrada en el otro mundo una casa ilusoriamente igual a la que había tenido en la tierra. (A casi todos los recién venidos a la eternidad les sucede lo mismo y por eso creen que no han muerto.) Los objetos domésticos eran iguales: la mesa, el escritorio con sus cajones, la biblioteca. En cuanto Melanchton se despertó en ese domicilio, reanudó sus tareas literarias como si no fuera un cadáver y escribió durante unos días sobre la justificación por la fe. Como era su costumbre, no dijo una palabra sobre la caridad. Los ángeles notaron esa omisión y mandaron personas a interrogarlo. Melanchton les dijo: "He demostrado irrefutablemente que el alma puede prescindir de la caridad y que para ingresar en el cielo basta la fe." Esas cosas les decía con soberbia y no sabía que ya estaba muerto y que su lugar no era el cielo. Cuando los ángeles oyeron ese discurso lo abandonaron.

A las pocas semanas, los muebles empezaron a afantasmarse hasta ser invisibles, salvo el sillón, la mesa, las hojas de papel y el tintero. Además, las paredes del aposento se mancharon de cal y el piso de un barniz amarillo. Su misma ropa ya era mucho más ordinaria. Seguía, sin embargo, escribiendo, pero como persistía en la negación de la caridad, lo trasladaron a un taller subterráneo, donde había otros teólogos como él. Ahí estuvo unos días encarcelado y empezó a dudar de su tesis y le permitieron volver. Su ropa era de cuero sin curtir, pero trató de imaginarse que lo anterior había sido una mera alucinación y continuó elevando la fe y denigrando la caridad. Un atardecer sintió frío. Entonces recorrió la casa y comprobó que los demás aposentos ya no correspondían a los de su habitación en la tierra. Alguno estaba repleto de instrumentos desconocidos: otro se había achicado tanto que era imposible entrar; otro no había cambiado, pero sus ventanas y puertas daban a grandes médanos. La pieza del fondo estaba llena de personas que lo adoraban y que le repetían que ningún teólogo era tan sapiente como él. Esa adoración le agradó, pero como alguna de esas personas no tenía cara y otros parecían muertos, acabó por aborrecerlos y desconfiar. Entonces determinó escribir un elogio de la caridad, pero las páginas escritas hoy aparecían mañana borradas. Eso le aconteció porque las componía sin convicción.

Recibía muchas visitas de gente recién muerta, pero sentía vergüenza de mostrarse en un alojamiento tan sórdido. Para hacerles creer que estaba en el cielo, se arregló con un brujo de los de la pieza del fondo, y éste los engañaba con simulacros de esplendor y serenidad. Apenas las visitas se retiraban, reaparecían la pobreza y la cal, y a veces un poco antes.

Las últimas noticias de Melanchton dicen que el mago y uno de los hombres sin cara lo llevaron hacia los médanos y que ahora es como un sirviente de los demonios.

(Del libro *Arcana coelestia*, de Emanuel Swedenborg.)

LA CÁMARA DE LAS ESTATUAS

En los primeros días había en el reino de los andaluces una ciudad en la que residieron sus reyes y que tenía por nombre Lebtit o Ceuta, o Jaén. Había un fuerte castillo en esa ciudad, cuya puerta de dos batientes no era para entrar ni aun para salir, sino que para que la tuvieran cerrada. Cada vez que un rey fallecía y otro rey heredaba su trono altísimo, éste añadía con sus manos una cerradura nueva a la puerta, hasta que fueron veinticuatro las cerraduras, una por cada rey. Entonces acaeció que un hombre malvado, que no era de la casa real, se adueñó del poder, y en lugar de añadir una cerradura quiso que las veinticuatro anteriores fueran abiertas para mirar el contenido de aquel castillo. El visir y los emires le suplicaron que no hiciera tal cosa y le escondieron el llavero de hierro y le dijeron que añadir una cerradura era más fácil que forzar veinticuatro, pero él repetía con astucia maravillosa: "Yo quiero examinar el contenido de este castillo." Entonces le ofrecieron cuantas riquezas podían acumular, en rebaños, en ídolos cristianos, en plata y oro, pero él no quiso desistir y abrió la puerta con su mano derecha (que arderá para siempre). Adentro estaban figurados los árabes en metal y en madera, sobre sus rápidos camellos y potros, con turbantes que ondeaban sobre la espalda y alfanjes suspendidos de talabartes y la derecha lanza en la diestra. Todas esas figuras eran de bulto y proyectaban sombras en el piso, y un ciego las podía reconocer mediante el solo tacto, y las patas delanteras de los caballos no tocaban el suelo y no se caían, como si se hubieran encabritado. Gran espanto causaron en el rey esas primorosas figuras, y aun más el orden y silencio excelente que se observaba en ellas, porque todas miraban a un mismo lado, que era el poniente, y no se oía ni una voz ni un clarín. Eso había en la primera cámara del castillo. En la segunda estaba la mesa de Solimán, hijo de David —¡sea para los dos la salvación!— tallada en una sola piedra esmeralda, cuyo color, como se sabe, es el verde, y cuyas propiedades escondidas son indescriptibles y auténticas, porque serena las tempestades, mantiene la castidad de su portador, ahuyenta la disentería y los malos espíritus, decide favorablemente un litigio y es de gran socorro en los partos.

En la tercera hallaron dos libros: uno era negro y enseñaba las virtudes de los metales de los talismanes y de los días, así como la preparación de venenos y de contravenenos; otro era blanco y no se pudo descifrar su enseñanza, aunque la escritura era clara. En la cuarta encontraron un mapamundi, donde estaban los reinos, las ciudades, los mares, los castillos y los peligros, cada cual con su nombre verdadero y con su precisa figura.

En la quinta encontraron un espejo de forma circular, obra de Solimán, hijo de David —¡sea para los dos el perdón!— cuyo precio era mucho, pues estaba hecho de diversos metales y el que se miraba en su luna veía las caras de sus padres y de sus hijos, desde el primer Adán hasta los que oirán la Trompeta. La sexta estaba llena de elixir, del que bastaba un solo adarme para cambiar tres mil onzas de plata en tres mil onzas de oro. La séptima les pareció vacía y era tan larga que el más hábil de los arqueros hubiera disparado una flecha desde la puerta sin conseguir clavarla en el fondo. En la pared final vieron grabada una inscripción terrible. El rey la examinó y la comprendió, y decía de esta suerte: "Si alguna mano abre la puerta de este castillo, los guerreros de carne que se parecen a los guerreros de metal de la entrada se adueñarán del reino."

Estas cosas acontecieron el año ochenta y nueve de la hégira. Antes que tocara a su fin, Tárik se apoderó de esa fortaleza y derrotó a ese rey y vendió a sus mujeres y a sus hijos y desoló sus tierras. Así se fueron dilatando los árabes por el reino de Andalucía, con sus higueras y praderas regadas en las que no se sufre de sed. En cuanto a los tesoros, es fama que Tárik, hijo de Zaid, los remitió al califa su señor, que los guardó en una pirámide.

(Del *Libro de las 1001 Noches*, noche 272.)

HISTORIA DE LOS DOS QUE SOÑARON

El historiador arábigo El Ixaquí refiere este suceso:

"Cuentan los hombres dignos de fe (pero sólo Alá es omnisciente y poderoso y misericordioso y no duerme), que hubo en El Cairo un hombre poseedor de riquezas, pero tan magnánimo y liberal que todas las perdió menos la casa de su padre, y que se vio forzado a trabajar para ganarse el pan. Trabajó tanto que el sueño lo rindió una noche debajo de una higuera de su jardín y vio en el sueño un hombre empapado que se sacó de la boca una moneda de oro y le dijo: 'Tu fortuna está en Persia, en Isfaján; vete a buscarla.' A la madrugada siguiente se despertó y emprendió el largo viaje y afrontó los peligros de los desiertos, de las naves, de los piratas, de los idólatras, de los ríos, de las fieras y de los hombres. Llegó al fin a Isfaján, pero en el recinto de esa ciudad lo sorprendió la noche y se tendió a dormir en el patio de una mezquita. Había, junto a la mezquita, una casa y por el decreto de Dios Todopoderoso, una pandilla de ladrones atravesó la mezquita y se metió en la casa, y las personas que dormían se despertaron con el estruendo de los ladrones y pidieron socorro. Los vecinos también gritaron, hasta que el capitán de los serenos de aquel distrito acudió con sus hombres y los bandoleros huyeron por la azotea. El capitán hizo registrar la mezquita y en ella dieron con el hombre de El Cairo, y le menudearon tales azotes con varas de bambú que estuvo cerca de la muerte. A los dos días recobró el sentido en la cárcel. El capitán lo mandó buscar y le dijo: '¿Quién eres y cuál es tu patria?'. El otro declaró: 'Soy de la ciudad famosa de El Cairo y mi nombre es Mohamed El Magrebí.' El capitán le preguntó: '¿Qué te trajo a Persia?'. El otro optó por la verdad y le dijo: 'Un hombre me ordenó en un sueño que viniera a Isfaján, porque ahí estaba mi fortuna. Ya estoy en Isfaján y veo que esa fortuna que prometió deben ser los azotes que tan generosamente me diste.'

"Ante semejantes palabras, el capitán se rió hasta descubrir las muelas del juicio y acabó por decirle: 'Hombre desatinado y crédulo, tres veces he soñado con una casa en la ciudad de El Cairo en cuyo fondo hay un jardín, y en el jardín un reloj de sol y después del reloj de sol una higuera y luego de la higuera una fuente, y bajo la fuente un tesoro. No he dado el menor crédito a esa mentira. Tú, sin embargo, engendro de una mula con un demonio, has ido errando de ciudad en ciudad, bajo la sola fe de tu sueño. Que no te vuelva a ver en Isfaján. Toma estas monedas y vete.'

"El hombre las tomó y regresó a la patria. Debajo de la fuente de su jardín (que era la del sueño del capitán) desenterró el tesoro. Así Dios le dio bendición y lo recompensó y exaltó. Dios es el Generoso, el Oculto."

(Del *Libro de las 1001 Noches*, noche 351.)

EL BRUJO POSTERGADO

En Santiago había un deán que tenía codicia de aprender el arte de la magia. Oyó decir que don Illán de Toledo la sabía más que ninguno, y fue a Toledo a buscarlo.

El día que llegó enderezó a la casa de don Illán y lo encontró leyendo en una habitación apartada. Éste lo recibió con bondad y le dijo que postergara el motivo de su visita hasta después de comer. Le señaló un alojamiento muy fresco y le dijo que lo alegraba mucho su venida. Después de comer, el deán le refirió la razón de aquella visita y le rogó que le enseñara la ciencia mágica. Don Illán le dijo que adivinaba que era deán, hombre de buena posición y buen porvenir, y que temía ser olvidado luego por él. El deán le prometió y aseguró que nunca olvidaría aquella merced, y que estaría siempre a sus órdenes. Ya arreglado el asunto, explicó don Illán que las artes mágicas no se podían aprender sino en sitio apartado, y tomándolo por la mano, lo llevó a una pieza contigua, en cuyo piso había una gran argolla de fierro. Antes le dijo a la sirvienta que tuviese perdices para la cena, pero que no las pusiera a asar hasta que la mandaran. Levantaron la argolla entre los dos y descendieron por una escalera de piedra bien labrada, hasta que al deán le pareció que habían bajado tanto que el lecho del Tajo estaba sobre ellos. Al pie de la escalera había una celda y luego una biblioteca y luego una especie de gabinete con instrumentos mágicos. Revisaron los libros y en eso estaban cuando entraron dos hombres con una carta para el deán, escrita por el obispo, su tío, en la que le hacía saber que estaba muy enfermo y que, si quería encontrarlo vivo, no demorase. Al deán lo contrariaron mucho estas nuevas, lo uno por la dolencia de su tío, lo otro por tener que interrumpir los estudios. Optó por escribir una disculpa y la mandó al obispo. A los tres días llegaron unos hombres de luto con otras cartas para el deán, en los que se leía que el obispo había fallecido, que estaban eligiendo sucesor, y que esperaban por la gracia de Dios que lo elegirían a él. Decían también que no se molestara en venir, puesto que parecía mucho mejor que lo eligieran en su ausencia.

A los diez días vinieron dos escuderos muy bien vestidos, que se arrojaron a sus pies y besaron sus manos, y lo saludaron obispo. Cuando don Illán vio estas cosas, se dirigió con mucha alegría al nuevo prelado y le dijo que agradecía al Señor que tan buenas nuevas llegaran a su casa. Luego le pidió el decanazgo vacante para uno de sus hijos. El obispo le hizo saber que había reservado el decanazgo para su propio hermano, pero que había determinado favorecerlo y que partiesen juntos para Santiago.

Fueron para Santiago los tres, donde los recibieron con honores. A los seis meses recibió el obispo mandaderos del Papa que le ofrecía el arzobispado de Tolosa, dejando en sus manos el nombramiento de sucesor. Cuando don Illán supo esto, le recordó la antigua promesa y le pidió ese título para su hijo. El arzobispo le hizo saber que había reservado el obispado para su propio tío, hermano de su padre, pero que había determinado favorecerlo y que partiesen juntos para Tolosa. Don Illán no tuvo más remedio que asentir.

Fueron para Tolosa los tres, donde los recibieron con honores y misas. A los dos años, recibió el arzobispo mandaderos del Papa que le ofrecía el capelo de Cardenal, dejando en sus manos el nombramiento de sucesor. Cuando don Illán supo esto, le recordó la antigua promesa y le pidió ese título para su hijo. El Cardenal le hizo saber que había reservado el arzobispado para su propio tío, hermano de su madre, pero que había determinado favorecerlo y que partiesen juntos para Roma. Don Illán no tuvo más remedio que asentir. Fueron para Roma los tres, donde los recibieron con honores y misas y procesiones. A los cuatro años murió el Papa y nuestro Cardenal fue elegido para el papado por todos los demás. Cuando don Illán supo esto, besó los pies de Su Santidad, le recordó la antigua promesa y le pidió el cardenalato para su hijo. El Papa lo amenazó con la cárcel, diciéndole que bien sabía él que no era más que un brujo y que en Toledo había sido profesor de artes mágicas. El miserable don Illán dijo que iba a volver a España y le pidió algo para comer durante el camino. El Papa no accedió. Entonces don Illán (cuyo rostro se había remozado de un modo extraño), dijo con una voz sin temblor:

—Pues tendré que comerme las perdices que para esta noche encargué.

La sirvienta se presentó y don Illán le dijo que las asara. A estas palabras, el Papa se halló en la celda subterránea en Toledo, solamente deán de Santiago, y tan avergonzado de su ingratitud que no atinaba a disculparse. Don Illán dijo que bastaba con esa prueba, le negó su parte de las perdices y lo acompañó hasta la calle, donde le deseó feliz viaje y lo despidió con gran cortesía.

(Del *Libro de Patronio* del infante don Juan Manuel, que lo derivó de un libro árabe: *Las cuarenta mañanas y las cuarenta noches*.)

EL ESPEJO DE TINTA

La historia sabe que el más cruel de los gobernadores del Sudán fue Yakub el Doliente, que entregó su país a la iniquidad de los recaudadores egipcios y murió en una cámara del palacio, el día catorceno de la luna de Barmajat, el año 1842. Algunos insinúan que el hechicero Abderráhmen El Masmudí (cuyo nombre se puede traducir El Servidor del Misericordioso) lo acabó a puñal o a veneno, pero una muerte natural es más verosímil — ya que le decían El Doliente. Sin embargo, el capitán Richard Francis Burton conversó con ese hechicero el año 1853 y cuenta que le refirió lo que copio:

"Es verdad que yo padecí cautiverio en el alcázar del Yakub el Doliente, a raíz de la conspiración que fraguó mi hermano Ibrahim, con el fementido y vano socorro de los caudillos negros del Kordofán, que lo denunciaron. Mi hermano pereció por la espada, sobre la piel de sangre de la justicia, pero yo me arrojé a los aborrecidos pies del Doliente y le dije que era hechicero y que si me otorgaba la vida, le mostraría formas y apariencias aun más maravillosas que las del Fanusí jiyal (la linterna mágica). El opresor me exigió una prueba inmediata. Yo pedí una pluma de caña, unas tijeras, una gran hoja de papel veneciano, un cuerno de tinta, un brasero, unas semillas de cilantro y una onza de benjuí. Recorté la hoja en seis tiras, escribí talismanes e invocaciones en las cinco primeras, y en la restante las siguientes palabras que están en el glorioso Qurán: 'Hemos retirado tu velo, y la visión de tus ojos es penetrante.' Luego dibujé un cuadro mágico en la mano derecha de Yakub y le pedí que la ahuecara y vertí un círculo de tinta en el medio. Le pregunté si percibía con claridad su reflejo en el círculo y respondió que sí. Le dije que no alzara los ojos. Encendí el benjuí y el cilantro, y quemé las invocaciones en el brasero. Le pedí que nombrara la figura que deseaba mirar. Pensó y me dijo que un caballo salvaje, el más hermoso que pastara en los prados que bordean el desierto. Miró y vio el campo verde y tranquilo y después un caballo que se acercaba, ágil como un leopardo, con una estrella blanca en la frente. Me pidió una tropilla de caballos tan perfectos como el primero, y vio en el horizonte una larga nube de polvo, y luego la tropilla. Comprendí que mi vida estaba segura.

"Apenas despuntaba la luz del día, dos soldados entraban en mi cárcel y me conducían a la cámara del Doliente, donde ya me esperaban el incienso, el brasero y la tinta. Así me fue exigiendo y le fui mostrando todas las apariencias del mundo. Ese hombre muerto que aborrezco, tuvo en su mano cuanto los hombres muertos han visto y ven los que están vivos: las ciudades, climas y reinos en que se divide la tierra, los tesoros ocultos en el centro, las naves que atraviesan el mar, los instrumentos de la guerra, de la música y de la cirugía, las graciosas mujeres, las estrellas fijas y los planetas, los colores que emplean los infieles para pintar sus cuadros aborrecibles, los minerales y las plantas con los secretos y virtudes que encierran, los ángeles de plata cuyo alimento es el elogio y la justificación del Señor, la distribución de los premios en las escuelas, las estatuas de pájaros y de reyes que hay en el corazón de las pirámides, la sombra proyectada por el toro que sostiene la tierra y por el pez que está debajo del toro, los desiertos de Dios el Misericordioso. Vio cosas imposibles de describir, como las calles alumbradas a gas y como la ballena que muere cuando escucha el grito del hombre. Una vez me ordenó que le mostrara la ciudad que se llama Europa. Le mostré la principal de sus calles y creo que fue en ese caudaloso río de hombres, todos ataviados de negro y muchos con anteojos, que vio por la primera vez al Enmascarado.

"Esa figura, a veces con el traje sudanés, a veces de uniforme, pero siempre con un paño sobre la cara, penetró desde entonces en las visiones. Era infaltable y no conjeturábamos quién era. Sin embargo, las apariencias del espejo de tinta, momentáneas o inmóviles al principio, eran más complejas ahora; ejecutaban sin demora mis órdenes y el tirano las seguía con claridad. Es cierto que los dos solíamos quedar extenuados. El carácter atroz de las escenas era otra fuente de cansancio. No eran sino castigos, cuerdas, mutilaciones, deleites del verdugo y del cruel.

"Así arribamos al amanecer del día catorceno de la luna de Barmajat. El círculo de tinta había sido marcado en la mano, el benjuí arrojado al brasero, las invocaciones quemadas. Estábamos solos los dos. El Doliente me dijo que le mostrara un inapelable y justo castigo, porque su corazón, ese día, apetecía ver una muerte. Le mostré los soldados con los tambores, la piel de becerro estirada, las personas dichosas de mirar, el verdugo con la espada de la justicia. Se maravilló al mirarlo y me dijo: *Es Abu Kir, el que ajustició a tu hermano Ibrahim, el que cerrará tu destino cuando me sea deparada la ciencia de convocar estas figuras sin tu socorro.* Me pidió que trajeran al condenado. Cuando lo trajeron se demudó, porque era el hombre inexplicable del lienzo blanco. Me ordenó que antes de matarlo le sacaran la máscara. Yo me arrojé a sus pies y dije: *Oh, rey del tiempo y sustancia y suma del siglo, esta figura no es como las demás, porque no sabemos su nombre ni el de sus padres ni el de la ciudad que es su patria, de suerte que yo no me atrevo a tocarla, por no incurrir en una culpa de la que tendré que dar cuenta.* Se rió el Doliente y acabó por jurar que él cargaría con la culpa, si culpa había. Lo juró por la espada y por el Qurán. Entonces ordené que desnudaran al condenado y que lo sujetaran sobre la estirada piel de becerro y que le arrancaran la máscara. Esas cosas se hicieron. Los espantados ojos de Yakub pudieron ver por fin esa cara —que era la suya propia. Se cubrió de miedo y locura. Le sujeté la diestra temblorosa con la mía que estaba firme y le ordené que continuara mirando la ceremonia de su muerte. Estaba poseído por el espejo: ni siquiera trató de alzar los ojos o de volcar la tinta. Cuando la espada se abatió en la visión sobre la cabeza culpable, gimió con una voz que no me apiadó, y rodó al suelo, muerto.

"La gloria sea con Aquel que no muere y tiene en su mano las dos llaves del ilimitado Perdón y del infinito Castigo."

(Del libro *The Lake Regions of Equatorial Africa*, de R. F. Burton.)

UN DOBLE DE MAHOMA

Ya que en la mente de los musulmanes las ideas de Mahoma y de religión están indisolublemente ligadas, el Señor ha ordenado que en el Cielo siempre los presida un espíritu que hace el papel de Mahoma. Este delegado no siempre es el mismo. Un ciudadano de Sajonia, a quien en vida tomaron prisionero los argelinos y que se convirtió al Islam, ocupó una vez este cargo. Como había sido cristiano, les habló de Jesús y les dijo que no era el hijo de José, sino el hijo de Dios; fue conveniente reemplazarlo. La situación de este Mahoma representativo está indicada por una antorcha, sólo visible a los musulmanes.

El verdadero Mahoma, que redactó el Qurán, ya no es visible a sus adeptos. Me han dicho que al comienzo los presidía, pero que pretendió dominarlos y fue exilado en el Sur. Una comunidad de musulmanes fue instigada por los demonios a reconocer a Mahoma como Dios. Para aplacar el disturbio, Mahoma fue traído de los infiernos y lo exhibieron. En esta ocasión yo lo vi. Se parecía a los espíritus corpóreos que no tienen percepción interior, y su cara era muy oscura. Pudo articular las palabras: "Yo soy vuestro Mahoma", e inmediatamente se hundió.

(De *Vera Christiana Religio* (1771), de Emanuel Swedenborg.)

ÍNDICE DE LAS FUENTES

El Atroz Redentor Lazarus Morell.
Life on the Mississippi, by Mark Twain. New York, 1883.
Mark Twain's America, by Bernard Devoto. Boston, 1932.
El Impostor Inverosímil Tom Castro.
The History of Piracy, by Philip Gosse. London, Cambridge, 1911.
La Viuda Ching, Pirata.
The History of Piracy, by Philip Gosse. London, 1932.
El Proveedor de Iniquidades Monk Eastman.
The Gangs of New York, by Herbert Asbury. New York, 1927.
El Asesino Desinteresado Bill Harrigan.
A Century of Gunmen, by Frederick Watson. London, 1931.
The Saga of Billy the Kid, by Walter Noble Burns. New York, 1925.
El incivil Maestro de Ceremonias Kotsuké no Suké.
Tales of Old Japan, by A. B. Mitford. London, 1912.
El Tintorero Enmascarado Hákim de Merv.
A History of Persia, by Sir Percy Sykes. London, 1915.
Die Vernichtung der Rose. Nach dem arabischen Urtext uebertragen von Alexander Schulz. Leipzig, 1927.

Historia de la eternidad
(1936)

...*Supplementum Livii; Historia infinita temporis atque aeternitatis*...

QUEVEDO: *Perinola*, 1632.

...*nor promise that they would become in general, by learning criticism, more useful, happier, or wiser.*

JOHNSON: *Preface to Shakespeare*, 1765.

PRÓLOGO

Poco diré de la singular "historia de la eternidad" que da nombre a estas páginas. En el principio hablo de la filosofía platónica; en un trabajo que aspiraba al rigor cronológico, más razonable hubiera sido partir de los hexámetros de Parménides ("no ha sido nunca ni será, porque es"). No sé cómo pude comparar a "inmóviles piezas de museo" las formas de Platón y cómo no entendí, leyendo a Schopenhauer y al Erígena, que éstas son vivas, poderosas y orgánicas. El movimiento, ocupación de sitios distintos en instantes distintos, es inconcebible sin tiempo; asimismo lo es la inmovilidad, ocupación de un mismo lugar en distintos puntos del tiempo. ¿Cómo pude no sentir que la eternidad, anhelada con amor por tantos poetas, es un artificio espléndido que nos libra, siquiera de manera fugaz, de la intolerable opresión de lo sucesivo?

Dos artículos he agregado que complementan o rectifican el texto: La metáfora *de 1952,* El tiempo circular *de 1943.*

El improbable o acaso inexistente lector de Las kenningar *puede interrogar el manual* Literaturas germánicas medievales, *que escribí con María Esther Vázquez. Quiero no omitir la mención de dos aplicadas monografías:* Die Kenningar der Skalden, *Leipizg, 1921, de Rudolf Meissner y* Die Altenglischen Kenningar, *Hale, 1938, de Herta Marquardt.*

El acercamiento a Almotásim es de 1935; he leído hace poco The Sacred Fount *(1901), cuyo argumento general es tal vez análogo. El narrador, en la delicada novela de James, indaga si en B influyen A o C; en* El acercamiento a Almotásim, *presiente o adivina a través de B la remotísima existencia de Z, a quien B no conoce.*

El mérito o la culpa de la resurrección de estas páginas no tocará por cierto a mi karma, sino al de mi generoso y tenaz amigo José Edmundo Clemente.

J. L. B.

HISTORIA DE LA ETERNIDAD

I

En aquel pasaje de las *Enéadas* que quiere interrogar y definir la naturaleza del tiempo, se afirma que es indispensable conocer previamente la eternidad, que —según todos saben— es el modelo y arquetipo de aquél. Esa advertencia liminar, tanto más grave si la creemos sincera, parece aniquilar toda esperanza de entendernos con el hombre que la escribió. El tiempo es un problema para nosotros, un tembloroso y exigente problema, acaso el más vital de la metafísica; la eternidad, un juego o una fatigada esperanza. Leemos en el *Timeo* de Platón que el tiempo es una imagen móvil de la eternidad; y ello es apenas un acorde que a ninguno distrae de la convicción de que la eternidad es una imagen hecha con sustancia de tiempo. Esa imagen, esa burda palabra enriquecida por los desacuerdos humanos, es lo que me propongo historiar.

Invirtiendo el método de Plotino (única manera de aprovecharlo) empezaré por recordar las oscuridades inherentes al tiempo: misterio metafísico, natural, que debe preceder a la eternidad, que es hija de los hombres. Una de esas oscuridades, no la más ardua pero no la menos hermosa, es la que nos impide precisar la dirección del tiempo. Que fluye del pasado hacia el porvenir es la creencia común, pero no es más ilógica la contraria, la fijada en verso español por Miguel de Unamuno:

> *Nocturno el río de las horas fluye*
> *desde su manantial que es el mañana*
> *eterno...*[1]

Ambas son igualmente verosímiles —e igualmente inverificables. Bradley niega las dos y adelanta una hipótesis personal: excluir el porvenir, que es una mera construcción de nuestra esperanza, y reducir lo "actual" a la agonía del momento presente desintegrándose en el pasado. Esa regresión temporal suele corresponder a los estados decrecientes o insípidos, en tanto que cualquier intensidad nos parece marchar sobre el porvenir...

---

[1] El concepto escolástico del tiempo como la fluencia de lo potencial en lo actual es afín a esta idea. *Cf.* los objetos eternos de Whitehead, que constituyen "el reino de la posibilidad" e ingresan en el tiempo.

Bradley niega el futuro; una de las escuelas filosóficas de la India niega el presente, por considerarlo inasible. *La naranja está por caer de la rama, o ya está en el suelo,* afirman esos simplificadores extraños. *Nadie la ve caer.*

Otras dificultades propone el tiempo. Una, acaso la mayor, la de sincronizar el tiempo individual de cada persona con el tiempo general de las matemáticas, ha sido harto voceada por la reciente alarma relativista, y todos la recuerdan —o recuerdan haberla recordado hasta hace muy poco. (Yo la recobro así, deformándola: Si el tiempo es un proceso mental, ¿cómo lo pueden compartir miles de hombres, o aun dos hombres distintos?). Otra es la destinada por los eleatas a refutar el movimiento. Puede caber en estas palabras: *Es imposible que en ochocientos años de tiempo transcurra un plazo de catorce minutos, porque antes es obligatorio que hayan pasado siete, y antes de siete, tres minutos y medio, y antes de tres y medio, un minuto y tres cuartos, y así infinitamente, de manera que los catorce minutos nunca se cumplen.* Russell rebate ese argumento, afirmando la realidad y aun vulgaridad de números infinitos, pero que se dan de una vez, por definición, no como término "final" de un proceso enumerativo sin fin. Esos guarismos anormales de Russell son un buen anticipo de la eternidad, que tampoco se deja definir por enumeración de sus partes.

Ninguna de las varias eternidades que planearon los hombres —la del nominalismo, la de Ireneo, la de Platón— es una agregación mecánica del pasado, del presente y del porvenir. Es una cosa más sencilla y más mágica: es la simultaneidad de esos tiempos. El idioma común y aquel diccionario asombroso *dont chaque édition fait regretter la précédente,* parecen ignorarlo, pero así la pensaron los metafísicos. *Los objetos del alma son sucesivos, ahora Sócrates y después un caballo* —leo en el quinto libro de las *Enéadas*—, *siempre una cosa aislada que se concibe y miles que se pierden; pero la Inteligencia Divina abarca juntamente todas las cosas. El pasado está en su presente, así como también el porvenir. Nada transcurre en ese mundo, en el que persisten todas las cosas, quietas en la felicidad de su condición.*

Paso a considerar esa eternidad, de la que derivaron las subsiguientes. Es verdad que Platón no la inaugura —en un libro especial, habla de los "antiguos y sagrados filósofos" que lo precedieron— pero amplía y resume con esplendor cuanto imaginaron los anteriores. Deussen lo compara con el ocaso: luz apasionada y final. Todas las concepciones griegas de eternidad convergen en sus libros, ya rechazadas, ya exornadas trágicamente. Por eso lo hago preceder a Ireneo, que ordena la segunda eternidad: la coronada por las tres diversas pero inextricables personas.

Dice Plotino con notorio fervor: *Toda cosa en el cielo inteligible también es cielo, y allí la tierra es cielo, como también lo son los animales, las plantas, los varones y el mar. Tienen por espectáculo el de un mundo que no ha sido engendrado. Cada cual se mira en los otros. No hay cosa en ese reino que no sea diáfana. Nada es impenetrable, nada es opaco y la luz encuentra la luz. Todos están en todas partes, y todo es todo. Cada cosa es todas las cosas. El sol es todas las estrellas, y cada estrella es todas las estrellas y el sol. Nadie camina allí como sobre una tierra extranjera.* Ese universo unánime, esa apoteosis de la asimilación y del intercambio, no es todavía la eternidad; es un cielo limítrofe, no emancipado enteramente del número y del espacio. A la contemplación de la eternidad, al mundo de las formas universales quiere exhortar este pasaje del quinto libro: *Que los hombres a quienes maravilla este mundo —su capacidad, su hermosura, el orden de su movimiento continuo, los dioses manifiestos o invisibles que lo recorren, los demonios, árboles y animales— eleven el pensamiento a esa Realidad, de la que todo es la copia. Verán ahí las formas inteligibles, no con prestada eternidad sino eternas, y verán también a su capitán, la Inteligencia pura, y la Sabiduría inalcanzable, y la edad genuina de Cronos, cuyo nombre es la Plenitud. Todas las cosas inmortales están en él. Cada intelecto, cada dios y cada alma. Todos los lugares le son presentes, ¿adónde irá? Está en la dicha, ¿a qué probar mudanza y vicisitud? No careció al principio de ese estado y lo ganó después. En una sola eternidad las cosas son suyas: esa eternidad que el tiempo remeda al girar en torno del alma, siempre desertor de un pasado, siempre codicioso de un porvenir.*

Las repetidas afirmaciones de pluralidad que dispensan los párrafos anteriores, pueden inducirnos a error. El universo ideal a que nos convida Plotino es menos estudioso de variedad que de plenitud; es un repertorio selecto, que no tolera la repetición y el pleonasmo. Es el inmóvil y terrible museo de los arquetipos platónicos. No sé si lo miraron ojos mortales (fuera de la intuición visionaria o la pesadilla) o si el griego remoto que lo ideó, se lo representó alguna vez, pero algo de museo presiento en él: quieto, monstruoso y clasificado... Se trata de una imaginación personal de la que puede prescindir el lector; de lo que no conviene que prescinda es de alguna noticia general de esos arquetipos platónicos, o causas primordiales o ideas, que pueblan y componen la eternidad.

Una prolija discusión del sistema platónico es imposible aquí, pero no ciertas advertencias de intención propedéutica. Para nosotros, la última y firme realidad de las cosas es la materia— los electrones giratorios que recorren distancias estelares en la soledad de los átomos—; para los capaces de platonizar, la especie, la forma. En el libro tercero de las *Enéadas*, leemos que la materia es irreal: es una mera y hueca pasividad que recibe las formas universales como las recibiría un espejo; éstas la agitan y la pueblan sin alterarla. Su plenitud es precisamente la de un espejo, que simula estar lleno y está vacío; es un fantasma que ni siquiera desaparece, porque no tiene ni la capacidad de cesar. Lo fundamental son las formas. De ellas, repitiendo a Plotino, dijo Pedro Malón de Chaide mucho después: *Hace Dios como si vos tuviésedes un sello ochavado de oro que en una parte tuviese un león esculpido; en la otra, un caballo; en otra, un águila, y así de las demás; y en un pedazo de cera imprimiésedes el león; en otro, el águila; en otro, el caballo; cierto está que todo lo que está en la cera está en el oro, y no podéis vos imprimir sino lo que allí tenéis esculpido. Mas hay una diferencia, que en la cera al fin es cera, y vale poco; mas en el oro es oro, y vale mucho. En las criaturas están estas perfecciones finitas y de poco valor: en Dios son de oro, son el mismo Dios.* De ahí podemos inferir que la materia es nada.

Damos por malo ese criterio y aun por inconcebible, y sin embargo lo aplicamos continuamente. Un capítulo de Schopenhauer no es el papel en las oficinas de Leipzig ni la impresión, ni las delicadezas y perfiles de la escritura gótica, ni la enumeración de los sonidos que lo componen ni siquiera la opinión que tenemos de él; Miriam Hopkins está hecha de Miriam Hopkins, no de los principios nitrogenados o minerales, hidratos de carbono, alcaloides y grasas neutras, que forman la sustancia transitoria de ese fino espectro de plata o esencia inteligible de Hollywood. Esas ilustraciones o sofismas de buena voluntad pueden exhortarnos a tolerar la tesis platónica. La formularemos así: *Los individuos y las cosas existen en cuanto participan de la especie que los incluye, que es su realidad permanente.* Busco el ejemplo más favorable: el de un pájaro. El hábito de las bandadas, la pequeñez, la identidad de rasgos, la antigua conexión con los dos crepúsculos, el del principio de los días y el de su término, la circunstancia de que son más frecuentes al oído que a la visión —todo ello nos mueve a admitir la primacía de la especie y la casi perfecta nulidad de los individuos.[1] Keats, ajeno de error, puede pensar que el ruiseñor que lo encanta es aquel mismo

---

[1] Vivo, Hijo de Despierto, el improbable Robinson metafísico de la novela de Abubeker Abentofail, se resigna a comer aquellas frutas y aquellos peces que abundan en su isla, siempre cuidando de que ninguna especie se pierda y el universo quede empobrecido por culpa de él.

que oyó Ruth en los trigales de Belén de Judá; Stevenson erige un solo pájaro que consume los siglos: *el ruiseñor devorador del tiempo*. Schopenhauer, el apasionado y lúcido Schopenhauer, aporta una razón: la pura actualidad corporal en que viven los animales, su desconocimiento de la muerte y de los recuerdos. Añade luego, no sin una sonrisa: *Quien me oiga asegurar que el gato gris que ahora juega en el patio, es aquel mismo que brincaba y que traveseaba hace quinientos años, pensará de mí lo que quiera, pero locura más extraña es imaginar que fundamentalmente es otro*. Y después: *Destino y vida de leones quiere la leonidad que, considerada en el tiempo, es un león inmortal que se mantiene mediante la infinita reposición de los individuos, cuya generación y cuya muerte forman el pulso de esa imperecedera figura*. Y antes: *Una infinita duración ha precedido a mi nacimiento, ¿qué fui yo mientras tanto? Metafísicamente podría quizá contestarme: "Yo siempre he sido yo; es decir, cuantos dijeron yo durante ese tiempo, no eran otros que yo."*

Presumo que la eterna Leonidad puede ser aprobada por mi lector, que sentirá un alivio majestuoso ante ese único León, multiplicado en los espejos del tiempo. Del concepto de eterna Humanidad no espero lo mismo: sé que nuestro yo lo rechaza, y que prefiere derramarlo sin miedo sobre el yo de los otros. Mal signo; formas universales mucho más arduas nos propone Platón. Por ejemplo, la Mesidad, o Mesa Inteligible que está en los cielos: arquetipo cuadrúpedo que persiguen, condenados a ensueño y a frustración, todos los ebanistas del mundo. (No puedo negarla del todo: sin una mesa ideal, no hubiéramos llegado a mesas concretas.) Por ejemplo, la Triangularidad: eminente polígono de tres lados que no está en el espacio y que no quiere denigrarse a equilátero, escaleno o isósceles. (Tampoco lo repudio; es el de las cartillas de geometría.) Por ejemplo: la Necesidad, la Razón, la Postergación, la Relación, la Consideración, el Tamaño, el Orden, la Lentitud, la Posición, la Declaración, el Desorden. De esas comodidades del pensamiento elevadas a formas ya no sé qué opinar; pienso que ningún hombre las podrá intuir sin el auxilio de la muerte, de la fiebre, o de la locura. Me olvidaba de otro arquetipo que los comprende a todos y los exalta: la eternidad, cuya despedazada copia es el tiempo.

Ignoro si mi lector precisa argumentos para descreer de la doctrina platónica. Puedo suministrarle muchos: uno, la incompatible agregación de voces genéricas y de voces abstractas que cohabitan *sans gêne* en la dotación del mundo arquetipo; otro, la reserva de su inventor sobre el procedimiento que usan las cosas para participar de las formas universales; otro, la conjetura de que esos mismos arquetipos asépticos adolecen de mezcla y de variedad. No son irresolubles: son tan confusos como las criaturas del tiempo. Fabricados a imagen de las criaturas, repiten esas mismas anomalías que quieren resolver. La Leonidad, digamos, ¿cómo prescindiría de la Soberbia y de la Rojez, de la Melenidad y la Zarpidad? A esa pregunta no hay contestación y no puede haberla: no esperemos del término *leonidad* una virtud muy superior a la que tiene esa palabra sin el sufijo. [1]

Vuelvo a la eternidad de Plotino. El quinto libro de las *Enéadas* incluye un inventario muy general de las piezas que la componen. La Justicia está ahí, así como los Números (¿hasta cuál?) y las Virtudes y los Actos y el Movimiento, pero no los errores y las injurias, que son enfermedades de una materia en que se ha maleado una Forma. No en cuanto es melodía, pero sí en cuanto es Armonía y es Ritmo, la Música está ahí. De la patología y la agricultura no hay arquetipos, porque no se precisan. Quedan excluidas igualmente la hacienda, la estrategia, la retórica y el arte de gobernar —aunque, en el tiempo, algo deriven de la Belleza y del Número. No hay individuos, no hay una forma primordial de Sócrates ni siquiera de Hombre Alto o de Emperador; hay, generalmente, el Hombre. En cambio, todas las figuras geométricas están ahí. De los colores sólo están los primarios: no hay Ceniciento ni Purpúreo ni Verde en esa eternidad. En orden ascendente, sus más antiguos arquetipos son éstos: la Diferencia, la Igualdad, la Moción, la Quietud y el Ser.

Hemos examinado una eternidad que es más pobre que el mundo. Queda por ver cómo la adoptó nuestra iglesia y le confió un caudal que es superior a cuanto los años trasportan.

---

[1] No quiero despedirme del platonismo (que parece glacial) sin comunicar esta observación, con esperanza de que la prosigan y justifiquen: *Lo genérico puede ser más intenso que lo concreto.* Casos ilustrativos no faltan. De chico, veraneando en el norte de la provincia, la llanura redonda y los hombres que mateaban en la cocina me interesaron, pero mi felicidad fue terrible cuando supe que ese redondel era "pampa", y esos varones, "gauchos". Igual, el imaginativo que se enamora. Lo genérico (el repetido nombre, el tipo, la patria, el destino adorable que le atribuye) prima sobre los rasgos individuales, *que se toleran en gracia de lo anterior.*

El ejemplo extremo, el de quien se enamora de oídas, es muy común en las literaturas persa y arábiga. Oír la descripción de una reina —la cabellera semejante a las noches de la separación y la emigración pero la cara como el día de la delicia, los pechos como esferas de marfil que dan luz a las lunas, el andar que avergüenza a los antílopes y provoca la desesperación de los sauces, las onerosas caderas que le impiden tenerse en pie, los pies estrechos como una cabeza de lanza —y enamorarse de ella hasta la placidez y la muerte, es uno de los temas tradicionales en las 1001 Noches. Léase la historia de Badrbasim, hijo de Shahrimán, o la de Ibrahim y Yamila.

II

El mejor documento de la primera eternidad es el quinto libro de la *Enéadas*; el de la segunda o cristiana, el onceno libro de las *Confesiones* de San Agustín. La primera no se concibe fuera de la tesis platónica; la segunda, sin el misterio profesional de la Trinidad y sin las discusiones levantadas por predestinación y reprobación. Quinientas páginas en folio no agotarían el tema: espero que estas dos o tres en octavo no parecerán excesivas.

Puede afirmarse, con un suficiente margen de error, que "nuestra" eternidad fue decretada a los pocos años de la dolencia crónica intestinal que mató a Marco Aurelio, y que el lugar de ese vertiginoso mandato fue la barranca de Fourvière, que antes se nombró *Forum vetus*, célebre ahora por el funicular y por la basílica. Pese a la autoridad de quien la ordenó —el obispo Ireneo—, esa eternidad coercitiva fue mucho más que un vano paramento sacerdotal o un lujo eclesiástico: fue una resolución y fue un arma. El Verbo es engendrado por el Padre, el Espíritu Santo es producido por el Padre y el Verbo, los gnósticos solían inferir de esas dos innegables operaciones que el Padre era anterior al Verbo, y los dos al Espíritu. Esa inferencia disolvía la Trinidad. Ireneo aclaró que el doble proceso —generación del Hijo por el Padre, emisión del Espíritu por los dos— no aconteció en el tiempo, sino que agota de una vez el pasado, el presente y el porvenir. La aclaración prevaleció y ahora es dogma. Así fue promulgada la eternidad, antes apenas consentida en la sombra de algún desautorizado texto platónico. La buena conexión y distinción de las tres hipóstasis del Señor, es un problema inverosímil ahora, y esa futilidad parece contaminar la respuesta; pero no cabe duda de la grandeza del resultado, siquiera para alimentar la esperanza: *Aeternitas est merum hodie, est immediata et lucida fruitio rerum infinitarum*. Tampoco, de la importancia emocional y polémica de la Trinidad.

Ahora, los católicos laicos la consideran un cuerpo colegiado infinitamente correcto, pero también infinitamente aburrido; los *liberales*, un vano cancerbero teológico, una superstición que los muchos adelantos de la República ya se encargarán de abolir. La trinidad, claro es, excede esas fórmulas. Imaginada de golpe, su concepción de un padre, un hijo y un espectro, articulados en un solo organismo, parece un caso de teratología intelectual, una deformación que sólo el horror de una pesadilla pudo parir. El infierno es una mera violencia física, pero las tres inextricables Personas importan un horror intelectual, una infinidad ahogada, especiosa, como de contrarios espejos. Dante las quiso denotar con el signo de una superposición de círculos diáfanos, de diverso color; Donne, por el de complicadas serpientes, ricas e indisolubles. *Toto coruscat trinitas mysterio*, escribió San Paulino; *Fulge en pleno misterio la Trinidad.*

Desligada del concepto de redención, la distinción de las tres personas en una tiene que parecer arbitraria. Considerada como una necesidad de la fe, su misterio fundamental no se alivia, pero despuntan su intención y su empleo. Entendemos que renunciar a la Trinidad —a la Dualidad, por lo menos— es hacer de Jesús un delegado ocasional del Señor, un incidente de la historia, no el auditor *imperecedero*, continuo, de nuestra devoción. Si el Hijo no es también el Padre, la redención no es obra directa divina; si no es eterno, tampoco lo será el sacrificio de haberse denigrado a hombre y haber muerto en la cruz. *Nada menos que una infinita excelencia pudo satisfacer por un alma perdida para infinitas edades*, instó Jeremías Taylor. Así puede justificarse el dogma, si bien los conceptos de la generación del Hijo por el Padre y de la procesión del Espíritu por los dos, siguen insinuando una prioridad, sin contar su culpable condición de meras metáforas. La teología, empeñada en diferenciarlas, resuelve que no hay motivo de confusión, puesto que el resultado de una es el Hijo, el de la otra el Espíritu. Generación eterna del Hijo, procesión eterna del Espíritu, es la soberbia decisión de Ireneo: invención de un acto sin tiempo, de un mutilado *zeitloses Zeitwort*, que podemos tirar o venerar, pero no discutir. Así Ireneo se propuso salvar el monstruo, y lo consiguió. Sabemos que era enemigo de los filósofos; apoderarse de una de sus armas y volverla contra ellos, debió causarle un belicoso placer.

Para el cristiano, el primer segundo del tiempo coincide con el primer segundo de la Creación —hecho que nos ahorra el espectáculo (reconstruido hace poco por Valéry) de un Dios vacante que devana siglos baldíos en la eternidad "anterior". Manuel Swedenborg (*Vera christiana religio*, 1771) vio en un confín del orbe espiritual una estatua alucinatoria por la que se imaginan devorados todos aquellos *que deliberan insensata y estérilmente sobre la condición del Señor antes de hacer el mundo.*

Desde que Ireneo la inauguró, la eternidad cristiana empezó a diferir de la alejandrina. De ser un mundo aparte, se acomodó a ser uno de los diecinueve atributos de la mente de Dios. Librados a la veneración popular, los arquetipos ofrecían el peligro de convertirse en divinidades o en ángeles; no se negó por consiguiente su realidad —siempre mayor que la de las meras criaturas— pero se los redujo a ideas eternas en el Verbo hacedor. A ese concepto de los *universalia ante res* viene a parar Alberto Magno: los considera eternos y anteriores a las cosas de la Creación.

pero sólo a manera de inspiraciones o formas. Cuida muy bien de separarlos de los *universalia in rebus*, que son las mismas concepciones divinas ya concretadas variamente en el tiempo, y —sobre todo— de los *universalia post res*, que son las concepciones redescubiertas por el pensamiento inductivo. Las temporales se distinguen de las divinas en que carecen de eficacia creadora, pero no en otra cosa; la sospecha de que las categorías de Dios pueden no ser precisamente las del latín, no cabe en la escolástica... Pero advierto que me adelanto.

Los manuales de teología no se demoran con dedicación especial en la eternidad. Se reducen a prevenir que es la intuición contemporánea y total de todas las fracciones del tiempo, y a fatigar las Escrituras hebreas en pos de fraudulentas confirmaciones, donde parece que el Espíritu Santo dijo muy mal lo que dice bien el comentador. Suelen agitar con ese propósito esta declaración de ilustre desdén o de mera longevidad: *Un día delante del Señor es como mil años, y mil años son como un día*, o las grandes palabras que oyó Moisés y que son el nombre de Dios: *Soy El que Soy*, o las que oyó San Juan el Teólogo en Patmos, antes y después del mar de cristal y de la bestia de color escarlata y de los pájaros que comen carne de capitanes: *Yo soy la A y la Z, el principio y el fin.*[1] Suelen copiar también esta definición de Boecio (concebida en la cárcel, acaso en vísperas de morir por la espada): *Aeternitas est interminabilis vitae tota et perfecta possessio*, y que me agrada más en la casi voluptusa repetición de Hans Lassen Martensen: *Aeternitas est merum hodie, est immediata et lucida fruitio rerum infinitarum*. Parecen desdeñar, en cambio, aquel oscuro juramento del ángel que estaba de pie sobre el mar y sobre la tierra (Revelación, X, 6): *y juró por Aquel que vivirá para siempre, que ha creado el cielo y las cosas que en él están, y la tierra y las cosas que en ella están, y la mar y las cosas que en ella están, que el tiempo dejará de ser.* Es verdad que *tiempo* en ese versículo, debe equivaler a *demora*.

La eternidad quedó como atributo de la ilimitada mente de Dios, y es muy sabido que generaciones de teólogos han ido trabajando esa mente, a su imagen y semejanza. Ningún estímulo tan vivo como el debate de la predestinación *ab aeterno*. A los cua-

[1] La noción de que el tiempo de los hombres no es conmensurable con el de Dios, resalta en una de las tradiciones islámicas del ciclo del *miraj*. Se sabe que el Profeta fue arrebatado hasta el séptimo cielo por la resplandeciente yegua Alburak y que conversó en cada uno con los patriarcas y ángeles que lo habitan y que atravesó la Unidad y sintió un frío que le heló el corazón cuando la mano del Señor le dio una palmada en el hombro. El casco de Alburak, al dejar la tierra, volcó una jarra llena de agua; a su regreso, el Profeta la levantó y no se había derramado una sola gota.

trocientos años de la Cruz, el monje inglés Pelagio incurrió en el
escándalo de pensar que los inocentes que mueren sin el bautismo
alcanzan la gloria.[1] Agustín, obispo de Hipona, lo refutó con
una indignación que sus editores aclaman. Notó las herejías de
esa doctrina, aborrecida de los justos y de los mártires: su negación de que en el hombre Adán ya hemos pecado y perecido todos
los hombres, su olvido abominable de que esa muerte se trasmite
de padre a hijo por la generación carnal, su menosprecio del
sangriento sudor, de la agonía sobrenatural y del grito de Quien
murió en la cruz, su repulsión de los secretos favores del Espíritu
Santo, su restricción de la libertad del Señor. El británo había
tenido el atrevimiento de invocar la justicia; el Santo —siempre
sensacional y forense— concede que según la justicia, todos los
hombres merecemos el fuego sin perdón, pero que Dios ha determinado salvar algunos, *según su inescrutable arbitrio*, o, como
diría Calvino mucho después, no sin brutalidad: *porque sí (quia
voluit)*. Ellos son los predestinados. La hipocresía o el pudor de los
teólogos ha reservado el uso de esa palabra para los predestinados
al cielo. Predestinados al tormento no puede haber: es verdad
que los no favorecidos pasan al fuego eterno, pero se trata de una
preterición del Señor, no de un acto especial... Ese recurso renovó la concepción de la eternidad.

Generaciones de hombres idolátricos habían habitado la tierra,
sin ocasión de rechazar o abrazar la palabra de Dios; era tan
insolente imaginar que pudieran salvarse sin ese medio, como negar que algunos de sus varones, de famosa virtud, serían excluidos
de la gloria. (Zwingli, 1523, declaró su esperanza personal de
compartir el cielo con Hércules, con Teseo, con Sócrates, con Arístides, con Aristóteles y con Séneca.) Una amplificación del noveno
atributo del Señor (que es el de omnisciencia) bastó para conjurar la dificultad. Se promulgó que ésta importaba el conocimiento de todas las cosas: vale decir, no sólo de las reales, sino de
las posibles también. Se rebuscó un lugar en las Escrituras que
permitiera ese complemento infinito, y se encontraron dos: uno,
aquel del primer Libro de los Reyes en que el Señor le dice a
David que los hombres de Kenlah van a entregarlo si no se va de
la ciudad, y él se va; otro, aquel del Evangelio según Mateo, que
impreca a dos ciudades: *¡Ay de ti, Korazín! ¡Ay de ti, Bethsaida!
porque si en Tiro y en Sidón se hubieran hecho las maravillas
que en vosotras se han hecho, ha tiempo que se hubieran arre-*

---

[1] Jesucristo había dicho: *Dejad que los niños vengan a mí*; Pelagio fue
acusado, naturalmente, de interponerse entre los niños y Jesucristo, librándolos así al infierno. Como el de Atanasio (Satanasio), su nombre permitía
el retruécano; todos dijeron que Pelagio *(Pelagius)* tenía que ser un piélago
(pelagus) de maldades.

pentido en saco y en ceniza. Con ese repetido apoyo, los modos potenciales del verbo pudieron ingresar en la eternidadd: Hércules convive en el cielo con Ulrich Zwingli porque Dios sabe que hubiera observado el año eclesiástico, la Hidra de Lerna queda relegada a las tinieblas exteriores porque le consta que hubiera rechazado el bautismo. Nosotros percibimos los hechos reales e imaginamos los posibles (y los futuros); en el Señor no cabe esa distinción, que pertenece al desconocimiento y al tiempo. Su eternindad registra de una vez *(uno intelligendi actu)* no solamente todos los instantes de este repleto mundo sino los que tendrían su lugar si el más evanescente de ellos cambiara —y los imposibles, también. Su eternidad combinatoria y puntual es mucho más copiosa que el universo.

A diferencia de las eternidades platónicas, cuyo riesgo mayor es la insipidez, ésta corre peligro de asemejarse a las últimas páginas de *Ulises*, y aun al capítulo anterior, al del enorme interrogatorio. Un majestuoso escrúpulo de Agustín moderó esa prolijidad. Su doctrina, siquiera verbalmente, rechaza la condenación; el Señor se fija en los elegidos y pasa por alto a los réprobos. Todo lo sabe, pero prefiere demorar su atención en las vidas virtuosas. Juan Escoto Erígena, maestro palatino de Carlos el Calvo, deformó gloriosamente esa idea. Predicó un Dios indeterminable; enseñó un orbe de arquetipos platónicos; enseñó un Dios que no percibe el pecado ni las formas del mal; enseñó la deificación, la reversión final de las criaturas (incluso el tiempo y el demonio) a la unidad primera de Dios. *Divina bonitas consummabit malitiam, aeterna vita absorbebit mortem, beatitudo miseriam.* Esa mezclada eternidad (que a diferencia de las eternidades platónicas, incluye los destinos individuales; que a diferencia de la institución ortodoxa, rechaza toda imperfección y miseria) fue condenada por el sínodo de Valencia y por el de Langres. *De divisione naturae, libri* V, la obra controversial que la predicaba, ardió en la hoguera pública. Acertada medida que despertó el favor de los bibliófilos y permitió que el libro de Erígena llegara a nuestros años.

El universo requiere la eternidad. Los teólogos no ignoran que si la atención del Señor se desviara un solo segundo de mi derecha mano que escribe, ésta recaería en la nada, como si la fulminara un fuego sin luz. Por eso afirman que la conservación de este mundo es una perpetua creación y que los verbos *conservar* y *crear*, tan enemistados aquí, son sinónimos en el Cielo.

III

Hasta aquí, en su orden cronológico, la historia general de la eternidad. De las eternidades, mejor, ya que el deseo humano soñó dos sueños sucesivos y hostiles con ese nombre: uno, el realista, que anhela con extraño amor los quietos arquetipos de las criaturas; otro, el nominalista, que niega la verdad de los arquetipos y quiere congregar en un segundo los detalles del universo. Aquél se basa en el realismo, doctrina tan apartada de nuestro ser que descreo de todas las interpretaciones, incluso de la mía; éste en su contendor el nominalismo, que afirma la verdad de los individuos y lo convencional de los géneros. Ahora, semejantes al espontáneo y alelado prosista de la comedia, todos hacemos nominalismo *sans le savoir:* es como una premisa general de nuestro pensamiento, un axioma adquirido. De ahí, lo inútil de comentarlo.

Hasta aquí, en su orden cronológico, el desarrollo debatido y curial de la eternidad. Hombres remotos, hombres barbados y mitrados la concibieron, públicamente para confundir herejías y para vindicar la distinción de las tres personas en una, secretamente para restañar de algún modo el curso de las horas. *Vivir es perder tiempo: nada podemos recobrar o guardar sino bajo forma de eternidad,* leo en el español emersonizado Jorge Santayana. A lo cual basta yuxtaponer aquel terrible pasaje de Lucrecio, sobre la falacia del coito: *Como el sediento que en el sueño quiere beber y agota formas de agua que no lo sacian y perece abrasado por la sed en el medio de un río: así Venus engaña a los amantes con simulacros, y la vista de un cuerpo no les da hartura, y nada pueden desprender o guardar, aunque las manos indecisas y mutuas recorran todo el cuerpo. Al fin, cuando en los cuerpos hay presagio de dichas y Venus está a punto de sembrar los campos de la mujer, los amantes se aprietan con ansiedad, diente amoroso contra diente; del todo en vano, ya que no alcanzan a perderse en el otro ni a ser un mismo ser.* Los arquetipos y la eternidad —dos palabras— prometen posesiones más firmes. Lo cierto es que la sucesión es una intolerable miseria y que los apetitos magnánimos codician todos los minutos del tiempo y toda la variedad del espacio.

Es sabido que la identidad personal reside en la memoria y que la anulación de esa facultad comporta la idiotez. Cabe pensar lo mismo del universo. Sin una eternidad, sin un espejo delicado y secreto de lo que pasó por las almas, la historia universal es tiempo perdido, y en ella nuestra historia personal —lo cual nos afantasma incómodamente. No basta con el disco gramofónico de

Berliner o con el perspicuo cinematógrafo, meras imágenes de imágenes, ídolos de otros ídolos. La eternidad es una más copiosa invención. Es verdad que no es concebible, pero el humilde tiempo sucesivo tampoco lo es. Negar la eternidad, suponer la vasta aniquilación de los años cargados de ciudades, de ríos y de júbilos, no es menos increíble que imaginar su total salvamento.

¿Cómo fue incoada la eternidad? San Agustín ignora el problema, pero señala un hecho que parece permitir una solución: los elementos de pasado y de porvenir que hay en todo presente. Alega un caso determinado: la rememoración de un poema. *Antes de comenzar, el poema está en mi anticipación; apenas lo acabé, en mi memoria; pero mientras lo digo, está distendiéndose en la memoria, por lo que llevo dicho; en la anticipación, por lo que me falta decir. Lo que sucede con la totalidad del poema, sucede con cada verso y con cada sílaba. Digo lo mismo, de la acción más larga de la que forma parte el poema, y del destino individual, que se compone de una serie de acciones, y de la humanidad, que que es una serie de destinos individuales.* Esa comprobación del íntimo enlace de los diversos tiempos del tiempo incluye, sin embargo, la sucesión, hecho que no condice con un modelo de la unánime eternidad.

Pienso que la nostalgia fue ese modelo. El hombre enternecido y desterrado que rememora posibilidades felices, las ve *sub specie aeternitatis*, con olvido total de que la ejecución de una de ellas excluye o postarga las otras. En la pasión, el recuerdo se inclina a lo intemporal. Congregamos las dichas de un pasado en una sola imagen; los ponientes diversamente rojos que miro cada tarde, serán en el recuerdo un solo poniente. Con la previsión pasa igual: las más incompatibles esperanzas pueden convivir sin estorbo. Dicho sea con otras palabras: el estilo del deseo es la eternidad. (Es verosímil que en la insinuación de lo eterno —de la *immediata et lucida fruitio rerum infinitarum*— esté la causa del agrado especial que las enumeraciones procuran.)

IV

Sólo me resta señalar al lector mi teoría personal de la eternidad. Es una pobre eternidad ya sin Dios, y aun sin otro poseedor y sin arquetipos. La formulé en el libro *El idioma de los argentinos*, en 1928. Trascribo lo que entonces publiqué; la página se titulaba *Sentirse en muerte*.

"Deseo registrar aquí una experiencia que tuve hace unas noches: fruslería demasiado evanescente y extática para que la llame aventura; demasiado irrazonable y sentimental para pensamiento. Se trata de una escena y de su palabra: palabra ya antedicha por mí, pero no vivida hasta entonces con entera dedicación de mi yo. Paso a historiarla, con los accidentes de tiempo y de lugar que la declararon.

"La rememoro así. La tarde que precedió a esa noche, estuve en Barracas: localidad no visitada por mi costumbre, y cuya distancia de las que después recorrí, ya dio un extraño sabor a ese día. Su noche no tenía destino alguno; como era serena, salí a caminar y recordar, después de comer. No quise determinarle rumbo a esa caminata; procuré una máxima latitud de probabilidades para no cansar la expectativa con la obligatoria antevisión de una sola de ellas. Realicé en la mala medida de lo posible, eso que llaman caminar al azar; acepté, sin otro consciente prejuicio que el de soslayar las avenidas o calles anchas, las más oscuras invitaciones de la casualidad. Con todo, una suerte de gravitación familiar me alejó hacia unos barrios, de cuyo nombre quiero siempre acordarme y que dictan reverencia a mi pecho. No quiero significar así el barrio mío, el preciso ámbito de la infancia, sino sus todavía misteriosas inmediaciones: confín que he poseído entero en palabras y poco en realidad, vecino y mitológico a un tiempo. El revés de lo conocido, su espalda, son para mí esas calles penúltimas, casi tan efectivamente ignoradas como el soterrado cimiento de nuestra casa o nuestro invisible esqueleto. La marcha me dejó en una esquina. Aspiré noche, en asueto serenísimo de pensar. La visión, nada complicada por cierto, parecía simplificada por mi cansancio. La irrealizaba su misma tipicidad. La calle era de casas bajas, y aunque su primera significación fuera de pobreza, la segunda era ciertamente de dicha. Era de lo más pobre y de lo más lindo. Ninguna casa se animaba a la calle; la higuera oscurecía sobre la ochava; los portoncitos —más altos que las líneas estiradas de las paredes— parecían obrados en la misma sustancia infinita de la noche. La vereda era escarpada sobre la calle; la calle era de barro elemental, barro de América no conquistado aún. Al fondo, el callejón, ya campeano, se desmoronaba hacia el Maldonado. Sobre la tierra turbia y caótica, una tapia rosada parecía no hospedar luz de luna, sino efundir luz íntima. No habrá manera de nombrar la ternura mejor que ese rosado.

"Me quedé mirando esa sencillez. Pensé, con seguridad en voz alta: Esto es lo mismo de hace treinta años... Conjeturé esa fecha: época reciente en otros países, pero ya remota en este cambiadizo lado del mundo. Tal vez cantaba un pájaro y sentí por él un cariño chico, y de tamaño de pájaro; pero lo más seguro es que en ese ya vertiginoso silencio no hubo más ruido que el también intemporal de los grillos. El fácil pensamiento *Estoy en mil ochocientos y tantos* dejó de ser unas cuantas aproximativas palabras y se profundizó a realidad. Me sentí muerto, me sentí percibidor abstracto del mundo: indefinido temor imbuido de ciencia que es la mejor claridad de la metafísica. No creí, no, haber remontado las presuntivas aguas del Tiempo; más bien me sospeché poseedor del sentido reticente o ausente de la inconcebible palabra *eternidad*. Sólo después alcancé a definir esa imaginación.

"La escribo, ahora, así: Esa pura representación de hechos homogéneos —noche en serenidad, parecita límpida, olor provinciano de la madreselva, barro fundamental— no es meramente idéntica a la que hubo en esa esquina hace tantos años; es, sin parecidos ni repeticiones, la misma. El tiempo, si podemos intuir esa identidad, es una delusión: la indiferencia e inseparabilidad de un momento de su aparente ayer y otro de su aparente hoy, bastan para desintegrarlo.

"Es evidente que el número de tales momentos humanos no es infinito. Los elementales —los de sufrimiento físico y goce físico, los de acercamiento del sueño, los de la audición de una música, los de mucha intensidad o mucho desgano— son más impersonales aún. Derivo de antemano esta conclusión: la vida es demasiado pobre para no ser también inmortal. Pero ni siquiera tenemos la seguridad de nuestra pobreza, puesto que el tiempo, fácilmente refutable en lo sensitivo, no lo es también en lo intelectual, de cuya esencia parece inseparable el concepto de sucesión. Quede, pues, en anécdota emocional la vislumbrada idea y en la confesa irresolución de esta hoja el momento verdadero de éxtasis y la insinuación posible de eternidad de que esa noche no me fue avara."

*

El propósito de dar interés dramático a esta biografía de la eternidad, me ha obligado a ciertas deformaciones: verbigracia, a resumir en cinco o seis nombres una gestación secular.

He trabajado al azar de mi biblioteca. Entre otras obras que más serviciales me fueron, debo mencionar las siguientes:

Die Philosophie der Griechen, von Dr. Paul Deussen. Leipzig, 1919.
Works of Plotinus. Translated by Thomas Taylor. London, 1817.
Passages Illustrating Neoplatonism. Translated with an introduction by E. R. Dodds. London, 1932.
La philosophie de Platon, par Alfred Fouillée. Paris, 1869.
Die Welt als Wille und Vorstellung, von Arthur Schopenhauer. Herausgegeben von Eduard Grisebach. Leipzig, 1892.
Die Philosophie des Mittelalters, von Dr. Paul Deussen. Leipzig, 1920.
Las confesiones de San Agustín, Versión literal por el P. Ángel C. Vega. Madrid, 1932.
A Monument to Saint Augustine. London, 1930.
Dogmatik, von Dr. R. Rothe. Heidelberg, 1870.
Ensayos de crítica filosófica, de Menéndez y Pelayo. Madrid, 1892.

LAS KENNINGAR

Una de las más frías aberraciones que las historias literarias registran, son las menciones enigmáticas o *kenningar* de la poesía de Islandia. Cundieron hacia el año 100: tiempo en que los *thulir* o rapsodas repetidores anónimos fueron desposeídos por los *escaldos*, poetas de intención personal. Es común atribuirlas a decadencia; pero ese depresivo dictamen, válido o no, corresponde a la solución del problema, no a su planteo. Bástenos reconocer por ahora que fueron el primer deliberado goce verbal de una literatura instintiva.

Empiezo por el más insidioso de los ejemplos: un verso de los muchos interpolados en la Saga de Grettir.

El héroe mató al hijo de Mak;
Hubo tempestad de espadas y alimento de cuervos.

En tan ilustre línea, la buena contraposición de las dos metáforas —tumultuosa la una, cruel y detenida la otra— engaña ventajosamente al lector, permitiéndole suponer que se trata de una sola fuerte intuición de un combate y su resto. Otra es la desairada verdad. *Alimento de cuervos* —confesémoslo de una vez— es uno de los prefijados sinónimos de *cadáver*, así como *tempestad de espadas* lo es de *batalla*. Esas equivalencias eran precisamente las *kenningar*. Retenerlas y aplicarlas sin repetirse, era el ansioso ideal de esos primitivos hombres de letras. En buena cantidad, permitían salvar las dificultades de una métrica rigurosa, muy exigente de aliteración y rima interior. Su empleo disponible, incoherente, puede observarse en estas líneas:

El aniquilador de la prole de los gigantes
Quebró al fuerte bisonte de la pradera de la gaviota.
Así los dioses, mientras el guardián de la campana se lamentaba,
Destrozaron el halcón de la ribera.
De poco le valió el rey de los griegos
Al caballo que corre por arrecifes.

El aniquilador de las crías de los gigantes es el rojizo Thor. El guardián de la campana es un ministro de la nueva fe, según su atributo. El rey de los griegos es Jesucristo, por la distraída razón de que ése es uno de los nombres del emperador de Constantinopla y de que Jesucristo no es menos. El bisonte del prado de la gaviota, el halcón de la ribera y el caballo que corre por arrecifes no son tres animales anómalos, sino una sola nave maltrecha. De esas penosas ecuaciones sintácticas la primera es de segundo grado, puesto que la pradera de la gaviota ya es un nombre del mar... Desatados esos nudos parciales, dejo al lector la clarificación total de las líneas, un poco *décevante* por cierto. La Saga de Njal las pone en la boca plutónica de Steinvora, madre de Ref el Escaldo, que narra acto continuo en lúcida prosa cómo el tremendo Thor lo quiso pelear a Jesús, y éste no se animó. Niedner, el germanista, venera lo "humano-contradictorio" de esas figuras y las propone al interés "de nuestra moderna poesía, ansiosa de valores de realidad".

Otro ejemplo, unos versos de Egil Skalagrímsson:

*Los teñidores de los dientes del lobo
Prodigaron la carne del cisne rojo.
El halcón del rocío de la espada
Se alimentó con héroes en la llanura.
Serpientes de la luna de los piratas
Cumplieron la voluntad de los Hierros.*

Versos como el tercero y el quinto, deparan una satisfacción casi orgánica. Lo que procuran trasmitir es indiferente, lo que sugieren nulo. No invitan a soñar, no provocan imágenes o pasiones; no son un punto de partida, son términos. El agrado —el suficiente y mínimo agrado— está en su variedad, en el heterogéneo contacto de sus palabras.[1] Es posible que así lo comprendieran los inventores y que su carácter de símbolos fuera un mero soborno a la inteligencia. Los Hierros son los dioses: la luna de los piratas, el escudo; su serpiente, la lanza; rocío de la espada, la sangre; su halcón, el cuervo; cisne rojo, todo pájaro ensangrentado; carne del cisne rojo, los muertos; los teñidores de

[1] Busco el equivalente clásico de ese agrado, el equivalente que el más insobornable de mis lectores no querrá invalidar. Doy con el insigne soneto de Quevedo al duque de Osuna, *horrendo en galeras y naves e infantería armada*. Es fácil comprobar que en tal soneto la espléndida eficacia del dístico

*Su Tumba son de Flandes las Campañas
Y su Epitafio la sangrienta Luna*

es anterior a toda interpretación y no depende de ella. Digo lo mismo de la subsiguiente expresión: *el llanto militar*, cuyo "sentido" no es discutible, pero sí baladí: *el llanto de los militares*. En cuanto a la *sangrienta Luna*, mejor es ignorar que se trata del símbolo de los turcos, eclipsado por no sé qué piraterías de don Pedro Téllez Girón.

los dientes del lobo, los guerreros felices. La reflexión repudia esas conversiones. Luna de los piratas no es la definición más necesaria que reclama el escudo. Eso es indiscutible, pero no lo es menos el hecho de que *luna de los piratas* es una fórmula que no se deja reemplazar por *escudo*, sin pérdida total. Reducir cada *kenning* a una palabra no es despejar incógnitas: es anular el poema.

Baltasar Gracián y Morales, de la Sociedad de Jesús, tiene en su contra unas laboriosas perífrasis, de mecanismo parecido o idéntico al de las *keningar*. El tema era el estío o la aurora. En vez de proponerlas directamente las fue justificando y coordinando con recelo culpable. He aquí el producto melancólico de ese afán:

> *Después que en el celeste Anfiteatro*
> *El jinete del día*
> *Sobre Flegetonte toreó valiente*
> *Al luminoso Toro*
> *Vibrando por rejones rayos de oro,*
> *Aplaudiendo sus suertes*
> *El hermoso espectáculo de Estrellas*
> *—Turba de damas bellas*
> *Que a gozar de su talle, alegre mora*
> *Encima los balcones de la Aurora—;*
> *Después que en singular metamorfosis*
> *Con talones de pluma*
> *Y con cresta de fuego*
> *A la gran multitud de astros lucientes*
> *(Gallinas de los campos celestiales)*
> *Presidió Gallo el bonquirrubio Febo*
> *Entre los pollos del tindario Huevo,*
> *Pues la gran Leda por traición divina*
> *Si empolló clueca concibió gallina...*

El frenesí taurino-gallináceo del reverendo Padre no es el mayor pecado de su rapsodia. Peor es el aparato lógico: la aposición de cada nombre y de su metáfora atroz, la vindicación imposible de los dislates. El pasaje de Egil Skalagrímsson es un problema, o siquiera una adivinanza; el del inverosímil español, una confusión. Lo admirable es que Gracián era un buen prosista; un escritor infinitamente capaz de artificios hábiles. Pruébelo el desarrollo de esta sentencia, que es de su pluma: *Pequeño cuerpo de Chrysólogo, encierra espíritu gigante; breve panegírico de Plinio se mide con la eternidad.*

Predomina el carácter funcional en las *keningar*. Definen los objetos por su figura menos que por su empleo. Suelen animar lo que tocan, sin perjuicio de invertir el procedimiento cuando su tema es vivo. Fueron legión y están suficientemente olvidadas: hecho que me ha instigado a recopilar esas desfallecidas flores retóricas. He aprovechado la primera compilación, la de Snorri Sturluson —famoso como historiador, como arqueólogo, como constructor de unas termas, como genealogista, como presidente de una asamblea, como poeta, como doble traidor, como decapitado y como fantasma.[1] En los años de 1230 la acometió, con fines preceptivos. Quería satisfacer dos pasiones de distinto orden: la moderación y el culto de los mayores. Le agradaban las *kenningar*, siempre que no fueran harto intrincadas y que las autorizara un ejemplo clásico. Traslado su declaración liminar: *Esta clave se dirige a los principiantes que quieren adquirir destreza poética y mejorar su provisión de figuras con metáforas tradicionales o a quienes buscan la virtud de entender lo que se escribió con misterio. Conviene respetar esas historias que bastaron a los mayores, pero conviene que los hombres cristianos les retiren su fe.* A siete siglos de distancia la discriminación no es inútil: hay traductores alemanes de ese calmoso *Gradus ad Parnassum* boreal, que lo proponen como *Ersatz* de la Biblia y que juran que el uso repetido de anécdotas noruegas es el instrumento más eficaz para alemanizar a Alemania. El doctor Karl Konrad —autor de una versión mutiladísima del tratado de Snorri y de un folleto personal de 52 "extractos dominicales"— que constituyen otras tantas "devociones germánicas", muy corregidas en una segunda edición— es quizá el ejemplo más lúgubre.

El tratado de Snorri se titula la *Edda Prosaica*. Consta de dos partes en prosa y una tercera en verso —la que inspiró sin duda el epíteto. La segunda refiere la aventura de Aegir o Hler, versadísimo en artes de hechicería, que visitó a los dioses en la fortaleza de Asgard que los mortales llaman Troya. Hacia el anochecer, Odin hizo traer unas espadas de tan bruñido acero que no se precisaba otra luz. Hler se amistó con su vecino que era el dios Bragi, ejercitado en la elocuencia y la métrica. Un vasto cuerno de aguamiel iba de mano en mano y conversaron de poesía el hombre y el dios. Éste le fue diciendo las metáforas que se deben emplear. Ese catálogo divino está asesorándome ahora.

En el índice, no excluyo las *kenningar* que ya registré. Al compilarlo, he conocido un placer casi filatélico.

---

[1] Dura palabra es *traidor*. Sturluson —quizá— era un mero fanático disponible, un hombre desgarrado hasta el escándalo por sucesivas y contrarias lealtades. En el orden intelectual, sé de dos ejemplos: el de Francisco Luis Bernárdez, el mío.

casa de los pájaros
casa de los vientos } el aire.

flechas de mar: los arenques
cerdo del oleaje: la ballena
árbol de asiento: el banco
bosque de la quijada: la barba

asamblea de espadas
tempestad de espadas
encuentro de las fuentes
vuelo de lanzas
canción de lanzas } la batalla.
fiesta de águilas
lluvia de los escudos rojos
fiesta de vikings

fuerza del arco
pierna del omóplato } el brazo.

cisne sangriento
gallo de los muertos } el buitre.

sacudidor del freno: el caballo

poste del yelmo
peñasco de los hombros } la cabeza.
castillo del cuerpo

fragua del canto: la cabeza del *skald*

ola del cuerno
marea de la copa } la cerveza.

yelmo del aire
tierra de las estrellas del cielo
camino de la luna } el cielo.
taza de los vientos

manzana del pecho
dura bellota del pensamiento } el corazón.

gaviota del odio
gaviota de las heridas
caballo de la bruja } el cuervo.
primo del cuervo [1]

[1] *Definitum in definitione ingredi non debet* es la segunda regla menor de la definición. Risueñas infracciones como esta (y aquella venidera de

riscos de las palabras: los dientes

tierra de la espada
luna de la nave
luna de los piratas } el escudo.
techo del combate
nubarrón del combate

hielo de la pelea
vara de la ira
fuego de yelmos
dragón de la espada
roedor de yelmos } la espada.
espina de la batalla
pez de la batalla
remo de la sangre
lobo de las heridas
rama de las heridas

granizo de las cuerdas de los arcos } las flechas.
gansos de la batalla

sol de las casas
perdición de los árboles } el fuego.
lobo de los templos

delicia de los cuervos
enrojecedor del pico del cuervo
alegrador del águila } el guerrero.
árbol del yelmo
árbol de la espada
teñidor de espadas

ogra del yelmo
querido alimentador de los lobos } el hacha.

negro rocío del hogar: el hollín

árbol de lobos
caballo de madera } la horca.[1]

───────
dragón de la espada: la espada) recuerdan el artificio de aquel personaje de Poe que en trance de ocultar una carta a la curiosidad policial, la exhibe como al desgaire en un tarjetero.

[1] *Ir en caballo de madera al infierno,* leo en el capítulo veintidós de la Inglinga Saga. *Viuda, balanza, borne* y *finibusterre* fueron los nombres de la horca en la germanía; *marco* (picture frame) el que le dieron los malevos antiguos de Nueva York.

rocío de la pena: las lágrimas

dragón de los cadáveres
serpiente del escudo } la lanza.

espada de la boca
remo de la boca } la lengua.

asiento del neblí
país de los anillos de oro } la mano.

techo de la ballena
tierra del cisne
camino de las velas
campo del viking
prado de la gaviota
cadena de las islas } el mar.

árbol de los cuervos
avena de águilas
trigo de los lobos } el muerto.

lobo de las mareas
caballo del pirata
reno de los reyes del mar
patín de viking
padrillo de la ola
carro arador del mar
halcón de la ribera } la nave.

piedras de la cara
lunas de la frente } los ojos.

fuego del mar
lecho de la serpiente
resplandor de la mano
bronce de las discordias } el oro.

reposo de las lanzas: la paz

casa del aliento
nave del corazón
base del alma
asiento de las carcajadas } el pecho.

nieve de la cartera
hielo de los crisoles
rocío de la balanza } la plata.

señor de anillos
distribuidor de tesoros   } el rey.
distribuidor de espadas

sangre de los peñascos   } el río.
tierra de las redes

riacho de los lobos
marea de la matanza
rocío del muerto
sudor de la guerra   } la sangre.
cerveza de los cuervos
agua de la espada
ola de la espada

herrero de canciones: el *skald*
hermana de la luna [1]   } el sol.
fuego del aire

mar de los animales
piso de las tormentas   } la tierra.
caballo de la neblina

señor de los corrales: el toro

crecimiento de hombres   } el verano.
animación de las víboras

hermano del fuego
daño de los bosques   } el viento.
lobo de los cordajes

Omito las de segundo grado, las obtenidas por combinación de un término simple con una kenning —verbigracia, *el agua de la vara de las heridas*, la sangre; *el hartador de las gaviotas del odio*, el guerrero; *el trigo de los cisnes de cuerpo rojo*, el cadáver— y las de razón mitológica; *la perdición de los enanos*, el sol; *el hijo de nueve madres*, el dios Heimdall. Omito las ocasionales también: *el sostén del fuego del mar*, una mujer con un dije de oro cualquiera.[2] De las de potencia más alta, de la que operan la fusión arbitraria de los enigmas, indicaré una sola: *los aborre-*

[1] Los idiomas germánicos que tienen género gramatical dicen *la sol* y *el luna*. Según Lugones (*El Imperio Jesuítico*, 1904), la cosmogonía de las tribus guaraníes consideraba macho a la luna y hembra al sol. La antigua cosmogonía del Japón registra asimismo una diosa del sol y un dios de la luna.

[2] Si las noticias de De Quincey no me equivocan (*Writings*, onceno tomo, página 269) el modo incidental de esa última es el de la perversa Casandra, en el negro poema de Licofrón.

cedores de la nieve del puesto del halcón. El puesto del halcón es la mano; la nieve de la mano es la plata; los aborrecedores de la plata son los varones que la alejan de sí, los reyes dadivosos. El método, ya lo habrá notado el lector, es el tradicional de los limosneros: el encomio de la remisa generosidad que se trata de estimular. De ahí los muchos sobrenombres de la plata y del oro, de ahí las ávidas menciones del rey: *señor de anillos, distribuidor de caudales, custodia de caudales*. De ahí asimismo, sinceras conversaciones como ésta, que es del noruego Eyvind Skaldaspillir:

> *Quiero construir una alabanza*
> *Estable y firme como un puente de piedra.*
> *Pienso que no es avaro nuestro rey*
> *De los carbones encendidos del codo.*

Esa identificación del oro y la llama —peligro y resplandor— no deja de ser eficaz. El ordenado Snorri la aclara: "*Decimos bien que el oro es fuego de los brazos o de las piernas, porque su color es el rojo, pero los nombres de la plata son hielo o nieve o piedra de granizo o escarcha, porque su color es el blanco*. Y después: *Cuando los dioses devolvieron la visita a Aegir, éste los hospedó en su casa (que está en el mar) y los alumbró con láminas de oro, que daban luz como las espadas en el Valhala. Desde entonces al oro le dijeron fuego del mar y de todas las aguas y de los ríos. Monedas de oro, anillos, escudos claveteados, espadas y hachas, eran la recompensa del skal*; alguna extraordinaria vez, terrenos y naves.

Mi lista de *kenningar* no es completa. Los cantores tenían el pudor de la repetición literal y preferían agotar las variantes. Basta reconocer las que registra el artículo *nave* —y las que una evidente permutación, liviana industria del olvido o del arte, puede multiplicar. Abundan asimismo las de *guerrero*. *Árbol de la espada* le dijo un *skald*, acaso porque *árbol* y *vencedor* eran voces homónimas. Otro le dijo *encina de la lanza*; otro, *bastón del oro*; otro *espantoso abeto de las tempestades de hierro*; otro *boscaje de los peces de la batalla*. Alguna vez la variación acató una ley: demuéstralo un pasaje de Markus, donde un barco parece agigantarse de cercanía.

> *El fiero jabalí de la inundación*
> *Saltó sobre los techos de la ballena.*
> *El oso del diluvio fatigó*
> *El antiguo camino de los veleros*
> *El toro de las marejadas quebró*
> *La cadena que amarra nuestro castillo.*

El culteranismo es un frenesí de la mente académica; el estilo codificado por Snorri es la exasperación y casi la *reductio ad absurdum* de una preferencia común a toda la literatura germánica: la de las palabras compuestas. Los más antiguos monumentos de esa literatura son los anglosajones. En el Beowulf —cuya fecha es el 700—, el mar es el camino de las velas, el camino del cisne, la ponchera de las olas, el baño de la planga, la ruta de la ballena; el sol es la candela del mundo, la alegría del cielo, la piedra preciosa del cielo; el arpa es la madera del júbilo; la espada es el residuo de los martillos, el compañero de pelea, la luz de la batalla; la batalla, es el juego de las espadas, el chaparrón de fierro; la nave es la atravesadora del mar; el dragón es la amenaza del anochecer, el guardián del tesoro; el cuerpo es la morada de los huesos; la reina es la tejedora de paz; el rey es el señor de los anillos, el áureo amigo de los hombres, el jefe de hombres, el distribuidor de caudales. También las naves de la Ilíada son *atravesadoras del mar* —casi *trasatlánticos*—, y el rey *rey de hombres*. En las hagiografías del 800, el mar es asimismo el baño del pez, la ruta de las focas, el estanque de la ballena, el reino de la ballena; el sol es la candela de los hombres, la candela del día; los ojos son las joyas de la cara; la nave es el caballo de las olas, el caballo del mar; el lobo es el morador de los bosques; la batalla es el juego de los escudos, el vuelo de las lanzas; la lanza es la serpiente de la guerra; Dios es la alegría de los guerreros. En el Bestiario, la ballena es el guardián del océano. En la balada de Brunnaburh —ya del 900—, la batalla es el trato de las lanzas, el crujido de las banderas, la comunión de las espadas, el encuentro de hombres. Los escaldos manejan puntualmente esas mismas figuras; su innovación fue el orden torrencial en que las prodigaron y el combinarlas entre sí como bases de más complejos símbolos. Es de presumir que el tiempo colaboró. Sólo cuando *luna de viking* fue una inmediata equivalencia de *escudo*, pudo el poeta formular la ecuación *serpiente de la luna de los vikings*. Ese momennto se produjo en Islandia, no en Inglaterra. El goce de componer palabras perduró en las letras británicas, pero en diversa forma. Las *Odiseas* de Chapman (año de 1614) abundan en extraños ejemplos. Algunos son hermosos *(delicious - fingered Morning, through - swum the waves)*; otros, meramente visuales y tipográficos *(Soon as the white - and - red - mixed - fingered Dame)*; otros, de curiosa torpeza, *the circularly - witted queen*. A tales aventuras pueden conducir la sangre germánica y la lectura griega. Aquí también de cierto germanizador total del inglés, que en un *Word-book of the English Tongue*, propone las enmiendas que copio: *lichrest* por cementerio, *redecraft* por lógica, *fourwinkled* por cuadrangular, *outganger* por emigrante, *fearnought* por guapo, *bit-wise* por gradualmente, *kinlore* por genealogía, *bask-jaw* por réplica, *wanhope* por desesperación. A tales aventuras pueden conducir el inglés y un conocimiento nostálgico del alemán...

Recorrer el índice total de las *kenningar* es exponerse a la incómoda sensación de que muy raras veces ha estado menos ocurrente el misterio —y más inadecuado y verboso. Antes de condenarlas, conviene recordar que su trasposición a un idioma que ignora las palabras compuestas tiene que agravar su inhabilidad. *Espina de la batalla* o aun *espina de batalla* o *espina militar* es una desairada perífrasis; *Kampfdorn* o *battle-thorn* lo son menos.[1] Así también, hasta que las exhortaciones gramaticales de nuestro Xul-Solar no encuentren obediencia, versos como el de Rudyard Kipling:

In the desert where the dung-fed camp-smoke curled

o aquel otro de Yeats:

That dolphin-torn, that gong-tormented sea

serán inimitables e impensables en español...

Otras apologías no faltan. Una evidente es que esas inexactas menciones eran estudiadas en fila por los aprendices de *skald*, pero no eran propuestas al auditorio de ese modo esquemático, sino entre la agitación de los versos. (La descarnada fórmula

agua de la espada = sangre

es acaso ya una traición.) Ignoramos sus leyes: desconocemos los precisos reparos que un juez de *kenningar* opondría a una buena metáfora de Lugones. Apenas si unas palabras nos quedan. Imposible saber con qué inflexión de voz eran dichas, desde qué caras, individuales como una música, con qué admirable decisión o modestia. Lo cierto es que ejercieron algún día su profesión de asombro y que su gigantesca ineptitud embelesó a los rojos varones de los desiertos volcánicos y los fjords, igual que la profunda cerveza y que los duelos de padrillos.[2] No es imposible

---

[1] Traducir cada *kenning* por un sustantivo español con adjetivo especificante *(sol doméstico* en lugar *de sol de las casas, resplandor manual* en vez de *resplandor de la mano)* hubiera sido tal vez lo más fiel, pero también lo menos sensacional y lo más difícil —por falta de adjetivos.

[2] Hablo de un deporte especial de esa isla de lava y de duro hielo: la riña de padrillos. Enloquecidos por las yeguas urgentes y por el clamor de los hombres, éstos peleaban a sangrientos mordiscos, alguna vez mor-

que una misteriosa alegría las produjera. Su misma bastedad
—peces de la batalla: espadas— puede responder a un antiguo
humour, a chascos de hiperbóreos hombrones. Así, en esa metáfora salvaje que he vuelto a destacar, los guerreros y la batalla
se funden en un plano invisible, donde se agitan las espadas
orgánicas y muerden y aborrecen. Esa imaginación figura también en la Saga de Njal, en una de cuyas páginas está escrito:
*Las espadas saltaron de las vainas, y hachas y lanzas volaron por
el aire y pelearon. Las armas los persiguieron con tal ardor que
debieron atajarse con los escudos, pero de nuevo muchos fueron
heridos y un hombre murió en cada nave.* Este signo se vio
en las embarcaciones del apóstata Brodir, antes de la batalla
que lo deshizo.

En la noche 743 del *Libro de las 1001 noches*, leo esta admonición: *No digamos que ha muerto el rey feliz que deja un
heredero como éste: el comedido, el agraciado, el impar, el león
desgarrador y la clara luna.* El símil, contemporáneo por ventura
de los germánicos, no vale mucho más, pero la raíz es distinta. El
hombre asimilado a la luna, el hombre asimilado a la fiera, no
son el resultado discutible de un proceso mental: son la correcta
y momentánea verdad de dos intuiciones. Las *kenningar* se quedan
en sofismas, en ejercicios embusteros y lánguidos. Aquí de cierta
memorable excepción, aquí del verso que refleja el incendio
de una ciudad, el fuego delicado y terrible:

Arden los hombres; ahora se enfurece la Joya.

Una vindicación final. El signo *pierna del omóplato* es raro,
pero no es menos raro que el brazo del hombre. Concebirlo como
una vana pierna que proyectan las sisas de los chalecos y que
se deshilacha en cinco dedos de penosa largura, es intuir su
rareza fundamental. Las *kenningar* nos dictan ese asombro, nos
extrañan del mundo. Pueden motivar esa lúcida perplejidad que
es el único honor de la metafísica, su remuneración y su fuente.

Buenos Aires, 1933.

Posdata. Morris, el minucioso y fuerte poeta inglés, intercaló
muchas *kenningar* en su última epopeya, *Sigurd the Volsung*.
Trascribo algunas, ignoro si adaptadas o personales o de las dos.
Llama de la guerra, la bandera; marea de la matanza, viento

---

tales. Las alusiones a ese juego son numerosas. De un capitán que se batió
con denuedo frente a su dama, dice el historiador que cómo no iba a pelear
bien ese potro si la yegua estaba mirándolo.

de la guerra, el ataque; mundo de peñascos, la montaña; bosque de la guerra, bosque de picas, bosque de la batalla, el ejército; tejido de la espada, la muerte; perdición de Fafnir, tizón de la pelea, ira de Sigfrido, su espada.

Padre de la fragancia ¡oh jazmín! pregonan en El Cairo los vendedores. Mauthner observa que los árabes suelen derivar sus figuras de la relación padre-hijo. Así: padre de la mañana, el gallo; padre del merodeo, el lobo; hijo del arco, la flecha; padre de los pasos, una montaña. Otro ejemplo de esa preocupación: en el Qurán, la prueba más común de que hay Dios, es el espanto de que el hombre sea generado *por unas gotas de agua vil.*

Es sabido que los primitivos nombres del tanque fueron *landship, landcruiser,* barco de tierra, acorazado de tierra. Más tarde le pusieron *tanque* para despistar. La *kenning* original era demasiado evidente. Otra *kenning* es *lechón largo,* que era el eufemismo goloso que los caníbales dieron al plato fundamental de su régimen.

El ultraísta muerto cuyo fantasma sigue siempre habitándome goza con estos juegos. Los dedico a una clara compañera: a Norah Lange, cuya sangre los reconocerá por ventura.

POSDATA DE 1962. Yo escribí alguna vez, repitiendo a otros, que la aliteración y la metáfora eran los elementos fundamentales del antiguo verso germánico. Dos años dedicados al estudio de los textos anglosajones me llevan, hoy, a modificar esa afirmación.

De las aliteraciones entiendo que eran más bien un medio que un fin. Su objeto era marcar las palabras que debían acentuarse. Una prueba de ello es que las vocales, que eran abiertas, es decir muy diversas una de otra, aliteraban entre sí. Otra es que los textos antiguos no registran aliteraciones exageradas, del tipo *afair field full offolk,* que data del siglo XIV.

En cuanto a la metáfora como elemento indispensable del verso, entiendo que la pompa y la gravedad que hay en las palabras compuestas eran lo que agradaba y que las *kenningar,* al principio, no fueron metafóricas. Así, los dos versos iniciales del *Beowulf* incluyen tres *kenningar* (daneses de lanza, días de antaño o días de años, reyes del pueblo) que ciertamente no son metáforas y es preciso llegar al décimo verso para dar con una expresión como *hronrad* (ruta de la ballena, el mar), La metáfora no habría sido pues lo fundamental sino, como la comparación ulterior, un descubrimiento tardío de las literaturas.

Entre los libros que más serviciales me fueron, debo mencionar los siguientes:

The Prose Edda, by Snorri Sturluson. Translated by Arthur Gilchrist Brodeur, New York, 1929.

Die Jüngere Edda mit dem sogennanten ersten grammatischen Traktat. Uebertragen von Gustav Neckel und Felix Niedner, Jena, 1925.

Die Edda. Uebersetzt von Hugo Gering. Leipzig, 1892.

Eddalieder, mit Grammatik, Uebersetzung und Erläuterungen. Von Dr. Wilhelm Ranisch. Leipzig, 1920.

Völsunga Saga, with certain songs from the Elder Edda. Translated by Eiríkr Magnússon and William Morris. London, 1870.

The Story of Burnt Njal. From the Icelandic of the Njals Saga, by George Webbe Dasent, Edinburgh, 1861.

The Grettir Saga. Translated by G. Ainslie Hight. London, 1913.

Die Geschichte vom Goden Snorri. Uebertragen von Felix Niedner, Jena, 1920.

Islands Kultur zur Wikingerzeit, von Felix Niedner. Jena, 1920.

Anglo-Saxon Poetry. Selected and translated by R. K. Gordon. London, 1931.

The Deeds of Beowulf. Done into modern prose by John Earle. Oxford, 1892.

LA METÁFORA

El historiador Snorri Sturluson, que en su intrincada vida hizo tantas cosas, compiló a principios del siglo XIII un glosario de las figuras tradicionales de la poesía de Islandia en el que se lee, por ejemplo, que gaviota del odio, halcón de la sangre, cisne sangriento o cisne rojo, significan el cuervo; y techo de la ballena o cadena de las islas, el mar; y la casa de los dientes, la boca. Entretejidas en el verso y llevadas por él, estas metáforas deparan (o depararon) un asombro agradable; luego sentimos que no hay una emoción que las justifique y las juzgamos laboriosas e inútiles. He comprobado que igual cosa ocurre con las figuras del simbolismo y del marinismo.

De "frialdad íntima" y de "poco ingeniosa ingeniosidad" pudo acusar Benedetto Croce a los poetas y oradores barrocos del siglo XVII; en las perífrasis recogidas por Snorri veo algo así como la *reductio ad absurdum* de cualquier propósito de elaborar metáforas nuevas. Lugones o Baudelaire, he sospechado, no fracasaron menos que los poetas cortesanos de Islandia.

En el libro tercero de la *Retórica*, Aristóteles observó que toda metáfora surge de la intuición de una analogía entre cosas disímiles; Middleton Murry exige que la analogía sea real y que hasta entonces no haya sido notada (*Countries of the Mind*, II, 4). Aristóteles, como se ve, funda la metáfora sobre las cosas y no sobre el lenguaje; los tropos conservados por Snorri son (o parecen) resultados de un proceso mental, que no percibe analogías sino que combina palabras; alguno puede impresionar (*cisne rojo, balcón de la sangre*), pero nada revelan o comunican. Son, para de alguna manera decirlo, objetos verbales, puros e independientes como un cristal o como un anillo de plata. Parejamente, el gramático Licofronte llamó león de la triple noche al dios Hércules porque la noche en que fue engendrado por Zeus duró como tres; la frase es memorable, allende la interpretación de los glosadores, pero no ejerce la función que prescribe Aristóteles.[1]

En el *I King*, uno de los nombres del universo es los Diez Mil Seres. Hará treinta años, mi generación se maravilló de que

---

[1] Digo lo mismo de "águila de tres alas", que es nombre metafórico de la flecha, en la literatura persa (Browne: *A Literary History of Persia*. III, 262).

los poetas desdeñaran las muchas combinaciones de que esa colección es capaz y maniáticamente se limitaran a unos pocos grupos famosos: la estrellas y los ojos, la mujer y la flor, el tiempo y el agua, la vejez y el atardecer, el sueño y la muerte. Enunciados o despojados así, estos grupos son meras trivialidades, pero veamos algunos ejemplos concretos.

En el Antiguo Testamento se lee (I Reyes 2:10): *Y David durmió con sus padres, y fue enterrado en la ciudad de David.* En los naufragios, al hundirse la nave, los marineros del Danubio rezaban: *Duermo; luego vuelvo a remar.* [1] Hermano de la Muerte dijo del Sueño, Homero, en la *Ilíada;* de esta hermandad diversos monumentos funerarios son testimonio, según Lessing. Mono de la muerte *(Affe des Todes)* le dijo Wilhelm Klemm, que escribió asimismo: *La muerte es la primera noche tranquila.* Antes, Heine había escrito: *La muerte es la noche fresca; la vida, el día tormentoso...* Sueño de la tierra le dijo a la muerte, Vigny; viejo sillón de hamaca *(old rocking-chair)* le dicen en los *blues* a la muerte: ésta viene a ser el último sueño, la última siesta, de los negros. Schopenhauer, en su obra, repite la ecuación muerte-sueño; básteme copiar estas líneas: *Lo que el sueño es para el individuo, es para la especie la muerte* (Welt als Wille, II, 41). El lector ya habrá recordado las palabras de Hamlet: *Morir, dormir, tal vez soñar,* y su temor de que sean atroces los sueños del sueño de la muerte.

Equiparar mujeres a flores es otra eternidad o trivialidad; he aquí algunos ejemplos. *Yo soy la rosa de Sarón y el lirio de los valles,* dice en el Cantar de los Cantares la sulamita. En la historia de Math, que es la cuarta "rama" de los *Mabinogion* de Gales, un príncipe requiere una mujer que no sea de este mundo, y un hechicero. "por medio de conjuros y de ilusión, la hace·con las flores del roble y con las flores de la retama y con las flores de la ulmaria". En la quinta "aventura" del *Nibelungenlied,* Sigfrid ve a Kriemhild, para siempre, y lo primero que nos dice es que su tez brilla con el color de las rosas. Ariosto, inspirado por Catulo, compara la doncella a una flor secreta *(Orlando,* I, 42); en el jardín de Armida, un pájaro de pico purpúreo exhorta a los amantes a no dejar que esa flor se marchite *(Gerusalemme,* XVI, 13-15). A fines del siglo x, Malherbe quiere consolar a un amigo de la muerte de su hija y en su consuelo están las famosas palabras: *Et, rose, elle a vécu ce que vivent les roses.* Shakespeare, en un jardín, admira el hondo

---

[1] También se guarda la plegaria final de los marineros fenicios: "Madre de Cartago, devuelvo el remo". A juzgar por monedas del siglo II antes de Jesucristo, debemos entender Sidón por Madre de Cartago.

bermellón de las rosas y la blancura de los lirios, pero estas galas no son, para él, sino sombras de su amor que está ausente (*Sonnets,* XCVIII). *Dios, haciendo rosas, hizo mi cara,* dice la reina de Samotracia en una página de Swinburne. Este censo podría no tener fin; [1] básteme recordar aquella escena de *Weir of Hermiston* —el último libro de Stevenson— en que el héroe quiere saber si en Cristiana hay un alma "o si no es otra cosa que un animal del color de las flores".

Diez ejemplos del primer grupo y nueve del segundo he juntado; a veces la unidad esencial es menos aparente que los rasgos diferenciales. ¿Quién, a priori, sospecharía que "sillón de hamaca" y "David durmió con sus padres" proceden de una misma raíz?

El primer monumento de las literaturas occidentales, la *Ilíada,* fue compuesto hará tres mil años; es verosímil conjeturar que en ese enorme plazo todas las afinidades íntimas, necesarias (ensueño-vida, sueño-muerte, ríos y vidas que trascurren, etcétera), fueron advertidas y escritas alguna vez. Ello no significa, naturalmente, que se haya agotado el número de metáforas; los modos de indicar o insinuar estas secretas simpatías de los conceptos resultan, de hecho, ilimitados. Su virtud o flaqueza está en las palabras, el curioso verso en que Dante (*Purgatorio,* I, 13), para definir el cielo oriental invoca una piedra oriental, una piedra límpida en cuyo nombre está, por venturoso azar, el Oriente: *Dolce color d'oriental zaffiro* es, más allá de cualquier duda, admirable; no así el de Góngora (*Soledad,* I, 6): *En campos de zafiros pace estrellas* que es, si no me equivoco, una mera grosería, un mero énfasis. [2]

Algún día se escribirá la historia de la metáfora y sabremos la verdad y el error que estas conjeturas encierran.

---

[1] También está con delicadeza la imagen en los famosos versos de Milton (*P. L,* IV, 268-271) sobre el rapto de Proserpina, y son éstos de Darío:

> Mas a pesar del tiempo terco,
> mi sed de amor no tiene fin;
> con el cabello gris me acerco
> a los rosales del jardín.

[2] Ambos versos derivan de la Escritura, "Y vieron al Dios de Israel; y había debajo de sus pies como un embaldosado de zafiro, semejante al cielo cuando está sereno". (Éxodo, 24; 10.)

LA DOCTRINA DE LOS CICLOS

I

Esa doctrina (que su más reciente inventor llama del Eterno Retorno) es formulable así:

El número de todos los átomos que componen el mundo es, aunque desmesurado, finito, y sólo capaz como tal de un número finito (aunque desmesurado también) de permutaciones. En un tiempo infinito, el número de las permutaciones posibles debe ser alcanzado, y el universo tiene que repetirse. De nuevo nacerás de un vientre, de nuevo crecerá tu esqueleto, de nuevo arribará esta misma página a tus manos iguales, de nuevo cursarás todas las horas hasta la de tu muerte increíble. Tal es el orden habitual de aquel argumento, desde el preludio insípido hasta el enorme desenlace amenazador. Es común atribuirlo a Nietzsche.

Antes de refutarlo —empresa de que ignoro si soy capaz— conviene concebir, siquiera de lejos, las sobrehumanas cifras que invoca. Empiezo por el átomo. El diámetro de un átomo de hidrógeno ha sido calculado, salvo error, en un cienmillonésimo de centímetro. Esa vertiginosa pequeñez no quiere decir que sea indivisible: al contrario, Rutherford lo define según la imagen de un sistema solar, hecho por un núcleo central y por un electrón giratorio, cien mil veces menor que el átomo entero. Dejemos ese núcleo y ese electrón, y concibamos un frugal universo, compuesto de 10 átomos. (Se trata, claro está, de un modesto universo experimental: invisible, ya que no lo sospechan los microscopios; imponderable, ya que ninguna balanza lo apreciaría.) Postulemos también —siempre de acuerdo con la conjetura de Nietzsche— que el número de cambios de ese universo es el de las maneras en que se pueden disponer los diez átomos, variando el orden que estén colocados. ¿Cuántos estados diferentes puede conocer ese mundo, antes de un eterno retorno? La indagación es fácil: basta multiplicar 1 x 2 x 3 x 4 x 5 x 6 x 7 x 8 x 9 x 10, prolija operación que nos da la cifra de 3.628.800. Si una partícula casi infinitesimal de universo es capaz de esa variedad, poca o ninguna fe debemos prestar a una monotonía del cosmos. He considerado 10 átomos; para obtener dos gramos de hidrógeno, precisaríamos bastante más de un billón de billones. Hacer el cómputo de los cambios posibles en ese par de gramos —vale decir, multiplicar un billón de billones por cada uno de los números enteros que lo anteceden— es ya una operación muy superior a mi paciencia humana.

Ignoro si mi lector está convencido; yo no lo estoy. El indoloro y casto despilfarro de números enormes obra sin duda ese placer peculiar de todos los excesos, pero la Regresión sigue más o menos Eterna, aunque a plazo remoto. Nietzsche podría replicar: " Los electrones giratorios de Rutherford son una novedad para mí, así como la idea —tan escandalosa para un filólogo— de que pueda partirse un átomo. Sin embargo, yo jamás desmentí que las vicisitudes de la materia fueran cuantiosas; yo he declarado solamente que no eran infinitas." Esa verosímil contestación de Friedrich Zarathustra me hace recurrir a Georg Cantor y a su heroica teoría de los conjuntos.

Cantor destruye el fundamento de la tesis de Nietzsche. Afirma la perfecta infinitud del número de puntos del universo, y hasta de un metro de universo, o de una fracción de ese metro. La operación de contar no es otra cosa para él que la de equiparar dos series. Por ejemplo, si los primogénitos de todas las casas de Egipto fueron matados por el Ángel, salvo los que habitaban en casa que tenía en la puerta una señal roja, es evidente que tantos se salvaron como señales rojas había, sin que esto importe enumerar cuántos fueron. Aquí es indefinida la cantidad; otras agrupaciones hay en que es infinita. El conjunto de los números naturales es infinito, pero es posible demostrar que son tantos los impares como los pares.

Al 1 corresponde el 2
" 3 " " 4
" 5 " " 6, etcétera.

La prueba es tan irreprochable como baladí, pero no difiere de la siguiente de que hay tantos múltiplos de tres mil dieciocho como números hay —sin excluir de éstos al tres mil dieciocho y sus múltiplos.

Al 1 corresponde el 3018
" 2 " " 6036
" 3 " " 9054
" 4 " " 12072, etcétera.

Cabe afirmar lo mismo de sus potencias, por más que éstas se vayan ratificando a medida que progresemos.

Al 1 corresponde el 3018
" 2 " " 3018^2 el 9.108.324
" 3, etcétera.

Una genial aceptación de estos hechos ha inspirado la fórmula de que una colección infinita —verbigracia, la serie natural de números enteros— es una colección cuyos miembros pueden desdoblarse a su vez en series infinitas. (Mejor, para eludir toda ambigüedad: conjunto infinito es aquel conjunto que puede equivaler a uno de sus conjuntos parciales.) La parte, en esas elevadas latitudes de la numeración, no es menos copiosa que el todo: la cantidad precisa de puntos que hay en el universo es la que hay en un metro, o en un decímetro, o en la más honda trayectoria estelar. La serie de los números naturales está bien ordenada: vale decir, los términos que la forman son consecutivos; el 28 precede al 29 y sigue al 27. La serie de los puntos del espacio (o de los instantes del tiempo) no es ordenable así; ningún número tiene un sucesor o un predecesor inmediato. Es como la serie de los quebrados según la magnitud. ¿Qué fracción enumeraremos después de $1/2$? No $51/100$, porque $101/200$ está más cerca; no $101/200$ porque más cerca está $201/400$; no $201/400$ porque más cerca... Igual sucede con los puntos, según Georg Cantor. Podemos siempre intercalar otros más, en número infinito. Sin embargo, debemos procurar no concebir tamaños decrecientes. Cada punto "ya" es el final de una infinita subdivisión.

El roce del hermoso juego de Cantor con el hermoso juego de Zarathustra es mortal para Zarathustra. Si el universo consta de un número infinito de términos, es rigurosamente capaz de un número infinito de combinaciones —y la necesidad de un Regreso queda vencida. Queda su mera posibilidad, computable en cero.

II

Escribe Nietzsche, hacia el otoño de 1883: *Esta lenta araña arrastrándose a la luz de la luna, y esta misma luz de la luna, y tú y yo cuchicheando en el portón, cuchicheando de eternas cosas, ¿no hemos coincidido ya en el pasado? ¿Y no recurriremos otra vez en el largo camino, en ese largo tembloroso camino, no recurriremos eternamente? Así hablaba yo, y siempre con voz menos alta, porque me daban miedo mis pensamientos y mis traspensamientos.* Escribe Eudemo, parafraseador de Aristóteles, unos tres siglos antes de la Cruz: *Si hemos de creer a los pitagóricos, las mismas cosas volverán puntualmente y estaréis conmigo otra vez y yo repetiré esta doctrina y mi mano jugará con este bastón, y así de lo demás.* En la cosmogonía de los estoicos, *Zeus se alimenta del mundo*: el universo es consumido cíclicamente por el fuego que lo engendró, y resurge de la aniquilación para repetir una idéntica historia. De nuevo se combinan las diversas partículas seminales, de nuevo informan piedras, árboles y hombres —y aun virtudes y días, ya que para los griegos era imposible un nombre sustantivo sin alguna corporeidad. De nuevo cada espada y cada héroe, de nuevo cada minuciosa noche de insomnio.

Como las otras conjeturas de la escuela del Pórtico, esa de la repetición general cundió por el tiempo, y su nombre técnico, *apokatástasis*, entró en los Evangelios (Hechos de los Apóstoles,

III, 21), si bien con intención indeterminada. El libro doce de la *Civitas Dei* de San Agustín dedica varios capítulos a rebatir tan abominable doctrina. Esos capítulos (que tengo a la vista) son harto enmarañados para el resumen, pero la furia episcopal de su autor parece preferir dos motivos: uno, la aparatosa inutilidad de esa rueda; otro, la irrisión de que el Logos muera como un pruebista en la cruz, en funciones interminables. Las despedidas y el suicidio pierden su dignidad si los menudean; San Agustín debió pensar lo mismo de la Crucifixión. De ahí que rechazara con escándalo el parecer de los estoicos y pitagóricos. Éstos argüían que la ciencia de Dios no puede comprender cosas infinitas y que esta eterna rotación del proceso mundial sirve para que Dios lo vaya aprendiendo y se familiarice con él; San Agustín se burla de sus vanas revoluciones y afirma que Jesús es la vía recta que nos permite huir del laberinto circular de tales engaños.

En aquel capítulo de su *Lógica* que trata de la ley de causalidad, John Stuart Mill declara que es concebible —pero no verdadera— una repetición periódica de la historia, y cita la "égloga mesiánica" de Virgilio:

Jam redit et virgo, redeunt Saturnia regna...

Nietzsche, helenista, ¿pudo acaso ignorar a esos "precursores"? Nietzsche, el autor de los fragmentos sobre los presocráticos, ¿pudo no conocer una doctrina que los discípulos de Pitágoras aprendieron?[1] Es muy difícil creerlo—*e inútil*. Es verdad que Nietzsche ha indicado, en memorable página, el preciso lugar en que la idea de un eterno retorno lo visitó: un sendero en los bosques de Silvaplana, cerca de un vasto bloque piramidal, un mediodía del agosto de 1881— "a seis mil pies del hombre y del tiempo". Es verdad que ese instante es uno de los honores de Nietzsche. *Inmortal el instante*, dejará escrito, *en que yo engendré el eterno regreso. Por ese instante yo soporto el Regreso* (*Unschuld des Werdens, II*, 1308). Opino, sin embargo, que no debemos postular una sorprendente ignorancia, ni tampoco una confusión humana harto humana, entre la inspiración y el recuerdo, ni tampoco un delito de vanidad. Mi clave es de carácter gramatical, casi diré sintáctico. Nietzsche sabía que el Eterno Recurso es de las fábulas o miedos o diversiones que recurren eternamente, pero también sabía que la más eficaz de las personas gramaticales es la primera. Para un profeta, cabe asegurar que es la única. Derivar su reve-

---

[1] Esta perplejidad es inútil. Nietzsche, en 1874, se burló de la tesis pitagórica de que la historia se repite cíclicamente (*Vom Nutzen und Nachteil der Historie.*) (Nota de *1953*.)

lación de un epítome, o de la *Historia philosophiae graeco-romanae* de los profesores suplentes Ritter y Preller, era imposible a Zarathustra, por razones de voz y de anacronismo —cuando no tipográficas. El estilo profético no permite el empleo de las comillas ni la erudita alegación de libros y autores...

Si mi carne humana asimila carne brutal de ovejas, ¿quién impedirá que la mente humana asimile estados mentales humanos? De mucho repensarlo y de padecerlo, el eterno regreso de las cosas es ya de Nietzsche y no de un muerto que es apenas un nombre griego. No insistiré: ya Miguel de Unamuno tiene su página sobre esa prohijación de los pensamientos.

Nietzsche quería hombres capaces de aguantar la inmortalidad. Lo digo con palabras que están en sus cuadernos personales, en el *Nachlass*, donde grabó también estas otras: *Si te figuras una larga paz antes de renacer, te juro que piensas mal. Entre el último instante de la conciencia y el primer resplandor de una vida nueva hay "ningún tiempo" —el plazo dura lo que un rayo, aunque no basten a medirlo billones de años. Si falta un yo, la infinitud puede equivaler a la sucesión.*

Antes de Nietzsche la inmortalidad personal era una mera equivocación de las esperanzas, un proyecto confuso. Nietzsche la propone como un deber y le confiere la lucidez atroz de un insomnio. *El no dormir* (leo en el antiguo tratado de Robert Burton) *harto crucifica a los melancólicos*, y nos consta que Nietzsche padeció esa crucifixión y tuvo que buscar salvamento en el amargo hidrato de cloral. Nietzsche quería ser Walt Whitman, quería minuciosamente enamorarse de su destino. Siguió un método heroico: desenterró la intolerable hipótesis griega de la eterna repetición y procuró educir de esa pesadilla mental una ocasión de júbilo. Buscó la idea más horrible del universo y la propuso a la delectación de los hombres. El optimista flojo suele imaginar que es nietzscheano; Nietzsche lo enfrenta con los círculos del eterno regreso y lo escupe así de su boca.

Escribió Nietzsche: *No anhelar distantes venturas y favores y bendiciones, sino vivir de modo que queramos volver a vivir, y así por toda la eternidad.* Mauthner objeta que atribuir la menor influencia moral, vale decir práctica, a la tesis del eterno retorno, es negar la tesis —pues equivale a imaginar que algo puede acontecer de otro modo. Nietzsche respondería que la formulación del regreso eterno y su dilatada influencia moral (vale decir práctica) y las cavilaciones de Mauthner y su refutación de las cavilaciones de Mauthner, son otros tantos necesarios momentos de la historia mundial, obra de las agitaciones atómicas. Con derecho podría repetir lo que ya dejó escrito: *Basta que la doctrina de la repetición circular sea probable o posible. La imagen de una mera po-*

sibilidad nos puede estremecer y rehacer. ¡Cuánto no ha obrado la posibilidad de las penas eternas! Y en otro lugar: *En el instante en que se presenta esa idea, varían todos los colores —y hay otra historia.*

III

Alguna vez nos deja pensativos la sensación "de haber vivido ya ese momento". Los partidarios del eterno regreso nos juran que así es e indagan una corroboración de su fe en esos perplejos estados. Olvidan que el recuerdo importaría una novedad que es la negación de la tesis y que el tiempo lo iría perfeccionando —hasta el ciclo distante en que el individuo ya prevé su destino, y prefiere obrar de otro modo... Nietzsche, por lo demás, no habló nunca de una confirmación mnemónica del Regreso. [1]

Tampoco habló —y eso merece destacarse también— de la finitud de los átomos. Nietzsche *niega* los átomos; la atomística no le parecía otra cosa que un modelo del mundo, hecho exclusivamente para los ojos y para el entendimiento aritmético... Para fundar su tesis, habló de una fuerza limitada, desenvolviéndose en el tiempo infinito, pero incapaz de un número ilimitado de variaciones. Obró no sin perfidia: primero nos precave contra la idea de una fuerza infinita —"¡cuidémonos de tales orgías del pensamiento!"— y luego generosamente concede que el tiempo es infinito. Asimismo le agrada recurrir a la Eternidad Anterior. Por ejemplo: un equilibrio de la fuerza cósmica es imposible, pues de no serlo, ya se habría operado en la Eternidad Anterior. O si no: la historia universal ha sucedido un número infinito de veces —en la Eternidad Anterior. La invocación parece válida, pero conviene repetir que esa Eternidad Anterior o *aeternitas a parte ante,* según le dijeron los teólogos) no es otra cosa que nuestra incapacidad natural de concebirle principio al tiempo. Adolecemos de

---

[1] De esa aparente confirmación, Néstor Ibarra escribe:
"Il arrive aussi que quelque perception nouvelle nous frappe comme un souvenir, que nous croyons reconnaître des objets ou des accidents que nous sommes pourtant sûrs de rencontrer pour la première fois. J'imagine qu'il s'agit ici d'un curieux comportement de notre mémoire. Une perception quelconque s'effectue d'abord, mais *sous le seuil du conscient.* Un instant après, les excitations agissent, mais cette fois nous les recevons *dans le conscient.* Notre mémoire est déclanchée, et nous offre bien le sentiment du 'déjà vu'; mais elle localise mal ce rappel. Pour en justifier la faiblesse et le trouble, nous lui supposons un considérable recul dans le temps; peut-être le renvoyons-nous plus loin de nous encore, dans le redoublement de quelque vie antérieure. Il s'agit en réalité d'un passé inmédiat; et l'abîme qui nous en sépare est celui de notre distraction."

la misma incapacidad en lo referente al espacio, de suerte que invocar una Eternidad Anterior es tan decisivo como invocar una Infinitud A Mano Derecha. Lo diré con otras palabras: si el tiempo es infinito para la intuición, también lo es el espacio. Nada tiene que ver esa Eternidad Anterior con el tiempo real discurrido; retrocedamos al primer segundo y notaremos que éste requiere un predecesor, y ese predecesor otro más, y así infinitamente. Para restañar ese *regressus in infinitum*, San Agustín resuelve que el primer segundo del tiempo coincide con el primer segundo de la Creación —*non in tempore sed cum tempore incepit creatio*.

Nietzsche recurre a la energía; la segunda ley de la termodinámica declara que hay procesos energéticos que son irreversibles. El calor y la luz no son más que formas de la energía. Basta proyectar una luz sobre una superficie negra para que se convierta en calor. El calor, en cambio, ya no volverá a la forma de luz. Esa comprobación, de aspecto inofensivo o insípido, anula el "laberinto circular" del Eterno Retorno.

La primera ley de la termodinámica declara que la energía del universo es constante; la segunda, que esa energía propende a la incomunicación, al desorden, aunque la cantidad total no decrece. Esa gradual desintegración de las fuerzas que componen el universo, es la entropía. Una vez igualadas las diversas temperaturas, una vez excluida (o compensada) toda acción de un cuerpo sobre otro, el mundo será un fortuito concurso de átomos. En el centro profundo de las estrellas, ese difícil y mortal equilibrio ha sido logrado. A fuerza de intercambios el universo entero lo alcanzará, y estará tibio y muerto.

La luz se va perdiendo en calor; el universo minuto por minuto, se hace invisible. Se hace más liviano, también. Alguna vez, ya no será más que calor: calor equilibrado, inmóvil, igual. Entonces habrá muerto.

*

Una certidumbre final, esta vez de orden metafísico. Aceptada la tesis de Zarathustra, no acabo de entender cómo dos procesos idénticos dejan de aglomerarse en uno. ¿Basta la mera sucesión, no verificada por nadie? A falta de un arcángel especial que lleve la cuenta, ¿qué significa el hecho de que atravesamos el ciclo trece mil quinientos catorce, y no el primero de la serie o el número trescientos veintidós con el exponente dos mil? Nada, para la práctica —lo cual no daña al pensador. Nada, para la inteligencia —lo cual ya es grave.

Salto Oriental, 1934.

Entre los libros consultados para la noticia anterior, debo mencionar los siguientes:

Die Unschuld des Werdens, von Friedrich Nietzsche. Leipzig, 1931.
Also sprach Zarathustra, von Friedrich Nietzsche. Leipzig, 1892.
Introduction to Mathematical Philosophy, by Bertrand Russell. London 1919.
The A B C of Atoms, by Bertrand Russell. London, 1927.
The Nature of the Physical World, by A. S. Eddington. London 1928.
Die Philosophie der Griechen, von Dr. Paul Deussen. Leipzig, 1919.
Wörterbuch der Philosophie, von Fritz Mauthner. Leipzig, 1923.
La ciudad de Dios, por San Agustín. Versión de Díaz de Beyral. Madrid, 1922.

EL TIEMPO CIRCULAR

Yo suelo regresar eternamente al Eterno Regreso; en estas líneas procuraré (con el socorro de algunas ilustraciones históricas) definir sus tres modos fundamentales.

El primero ha sido imputado a Platón. Éste, en el trigésimo noveno párrafo del *Timeo*, afirma que los siete planetas, equilibradas sus diversas velocidades, regresarán al punto inicial de partida: revolución que constituye el año perfecto. Cicerón (*De la naturaleza de los dioses*, libro segundo) admite que no es fácil el cómputo de ese vasto período celestial, pero que ciertamente no se trata de un plazo ilimitado; en una de sus obras perdidas, le fija doce mil novecientos cincuenta y cuatro "de los que nosotros llamamos años" (Tácito: *Diálogo de los oradores*, 16). Muerto Platón, la astrología judiciaria cundió en Atenas. Esta ciencia, como nadie lo ignora, afirma que el destino de los hombres está regido por la posición de los astros. Algún astrólogo que no había examinado en vano el *Timeo* formuló este irreprochable argumento: si los períodos planetarios son cíclicos, también la historia universal lo será; al cabo de cada año platónico renacerán los mismos individuos y cumplirán el mismo destino. El tiempo atribuyó a Platón esa conjetura. En 1616 escribió Lucilio Vanini: "De nuevo Aquiles irá a Troya; renacerán las ceremonias y religiones; la historia humana se repite; nada hay ahora que no fue; lo que ha sido, será; pero todo ello en general, no (como determina Platón) en particular" (*De admirandis naturae arcanis*, diálogo 52). En 1643 Thomas Browne declaró en una de las notas del primer libro de la *Religio medici:* "Año de Platón —*Plato's year*— es un curso de siglos después del cual todas las cosas recuperarán su estado anterior y Platón, en su escuela, de nuevo explicará esta doctrina." En este primer modo de concebir el eterno regreso, el argumento es astrológico.

El segundo está vinculado a la gloria de Nietzsche, su más patético inventor o divulgador. Un principio algebraico lo justifica: la observación de que un número n de objetos —átomos en la hipótesis de Le Bon, fuerzas en la de Nietzsche, cuerpos simples en la del comunista Blanqui— es incapaz de un número infinito de variaciones. De las tres doctrinas que he enumerado, la mejor razonada y la más compleja, es la de Blanqui. Éste, como Demócrito (Cicerón: *Cuestiones académicas*, libro segundo, 40), abarrota de mundos facsimilares y de mundos disímiles no sólo el tiempo sino el interminable espacio también. Su libro hermosamente se titula *L'eternité par les astres*; es de 1872. Muy anterior es un lacónico pero suficiente pasaje de David Hume; consta en los *Dialogues concerning natural religion* (1779) que se propuso traducir Schopenhauer; que yo sepa, nadie lo ha destacado hasta ahora. Lo traduzco literalmente: "No imaginemos la materia infinita, como lo hizo Epicuro; imaginémosla finita. Un número finito de partículas no es susceptible de infinitas trasposiciones; en una duración eterna, todos los órdenes y colocaciones posibles ocurrirán un número infinito de veces. Este mundo, con todos sus detalles, hasta los más minúsculos, ha sido elaborado y aniquilado, y será elaborado y aniquilado: infinitamente" (*Dialogues*, VIII).

De esta serie perpetua de historias universales idénticas observa Bertrand Russell: "Muchos escritores opinan que la historia es cíclica, que el presente estado del mundo, con sus pormenores más ínfimos, tarde o temprano volverá. ¿Cómo formulan esa hipótesis? Diremos que el estado posterior es numéricamente idéntico al anterior; no podemos decir que ese estado ocurre dos veces, pues ello postularía un sistema cronológico —*since that would imply a system of dating*— que la hipótesis nos prohibe. El caso equivaldría al de un hombre que da la vuelta al mundo: no dice que el punto de partida y el punto de llegada son dos lugares diferentes pero muy parecidos; dice que son el mismo lugar. La hipótesis de que la historia es cíclica puede enunciarse de esta manera: formemos el conjunto de todas las circunstancias contemporáneas de una circunstancia determinada; en ciertos casos todo el conjunto se precede a sí mismo" (*An Inquiry into Meaning and Truth*, 1940, pág. 102).

Arribo al tercer modo de interpretar las eternas repeticiones: el menos pavoroso y melodramático, pero también el único imaginable. Quiero decir la concepción de ciclos similares, no idénticos. Imposible formar el catálogo infinito de autoridades: pienso en los días y las noches de Brahma; en los períodos cuyo inmóvil reloj es una pirámide, muy lentamente desgastada por el ala de un pájaro, que cada mil y un años la roza; en los hombres de Hesíodo, que degeneran desde el oro hasta el hierro; en el mundo de Heráclito, que es engendrado por el fuego y que cíclicamente devora el fuego; en el mundo de Séneca y de Crisipo, en su aniquilación por el fuego, en su renovación por el agua; en la cuarta bucólica de Virgilio y en el espléndido eco de Shelley; en el Eclesiastés; en los teósofos; en la historia decimal que ideó Condorcet, en Francis Bacon y en Uspenski; en Gerald Heard, en

Spengler y en Vico; en Schopenhauer, en Emerson; en los *First Principles* de Spencer y en *Eureka* de Poe... De tal profusión de testimonios básteme copiar uno, de Marco Aurelio: "Aunque los años de tu vida fueren tres mil o diez veces tres mil, recuerda que ninguno pierde otra vida que la que vive ahora ni vive otra que la que pierde. El término más largo y el más breve son, pues, iguales. El presente es de todos; morir es perder el presente, que es un lapso brevísimo. Nadie pierde el pasado ni el porvenir, pues a nadie pueden quitarle lo que no tiene. Recuerda que todas las cosas giran y vuelven a girar por las mismas órbitas y que para el espectador es igual verla un siglo o dos o infinitamente" (*Reflexiones*, 14).

Si leemos con alguna seriedad las líneas anteriores (*id est*, si nos resolvemos a no juzgarlas una mera exhortación o moralidad), veremos que declaran, o presuponen, dos curiosas ideas. La primera: negar la realidad del pasado y del porvenir. La enuncia este pasaje de Schopenhauer: "La forma de aparición de la voluntad es sólo el presente, no el pasado ni el porvenir: éstos no existen más que para el concepto y por el encadenamiento de la conciencia, sometida al principio de razón. Nadie ha vivido en el pasado, nadie vivirá en el futuro; el presente es la forma de toda vida" (*El mundo como voluntad y representación,* primer tomo, 54). La segunda: negar, como el Eclesiastés, cualquier novedad. La conjetura de que todas las experiencias del hombre son (de algún modo) análogas, puede a primera vista parecer un mero empobrecimiento del mundo.

Si los destinos de Edgar Allan Poe, de los vikings, de Judas Iscariote y de mi lector secretamente son el mismo destino —el único destino posible—, la historia universal es la de un solo hombre. En rigor, Marco Aurelio no nos impone esta simplificación enigmática. (Yo imaginé hace tiempo un cuento fantástico, a la manera de León Bloy: un teólogo consagra toda su vida a confutar a un heresiarca; lo vence en intrincadas polémicas, lo denuncia, lo hace quemar; en el Cielo descubre que para Dios el heresiarca y él forman una sola persona.) Marco Aurelio afirma la analogía, no la identidad, de los muchos destinos individuales. Afirma que cualquier lapso —un siglo, un año, una so'a noche, tal vez el inasible presente— contiene íntegramente la historia. En su forma extrema esa conjetura es de fácil refutación: un sabor difiere de otro sabor, diez minutos de dolor físico no equivalen a diez minutos de álgebra. Aplicada a grandes períodos, a los setenta años de edad que el Libro de los Salmos nos adjudica, la conjetura es verosímil o tolerable. Se reduce a afirmar que el número de percepciones, de emociones, de pensamientos, de vicisitudes humanas, es limitado, y que antes de la muerte lo agotaremos. Repite Marco Aurelio: "Quien ha mirado lo presente ha mirado todas las cosas: las que ocurrieron en el insondable pasado, las que ocurrirán en el porvenir" (*Reflexiones*, libro sexto, 37).

En tiempos de auge la conjetura de que la existencia del hombre es una cantidad constante, invariable, puede entristecer o irritar: en tiempos que declinan (como éstos), es la promesa de que ningún oprobio, ninguna calamidad, ningún dictador podrá empobrecernos.

LOS TRADUCTORES DE LAS *1001 NOCHES*

1. EL CAPITÁN BURTON

Fn Trieste, en 1872, en un palacio con estatuas húmedas y obras de salubridad deficientes, un caballero con la cara historiada por una cicatriz africana —el capitán Richard Francis Burton, cónsul inglés— emprendió una famosa traducción del *Quitab alif laila ua laila*, libro que también los rumíes llaman de las *1001 Noches*. Uno de los secretos fines de su trabajo era la aniquilación de otro caballero (también de barba tenebrosa de moro, también curtido) que estaba compilando en Inglaterra un vasto diccionario y que murió mucho antes de ser aniquilado por Burton. Ése era Eduardo Lane, el orientalista, autor de una versión harto escrupulosa de las *1001 Noches*, que había suplantado a otra de Galland. Lane tradujo contra Galland, Burton contra Lane; para entender a Burton hay que entender esa dinastía enemiga.

Empiezo por el fundador. Es sabido que Jean Antoine Galland era un arabista francés que trajo de Estambul una paciente colección de monedas, una monografía sobre la difusión del café, un ejemplar arábigo de las Noches y un maronita suplementario, de memoria no menos inspirada que la de Shahrazad. A ese oscuro asesor —de cuyo nombre no quiero olvidarme, y dicen que es Hanna— debemos ciertos cuentos fundamentales, que el original no conoce: el de Aladino, el de los Cuarenta Ladrones, el del príncipe Ahmed y el hada Peri Banú, el de Abulhasán el dormido despierto, el de la aventura nocturna de Harún Arrashid, el de las dos hermanas envidiosas de la hermana menor. Basta la sola enumeración de esos nombres para evidenciar que Galland establece un canon, incorporando historias que hará indispensables el tiempo y que los traductores venideros —sus enemigos— no se atreverían a omitir.

Hay otro hecho innegable. Los más famosos y felices elogios de las *1001 Noches* —el de Coleridge, el de Tomás De Quincey, el de Stendhal, el de Tennyson, el de Edgar Allan Poe, el de Newman— son de lectores de la traducción de Galland. Doscientos años y diez traducciones mejores han trascurrido, pero el hombre de Europa o de las Américas que piensa en las *1001 Noches*, piensa invariablemente en esa primer traducción. El epíteto *milyunanochesco* (*milyunanochero* adolece de criollismo, *milyunanocturno* de divergencia) nada tiene que ver con las eruditas obscenidades de Burton o de Mardrus, y todo con las joyas y las magias de Antoine Galland.

Palabra por palabra, la versión de Galland es la peor escrita de todas, la más embustera y más débil, pero fue la mejor leída. Quienes intimaron con ella, conocieron la felicidad y el asombro. Su orientalismo, que ahora nos parece frugal, encandiló a cuantos aspiraban rapé y complotaban una tragedia en cinco actos. Doce primorosos volúmenes aparecieron de 1707 a 1717, doce volúmenes innumerablemente leídos y que pasaron a diversos idiomas, incluso el hindustani y el árabe. Nosotros, meros lectores anacrónicos del siglo veinte, percibimos en ellos el sabor dulzarrón del siglo dieciocho y no el desvanecido aroma oriental, que hace doscientos años determinó su innovación y su gloria. Nadie tiene la culpa del desencuentro y menos que nadie, Galland. Alguna vez, los cambios del idioma lo perjudican. En el prefacio de una traducción alemana de las *1001 Noches,* el doctor Weil estampó que los mercaderes del imperdonable Galland se arman de una "valija con dátiles", cada vez que la historia los obliga a cruzar el desierto. Podría argumentarse que por 1710 la mención de los dátiles bastaba para borrar la imagen de la valija, pero es innecesario: *valise,* entonces, era una subclase de *alforja.*

Hay otras agresiones. En cierto panegírico atolondrado que sobrevive en los *Morceaux choisis* de 1921, André Gide vitupera las licencias de Antoine Galland, para mejor borrar (con un candor del todo superior a su reputación) la literalidad de Mardrus, tan *fin de siècle* como aquél es siglo dieciocho, y mucho más infiel.

Las reservas de Galland son mundanas; las inspira el decoro, no la moral. Copio unas líneas de la tercer página de sus *Noches: Il alla droit à appartement de cette princesse, qui, ne s'attendant pas à le revoir, avait reçu dans son lit un des derniers officiers de sa maison.* Burton concreta a ese nebuloso *"officier":* un negro cocinero, rancio de grasa de cocina y de hollín. Ambos, diversamente, deforman: el original es menos ceremonioso que Galland y menos grasiento que Burton. (Efectos del decoro: en la mesurada prosa de aquél, la circunstancia *recevoir dans son lit* resulta brutal.)

A noventa años de la muerte de Antoine Galland, nace un diverso traductor de las *Noches:* Eduardo Lane. Sus biógrafos no dejan de repetir que es hijo del doctor Theophilus Lane, prebendado de Hereford. Ese dato genésico (y la terrible Forma que evoca) es tal vez suficiente. Cinco estudiosos años vivió el arabizado Lane en El Cairo, "casi exclusivamente entre musulmanes, hablando y escuchando su idioma, conformándose a sus costumbres con el más perfecto cuidado y recibido por todos ellos como un igual". Sin embargo, ni las altas noches egipcias, ni el opulento y negro café con semilla de cardamomo, ni la frecuente discusión literaria con los doctores de la ley, ni el venerado turbante de muselina, ni el comer con los dedos, le hicieron olvidar su pudor británico, la delicada soledad central de los amos del mundo. De ahí que su versión eruditísima de las *Noches* sea (o parezca ser) una mera enciclopedia de la evasión. El original no es profesionalmente obsceno; Galland corrige las torpezas ocasionales por creerlas de mal gusto. Lane las rebusca y las persigue como un inquisidor. Su probidad no pacta con el silencio: prefiere un alarmado coro de notas en un apretado cuerpo menor, que murmuran cosas como éstas: *Paso por alto un episodio de lo más reprensible. Suprimo una explicación repugnante. Aquí una línea demasiado grosera para la traducción. Suprimo necesariamente otra anécdota. Desde aquí doy curso a las omisiones. Aquí la historia del esclavo Bujait, del todo inapta para ser traducida.* La mutilación no excluye la muerte: hay cuentos rechazados íntegramente "porque no pueden ser purificados sin destrucción". Ese repudio responsable y total no me parece ilógico: el subterfugio puritano es lo que condeno. Lane es un virtuoso del subterfugio, un indudable precursor de los pudores más extraños de Hollywood. Mis notas me suministran un par de ejemplos. En la noche 391, un pescador le presenta un pez al rey de los reyes y éste quiere saber si es macho o hembra y le dicen que hermafrodita. Lane consigue aplacar ese improcedente coloquio, traduciendo que el rey ha preguntado de qué especie es el animal y que el astuto pescador le responde que es de una especie mixta. En la noche 217, se habla de un rey con dos mujeres, que yacía una noche con la primera y la noche siguiente con la segunda, y así fueron dichosos. Lane dilucida la ventura de ese monarca, diciendo que trataba a sus mujeres "con imparcialidad..." Una razón es que, destinaba su obra "a la mesita de la sala", centro de la lectura sin alarmas y de la recatada conversación.

Basta la más oblicua y pasajera alusión carnal para que Lane olvide su honor y abunde en torceduras y ocultaciones. No hay otra falta en él. Sin el contacto peculiar de esa tentación, Lane es de una admirable veracidad. Carece de propósitos, lo cual es una positiva ventaja. No se propone destacar el colorido bárbaro de las *Noches* como el capitán Burton, ni tampoco olvidarlo y atenuarlo, como Galland. Éste domesticaba a sus árabes, para que no desentonaran irreparablemente en París; Lane es minuciosamente agareno. Éste ignoraba toda precisión literal; Lane justifica su interpretación de cada palabra dudosa. Éste invocaba un manuscrito invisible y un maronita muerto; Lane suministra la edición y la página. Éste no se cuidaba de notas; Lane acumula un caos de aclaraciones que, organizadas, integran un volumen independiente. Diferir: tal es la norma que le impone su precursor. Lane cumplirá con ella: le bastará no compendiar el original.

La hermosa discusión Newman-Arnold (1861-62), más memorable que sus dos interlocutores, ha razonado extensamente las dos maneras generales de traducir. Newman vindicó en ella el modo literal, la retención de todas las singularidades verbales: Arnold, la severa eliminación de los detalles que distraen o detienen. Esta conducta puede suministrar los agrados de la uniformidad y la gravedad; aquélla, de los continuos y pequeños asombros. Ambas son menos importantes que el traductor y que sus hábitos literarios. Traducir el espíritu es una intención tan enorme y tan fantasmal que bien puede quedar como inofensiva; traducir la letra, una precisión tan extravagante que no hay riesgo de que la ensayen. Más grave que esos infinitos propósitos es la conservación o supresión de ciertos pormenores; más grave que esas preferencias y olvidos, es el movimiento sintáctico. El de Lane es ameno, según conviene a la distinguida mesita. En su vocabulario es común reprender una demasía de palabras latinas, no rescatadas por ningún artificio de brevedad. Es distraído: en la página liminar de su traducción pone el adjetivo *romántico*, lo cual es una especie de futurismo, en una boca musulmana y barbada del siglo doce. Alguna vez la falta de sensibilidad le es propicia, pues le permite la interpolación de voces muy llanas en un párrafo noble, con involuntario buen éxito. El ejemplo más rico de esa cooperación de palabras heterogéneas, debe ser éste que traslado: *And in this palace is the last information respecting lords collected in the dust*. Otro puede ser esta invocación: *Por el Viviente que no muere ni ha de morir, por el nombre de Aquel a quien pertenecen la gloria y la permanencia*. En Burton —ocasional precursor del siempre fabuloso Mardrus— yo sospecharía de fórmulas tan satisfactoriamente orientales; en Lane escasean tanto que debo suponerlas involuntarias, vale decir genuinas.

El escandaloso decoro de las versiones de Galland y de Lane ha provocado un género de burlas que es tradicional repetir. Yo mismo no he faltado a esa tradición. Es muy sabido que no cumplieron con el desventurado que vio la Noche del Poder, con las imprecaciones de un basurero del siglo trece defraudado por un derviche y con los hábitos de Sodoma. Es muy sabido que desinfectaron las Noches.

Los detractores argumentan que ese proceso aniquila o lastima la buena ingenuidad del original. Están en un error: el *Libro de mil noches y una noche* no es (moralmente) ingenuo; es una adaptación de antiguas historias al gusto aplebeyado, o soez, de las clases medias de El Cairo. Salvo en los cuentos ejemplares del *Sendebar,* los impudores de las *1001 Noches* nada tienen que ver con la libertad del estado paradisíaco. Son especulaciones del editor: su objeto es una risotada, sus héroes nunca pasan de changadores, de mendigos o eunucos. Las antiguas historias amorosas del repertorio, las que refieren casos del Desierto o de las ciudades de Arabia, no son obscenas, como no lo es ninguna producción de la literatura preislámica. Son apasionadas y tristes, y uno de los motivos que prefieren es la muerte de amor, esa muerte que un juicio de los ulemas ha declarado no menos santa que la del mártir que atestigua la fe... Si aprobamos ese argumento las timideces de Galland y de Lane nos pueden parecer restituciones de una redacción primitiva.

Sé de otro alegato mejor. Eludir las oportunidades eróticas del original, no es una culpa de las que el Señor no perdona, cuando lo primordial es destacar el ambiente mágico. Proponer a los hombres un nuevo Decamerón es una operación comercial como tantas otras; proponerles un *Ancient Mariner* o un *Bateau ivre*, ya merece otro cielo. Littmann observa que las *1001 Noches* es, más que nada, un repertorio de maravillas. La imposición universal de ese parecer en todas las mentes occidentales, es obra de Galland. Que ello no quede en duda. Menos felices que nosotros, los árabes dicen tener en poco el original: ya conocen los hombres, las costumbres, los talismanes, los desiertos y los demonios que esas historias nos revelan.

*

En algún lugar de su obra, Rafael Cansinos Asséns jura que puede saludar las estrellas en catorce idiomas clásicos y modernos. Burton soñaba en diecisiete idiomas y cuenta que dominó treinta y cinco: semitas, dravidios, indoeuropeos, etiópicos... Ese caudal no agota su definición: es un rasgo que concuerda con los demás, igualmente excesivos. Nadie menos expuesto a la repetida burla de *Hudibras* contra los doctores capaces de no decir absolutamente nada en varios idiomas: Burton era hombre que tenía muchísimo que decir, y los setenta y dos volúmenes de su obra siguen diciéndolo. Destaco algunos títulos al azar: *Goa y las Montañas Azules*, 1851; *Sistema de ejercicios de bayoneta*, 1853; *Relato personal de una peregrinación a Medina*, 1855; *Las regiones lacustres del África Ecuatorial*, 1860; *La Ciudad de los Santos*, 1861; *Exploración de las mesetas del Brasil*, 1869; *Sobre un hermafrodita de las islas del Cabo Verde*, 1869; *Cartas desde los campos de batalla del Paraguay*, 1870; *Última Thule o un verano en Islandia*, 1875; *A la Costa de Oro en pos de oro*, 1883; *El Libro de la Espada* (primer volumen), 1884; *El jardín fragante de Nafzaui* —obra póstuma, entregada al fuego por Lady Burton, así como una *Recopilación de epigramas inspirados por Priapo*. El escritor se deja traslucir en ese catálogo: el capitán inglés que tenía la pasión de la geografía y de las innumerables maneras de ser un hombre, que conocen los hombres. No difamaré su memoria, comparándolo con Morand, caballero bilingüe y sedentario que sube y baja infinitamente en los ascensores de un idéntico hotel internacional y que venera el espectáculo de un baúl... Burton, disfrazado de afghán, había peregrinado a las ciudades santas de Arabia: su voz había pedido al Señor que negara sus huesos y su piel, su dolorosa carne y su sangre, al Fuego de la Ira y de la Justicia; su boca, resecada por el *samún*, había dejado un beso en el aerolito que se adora en la Caaba. Esa aventura es célebre: el posible rumor de que un incircunciso, un *nazraní*, estaba profanando el santuario, hubiera determinado su muerte. Antes, en hábito de derviche, había ejercido la medicina en El Cairo —no sin variarla con la prestidigitación y la magia, para obtener la confianza de los enfermos. Hacia 1858, había comandado una expedición a las secretas fuentes del Nilo: cargo que lo llevó a descubrir el lago Tanganika. En esa empresa lo agredió una alta fiebre; en 1855 los somalíes le atravesaron los carrillos con una lanza. (Burton venía de Harrar, que era ciudad vedada a los europeos, en el interior de Abisinia.) Nueve años más tarde, ensayó la terrible hospitalidad de los ceremoniosos caníbales del Dahomé; a su regreso no faltaron rumores (acaso propalados, y ciertamente fomentados, por él) de que había "comido extrañas carnes" —como el omnívoro procónsul de Shakespeare.[1] Los judíos, la democracia, el Ministro de Relaciones Exteriores y el cristianismo, eran sus odios preferidos; Lord Byron y el Islam, sus veneraciones. Del solitario oficio de escribir había hecho algo

---

[1] Aludo al Marco Antonio invocado por el apóstrofe de César:

>...on the Alps
>It is reported, thou didst eat strange flesh
>Which some did die to look on...

En esas líneas, creo entrever algún invertido reflejo del mito zoológico del basilisco, serpiente de mirada mortal. Plinio (*Historia Natural*, libro octavo, párrafo 33) nada nos dice de las aptitudes póstumas de ese ofidio, pero la conjunción de las dos ideas de mirar y morir *(vedi Napoli e poi mori)* tiene que haber influido en Shakespeare.
La mirada del basilisco era venenosa; la Divinidad, en cambio, puede matar a puro esplendor —o a pura irradiación de *mana*. La visión directa de Dios es intolerable. Moisés cubre su rostro en el monte Horeb, *porque tuvo miedo de ver a Dios*; Hákim, profeta del Jorasán, usó un cuádruple velo de seda blanca para no cegar a los hombres. Cf. también Isaías, VI, 5, y I Reyes, XIX, 13.

valeroso y plural: lo acometía desde el alba, en un vasto salón multiplicado por once mesas, cada una de ellas con el material para un libro —y alguna con un claro jazmín en un vaso de agua. Inspiró ilustres amistades y amores: de las primeras básteme nombrar la de Swinburne, que le dedicó la segunda serie de *Poems and Ballads* —in recognition of a friendship which I must always count among the highest honours of my life— y que deploró su deceso en muchas estrofas. Hombre de palabras y hazañas, bien pudo Burton asumir el alarde del *Diván* de Almotanabí:

> *El caballo, el desierto, la noche me conocen,*
> *El huésped y la espada, el papel y la pluma.*

Se advertirá que desde el antropófago *amateur* hasta el polígloto durmiente, no he rechazado aquellos caracteres de Richard Burton que sin disminución de fervor podemos apodar legendarios. La razón es clara: el Burton de la leyenda de Burton, es el traductor de las Noches. Yo he sospechado alguna vez que la distinción radical entre la poesía y la prosa está en la muy diversa expectativa de quien las lee: la primera presupone una intensidad que no se tolera en la última. Algo parecido acontece con la obra de Burton: tiene un prestigio previo con el que no ha logrado competir ningún arabista. Las atracciones de lo prohibido le corresponden. Se trata de una sola edición, limitada a mil ejemplares para mil suscritores del *Burton Club*, y que hay el compromiso judicial de no repetir. (La reedición de Leonard C. Smithers "omite determinados pasajes de un gusto pésimo, cuya eliminación no será lamentada por nadie"; la selección representativa de Bennett Cerf —que simula ser integral— procede de aquel texto purificado.) Aventuro la hipérbole: recorrer las *1001 Noches* en la traslación de Sir Richard no es menos increíble que recorrerlas "vertidas literalmente del árabe y comentadas" por Simbad el Marino.

Los problemas que Burton resolvió son innumerables, pero una conveniente ficción puede reducirlos a tres: justificar y dilatar su reputación de arabista; diferir ostensiblemente de Lane; interesar a caballeros británicos del siglo diecinueve con la versión escrita de cuentos musulmanes y orales del siglo trece. El primero de esos propósitos era tal vez incompatible con el tercero; el segundo lo indujo a una grave falta, que paso a declarar. Centenares de dísticos y canciones figuran en las *Noches*; Lane (incapaz de mentir salvo en lo referente a la carne) los había trasladado con precisión, en una prosa cómoda. Burton era poeta: en 1880 había hecho imprimir las *Casidas*, una rapsodia evolucionista que Lady Burton siempre juzgó muy superior a las *Rubaiyát* de FitzGerald... La solución "prosaica" del rival no dejó de indignarlo, y optó por un traslado en versos ingleses —procedimiento de antemano infeliz, ya que contravenía a su propia norma de total literalidad. El oído, por lo demás, quedó casi tan agraviado como la lógica. No es imposible que esta cuarteta sea de las mejores que armó:

> *A night whose stars refused to run their course,*
> *A night of those which never seem outworn:*
> *Like Resurrection-day, of longsome length*
> *To him that watched and waited for the morn.*[1]

Es muy posible que la peor no sea ésta:

> *A sun on wand in knoll of sand she showed,*
> *Clad in her cramoisy-hued chemisette:*
> *Of her lips' honey-dew she gave me drink*
> *And with her rosy cheeks quencht fire she set.*

He mencionado la diferencia fundamental entre el primitivo auditorio de los relatos y el club de suscritores de Burton. Aquéllos eran pícaros, noveleros, analfabetos, infinitamente suspicaces de lo presente y crédulos de la maravilla remota; éstos eran señores del West End, aptos para el desdén y la erudición y no para el espanto o la risotada. Aquéllos apreciaban que la ballena muriera al escuchar el grito del hombre; éstos, que hubiera hombres que dieran crédito a una capacidad mortal de ese grito. Los prodigios del texto —sin duda suficientes en el Kordofán o en Bulak, donde los proponían como verdades— corrían el albur de parecer muy pobres en Inglaterra. (Nadie requiere de la verdad que sea verosímil o inmediatamente ingeniosa: pocos lectores de la *Vida y Correspondencia de Carlos Marx* reclaman indignados la simetría de las *Contrerimes* de Toulet o la severa precisión de un acróstico.) Para que los suscritores no se le fueran, Burton abundó en notas explicativas "de las costumbres de los hombres islámicos". Cabe afirmar que Lane había preocupado el terreno. Indumentaria, régimen cotidiano, prácticas religiosas, arquitectura, referencias históricas o alcoránicas, juegos, artes, mitología —eso ya estaba elucidado en los tres volúmenes del incómodo precursor. Faltaba, previsiblemente, la erótica. Burton (cuyo primer ensayo estilístico había sido un informe harto personal sobre los prostíbulos de

---

[1] También es memorable esta variación de los motivos de Abulbeca de Ronda y Jorge Manrique:

> *Where is the wight who peopled in the past*
> *Hind-land and Sind; and there the tyrant played?...*

Bengala) era desaforadamente capaz de tal adición. De las delectaciones morosas en que paró, es buen ejemplo cierta nota arbitraria del tomo séptimo, graciosamente titulada en el índice *capotes mélancoliques*. La *Edinburgh Review* lo acusó de escribir para el albañal; la Enciclopedia Británica resolvió que una traslación integral era inadmisible, y que la de Edward Lane "seguía insuperada para un empleo realmente serio". No nos indigne demasiado esa oscura teoría de la superioridad científica y documental de la expurgación: Burton cortejaba esas cóleras. Por lo demás, las muy poco variadas variaciones del amor físico no agotan la atención de su comentario. Éste es enciclopédico y montonero, y su interés está en razón inversa de su necesidad. Así el volumen 6 (que tengo a la vista) incluye unas trescientas notas, de las que cabe destacar las siguientes: una condenación de las cárceles y una defensa de los castigos corporales y de las multas; unos ejemplos del respeto islámico por el pan; una leyenda sobre la capilaridad de las piernas de la reina Belkís; una declaración de los cuatro colores emblemáticos de la muerte; una teoría y práctica oriental de la ingratitud; el informe de que el pelaje overo es el que prefieren los ángeles, así como los genios el doradillo; un resumen de la mitología de la secreta Noche del Poder o Noche de las Noches; una denuncia de la superficialidad de Andrew Lang; una diatriba contra el régimen democrático; un censo de los nombres de Mohámed, en la Tierra, en el Fuego y en el Jardín; una mención del pueblo amalecita, de largos años y de larga estatura; una noticia de las partes pudendas del musulmán, que en el varón abarcan del ombligo hasta la rodilla, y en la mujer de pies a cabeza; una ponderación del *asa'o* del gaucho argentino; un aviso de las molestias de la "equitación" cuando también la cabalgadura es humana; un grandioso proyecto de encastar monos cinocéfalos con mujeres y derivar así una subraza de buenos proletarios. A los cincuenta años, el hombre ha acumulado ternuras, ironías, obscenidades y copiosas anécdotas; Burton las descargó en sus notas.

Queda el problema fundamental. ¿Cómo divertir a los caballeros del siglo diecinueve con las novelas por entregas del siglo trece? Es harto conocida la pobreza estilística de las *Noches*. Burton, alguna vez, habla del "tono seco y comercial" de los prosistas árabes, en contraposición al exceso retórico de los persas; Littmann, el novísimo traductor, se acusa de haber interpolado palabras como *preguntó, pidió, contestó*, en cinco mil páginas que ignoran otra fórmula que *dijo* —invocada invariablemente. Burton prodiga con amor las sustituciones de ese orden. Su vocabulario no es menos dispar que sus notas. El arcaísmo convive con el argot, la jerga carcelaria o marinera con el término técnico. No se abochorna de la gloriosa hibridación del inglés: ni el repertorio escandinavo de Morris ni el latino de Johnson tienen su beneplácito, sino el contacto y la repercusión de los dos. El neologismo y los extranjerismos abundan: *castrato, inconséquence, hauteur, in gloria, bagnio, langue fourrée, pundonor, vendetta, Wazir.* Cada una de esas palabras debe ser justa, pero su intercalación importa un falseo. Un buen falseo, ya que esas travesuras verbales —y otras sintácticas— distraen el curso a veces abrumador de las *Noches.* Burton las administra: al comienzo traduce gravemente *Sulayman, Son of David (on the twain he peace!);* luego —cuando nos es familiar esa majestad— lo rebaja a *Solomon Davidson.* Hace de un rey que para los demás traductores es "rey de Samarcanda en Persia", *a King of Samarcand in Barbarian-land;* de un comprador que para los demás es "colérico", *a man of wrath.* Ello no es todo: Burton reescribe íntegramente —con adición de pormenores circunstanciales y rasgos fisiológicos— la historia liminar y el final. Inaugura así, hacia 1885, un procedimiento cuya perfección (o cuya *reductio ad absurdum*) consideraremos luego en Mardrus. Siempre un inglés es más intemporal que un francés: el heterogéneo estilo de Burton se ha anticuado menos que el de Mardrus, que es de fecha notoria.

2. EL DOCTOR MARDRUS

Destino paradójico el de Mardrus. Se le adjudica la virtud *moral* de ser el traductor más veraz de las *1001 Noches,* libro de admirable lascivia, antes escamoteada a los compradores por la buena educación de Galland o los remilgos puritanos de Lane. Se venera su genial literalidad, muy demostrada por el inapelable subtítulo *Versión literal y completa del texto árabe* y por la inspiración de escribir *Libro de las mil noches y una noche.* La historia de ese nombre es edificante; podemos recordarla antes de revisar a Mardrus.

Las *Praderas de oro y minas de piedras preciosas* del Masudí describen una recopilación titulada *Hezár Afsane,* palabras persas cuyo recto valor es *Mil aventuras,* pero que la gente apoda *Mil noches.* Otro documento del siglo diez, el *Fihrist,* narra la historia liminar de la serie: el juramento desolado del rey que cada noche se desposa con una virgen que hace decapitar en el alba, y la resolución de Shahrazad que lo distrae con maravillosas historias, hasta que encima de los dos han rodado mil noches y ella le muestra su hijo. Esa invención —tan superior a las venideras y análogas de la piadosa cabalgata de Chaucer o la epidemia de Giovani Boccacio— dicen que es posterior al título, y que se urdió con el fin de justificarlo... Sea lo que fuere, la primitiva cifra de 1000 pronto ascendió a 1001. ¿Cómo surgió esa noche adicional que ya es imprescindible, esa *maquette* de la irrisión de Quevedo —y luego de Voltaire— contra Pico de la Mirándola: *Libro de todas las cosas y otras muchas más?* Littmann sugiere una contaminación de la frase turca *bin bir,* cuyo sentido literal es *mil y uno* y cuyo empleo es *muchos.* Lane, a principios de 1840, adujo una razón más hermosa: el mágico temor de las cifras pares. Lo cierto es que las aventuras del título no pararon ahí. Antoine Galland, desde 1704, eliminó la repetición del original y tradujo *Mil y una noches*: nombre que ahora es familiar en todas las naciones de Europa, salvo Inglaterra, que prefiere el de *Noches árabes.* En 1839 el editor de la impresión de Calcuta. W. H. Macnaghten, tuvo el singular escrúpulo de traducir *Quitab alif laila ua laila* por *Libro de las mil noches y una noche.* Esa renovación por deletreo no pasó inadvertida. John Payne, desde 1882, comenzó a publicar su *Book of the Thousand Nights and One Night*; el capitán Burton, desde 1885, su *Book of the Thousand Nights and a Night*; J. C. Mardrus, desde 1899, su *Livre des mille nuits et une nuit.*

Busco el pasaje que me hizo definitivamente dudar de la veracidad de este último. Pertenece a la historia doctrinal de la Ciudad de Latón, que abarca en todas las versiones el fin de la noche 566 y parte de la 578, pero que el doctor Mardrus ha remitido (el Ángel de su Guarda sabrá la causa) a las noches 338-346. No insisto; esa reforma inconcebible de un calendario ideal no debe agotar nuestro espanto. Refiere Shahrazad-Mardrus: *El agua seguía cuatro canales trazados en el piso de la sala con desvíos encantadores, y cada canal tenía un lecho de color especial: el primer canal tenía un lecho de pórfido rosado; el segundo, de topacios; el tercero, de esmeraldas, y el cuarto, de turquesas; de modo que el agua se teñía según el lecho, y herida por la atenuada luz que filtraban las sederías en la altura, proyectaba sobre los objetos ambientes y los muros de mármol una dulzura de paisaje marino.*

Como ensayo de prosa visual a la manera del *Retrato de Dorian Gray,* acepto (y aun venero) esa descripción: como versión "literal y completa" de un pasaje compuesto en el siglo trece, repito que me alarma infinitamente. Las razones son múltiples. Una Shahrazad sin Mardrus describe por enumeración de las partes, no por mutuas reacciones, y no alega detalles circunstanciales como el del agua que trasluce el color de su lecho, y no define la calidad de la luz filtrada por la seda, y no alude al Salón de Acuarelistas en la imagen final. Otra pequeña grieta: *desvíos encantadores* no es árabe, es notoriamente francés. Ignoro si las anteriores razones pueden satisfacer; a mí no me bastaron, y tuve el indolente agrado de compulsar las tres versiones alemanas de Weil, de Henning y de Litmann, y las dos inglesas de Lane y de Sir Richard Burton. En ellas comprobé que el original de las diez líneas de Mardrus era éste: *Las cuatro acequias desembocaban en una pila, que era de mármol de diversos colores.*

Las interpolaciones de Mardrus no son uniformes. Alguna vez son descaradamente anacrónicas —como si de golpe discutiera la retirada de la misión Marchand. Por ejemplo: *Dominaban una ciudad de ensueño... Hasta donde abarcaba la vista fija en los horizontes ahogados en la noche, cúpulas de palacios, terrazas de casas, serenos jardines, se escalonaban en aquel recinto de bronce, y canales iluminados por el astro se paseaban en mil circuitos claros a la sombra de los macizos, mientras que allá en el fondo, un mar de metal contenía en su frío seno los fuegos del cielo reflejado.* O ésta, cuyo galicismo no es menos público: *Un magnífico tapiz de colores gloriosos de diestra lana, abría sus flores sin olor en un prado sin savia, y vivía toda la vida artificial de sus florestas llenas de pájaros y animales, sorprendidos en su exacta belleza natural y sus líneas precisas.* (Ahí las ediciones árabes rezan: *A los lados había tapices, con variedad de pájaros y de fieras, recamados en oro rojo y en plata blanca, pero con los ojos de perlas y de rubíes. Quien los miró, no dejó de maravillarse.*)

Mardrus no deja nunca de maravillarse de la pobreza de "color oriental" de las *1001 Noches*. Con una persistencia no indigna de Cecil B. de Mille, prodiga los visires, los besos, las palmeras y las lunas. Le ocurre leer, en las noches 570: *Arribaron a una columna de piedra negra, en la que un hombre estaba enterrado hasta las axilas. Tenía dos enormes alas y cuatro brazos: dos de los cuales eran como los brazos de los hijos de Adán y dos como las patas de los leones, con las uñas de hierro. El pelo de su cabeza era semejante a las colas de los caballos y los ojos eran como ascuas y tenía en la frente un tercer ojo que era como el ojo del lince.* Traduce lujosamente: *Un atardecer, la caravana llegó ante una columna de piedra negra, a la que estaba encadenado un ser extraño del que no se veía sobresalir más que medio cuerpo, ya que el otro medio estaba enterrado en el suelo. Aquel busto que surgía de la tierra, parecía algún engendro monstruoso clavado ahí por la fuerza de las potencias infernales. Era negro y del tamaño del tronco de una vieja palmera decaída, despojada de sus palmas. Tenía dos enormes alas negras y cuatro manos de las cuales dos eran semejantes a las patas uñosas de los leones. Una erizada cabellera de crines ásperas como cola de onagro se movía salvajemente sobre su cráneo espantoso. Bajo los arcos orbitales llameaban dos pupilas rojas, en tanto que la frente de dobles cuernos estaba taladrada por un ojo único, que se abría inmóvil y fijo, lanzando resplandores verdes como la mirada de los tigres y las panteras.*

Algo más tarde escribe: *El bronce de las murallas, las pedrerías encendidas de las cúpulas, las terrazas cándidas, los canales y todo el mar, así como las sombras proyectadas hacia Occidente, se casaban bajo la brisa nocturna y la luna mágica.* Mágica, para un hombre del siglo trece, debe haber sido una calificación muy precisa, no el mero epíteto mundano del galante doctor... Yo sospecho que el árabe no es capaz de una versión "literal y completa" del párrafo de Mardrus, así como tampoco lo es el latín, o el castellano de Miguel de Cervantes.

En dos procedimientos abunda el libro de las *1001 Noches:* uno, puramente formal, la prosa rimada; otro, las predicaciones morales. El primero, conservado por Burton y por Littmann, corresponde a las animaciones del narrador: personas agraciadas, palacios, jardines, operaciones mágicas, menciones de la Divinidad, puestas de sol, batallas, auroras, principios y finales de cuentos. Mardrus, quizá misericordiosamente, lo omite. El segundo requiere dos facultades: la de combinar con majestad palabras abstractas y la de proponer sin bochorno un lugar común. De las dos carece Mardrus. De aquel versículo que Lane, memorablemente tradujo: *And in this palace is the last information respecting lords collected in the dust,* nuestro doctor apenas extrae: *¡Pasaron, todos aquellos! Tuvieron apenas tiempo de reposar a la sombra de mis torres.* La confesión del ángel: *Estoy aprisionado por el Poder, confinado por el Esplendor, y castigado mientras el Eterno lo mande, de quien son la Fuerza y la Gloria,* es para el lector de Mardrus: *Aquí estoy encadenado por la Fuerza Invisible hasta la extinción de los siglos.*

Tampoco la hechicería tiene en Mardrus un coadjutor de buena voluntad. Es incapaz de mencionar lo sobrenatural sin alguna sonrisa. Finge traducir, por ejemplo: *Un día que el califa Abdelmélik, oyendo hablar de ciertas vasijas de cobre antiguo cuyo contenido era una extraña humareda negra de forma diabólica, se maravillaba en extremo y parecía poner en duda la realidad de hechos tan notorios, hubo de intervenir el viajero Tálib ben-Sahl.* En ese párrafo (que pertenece, como los demás que alegué, a la Historia de la Ciudad de Latón, que es de imponente Bronce en Mardrus) el candor voluntario de *tan notorios* y la duda más bien inverosímil del califa Abdelmélik, son dos obsequios personales del traductor.

Continuamente, Mardrus quiere completar el trabajo que los lánguidos árabes anónimos descuidaron. Añade paisajes *art-nou-*

veau, buenas obscenidades, breves interludios cómicos, rasgos circunstanciales, simetrías, mucho orientalismo visual. Un ejemplo de tantos: en la noche 573, el gualí Muza Bennuseir ordena a sus herreros y carpinteros la construcción de una escalera muy fuerte de madera y de hierro. Mardrus (en su noche 344) reforma ese episodio insípido, agregando que los hombres del campamento buscaron ramas secas, las mondaron con los alfanjes y los cuchillos, y las ataron con los turbantes, los cinturones, las cuerdas de los camellos, las cinchas y las guarniciones de cuero, hasta construir una escalera muy alta que arrimaron a la pared, sosteniéndola con piedras por todos lados... En general, cabe decir que Mardrus no traduce las palabras sino las representaciones del libro: libertad negada a los traductores, pero tolerada en los dibujantes —a quienes les permiten la adición de rasgos de ese orden... Ignoro si esas diversiones sonrientes son las que infunden a la obra ese aire tan feliz, ese aire de patraña personal, no de tarea de mover diccionarios. Sólo me consta que la "traducción" de Mardrus es la más legible de todas —después de la incomparable de Burton, que tampoco es veraz. (En ésta, la falsificación es de otro orden. Reside en el empleo gigantesco de un inglés charro, cargado de arcaísmos y barbarismos.)

*

Deploraría (no por Mardrus, por mí) que en las comprobaciones anteriores se leyera un propósito policial. Mardrus es el único arabista de cuya gloria se encargaron los literatos, con tan desaforado éxito que ya los mismos arabistas saben quién es. André Gide fue de los primeros en elogiarlo, en agosto de 1899; no pienso que Cancela y Capdevila serán los últimos. Mi fin no es demoler esa admiración, es documentarla. Celebrar la fidelidad de Mardrus es omitir el alma de Mardrus, es no aludir siquiera a Mardrus. Su infidelidad, su infidelidad creadora y feliz, es lo que nos debe importar.

3. ENNO LITTMANN

Patria de una famosa edición árabe de las *1001 Noches*, Alemania se puede (vana) gloriar de cuatro versiones: la del "bibliotecario aunque israelita" Gustavo Weil —la adversativa está en las páginas catalanas de cierta Enciclopedia—; la de Max Henning, traductor del *Curán*; la del hombre de letras Félix Paul Greve; la de Enno Littmann, descifrador de las inscripciones etiópicas de la fortaleza de Axum. Los cuatro volúmenes de la primera (1839-1842) son los más agradables, ya que su autor —desterrado del África y del Asia por la disentería— cuida de mantener o de suplir el estilo oriental. Sus interpolaciones me merecen todo respeto. A unos intrusos en una reunión les hace decir: *No queremos parecernos a la mañana, que dispersa las fiestas.* De un generoso rey asegura: *El fuego que arde para sus huéspedes trae a la memoria el Infierno y el rocío de su mano benigna es como el Diluvio*; de otro nos dice que sus manos *eran tan liberales como el mar.* Esas buenas apocrifidades no son indignas de Burton o Mardrus, y el traductor las destinó a las partes en verso —donde su bella animación puede ser un *Ersatz* o sucedáneo de las rimas originales. En lo que se refiere a la prosa, entiendo que la tradujo tal cual, con ciertas omisiones justificadas, equidistantes de la hipocresía y del impudor. Burton elogió su trabajo— "todo lo fiel que puede ser una traslación de índole popular". No en vano era judío el doctor Weil "aunque bibliotecario"; en su lenguaje creo percibir algún sabor de las Escrituras.

La segunda versión (1895-1897) prescinde de los encantos de la puntualidad, pero también de los del estilo. Hablo de la suministrada por Henning, arabista de Leipzig, a la *Universalbibliothek* de Philipp Reclam. Se trata de una versión expurgada, aunque la casa editorial diga lo contrario. El estilo es insípido, tesonero. Su más indiscutible virtud debe ser la extensión. Las ediciones de Bulak y de Breslau están representadas, amén de los manuscritos de Zotenberg y de las Noches Suplementales de Burton. Henning traductor de Sir Richard es literariamente superior a Henning traductor del árabe, lo cual es una mera confirmación de la primacía de Sir Richard sobre los árabes. En el prefacio y en la terminación de la obra abundan las alabanzas de Burton —casi desautorizadas por el informe de que éste manejó "el lenguaje de Chaucer, equivalente al árabe medieval". La indicación de Chaucer como *una* de las fuentes del vocabulario de Burton hubiera sido más razonable. (Otra es el *Rabelais* de Sir Thomas Urquhart.)

La tercer versión, la de Greve, deriva de la inglesa de Burton y la repite, con exclusión de las enciclopédicas notas. La publicó antes de la guerra el Insel-Verlag.

La cuarta (1923-1928) viene a suplantar la anterior. Abarca seis volúmenes como aquélla, y la firma Enno Littmann: descifrador de los monumentos de Axum, enumerador de los 283 manuscritos etiópicos que hay en Jerusalén, colaborador de la *Zeitschrift für Assyriologie.* Sin las demoras complacientes de Burton, su traducción es de una franqueza total. No lo retraen las obscenidades más inefables: las vierte a su tranquilo alemán, alguna rara vez al latín. No omite una palabra, ni siquiera las que registran —1000 veces— el pasaje de cada noche a la subsiguiente. Desatiende o rehusa el color local; ha sido menester una indicación de los editores para que conserve el nombre de *Alá*, y no lo sustituya por *Dios*. A semejanza de Burton y de John Payne, traduce en verso occidental el verso árabe. Anota ingenuamente que si después de la advertencia ritual "Fulano pronunció estos versos" viniera un párrafo de prosa alemana, sus lectores quedarían desconcertados. Suministra las notas necesarias para la buena inteligencia del texto: una veintena por volumen, todas lacónicas. Es siempre lúcido, legible, mediocre. Sigue (nos dicen) la respiración misma del árabe. Si no hay error en la Enciclopedia Británica, su traducción es la mejor de cuantas circulan. Oigo que los arabistas están de acuerdo; nada importa que un mero literato —y ése, de la República meramente Argentina— prefiera disentir.

Mi razón es ésta: las versiones de Burton y de Mardrus, y aun la de Galland, sólo se dejan concebir *después de una literatura*. Cualesquiera sus lacras o sus méritos, esas obras características presuponen un rico proceso anterior. En algún modo, el casi inagotable proceso inglés está adumbrado en Burton —la dura obscenidad de John Donne, el gigantesco vocabulario de Shakespeare y de Cyril Tourneur, la afición arcaica de Swinburne, la crasa erudición de los tratadistas del mil seiscientos, la energía y la vaguedad, el amor de las tempestades y de la magia. En los risueños párrafos de Mardrus conviven *Salammbô* y Lafontaine, el *Manequí de Mimbre* y el *ballet* ruso. En Littmann, incapaz como Washington de mentir, no hay otra cosa que la probidad de Alemania. Es tan poco, es poquísimo. El comercio de las Noches y de Alemania debió producir algo más.

Ya en el terreno filosófico, ya en el de las novelas, Alemania posee una literatura fantástica —mejor dicho, *sólo* posee una literatura fantástica. Hay maravillas en las Noches que me gustaría ver repensadas en alemán. Al formular ese deseo, pienso en los deliberados prodigios del repertorio —los todopoderosos esclavos de una lámpara o de un anillo, la reina Lab que convierte a los musulmanes en pájaros, el barquero de cobre con talismanes y fórmulas en el pecho— y en aquellas más generales que proceden de su índole colectiva, de la necesidad de completar mil y una secciones. Agotadas las magias, los copistas debieron recurrir a noticias históricas o piadosas, cuya inclusión parece acreditar la buena fe del resto. En un mismo tono conviven el rubí que sube hasta el cielo y la primera descripción de Sumatra, los rasgos de la corte de los Abbasidas y los ángeles de plata cuyo alimento es la justificación del Señor. Esa mezcla queda poética; digo lo mismo de ciertas repeticiones. ¿No es portentoso que en la noche 602 el rey Shahriar oiga de boca de la reina su propia historia? A imitación del marco general, un cuento suele contener otros cuentos, de extensión no menor: escenas dentro de la escena como en la tragedia de *Hamlet*, elevaciones a potencia del sueño. Un arduo y claro verso de Tennyson parece definirlos:

Laborious orient ivory, sphere in sphere

Para mayor asombro, esas cabezas adventicias de la Hidra pueden ser más concretas que el cuerpo: Shahriar, fabuloso rey "de las Islas de la China y del Indostán" recibe nuevas de Tárik Benzeyad, gobernador de Tánger y vencedor en la batalla del Guadalete... Las antesalas se confunden con los espejos, la máscara está debajo del rostro, ya nadie sabe cuál es el hombre verdadero y cuáles sus ídolos. Y nada de eso importa; ese desorden es trivial y aceptable como las invenciones del entresueño.

El azar ha jugado a las simetrías, al contraste, a la digresión. ¿Qué no haría un hombre, un Kafka, que organizara y acentuara esos juegos, que los rehiciera según la deformación alemana, según la *Unheimlichkeit* de Alemania?

Adrogué, 1935.

Entre los libros compulsados, debo enumerar los que siguen:

Les Mille et une Nuits, contes arabes traduits par Galland. París, s. f.
The Thousand and One Nights, commonly called The Arabian Nights Entertainments. A new translation from the Arabic, by E. W. Lane, London, 1839.
The Book of the Thousand Nights and a Night. A plain and literal translation by Richard F. Burton. London (?), s. f. Vols. VI, VII, VIII.
The Arabian Nights. A complete *(sic)* and unabridged selection from the famous literal translation of R. F. Burton, New York, 1932.
Le Livre des Mille Nuits et Une Nuit. Traduction littérale et complète du texte arabe, par le Dr. J. C. Mardrus. París, 1906.
Tausend und eine Nacht. Aus dem Arabischen übertragen von Max Henning. Leipzig, 1897.
Die Erzählungen aus den Tausendundein Nächten. Nach dem arabischen Urtext der Calcuttaer Ausgabe vom Jahre 1839 übertragen von Enno Littmann. Leipzig, 1928.

DOS NOTAS

EL ACERCAMIENTO A ALMOTÁSIM

Phillip Guedalla escribe que la novela *The Approach to Al-Mu'tasim* del abogado Mir Bahadur Alí, de Bombay, "es una combinación algo incómoda *(a rather uncomfortable combination)* de esos poemas alegóricos del Islam que raras veces dejan de interesar a su traductor y de aquellas novelas policiales que inevitablemente superan a John H. Watson y perfeccionan el horror de la vida humana en las pensiones más irreprochables de Brighton". Antes, Mr. Cecil Roberts había denunciado en el libro de Bahadur "la doble, inverosímil tutela de Wilkie Collins y del ilustre persa del siglo doce, Ferid Eddin Attar" —tranquila observación que Guedalla repite sin novedad, pero en un dialecto colérico. Esencialmente, ambos escritores concuerdan: los dos indican el mecanismo policial de la obra, y su *undercurrent* místico. Esa hidridación puede movernos a imaginar algún parecido con Chesterton; ya comprobaremos que no hay tal cosa.

La *editio princeps* del *Acercamiento a Almotásim* apareció en Bombay, a fines de 1932. El papel era casi papel de diario; la cubierta anunciaba al comprador que se trataba de la primera novela policial escrita por un nativo de Bombay City. En pocos meses, el público agotó cuatro impresiones de mil ejemplares cada una. La *Bombay Quarterly Review*, la *Bombay Gazette*, la *Calcutta Review*, la *Hindustan Review* (de Alahabad) y el *Calcutta Englishman,* dispensaron su ditirambo. Entonces Bahadur publicó una edición ilustrada que tituló *The Conversation with the Man Called Al-Mu'tasim* y que subtituló hermosamente: *A Game with Shifting Mirrors* (Un juego con espejos que se desplazan). Esa edición es la que acaba de reproducir en Londres Victor Gollancz, con prólogo de Dorothy L. Sayers y con omisión —quizá misericordiosa— de las ilustraciones. La tengo a la vista; no he logrado juntarme con la primera, que presiento muy superior. A ello me autoriza un apéndice, que resume la diferencia fundamental entre la versión primitiva de 1932 y la de 1934. Antes de examinarla —y de discutirla— conviene que yo indique rápidamente el curso general de la obra.

Su protagonista visible —no se nos dice nunca su nombre— es estudiante de derecho en Bombay. Blasfematoriamente, descree de la fe islámica de sus padres, pero al declinar la décima noche de la luna de muharram, se halla en el centro de un tumulto civil entre musulmanes e hindúes. Es noche de tambores e invocaciones: entre la muchedumbre adversa, los grandes palios de papel de la procesión musulmana se abren camino. Un ladrillazo hindú vuela de una azotea; alguien hunde un puñal en un vientre; alguien ¿musulmán, hindú? muere y es pisoteado. Tres mil hombres pelean: bastón contra revólver, obscenidad contra imprecación, Dios el indivisible contra los Dioses. Atónito, el estudiante librepensador entra en el motín. Con las desesperadas manos, mata (o piensa haber matado) a un hindú. Atronadora, ecuestre, semidormida, la policía del Sirkar interviene con rebencazos imparciales. Huye el estudiante, casi bajo las patas de los caballos. Busca los arrabales últimos. Atraviesa dos vías ferroviarias, o dos veces la misma vía. Escala el muro de un desordenado jardín, con una torre circular en el fondo. Una chusma de perros color de luna *(a lean and evil mob of mooncoloured hounds)* emerge de los rosales negros. Acosado, busca amparo en la torre. Sube por una escalera de fierro —faltan algunos tramos— y en la azotea, que tiene un pozo renegrido en el centro, da con un hombre escuálido, que está orinando vigorosamente en cuclillas, a la luz de la luna. Ese hombre le confía que su profesión es robar los dientes de oro de los cadáveres, trajeados de blanco que los parsis dejan en esa torre. Dice otras cosas viles y menciona que hace catorce noches que no se purifica con bosta de búfalo. Habla con evidente rencor de ciertos ladrones de caballos de Guzerat, "comedores de perros y de lagartos, hombres al cabo tan infames como nosotros dos". Está clareando: en el aire hay un vuelo bajo de buitres gordos. El estudiante, aniquilado, se duerme; cuando despierta, ya con el sol bien alto, ha desaparecido el ladrón. Han desaparecido también un par de cigarros de Trichinópolis y unas rupias de plata. Ante las amenazas proyectadas por la noche anterior, el estudiante resuelve perderse en la India. Piensa que se ha mostrado capaz de matar un idólatra, pero no de saber con certidumbre si el musulmán tiene más razón que el idólatra. El nombre de Guzerat no lo deja, y el de una *malka-sansi* (mujer de casta de ladrones) de Palanpur, muy preferida por las imprecaciones y el odio del despojador de cadáveres. Arguye que el rencor de un hombre tan minuciosamente vil importa un elogio. Resuelve —sin mayor esperanza— buscarla. Reza, y emprende con segura lentitud el largo camino. Así acaba el segundo capítulo de la obra.

Imposible trazar las peripecias de los diecinueve restantes. Hay una vertiginosa pululación de *dramatis personae* —para no hablar de una biografía que parece agotar los movimientos del espíritu humano (desde la infamia hasta la especulación matemática) y de una peregrinación que comprende la vasta geografía del Indostán. La historia comenzada en Bombay sigue en las tierras bajas de Palanpur, se demora una tarde y una noche en la puerta de piedra de Bikanir, narra la muerte de un astrólogo ciego en un albañal de Benares, conspira en el palacio multiforme de Katmandú, reza y fornica en el hedor pestilencial de Calcuta, en el Machua Bazar, mira nacer los días en el mar desde una escribanía de Madrás, mira morir las tardes en el mar desde un balcón en el estado de Travancor, vacila y mata en Indapur y cierra su órbita de leguas y de años en el mismo Bombay, a pocos pasos del jardín de los perros color de luna. El argumento es éste: Un hombre, el estudiante incrédulo y fugitivo que conocemos, cae entre gente de la clase más vil y se acomoda a ellos, en una especie de certamen de infamias. De golpe —con el milagroso espanto de Robinson ante la huella de un pie humano en la arena— percibe alguna mitigación de infamia: una ternura, una exaltación, un silencio, en uno de los hombres aborrecibles. "Fue como si hubiera terciado en el diálogo un interlocutor más complejo." Sabe que el hombre vil que está conversando con él es incapaz de ese momentáneo decoro; de ahí postula que éste ha reflejado a un amigo, o amigo o amigo de un amigo. Repensando el problema, llega a una convicción misteriosa: *En algún punto de la tierra hay un hombre de quien procede esa claridad; en algún punto de la tierra está el hombre que es igual a esa claridad.* El estudiante resuelve dedicar su vida a encontrarlo.

Ya el argumento general se entrevé: La insaciable busca de un alma a través de los delicados reflejos que ésta ha dejado en otras: en el principio, el tenue rastro de una sonrisa o de una palabra; en el fin, esplendores diversos y crecientes de la razón, de la imaginación y del bien. A medida que los hombres interrogados han conocido más de cerca a Almotásim, su porción divina es mayor, pero se entiende que son meros espejos. El tecnicismo matemático es aplicable: la cargada novela de Bahadur es una progresión ascendente, cuyo término final es el presentido "hombre que se llama Almotásim". El inmediato antecesor de Almotásim es un librero persa de suma cortesía y felicidad; el que precede a ese librero es un santo... Al cabo de los años, el estudiante llega a una galería "en cuyo fondo hay una puerta y una estera barata con muchas cuentas y atrás un resplandor". El estudiante golpea las manos una y dos veces y pregunta por Almotásim. Una voz de hombre —la increíble voz de Almotásim— lo insta a pasar. El estudiante descorre la cortina y avanza. En ese punto la novela concluye.

Si no me engaño, la buena ejecución de tal argumento impone

dos obligaciones al escritor: una, la variada invención de rasgos proféticos; otra, la de que el héroe prefigurado por esos rasgos no sea una mera convención o fantasma. Bahadur satisface la primera; no sé hasta dónde la segunda. Dicho sea con otras palabras: el inaudito y no mirado Almotásim debería dejarnos la impresión de un carácter real, no de un desorden de superlativos insípidos. En la versión de 1932, las notas sobrenaturales ralean: "el hombre llamado Almotásim" tiene su algo de símbolo, pero no carece de rasgos idiosincrásicos, personales. Desgraciadamente, esa buena conducta literaria no perduró. En la versión de 1934 —la que tengo a la vista— la novela decae en alegoría: Almotásim es emblema de Dios y los puntuales itinerarios del héroe son de algún modo los progresos del alma en el ascenso místico. Hay pormenores afligentes: un judío negro de Kochín que habla de Almotásim, dice que su piel es oscura; un cristiano lo describe sobre una torre con los brazos abiertos; un lama rojo lo recuerda sentado "como esa imagen de manteca de yak que yo modelé y adoré en el monasterio de Tashilhunpo". Esas declaraciones quieren insinuar un Dios unitario que se acomoda a las desigualdades humanas. La idea es poco estimulante, a mi ver. No diré lo mismo de esta otra: la conjetura de que también el Todopoderoso está en busca de Alguien, y ese Alguien de Alguien superior (o simplemente imprescindible e igual) y así hasta el Fin —o mejor, el Sinfín— del Tiempo, o en forma cíclica. Almotásim (el nombre de aquel octavo Abbasida que fue vencedor en ocho batallas, engendró ocho varones y ocho mujeres, dejó ocho mil esclavos y reinó durante un espacio de ocho años, de ocho lunas y de ocho días) quiere decir etimológicamente *El buscador de amparo*. En la versión de 1932, el hecho de que el objeto de la peregrinación fuera un peregrino, justificaba de oportuna manera la dificultad de encontrarlo; en la de 1934, da lugar a la teología extravagante que declaré. Mir Bahadur Alí, lo hemos visto, es incapaz de soslayar la más burda de las tentaciones del arte: la de ser un genio.

Releo lo anterior y temo no haber destacado bastante las virtudes del libro. Hay rasgos muy civilizados: por ejemplo, cierta disputa del capítulo diecinueve en la que se presiente que es amigo de Almotásim un contendor que no rebate los sofismas del otro, "para no tener razón de un modo triunfal".

*

Se entiende que es honroso que un libro actual derive de uno antiguo; ya que a nadie le gusta (como dijo Johnson) deber nada a sus contemporáneos. Los repetidos pero insignificantes contactos del *Ulises* de Joyce con la Odisea homérica, siguen escuchando —nunca sabré por qué— la atolondrada admiración de la crítica; los de la novela de Bahadur con el venerado *Coloquio de los pájaros* de Farid ud-din Attar, conocen el no menos misterioso aplauso de Londres, y aun de Alahabad y Calcuta. Otras derivaciones no faltan. Algún inquisidor ha enumerado ciertas analogías de la primera escena de la novela con el relato de Kipling *On the City Wall*; Bahadur las admite, pero alega que sería muy anormal que dos pinturas de la décima noche de muharram no coincidieran... Eliot, con más justicia, recuerda los setenta cantos de la incompleta alegoría *The Faërie Queene* en los que no aparece una sola vez la heroína, Gloriana —como lo hace notar una censura de Richard William Church. Yo, con toda humildad, señalo un precursor lejano y posible: el cabalista de Jerusalén, Isaac Luria, que en el siglo XVI propaló que el alma de un antepasado o maestro puede entrar en el alma de un desdichado, para confortarlo o instruirlo. *Ibbûr* se llama esa variedad de la metempsícosis.[1]

---

[1] En el decurso de esta noticia, me he referido al *Mantiq al-Tayr (Coloquio de los pájaros)* del místico persa Farid al-Din Abú Talib Muhámmad ben Ibrahim Attar, a quien mataron los soldados de Tule, hijo de Zingis Jan, cuando Nishapur fue expoliada. Quizá no huelgue resumir el poema. El remoto rey de los pájaros, el Simurg, deja caer en el centro de la China una pluma espléndida; los pájaros resuelven buscarlo, hartos de su antigua anarquía. Saben que el nombre de su rey quiere decir treinta pájaros; saben que su alcázar está en el Kaf, la montaña circular que rodea la tierra. Acometen la casi infinita aventura; superan siete valles, o mares; el nombre del penúltimo es Vértigo; el último se llama Aniquilación. Muchos peregrinos desertan; otros perecen. Treinta, purificados por los trabajos, pisan la montaña del Simurg. Lo contemplan al fin: perciben que ellos son el Simurg y que el Simurg es cada uno de ellos y todos. (También Plotino —*Enéadas*, V, 8, 4— declara una extensión paradisíaca del principio de identidad: *Todo, en el cielo inteligible, está en todas partes. Cualquier cosa es todas las cosas. El sol es todas las estrellas, y cada estrella es todas las estrellas y el sol.*) El *Mantiq al-Tayr* ha sido vertido al francés por Garcín de Tassy; al inglés por Edward FitzGerald; para esta nota he consultado el décimo tomo de las *1001 Noches* de Burton y la monografía *The Persian Mystics: Attar* (1932) de Margaret Smith.

Los contactos de este poema con la novela de Mir Bahadur Alí no son excesivos. En el vigésimo capítulo, unas palabras atribuidas por un librero persa a Almotásim son quizá, la magnificación de otras que ha dicho el héroe; esa y otras ambiguas analogías pueden significar la identidad del buscado y del buscador; pueden también significar que éste influye en aquél. Otro capítulo insinúa que Almotásim es el "hindú" que el estudiante cree haber matado.

ARTE DE INJURIAR

Un estudio preciso y fervoroso de los otros géneros literarios, me dejó creer que la vituperación y la burla valdrían necesariamente algo más. El agresor (me dije) sabe que el agredido será él, y que "cualquier palabra que pronuncie podrá ser invocada en su contra", según la honesta prevención de los vigilantes de Scotland Yard. Ese temor lo obligará a especiales desvelos, de los que suele prescindir en otras ocasiones más cómodas. Se querrá invulnerable, y en determinadas páginas lo será. El cotejo de las buenas indignaciones de Paul Groussac y de sus panegíricos turbios —para no citar los casos análogos de Swift, de Johnson y Voltaire— inspiró o ayudó esa imaginación. Ella se disipó cuando dejé la complacida lectura de esos escarnios por la investigación de su método.

Advertí en seguida una cosa: la justicia fundamental y el delicado error de mi conjetura. El burlador procede con desvelo, efectivamente, pero con un desvelo de tahur que admite las ficciones de la baraja, su corruptible cielo constelado de personas bicéfalas. Tres reyes mandan en el poker y no significan nada en el truco. El polemista no es menos convencional. Por lo demás, ya las recetas callejeras de oprobio ofrecen una ilustrativa *maquette* de lo que puede ser la polémica. El hombre de Corrientes y Esmeralda adivina la misma profesión en las madres de todos, o quiere que se muden en seguida a una localidad muy general que tiene varios nombres, o remeda un tosco sonido —y una insensata convención ha resuelto que el afrentado por esas aventuras no es él, sino el atento y silencioso auditorio. Ni siquiera un lenguaje se necesita. Morderse el pulgar o tomar el lado de la pared (Sampson: *I will take the wall of any man or maid of Montague's.* Abram: *Do you bite your thumb at us, sir?*) fueron, hacia 1592, la moneda legal del provocador, en la Verona fraudulenta de Shakespeare y en las cervecerías y lupanares y reñideros de oso en Londres. En las escuelas del Estado, el pito catalán y la exhibición de la lengua rinden ese servicio.

Otra denigración muy general es el término *perro*. En la noche 146 del *Libro de las mil noches y una*, pueden aprender los discretos que el hijo del león fue encerrado en un cofre sin salida por el hijo de Adán, que lo reprendió de este modo: *El destino te ha derribado y no te pondrá de pie la cautela, oh perro del desierto.*

Un alfabeto convencional del oprobio define también a los polemistas. El título *señor*, de omisión imprudente o irregular en el comercio oral de los hombres, es denigrativo cuando lo estampan. *Doctor* es otra aniquilación. Mencionar los sonetos *cometidos* por el *doctor* Lugones, equivale a medirlos mal para siempre, a refutar cada una de sus metáforas. A la primera aplicación de *doctor*, muere el semidiós y queda un vano caballero argentino que usa cuellos postizos de papel y se hace rasurar día por medio y puede fallecer de una interrupción en las vías respiratorias. Queda la central e incurable futilidad de todo ser humano. Pero los sonetos quedan también, con música que espera. (Un italiano, para despejarse de Goethe, emitió un breve artículo donde no se cansaba de apodarlo *il signore Wolfgang*. Esto era casi una adulación, pues equivalía a desconocer que no faltan argumentos auténticos contra Goethe).

Cometer un soneto, emitir artículos. El lenguaje es un repertorio de esos convenientes desaires, que hacen el gasto principal en las controversias. Decir que un literato ha expelido un libro o lo ha cocinado o gruñido, es una tentación harto fácil; quedan mejor los verbos burocráticos o tenderos: despachar, dar curso, expender. Esas palabras áridas se combinan con otras efusivas, y la vergüenza del contrario es eterna. A una interrogación sobre un martillero que era, sin embargo, declamador, alguien inevitablemente comunicó que estaba rematando con energía la *Divina Comedia*. El epigrama no es abrumadoramente ingenioso, pero su mecanismo es típico. Se trata (como en todos los epigramas) de una mera falacia de confusión. El verbo *rematar* (redoblado por el adverbio *con energía*) deja entender que el acriminado señor es un irreparable y sórdido martillero, y que su diligencia dantesca es un disparate. El auditor acepta el argumento sin vacilar, porque no se lo proponen como argumento. Bien formulado, tendría que negarle su fe. Primero, declamar y subastar son actividades afines. Segundo, la antigua vocación de declamador pudo aconsejar las tareas del martillero, por el buen ejercicio de hablar en público.

Una de las tradiciones satíricas (no despreciada ni por Macedonio Fernández ni por Quevedo ni por George Bernard Shaw) es la inversión incondicional de los términos. Según esa receta famosa, el médico es inevitablemente acusado de profesar la contaminación y la muerte; el escribano, de robar; el verdugo, de fomentar la longevidad; los libros de invención, de adormecer o petrificar al lector; los judíos errantes, de parálisis; el sastre, de nudismo; el tigre y el caníbal, de no perdonar el ruibarbo. Una variedad de esa tradición es el dicho inocente. Por ejemplo: *El festejado catre de campaña debajo del cual el general ganó la batalla*. O: *Un encanto el último film del ingenioso director René Clair. Cuando nos despertaron*...

Otro método servicial es el cambio brusco. Verbigracia: *Un joven sacerdote de la Belleza, una mente adoctrinada de luz helénica, un exquisito; un verdadero hombre de gusto (a ratón).* Asimismo esta copla de Andalucía, que en un segundo pasa de la información al asalto:

> *Veinticinco palillos*
> *Tiene una silla.*
> *¿Quieres que te la rompa*
> *En las costillas?*

Repito lo formal de ese juego, su contrabando pertinaz de argumentos necesariamente confusos. Vindicar realmente una causa y prodigar las exageraciones burlescas, las falsas caridades, las concesiones traicioneras y el paciente desdén, no son actividades, incompatibles, pero sí tan diversas que nadie las ha conjugado hasta ahora. Busco ejemplos ilustres. Empeñado en la demolición de Ricardo Rojas, ¿qué hace Groussac? Esto que copio y que todos los literatos de Buenos Aires han paladeado. *Es así cómo, verbigracia, después de oídos con resignación, dos o tres fragmentos en prosa gerundiana de cierto mamotreto públicamente aplaudido por los que apenas lo han abierto, me considero autorizado para no seguir adelante, ateniéndome, por ahora, a los sumarios o índices de aquella copiosa historia de lo que orgánicamente nunca existió.* Me refiero especialmente a la primera y más indigesta parte de la mole (ocupa tres tomos de los cuatro): balbuceos de indígenas o mestizos... Groussac, en ese buen malhumor, cumple con el más ansioso ritual del juego satírico. Simula que lo apenan los errores del adversario *(después de oídos con resignación)*; deja entrever el espectáculo de una cólera brusca (primero la palabra *mamotreto*, después *la mole*); se vale de términos laudatorios para agredir (esa historia *copiosa*) en fin, juega como quien es. No comete pecados en la sintaxis, que es eficaz, pero sí en el argumento que indica. Reprobar un libro por el tamaño, insinuar que quién va a animársele a ese ladrillo y acabar profesando indiferencia por las zonceras de unos chinos y unos mulatos, parece una respuesta de compadrito, no de Groussac.

Copio otra celebrada severidad del mismo escritor: *Sentiríamos que la circunstancia de haberse puesto en venta el alegato del doctor Piñero, fuera un obstáculo serio para su difusión, y que este sazonado fruto de un año y medio de vagar diplomático se limitara a causar "impresión" en la casa de Coni. Tal no sucederá, Dios mediante, y al menos en cuanto penda de nosotros, no se cumplirá tan melancólico destino. Otra vez el aparato de la piedad; otra vez la diablura de la sintaxis. Otra vez, también,* la banalidad portentosa de la censura: reírse de los pocos interesados que puede congregar un escrito y de su pausada elaboración.

Una vindicación elegante de esas miserias puede invocar la tenebrosa raíz de la sátira. Ésta (según la más reciente seguridad) se derivó de las maldiciones mágicas de la ira, no de razonamientos. Es la reliquia de un inverosímil estado, en que las lesiones hechas al nombre caen sobre el poseedor. Al ángel Satanail, rebelde primogénito del Dios que adoraron los bogomiles, le cercenaron la partícula *il*, que aseguraba su corona, su esplendor y su previsión. Su morada actual es el fuego, y su huésped la ira del Poderoso. Inversamente narran los cabalistas, que la simiente del remoto Abram era estéril hasta que interpolaron en su nombre la letra *he*, que lo hizo capaz de engendrar.

Swift, hombre de amargura esencial, se propuso en la crónica de los viajes del capitán Lemuel Gulliver la difamación del género humano. Los primeros —el viaje a la diminuta república de Liliput y a la desmesurada de Brobdingnag— son lo que Leslie Stephen admite: un sueño antropométrico, que en nada roza las complejidades de nuestro ser, su fuego y su álgebra. El tercero, el más divertido, se burla de la ciencia experimental mediante el consabido procedimiento de la inversión: los gabinetes destartalados de Swift quieren propagar ovejas sin lana, usar el hielo para la fabricación de la pólvora, ablandar mármol para almohadas, batir en láminas sutiles el fuego y aprovechar la parte nutritiva que encierra la materia fecal. (Ese libro incluye también una fuerte página sobre los inconvenientes de la decrepitud.) El cuarto viaje, el último, quiere demostrar que las bestias valen más que los hombres. Exhibe una virtuosa república de caballos conversadores, monógamos, vale decir, humanos, con un proletariado de hombres cuadrúpedos, que habitan en montón, escarban la tierra, se prenden de la ubre de las vacas para robar la leche, descargan su excremento sobre los otros, devoran carne corrompida y apestan. La fábula es contraproducente, como se ve. Lo demás es literatura, sintaxis. En la conclusión dice: *No me fastidia el espectáculo de un abogado, de un ratero, de un coronel, de un tonto, de un lord, de un tahur, de un político, de un rufián.* Ciertas palabras, en esa buena enumeración, están contaminadas por las vecinas.

Dos ejemplos finales. Uno es la célebre parodia de insulto que nos refieren improvisó el doctor Johnson. *Su esposa, caballero, con el pretexto de que trabaja en un lupanar, vende géneros de contrabando.* Otro es la injuria más espléndida que conozco: injuria tanto más singular si consideramos que es el único roce de su autor con la literatura. *Los dioses no consin-*

tieron que Santos Chocano deshonrara el patíbulo, muriendo en él. Ahí está vivo, después de haber fatigado la infamia. Deshonrar el patíbulo. Fatigar la infamia. A fuerza de abstracciones ilustres, la fulminación descargada por Vargas Vila rehusa cualquier trato con el paciente, y lo deja ileso, inverosímil, muy secundario y posiblemente inmoral. Basta la mención más fugaz del nombre de Chocano para que alguno reconstruya la imprecación, oscureciendo con maligno esplendor todo cuanto a él se refiere —hasta los pormenores y los síntomas de esa infamia.

Procuro resumir lo anterior. La sátira no es menos convencional que un diálogo entre novios o que un soneto distinguido con la flor natural por José María Monner Sans. Su método es la intromisión de sofismas, su única ley la simultánea invención de buenas travesuras. Me olvidaba: tiene además la obligación de ser memorable.

Aquí de cierta réplica varonil que refiere De Quincey (*Writings*, onceno tomo, página 226). A un caballero, en una discusión teológica o literaria, le arrojaron en la cara un vaso de vino. El agredido no se inmutó y dijo al ofensor: *Esto, señor, es una digresión, espero su argumento*. (El protagonista de esa réplica, un doctor Henderson, falleció en Oxford hacia 1787, sin dejarnos otra memoria que esas justas palabras: suficiente y hermosa inmortalidad.)

Una tradición oral que recogí en Ginebra durante los últimos años de la primera guerra mundial, refiere que Miguel Servet dijo a los jueces que lo habían condenado a la hoguera: *Arderé, pero ello no es otra cosa que un hecho. Ya seguiremos discutiendo en la eternidad.*

Adrogué, 1933.

Ficciones
(1944)

A
Esther Zemborain de Torres

EL JARDÍN DE SENDEROS
QUE SE BIFURCAN

(1941)

PRÓLOGO

Las siete piezas de este libro no requieren mayor elucidación. La séptima (El jardín de senderos que se bifurcan) *es policial; sus lectores asistirán a la ejecución y a todos los preliminares de un crimen, cuyo propósito no ignoran pero que no comprenderán, me parece, hasta el último párrafo. Las otras son fantásticas; una* —La lotería en Babilonia— *no es del todo inocente de simbolismo. No soy el primer autor de la narración* La biblioteca de Babel; *los curiosos de su historia y de su prehistoria pueden interrogar cierta página del número 59 de* Sur, *que registra los nombres heterogéneos de Leucipo y de Lasswitz, de Lewis Carroll y de Aristóteles. En* Las ruinas circulares *todo es irreal; en* Pierre Menard, autor del Quijote *lo es el destino que su protagonista se impone. La nómina de escritos que le atribuyo no es demasiado divertida pero no es arbitraria; es un diagrama de su historia mental...*

Desvarío laborioso y empobrecedor el de componer vastos libros; el de explayar en quinientas páginas una idea cuya perfecta exposición oral cabe en pocos minutos. Mejor procedimiento es simular que esos libros ya existen y ofrecer un resumen, un comentario. Así procedió Carlyle en Sartor Resartus; *así Butler en* The Fair Haven; *obras que tienen la imperfección de ser libros también, no menos tautológicos que los otros. Más razonable, más inepto, más haragán, he preferido la escritura de notas sobre libros imaginarios. Éstas son* Tlön, Uqbar, Orbis Tertius *y el* Examen de la obra de Herbert Quain.

J. L. B.

TLÖN, UQBAR, ORBIS TERTIUS

I

Debo a la conjunción de un espejo y de una encliclopedia el descubrimiento de Uqbar. El espejo inquietaba el fondo de un corredor en una quinta de la calle Gaona, en Ramos Mejía; la enciclopedia falazmente se llama *The Anglo-American Cyclopaedia* (New York, 1917) y es una reimpresión literal, pero también morosa, de la *Encyclopaedia Britannica* de 1902. El hecho se produjo hará unos cinco años. Bioy Casares había cenado conmigo esa noche y nos demoró una vasta polémica sobre la ejecución de una novela en primera persona, cuyo narrador omitiera o desfigurara los hechos e incurriera en diversas contradicciones, que permitieran a unos pocos lectores —a muy pocos lectores— la adivinación de una realidad atroz o banal. Desde el fondo remoto del corredor, el espejo nos acechaba. Descubrimos (en la alta noche ese descubrimiento es inevitable) que los espejos tienen algo monstruoso. Entonces Bioy Casares recordó que uno de los heresiarcas de Uqbar había declarado que los espejos y la cópula son abominables, porque multiplican el número de los hombres. Le pregunté el origen de esa memorable sentencia y me contestó que *The Anglo-American Cyclopaedia* la registraba, en su artículo sobre Uqbar. La quinta (que habíamos alquilado amueblada) poseía un ejemplar de esa obra. En las últimas páginas del volumen XLVI dimos con un artículo sobre Upsala; en las primeras del XLVII, con uno sobre *Ural-Altaic Languages*, pero ni una palabra sobre Uqbar. Bioy, un poco azorado, interrogó los tomos del índice. Agotó en vano todas las lecciones imaginables: Ukbar, Ucbar, Ookbar, Oukbahr... Antes de irse, me dijo que era una región del Irak o del Asia Menor. Confieso que asentí con alguna incomodidad. Conjeturé que ese país indocumentado y ese heresiarca anónimo eran una ficción improvisada por la modestia de Bioy para justificar una frase. El examen estéril de uno de los atlas de Justus Perthes fortaleció mi duda.

Al día siguiente, Bioy me llamó desde Buenos Aires. Me dijo que tenía a la vista el artículo sobre Uqbar, en el volumen XXVI de la Enciclopedia. No constaba el nombre del heresiarca, pero sí la noticia de su doctrina, formulada en palabras casi idénticas a las repetidas por él, aunque —tal vez— literariamente inferiores. Él había recordado: *Copulation and mirrors are abominable.* El texto de la Enciclopedia decía: *Para uno de esos gnósticos, el visible universo era una ilusión o (más precisamente) un sofisma. Los espejos y la paternidad son abominables* (mirrors and fatherhood are hateful) *porque lo multiplican y lo divulgan.* Le dije, sin faltar a la verdad, que me gustaría ver ese artículo. A los pocos días lo trajo. Lo cual me sorprendió, porque los escrupulosos índices cartográficos de la *Erdkunde* de Ritter ignoraban con plenitud el nombre de Uqbar.

El volumen que trajo Bioy era efectivamente el XXVI de la *Anglo-American Cyclopaedia*. En la falsa carátula y en el lomo, la indicación alfabética (Tor-Ups) era la de nuestro ejemplar, pero en vez de 917 páginas constaba de 921. Esas cuatro páginas adicionales comprendían al artículo sobre Uqbar; no previsto (como habrá advertido el lector) por la indicación alfabética. Comprobamos después que no hay otra diferencia entre los volúmenes. Los dos (según creo haber indicado) son reimpresiones de la décima *Encyclopaedia Britannica*. Bioy había adquirido su ejemplar en uno de tantos remates.

Leímos con algún cuidado el artículo. El pasaje recordado por Bioy era tal vez el único sorprendente. El resto parecía muy verosímil, muy ajustado al tono general de la obra y (como es natural) un poco aburrido. Releyéndolo, descubrimos bajo su rigurosa escritura una fundamental vaguedad. De los catorce nombres que figuraban en la parte geográfica, sólo reconocimos tres —Jorasán, Armenia, Erzerum—, interpolados en el texto de un modo ambiguo. De los nombres históricos, uno solo: el impostor Esmerdis el mago, invocado más bien como una metáfora. La nota parecía precisar las fronteras de Uqbar, pero sus nebulosos puntos de referencias eran ríos y cráteres y cadenas de esa misma región. Leímos, verbigracia, que las tierras bajas de Tsai Jaldún y el delta del Axa definen la frontera del sur y que en las islas de ese delta procrean los caballos salvajes. Eso, al principio de la página 918. En la sección histórica (página 920) supimos que a raíz de las persecuciones religiosas del siglo trece, los ortodoxos buscaron amparo en las islas, donde perduran todavía sus obeliscos y donde no es raro exhumar sus espejos de piedra. La sección *idioma y literatura* era breve. Un solo rasgo memorable: anotaba que la literatura de Uqbar era de carácter fantástico y que sus epopeyas y sus leyendas no se referían jamás a la realidad, sino a las dos regiones imaginarias de Mlejnas y de Tlön... La bibliografía enumeraba cuatro volúmenes que no hemos encontrado hasta ahora, aunque el tercero —Silas Haslam: *History of the Land Called Uqbar*, 1874— figura en los catálogos de librería de Bernard Quaritch [1]. El primero, *Lesbare und lesenswerthe Be-*

---

[1] Haslam ha publicado también *A General History of Labyrinths.*

merkungen über das Land Ukkbar in Klein-Asien, data de 1641 y es obra de Johannes Valentinus Andreä. El hecho es significativo; un par de años después, di con ese nombre en las inesperadas páginas de De Quincey (*Writings,* decimotercero volumen) y supe que era el de un teólogo alemán que a principios del siglo xvii describió la imaginaria comunidad de la Rosa-Cruz —que otros luego fundaron, a imitación de lo prefigurado por él.

Esa noche visitamos la Biblioteca Nacional. En vano fatigamos atlas, catálogos, anuarios de sociedades geográficas, memorias de viajeros e historiadores: nadie había estado nunca en Uqbar. El índice general de la enciclopedia de Bioy tampoco registraba ese nombre. Al día siguiente, Carlos Mastronardi (a quien yo había referido el asunto) advirtió en una librería de Corrientes y Talcahuano los negros y dorados lomos de la *Anglo-American Cyclopaedia...* Entró e interrogó el volumen xxvi. Naturalmente, no dio con el menor indicio de Uqbar.

II

Algún recuerdo limitado y menguante de Herbert Ashe, ingeniero de los ferrocarriles del Sur, persiste en el hotel de Adrogué, entre las efusivas madreselvas y en el fondo ilusorio de los espejos. En vida padeció de irrealidad, como tantos ingleses; muerto, no es siquiera el fantasma que ya era entonces. Era alto y desganado y su cansada barba rectangular había sido roja. Entiendo que era viudo, sin hijos. Cada tantos años iba a Inglaterra: a visitar (juzgo por unas fotografías que nos mostró) un reloj de sol y unos robles. Mi padre había estrechado con él (el verbo es excesivo) una de esas amistades inglesas que empiezan por excluir la confidencia y que muy pronto omiten el diálogo. Solían ejercer un intercambio de libros y de periódicos; solían batirse al ajedrez, taciturnamente... Lo recuerdo en el corredor del hotel, con un libro de matemáticas en la mano, mirando a veces los colores irrecuperables del cielo. Una tarde, hablamos del sistema duodecimal de numeración (en el que doce se escribe 10). Ashe dijo que precisamente estaba trasladando no sé qué tablas duodecimales a sexagesimales (en las que sesenta se escribe 10). Agregó que ese trabajo le había sido encargado por un noruego: en Río Grande do Sul. Ocho años que lo conocíamos y no había mencionado nunca su estadía en esa región... Hablamos de vida pastoril, de *capangas,* de la etimología brasilera de la palabra *gaucho* (que algunos viejos orientales todavía pronuncian *gaúcho*) y nada más se dijo —Dios me perdone— de funciones duodecimales. En setiembre de 1937 (no estábamos nosotros en el hotel) Herbert

Ashe murió de la rotura de un aneurisma. Días antes, había recibido del Brasil un paquete sellado y certificado. Era un libro en octavo mayor. Ashe lo dejó en el bar, donde —meses después— lo encontré. Me puse a hojearlo y sentí un vértigo asombrado y ligero que no describiré, porque ésta no es la historia de mis emociones sino de Uqbar y Tlön y Orbis Tertius. En una noche del Islam que se llama la Noche de las Noches se abren de par en par las secretas puertas del cielo y es más dulce el agua en los cántaros; si esas puertas se abrieran, no sentiría lo que en esa tarde sentí. El libro estaba redactado en inglés y lo integraban 1001 páginas. En el amarillo lomo de cuero leí estas curiosas palabras que la falsa carátula repetía: *A First Encyclopaedia of Tlön. Vol. XI. Hlaer to Jangr.* No había indicación de fecha ni de lugar. En la primera página y en una hoja de papel de seda que cubría una de las láminas en colores había estampado un óvalo azul con esta inscripción: *Orbis Tertius.* Hacía dos años que yo había descubierto en un tomo de cierta enciclopedia pirática una somera descripción de un falso país; ahora me deparaba el azar algo más precioso y más arduo. Ahora tenía en las manos un vasto fragmento metódico de la historia total de un planeta desconocido, con sus arquitecturas y sus barajas, con el pavor de sus mitologías y el rumor de sus lenguas, con sus emperadores y sus mares, con sus minerales y sus pájaros y sus peces, con su álgebra y su fuego, con su controversia teológica y metafísica. Todo ello articulado, coherente, sin visible propósito doctrinal o tono paródico.

En el "onceno tomo" de que hablo hay alusiones a tomos ulteriores y precedentes. Néstor Ibarra, en un artículo ya clásico de la *N. R. F.*, ha negado que existen esos aláteres; Ezequiel Martínez Estrada y Drieu La Rochelle han refutado, quizá victoriosamente, esa duda. El hecho es que hasta ahora las pesquisas más diligentes han sido estériles. En vano hemos desordenado las bibliotecas de las dos Américas y de Europa. Alfonso Reyes, harto de esas fatigas subalternas de índole policial, propone que entre todos acometamos la obra de reconstruir los muchos y macizos tomos que faltan: *ex ungue leonem.* Calcula, entre veras y burlas, que una generación de *tlönistas* puede bastar. Ese arriesgado cómputo nos retrae al problema fundamental: ¿Quiénes inventaron a Tlön? El plural es inevitable, porque la hipótesis de un solo inventor —de un infinito Leibniz obrando en la tiniebla y en la modestia— ha sido descartada unánimemente. Se conjetura que este *brave new world* es obra de una sociedad secreta de astrónomos, de biólogos, de ingenieros, de metafísicos, de poetas, de químicos, de algebristas, de moralistas, de pintores, de geómetras... dirigidos por un oscuro hombre de genio. Abundan individuos que dominan esas disciplinas diversas, pero no los capaces de invención y menos los capaces de subordinar la invención a un riguroso plan sistemático. Ese plan es tan vasto que la contribución de cada escritor es infinitesimal. Al principio se creyó que Tlön era un mero caos, una irresponsable licencia de la imaginación; ahora se sabe que es un cosmos y las íntimas leyes que lo rigen han sido formuladas, siquiera en modo provisional. Básteme recordar que las contradicciones aparentes del Onceno Tomo son la piedra fundamental de la prueba de que existen los otros: tan lúcido y tan justo es el orden que se ha observado en él. Las revistas populares han divulgado, con perdonable exceso, la zoología y la topografía de Tlön; yo pienso que sus tigres transparentes y sus torres de sangre no merecen, tal vez, la continua atención de *todos* los hombres. Yo me atrevo a pedir unos minutos para su concepto del universo.

Hume notó para siempre que los argumentos de Berkeley no admiten la menor réplica y no causan la menor convicción. Ese dictamen es del todo verídico en su aplicación a la tierra; del todo falso en Tlön. Las naciones de ese planeta son —congénitamente— idealistas. Su lenguaje y las derivaciones de su lenguaje —la religión, las letras, la metafísica— presuponen el idealismo. El mundo para ellos no es un concurso de objetos en el espacio; es una serie heterogénea de actos independientes. Es sucesivo, temporal, no espacial. No hay sustantivos en la conjetural *Ursprache* de Tlön, de la que proceden los idiomas "actuales" y los dialectos: hay verbos impersonales, calificados por sufijos (o prefijos) monosilábicos de valor adverbial. Por ejemplo: no hay palabra que corresponda a la palabra *luna*, pero hay un verbo que sería en español *lunecer* o *lunar*. *Surgió la luna sobre el río* se dice *hlör u fang axaxaxas mlö* o sea en su orden: hacia arriba (*upward*) detrás duradero-fluir luneció. (Xul Solar traduce con brevedad: upa tras perfluyue lunó. *Upward, behind the onstreaming it mooned.*)

Lo anterior se refiere a los idiomas del hemisferio austral. En los del hemisferio boreal (de cuya *Ursprache* hay muy pocos datos en el Onceno Tomo) la célula primordial no es el verbo, sino el adjetivo monosilábico. El sustantivo se forma por acumulación de adjetivos. No se dice *luna*: se dice *aéreo-claro sobre oscuro-redondo* o *anaranjado-tenue-del cielo* o cualquier otra agregación. En el caso elegido la masa de adjetivos corresponde a un objeto real; el hecho es puramente fortuito. En la literatura de este hemisferio (como en el mundo subsistente de Meinong) abundan los objetos ideales, convocados y disueltos en un momento, según las necesidades poéticas. Los determina, a veces, la mera simultaneidad. Hay objetos compuestos de dos términos, uno de carácter visual y otro auditivo: el color del naciente y el remoto grito de un pájaro. Los hay de muchos: el sol y el agua contra el pecho del nadador, el vago rosa trémulo que se ve con los ojos cerrados, la sensación de quien se deja llevar por un río y también por el sueño. Esos objetos de segundo grado pueden combinarse con otros; el proceso, mediante ciertas abreviaturas, es prácticamente infinito. Hay poemas famosos compuestos de una sola enorme palabra. Esta palabra integra un *objeto poético* creado por el autor. El hecho de que nadie crea en la realidad de los sustantivos hace, paradójicamente, que sea interminable su número. Los idiomas del hemisferio boreal de Tlön poseen todos los nombres de las lenguas indoeuropeas— y otros muchos más.

No es exagerado afirmar que la cultura clásica de Tlön comprende una sola disciplina: la psicología. Las otras están subordinadas a ella. He dicho que los hombres de ese planeta conciben el universo como una serie de procesos mentales, que no se desenvuelven en el espacio sino de modo sucesivo en el tiempo. Spinoza atribuye a su inagotable divinidad los atributos de la extensión y del pensamiento; nadie comprendería en Tlön la yuxtaposición del primero (que sólo es típico de ciertos estados) y del segundo —que es un sinónimo perfecto del cosmos—. Dicho sea con otras palabras: no conciben que lo espacial perdure en el tiempo. La percepción de una humareda en el horizonte y después del campo incendiado y después del cigarro a medio apagar que produjo la quemazón es considerada un ejemplo de asociación de ideas.

Este monismo o idealismo total invalida la ciencia. Explicar (o juzgar) un hecho es unirlo a otro; esa vinculación, en Tlön, es un estado posterior del sujeto, que no puede afectar o iluminar el estado anterior. Todo estado mental es irreductible: el mero hecho de nombrarlo —*id est*, de clasificarlo— importa un falseo. De ello cabría deducir que no hay ciencias en Tlön— ni siquiera razonamientos. La paradójica verdad es que existen, en casi innumerable número. Con las filosofías acontece lo que acontece con los sustantivos en el hemisferio boreal. El hecho de que toda filosofía sea de antemano un juego dialéctico, una *Philosophie des Als Ob*, ha contribuido a multiplicarlas. Abundan los sistemas increíbles, pero de arquitectura agradable o de tipo sensacional. Los metafísicos de Tlön no buscan la verdad ni siquiera la verosimilitud: buscan el asombro. Juzgan que la metafísica es una rama de la literatura fantástica. Saben que un sistema no es otra cosa que la subordinación de todos los aspectos del universo a uno cualquiera de ellos. Hasta la frase "todos los aspectos" es rechazable, porque supone la imposible adición del instante presente y de los pretéritos. Tampoco es lícito el plural "los pretéritos", porque supone otra operación imposible... Una de las escuelas de Tlön llega a negar el tiempo: razona que el presente es indefinido, que el futuro no tiene realidad sino como esperanza presente, que el pasado no tiene realidad sino como recuerdo presente [1]. Otra escuela declara que ha transcurrido ya *todo el tiempo* y que nuestra vida es apenas el recuerdo o reflejo crepuscular, y sin duda falseado y mutilado, de un proceso irrecuperable. Otra, que la historia del universo —y en ellas nuestras vidas y el más tenue detalle de nuestras vidas— es la escritura que produce un dios subalterno para entenderse con un demonio. Otra, que el universo es comparable a esas criptografías en las que no valen todos los símbolos y que sólo es verdad lo que sucede cada trescientas noches. Otra, que mientras dormimos aquí, estamos despiertos en otro lado y que así cada hombre es dos hombres.

Entre las doctrinas de Tlön, ninguna ha merecido tanto escándalo como el materialismo. Algunos pensadores lo han formulado, con menos claridad que fervor, como quien adelanta una paradoja. Para facilitar el entendimiento de esa tesis inconcebible, un heresiarca del undécimo siglo [2] ideó el sofisma de las nueve monedas de cobre, cuyo renombre escandaloso equivale en Tlön al de las aporías eleáticas. De ese "razonamiento especioso" hay muchas versiones, que varían el número de monedas y el número de hallazgos; he aquí la más común:

El martes, X atraviesa un camino desierto y pierde nueve monedas de cobre. El jueves, Y encuentra en el camino cuatro monedas, algo herrumbradas por la lluvia del miércoles. El viernes, Z descubre tres monedas en el camino. El viernes de mañana, X encuentra dos monedas en el corredor de su casa. El heresiarca quería deducir de esa historia la realidad —*id est* la continuidad— de las nueve monedas recuperadas. *Es absurdo* (afirmaba) *imaginar que cuatro de las monedas no han existido entre el martes y el jueves, tres entre el martes y la tarde del viernes, dos entre el martes y la madrugada del viernes. Es lógico pensar que han existido —siquiera de algún modo secreto, de comprensión vedada a los hombres— en todos los momentos de esos tres plazos.*

El lenguaje de Tlön se resistía a formular esa paradoja; los más no la entendieron. Los defensores del sentido común se limitaron, al principio, a negar la veracidad de la anécdota. Repitieron que era una falacia verbal, basada en el empleo temerario de dos voces neológicas, no autorizadas por el uso y ajenas a todo pensamiento severo: los verbos *encontrar* y *perder*, que comportan una petición de principio, porque presuponen la identidad de las nueve primeras monedas y de las últimas. Recordaron que todo

---

[1] Russell (*The Analysis of Mind*, 1921, página 159) supone que el planeta ha sido creado hace pocos minutos, provisto de una humanidad que "recuerda" un pasado ilusorio.

[2] Siglo, de acuerdo con el sistema duodecimal, significa un período de ciento cuarenta y cuatro años.

sustantivo (hombre, moneda, jueves, miércoles, lluvia) sólo tiene un valor metafórico. Denunciaron la pérfida circunstancia *algo herrumbradas por la lluvia del miércoles*, que presupone lo que se trata de demostrar: la persistencia de las cuatro monedas, entre el jueves y el martes. Explicaron que una cosa es *igualdad* y otra *identidad* y formularon una especie de *reductio ad absurdum*, o sea el caso hipotético de nueve hombres que en nueve sucesivas noches padecen un vivo dolor. ¿No sería ridículo —interrogaron— pretender que ese dolor, es el mismo?[1] Dijeron que al heresiarca no lo movía sino el blasfematorio propósito de atribuir la divina categoría de *ser* a unas simples monedas y que a veces negaba la pluralidad y otras no. Argumentaron: si la igualdad comporta la identidad, habría que admitir asimismo que las nueve monedas son una sola.

Increíblemente, esas refutaciones no resultaron definitivas. A los cien años de enunciado el problema, un pensador no menos brillante que el heresiarca pero de tradición ortodoxa, formuló una hipótesis muy audaz. Esa conjetura feliz afirma que hay un solo sujeto, que ese sujeto indivisible es cada uno de los seres del universo y que éstos son los órganos y máscaras de la divinidad. X es Y y es Z. Z descubre tres monedas porque recuerda que se le perdieron a X; X encuentra dos en el corredor porque recuerda que han sido recuperadas las otras... El onceno tomo deja entender que tres razones capitales determinaron la victoria total de ese panteísmo idealista. La primera, el repudio del solipsismo; la segunda, la posibilidad de conservar la base psicológica de las ciencias; la tercera, la posibilidad de conservar el culto de los dioses. Schopenhauer (el apasionado y lúcido Schopenhauer) formula una doctrina muy parecida en el primer volumen de *Parerga und Paralipomena*.

La geometría de Tlön comprende dos disciplinas algo distintas: la visual y la táctil. La última corresponde a la nuestra y la subordinan a la primera. La base de la geometría visual es la superficie, no el punto. Esta geometría desconoce las paralelas y declara que el hombre que se desplaza modifica las formas que lo circundan. La base de su aritmética es la noción de números indefinidos. Acentúan la importancia de los conceptos de mayor y menor, que nuestros matemáticos simbolizan por > y por <. Afirman que la operación de contar modifica las cantidades y las convierte de indefinidas en definidas. El hecho de que varios in-

[1] En el día de hoy, una de las iglesias de Tlön sostiene platónicamente que tal dolor, que tal matiz verdoso del amarillo, que tal temperatura, que tal sonido, son la única realidad. Todos los hombres, en el vertiginoso instante del coito, son el mismo hombre. Todos los hombres que repiten una línea de Shakespeare, *son* William Shakespeare.

dividuos que cuentan una misma cantidad logran un resultado igual, es para los psicólogos un ejemplo de asociación de ideas o de buen ejercicio de la memoria. Ya sabemos que en Tlön el sujeto del conocimiento es uno y eterno.

En los hábitos literarios también es todopoderosa la idea de un sujeto único. Es raro que los libros estén firmados. No existe el concepto del plagio: se ha establecido que todas las obras son obra de un solo autor, que es intemporal y es anónimo. La crítica suele inventar autores: elige dos obras disímiles —el Tao Te King y las 1001 Noches, digamos—, las atribuye a un mismo escritor y luego determina con probidad la psicología de ese interesante *homme de lettres*...

También son distintos los libros. Los de ficción abarcan un solo argumento, con todas las permutaciones imaginables. Los de naturaleza filosófica invariablemente contienen la tesis y la antítesis, el riguroso pro y el contra de una doctrina. Un libro que no encierra su contralibro es considerado incompleto.

Siglos y siglos de idealismo no han dejado de influir en la realidad. No es infrecuente, en las regiones más antiguas de Tlön, la duplicación de objetos perdidos. Dos personas buscan un lápiz; la primera lo encuentra y no dice nada; la segunda encuentra un segundo lápiz no menos real, pero más ajustado a su expectativa. Esos objetos secundarios se llaman *hrönir* y son, aunque de forma desairada, un poco más largos. Hasta hace poco los *hrönir* fueron hijos casuales de la distracción y el olvido. Parece mentira que su metódica producción cuente apenas cien años, pero así lo declara el Onceno Tomo. Los primeros intentos fueron estériles. El *modus operandi*, sin embargo, merece recordación. El director de una de las cárceles del estado comunicó a los presos que en el antiguo lecho de un río había ciertos sepulcros y prometió la libertad a quienes trajeran un hallazgo importante. Durante los meses que precedieron a la excavación les mostraron láminas fotográficas de lo que iban a hallar. Ese primer intento probó que la esperanza y la avidez pueden inhibir; una semana de trabajo con la pala y el pico no logró exhumar otro *hrön* que una rueda herrumbrada, de fecha posterior al experimento. Éste se mantuvo secreto y se repitió después en cuatro colegios. En tres fue casi total el fracaso; en el cuarto (cuyo director murió casualmente durante las primeras excavaciones) los discípulos exhumaron —o produjeron— una máscara de oro, una espada arcaica, dos o tres ánforas de barro y el verdinoso y mutilado torso de un rey con una inscripción en el pecho que no se ha logrado aún descifrar. Así se descubrió la improcedencia de testigos que conocieran la naturaleza experimental de la busca... Las investigaciones en masa producen objetos contradictorios; ahora se prefiere los trabajos individuales y casi improvisados. La metódica elaboración de *hrönir* (dice el Onceno Tomo) ha prestado servicios prodigiosos a los arqueólogos. Ha permitido interrogar y hasta modificar el pasado, que ahora no es menos plástico y menos dócil que el porvenir. Hecho curioso: los *hrönir* de segundo y de tercer grado —los *hrönir* derivados de otro *hrön*, los *hrönir* derivados del *hrön* de un *hrön*— exageran las aberraciones del inicial; los de quinto son casi uniformes; los de noveno se confunden con los de segundo; en los de undécimo hay una pureza de líneas que los originales no tienen. El proceso es periódico: el *hrön* de duodécimo grado ya empieza a decaer. Más extraño y más puro que todo *hrön* es a veces el *ur*: la cosa producida por sugestión, el objeto educido por la esperanza. La gran máscara de oro que he mencionado es un ilustre ejemplo.

Las cosas se duplican en Tlön; propenden asimismo a borrarse y a perder los detalles cuando los olvida la gente. Es clásico el ejemplo de un umbral que perduró mientras lo visitaba un mendigo y que se perdió de vista a su muerte. A veces unos pájaros, un caballo, han salvado las ruinas de un anfiteatro.

Salto Oriental, 1940.

Posdata de 1947. Reproduzco el artículo anterior tal como apareció en la *Antología de la literatura fantástica,* 1940, sin otra escisión que algunas metáforas y que una especie de resumen burlón que ahora resulta frívolo. Han ocurrido tantas cosas desde esa fecha... Me limitaré a recordarlas.

En marzo de 1941 se descubrió una carta manuscrita de Gunnar Erfjord en un libro de Hinton que había sido de Herbert Ashe. El sobre tenía el sello postal de Ouro Preto; la carta elucidaba enteramente el misterio de Tlön. Su texto corrobora las hipótesis de Martínez Estrada. A principios del siglo XVII, en una noche de Lucerna o de Londres, empezó la espléndida historia. Una sociedad secreta y benévola (que entre sus afiliados tuvo a Dalgarno y después a George Berkeley) surgió para inventar un país. En el vago programa inicial figuraban los "estudios herméticos", la filantropía y la cábala. De esa primera época data el curioso libro de Andreä. Al cabo de unos años de conciliábulos y de síntesis prematuras comprendieron que una generación no bastaba para articular un país. Resolvieron que cada uno de los maestros que la integraban eligiera un discípulo para la continuación de la obra. Esa disposición hereditaria prevaleció; después de un hiato de dos siglos la perseguida fraternidad resurge en América. Hacia 1824, en Memphis (Tennessee) uno de los afiliados conversa con el ascético millonario Ezra Buckley. Éste lo deja hablar con algún desdén —y se ríe de la modestia del proyecto. Le dice que en América es absurdo inventar un país y le propone la invención de un planeta. A esa gigantesca idea añade otra, hija de su nihilismo: [1] la de guardar en el silencio la empresa enorme. Circulaban entonces los veinte tomos de la *Encyclopaedia Britannica*; Buckley sugiere una enciclopedia metódica del planeta ilusorio. Les dejará sus cordilleras auríferas, sus ríos navegables, sus praderas holladas por el toro y por el bisonte, sus negros, sus prostíbulos y sus dólares, bajo una condición: "La obra no pactará con el impostor Jesucristo." Buckley descree de Dios, pero quiere demostrar al Dios no existente que los hombres mortales son capaces de concebir un mundo. Buckley es envenenado en Baton Rouge en 1828; en 1914 la sociedad remite a sus colaboradores, que son trescientos, el volumen final de la Primera Enciclopedia de Tlön. La edición es secreta: los cuarenta volúmenes que comprende (la obra más vasta que han acometido los hombres) serían la base de otra más minuciosa, redactada no ya en inglés, sino en alguna de las lenguas de Tlön. Esa revisión de un mundo ilusorio se llama provisoriamente *Orbis Tertius* y uno de sus modestos demiurgos fue Herbert Ashe, no sé si como agente de Gunnar Erfjord o como afiliado. Su recepción de un ejemplar del Onceno Tomo parece favorecer lo segundo. Pero ¿y los otros? Hacia 1942 arreciaron los hechos. Recuerdo con singular nitidez uno de los primeros y me parece que algo sentí de su carácter premonitorio. Ocurrió en un departamento de la calle Laprida, frente a un claro y alto balcón que miraba el ocaso. La princesa de Faucigny Lucinge había recibido de Poitiers su vajilla de plata. Del vasto fondo de un cajón rubricado de sellos internacionales iban saliendo finas cosas inmóviles: platería de Utrecht y de París con dura fauna heráldica, un samovar. Entre ellas —con un perceptible y tenue temblor de pájaro dormido— latía misteriosamente una brújula. La princesa no la reconoció. La aguja azul anhelaba el norte magnético; la caja de metal era cóncava; las letras de la esfera correspondían a uno de los alfabetos de Tlön. Tal fue la primera intrusión del mundo fantástico en el mundo real. Un azar que me inquieta hizo que yo también fuera testigo de la segunda. Ocurrió unos meses después, en la pulpería de un brasilero, en la Cuchilla Negra. Amorim y yo regresábamos de Sant'Anna. Una creciente del río Tacuarembó nos obligó a probar (y a sobrellevar) esa rudimentaria hospitalidad. El pulpero nos acomodó unos catres crujientes en una pieza grande, entorpecida de barriles y cueros. Nos acostamos, pero no nos dejó dormir hasta el alba la borrachera de un vecino invisible, que alternaba denuestos

---

[1] Buckley era librepensador, fatalista y defensor de la esclavitud.

inextricables con rachas de milongas —más bien con rachas de una sola milonga. Como es de suponer, atribuimos a la fogosa caña del patrón ese griterío insistente... A la madrugada, el hombre estaba muerto en el corredor. La aspereza de la voz nos había engañado: era un muchacho joven. En el delirio se le habían caído del tirador unas cuantas monedas y un cono de metal reluciente, del diámetro de un dado. En vano un chico trató de recoger ese cono. Un hombre apenas acertó a levantarlo. Yo lo tuve en la palma de la mano algunos minutos: recuerdo que su peso era intolerable y que después de retirado el cono, la opresión perduró. También recuerdo el círculo preciso que me grabó en la carne. Esa evidencia de un objeto muy chico y a la vez pesadísimo dejaba una impresión desagradable de asco y de miedo. Un paisano propuso que lo tiraran al río correntoso. Amorim lo adquirió mediante unos pesos. Nadie sabía nada del muerto, salvo "que venía de la frontera". Esos conos pequeños y muy pesados (hechos de un metal que no es de este mundo) son imagen de la divinidad, en ciertas religiones de Tlön.

Aquí doy término a la parte personal de mi narración. Lo demás está en la memoria (cuando no en la esperanza o en el temor) de todos mis lectores. Básteme recordar o mencionar los hechos subsiguientes, con una mera brevedad de palabras que el cóncavo recuerdo general enriquecerá o ampliará. Hacia 1944 un investigador del diario *The American* (de Nashville, Tennessee) exhumó en una biblioteca de Memphis los cuarenta volúmenes de la Primera Enciclopedia de Tlön. Hasta el día de hoy se discute si ese descubrimiento fue casual o si lo consintieron los directores del todavía nebuloso *Orbis Tertius*. Es verosímil lo segundo. Algunos rasgos increíbles del Onceno Tomo (verbigracia, la multiplicación de los *hrönir*) han sido eliminados o atenuados en el ejemplar de Memphis; es razonable imaginar que esas tachaduras obedecen al plan de exhibir un mundo que no sea demasiado incompatible con el mundo real. La diseminación de objetos de Tlön en diversos países complementaría ese plan... [1] El hecho es que la prensa internacional voceó infinitamente el "hallazgo". Manuales, antologías, resúmenes, versiones literales, reimpresiones autorizadas y reimpresiones piráticas de la Obra Mayor de los Hombres abarrotaron y siguen abarrotando la tierra. Casi inmediatamente, la realidad cedió en más de un punto. Lo cierto es que anhelaba ceder. Hace diez años bastaba cualquier simetría con apariencia de orden —el materialismo dialéctico, el antisemitismo, el nazismo— para embelesar a los hombres. ¿Cómo no someterse a Tlön, a la minuciosa y vasta evidencia de un planeta

[1] Queda, naturalmente, el problema de la *materia* de algunos objetos.

ordenado? Inútil responder que la realidad también está ordenada. Quizá lo esté, pero de acuerdo a leyes divinas —traduzco: a leyes inhumanas— que no acabamos nunca de percibir. Tlön será un laberinto, pero es un laberinto urdido por hombres, un laberinto destinado a que lo descifren los hombres.

El contacto y el hábito de Tlön han desintegrado este mundo. Encantada por su rigor, la humanidad olvida y torna a olvidar que es un rigor de ajedrecistas, no de ángeles. Ya ha penetrado en las escuelas el (conjetural), "idioma primitivo" de Tlön; ya la enseñanza de su historia armoniosa (y llena de episodios conmovedores) ha obliterado a la que presidió mi niñez; ya en las memorias un pasado ficticio ocupa el sitio de otro, del que nada sabemos con certidumbre — ni siquiera que es falso. Han sido reformadas la numismática, la farmacología y la arqueología. Entiendo que la biología y las matemáticas aguardan también su avatar... Una dispersa dinastía de solitarios ha cambiado la faz del mundo. Su tarea prosigue. Si nuestras previsiones no erran, de aquí cien años alguien descubrirá los cien tomos de la Segunda Enciclopedia de Tlön.

Entonces desaparecerán del planeta el inglés y el francés y el mero español. El mundo será Tlön. Yo no hago caso, yo sigo revisando en los quietos días del hotel de Adrogué una indecisa traducción quevediana (que no pienso dar a la imprenta) del *Urn Burial* de Browne.

PIERRE MENARD, AUTOR DEL QUIJOTE

A Silvina Ocampo

La obra visible que ha dejado este novelista es de fácil y breve enumeración. Son, por lo tanto, imperdonables las omisiones y adiciones perpetradas por Madame Henri Bachelier en un catálogo falaz que cierto diario cuya tendencia *protestante* no es un secreto ha tenido la desconsideración de inferir a sus deplorables lectores —si bien éstos son pocos y calvinistas, cuando no masones y circuncisos. Los amigos auténticos de Menard han visto con alarma ese catálogo y aun con cierta tristeza. Diríase que ayer nos reunimos ante el mármol final y entre los cipreses infaustos y ya el Error trata de empañar su Memoria... Decididamente, una breve rectificación es inevitable.

Me consta que es muy fácil recusar mi pobre autoridad. Espero, sin embargo, que no me prohibirán mencionar dos altos testimonios. La baronesa de Bacourt (en cuyos *vendredis* inolvidables tuve el honor de conocer al llorado poeta) ha tenido a bien aprobar las líneas que siguen. La condesa de Bagnoregio, uno de los espíritus más finos del principado de Mónaco (y ahora de Pittsburg, Pennsylvania, después de su reciente boda con el filántropo internacional Simón Kautzsch, tan calumniado ¡ay! por las víctimas de sus desinteresadas maniobras) ha sacrificado "a la veracidad y a la muerte" (tales son sus palabras) la señoril reserva que la distingue y en una carta abierta publicada en la revista *Luxe* me concede asimismo su beneplácito. Esas ejecutorias, creo, no son insuficientes.

He dicho que la obra *visible* de Menard es fácilmente enumerable. Examinado con esmero su archivo particular, he verificado que consta de las piezas que siguen:

a) Un soneto simbolista que apareció dos veces (con variaciones) en la revista *La conque* (números de marzo y octubre de 1899).

b) Una monografía sobre la posibilidad de construir un vocabulario poético de conceptos que no fueran sinónimos o perífrasis de los que informan el lenguaje común, "sino objetos ideales creados por una convención y esencialmente destinados a las necesidades poéticas" (Nîmes, 1901).

c) Una monografía sobre "ciertas conexiones o afinidades" del pensamiento de Descartes, de Leibniz y de John Wilkins (Nîmes, 1903).

d) Una monografía sobre la *Characteristica universalis* de Leibniz (Nîmes, 1904).

e) Un artículo técnico sobre la posibilidad de enriquecer el ajedrez eliminando uno de los peones de torre. Menard propone, recomienda, discute y acaba por rechazar esa innovación.

f) Una monografía sobre el *Ars magna generalis* de Ramón Lull (Nîmes, 1906).

g) Una traducción con prólogo y notas del *Libro de la invención liberal y arte del juego del axedrez* de Ruy López de Segura (París, 1907).

h) Los borradores de una monografía sobre la lógica simbólica de George Boole.

i) Un examen de las leyes métricas esenciales de la prosa francesa, ilustrado con ejemplos de Saint-Simon (*Revue des langues romanes,* Montpellier, octubre de 1909).

j) Una réplica a Luc Durtain (que había negado la existencia de tales leyes) ilustrada con ejemplos de Luc Durtain (*Revue des langues romanes,* Montpellier, diciembre de 1909).

k) Una traducción manuscrita de la *Aguja de navegar cultos* de Quevedo, intitulada *La boussole des précieux.*

l) Un prefacio al catálogo de la exposición de litografías de Carolus Hourcade (Nîmes, 1914).

m) La obra *Les problèmes d'un problème* (París, 1917) que discute en orden cronológico las soluciones del ilustre problema de Aquiles y la tortuga. Dos ediciones de este libro han aparecido hasta ahora; la segunda trae como epígrafe el consejo de Leibniz "Ne craignez point, monsieur, la tortue", y renueva los capítulos dedicados a Russell y a Descartes.

n) Un obstinado análisis de las "costumbres sintácticas" de Toulet (*N. R. F.,* marzo de 1921). Menard —recuerdo— declaraba que censurar y alabar son operaciones sentimentales que nada tienen que ver con la crítica.

o) Una trasposición en alejandrinos del *Cimetière marin* de Paul Valéry (*N. R. F.,* enero de 1928).

p) Una invectiva contra Paul Valéry, en las *Hojas para la supresión de la realidad* de Jacques Reboul. (Esa invectiva, dicho sea entre paréntesis, es el reverso exacto de su verdadera opinión sobre Valéry. Éste así lo entendió y la amistad antigua de los dos no corrió peligro).

q) Una "definición" de la condesa de Bagnoregio, en el "victorioso volumen" —la locución es de otro colaborador, Gabriele d'Annunzio— que anualmente publica esta dama para rectificar los inevitables falseos del periodismo y presentar "al mundo y a

Italia" una auténtica efigie de su persona, tan expuesta (en razón misma de su belleza y de su actuación) a interpretaciones erróneas o apresuradas.

r) Un ciclo de admirables sonetos para la baronesa de Bacourt (1934).

s) Una lista manuscrita de versos que deben su eficacia a la puntuación. [1]

Hasta aquí (sin otra omisión que unos vagos sonetos circunstanciales para el hospitalario, o ávido, álbum de Madame Henri Bachelier) la obra *visible* de Menard, en su orden cronológico. Paso ahora a la otra: la subterránea, la interminablemente heroica, la impar. También ¡ay de las posibilidades del hombre! la inconclusa. Esa obra, tal vez la más significativa de nuestro tiempo, consta de los capítulos noveno y trigésimo octavo de la primera parte del don Quijote y de un fragmento del capítulo veintidós. Yo sé que tal afirmación parece un dislate; justificar ese "dislate" es el objeto primordial de esta nota. [2]

Dos textos de valor desigual inspiraron la empresa. Uno es aquel fragmento filológico de Novalis —el que lleva el número 2005 en la edición de Dresden— que esboza el tema de la *total identificación* con un autor determinado. Otro es uno de esos libros parasitarios que sitúan a Cristo en un bulevar, a Hamlet en la Cannebière o a don Quijote en Wall Street. Como todo hombre de buen gusto, Menard abominaba de esos carnavales inútiles, sólo aptos —decía— para ocasionar el plebeyo placer del anacronismo o (lo que es peor) para embelesarnos con la idea primaria de que todas las épocas son iguales o de que son distintas. Más interesante, aunque de ejecución contradictoria y superficial, le parecía el famoso propósito de Daudet: conjugar en *una* figura, que es Tartarín, al Ingenioso Hidalgo y a su escudero... Quienes han insinuado que Menard dedicó su vida a escribir un Quijote contemporáneo, calumnian su clara memoria.

No quería componer otro Quijote —lo cual es fácil— sino *el Quijote*. Inútil agregar que no encaró nunca una transcripción mecánica del original; no se proponía copiarlo. Su admirable ambición era producir unas páginas que coincidieran —palabra por palabra y línea por línea— con las de Miguel de Cervantes.

[1] Madame Henri Machelier enumera asimismo una versión literal de la versión literal que hizo Quevedo de la *Introduction à la vie dévote* de San Francisco de Sales. En la biblioteca de Pierre Menard no hay rastros de tal obra. Debe tratarse de una broma de nuestro amigo, mal escuchada.

[2] Tuve también el propósito secundario de bosquejar la imagen de Pierre Menard. Pero ¿cómo atreverme a competir con las páginas áureas que me dicen prepara la baronesa de Bacourt o con el lápiz delicado y puntual de Carolus Hourcade?

"Mi propósito es meramente asombroso" me escribió el 30 de setiembre de 1934 desde Bayonne. "El término final de una demostración teológica o metafísica —el mundo externo, Dios, la casualidad, las formas universales— no es menos anterior y común que mi divulgada novela. La sola diferencia es que los filósofos publican en agradables volúmenes las etapas intermediarias de su labor y que yo he resuelto perderlas". En efecto, no queda un solo borrador que atestigüe ese trabajo de años.

El método inicial que imaginó era relativamente sencillo. Conocer bien el español, recuperar la fe católica, guerrear contra los moros o contra el turco, olvidar la historia de Europa entre los años de 1602 y de 1918, *ser* Miguel de Cervantes. Pierre Menard estudió ese procedimiento (sé que logró un manejo bastante fiel del español del siglo diecisiete) pero lo descartó por fácil. ¡Mas bien por imposible! dirá el lector. De acuerdo, pero la empresa era de antemano imposible y de todos los medios imposibles para llevarla a término, éste era el menos interesante. Ser en el siglo veinte un novelista popular del siglo diecisiete le pareció una disminución. Ser, de alguna manera, Cervantes y llegar al Quijote le pareció menos arduo —por consiguiente, menos interesante— que seguir siendo Pierre Menard y llegar al Quijote, a través de las experiencias de Pierre Menard. (Esa convicción, dicho sea de paso, le hizo excluir el prólogo autobiográfico de la segunda parte del don Quijote. Incluir ese prólogo hubiera sido crear otro personaje —Cervantes— pero también hubiera significado presentar el Quijote en función de ese personaje y no de Menard. Éste, naturalmente, se negó a esa facilidad). "Mi empresa no es difícil, esencialmente" leo en otro lugar de la carta. "Me bastaría ser inmortal para llevarla a cabo". ¿Confesaré que suelo imaginar que la terminó y que leo el Quijote —todo el Quijote— como si lo hubiera pensado Menard? Noches pasadas, al hojear el capítulo XXVI —no ensayado nunca por él— reconocí el estilo de nuestro amigo y como su voz en esta frase excepcional: *las ninfas de los ríos, la dolorosa y húmida Eco*. Esa conjunción eficaz de un adjetivo moral y otro físico me trajo a la memoria un verso de Shakespeare, que discutimos una tarde:

Where a malignant and a turbaned Turk...

¿Por qué precisamente el Quijote? dirá nuestro lector. Esa preferencia, en un español, no hubiera sido inexplicable; pero sin duda lo es en un simbolista de Nîmes, devoto esencialmente de Poe, que engendró a Baudelaire, que engendró a Mallarmé, que engendró a Valéry, que engendró a Edmond Teste. La carta precitada ilumina el punto. "El Quijote", aclara Menard, "me interesa profundamente, pero no me parece ¿cómo lo diré? inevitable. No puedo imaginar el universo sin la interjección de Poe:

Ah, bear in mind this garden was enchanted!

o sin el *Bateau ivre* o el *Ancient Mariner,* pero me sé capaz de imaginarlo sin el Quijote. (Hablo, naturalmente, de mi capacidad personal, no de la resonancia histórica de las obras). El Quijote es un libro contingente, el Quijote es innecesario. Puedo premeditar su escritura, puedo escribirlo, sin incurrir en una tautología. A los doce o trece años lo leí, tal vez íntegramente. Después he releído con atención algunos capítulos, aquellos que no intentaré por ahora. He cursado asimismo los entremeses, las comedias, la Galatea, las novelas ejemplares, los trabajos sin duda laboriosos de Persiles y Segismunda y el Viaje del Parnaso... Mi recuerdo general del Quijote, simplificado por el olvido y la indiferencia, puede muy bien equivaler a la imprecisa imagen anterior de un libro no escrito. Postulada esa imagen (que nadie en buena ley me puede negar) es indiscutible que mi problema es harto más difícil que el de Cervantes. Mi complaciente precursor no rehusó la colaboración del azar: iba componiendo la obra inmortal un poco *à la diable,* llevado por inercias del lenguaje y de la invención. Yo he contraído el misterioso deber de reconstruir literalmente su obra espontánea. Mi solitario juego está gobernado por dos leyes polares. La primera me permite ensayar variantes de tipo formal o psicológico; la segunda me obliga a sacrificarlas al texto 'original' y a razonar de un modo irrefutable esa aniquilación... A esas trabas artificiales hay que sumar otra, congénita. Componer el Quijote a principios del siglo diecisiete era una empresa razonable, necesaria, acaso fatal; a principios del veinte, es casi imposible. No en vano han transcurrido trescientos años, cargados de complejísimos hechos. Entre ellos, para mencionar uno solo: el mismo Quijote."

A pesar de esos tres obstáculos, el fragmentario Quijote de Menard es más sutil que el de Cervantes. Éste, de un modo burdo, opone a las ficciones caballerescas la pobre realidad provinciana de su país; Menard elige como "realidad" la tierra de Carmen durante el siglo de Lepanto y de Lope. ¡Qué españoladas no habría aconsejado esa elección a Maurice Barrès o al doctor Rodríguez Larreta! Menard, con toda naturalidad, las elude. En su obra no hay gitanerías ni conquistadores ni místicos ni Felipe Segundo ni autos de fe. Desatiende o proscribe el color local. Ese desdén indica un sentido nuevo de la novela histórica. Ese desdén condena a *Salammbô,* inapelablemente.

No menos asombroso es considerar capítulos aislados. Por ejemplo, examinemos el XXXVIII de la primera parte, "que trata del

curioso discurso que hizo don Quixote de las armas y las letras".
Es sabido que D. Quijote (como Quevedo en el pasaje análogo, y posterior, de *La hora de todos*) falla el pleito contra las letras y en favor de las armas. Cervantes era un viejo militar: su fallo se explica. ¡Pero que el don Quijote de Pierre Menard —hombre contemporáneo de *La trahison des clercs* y de Bertrand Russell— reincida en esas nebulosas sofisterías! Madame Bachelier ha visto en ellas una admirable y típica subordinación del autor a la psicología del héroe; otros (nada perspicazmente) una *transcripción* del Quijote; la baronesa de Bacourt, la influencia de Nietzsche. A esa tercera interpretación (que juzgo irrefutable) no sé si me atreveré a añadir una cuarta, que condice muy bien con la casi divina modestia de Pierre Menard: su hábito resignado o irónico de propagar ideas que eran el estricto reverso de las preferidas por él. (Rememoremos otra vez su diatriba contra Paul Valéry en la efímera hoja superrealista de Jacques Reboul.) El texto de Cervantes y el de Menard son verbalmente idénticos, pero el segundo es casi infinitamente más rico. (Más ambiguo, dirán sus detractores; pero la ambigüedad es una riqueza.)

Es una revelación cotejar el don Quijote de Menard con el de Cervantes. Éste, por ejemplo, escribió (Don Quijote, primera parte, noveno capítulo):

...*la verdad, cuya madre es la historia, émula del tiempo, depósito de las acciones, testigo de lo pasado, ejemplo y aviso de lo presente, advertencia de lo por venir.*

Redactada en el siglo diecisiete, redactada por el "ingenio lego" Cervantes, esa enumeración es un mero elogio retórico de la historia. Menard, en cambio, escribe:

...*la verdad, cuya madre es la historia, émula del tiempo, depósito de las acciones, testigo de lo pasado, ejemplo y aviso de lo presente, advertencia de lo por venir.*

La historia, *madre* de la verdad; la idea es asombrosa. Menard, contemporáneo de William James, no define la historia como una indagación de la realidad sino como su origen. La verdad histórica, para él, no es lo que sucedió; es lo que juzgamos que sucedió. Las cláusulas finales —*ejemplo y aviso de lo presente, advertencia de lo por venir*— son descaradamente pragmáticas.

También es vívido el contraste de los estilos. El estilo arcaizante de Menard —extranjero al fin— adolece de alguna afectación. No así el del precursor, que maneja con desenfado el español corriente de su época.

No hay ejercicio intelectual que no sea finalmente inútil. Una doctrina filosófica es al principio una descripción verosímil del universo; giran los años y es un mero capítulo —cuando no un párrafo o un nombre— de la historia de la filosofía. En la literatura, esa caducidad final es aun más notoria. El Quijote —me dijo Menard— fue ante todo un libro agradable; ahora es una ocasión de brindis patrióticos, de soberbia gramatical, de obscenas ediciones de lujo. La gloria es una incomprensión y quizá la peor.

Nada tienen de nuevo esas comprobaciones nihilistas; lo singular es la decisión que de ellas derivó Pierre Menard. Resolvió adelantarse a la vanidad que aguarda todas las fatigas del hombre; acometió una empresa complejísima y de antemano fútil. Dedicó sus escrúpulos y vigilias a repetir en un idioma ajeno un libro preexistente. Multiplicó los borradores; corrigió tenazmente y desgarró miles de páginas manuscritas [1]. No permitió que fueran examinadas por nadie y cuidó que no le sobrevivieran. En vano he procurado reconstruirlas.

He reflexionado que es lícito ver en el Quijote "final" una especie de palimpsesto, en el que deben traslucirse los rastros —Tenues pero no indescifrables— de la "previa" escritura de nuestro amigo. Desgraciadamente, sólo un segundo Pierre Menard, invirtiendo el trabajo del anterior, podría exhumar y resucitar esas Troyas...

"Pensar, analizar, inventar (me escribió también) no son actos anómalos, son la normal respiración de la inteligencia. Glorificar el ocasional cumplimiento de esa función, atesorar antiguos y ajenos pensamientos, recordar con incrédulo estupor lo que el *doctor universalis* pensó, es confesar nuestra languidez o nuestra barbarie. Todo hombre debe ser capaz de todas las ideas y entiendo que en el porvenir lo será."

Menard (acaso sin quererlo) ha enriquecido mediante una técnica nueva el arte detenido y rudimentario de la lectura: la técnica del anacronismo deliberado y de las atribuciones erróneas. Esa técnica de aplicación infinita nos insta a recorrer la Odisea como si fuera posterior a la Eneida y el libro *Le jardin du Centaure* de Madame Henri Bachelier como si fuera de Madame Henri Bachelier. Esa técnica puebla de aventura los libros más calmosos. Atribuir a Louis Ferdinand Céline o a James Joyce la *Imitación de Cristo* ¿no es una suficiente renovación de esos tenues avisos espirituales?

Nîmes, 1939

[1] Recuerdo sus cuadernos cuadriculados, sus negras tachaduras, sus peculiares símbolos tipográficos y su letra de insecto. En los atardeceres le gustaba salir a caminar por los arrabales de Nîmes; solía llevar consigo un cuaderno y hacer una alegre fogata.

LAS RUINAS CIRCULARES

And if he left off dreaming about you...
Through the Looking-Glass, VI

Nadie lo vio desembarcar en la unánime noche, nadie vio la canoa de bambú sumiéndose en el fango sagrado, pero a los pocos días nadie ignoraba que el hombre taciturno venía del Sur y que su patria era una de las infinitas aldeas que están aguas arriba, en el flanco violento de la montaña, donde el idioma zend no está contaminado de griego y donde es infrecuente la lepra. Lo cierto es que el hombre gris besó el fango, repechó la ribera sin apartar (probablemente, sin sentir) las cortaderas que le dilaceraban las carnes y se arrastró, mareado y ensangrentado, hasta el recinto circular que corona un tigre o caballo de piedra, que tuvo alguna vez el color del fuego y ahora el de la ceniza. Ese redondel es un templo que devoraron los incendios antiguos, que la selva palúdica ha profanado y cuyo dios no recibe honor de los hombres. El forastero se tendió bajo el pedestal. Lo despertó el sol alto. Comprobó sin asombro que las heridas habían cicatrizado; cerró los ojos pálidos y durmió, no por flaqueza de la carne sino por determinación de la voluntad. Sabía que ese templo era el lugar que requería su invencible propósito; sabía que los árboles incesantes no habían logrado estrangular, río abajo, las ruinas de otro templo propicio, también de dioses incendiados y muertos; sabía que su inmediata obligación era el sueño. Hacia la medianoche lo despertó el grito inconsolable de un pájaro. Rastros de pies descalzos, unos higos y un cántaro le advirtieron que los hombres de la región habían espiado con respeto su sueño y solicitaban su amparo o temían su magia. Sintió el frío del miedo y buscó en la muralla dilapidada un nicho sepulcral y se tapó con hojas desconocidas.

El propósito que lo guiaba no era imposible, aunque sí sobrenatural. Quería soñar un hombre: quería soñarlo con integridad minuciosa e imponerlo a la realidad. Ese proyecto mágico había agotado el espacio entero de su alma; si alguien le hubiera preguntado su propio nombre o cualquier rasgo de su vida anterior, no habría acertado a responder. Le convenía el templo inhabitado y despedazado, porque era un mínimo de mundo visible; la cercanía de los leñadores también, porque éstos se encargaban de subvenir a sus necesidades frugales. El arroz y las frutas de su tributo eran pábulo suficiente para su cuerpo, consagrado a la única tarea de dormir y soñar.

Al principio, los sueños eran caóticos; poco después, fueron de naturaleza dialéctica. El forastero se soñaba en el centro de un anfiteatro circular que era de algún modo el templo incendiado: nubes de alumnos taciturnos fatigaban las gradas; las caras de los últimos pendían a muchos siglos de distancia y a una altura estelar, pero eran del todo precisas. El hombre les dictaba lecciones de anatomía, de cosmografía, de magia: los rostros escuchaban con ansiedad y procuraban responder con entendimiento, como si adivinaran la importancia de aquel examen, que redimiría a uno de ellos de su condición de vana apariencia y lo interpolaría en el mundo real. El hombre, en el sueño y en la vigilia, consideraba las respuestas de sus fantasmas, no se dejaba embaucar por los impostores, adivinaba en ciertas perplejidades una inteligencia creciente. Buscaba un alma que mereciera participar en el universo.

A las nueve o diez noches comprendió con alguna amargura que nada podía esperar de aquellos alumnos que aceptaban con pasividad su doctrina y sí de aquellos que arriesgaban, a veces, una contradicción razonable. Los primeros, aunque dignos de amor y de bueno afecto, no podían ascender a individuos; los últimos preexistían un poco más. Una tarde (ahora también las tardes eran tributarias del sueño, ahora no velaba sino un par de horas en el amanecer) licenció para siempre el vasto colegio ilusorio y se quedó con un solo alumno. Era un muchacho taciturno, cetrino, díscolo a veces, de rasgos afilados que repetían los de su soñador. No lo desconcertó por mucho tiempo la brusca eliminación de los condiscípulos; su progreso, al cabo de unas pocas lecciones particulares, pudo maravillar al maestro. Sin embargo, la catástrofe sobrevino. El hombre, un día, emergió del sueño como de un desierto viscoso, miró la vana luz de la tarde que al pronto confundió con la aurora y comprendió que no había soñado. Toda esa noche y todo el día, la intolerable lucidez del insomnio se abatió contra él. Quiso explorar la selva, extenuarse; apenas alcanzó entre la cicuta unas rachas de sueño débil, veteadas fugazmente de visiones de tipo rudimental: inservibles. Quiso congregar el colegio y apenas hubo articulado unas breves palabras de exhortación, éste se deformó, se borró. En la casi perpetua vigilia, lágrimas de ira le quemaban los viejos ojos.

Comprendió que el empeño de modelar la materia incoherente y vertiginosa de que se componen los sueños es el más arduo que puede acometer un varón, aunque penetre todos los enigmas del orden superior y del inferior: mucho más arduo que tejer una cuerda de arena o que amonedar el viento sin cara. Comprendió que un fracaso inicial era inevitable. Juró olvidar la enorme alucinación que lo había desviado al principio y buscó otro método de trabajo. Antes de ejercitarlo, dedicó un mes a la reposición de las fuerzas que había malgastado el delirio. Abandonó toda premeditación de soñar y casi acto continuo logró dormir un trecho razonable del día. Las raras veces que soñó durante ese período, no reparó en los sueños. Para reanudar la tarea, esperó que el disco de la luna fuera perfecto. Luego, en la tarde, se purificó en las aguas del río, adoró los dioses planetarios, pronunció las sílabas lícitas de un nombre poderoso y durmió. Casi inmediatamente, soñó con un corazón que latía.

Lo soñó activo, caluroso, secreto, del grandor de un puño cerrado, color granate en la penumbra de un cuerpo humano aun sin cara ni sexo; con minucioso amor lo soñó, durante catorce lúcidas noches. Cada noche, lo percibía con mayor evidencia. No lo tocaba: se limitaba a atestiguarlo, a observarlo, tal vez a corregirlo con la mirada. Lo percibía, lo vivía, desde muchas distancias y muchos ángulos. La noche catorcena rozó la arteria pulmonar con el índice y luego todo el corazón, desde afuera y adentro. El examen lo satisfizo. Deliberadamente no soñó durante una noche: luego retomó el corazón, invocó el nombre de un planeta y emprendió la visión de otro de los órganos principales. Antes de un año llegó al esqueleto, a los párpados. El pelo innumerable fue tal vez la tarea más difícil. Soñó un hombre íntegro, un mancebo, pero éste no se incorporaba ni hablaba ni podía abrir los ojos. Noche tras noche, el hombre lo soñaba dormido.

En las cosmogonías gnósticas, los demiurgos amasan un rojo Adán que no logra ponerse de pie; tan inhábil y rudo y elemental como ese Adán de polvo era el Adán de sueño que las noches del mago habían fabricado. Una tarde, el hombre casi destruyó toda su obra, pero se arrepintió. (Más le hubiera valido destruirla.) Agotados los votos a los númenes de la tierra y del río, se arrojó a los pies de la efigie que tal vez era un tigre y tal vez un potro, e imploró su desconocido socorro. Ese crepúsculo, soñó con la estatua. La soñó viva, trémula: no era un atroz bastardo de tigre y potro, sino a la vez esas dos criaturas vehementes y también un toro, una rosa, una tempestad. Ese múltiple dios le reveló que su nombre terrenal era Fuego, que en ese templo circular (y en otros iguales) le habían rendido sacrificios y culto y que mágicamente animaría al fantasma soñado, de suerte que todas las criaturas, excepto el Fuego mismo y el soñador, lo pensaran un hombre de carne y hueso. Le ordenó que una vez instruido en los ritos, lo enviaría al otro templo despedazado cuyas pirámides persisten aguas abajo, para que alguna voz lo glorificara en aquel edificio desierto. En el sueño del hombre que soñaba, el soñado se despertó.

El mago ejecutó esas órdenes. Consagró un plazo (que finalmente abarcó dos años) a descubrirle los arcanos del universo y del culto del fuego. Íntimamente, le dolía apartarse de él. Con el pretexto de la necesidad pedagógica, dilataba cada días las horas dedicadas al sueño. También rehizo el hombro derecho, acaso deficiente. A veces, lo inquietaba una impresión de que ya todo eso había acontecido... En general, sus días eran felices; al cerrar los ojos pensaba: *Ahora estaré con mi hijo*. O, más raramente: *El hijo que he engendrado me espera y no existirá si no voy.*

Gradualmente, lo fue acostumbrando a la realidad. Una vez le ordenó que embanderara una cumbre lejana. Al otro día, flameaba la bandera en la cumbre. Ensayó otros experimentos análogos, cada vez más audaces. Comprendió con cierta amargura que su hijo estaba listo para nacer —y tal vez impaciente. Esa noche lo besó por primera vez y lo envió al otro templo cuyos despojos blanqueaban río abajo, a muchas leguas de inextricable selva y de ciénaga. Antes (para que no supiera nunca que era un fantasma, para que se creyera un hombre como los otros) le infundió el olvido total de sus años de aprendizaje.

Su victoria y su paz quedaron empañadas de hastío. En los crepúsculos de la tarde y del alba, se prosternaba ante la figura de piedra, tal vez imaginando que su hijo irreal ejecutaba idénticos ritos, en otras ruinas circulares, aguas abajo; de noche no soñaba, o soñaba como lo hacen todos los hombres. Percibía con cierta palidez los sonidos y formas del universo: el hijo ausente se nutría de esas disminuciones de su alma. El propósito de su vida estaba colmado; el hombre persistió en una suerte de éxtasis. Al cabo de un tiempo que ciertos narradores de su historia prefieren computar en años y otros en lustros, lo despertaron dos remeros a medianoche: no pudo ver sus caras, pero le hablaron de un hombre mágico en un templo del Norte, capaz de hollar el fuego y de no quemarse. El mago recordó bruscamente las palabras del dios. Recordó que de todas las criaturas que componen el orbe, el fuego era la única que sabía que su hijo era un fantasma. Ese recuerdo, apaciguador al principio, acabó por atormentarlo. Temió que su hijo meditara en ese privilegio anormal y descubriera de algún modo su condición de mero simulacro. No ser un hombre, ser la proyección del sueño de otro hombre ¡qué humillación incomparable, qué vértigo! A todo padre le interesan los hijos que ha procreado (que ha permitido) en una mera confusión o felicidad; es natural que el mago temiera por el porvenir de aquel hijo, pensado entraña por entraña y rasgo por rasgo, en mil y una noches secretas.

El término de sus cavilaciones fue brusco, pero lo prometieron algunos signos. Primero (al cabo de una larga sequía) una remota nube en un cerro, liviana como un pájaro; luego, hacia el Sur, el cielo que tenía el color rosado de la encía de los leopardos; luego las humaredas que herrumbraron el metal de las noches; después la fuga pánica de las bestias. Porque se repitió lo acontecido hace muchos siglos. Las ruinas del santuario del dios del fuego fueron destruidas por el fuego. En un alba sin pájaros el mago vio cernirse contra los muros el incendio concéntrico. Por un instante, pensó refugiarse en las aguas, pero luego comprendió que la muerte venía a coronar su vejez y a absolverlo de sus trabajos. Caminó contra los jirones de fuego. Éstos no mordieron su carne, éstos lo acariciaron y lo inundaron sin calor y sin combustión. Con alivio, con humillación, con terror, comprendió que él también era una apariencia, que otro estaba soñándolo.

LA LOTERÍA EN BABILONIA

Como todos los hombres de Babilonia, he sido procónsul; como todos, esclavo; también he conocido la omnipotencia, el aprobio, las cárceles. Miren: a mi mano derecha le falta el índice. Miren: por este desgarrón de la capa se ve en mi estómago un tatuaje bermejo: es el segundo símbolo, Beth. Esta letra, en las noches de luna llena, me confiere poder sobre los hombres cuya marca es Ghimel, pero me subordina a los de Aleph, que en las noches sin luna deben obediencia a los Ghimel. En el crepúsculo del alba, en un sótano, he yugulado ante una piedra negra toros sagrados. Durante un año de la luna, he sido declarado invisible: gritaba y no me respondían, robaba el pan y no me decapitaban. He conocido lo que ignoran los griegos: la incertidumbre. En una cámara de bronce, ante el pañuelo silencioso del estrangulador, la esperanza me ha sido fiel; en el río de los deleites, el pánico. Heraclides Póntico refiere con admiración que Pitágoras recordaba haber sido Pirro y antes Euforbo y antes algún otro mortal; para recordar vicisitudes análogas yo no preciso recurrir a la muerte ni aún a la impostura.

Debo esa variedad casi atroz a una institución que otras repúblicas ignoran o que obra en ellas de modo imperfecto y secreto: la lotería. No he indagado su historia; sé que los magos no logran ponerse de acuerdo; sé de sus poderosos propósitos lo que puede saber de la luna el hombre no versado en astrología. Soy de un país vertiginoso donde la lotería es parte principal de la realidad: hasta el día de hoy, he pensado tan poco en ella como en la conducta de los dioses indescifrables o de mi corazón. Ahora, lejos de Babilonia y de sus queridas costumbres, pienso con algún asombro en la lotería y en las conjeturas blasfemas que en el crepúsculo murmuran los hombres velados.

Mi padre refería que antiguamente —¿cuestión de siglos, de años?— la lotería en Babilonia era un juego de carácter plebeyo. Refería (ignoro si con verdad) que los barberos despachaban por monedas de cobre rectángulos de hueso o de pergamino adornados de símbolos. En pleno día se verificaba un sorteo: los agraciados recibían, sin otra corroboración del azar, monedas acuñadas de plata. El procedimiento era elemental, como ven ustedes.

Naturalmente, esas "loterías" fracasaron. Su virtud moral era nula. No se dirigían a todas las facultades del hombre: únicamente a su esperanza. Ante la indiferencia pública, los mercaderes que fundaron esas loterías venales comenzaron a perder el dinero. Alguien ensayó una reforma: la interpolación de unas pocas suertes adversas en el censo de números favorables. Mediante esa reforma, los compradores de rectángulos numerados corrían el doble albur de ganar una suma y de pagar una multa a veces cuantiosa. Ese leve peligro (por cada treinta números favorables había un número aciago) despertó, como es natural, el interés del público. Los babilonios se entregaron al juego. El que no adquiría suertes era considerado un pusilánime, un apocado. Con el tiempo, ese desdén justificado se duplicó. Era despreciado el que no jugaba, pero también eran despreciados los perdedores que abonaban la multa. La Compañía (así empezó a llamársela entonces) tuvo que velar por los ganadores, que no podían cobrar los premios si faltaba en las cajas el importe casi total de las multas. Entabló una demanda a los perdedores: el juez los condenó a pagar la multa original y las costas o a unos días de cárcel. Todos optaron por la cárcel, para defraudar a la Compañía. De esa bravata de unos pocos nace el todopoder de la Compañía: su valor eclesiástico, metafísico.

Poco después, los informes de los sorteos omitieron las enumeraciones de multas y se limitaron a publicar los días de prisión que designaba cada número adverso. Ese laconismo, casi inadvertido en su tiempo, fue de importancia capital. *Fue la primera aparición en la lotería de elementos no pecuniarios.* El éxito fue grande. Instada por los jugadores, la Compañía se vio precisada a aumentar los números adversos.

Nadie ignora que el pueblo de Babilonia es muy devoto de la lógica, y aun de la simetría. Era incoherente que los números faustos se computaran en redondas monedas y los infaustos en días y noches de cárcel. Algunos moralistas razonaron que la posesión de monedas no siempre determina la felicidad y que otras formas de la dicha son quizá más directas.

Otra inquietud cundía en los barrios bajos. Los miembros del colegio sacerdotal multiplicaban las puestas y gozaban de todas las vicisitudes del terror y de la esperanza; los pobres (con envidia razonable o inevitable) se sabían excluidos de ese vaivén, notoriamente delicioso. El justo anhelo de que todos, pobres y ricos, participasen por igual en la lotería, inspiró una indignada agitación, cuya memoria no han desdibujado los años. Algunos obstinados no comprendieron (o simularon no comprender) que se trataba de un orden nuevo, de una etapa histórica necesaria... Un esclavo robó un billete carmesí, que en el sorteo lo hizo acreedor a que le quemaran la lengua. El código fijaba esa misma pena para el que robaba un billete. Algunos babilonios argumentaban que merecía el hierro candente, en su calidad de ladrón;

otros, magnánimos, que el verdugo debía aplicárselo porque así lo había determinado el azar... Hubo disturbios, hubo efusiones lamentables de sangre; pero la gente babilónica impuso finalmente su voluntad, contra la oposición de los ricos. El pueblo consiguió con plenitud sus fines generosos. En primer término, logró que la Compañía aceptara la suma del poder público. (Esa unificación era necesaria, dada la vastedad y complejidad de las nuevas operaciones.) En segundo término, logró que la lotería fuera secreta, gratuita y general. Quedó abolida la venta mercenaria de suertes. Ya iniciado en los misterios de Bel, todo hombre libre automáticamente participaba en los sorteos sagrados, que se efectuaban en los laberintos del dios cada sesenta noches y que determinaban su destino hasta el otro ejercicio. Las consecuencias eran incalculables. Una jugada feliz podía motivar su elevación al concilio de magos o la prisión de un enemigo (notorio o íntimo) o el encontrar, en la pacífica tiniebla del cuarto, la mujer que empieza a inquietarnos o que no esperábamos rever; una jugada adversa: la mutilación, la variada infamia, la muerte. A veces un solo hecho —el tabernario asesinato de C, la apoteosis misteriosa de B— era la solución genial de treinta o cuarenta sorteos. Combinar las jugadas era difícil; pero hay que recordar que los individuos de la Compañía eran (y son) todopoderosos y astutos. En muchos casos, el conocimiento de que ciertas felicidades eran simple fábrica del azar, hubiera aminorado su virtud; para eludir ese inconveniente, los agentes de la Compañía usaban de las sugestiones y de la magia. Sus pasos, sus manejos, eran secretos. Para indagar las íntimas esperanzas y los íntimos terrores de cada cual, disponían de astrólogos y de espías. Había ciertos leones de piedra, había una letrina sagrada llamada Qaphqa, había unas grietas en un polvoriento acueducto que, según opinión general, *daban a la Compañía*; las personas malignas o benévolas depositaban delaciones en esos sitios. Un archivo alfabético recogía esas noticias de variable veracidad.

Increíblemente, no faltaron murmuraciones. La Compañía, con su discreción habitual, no replicó directamente. Prefirió borrajear en los escombros de una fábrica de caretas un argumento breve, que ahora figura en las escrituras sagradas. Esa pieza doctrinal observaba que la lotería es una interpolación del azar en el orden del mundo y que aceptar errores no es contradecir el azar: es corroborarlo. Observaba asimismo que esos leones y ese recipiente sagrado, aunque no desautorizados por la Compañía (que no renunciaba al derecho de consultarlos), funcionaban sin garantía oficial.

Esa declaración apaciguó las inquietudes públicas. También produjo otros efectos, acaso no previstos por el autor. Modificó hondamente el espíritu y las operaciones de la Compañía. Poco tiempo me queda; nos avisan que la nave está por zarpar; pero trataré de explicarlo.

Por inverosímil que sea, nadie había ensayado hasta entonces una teoría general de los juegos. El babilonio no es especulativo. Acata los dictámenes del azar, les entrega su vida, su esperanza, su terror pánico, pero no se le ocurre investigar sus leyes laberínticas, ni las esferas giratorias que lo revelan. Sin embargo, la declaración oficiosa que he mencionado inspiró muchas discusiones de carácter jurídico-matemático. De alguna de ellas nació la conjetura siguiente: Si la lotería es una intensificación del azar, una periódica infusión del caos en el cosmos ¿no convendría que el azar interviniera en todas las etapas del sorteo y no en una sola? ¿No es irrisorio que el azar dicte la muerte de alguien y que las circunstancias de esa muerte —la reserva, la publicidad, el plazo de una hora o de un siglo— no estén sujetas al azar? Esos escrúpulos tan justos provocaron al fin una considerable reforma, cuyas complejidades (agravadas por un ejercicio de siglos) no entienden sino algunos especialistas, pero que intentaré resumir, siquiera de modo simbólico.

Imaginemos un primer sorteo, que dicta la muerte de un hombre. Para su cumplimiento se procede a un otro sorteo, que propone (digamos) nueve ejecutores posibles. De esos ejecutores, cuatro pueden iniciar un tercer sorteo que dirá el nombre del verdugo, dos pueden reemplazar la orden adversa por una orden feliz (el encuentro de un tesoro, digamos), otro exacerbará la muerte (es decir la hará infame o la enriquecerá de torturas), otros pueden negarse a cumplirla... Tal es el esquema simbólico. En la realidad *el número de sorteos es infinito*. Ninguna decisión es final, todas se ramifican en otras. Los ignorantes suponen que infinitos sorteos requieren un tiempo infinito; en realidad basta que el tiempo sea infinitamente subdivisible, como lo enseña la famosa parábola del Certamen con la Tortuga. Esa infinitud condice de admirable manera con los sinuosos números del Azar y con el Arquetipo Celestial de la Lotería, que adoran los platónicos... Algún eco deforme de nuestros ritos parece haber retumbado en el Tíber: Elio Lampridio, en la *Vida de Antonino Heliogábalo*, refiere que este emperador escribía en conchas las suertes que destinaba a los convidados, de manera que uno recibía diez libras de oro y otro diez moscas, diez lirones, diez osos. Es lícito recordar que Heliogábalo se educó en el Asia Menor, entre los sacerdotes del dios epónimo.

También hay sorteos impersonales, de propósito indefinido: uno decreta que se arroje a las aguas del Éufrates un zafiro de Taprobana; otro, que desde el techo de una torre se suelte un pájaro; otro, que cada siglo se retire (o se añada) un grano de arena de los innumerables que hay en la playa. Las consecuencias son, a veces, terribles.

Bajo el influjo bienhechor de la Compañía, nuestras costumbres están saturadas de azar. El comprador de una docena de ánforas de vino damasceno no se maravillará si una de ellas encierra un talismán o una víbora; el escribano que redacta un contrato no deja casi nunca de introducir algún dato erróneo; yo mismo, en esta apresurada declaración, he falseado algún esplendor, alguna atrocidad. Quizá, también, alguna misteriosa monotonía... Nuestros historiadores, que son los más perspicaces del orbe, han inventado un método para corregir el azar; es fama que las operaciones de ese método son (en general) fidedignas; aunque, naturalmente, no se divulgan sin alguna dosis de engaño. Por lo demás, nada tan contaminado de ficción como la historia de la Compañía... Un documento paleográfico, exhumado en un templo, puede ser obra del sorteo de ayer o de un sorteo secular. No se publica un libro sin alguna divergencia entre cada uno de los ejemplares. Los escribas prestan juramento secreto de omitir, de interpolar, de variar. También se ejerce la mentira indirecta.

La Compañía, con modestia divina, elude toda publicidad. Sus agentes, como es natural, son secretos; las órdenes que imparte continuamente (quizá incesantemente) no difieren de las que prodigan los impostores. Además ¿quién podrá jactarse de ser un mero impostor? El ebrio que improvisa un mandato absurdo, el soñador que se despierta de golpe y ahoga con las manos a la mujer que duerme a su lado ¿no ejecutan, acaso, una secreta decisión de la Compañía? Ese funcionamiento silencioso, comparable al de Dios, provoca toda suerte de conjeturas. Alguna abominablemente insinúa que hace ya siglos que no existe la Compañía y que el sacro desorden de nuestras vidas es puramente hereditario, tradicional; otra la juzga eterna y enseña que perdurará hasta la última noche, cuando el último dios anonade el mundo. Otra declara que la Compañía es omnipotente, pero que sólo influye en cosas minúsculas: en el grito de un pájaro, en los matices de la herrumbre y del polvo, en los entresueños del alba. Otra, por boca de heresiarcas enmascarados, *que no ha existido nunca y no existirá*. Otra, no menos vil, razona que es indiferente afirmar o negar la realidad de la tenebrosa corporación, porque Babilonia no es otra cosa que un infinito juego de azares.

EXAMEN DE LA OBRA DE HERBERT QUAIN

Herbert Quain ha muerto en Roscommon; he comprobado sin asombro que el Suplemento Literario del *Times* apenas le depara media columna de piedad necrológica, en la que no hay epíteto laudatorio que no esté corregido (o seriamente amonestado) por un adverbio. El *Spectator,* en su número pertinente, es sin duda menos lacónico y tal vez más cordial, pero equipara el primer libro de Quain —*The God of the Labyrinth*— a uno de Mrs. Agatha Christie y otros a los de Gertrude Stein: evocaciones que nadie juzgará inevitables y que no hubieran alegrado al difunto. Éste, por lo demás, no se creyó nunca genial; ni siquiera en las noches peripatéticas de conversación literaria, en las que el hombre que ya ha fatigado las prensas, juega invariablemente à ser Monsieur Teste o el doctor Samuel Johnson... Percibía con toda lucidez la condición experimental de sus libros: admirables tal vez por lo novedoso y por cierta lacónica probidad, pero no por las virtudes de la pasión. *Soy como las odas de Cowley*, me escribió desde Longford el seis de marzo de 1939. *No pertenezco al arte, sino a la mera historia del arte.* No había, para él, disciplina inferior a la historia.

He repetido una modestia de Herbert Quain; naturalmente, esa modestia no agota su pensamiento. Flaubert y Henry James nos han acostumbrado a suponer que las obras de arte son infrecuentes y de ejecución laboriosa; el siglo dieciséis (recordemos el *Viaje del Parnaso*, recordemos el destino de Shakespeare) no compartía esa desconsolada opinión. Herbert Quain, tampoco. Le parecía que la buena literatura es harto común y que apenas hay diálogo callejero que no la logre. También le parecía que el hecho estético no puede prescindir de algún elemento de asombro y que asombrarse de memoria es difícil. Deploraba con sonriente sinceridad "la servil y obstinada conservación" de libros pretéritos... Ignoro si su vaga teoría es justificable; sé que sus libros anhelan demasiado el asombro.

Deploro haber prestado a una dama, irreversiblemente, el primero que publicó. He declarado que se trata de una novela policial: *The God of the Labyrinth*; puedo agradecer que el editor la propuso a la venta en los últimos días de noviembre de 1933. En los primeros de diciembre, las agradables y arduas involuciones del *Siamese Twin Mystery* atarearon a Londres y a Nueva York; yo prefiero atribuir a esa coincidencia ruinosa el fracaso de la novela de nuestro amigo. También (quiero ser del todo sincero) a su ejecución deficiente y a la vana y frígida pompa de ciertas descripciones del mar. Al cabo de siete años, me es imposible recuperar los pormenores de la acción; he aquí su plan; tal como ahora lo empobrece (tal como ahora lo purifica) mi olvido. Hay un indescifrable asesinato en las páginas iniciales, una lenta discusión en las intermedias, una solución en las últimas. Ya aclarado el enigma, hay un párrafo largo y retrospectivo que contiene esta frase: *Todos creyeron que el encuentro de los dos jugadores de ajedrez había sido casual.* Esa frase deja entender que la solución es errónea. El lector, inquieto, revisa los capítulos pertinentes y descubre *otra* solución, que es la verdadera. El lector de ese libro singular es más perspicaz que el *detective*.

Aun más heterodoxa es la "novela regresiva, ramificada" *April March*, cuya tercera (y única) parte es de 1936. Nadie, al juzgar esa novela, se niega a descubrir que es un juego; es lícito recordar que el autor no la consideró nunca otra cosa. *Yo reivindico para esa obra,* le oí decir, *los rasgos esenciales de todo juego: la simetría, las leyes arbitrarias, el tedio.* Hasta el nombre es un débil *calembour*: no significa *Marcha de abril* sino literalmente *Abril marzo.* Alguien ha percibido en sus páginas un eco de las doctrinas de Dunne; el prólogo de Quain prefiere evocar aquel inverso mundo de Bradley, en que la muerte precede al nacimiento y la cicatriz a la herida y la herida al golpe (*Appearance and Reality*, 1897, página 215).[1] Los mundos que propone *April March* no son regresivos; lo es la manera de historiarlos. Regresiva y ramificada, como ya dije. Trece capítulos integran la obra. El primero refiere el ambiguo diálogo de unos desconocidos en un andén. El segundo refiere los sucesos de la víspera del primero. El tercero, también retrógrado, refiere los sucesos de *otra* posible víspera del primero; el cuarto, los de otra. Cada una de esas tres vísperas (que rigurosamente se excluyen) se ramifica en otras tres vísperas, de índole muy diversa. La obra total consta pues de nueve novelas; cada novela, de tres largos capítulos. (El primero es común a todas ellas, naturalmente.) De esas novelas,

---

[1] Ay de la erudición de Herbert Quain, ay de la página 215 de un libro de 1897. Un interlocutor del *Político*, de Platón, ya había descrito una regresión parecida: la de los Hijos de la Tierra o Autóctonos que, sometidos al influjo de una rotación inversa del cosmos, pasaron de la vejez a la madurez, de la madurez a la niñez, de la niñez a la desaparición y la nada. También Teopompo, en su *Filípica*, habla de ciertas frutas boreales que originan en quien las come, el mismo proceso retrógrado... Más interesante es imaginar una inversión del Tiempo: un estado en el que recordáramos el porvenir e ignoráramos, o apenas presintiéramos, el pasado. Cf. el canto décimo del *Infierno,* versos 97-102, donde se comparan la visión profética y la presbicia.

una es de carácter simbólico; otra, sobrenatural; otra, policial; otra, psicológica; otra, comunista; otra, anticomunista, etcétera. Quizá un esquema ayude a comprender la estructura.

$$z \begin{cases} y_1 \begin{cases} x\ 1 \\ x\ 2 \\ x\ 3 \end{cases} \\ y_2 \begin{cases} x\ 4 \\ x\ 5 \\ x\ 6 \end{cases} \\ y_3 \begin{cases} x\ 7 \\ x\ 8 \\ x\ 9 \end{cases} \end{cases}$$

De esa estructura cabe repetir lo que declaró Schopenhauer de las doce categorías kantianas: todo lo sacrifica a un furor simétrico. Previsiblemente, alguno de los nueve relatos es indigno de Quain; el mejor no es el que originariamente ideó, el *x 4*; es el de naturaleza fantástica, el *x 9*. Otros están afeados por bromas lánguidas y por seudo precisiones inútiles. Quienes los leen en orden cronológico (verbigracia: *x 3, y 1, z*) pierden el sabor peculiar del extraño libro. Dos relatos —el *x 7*, el *x 8*— carecen de valor individual; la yuxtaposición les presta eficacia... No sé si debo recordar que ya publicado *April March*, Quain se arrepintió del orden ternario y predijo que los hombres que lo imitaran optarían por el binario

$$z \begin{cases} y_1 \begin{cases} x\ 1 \\ x\ 2 \end{cases} \\ y_2 \begin{cases} x\ 3 \\ x\ 4 \end{cases} \end{cases}$$

y los demiurgos y los dioses por el infinito: infinitas historias, infinitamente ramificadas.

Muy diversa, pero retrospectiva también, es la comedia heroica en dos actos *The Secret Mirror*. En las obras ya reseñadas, la complejidad formal había entorpecido la imaginación del autor; aquí, su evolución es más libre. El primer acto (el más extenso) ocurre en la casa de campo del general Thrale, C.I.E., cerca de Melton Mowbray. El invisible centro de la trama es Miss Ulrica Thrale, la hija mayor del general. A través de algún diálogo la entrevemos, amazona y altiva; sospechamos que no suele visitar la literatura; los periódicos anuncian su compromiso con el duque de Rutland; los periódicos desmienten el compromiso. La venera un autor dramático, Wilfred Quarles; ella le ha deparado alguna vez un distraído beso. Los personajes son de vasta fortuna y de antigua sangre; los afectos, nobles aunque vehementes; el diálogo parece vacilar entre la mera vanilocuencia de Bulwer-Lytton y los epigramas de Wilde o de Mr. Philip Guedalla. Hay un ruiseñor y una noche; hay un duelo secreto en una terraza. (Casi del todo imperceptibles, hay alguna curiosa contradicción, hay pormenores sórdidos.) Los personajes del primer acto reaparecen en el segundo —con otros nombres. El "autor dramático" Wilfred Quarles es un comisionista de Liverpool; su verdadero nombre John William Quigley. Miss Thrale existe; Quigley nunca la ha visto, pero morbosamente colecciona retratos suyos del *Tatler* o del *Sketch*. Quigley es autor del primer acto. La inverosímil o improbable "casa de campo" es la pensión judeo-irlandesa en que vive, transfigurada y magnificada por él... La trama de los actos es paralela, pero en el segundo todo es ligeramente horrible, todo se posterga o se frustra. Cuando *The Secret Mirror* se estrenó, la crítica pronunció los nombres de Freud y de Julián Green. La mención del primero me parece del todo injustificada.

La fama divulgó que *The Secret Mirror* era una comedia freudiana; esa interpretación propicia (y falaz) determinó su éxito. Desgraciadamente, ya Quain había cumplido los cuarenta años; estaba aclimatado en el fracaso y no se resignaba con dulzura a un cambio de régimen. Resolvió desquitarse. A fines de 1939 publicó *Statements*: acaso el más original de sus libros, sin duda el menos alabado y el más secreto. Quain solía argumentar que los lectores eran una especie ya extinta. *No hay europeo* (razonaba) *que no sea un escritor, en potencia o en acto*. Afirmaba también que de las diversas felicidades que puede ministrar la literatura, la más alta era la invención. Ya que no todos son capaces de esa felicidad, muchos habrán de contentarse con simulacros. Para esos "imperfectos escritores", cuyo nombre es legión, Quain redactó los ocho relatos del libro *Statements*. Cada uno de ellos prefigura o promete un buen argumento, voluntariamente frustrado por el autor. Alguno —no el mejor— insinúa *dos* argumentos. El lector, distraído por la vanidad, cree haberlos inventado. Del tercero, *The Rose of Yesterday,* yo cometí la ingenuidad de extraer *Las ruinas circulares,* que es una de las narraciones del libro *El jardín de senderos que se bifurcan*.

1941

LA BIBLIOTECA DE BABEL

> *By this art you may contemplate the variation of the 23 letters...*
> The Anatomy of Melancholy, part. 2, sect. II, mem. IV.

El universo (que otros llaman la Biblioteca) se compone de un número indefinido, y tal vez infinito, de galerías hexagonales, con vastos pozos de ventilación en el medio, cercados por barandas bajísimas. Desde cualquier hexágono, se ven los pisos inferiores y superiores: interminablemente. La distribución de las galerías es invariable. Veinte anaqueles, a cinco largos anaqueles por lado, cubren todos los lados menos dos; su altura, que es la de los pisos, excede apenas la de un bibliotecario normal. Una de las caras libres da a un angosto zaguán, que desemboca en otra galería, idéntica a la primera y a todas. A izquierda y a derecha del zaguán hay dos gabinetes minúsculos. Uno permite dormir de pie; otro, satisfacer las necesidades finales. Por ahí pasa la escalera espiral, que se abisma y se eleva hacia lo remoto. En el zaguán hay un espejo, que fielmente duplica las apariencias. Los hombres suelen inferir de ese espejo que la Biblioteca no es infinita (si lo fuera realmente ¿a qué esa duplicación ilusoria?); yo prefiero soñar que las superficies bruñidas figuran y prometen el infinito... La luz procede de unas frutas esféricas que llevan el nombre de lámparas. Hay dos en cada hexágono: transversales. La luz que emiten es insuficiente, incesante.

Como todos los hombres de la Biblioteca, he viajado en mi juventud; he peregrinado en busca de un libro, acaso del catálogo de catálogos; ahora que mis ojos casi no pueden descifrar lo que escribo, me preparo a morir a unas pocas leguas del hexágono en que nací. Muerto, no faltarán manos piadosas que me tiren por la baranda; mi sepultura será el aire insondable; mi cuerpo se hundirá largamente y se corromperá y disolverá en el viento engendrado por la caída, que es infinita. Yo afirmo que la Biblioteca es interminable. Los idealistas arguyen que las salas hexagonales son una forma necesaria del espacio absoluto o, por lo menos, de nuestra intuición del espacio. Razonan que es inconcebible una sala triangular o pentagonal. (Los místicos pretenden que el éxtasis les revela una cámara circular con un gran libro circular de lomo continuo, que da toda la vuelta de las paredes; pero su testimonio es sospechoso; sus palabras, oscuras. Ese libro cíclico es Dios.) Básteme, por ahora, repetir el dictamen clásico: *La Biblioteca es una esfera cuyo centro cabal es cualquier hexágono, cuya circunferencia es inaccesible.*

A cada uno de los muros de cada hexágono corresponden cinco anaqueles; cada anaquel encierra treinta y dos libros de formato uniforme; cada libro es de cuatrocientas diez páginas; cada página, de cuarenta renglones; cada renglón, de unas ochenta letras de color negro. También hay letras en el dorso de cada libro; esas letras no indican o prefiguran lo que dirán las páginas. Sé que esa inconexión, alguna vez, pareció misteriosa. Antes de resumir la solución (cuyo descubrimiento, a pesar de sus trágicas proyecciones, es quizá el hecho capital de la historia) quiero rememorar algunos axiomas.

El primero: La Biblioteca existe *ab aeterno*. De esa verdad cuyo colorario inmediato es la eternidad futura del mundo, ninguna mente razonable puede dudar. El hombre, el imperfecto bibliotecario, puede ser obra del azar o de los demiurgos malévolos; el universo, con su elegante dotación de anaqueles, de tomos enigmáticos, de infatigables escaleras para el viajero y de letrinas para el bibliotecario sentado, sólo puede ser obra de un dios. Para percibir la distancia que hay entre lo divino y lo humano, basta comparar estos rudos símbolos trémulos que mi falible mano garabatea en la tapa de un libro, con las letras orgánicas del interior: puntuales, delicadas, negrísimas, inimitablemente simétricas.

El segundo: *El número de símbolos ortográficos es veinticinco.*[1] Esa comprobación permitió, hace trescientos años, formular una teoría general de la Biblioteca y resolver satisfactoriamente el problema que ninguna conjetura había descifrado: la naturaleza informe y caótica de casi todos los libros. Uno, que mi padre vio en un hexágono del circuito quince noventa y cuatro, constaba de las letras M C V perversamente repetidas desde el renglón primero hasta el último. Otro (muy consultado en esta zona) es un mero laberinto de letras, pero la página penúltima dice *Oh tiempo tus pirámides.* Ya se sabe: por una línea razonable o una recta noticia hay leguas de insensatas cacofonías, de fárragos verbales y de incoherencias. (Yo sé de una región cerril cuyos bibliotecarios repudian la supersticiosa y vana costumbre de buscar sentido en los libros y la equiparan a la de buscarlo en los sueños o en las líneas caóticas de la mano... Admiten

---

[1] El manuscrito original no contiene guarismos o mayúsculas. La puntuación ha sido limitada a la coma y al punto. Esos dos signos, el espacio y las veintidós letras del alfabeto son los veinticinco símbolos suficientes que enumera el desconocido. *(Nota del Editor).*

que los inventores de la escritura imitaron los veinticinco símbolos naturales, pero sostienen que esa aplicación es casual y que los libros nada significan en sí. Ese dictamen, ya veremos, no es del todo falaz.)

Durante mucho tiempo se creyó que esos libros impenetrables correspondían a lenguas pretéritas o remotas. Es verdad que los hombres más antiguos, los primeros bibliotecarios, usaban un lenguaje asaz diferente del que hablamos ahora; es verdad que unas millas a la derecha la lengua es dialectal y que noventa pisos más arriba, es incomprensible. Todo eso, lo repito, es verdad, pero cuatrocientas diez páginas de inalterables M C V no pueden corresponder a ningún idioma, por dialectal o rudimentario que sea. Algunos insinuaron que cada letra podía influir en la subsiguiente y que el valor de M C V en la tercera línea de la página 71 no era el que puede tener la misma serie en otra posición de otra página, pero esa vaga tesis no prosperó. Otros pensaron en criptografías; universalmente esa conjetura ha sido aceptada, aunque no en el sentido en que la formularon sus inventores.

Hace quinientos años, el jefe de un hexágono superior [1] dio con un libro tan confuso como los otros, pero que tenía casi dos hojas de líneas homogéneas. Mostró su hallazgo a un descifrador ambulante, que le dijo que estaban redactadas en portugués; otros le dijeron que en yiddish. Antes de un siglo pudo establecerse el idioma: un dialecto samoyedo-lituano del guaraní, con inflexiones de árabe clásico. También se descifró el contenido: nociones de análisis combinatorio, ilustradas por ejemplos de variaciones con repetición ilimitada. Esos ejemplos permitieron que un bibliotecario de genio descubriera la ley fundamental de la Biblioteca. Este pensador observó que todos los libros, por diversos que sean, constan de elementos iguales: el espacio, el punto, la coma, las veintidós letras del alfabeto. También alegó un hecho que todos los viajeros han confirmado: *No hay, en la vasta Biblioteca, dos libros idénticos.* De esas premisas incontrovertibles dedujo que la Biblioteca es total y que sus anaqueles registran todas las posibles combinaciones de los veintitantos símbolos ortográficos (número, aunque vastísimo, no infinito) o sea todo lo que es dable expresar: en todos los idiomas. Todo: la historia minuciosa del porvenir, las autobiografías de los arcángeles, el catálogo fiel de la Biblioteca, miles y miles de catálogos falsos, la demostración de la falacia de esos catá-

[1] Antes, por cada tres hexágonos había un hombre. El suicidio y las enfermedades pulmonares han destruido esa proporción. Memoria de indecible melancolía: a veces he viajado muchas noches por corredores y escaleras pulidas sin hallar un solo bibliotecario.

logos, la demostración de la falacia del catálogo verdadero, el evangelio gnóstico de Basílides, el comentario de ese evangelio, el comentario del comentario de ese evangelio, la relación verídica de tu muerte, la versión de cada libro a todas las lenguas, las interpolaciones de cada libro en todos los libros, el tratado que Beda pudo escribir (y no escribió) sobre la mitología de los sajones, los libros perdidos de Tácito.

Cuando se proclamó que la Biblioteca abarcaba todos los libros, la primera impresión fue de extravagante felicidad. Todos los hombres se sintieron señores de un tesoro intacto y secreto. No había problema personal o mundial cuya elocuente solución no existiera: en algún hexágono. El universo estaba justificado, el universo bruscamente usurpó las dimensiones ilimitadas de la esperanza. En aquel tiempo se habló mucho de las Vindicaciones: libros de apología y de profecía, que para siempre vindicaban los actos de cada hombre del universo y guardaban arcanos prodigiosos para su porvenir. Miles de codiciosos abandonaron el dulce hexágono natal y se lanzaron escaleras arriba, urgidos por el vano propósito de encontrar su Vindicación. Esos peregrinos disputaban en los corredores estrechos, proferían oscuras maldiciones, se estrangulaban en las escaleras divinas, arrojaban los libros engañosos al fondo de los túneles, morían despeñados por los hombres de regiones remotas. Otros se enloquecieron... Las Vindicaciones existen (yo he visto dos que se refieren a personas del porvenir, a personas acaso no imaginarias) pero los buscadores no recordaban que la posibilidad de que un hombre encuentre la suya, o alguna pérfida variación de la suya, es computable en cero.

También se esperó entonces la aclaración de los misterios básicos de la humanidad: el origen de la Biblioteca y del tiempo. Es verosímil que esos graves misterios puedan explicarse en palabras: si no basta el lenguaje de los filósofos, la multiforme Biblioteca habrá producido el idioma inaudito que se requiere y los vocabularios y gramáticas de ese idioma. Hace ya cuatro siglos que los hombres fatigan los hexágonos... Hay buscadores oficiales, *inquisidores*. Yo los he visto en el desempeño de su función: llegan siempre rendidos; hablan de una escalera sin peldaños que casi los mató; hablan de galerías y de escaleras con el bibliotecario; alguna vez, toman el libro más cercano y lo hojean, en busca de palabras infames. Visiblemente, nadie espera descubrir nada.

A la desaforada esperanza, sucedió, como es natural, una depresión excesiva. La certidumbre de que algún anaquel en algún hexágono encerraba libros preciosos y de que esos libros preciosos eran inaccesibles, pareció casi intolerable. Una secta blasfema sugirió que cesaran las buscas y que todos los hombres barajaran letras y símbolos, hasta construir, mediante un improbable don del azar, esos libros canónicos. Las autoridades se vieron obligadas a promulgar órdenes severas. La secta desapareció, pero en mi niñez he visto hombres viejos que largamente se ocultaban en las letrinas, con unos discos de metal en un cubilete prohibido, y débilmente remedaban el divino desorden.

Otros, inversamente, creyeron que lo primordial era eliminar las obras inútiles. Invadían los hexágonos, exhibían credenciales no siempre falsas, hojeaban con fastidio un volumen y condenaban anaqueles enteros: a su furor higiénico, ascético, se debe la insensata perdición de millones de libros. Su nombre es execrado, pero quienes deploran los "tesoros" que su frenesí destruyó, negligen dos hechos notorios. Uno: la Biblioteca es tan enorme que toda reducción de origen humano resulta infinitesimal. Otro: cada ejemplar es único, irreemplazable, pero (como la Biblioteca es total) hay siempre varios centenares de miles de facsímiles imperfectos: de obras que no difieren sino por una letra o por una coma. Contra la opinión general, me atrevo a suponer que las consecuencias de las depredaciones cometidas por los Purificadores, han sido exageradas por el horror que esos fanáticos provocaron. Los urgía el delirio de conquistar los libros del Hexágono Carmesí: libros de formato menor que los naturales; omnipotentes, ilustrados y mágicos.

También sabemos de otra superstición de aquel tiempo: la del Hombre del Libro. En algún anaquel de algún hexágono (razonaron los hombres) debe existir un libro que sea la cifra y el compendio perfecto *de todos los demás*: algún bibliotecario lo ha recorrido y es análogo a un dios. En el lenguaje de esta zona persisten aún vestigios del culto de ese funcionario remoto. Muchos peregrinaron en busca de Él. Durante un siglo fatigaron en vano los más diversos rumbos. ¿Cómo localizar el venerado hexágono secreto que lo hospedaba? Alguien propuso un método regresivo: Para localizar el libro A, consultar previamente un libro B que indique el sitio de A; para localizar el libro B, consultar previamente un libro C, y así hasta lo infinito... En aventuras de ésas, he prodigado y consumido mis años. No me parece inverosímil que en algún anaquel del universo haya un libro total [1]; ruego a los dioses ignorados que un hombre —¡uno solo, aunque sea, hace miles de años!— lo haya examinado y leído. Si el honor y la sabiduría y la felicidad no son para mí, que sean

---

[1] Lo repito: basta que un libro sea posible para que exista. Sólo está excluido lo imposible. Por ejemplo: ningún libro es también una escalera, aunque sin duda hay libros que discuten y niegan y demuestran esa posibilidad y otros cuya estructura corresponde a la de una escalera.

para otros. Que el cielo exista, aunque mi lugar sea el infierno. Que yo sea ultrajado y aniquilado, pero que en un instante, en un ser, Tu enorme Biblioteca se justifique.

Afirman los impíos que el disparate es normal en la Biblioteca y que lo razonable (y aun la humilde y pura coherencia) es una casi milagrosa excepción. Hablan (lo sé) de "la Biblioteca febril, cuyos azarosos volúmenes corren el incesante albur de cambiarse en otros y que todo lo afirman, lo niegan y lo confunden como una divinidad que delira". Esas palabras que no sólo denuncian el desorden sino que lo ejemplifican también, notoriamente prueban su gusto pésimo y su desesperada ignorancia. En efecto, la Biblioteca incluye todas las estructuras verbales, todas las variaciones que permiten los veinticinco símbolos ortográficos, pero no un solo disparate absoluto. Inútil observar que el mejor volumen de los muchos hexágonos que administro se titula *Trueno peinado*, y otro *El calambre de yeso* y otro *Axaxaxas mlö*. Esas proposiciones, a primera vista incoherentes, sin duda son capaces de una justificación criptográfica o alegórica; esa justificación es verbal y, *ex hypothesi*, ya figura en la Biblioteca. No puedo combinar unos caracteres

dhcmrlchtdj

que la divina Biblioteca no haya previsto y que en alguna de sus lenguas secretas no encierren un terrible sentido. Nadie puede articular una sílaba que no esté llena de ternuras y de temores; que no sea en alguno de esos lenguajes el nombre poderoso de un dios. Hablar es incurrir en tautologías. Esta epístola inútil y palabrera ya existe en uno de los treinta volúmenes de los cinco anaqueles de uno de los incontables hexágonos —y también su refutación. (Un número *n* de lenguajes posibles usa el mismo vocabulario; en algunos, el símbolo *biblioteca* admite la correcta definición *ubicuo y perdurable sistema de galerías hexagonales*, pero *biblioteca* es *pan* o *pirámide* o cualquier otra cosa, y las siete palabras que la definen tienen otro valor. Tú, que me lees, ¿estás seguro de entender mi lenguaje?).

La escritura metódica me distrae de la presente condición de los hombres. La certidumbre de que todo está escrito nos anula o nos afantasma. Yo conozco distritos en que los jóvenes se prosternan ante los libros y besan con barbarie las páginas, pero no saben descifrar una sola letra. Las epidemias, las discordias heréticas, las peregrinaciones que inevitablemente degeneran en bandolerismo, han diezmado la población. Creo haber mencionado los suicidios, cada año más frecuentes. Quizá me engañen la vejez y el temor, pero sospecho que la especie humana —la única—

está por extinguirse y que la Biblioteca perdurará: iluminada, solitaria, infinita, perfectamente inmóvil, armada de volúmenes preciosos, inútil, incorruptible, secreta.

Acabo de escribir *infinita*. No he interpolado ese adjetivo por una costumbre retórica; digo que no es ilógico pensar que el mundo es infinito. Quienes lo juzgan limitado, postulan que en lugares remotos los corredores y escaleras y hexágonos pueden inconcebiblemente cesar —lo cual es absurdo. Quienes lo imaginan sin límites, olvidan que los tiene el número posible de libros. Yo me atrevo a insinuar esta solución del antiguo problema: *La biblioteca es ilimitada y periódica*. Si un eterno viajero la atravesara en cualquier dirección, comprobaría al cabo de los siglos que los mismos volúmenes se repiten en el mismo desorden (que, repetido, sería un orden: el Orden). Mi soledad se alegra con esa elegante esperanza.[1]

Mar del Plata, 1941

---

[1] Letizia Álvarez de Toledo ha observado que la vasta Biblioteca es inútil; en rigor, bastaría *un solo volumen*, de formato común, impreso en cuerpo nueve o en cuerpo diez, que constara de un número infinito de hojas infinitamente delgadas. (Cavalieri a principios del siglo XVII, dijo que todo cuerpo sólido es la superposición de un número infinito de planos.) El manejo de ese *vademecum* sedoso no sería cómodo: cada hoja aparente se desdoblaría en otras análogas; la inconcebible hoja central no tendría revés.

EL JARDÍN DE SENDEROS
QUE SE BIFURCAN

A Victoria Ocampo

En la página 242 de la *Historia de la Guerra Europea* de Liddell Hart, se lee que una ofensiva de trece divisiones británicas (apoyadas por mil cuatrocientas piezas de artillería) contra la línea Serre-Montauban había sido planeada para el veinticuatro de julio de 1916 y debió postergarse hasta la mañana del día veintinueve. Las lluvias torrenciales (anota el capitán Liddell Hart) provocaron esa demora —nada significativa, por cierto. La siguiente declaración, dictada, releída y firmada por el doctor Yu Tsun, antiguo catedrático de inglés en la *Hochschule* de Tsingtao, arroja una insospechada luz sobre el caso. Faltan las dos páginas iniciales.

"...y colgué el tubo. Inmediatamente después, reconocí la voz que había contestado en alemán. Era la del capitán Richard Madden. Madden, en el departamento de Viktor Runeberg, quería decir el fin de nuestros afanes y —pero eso parecía muy secundario, o *debía parecérmelo*— también de nuestras vidas. Quería decir que Runeberg había sido arrestado, o asesinado.[1] Antes que declinara el sol de ese día, yo correría la misma suerte. Madden era implacable. Mejor dicho, estaba obligado a ser implacable. Irlandés a las órdenes de Inglaterra, hombre acusado de tibieza y tal vez de traición ¿cómo no iba a abrazar y agradecer este milagroso favor: el descubrimiento, la captura, quizá la muerte, de dos agentes del Imperio Alemán? Subí a mi cuarto; absurdamente cerré la puerta con llave y me tiré de espaldas en la estrecha cama de hierro. En la ventana estaban los tejados de siempre y el sol nublado de las seis. Me pareció increíble que ese día sin premoniciones ni símbolos fuera el de mi muerte implacable. A pesar de mi padre muerto, a pesar de haber sido un niño en un simétrico jardín de Hai Feng ¿yo, ahora, iba a morir? Después reflexioné que todas las cosas le suceden a uno precisamente, precisamente ahora. Siglos de siglos y sólo en el presente ocurren los hechos; innumerables hombres en el aire,

[1] Hipótesis odiosa y estrafalaria. El espía prusiano Hans Rabener alias Viktor Runeberg agredió con una pistola automática al portador de la orden de arresto, capitán Richard Madden. Éste, en defensa propia, le causó heridas que determinaron su muerte. (*Nota del Editor.*)

en la tierra y el mar, y todo lo que realmente pasa me pasa a mí... El casi intolerable recuerdo del rostro acaballado de Madden abolió esas divagaciones. En mitad de mi odio y de mi terror (ahora no me importa hablar de terror: ahora que he burlado a Richard Madden, ahora que mi garganta anhela la cuerda) pensé que ese guerrero tumultuoso y sin duda feliz no sospechaba que yo poseía el Secreto. El nombre del preciso lugar del nuevo parque de artillería británico sobre el Ancre. Un pájaro rayó el cielo gris y ciegamente lo traduje en un aeroplano y a ese aeroplano en muchos (en el cielo francés) aniquilando el parque de artillería con bombas verticales. Si mi boca, antes que la deshiciera un balazo, pudiera gritar ese nombre de modo que lo oyeran en Alemania... Mi voz humana era muy pobre. ¿Cómo hacerla llegar al oído del Jefe? Al oído de aquel hombre enfermo y odioso, que no sabía de Runeberg y de mí sino que estábamos en Staffordshire y que en vano esperaba noticias nuestras en su árida oficina de Berlín, examinando infinitamente periódicos... Dije en voz alta: *Debo huir*. Me incorporé sin ruido, en una inútil perfección de silencio, como si Madden ya estuviera acechándome. Algo —tal vez la mera ostentación de probar que mis recursos eran nulos— me hizo revisar mis bolsillos. Encontré lo que sabía que iba a encontrar. El reloj norteamericano, la cadena de níquel y la moneda cuadrangular, el llavero con las comprometedoras llaves inútiles del departamento de Runeberg, la libreta, una carta que resolví destruir inmediatamente (y que no destruí), el falso pasaporte, una corona, dos chelines y unos peniques, el lápiz rojo-azul, el pañuelo, el revólver con una bala. Absurdamente lo empuñé y sopesé para darme valor. Vagamente pensé que un pistoletazo puede oírse muy lejos. En diez minutos mi plan estaba maduro. La guía telefónica me dio el nombre de la única persona capaz de transmitir la noticia: vivía en un suburbio de Fenton, a menos de media hora de tren.

Soy un hombre cobarde. Ahora lo digo, ahora que he llevado a término un plan que nadie no calificará de arriesgado. Yo sé que fue terrible su ejecución. No lo hice por Alemania, no. Nada me importa un país bárbaro, que me ha obligado a la abyección de ser un espía. Además, yo sé de un hombre de Inglaterra —un hombre modesto— que para mí no es menos que Goethe. Arriba de una hora no hablé con él, pero durante una hora fue Goethe... Lo hice, porque yo sentía que el Jefe tenía en poco a los de mi raza— a los innumerables antepasados que confluyen en mí. Yo quería probarle que un amarillo podía salvar a sus ejércitos. Además, yo debía huir del capitán. Sus manos y su voz podían golpear en cualquier momento a mi puerta. Me vestí sin ruido, me dije adiós en el espejo, bajé, escudriñé la calle tranquila y salí. La estación no distaba mucho de casa, pero juzgué preferible tomar un coche. Argüí que así corría menos peligro de ser reconocido; el hecho es que en la calle desierta me sentía visible y vulnerable, infinitamente. Recuerdo que le dije al cochero que se detuviera un poco antes de la entrada central. Bajé con lentitud voluntaria y casi penosa; iba a la aldea de Ashgrove, pero saqué un pasaje para una estación más lejana. El tren salía dentro de muy pocos minutos, a las ocho y cincuenta. Me apresuré; el próximo saldría a las nueve y media. No había casi nadie en el andén. Recorrí los coches: recuerdo unos labradores, una enlutada, un joven que leía con fervor los *Anales* de Tácito, un soldado herido y feliz. Los coches arrancaron al fin. Un hombre que reconocí corrió en vano hasta el límite del andén. Era el capitán Richard Madden. Aniquilado, trémulo, me encogí en la otra punta del sillón, lejos del temido cristal.

De esa aniquilación pasé a una felicidad casi abyecta. Me dije que ya estaba empeñado mi duelo y que yo había ganado el primer asalto, al burlar, siquiera por cuarenta minutos, siquiera por un favor del azar, el ataque de mi adversario. Argüí que esa victoria mínima prefiguraba la victoria total. Argüí que no era mínima, ya que sin esa diferencia preciosa que el horario de trenes me deparaba, yo estaría en la cárcel, o muerto. Argüí (no menos sofísticamente) que mi felicidad cobarde probaba que yo era hombre capaz de llevar a buen término la aventura. De esa debilidad saqué fuerzas que no me abandonaron. Preveo que el hombre se resignará cada día a empresas más atroces; pronto no habrá sino guerreros y bandoleros; les doy este consejo: *El ejecutor de una empresa atroz debe imaginar que ya la ha cumplido, debe imponerse un porvenir que sea irrevocable como el pasado.* Así procedí yo, mientras mis ojos de hombre ya muerto registraban la fluencia de aquel día que era tal vez el último, y la difusión de la noche. El tren corría con dulzura, entre fresnos. Se detuvo, casi en medio del campo. Nadie gritó el nombre de la estación. ¿*Ashgrove*? les pregunté a unos chicos en el andén. *Ashgrove*, contestaron. Bajé.

Una lámpara ilustraba el andén, pero las caras de los niños quedaban en la zona de sombra. Uno me interrogó: ¿*Ud. va a casa del doctor Stephen Albert?* Sin aguardar contestación, otro dijo: *La casa queda lejos de aquí, pero Ud. no se perderá si toma ese camino a la izquierda y en cada encrucijada del camino dobla a la izquierda.* Les arrojé una moneda (la última), bajé unos escalones de piedra y entré en el solitario camino. Éste, lentamente, bajaba. Era de tierra elemental, arriba se confundían las ramas, la luna baja y circular parecía acompañarme.

Por un instante, pensé que Richard Madden había penetrado de algún modo mi desesperado propósito. Muy pronto comprendí que eso era imposible. El consejo de siempre doblar a la izquierda me recordó que tal era el procedimiento común para descubrir el patio central de ciertos laberintos. Algo entiendo de laberintos: no en vano soy bisnieto de aquel Ts'ui Pên, que fue gobernador de Yunnan y que renunció al poder temporal para escribir una novela que fuera todavía más populosa que el *Hung Lu Meng* y para edificar un laberinto en el que se perdieran todos los hombres. Trece años dedicó a esas heterogéneas fatigas, pero la mano de un forastero lo asesinó y su novela era insensata y nadie encontró el laberinto. Bajo árboles ingleses medité en ese laberinto perdido: lo imaginé inviolado y perfecto en la cumbre secreta de una montaña, lo imaginé borrado por arrozales o debajo del agua, lo imaginé infinito, no ya de quioscos ochavados y de sendas que vuelven, sino de ríos y provincias y reinos... Pensé en un laberinto de laberintos, en un sinuoso laberinto creciente que abarcara el pasado y el porvenir y que implicara de algún modo los astros. Absorto en esas ilusorias imágenes, olvidé mi destino de perseguido. Me sentí, por un tiempo indeterminado, percibidor abstracto del mundo. El vago y vivo campo, la luna, los restos de la tarde, obraron en mí; asimismo el declive que eliminaba cualquier posibilidad de cansancio. La tarde era íntima, infinita. El camino bajaba y se bifurcaba, entre las ya confusas praderas. Una música aguda y como silábica se aproximaba y se alejaba en el vaivén del viento, empañada de hojas y de distancia. Pensé que un hombre puede ser enemigo de otros hombres, de otros momentos de otros hombres, pero no de un país: no de luciérnagas, palabras, jardines, cursos de agua, ponientes. Llegué, así, a un alto portón herrumbrado. Entre las rejas descifré una alameda y una especie de pabellón. Comprendí, de pronto, dos cosas, la primera trivial, la segunda casi increíble: la música venía del pabellón, la música era china. Por eso, yo la había aceptado con plenitud, sin prestarle atención. No recuerdo si había una campana o un timbre o si llamé golpeando las manos. El chisporroteo de la música prosiguió.

Pero del fondo de la íntima casa un farol se acercaba: un farol que rayaban y a ratos anulaban los troncos, un farol de papel, que tenía la forma de los tambores y el color de la luna. Lo traía un hombre alto. No vi su rostro, porque me cegaba la luz. Abrió el portón y dijo lentamente en mi idioma.

—Veo que el piadoso Hsi P'êng se empeña en corregir mi soledad. ¿Usted sin duda querrá ver el jardín?

Reconocí el nombre de uno de nuestro cónsules y repetí desconcertado:
—¿El jardín?
—El jardín de senderos que se bifurcan.
Algo se agitó en mi recuerdo y pronuncié con incomprensible seguridad:
—El jardín de mi antepasado Ts'ui Pên.
—¿Su antepasado? ¿Su ilustre antepasado? Adelante.
El húmedo sendero zigzagueaba como los de mi infancia. Llegamos a una biblioteca de libros orientales y occidentales. Reconocí, encuadernados en seda amarilla, algunos tomos manuscritos de la Enciclopedia Perdida que dirigió el Tercer Emperador de la Dinastía Luminosa y que no se dio nunca a la imprenta. El disco del gramófono giraba junto a un fénix de bronce. Recuerdo también un jarrón de la familia rosa y otro, anterior de muchos siglos, de ese color azul que nuestros artífices copiaron de los alfareros de Persia...
Stephen Albert me observaba, sonriente. Era (ya lo dije) muy alto, de rasgos afilados, de ojos grises y barba gris. Algo de sacerdote había en él y también de marino; después me refirió que había sido misionero en Tientsin "antes de aspirar a sinólogo".
Nos sentamos; yo en un largo y bajo diván; él de espaldas a la ventana y a un alto reloj circular. Computé que antes de una hora no llegaría mi perseguidor, Richard Madden. Mi determinación irrevocable podía esperar.
—Asombroso destino el de Ts'ui Pên —dijo Stephen Albert—. Gobernador de su provincia natal, docto en astronomía, en astrología y en la interpretación infatigable de los libros canónicos, ajedrecista, famoso poeta y calígrafo: todo lo abandonó para componer un libro y un laberinto. Renunció a los placeres de la opresión, de la justicia, del numeroso lecho, de los banquetes y aun de la erudición y se enclaustró durante trece años en el Pabellón de la Límpida Soledad. A su muerte, los herederos no encontraron sino manuscritos caóticos. La familia, como usted acaso no ignora, quiso adjudicarlos al fuego; pero su albacea —un monje taoísta o budista— insistió en la publicación.
—Los de la sangre de Ts'ui Pên —repliqué— seguimos execrando a ese monje. Esa publicación fue insensata. El libro es un acervo indeciso de borradores contradictorios. Lo he examinado alguna vez: en el tercer capítulo muere el héroe, en el cuarto está vivo. En cuanto a la otra empresa de Ts'ui Pên, a su Laberinto...
—Aquí está el Laberinto —dijo indicándome un alto escritorio laqueado.
—¡Un laberinto de marfil! —exclamé—. Un laberinto mínimo...

—Un laberinto de símbolos —corrigió—. Un invisible laberinto de tiempo. A mí, bárbaro inglés, me ha sido deparado revelar ese misterio diáfano. Al cabo de más de cien años, los pormenores son irrecuperables, pero no es difícil conjeturar lo que sucedió. Ts'ui Pên diría una vez: *Me retiro a escribir un libro.* Y otra: *Me retiro a construir un laberinto.* Todos imaginaron dos obras; nadie pensó que libro y laberinto eran un solo objeto. El Pabellón de la Límpida Soledad se erguía en el centro de un jardín tal vez intrincado; el hecho puede haber sugerido a los hombres un laberinto físico. Ts'ui Pên murió; nadie, en las dilatadas tierras que fueron suyas, dio con el laberinto; la confusión de la novela me sugirió que ése era el laberinto. Dos circunstancias me dieron la recta solución del problema. Una: la curiosa leyenda de que Ts'ui Pên se había propuesto un laberinto que fuera estrictamente infinito. Otra: un fragmento de una carta que descubrí.

Albert se levantó. Me dio, por unos instantes, la espalda; abrió un cajón del áureo y renegrido escritorio. Volvió con un papel antes carmesí; ahora rosado y tenue y cuadriculado. Era justo el renombre caligráfico de Ts'ui Pên. Leí con incomprensión y fervor estas palabras que con minucioso pincel redactó un hombre de mi sangre: *Dejo a los varios porvenires (no a todos) mi jardín de senderos que se bifurcan.* Devolví en silencio la hoja. Albert prosiguió:

—Antes de exhumar esta carta, yo me había preguntado de qué manera un libro puede ser infinito. No conjeturé otro procedimiento que el de un volumen cíclico, circular. Un volumen cuya última página fuera idéntica a la primera, con posibilidad de continuar indefinidamente. Recordé también esa noche que está en el centro de las 1001 Noches, cuando la reina Shahrazad (por una mágica distracción del copista) se pone a referir textualmente la historia de las 1001 Noches, con riesgo de llegar otra vez a la noche en que la refiere, y así hasta lo infinito. Imaginé también una obra platónica, hereditaria, trasmitida de padre a hijo, en la que cada nuevo individuo agregara un capítulo o corrigiera con piadoso cuidado la página de los mayores. Esas conjeturas me distrajeron; pero ninguna parecía corresponder, siquiera de un modo remoto, a los contradictorios capítulos de Ts'ui Pên. En esa perplejidad, me remitieron de Oxford el manuscrito que usted ha examinado. Me detuve, como es natural, en la frase: *Dejo a los varios porvenires (no a todos) mi jardín de senderos que se bifurcan.* Casi en el acto comprendí; *el jardín de senderos que se bifurcan* era la novela caótica; la frase *varios porvenires (no a todos)* me sugirió la imagen de la bifurcación en el tiempo, no en el espacio. La relectura general de la obra confirmó esa teoría.

En todas las ficciones, cada vez que un hombre se enfrenta con diversas alternativas, opta por una y elimina las otras; en la del casi inextricable Ts'ui Pên, opta —simultáneamente— por todas. *Crea*, así, diversos porvenires, diversos tiempos, que también proliferan y se bifurcan. De ahí las contradicciones de la novela. Fang, digamos, tiene un secreto; un desconocido llama a su puerta; Fang resuelve matarlo. Naturalmente, hay varios desenlaces posibles: Fang puede matar al intruso, el intruso puede matar a Fang, ambos pueden salvarse, ambos pueden morir, etcétera. En la obra de Ts'ui Pên, todos los desenlaces ocurren; cada uno es el punto de partida de otras bifurcaciones. Alguna vez, los senderos de ese laberinto convergen: por ejemplo, usted llega a esta casa, pero en uno de los pasados posibles usted es mi enemigo, en otro mi amigo. Si se resigna usted a mi pronunciación incurable, leeremos unas páginas.

Su rostro, en el vívido círculo de la lámpara, era sin duda el de un anciano, pero con algo inquebrantable y aun inmortal. Leyó con lenta precisión dos redacciones de un mismo capítulo épico. En la primera, un ejército marcha hacia una batalla a través de una montaña desierta; el horror de las piedras y de la sombra le hace menospreciar la vida y logra con facilidad la victoria; en la segunda, el mismo ejército atraviesa un palacio en el que hay una fiesta; la resplandeciente batalla les parece una continuación de la fiesta y logran la victoria. Yo oía con decente veneración esas viejas ficciones, acaso menos admirables que el hecho de que las hubiera ideado mi sangre y de que un hombre de un imperio remoto me las restituyera, en el curso de una desesperada aventura, en una isla occidental. Recuerdo las palabras finales, repetidas en cada redacción como un mandamiento secreto: *Así combatieron los héroes, tranquilo el admirable corazón, violenta la espada, resignados a matar y a morir.*

Desde ese instante, sentí a mi alrededor y en mi oscuro cuerpo una invisible, intangible pululación. No la pululación de los divergentes, paralelos y finalmente coalescentes ejércitos, sino una agitación más inaccesible, más íntima y que ellos de algún modo prefiguraban. Stephen Albert prosiguió:

—No creo que su ilustre antepasado jugara ociosamente a las variaciones. No juzgo verosímil que sacrificara trece años a la infinita ejecución de un experimento retórico. En su país, la novela es un género subalterno; en aquel tiempo era un género despreciable. Ts'ui Pên fue un novelista genial, pero también fue un hombre de letras que sin duda no se consideró un mero novelista. El testimonio de sus contemporáneos proclama —y harto lo confirma su vida— sus aficiones metafísicas, místicas. La controversia filosófica usurpa buena parte de su novela. Sé que de todos los problemas, ninguno lo inquietó y lo trabajó como el abismal problema del tiempo. Ahora bien, ése es el *único* problema que no figura en las páginas del *Jardín*. Ni siquiera usa la palabra que quiere decir *tiempo*. ¿Cómo se explica usted esa voluntaria omisión?

Propuse varias soluciones; todas, insuficientes. Las discutimos; al fin, Stephen Albert me dijo:

—En una adivinanza cuyo tema es el ajedrez ¿cuál es la única palabra prohibida? Reflexioné un momento y repuse:

—La palabra *ajedrez*.

—Precisamente —dijo Albert—, *El jardín de senderos que se bifurcan* es una enorme adivinanza, o parábola, cuyo tema es el tiempo; esa causa recóndita le prohibe la mención de su nombre. Omitir *siempre* una palabra, recurrir a metáforas ineptas y a perífrasis evidentes, es quizá el modo más enfático de indicarla. Es el modo tortuoso que prefirió, en cada uno de los meandros de su infatigable novela, el oblicuo Ts'ui Pên. He confrontado centenares de manuscritos, he corregido los errores que la negligencia de los copistas ha introducido, he conjeturado el plan de ese caos, he restablecido, he creído restablecer, el orden primordial, he traducido la obra entera: me consta que no emplea una sola vez la palabra *tiempo*. La explicación es obvia: *El jardín de senderos que se bifurcan* es una imagen incompleta, pero no falsa, del universo tal como lo concebía Ts'ui Pên. A diferencia de Newton y de Schopenhauer, su antepasado no creía en un tiempo uniforme, absoluto. Creía en infinitas series de tiempos, en una red creciente y vertiginosa de tiempos divergentes, convergentes y paralelos. Esa trama de tiempos que se aproximan, se bifurcan, se cortan o que secularmente se ignoran, abarca *todas* las posibilidades. No existimos en la mayoría de esos tiempos; en algunos existe usted y no yo; en otros, yo, no usted; en otros, los dos. En éste, que un favorable azar me depara, usted ha llegado a mi casa; en otro, usted, al atravesar el jardín, me ha encontrado muerto; en otro, yo digo estas mismas palabras, pero soy un error, un fantasma.

—En todos —articulé no sin un temblor— yo agradezco y venero su recreación del jardín de Ts'ui Pên.

—No en todos —murmuró con una sonrisa—. El tiempo se bifurca perpetuamente hacia innumerables futuros. En uno de ellos soy su enemigo.

Volví a sentir esa pululación de que hablé. Me pareció que el húmedo jardín que rodeaba la casa estaba saturado hasta lo infinito de invisibles personas. Esas personas eran Albert y yo, secretos, atareados y multiformes en otras dimensiones de tiempo. Alcé los ojos y la tenue pesadilla se disipó. En el amarillo y negro jardín había un solo hombre; pero ese hombre era fuerte como una estatua, pero ese hombre avanzaba por el sendero y era el capitán Richard Madden.

—El porvenir ya existe —respondí—, pero yo soy su amigo. ¿Puedo examinar de nuevo la carta?

Albert se levantó. Alto, abrió el cajón del alto escritorio; me dio por un momento la espalda. Yo había preparado el revólver. Disparé con sumo cuidado: Albert se desplomó sin una queja, inmediatamente. Yo juro que su muerte fue instantánea: una fulminación.

Lo demás es irreal, insignificante. Madden irrumpió, me arrestó. He sido condenado a la horca. Abominablemente he vencido: he comunicado a Berlín el secreto nombre de la ciudad que deben atacar. Ayer la bombardearon; lo leí en los mismos periódicos que propusieron a Inglaterra el enigma de que el sabio sinólogo Stephen Albert muriera asesinado por un desconocido, Yu Tsun. El Jefe ha descifrado ese enigma. Sabe que mi problema era indicar (a través del estrépito de la guerra) la ciudad que se llama Albert y que no hallé otro medio que matar a una persona de ese nombre. No sabe (nadie puede saber) mi innumerable contrición y cansancio.

ARTIFICIOS
(1944)

PRÓLOGO

Aunque de ejecución menos torpe, las piezas de este libro no difieren de las que forman el anterior. Dos, acaso, permiten una mención detenida: La muerte y la brújula, Funes el memorioso. *La segunda es una larga metáfora del insomnio. La primera, pese a los nombres alemanes o escandinavos, ocurre en un Buenos Aires de sueños: la torcida Rue de Toulon es el Paseo de Julio; Triste-le-Roy, el hotel donde Herbert Ashe recibió, y tal vez no leyó, el tomo undécimo de una enciclopedia ilusoria. Ya redactada esa ficción, he pensado en la conveniencia de amplificar el tiempo y el espacio que abarca: la venganza podría ser heredada; los plazos podrían computarse por años, tal vez por siglos; la primera letra del Nombre podría articularse en Islandia; la segunda, en Méjico; la tercera, en el Indostán. ¿Agregaré que los Hasidim incluyeron santos y que el sacrificio de cuatro vidas para obtener las cuatro letras que imponen el Nombre es una fantasía que me dictó la forma de mi cuento?*

Posdata de 1956. — Tres cuentos he agregado a la serie: El Sur, La secta del Fénix, El Fin. *Fuera de un personaje —Recabarren— cuya inmovilidad y pasividad sirven de contraste, nada o casi nada es invención mía en el decurso breve del último; todo lo que hay en él está implícito en un libro famoso y yo he sido el primero en desentrañarlo o, por lo menos, en declararlo. En la alegoría del Fénix me impuse el problema de sugerir un hecho común —el Secreto— de una manera vacilante y gradual que resultara, al fin, inequívoca; no sé hasta dónde la fortuna me ha acompañado. De* El Sur, *que es acaso mi mejor cuento, básteme prevenir que es posible leerlo como directa narración de hechos novelescos y también de otro modo.*

Schopenhauer, De Quincey, Stevenson, Mauthner, Shaw, Chesterton, León Bloy, forman el censo heterogéneo de los autores que continuamente releo. En la fantasía cristológica titulada Tres versiones de Judas, *creo percibir el remoto influjo del último.*

J. L. B.

Buenos Aires, 29 de agosto de 1944.

FUNES EL MEMORIOSO

Lo recuerdo (yo no tengo derecho a pronunciar ese verbo sagrado, sólo un hombre en la tierra tuvo derecho y ese hombre ha muerto) con una oscura pasionaria en la mano, viéndola como nadie la ha visto, aunque la mirara desde el crepúsculo del día hasta el de la noche, toda una vida entera. Lo recuerdo, la cara taciturna y aindiada y singularmente *remota*, detrás del cigarrillo. Recuerdo (creo) sus manos afiladas de trenzador. Recuerdo cerca de esas manos un mate, con las armas de la Banda Oriental; recuerdo en la ventana de la casa una estera amarilla, con un vago paisaje lacustre. Recuerdo claramente su voz; la voz pausada, resentida y nasal del orillero antiguo, sin los silbidos italianos de ahora. Más de tres veces no lo vi; la última, en 1887... Me parece muy feliz el proyecto de que todos aquellos que lo trataron escriban sobre él; mi testimonio será acaso el más breve y sin duda el más pobre, pero no el menos imparcial del volumen que editarán ustedes. Mi deplorable condición de argentino me impedirá incurrir en el ditirambo —género obligatorio en el Uruguay, cuando el tema es un uruguayo. *Literato, cajetilla, porteño:* Funes no dijo esas injuriosas palabras, pero de un modo suficiente me consta que yo representaba para él esas desventuras. Pedro Leandro Ipuche ha escrito que Funes era un precursor de los superhombres; "Un Zarathustra cimarrón y vernáculo"; no lo discuto, pero no hay que olvidar que era también un compadrito de Fray Bentos, con ciertas incurables limitaciones.

Mi primer recuerdo de Funes es muy perspicuo. Lo veo en un atardecer de marzo o febrero del año ochenta y cuatro. Mi padre, ese año, me había llevado a veranear a Fray Bentos. Yo volvía con mi primo Bernardo Haedo de la estancia de San Francisco. Volvíamos cantando, a caballo, y ésa no era la única circunstancia de mi felicidad. Después de un día bochornoso, una enorme tormenta color pizarra había escondido el cielo. La alentaba el viento del Sur, ya se enloquecían los árboles; yo tenía el temor (la esperanza) de que nos sorprendiera en un descampado el agua elemental. Corrimos una especie de carrera con la tormenta. Entramos en un callejón que se ahondaba entre dos veredas altísimas de ladrillo. Había oscurecido de golpe; oí rápidos y casi secretos pasos en lo alto; alcé los ojos y vi un muchacho que corría por la estrecha y rota vereda como por una estrecha y rota pared. Recuerdo la bombacha, las alpargatas, recuerdo el cigarrillo en el duro rostro, contra el nubarrón ya sin límites. Bernardo le gritó imprevisiblemente: *¿Qué horas son, Ireneo?* Sin consultar el cielo, sin detenerse, el otro respondió: *Faltan cuatro minutos para las ocho, joven Bernardo Juan Francisco.* La voz era aguda, burlona.

Yo soy tan distraído que el diálogo que acabo de referir no me hubiera llamado la atención si no lo hubiera recalcado mi primo, a quien estimulaban (creo) cierto orgullo local, y el deseo de mostrarse indiferente a la réplica tripartita del otro.

Me dijo que el muchacho del callejón era un tal Ireneo Funes, mentado por algunas rarezas como la de no darse con nadie y la de saber siempre la hora, como un reloj. Agregó que era hijo de una planchadora del pueblo, María Clementina Funes, y que algunos decían que su padre era un médico del saladero, un inglés O'Connor, y otros un domador o rastreador del departamento del Salto. Vivía con su madre, a la vuelta de la quinta de los Laureles.

Los años ochenta y cinco y ochenta y seis veraneamos en la ciudad de Montevideo. El ochenta y siete volví a Fray Bentos. Pregunté, como es natural, por todos los conocidos y, finalmente, por el "cronométrico Funes". Me contestaron que lo había volteado un redomón en la estancia de San Francisco, y que había quedado tullido, sin esperanza. Recuerdo la impresión de incómoda magia que la noticia me produjo: la única vez que yo lo vi, veníamos a caballo de San Francisco y él andaba en un lugar alto; el hecho, en boca de mi primo Bernardo, tenía mucho de sueño elaborado con elementos anteriores. Me dijeron que no se movía del catre, puestos los ojos en la higuera del fondo o en una telaraña. En los atardeceres, permitía que lo sacaran a la ventana. Llevaba la soberbia hasta el punto de simular que era benéfico el golpe que lo había fulminado... Dos veces lo vi atrás de la reja, que burdamente recalcaba su condición de eterno prisionero: una, inmóvil, con los ojos cerrados; otra, inmóvil también, absorto en la contemplación de un oloroso gajo de santonina.

No sin alguna vanagloria yo había iniciado en aquel tiempo el estudio metódico del latín. Mi valija incluía el *De viris illustribus* de Lhomond, el *Thesaurus* de Quicherat, los comentarios de Julio César y un volumen impar de la *Naturalis historia* de Plinio, que excedía (y sigue excediendo) mis módicas virtudes de latinista. Todo se propala en un pueblo chico; Ireneo, en su rancho de las orillas, no tardó en enterarse del arribo de esos libros anómalos. Me dirigió una carta florida y ceremoniosa, en la que recordaba nuestro encuentro, desdichadamente fugaz, "del día siete de febrero del año ochenta y cuatro", ponderaba los gloriosos servicios que don Gregorio Haedo, mi tío, finado ese mismo año, "había prestado a las dos patrias en la valerosa jornada de Ituzaingó", y me solicitaba el préstamo de cualquiera de los volúmenes, acompañado de un diccionario "para la buena inteligencia del texto original, porque todavía ignoro el latín". Prometía devolverlos en buen estado, casi inmediatamente. La letra era perfecta, muy perfilada; la ortografía, del tipo que Andrés Bello preconizó: *i* por *y*, *j* por *g*. Al principio, temí naturalmente una broma. Mis primos me aseguraron que no, que eran cosas de Ireneo. No supe si atribuir a descaro, a ignorancia o a estupidez la idea de que el arduo latín no requería más instrumento que un diccionario; para desengañarlo con plenitud le mandé el *Gradus ad Parnassum* de Quicherat y la obra de Plinio.

El catorce de febrero me telegrafiaron de Buenos Aires que volviera inmediatamente, porque mi padre no estaba "nada bien". Dios me perdone; el prestigio de ser el destinatario de un telegrama urgente, el deseo de comunicar a todo Fray Bentos la contradicción entre la forma negativa de la noticia y el perentorio adverbio, la tentación de dramatizar mi dolor, fingiendo un viril estoicismo, tal vez me distrajeron de toda posibilidad de dolor. Al hacer la valija, noté que me faltaban el *Gradus* y el primer tomo de la *Naturalis historia*. El "Saturno" zarpaba al día siguiente, por la mañana; esa noche, después de cenar, me encaminé a casa de Funes. Me asombró que la noche fuera no menos pesada que el día.

En el decente rancho, la madre de Funes me recibió.

Me dijo que Ireneo estaba en la pieza del fondo y que no me extrañara encontrarla a oscuras, porque Ireneo sabía pasarse las horas muertas sin encender la vela. Atravesé el patio de baldosa, el corredorcito; llegué al segundo patio. Había una parra; la oscuridad pudo parecerme total. Oí de pronto la alta y burlona voz de Ireneo. Esa voz hablaba en latín; esa voz (que venía de la tiniebla) articulaba con moroso deleite un discurso o plegaria o incantación. Resonaron las sílabas romanas en el patio de tierra; mi temor las creía indescifrables, interminables; después, en el enorme diálogo de esa noche, supe que formaban el primer párrafo del vigésimocuarto capítulo del libro séptimo de la *Naturalis historia*. La materia de ese capítulo es la memoria; las palabras últimas fueron *ut nihil non iisdem verbis redderetur auditum*.

Sin el menor cambio de voz, Ireneo me dijo que pasara. Estaba en el catre, fumando. Me parece que no le vi la cara hasta el alba; creo rememorar el ascua momentánea del cigarrillo. La pieza olía vagamente a humedad. Me senté; repetí la historia del telegrama y de la enfermedad de mi padre.

Arribo, ahora, al más difícil punto de mi relato. Este (bueno es que ya lo sepa el lector) no tiene otro argumento que ese diálogo de hace ya medio siglo. No trataré de reproducir sus palabras, irrecuperables ahora. Prefiero resumir con veracidad las muchas cosas que me dijo Ireneo. El estilo indirecto es remoto y débil; yo sé que sacrifico la eficacia de mi relato; que mis lectores se imaginen los entrecortados períodos que me abrumaron esa noche.

Ireneo empezó por enumerar, en latín y español, los casos de memoria prodigiosa registrados por la *Naturalis historia*: Ciro, rey de los persas, que sabía llamar por su nombre a todos los soldados de sus ejércitos; Mitrídates Eupator, que administraba la justicia en los 22 idiomas de su imperio; Simónides, inventor de la mnemotecnia; Metrodoro, que profesaba el arte de repetir con fidelidad lo escuchado una sola vez. Con evidente buena fe se maravilló de que tales casos maravillaran. Me dijo que antes de esa tarde lluviosa en que lo volteó el azulejo, él había sido lo que son todos los cristianos: un ciego, un sordo, un abombado, un desmemoriado. (Traté de recordarle su percepción exacta del tiempo, su memoria de nombres propios; no me hizo caso.) Diecinueve años había vivido como quien sueña: miraba sin ver, oía sin oír, se olvidaba de todo, de casi todo. Al caer, perdió el conocimiento; cuando lo recobró, el presente era casi intolerable de tan rico y tan nítido, y también las memorias más antiguas y más triviales. Poco después averiguó que estaba tullido. El hecho apenas le interesó. Razonó (sintió) que la inmovilidad era un precio mínimo. Ahora su percepción y su memoria eran infalibles.

Nosotros, de un vistazo, percibimos tres copas en una mesa; Funes, todos los vástagos y racimos y frutos que comprende una parra. Sabía las formas de las nubes australes del amanecer del treinta de abril de mil ochocientos ochenta y dos y podía compararlas en el recuerdo con las vetas de un libro en pasta española que sólo había mirado una vez y con las líneas de la espuma que un remo levantó en el Río Negro la víspera de la acción del Quebracho. Esos recuerdos no eran simples; cada imagen visual estaba ligada a sensaciones musculares, térmicas, etc. Podía reconstruir todos los sueños, todos los entresueños. Dos o tres veces había reconstruido un día entero; no había dudado nunca, pero cada reconstrucción había requerido un día entero. Me dijo: *Más recuerdos tengo yo solo que los que habrán tenido todos los hombres desde que el mundo es mundo*. Y también: *Mis sueños son como la vigilia de ustedes*. Y también, hacia el alba: *Mi memoria, señor, es como vaciadero de basuras*. Una circunferencia en un pizarrón, un triángulo rectángulo, un rombo, son formas que podemos intuir plenamente; lo mismo le pasaba a Ireneo con las aborrascadas crines de un potro, con una punta de ganado en una cuchilla, con el fuego cambiante y con la innumerable ceniza, con las muchas caras de un muerto en un largo velorio. No sé cuántas estrellas veía en el cielo.

Esas cosas me dijo; ni entonces ni después las he puesto en duda. En aquel tiempo no había cinematógrafos ni fonógrafos; es, sin embargo, inverosímil y hasta increíble que nadie hiciera un experimento con Funes. Lo cierto es que vivimos postergando todo lo postergable; tal vez todos sabemos profundamente que somos inmortales y que tarde o temprano, todo hombre hará todas las cosas y sabrá todo.

La voz de Funes, desde la oscuridad, seguía hablando.

Me dijo que hacia 1886 había discurrido un sistema original de numeración y que en muy pocos días había rebasado el veinticuatro mil. No lo había escrito, porque lo pensado una sola vez ya no podía borrársele. Su primer estímulo, creo, fue el desagrado de que los treinta y tres orientales requirieran dos signos y tres palabras, en lugar de una sola palabra y un solo signo. Aplicó luego ese disparatado principio a los otros números. En lugar de siete mil trece, decía (por ejemplo) *Máximo Pérez*; en lugar de siete mil catorce, *El Ferrocarril*; otros números eran *Luis Melián Lafinur, Olimar, azufre, los bastos, la ballena, el gas, la caldera, Napoleón, Agustín de Vedia*. En lugar de quinientos, decía *nueve*. Cada palabra tenía un signo particular, una especie de marca; las últimas eran muy complicadas... Yo traté de explicarle que esa rapsodia de voces inconexas era precisamente lo contrario de un sistema de numeración. Le dije que decir 365 era decir tres centenas, seis decenas, cinco unidades; análisis que no existe en los "números" *El Negro Timoteo* o *manta de carne*. Funes no me entendió o no quiso entenderme.

Locke, en el siglo XVII, postuló (y reprobó) un idioma imposible en el que cada cosa individual, cada piedra, cada pájaro y cada rama tuviera un nombre propio; Funes proyectó alguna vez un idioma análogo, pero lo desechó por parecerle demasiado general, demasiado ambiguo. En efecto, Funes no sólo recordaba cada hoja de cada árbol de cada monte, sino cada una de las veces que la había percibido o imaginado. Resolvió reducir cada una de sus jornadas pretéritas a unos setenta mil recuerdos, que definiría luego por cifras. Lo disuadieron dos consideraciones: la conciencia de que la tarea era interminable, la conciencia de que era inútil. Pensó que en la hora de la muerte no habría acabado aún de clasificar todos los recuerdos de la niñez.

Los dos proyectos que he indicado (un vocabulario infinito para la serie natural de los números, un inútil catálogo mental de todas las imágenes del recuerdo) son insensatos, pero revelan cierta balbuciente grandeza. Nos dejan vislumbrar o inferir el vertiginoso mundo de Funes. Éste, no lo olvidemos, era casi incapaz de ideas generales, platónicas. No sólo le costaba comprender que el símbolo genérico *perro* abarcara tantos individuos dispares de diversos tamaños y diversa forma; le molestaba que el perro de las tres y catorce (visto de perfil) tuviera el mismo nombre que el perro de las tres y cuarto (visto de frente). Su propia cara en el espejo, sus propias manos, lo sorprendían cada vez. Refiere Swift que el emperador de Lilliput discernía el movimiento del minutero; Funes discernía continuamente los tranquilos avances de la corrupción, de las caries, de la fatiga. Notaba los progresos de la muerte, de la humedad. Era el solitario y lúcido espectador de un mundo multiforme, instantáneo y casi intolerablemente preciso. Babilonia, Londres y Nueva York han abrumado con feroz esplendor la imaginación de los hombres; nadie, en sus torres populosas o en sus avenidas urgentes, ha sentido el calor y la presión de una realidad tan infatigable como la que día y noche convergía sobre el infeliz Ireneo, en su pobre arrabal sudamericano. Le era muy difícil dormir. Dormir es distraerse del mundo; Funes, de espaldas en el catre, en la sombra, se figuraba cada grieta y cada moldura de las casas precisas que lo rodeaban. (Repito que el menos importante de sus recuerdos era más minucioso y más vivo que nuestra percepción de un goce físico o de un tormento físico.) Hacia el Este, en un trecho no amanzanado, había casas nuevas, desconocidas. Funes las imaginaba negras, compactas, hechas de tiniebla homogénea; en esa dirección volvía la cara para dormir. También solía imaginarse en el fondo del río, mecido y anulado por la corriente.

Había aprendido sin esfuerzo el inglés, el francés, el portugués, el latín. Sospecho, sin embargo, que no era muy capaz de pensar. Pensar es olvidar diferencias, es generalizar, abstraer. En el abarrotado mundo de Funes no había sino detalles, casi inmediatos.

La recelosa claridad de la madrugada entró por el patio de tierra.

Entonces vi la cara de la voz que toda la noche había hablado. Ireneo tenía diecinueve años; había nacido en 1868; me pareció monumental como el bronce, más antiguo que Egipto, anterior a las profecías y a las pirámides. Pensé que cada una de mis palabras (que cada uno de mis gestos) perduraría en su implacable memoria; me entorpeció el temor de multiplicar ademanes inútiles.

Ireneo Funes murió en 1889, de una congestión pulmonar.

1942

LA FORMA DE LA ESPADA

Le cruzaba la cara una cicatriz rencorosa: un arco ceniciento y casi perfecto que de un lado ajaba la sien y del otro el pómulo. Su nombre verdadero no importa; todos en Tacuarembó le decían el *Inglés de La Colorada*. El dueño de esos campos, Cardoso, no quería vender; he oído que el Inglés recurrió a un imprevisible argumento: le confió la historia secreta de la cicatriz. El Inglés venía de la frontera, de Río Grande del Sur; no faltó quien dijera que en el Brasil había sido contrabandista. Los campos estaban empastados; las aguadas, amargas; el Inglés, para corregir esas deficiencias, trabajó a la par de sus peones. Dicen que era severo hasta la crueldad, pero escrupulosamente justo. Dicen también que era bebedor: un par de veces al año se encerraba en el cuarto del mirador y emergía a los dos o tres días como de una batalla o de un vértigo, pálido, trémulo, azorado y tan autoritario como antes. Recuerdo los ojos glaciales, la enérgica flacura, el bigote gris. No se daba con nadie; es verdad que su español era rudimental, abrasilerado. Fuera de alguna carta comercial o de algún folleto, no recibía correspondencia.

La última vez que recorrí los departamentos del Norte, una crecida del arroyo Caraguatá me obligó a hacer noche en *La Colorada*. A los pocos minutos creí notar que mi aparición era inoportuna; procuré congraciarme con el Inglés; acudí a la menos perspicaz de las pasiones: al patriotismo. Dije que era invencible un país con el espíritu de Inglaterra. Mi interlocutor asintió, pero agregó con una sonrisa que él no era inglés. Era irlandés, de Dungarvan. Dicho esto se detuvo, como si hubiera revelado un secreto.

Salimos, después de comer, a mirar el cielo. Había escampado, pero detrás de las cuchillas el Sur, agrietado y rayado de relámpagos, urdía otra tormenta. En el desmantelado comedor, el peón que había servido la cena trajo una botella de ron. Bebimos largamente, en silencio.

No sé qué hora sería cuando advertí que yo estaba borracho; no sé qué inspiración o qué exultación o qué tedio me hizo mentar la cicatriz. La cara del Inglés se demudó; durante unos segundos pensé que me iba a expulsar de la casa. Al fin me dijo con su voz habitual:

—Le contaré la historia de mi herida bajo una condición: la de no mitigar ningún aprobio, ninguna circunstancia de infamia.

Asentí. Ésta es la historia que contó, alternando el inglés con el español, y aun con el portugués:

"Hacia 1922, en una de las ciudades de Connaught, yo era uno de los muchos que conspiraban por la independencia de Irlanda. De mis compañeros, algunos sobreviven dedicados a tareas pacíficas; otros, paradójicamente, se baten en los mares o en el desierto, bajo los colores ingleses; otro, el que más valía, murió en el patio de un cuartel, en el alba, fusilado por hombres llenos de sueño; otros (no los más desdichados), dieron con su destino en las anónimas y casi secretas batallas de la guerra civil. Éramos republicanos, católicos; éramos, lo sospecho, románticos. Irlanda no sólo era para nosotros el porvenir utópico y el intolerable presente; era una amarga y cariñosa mitología, era las torres circulares y las ciénagas rojas, era el repudio de Parnell y las enormes epopeyas que cantan el robo de toros que en otra encarnación fueron héroes y en otras peces y montañas... En un atardecer que no olvidaré, nos llegó un afiliado de Munster: un tal John Vincent Moon.

Tenía escasamente veinte años. Era flaco y fofo a la vez; daba la incómoda impresión de ser invertebrado. Había cursado con fervor y con vanidad casi todas las páginas de no sé qué manual comunista; el materialismo dialéctico le servía para cegar cualquier discusión. Las razones que puede tener un hombre para abominar de otro o para quererlo son infinitas: Moon reducía la historia universal a un sórdido conflicto económico. Afirmaba que la revolución está predestinada a triunfar. Yo le dije que a un *gentleman* sólo pueden interesarle causas perdidas... Ya era de noche; seguimos disintiendo en el corredor, en las escaleras, luego en las vagas calles. Los juicios emitidos por Moon me impresionaron menos que su inapelable tono apodíctico. El nuevo camarada no discutía: dictaminaba con desdén y con cierta cólera.

Cuando arribamos a las últimas casas, un brusco tiroteo nos aturdió. (Antes o después, orillamos el ciego paredón de una fábrica o de un cuartel.) Nos internamos en una calle de tierra; un soldado, enorme en el resplandor, surgió de una cabaña incendiada. A gritos nos mandó que nos detuviéramos. Yo apresuré el paso; mi camarada no me siguió. Me di vuelta: John

Vincent Moon estaba inmóvil, fascinado y como eternizado por el terror. Entonces yo volví, derribé de un golpe al soldado, sacudí a Vincent Moon, lo insulté y le ordené que me siguiera. Tuve que tomarlo del brazo; la pasión del miedo lo invalidaba. Huimos, entre la noche agujereada de incendios. Una descarga de fusilería nos buscó; una bala rozó el hombro derecho de Moon; éste, mientras huíamos entre pinos, prorrumpió en un débil sollozo.

En aquel otoño de 1922 yo me había guarnecido en la quinta del general Berkeley. Éste (a quien yo jamás había visto) desempeñaba entonces no sé qué cargo administrativo en Bengala; el edificio tenía menos de un siglo, pero era desmedrado y opaco y abundaba en perplejos corredores y en vanas antecámaras. El museo y la enorme biblioteca usurpaban la planta baja: libros controversiales e incompatibles que de algún modo son la historia del siglo XIX; cimitarras de Nishapur, en cuyos detenidos arcos de círculo parecían perdurar el viento y la violencia de la batalla. Entramos (creo recordar) por los fondos. Moon, trémula y reseca la boca, murmuró que los episodios de la noche eran interesantes; le hice una curación, le traje una taza de té; pude comprobar que su "herida" era superficial. De pronto balbuceó con perplejidad:

—Pero usted se ha arriesgado sensiblemente.

Le dije que no se preocupara. (El hábito de la guerra civil me había impelido a obrar como obré; además, la prisión de un solo afiliado podía comprometer nuestra causa.)

Al otro día Moon había recuperado el aplomo. Aceptó un cigarrillo y me sometió a un severo interrogatorio sobre los "recursos económicos de nuestro partido revolucionario". Sus preguntas eran muy lúcidas: le dije (con verdad) que la situación era grave. Hondas descargas de fusilería conmovieron el Sur. Le dije a Moon que nos esperaban los compañeros. Mi sobretodo y mi revólver estaban en mi pieza; cuando volví, encontré a Moon tendido en el sofá, con los ojos cerrados. Conjeturó que tenía fiebre; invocó un doloroso espasmo en el hombro.

Entonces comprendí que su cobardía era irreparable. Le rogué torpemente que se cuidara y me despedí. Me abochornaba ese hombre con miedo, como si yo fuera el cobarde, no Vincent Moon. Lo que hace un hombre es como si lo hicieran todos los hombres. Por eso no es injusto que una desobediencia en un jardín contamine al género humano; por eso no es injusto que la crucifixión de un solo judío baste para salvarlo. Acaso Schopenhauer tiene razón: yo soy los otros, cualquier hombre es todos los hombres, Shakespeare es de algún modo el miserable John Vincent Moon.

Nueve días pasamos en la enorme casa del general. De las agonías y luces de la guerra no diré nada: mi propósito es referir la historia de esta cicatriz que me afrenta. Esos nueve días, en mi recuerdo, forman un solo día, salvo el penúltimo, cuando los nuestros irrumpieron en un cuartel y pudimos vengar exactamente a los dieciséis camaradas que fueron ametrallados en Elphin. Yo me escurría de la casa hacia el alba, en la confusión del crepúsculo. Al anochecer estaba de vuelta. Mi compañero me esperaba en el primer piso: la herida no le permitía descender a la planta baja. Lo rememoro con algún libro de estrategia en la mano: F. N. Maude o Clausewitz. "El arma que prefiero es la artillería", me confesó una noche. Inquiría nuestros planes; le gustaba censurarlos o reformarlos. También solía denunciar "nuestra deplorable base económica"; profetizaba, dogmático y sombrío, el ruinoso fin. *C'est une affaire flambée*, murmuraba. Para mostrar que le era indiferente ser un cobarde físico, magnificaba su soberbia mental. Así pasaron, bien o mal, nueve días.

El décimo la ciudad cayó definitivamente en poder de los *Black and Tans*. Altos jinetes silenciosos patrullaban las rutas; había cenizas y humo en el viento; en una esquina vi tirado un cadáver, menos tenaz en mi recuerdo que un maniquí en el cual los soldados interminablemente ejercitaban la puntería, en mitad de la plaza... Yo había salido cuando el amanecer estaba en el cielo; antes del mediodía volví. Moon, en la biblioteca, hablaba con alguien; el tono de la voz me hizo comprender que hablaba por teléfono. Después oí mi nombre; después que yo regresaría a las siete, después la indicación de que me arrestaran cuando yo atravesara el jardín. Mi razonable amigo estaba razonablemente vendiéndome. Le oí exigir unas garantías de seguridad personal.

Aquí mi historia se confunde y se pierde. Sé que perseguí al delator a través de negros corredores de pesadilla y de hondas escaleras de vértigo. Moon conocía la casa muy bien, harto mejor que yo. Una o dos veces lo perdí. Lo acorralé antes de que los soldados me detuvieran. De una de las panoplias del general arranqué un alfanje; con esa media luna de acero le rubriqué en la cara, para siempre, una media luna de sangre. Borges: a usted que es un desconocido, le he hecho esta confesión. No me duele tanto su menosprecio."

Aquí el narrador se detuvo. Noté que le temblaban las manos.
—¿Y Moon? —le interrogué.
—Cobró los dineros de Judas y huyó al Brasil. Esa tarde, en la plaza, vio fusilar un maniquí por unos borrachos.

Aguardé en vano la continuación de la historia. Al fin le dije que prosiguiera.

Entonces un gemido lo atravesó; entonces me mostró con débil dulzura la corva cicatriz blanquecina.

—¿Usted no me cree? —balbuceó—. ¿No ve que llevo escrita en la cara la marca de mi infamia? Le he narrado la historia de este modo para que usted la oyera hasta el fin. Yo he denunciado al hombre que me amparó: yo soy Vincent Moon. Ahora desprécieme.

1942

TEMA DEL TRAIDOR Y DEL HÉROE

*So the Platonic Year
Whirls out new right and wrong,
Whirls in the old instead;
All men are dancers and their tread
Goes to the barbarous clangour of a gong.*

W. B. Yeats: *The Tower*.

Bajo el notorio influjo de Chesterton (discurridor y exornador de elegantes misterios) y del consejero áulico Leibniz (que inventó la armonía preestablecida), he imaginado este argumento, que escribiré tal vez y que ya de algún modo me justifica, en las tardes inútiles. Faltan pormenores, rectificaciones, ajustes; hay zonas de la historia que no me fueron reveladas aún; hoy, 3 de enero de 1944, la vislumbro así.

La acción transcurre en un país oprimido y tenaz: Polonia, Irlanda, la república de Venecia, algún estado sudamericano o balcánico... Ha transcurrido, mejor dicho, pues aunque el narrador es contemporáneo, la historia referida por él ocurrió al promediar o al empezar el siglo xix. Digamos (para comodidad narrativa) Irlanda; digamos 1824. El narrador se llama Ryan; es bisnieto del joven, del heroico, del bello, del asesinado Fergus Kilpatrick, cuyo sepulcro fue misteriosamente violado, cuyo nombre ilustra los versos de Browning y de Hugo, cuya estatua preside un cerro gris entre ciénagas rojas.

Kilpatrick fue un conspirador, un secreto y glorioso capitán de conspiradores; a semejanza de Moisés que, desde la tierra de Moab, divisó y no pudo pisar la tierra prometida, Kilpatrick pereció en la víspera de la rebelión victoriosa que había premeditado y soñado. Se aproxima la fecha del primer centenario de su muerte; las circunstancias del crimen son enigmáticas; Ryan, dedicado a la redacción de una biografía del héroe, descubre que el enigma rebasa lo puramente policial. Kilpatrick fue asesinado en un teatro; la policía británica no dio jamás con el matador; los historiadores declaran que ese fracaso no empaña su buen crédito, ya que tal vez lo hizo matar la misma policía. Otras facetas del enigma inquietan a Ryan. Son de carácter cíclico: parecen repetir o combinar hechos de remotas regiones, de remotas edades. Así, nadie ignora que los esbirros que examinaron el cadáver del héroe, hallaron una carta cerrada que le advertía el riesgo de concurrir al teatro, esa noche; también Julio César, al encaminarse al lugar donde lo aguardaban los puñales de sus amigos, recibió un memorial que no llegó a leer, en que iba declarada la traición, con los nombres de los traidores. La mujer de César, Calpurnia, vio en sueños abatida una torre que le había decretado el Senado; falsos y anónimos rumores, la víspera de la muerte de Kilpatrick, publicaron en todo el país el incendio de la torre circular de Kilgarvan, hecho que pudo parecer un presagio, pues aquél había nacido en Kilgarvan. Esos paralelismos (y otros) de la historia de César y de la historia de un conspirador irlandés inducen a Ryan a suponer una secreta forma del tiempo, un dibujo de líneas que se repiten. Piensa en la historia decimal que ideó Condorcet; en las morfologías que propusieron Hegel, Spengler y Vico; en los hombres de Hesíodo, que degeneran desde el oro hasta el hierro. Piensa en la transmigración de las almas, doctrina que da horror a las letras célticas y que el propio César atribuyó a los druidas británicos; piensa que antes de ser Fergus Kilpatrick, Fergus Kilpatrick fue Julio César. De esos laberintos circulares lo salva una curiosa comprobación, una comprobación que luego lo abisma en otros laberintos más inextricables y heterogéneos: ciertas palabras de un mendigo que conversó con Fergus Kilpatrick el día de su muerte, fueron prefiguradas por Shakespeare, en la tragedia de *Macbeth*. Que la historia hubiera copiado a la historia ya era suficientemente pasmoso; que la historia copie a la literatura es inconcebible... Ryan indaga que en 1814, James Alexander Nolan, el más antiguo de los compañeros del héroe, había traducido al gaélico los principales dramas de Shakespeare; entre ellos, *Julio César*. También descubre en los archivos un artículo manuscrito de Nolan sobre los *Festspiele* de Suiza; vastas y errantes representaciones teatrales, que requieren miles de actores y que reiteran episodios históricos en las mismas ciudades y montañas donde ocurrieron. Otro documento inédito le revela que, pocos días antes del fin, Kilpatrick, presidiendo el último cónclave, había firmado la sentencia de muerte de un traidor, cuyo nombre ha sido borrado. Esta sentencia no condice con los piadosos hábitos de Kilpatrick. Ryan investiga el asunto (esa investigación es uno de los hiatos del argumento) y logra descifrar el enigma.

Kilpatrick fue ultimado en un teatro, pero de teatro hizo también la entera ciudad, y los actores fueron legión, y el drama coronado por su muerte abarcó muchos días y muchas noches. He aquí lo acontecido:

El 2 de agosto de 1824 se reunieron los conspiradores. El país estaba maduro para la rebelión; algo, sin embargo, fallaba siempre: algún traidor había en el cónclave. Fergus Kilpatrick había encomendado a James Nolan el descubrimiento de este traidor. Nolan ejecutó su tarea: anunció en pleno cónclave que el traidor era el mismo Kilpatrick. Demostró con pruebas irrefutables la verdad de la acusación; los conjurados condenaron a muerte a su presidente. Éste firmó su propia sentencia, pero imploró que su castigo no perjudicara a la patria.

Entonces Nolan concibió un extraño proyecto. Irlanda idolatraba a Kilpatrick; la más tenue sospecha de su vileza hubiera comprometido la rebelión; Nolan propuso un plan que hizo de la ejecución del traidor el instrumento para la emancipación de la patria. Sugirió que el condenado muriera a manos de un asesino desconocido, en circunstancias deliberadamente dramáticas, que se grabaran en la imaginación popular y que apresuraran la rebelión. Kilpatrick juró colaborar en ese proyecto, que le daba ocasión de redimirse y que su muerte rubricaría.

Nolan, urgido por el tiempo, no supo íntegramente inventar las circunstancias de la múltiple ejecución; tuvo que plagiar a otro dramaturgo, al enemigo inglés William Shakespeare. Repitió escenas de *Macbeth*, de *Julio César*. La pública y secreta representación comprendió varios días. El condenado entró en Dublin, discutió, obró, rezó, reprobó, pronunció palabras patéticas y cada uno de esos actos que reflejaría la gloria, había sido prefijado por Nolan. Centenares de actores colaboraron con el protagonista; el rol de algunos fue complejo; el de otros, momentáneo. Las cosas que dijeron e hicieron perduran en los libros históricos, en la memoria apasionada de Irlanda. Kilpatrick, arrebatado por ese minucioso destino que lo redimía y que lo perdía, más de una vez enriqueció con actos y palabras improvisadas el texto de su juez. Así fue desplegándose en el tiempo el populoso drama, hasta que el 6 de agosto de 1824, en un palco de funerarias cortinas que prefiguraba el de Lincoln, un balazo anhelado entró en el pecho del traidor y del héroe, que apenas pudo articular, entre dos efusiones de brusca sangre, algunas palabras previstas.

En la obra de Nolan, los pasajes imitados de Shakespeare son los *menos* dramáticos; Ryan sospecha que el autor los intercaló para que una persona, en el porvenir, diera con la verdad. Comprende que él también forma parte de la trama de Nolan... Al cabo de tenaces cavilaciones, resuelve silenciar el descubrimiento. Publica un libro dedicado a la gloria del héroe; también eso, tal vez, estaba previsto.

LA MUERTE Y LA BRÚJULA

A Mandie Molina Vedia

De los muchos problemas que ejercitaron la temeraria perspicacia de Lönnrot, ninguno tan extraño —tan rigurosamente extraño, diremos— como la periódica serie de hechos de sangre que culminaron en la quinta de Triste-le-Roy, entre el interminable olor de los eucaliptos. Es verdad que Erik Lönnrot no logró impedir el último crimen, pero es indiscutible que lo previó. Tampoco adivinó la identidad del infausto asesino de Yarmolinsky, pero sí la secreta morfología de la malvada serie y la participación de Red Scharlach, cuyo segundo apodo es Scharlach el Dandy. Ese criminal (como tantos) había jurado por su honor la muerte de Lönnrot, pero éste nunca se dejó intimidar. Lönnrot se creía un puro razonador, un Auguste Dupin, pero algo de aventurero había en él y hasta de tahur.

El primer crimen ocurrió en el Hôtel du Nord —ese alto prisma que domina el estuario cuyas aguas tienen el color del desierto. A esa torre (que muy notariamente reune la aborrecida blancura de un sanatorio, la numerada divisibilidad de una cárcel y la apariencia general de una casa mala) arribó el día tres de diciembre el delegado de Podólsk al Tercer Congreso Talmúdico, doctor Marcelo Yarmolinsky, hombre de barba gris y ojos grises. Nunca sabremos si el Hôtel du Nord le agradó: lo aceptó con la antigua resignación que le había permitido tolerar tres años de guerra en los Cárpatos y tres mil años de opresión y de pogroms. Le dieron un dormitorio en el piso R, frente a la *suite* que no sin esplendor ocupaba el Tetrarca de Galilea. Yarmolinsky cenó, postergó para el día siguiente el examen de la desconocida ciudad, ordenó en un *placard* sus muchos libros y sus muy pocas prendas, y antes de media noche apagó la luz. (Así lo declaró el *chauffeur* del Tetrarca, que dormía en la pieza contigua.) El cuatro, a las 11 y 3 minutos a.m., lo llamó por teléfono un redactor de la *Yidische Zaitung*; el doctor Yarmolinsky no respondió; lo hallaron en su pieza, ya levemente oscura la cara, casi desnudo bajo una gran capa anacrónica. Yacía no lejos de la puerta que daba al corredor; una puñalada profunda le había partido el pecho. Un par de horas después, en el mismo cuarto, entre periodistas, fotógrafos y gendarmes, el comisario Treviranus y Lönnrot debatían con serenidad el problema.

—No hay que buscarle tres pies al gato —decía Treviranus, blandiendo un imperioso cigarro—. Todos sabemos que el Tetrarca de Galilea posee los mejores zafiros del mundo. Alguien, para robarlos, habrá penetrado aquí por error. Yarmolinsky se ha levantado; el ladrón ha tenido que matarlo. ¿Qué le parece?

—Posible, pero no interesante —respondió Lönnrot—. Usted replicará que la realidad no tiene la menor obligación de ser interesante. Yo le replicaré que la realidad puede prescindir de esa obligación, pero no las hipótesis. En la que usted ha improvisado, interviene copiosamente el azar. He aquí un rabino muerto; yo preferiría una explicación puramente rabínica, no los imaginarios percances de un imaginario ladrón.

Treviranus repuso con mal humor:

—No me interesan las explicaciones rabínicas; me interesa la captura del hombre que apuñaló a este desconocido.

—No tan desconocido —corrigió Lönnrot—. Aquí están sus obras completas. —Indicó en el *placard* una fila de altos volúmenes: una *Vindicación de la cábala*; un *Examen de la filosofía de Robert Flood*; una traducción literal del *Sepher Yezirah*; una *Biografía del Baal Shem*; una *Historia de la secta de los Hasidim*; una monografía (en alemán) sobre el Tetragrámaton; otra, sobre la nomenclatura divina del Pentateuco. El comisario los miró con temor, casi con repulsión. Luego, se echó a reír.

—Soy un pobre cristiano —repuso—. Llévese todos esos mamotretos, si quiere; no tengo tiempo que perder en supersticiones judías.

—Quizá este crimen pertenece a la historia de las supersticiones judías —murmuró Lönnrot.

—Como el cristianismo —se atrevió a completar el redactor de la *Yidische Zaitung*. Era miope, ateo y muy tímido.

Nadie le contestó. Uno de los agentes había encontrado en la pequeña máquina de escribir una hoja de papel con esta sentencia inconclusa:

La primera letra del Nombre ha sido articulada.

Lönnrot se abstuvo de sonreír. Bruscamente bibliófilo o hebraísta, ordenó que le hicieran un paquete con los libros del muerto y los llevó a su departamento. Indiferente a la investigación policial, se dedicó a estudiarlos. Un libro en octavo mayor le reveló las enseñanzas de Israel Baal Shem Tobh, fundador de la secta de los Piadosos; otro, las virtudes y terrores del Tetragrámaton, que es el inefable Nombre de Dios; otro, la tesis de que Dios tiene un nombre secreto, en el cual está compendiado (como en la esfera de cristal que los persas atribuyen a Alejandro de

Macedonia). Su noveno atributo, la eternidad —es decir, el conocimiento inmediato— de todas las cosas que serán, que son y que han sido en el universo. La tradición enumera noventa y nueve nombres de Dios; los hebraístas atribuyen ese imperfecto número al mágico temor de las cifras pares; los Hasidim razonan que ese hiato señala un centésimo nombre —el Nombre Absoluto.

De esa erudición lo distrajo, a los pocos días, la aparición del redactor de la *Yidische Zaitung*. Éste quería hablar del asesinato; Lönnrot prefirió hablar de los diversos nombres de Dios; el periodista declaró en tres columnas que el investigador Erik Lönnrot se había dedicado a estudiar los nombres de Dios para dar con el nombre del asesino. Lönnrot, habituado a las simplificaciones del periodismo, no se indignó. Uno de esos tenderos que han descubierto que cualquier hombre se resigna a comprar cualquier libro, publicó una edición popular de la *Historia de la secta de los Hasidim*.

El segundo crimen ocurrió la noche del tres de enero, en el más desamparado y vacío de los huecos suburbios occidentales de la capital. Hacia el amanecer, uno de los gendarmes que vigilan a caballo esas soledades vio en el umbral de una antigua pinturería un hombre emponchado, yacente. El duro rostro estaba como enmascarado de sangre; una puñalada profunda le había rajado el pecho. En la pared, sobre los rombos amarillos y rojos, había unas palabras en tiza. El gendarme las deletreó... Esa tarde, Treviranus y Lönnrot se dirigieron a la remota escena del crimen. A izquierda y a derecha del automóvil, la ciudad se desintegraba; crecía el firmamento y ya importaban poco las casas y mucho un horno de ladrillos o un álamo. Llegaron a su pobre destino: un callejón final de tapias rosadas que parecían reflejar de algún modo la desaforada puesta de sol. El muerto ya había sido identificado. Era Daniel Simón Azevedo, hombre de alguna fama en los antiguos arrabales del Norte, que había ascendido de carrero a guapo electoral, para degenerar después en ladrón y hasta en delator. (El singular estilo de su muerte les pareció adecuado: Azevedo era el último representante de una generación de bandidos que sabía el manejo del puñal, pero no del revólver.) Las palabras de tiza eran las siguientes:

La segunda letra del Nombre ha sido articulada.

El tercer crimen ocurrió la noche del tres de febrero. Poco antes de la una, el teléfono resonó en la oficina del comisario Treviranus. Con ávido sigilo, habló un hombre de voz gutural; dijo que se llamaba Ginzberg (o Ginsburg) y que estaba dispuesto a comunicar, por una remuneración razonable, los hechos de los dos sacrificios de Azevedo y de Yarmolinsky. Una discordia de silbidos y de cornetas ahogó la voz del delator. Después, la comunicación se cortó. Sin rechazar aún la posibilidad de una broma (al fin, estaban en carnaval) Treviranus indagó que le habían hablado desde *Liverpool House*, taberna de la Rue de Toulon —esa calle salobre en la que conviven el cosmorama y la lechería, el burdel y los vendedores de biblias. Treviranus habló con el patrón. Éste (Black Finnegan, antiguo criminal irlandés, abrumado y casi anulado por la decencia) le dijo que la última persona que había empleado el teléfono de la casa era un inquilino, un tal Gryphius, que acababa de salir con unos amigos. Treviranus fue en seguida a *Liverpool House*. El patrón le comunicó lo siguiente: Hace ocho días, Gryphius había tomado una pieza en los altos del bar. Era un hombre de rasgos afilados, de nebulosa barba gris, trajeado pobremente de negro; Finnegan (que destinaba esa habitación a un empleo que Treviranus adivinó) le pidió un alquiler sin duda excesivo; Gryphius inmediatamente pagó la suma estipulada. No salía casi nunca; cenaba y almorzaba en su cuarto; apenas si le conocían la cara en el bar. Esa noche, bajó a telefonear al despacho de Finnegan. Un cupé cerrado se detuvo ante la taberna. El cochero no se movió del pescante; algunos parroquianos recordaron que tenía máscara de oso. Del cupé bajaron dos arlequines; eran de reducida estatura y nadie pudo no observar que estaban muy borrachos. Entre balidos de cornetas, irrumpieron en el escritorio de Finnegan; abrazaron a Gryphius, que pareció reconocerlos, pero que les respondió con frialdad; cambiaron unas palabras en yiddish —él en voz baja, gutural, ellos con voces falsas, agudas— y subieron a la pieza del fondo. Al cuarto de hora bajaron los tres, muy felices; Gryphius, tambaleante, parecía tan borracho como los otros. Iba, alto y vertiginoso, en el medio, entre los arlequines enmascarados. (Una de las mujeres del bar recordó los losanges amarillos, rojos y verdes.) Dos veces tropezó; dos veces lo sujetaron los arlequines. Rumbo a la dársena inmediata, de agua rectangular, los tres subieron al cupé y desaparecieron. Ya en el estribo del cupé, el último arlequín garabateó una figura obscena y una sentencia en una de las pizarras de la recova.

Treviranus vio la sentencia. Era casi previsible, decía:

La última de las letras del Nombre ha sido articulada.

Examinó, después, la piecita de Gryphius-Ginzberg. Había en el suelo una brusca estrella de sangre; en los rincones, restos de cigarrillos de marca húngara; en un armario, un libro en latín —el *Philologus hebraeograecus* (1739) de Leusden— con varias notas manuscritas. Treviranus lo miró con indignación e hizo buscar a Lönnrot. Éste, sin sacarse el sombrero, se puso a leer, mientras el comisario interrogaba a los contradictorios testigos del secuestro posible. A las cuatro salieron. En la torcida Rue de Toulon, cuando pisaban las serpentinas muertas del alba, Treviranus dijo:

—¿Y si la historia de esta noche fuera un simulacro?

Erik Lönnrot sonrió y le leyó con toda gravedad un pasaje (que estaba subrayado) de la disertación trigésima tercera del *Philologus: Dies Judaeorum incipit a solis occasu usque ad solis occasum diei sequentis.* Esto quiere decir —agregó—, *El día hebreo empieza al anochecer y dura hasta el siguiente anochecer.*

El otro ensayó una ironía.

—¿Ese dato es el más valioso que usted ha recogido esa noche?

—No. Más valiosa es una palabra que dijo Ginzberg.

Los diarios de la tarde no descuidaron esas desapariciones periódicas. *La Cruz de la Espada* las contrastó con la admirable disciplina y el orden del último Congreso Eremítico; Ernst Palast, en *El Mártir*, reprobó "las demoras intolerables de un pogrom clandestino y frugal, que ha necesitado tres meses para liquidar tres judíos"; la *Yidische Zaitung* rechazó la hipótesis horrorosa de un complot antisemita, "aunque muchos espíritus penetrantes no admiten otra solución del triple misterio"; el más ilustre de los pistoleros del Sur, Dandy Red Scharlach, juró que en su distrito nunca se producirían crímenes de esos y acusó de culpable negligencia al comisario Franz Treviranus.

Éste recibió, la noche del primero de marzo, un imponente sobre sellado. Lo abrió: el sobre contenía una carta firmada *Baruj Spinoza* y un minucioso plano de la ciudad, arrancado notoriamente de un Baedeker. La carta profetizaba que el tres de marzo no habría un cuarto crimen, pues la pinturería del Oeste, la taberna de la Rue de Toulon y el Hôtel du Nord eran "los vértices perfectos de un triángulo equilátero y místico"; el plano demostraba en tinta roja la regularidad de ese triángulo. Treviranus leyó con resignación ese argumento *more geometrico* y mandó la carta y el plano a casa de Lönnrot —indiscutible merecedor de tales locuras.

Erik Lönnrot las estudió. Los tres lugares, en efecto, eran equidistantes. Simetría en el tiempo (3 de diciembre, 3 de enero, 3 de febrero); simetría en el espacio, también... Sintió, de pronto, que estaba por descifrar el misterio. Un compás y una brújula completaron esa brusca intuición. Sonrió, pronunció la palabra *Tetragrámaton* (de adquisición reciente) y llamó por teléfono al comisario. Le dijo:

—Gracias por ese triángulo equilátero que usted anoche me

mandó. Me ha permitido resolver el problema. Mañana viernes los criminales estarán en la cárcel; podemos estar muy tranquilos.
—Entonces ¿no planean un cuarto crimen?
—Precisamente porque planean un cuarto crimen, podemos estar muy tranquilos. —Lönnrot colgó el tubo. Una hora después, viajaba en un tren de los Ferrocarriles Australes, rumbo a la quinta abandonada de Triste-le-Roy. Al sur de la ciudad de mi cuento fluye un ciego riachuelo de aguas barrosas, infamado de curtiembres y de basuras. Del otro lado hay un suburbio fabril donde, al amparo de un caudillo barcelonés, medran los pistoleros. Lönnrot sonrió al pensar que el más afamado —Red Scharlach— hubiera dado cualquier cosa por conocer esa clandestina visita. Azevedo fue compañero de Scharlach; Lönnrot consideró la remota posibilidad de que la cuarta víctima fuera Scharlach. Después, la desechó... Virtualmente, había descifrado el problema; las meras circunstancias, la realidad (nombres, arrestos, caras, trámites judiciales y carcelarios), apenas le interesaban ahora. Quería pasear, quería descansar de tres meses de sedentaria investigación. Reflexionó que la explicación de los crímenes estaba en un triángulo anónimo y en una polvorienta palabra griega. El misterio casi le pareció cristalino; se abochornó de haberle dedicado cien días.

El tren paró en una silenciosa estación de cargas. Lönnrot bajó. Era una de esas tardes desiertas que parecen amaneceres. El aire de la turbia llanura era húmedo y frío. Lönnrot echó a andar por el campo. Vio perros, vio un furgón en una vía muerta, vio el horizonte, vio un caballo plateado que bebía el agua crapulosa de un charco. Oscurecía cuando vio el mirador rectangular de la quinta de Triste-le-Roy, casi tan alto como los negros eucaliptos que lo rodeaban. Pensó que apenas un amanecer y un ocaso (un viejo resplandor en el oriente y otro en el occidente) lo separaban de la hora anhelada por los buscadores del Nombre.

Una herrumbrada verja definía el perímetro irregular de la quinta. El portón principal estaba cerrado. Lönnrot, sin mucha esperanza de entrar, dio toda la vuelta. De nuevo ante el portón infranqueable, metió la mano entre los barrotes, casi maquinalmente, y dio con el pasador. El chirrido del hierro lo sorprendió. Con una pasividad laboriosa, el portón entero cedió.

Lönnrot avanzó entre los eucaliptos, pisando confundidas generaciones de rotas hojas rígidas. Vista de cerca, la casa de la quinta de Triste-le-Roy abundaba en inútiles simetrías y en repeticiones maniáticas: a una Diana glacial en un nicho lóbrego correspondía en un segundo nicho otra Diana; un balcón se reflejaba en otro balcón; dobles escalinatas se abrían en doble balaustrada. Un Hermes de dos caras proyectaba una sombra monstruosa. Lönnrot rodeó la casa como había rodeado la quinta. Todo lo examinó; bajo el nivel de la terraza vio una estrecha persiana.

La empujó: unos pocos escalones de mármol descendían a un sótano. Lönnrot, que ya intuía las preferencias del arquitecto, adivinó que en el opuesto muro del sótano había otros escalones. Los encontró, subió, alzó las manos y abrió la trampa de salida.

Un resplandor lo guió a una ventana. La abrió: una luna amarilla y circular definía en el triste jardín dos fuentes cegadas. Lönnrot exploró la casa. Por antecomedores y galerías salió a patios iguales y repetidas veces al mismo patio. Subió por escaleras polvorientas a antecámaras circulares; infinitamente se multiplicó en espejos opuestos; se cansó de abrir o entreabrir ventanas que le revelaban, afuera, el mismo desolado jardín desde varias alturas y varios ángulos; adentro, muebles con fundas amarillas y arañas embaladas en tarlatán. Un dormitorio lo detuvo; en ese dormitorio, una sola flor en una copa de porcelana; al primer roce los pétalos antiguos se deshicieron. En el segundo piso, en el último, la casa le pareció infinita y creciente. *La casa no es tan grande*, pensó. *La agrandan la penumbra, la simetría, los espejos, los muchos años, mi desconocimiento, la soledad.*

Por una escalera espiral llegó al mirador. La luna de esa tarde atravesaba los losanges de las ventanas; eran amarillos, rojos y verdes. Lo detuvo un recuerdo asombrado y vertiginoso.

Dos hombres de pequeña estatura, feroces y fornidos, se arrojaron sobre él y lo desarmaron; otro, muy alto, lo saludó con gravedad y le dijo:

—Usted es muy amable. Nos ha ahorrado una noche y un día.

Era Red Scharlach. Los hombres maniataron a Lönnrot. Éste, al fin, encontró su voz.

—Scharlach ¿usted busca el Nombre Secreto?

Scharlach seguía de pie, indiferente. No había participado en la breve lucha, apenas si alargó la mano para recibir el revólver de Lönnrot. Habló; Lönnrot oyó en su voz una fatigada victoria, un odio del tamaño del universo, una tristeza no menor que aquel odio.

—No —dijo Scharlach—. Busco algo más efímero y deleznable, busco a Erik Lönnrot. Hace tres años, en un garito de la Rue de Toulon, usted mismo arrestó, e hizo encarcelar a mi hermano. En un cupé, mis hombres me sacaron del tiroteo con una bala policial en el vientre. Nueve días y nueve noches agonicé en esta desolada quinta simétrica; me arrasaba la fiebre, el odioso Jano bifronte que mira los ocasos y las auroras daba horror a mi ensueño y a mi vigilia. Llegué a abominar de mi cuerpo, llegué a sentir que dos ojos, dos manos, dos pulmones, son tan monstruosos como dos caras. Un irlandés trató de convertirme a la fe de Jesús; me repetía la sentencia de los *goím*: Todos los caminos llevan a Roma. De noche, mi delirio se alimentaba de esa metáfora: yo sentía que el mundo es un laberinto, del cual era imposible huir, pues todos los caminos, aunque fingieran ir al norte o al sur, iban realmente a Roma, que era también la cárcel cuadrangular donde agonizaba mi hermano y la quinta de Triste-le-Roy. En esas noches yo juré por el dios que ve con dos caras y por todos los dioses de la fiebre y de los espejos tejer un laberinto en torno del hombre que había encarcelado a mi hermano. Lo he tejido y es firme: los materiales son un heresiólogo muerto, una brújula, una secta del siglo XVIII, una palabra griega, un puñal, los rombos de una pinturería.

El primer término de la serie me fue dado por el azar. Yo había tramado con algunos colegas —entre ellos, Daniel Azevedo— el robo de los zafiros del Tetrarca. Azevedo nos traicionó: se emborrachó con el dinero que le habíamos adelantado y acometió la empresa el día antes. En el enorme hotel se perdió; hacia las dos de la mañana irrumpió en el dormitorio de Yarmolinsky. Éste, acosado por el insomnio, se había puesto a escribir. Verosímilmente, redactaba unas notas o un artículo sobre el Nombre de Dios; había escrito ya las palabras: *La primera letra del Nombre ha sido articulada*. Azevedo le intimó silencio; Yarmolinsky alargó la mano hacia el timbre que despertaría todas las fuerzas del hotel; Azevedo le dio una sola puñalada en el pecho. Fue casi un movimiento reflejo; medio siglo de violencia le había enseñado que lo más fácil y seguro es matar... A los diez días yo supe por la *Yidische Zaitung* que usted buscaba en los escritos de Yarmolinsky la clave de la muerte de Yarmolinsky. Leí la *Historia de la secta de los Hasidim*; supe que el miedo reverente de pronunciar el Nombre de Dios había originado la doctrina de que ese Nombre es todopoderoso y recóndito. Supe que algunos Hasidim, en busca de ese Nombre secreto, habían llegado a cometer sacrificios humanos... Comprendí que usted conjeturaba que los Hasidim habían sacrificado al rabino; me dediqué a justificar esa conjetura.

Marcelo Yarmolinsky murió la noche del tres de diciembre; para el segundo "sacrificio" elegí la del tres de enero. Murió en el Norte; para el segundo "sacrificio" nos convenía un lugar del Oeste. Daniel Azevedo fue la víctima necesaria. Merecía la muerte: era un impulsivo, un traidor; su captura podía aniquilar todo el plan. Uno de los nuestros lo apuñaló; para vincular su cadáver al anterior, yo escribí encima de los rombos de la pinturería *La segunda letra del Nombre ha sido articulada*.

El tercer "crimen" se produjo el tres de febrero. Fue, como Treviranus adivinó, un mero simulacro. Gryphius-Ginzberg-Ginsburg soy yo; una semana interminable sobrellevé (suplementado por una tenue barba postiza) en ese perverso cubículo de la Rue de Toulon, hasta que los amigos me secuestraron. Desde el estribo del cupé, uno de ellos escribió en un pilar *La última de las letras del Nombre ha sido articulada*. Esa escritura divulgó que la serie de crímenes era *triple*. Así lo entendió el público; yo, sin embargo, intercalé repetidos indicios para que usted, el razonador Erik Lönnrot, comprendiera que es *cuádruple*. Un prodigio en el Norte, otros en el Este y en Oeste, reclaman un cuarto prodigio en el Sur; el Tetragrámaton —el Nombre de Dios, JHVH— consta de *cuatro* letras; los arlequines y la muestra del pinturero sugieren *cuatro* términos. Yo subrayé cierto pasaje en el manual de Leusden; ese pasaje manifiesta que los hebreos computaban el día de ocaso a ocaso; ese pasaje da a entender que las muertes ocurrieron el *cuatro* de cada mes. Yo mandé el triángulo equilátero a Treviranus. Yo presentí que usted agregaría el punto que falta. El punto que determina un rombo perfecto, el punto que prefija el lugar donde una exacta muerte lo espera. Todo lo he premeditado, Erik Lönnrot, para atraerlo a usted a las soledades de Triste-le-Roy.

Lönnrot evitó los ojos de Scharlach. Miró los árboles y el cielo subdivididos en rombos turbiamente amarillos, verdes y rojos. Sintió un poco de frío y una tristeza impersonal, casi anónima. Ya era de noche; desde el polvoriento jardín subió el grito inútil de un pájaro. Lönnrot consideró por última vez el problema de las muertes simétricas y periódicas.

—En su laberinto sobran tres líneas —dijo por fin—. Yo sé de un laberinto griego que es una línea única, recta. En esa línea se han perdido tantos filósofos que bien puede perderse un mero *detective*. Scharlach, cuando en otro avatar usted me dé caza, finja (o cometa) un crimen en A, luego un segundo crimen en B, a 8 kilómetros de A, luego un tercer crimen en C, a 4 kilómetros de A y de B, a mitad de camino entre los dos. Aguárdeme después en D, a 2 kilómetros de A y de C, de nuevo a mitad de camino. Máteme en D, como ahora va a matarme en Triste-le-Roy.

—Para la otra vez que lo mate —replicó Scharlach— le prometo ese laberinto, que consta de una sola línea recta y que es invisible, incesante.

Retrocedió unos pasos. Después, muy cuidadosamente, hizo fuego.

1942

EL MILAGRO SECRETO

> Y Dios lo hizo morir durante cien años
> y luego lo animó y le dijo:
> —¿Cuánto tiempo has estado aquí?
> —Un día o parte de un día, respondió.
>
> Alcorán, II, 261.

La noche del catorce de marzo de 1939, en un departamento de la Zeltnergasse de Praga, Jaromir Hladík, autor de la inconclusa tragedia *Los enemigos*, de una *Vindicación de la eternidad* y de un examen de las indirectas fuentes judías de Jakob Boehme, soñó con un largo ajedrez. No lo disputaban dos individuos sino dos familias ilustres; la partida había sido entablada hace muchos siglos; nadie era capaz de nombrar el olvidado premio, pero se murmuraba que era enorme y quizá infinito; las piezas y el tablero estaban en una torre secreta; Jaromir (en el sueño) era el primogénito de una de las familias hostiles; en los relojes resonaba la hora de la impostergable jugada; el soñador corría por las arenas de un desierto lluvioso y no lograba recordar las figuras ni las leyes del ajedrez. En ese punto, se despertó. Cesaron los estruendos de la lluvia y de los terribles relojes. Un ruido acompasado y unánime, cortado por algunas voces de mando, subía de la Zeltnergasse. Era el amanecer, las blindadas vanguardias del Tercer Reich entraban en Praga.

El diecinueve, las autoridades recibieron una denuncia; el mismo diecinueve, al atardecer, Jaromir Hladík fue arrestado. Lo condujeron a un cuartel aséptico y blanco, en la ribera opuesta del Moldau. No pudo levantar uno solo de los cargos de la Gestapo: su apellido materno era Jaroslavski, su sangre era judía, su estudio sobre Boehme era judaizante, su firma delataba el censo final de una protesta contra el Anschluss. En 1928, había traducido el *Sepher Yezirah* para la editorial Hermann Barsdorf; el efusivo catálogo de esa casa había exagerado comercialmente el renombre del traductor; ese catálogo fue hojeado por Julius Rothe, uno de los jefes en cuyas manos estaba la suerte de Hladík. No hay hombre que, fuera de su especialidad, no sea crédulo; dos o tres adjetivos en letra gótica bastaron para que Julius Rothe admitiera la preeminencia de Hladík y dispusiera que lo condenaran a muerte, *pour encourager les autres*. Se fijó el día veintinueve de marzo, a las nueve a.m. Esa demora (cuya importancia apreciará después el lector) se debía al deseo administrativo de obrar impersonal y pausadamente, como los vegetales y los planetas.

El primer sentimiento de Hladík fue de mero terror. Pensó que no lo hubieran arredrado la horca, la decapitación o el degüello, pero que morir fusilado era intolerable. En vano se redijo que el acto puro y general de morir era lo temible, no las circunstancias concretas. No se cansaba de imaginar esas circunstancias: absurdamente procuraba agotar todas las variaciones. Anticipaba infinitamente el proceso, desde el insomne amanecer hasta la misteriosa descarga. Antes del día prefijado por Julius Rothe, murió centenares de muertes, en patios cuyas formas y cuyos ángulos fatigaban la geometría, ametrallado por soldados variables, en número cambiante, que a veces lo ultimaban desde lejos; otras, desde muy cerca. Afrontaba con verdadero temor (quizá con verdadero coraje) esas ejecuciones imaginarias; cada simulacro duraba unos pocos segundos; cerrado el círculo, Jaromir interminablemente volvía a las trémulas vísperas de su muerte. Luego reflexionó que la realidad no suele coincidir con las previsiones; con lógica perversa infirió que prever un detalle circunstancial es impedir que éste suceda. Fiel a esa débil magia, inventaba, *para que no sucedieran*, rasgos atroces; naturalmente, acabó por temer que esos rasgos fueran proféticos. Miserable en la noche, procuraba afirmarse de algún modo en la sustancia fugitiva del tiempo. Sabía que éste se precipitaba hacia el alba del día veintinueve; razonaba en voz alta: *Ahora estoy en la noche del veintidós; mientras dure esta noche (y seis noches más) soy invulnerable, inmortal.* Pensaba que las noches de sueño eran piletas hondas y oscuras en las que podía sumergirse. A veces anhelaba con impaciencia la definitiva descarga, que lo redimiría, mal o bien, de su vana tarea de imaginar. El veintiocho, cuando el último ocaso reverberaba en los altos barrotes, lo desvió de esas consideraciones abyectas la imagen de su drama *Los enemigos*.

Hladík había rebasado los cuarenta años. Fuera de algunas amistades y de muchas costumbres, el problemático ejercicio de la literatura constituía su vida; como todo escritor, medía las virtudes de los otros por lo ejecutado por ellos y pedía que los otros lo midieran por lo que vislumbraba o planeaba. Todos los libros que había dado a la estampa le infundían un complejo arrepentimiento. En sus exámenes de la obra de Boehme, de Abnesra y de Flood, había intervenido esencialmente la mera aplicación; en su traducción del *Sepher Yezirah*, la negligencia, la fatiga y la conjetura. Juzgaba menos deficiente, tal vez, la *Vindicación de la eternidad*: el primer volumen historia las diversas eternidades que han ideado los hombres, desde el inmóvil Ser de Parménides hasta el pasado modificable de Hinton; el segundo niega (con Francis Bradley) que todos los hechos del universo integran una serie temporal. Arguye que no es infinita la cifra de las posibles experiencias del hombre y que basta una sola "repetición" para demostrar que el tiempo es una falacia... Desdichadamente, no son menos falaces los argumentos que demuestran esa falacia; Hladík solía recorrerlos con cierta desdeñosa perplejidad. También había redactado una serie de poemas expresionistas; éstos, para confusión del poeta, figuraron en una antología de 1924 y no hubo antología posterior que no los heredara. De todo ese pasado equívoco y lánguido quería redimirse Hladík con el drama en verso *Los enemigos*. (Hladík preconizaba el verso, porque impide que los espectadores olviden la irrealidad, que es condición del arte.)

Este drama observaba las unidades de tiempo, de lugar y de acción; transcurría en Hradcany, en la biblioteca del barón de Roemerstadt, en una de las últimas tardes del siglo diecinueve. En la primera escena del primer acto, un desconocido visita a Roemerstadt. (Un reloj da las siete, una vehemencia de último sol exalta los cristales, el aire trae una arrebatada y reconocible música húngara.) A esta visita siguen otras; Roemerstadt no conoce las personas que lo importunan, pero tiene la incómoda impresión de haberlos visto ya, tal vez en un sueño. Todos exageradamente lo halagan, pero es notorio —primero para los espectadores del drama, luego para el mismo barón— que son enemigos secretos, conjurados para perderlo. Roemerstadt logra detener o burlar sus complejas intrigas; en el diálogo, aluden a su novia, Julia de Weidenau, y a un tal Jaroslav Kubin, que alguna vez la importunó con su amor. Éste, ahora, se ha enloquecido y cree ser Roemerstadt... Los peligros arrecian; Roemerstadt, al cabo del segundo acto, se ve en la obligación de matar a un conspirador. Empieza el tercer acto, el último. Crecen gradualmente las incoherencias: vuelven actores que parecían descartados ya de la trama; vuelve, por un instante, el hombre matado por Roemerstadt. Alguien hace notar que no ha atardecido: el reloj da las siete, en los altos cristales reverbera el sol occidental, el aire trae la arrebatada música húngara. Aparece el primer interlocutor y repite las palabras que pronunció en la primera escena del primer acto. Roemerstadt le habla sin asombro; el espectador entiende que Roemerstadt es el miserable Jaroslav Kubin. El drama no ha ocurrido: es el delirio circular que interminablemente vive y revive Kubin.

Nunca se había preguntado Hladík si esa tragicomedia de errores era baladí o admirable, rigurosa o casual. En el argumento que he bosquejado intuía la invención más apta para disimular sus defectos y para ejercitar sus felicidades, la posibilidad de rescatar (de manera simbólica) lo fundamental de su vida. Había terminado ya el primer acto y alguna escena del tercero; el carácter métrico de la obra le permitía examinarla continuamente, rectificando los hexámetros, sin el manuscrito a la vista. Pensó que aun le faltaban dos actos y que muy pronto iba a morir. Habló con Dios en la oscuridad. *Si de algún modo existo, si no soy una de tus repeticiones y erratas, existo como autor de* Los enemigos. *Para llevar a término ese drama, que puede justificarme y justificarte, requiero un año más. Otórgame esos días, Tú de Quien son los siglos y el tiempo.* Era la última noche, la más atroz, pero diez minutos después el sueño lo anegó como un agua oscura.

Hacia el alba, soñó que se había ocultado en una de las naves de la biblioteca del Clementinum. Un bibliotecario de gafas negras le preguntó: *¿Qué busca?* Hladík le replicó: *Busco a Dios.* El bibliotecario le dijo: *Dios está en una de las letras de una de las páginas de uno de los cuatrocientos mil tomos del Clementinum. Mis padres y los padres de mis padres han buscado esa letra; yo me he quedado ciego buscándola.* Se quitó las gafas y Hladík vio los ojos, que estaban muertos. Un lector entró a devolver un atlas. *Este atlas es inútil*, dijo, y se lo dio a Hladík. Éste lo abrió al azar. Vio un mapa de la India, vertiginoso. Bruscamente seguro, tocó una de las mínimas letras. Una voz ubicua le dijo: *El tiempo de tu labor ha sido otorgado.* Aquí Hladík se despertó.

Recordó que los sueños de los hombres pertenecen a Dios y que Maimónides ha escrito que son divinas las palabras de un sueño, cuando son distintas y claras y no se puede ver quién las dijo. Se vistió; dos soldados entraron en la celda y le ordenaron que los siguiera.

Del otro lado de la puerta, Hladík había previsto un laberinto de galerías, escaleras y pabellones. La realidad fue menos rica: bajaron a un traspatio por una sola escalera de fierro. Varios soldados —alguno de uniforme desabrochado— revisaban una motocicleta y la discutían. El sargento miró el reloj: eran las ocho y cuarenta y cuatro minutos. Había que esperar que dieran las nueve. Hladík, más insignificante que desdichado, se sentó en un montón de leña. Advirtió que los ojos de los soldados rehuían los suyos. Para aliviar la espera, el sargento le entregó un cigarrillo. Hladík no fumaba; lo aceptó por cortesía o por humildad. Al encenderlo, vio que le temblaban las manos. El día se nubló;

los soldados hablaban en voz baja como si él ya estuviera muerto. Vanamente, procuró recordar a la mujer cuyo símbolo era Julia de Weidenau...

El piquete se formó, se cuadró. Hladík, de pie contra la pared del cuartel, esperó la descarga. Alguien temió que la pared quedara maculada de sangre; entonces le ordenaron al reo que avanzara unos pasos. Hladík, absurdamente, recordó las vacilaciones preliminares de los fotógrafos. Una pesada gota de lluvia rozó una de las sienes de Hladík y rodó lentamente por su mejilla; el sargento vociferó la orden final.

El universo físico se detuvo.

Las armas convergían sobre Hladík, pero los hombres que iban a matarlo estaban inmóviles. El brazo del sargento eternizaba un ademán inconcluso. En una baldosa del patio una abeja proyectaba una sombra fija. El viento había cesado, como en un cuadro. Hladík ensayó un grito, una sílaba, la torsión de una mano. Comprendió que estaba paralizado. No le llegaba ni el más tenue rumor del impedido mundo. Pensó *estoy en el infierno, estoy muerto*. Pensó *estoy loco*. Pensó *el tiempo se ha detenido*. Luego reflexionó que en tal caso, también se hubiera detenido su pensamiento. Quiso ponerlo a prueba: repitió (sin mover los labios) la misteriosa cuarta égloga de Virgilio. Imaginó que los ya remotos soldados compartían su angustia; anheló comunicarse con ellos. Le asombró no sentir ninguna fatiga, ni siquiera el vértigo de su larga inmovilidad. Durmió, al cabo de un plazo indeterminado. Al despertar, el mundo seguía inmóvil y sordo. En su mejilla perduraba la gota de agua; en el patio, la sombra de la abeja; el humo del cigarrillo que había tirado no acababa nunca de dispersarse. Otro "día" pasó, antes que Hladík entendiera.

Un año entero había solicitado de Dios para terminar su labor: un año le otorgaba su omnipotencia. Dios operaba para él un milagro secreto: lo mataría el plomo alemán, en la hora determinada, pero en su mente un año transcurría entre la orden y la ejecución de la orden. De la perplejidad pasó al estupor, del estupor a la resignación, de la resignación a la súbita gratitud.

No disponía de otro documento que la memoria; el aprendizaje de cada hexámetro que agregaba le impuso un afortunado rigor que no sospechan quienes aventuran y olvidan párrafos interinos y vagos. No trabajó para la posteridad ni aun para Dios, de cuyas preferencias literarias poco sabía. Minucioso, inmóvil, secreto, urdió en el tiempo su alto laberinto invisible. Rehízo el tercer acto dos veces. Borró algún símbolo demasiado evidente: las repetidas campanadas, la música. Ninguna circunstancia lo importunaba. Omitió, abrevió, amplificó; en algún caso, optó por la versión primitiva. Llegó a querer el patio, el cuartel; uno de los rostros que lo enfrentaban modificó su concepción del carácter de Roemerstadt. Descubrió que las arduas cacofonías que alarmaron tanto a Flaubert son meras supersticiones visuales: debilidades y molestias de la palabra escrita, no de la palabra sonora... Dio término a su drama: no le faltaba ya resolver sino un solo epíteto. Lo encontró; la gota de agua resbaló en su mejilla. Inició un grito enloquecido, movió la cara, la cuádruple descarga lo derribó.

Jaromir Hladík murió el veintinueve de marzo, a las nueve y dos minutos de la mañana.

1943

TRES VERSIONES DE JUDAS

> There seemed a certainty in degradation.
> T. E. LAWRENCE: *Seven Pillars of Wisdom.* CIII.

En el Asia Menor o en Alejandría, en el segundo siglo de nuestra fe, cuando Basílides publicaba que el cosmos era una temeraria o malvada improvisación de ángeles deficientes, Nils Runeberg hubiera dirigido, con singular pasión intelectual, uno de los conventículos gnósticos. Dante le hubiera destinado, tal vez, un sepulcro de fuego; su nombre aumentaría los catálogos de heresiarcas menores, entre Satornilo y Carpócrates; algún fragmento de sus prédicas, exornado de injurias, perduraría en el apócrifo *Liber adversus omnes haereses* o habría perecido cuando el incendio de una biblioteca monástica devoró el último ejemplar del *Syntagma*. En cambio, Dios le deparó el siglo XX y la ciudad universitaria de Lund. Ahí, en 1904, publicó la primera edición de *Kristus och Judas*; ahí, en 1909, su libro capital *Den hemlige Frälsaren*. (Del último hay versión alemana, ejecutada en 1912 por Emil Schering; se llama *Der heimliche Heiland*.)

Antes de ensayar un examen de los precitados trabajos, urge repetir que Nils Runeberg, miembro de la Unión Evangélica Nacional, era hondamente religioso. En un cenáculo de París o aun de Buenos Aires, un literato podría muy bien redescubrir las tesis de Runeberg; esas tesis, propuestas en un cenáculo, serían ligeros ejercicios inútiles de la negligencia o de la blasfemia. Para Runeberg, fueron la clave que descifra un misterio central de la teología; fueron materia de meditación y de análisis, de controversia histórica y filológica, de soberbia, de júbilo y de terror. Justificaron y desbarataron su vida. Quienes recorran este artículo, deben asimismo considerar que no registra sino las conclusiones de Runeberg, no su dialéctica y sus pruebas. Alguien observará que la conclusión precedió sin duda a las "pruebas". ¿Quién se resigna a buscar pruebas de algo no creído por él o cuya prédica no le importa?

La primera edición de *Kristus och Judas* lleva este categórico epígrafe, cuyo sentido, años después, monstruosamente dilataría el propio Nils Runeberg: *No una cosa, todas las cosas que la tradición atribuye a Judas Iscariote son falsas* (De Quincey, 1857). Precedido por algún alemán, De Quincey especuló que

Judas entregó a Jesucristo para forzarlo a declarar su divinidad y a encender una vasta rebelión contra el yugo de Roma; Runeberg sugiere una vindicación de índole metafísica. Hábilmente, empieza por destacar la superfluidad del acto de Judas. Observa (como Robertson) que para identificar a un maestro que diariamente predicaba en la sinagoga y que obraba milagros ante concursos de miles de hombres, no se requiere la traición de un apóstol. Ello, sin embargo, ocurrió. Suponer un error en la Escritura es intolerable; no menos intolerable es admitir un hecho casual en el más precioso acontecimiento de la historia del mundo. *Ergo*, la traición de Judas no fue casual; fue un hecho prefijado que tiene su lugar misterioso en la economía de la redención. Prosigue Runeberg: El Verbo, cuando fue hecho carne, pasó de la ubicuidad al espacio, de la eternidad a la historia, de la dicha sin límites a la mutación y a la muerte; para corresponder a tal sacrificio, era necesario que un hombre, en representación de todos los hombres, hiciera un sacrificio condigno. Judas Iscariote fue ese hombre. Judas, único entre los apóstoles, intuyó la secreta divinidad y el terrible propósito de Jesús. El Verbo se había rebajado a mortal; Judas, discípulo del Verbo, podía rebajarse a delator (el peor delito que la infamia soporta) y a ser huésped del fuego que no se apaga. El orden inferior es un espejo del orden superior; las formas de la tierra corresponden a las formas del cielo; las manchas de la piel son un mapa de las incorruptibles constelaciones; Judas refleja de algún modo a Jesús. De ahí los treinta dineros y el beso; de ahí la muerte voluntaria, para merecer aun más la Reprobación. Así dilucidó Nils Runeberg el enigma de Judas.

Los teólogos de todas las confesiones lo refutaron. Lars Peter Engström lo acusó de ignorar, o de preterir, la unión hipostática; Axel Borelius, de renovar la herejía de los docetas, que negaron la humanidad de Jesús; el acerado obispo de Lund, de contradecir el tercer versículo del capítulo veintidós del evangelio de San Lucas.

Estos variados anatemas influyeron en Runeberg, que parcialmente reescribió el reprobado libro y modificó su doctrina. Abandonó a sus adversarios el terreno teológico y propuso oblicuas razones de orden moral. Admitió que Jesús, "que disponía de los considerables recursos que la Omnipotencia puede ofrecer", no necesitaba de un hombre para redimir a todos los hombres. Rebatió, luego, a quienes afirman que nada sabemos del inexplicable traidor; sabemos, dijo, que fue uno de los apóstoles, uno de los elegidos para anunciar el reino de los cielos, para sanar enfermos, para limpiar leprosos, para resucitar muertos y para echar fuera demonios (Mateo 10: 7-8; Lucas 9:1). Un varón a quien ha distinguido así el Redentor merece de nosotros la mejor interpretación de sus actos. Imputar su crimen a la codicia (como lo han hecho algunos, alegando a Juan 12:6) es resignarse al móvil más torpe. Nils Runeberg propone el móvil contrario: un hiperbólico y hasta ilimitado ascetismo. El asceta, para mayor gloria de Dios, envilece y mortifica la carne; Judas hizo lo propio con el espíritu. Renunció al honor, al bien, a la paz, al reino de los cielos, como otros, menos heroicamente, al placer.[1] Premeditó con lucidez terrible sus culpas. En el adulterio suelen participar la ternura y la abnegación; en el homicidio, el coraje; en las profanaciones y la blasfemia, cierto fulgor satánico. Judas eligió aquellas culpas no visitadas por ninguna virtud: el abuso de confianza (Juan 12:6) y la delación. Obró con gigantesca humildad, se creyó indigno de ser bueno. Pablo ha escrito: *El que se gloría, gloríese en el Señor* (I, Corintios 1:31); Judas buscó el Infierno, porque la dicha del Señor le bastaba. Pensó que la felicidad, como el bien, es un atributo divino y que no deben usurparlo los hombres.[2]

Muchos han descubierto, *post factum*, que en los justificables comienzos de Runeberg está su extravagante fin y que *Den hemlige Frälsaren* es una mera perversión o exasperación de *Kristus och Judas*. A fines de 1907, Runeberg terminó y revisó el texto manuscrito; casi dos años transcurrieron sin que lo entregara a la imprenta. En octubre de 1909, el libro apareció con un prólogo (tibio hasta lo enigmático) del hebraísta dinamarqués Erik Erfjord y con este pérfido epígrafe: *En el mundo estaba y el mundo fue hecho por él, y el mundo no lo conoció* (Juan 1:10). El argumento general no es complejo, si bien la conclusión es monstruosa. Dios, arguye Nils Runeberg, se rebajó a ser hombre para la redención del género humano; cabe conjeturar que fue perfecto el sacrificio obrado por él, no invalidado o atenuado por omisiones. Limitar lo que padeció a la agonía de una tarde en la cruz es blasfematorio[3]. Afirmar que fue hombre y que fue incapaz de

---

[1] Borelius interroga con burla: *¿Por qué no renunció a renunciar? ¿Por qué no a renunciar a renunciar?*

[2] Euclydes da Cunha, en un libro ignorado por Runeberg, anota que para el heresiarca de Canudos, Antonio Conselheiro, la virtud "era una casi impiedad". El lector argentino recordará pasajes análogos en la obra de Almafuerte. Runeberg publicó, en la hoja simbólica *Sju insegel*, un asiduo poema descriptivo, *El agua secreta*; las primeras estrofas narran los hechos de un tumultuoso día; las últimas, el hallazgo de un estanque glacial; el poeta sugiere que la perduración de esa agua silenciosa corrige nuestra inútil violencia y de algún modo la permite y la absuelve. El poema concluye así: *El agua de la selva es feliz; podemos ser malvados y dolorosos.*

[3] Maurice Abramowicz observa: "Jésus, d'après ce scandinave, a toujours le beau rôle; ses déboires, grâce à la science des typographes, jouissent d'une

pecado encierra contradicción; los atributos de *impeccabilitas* y de *humanitas* no son compatibles. Kemnitz admite que el Redentor pudo sentir fatiga, frío, turbación, hambre y sed; también cabe admitir que pudo pecar y perderse. El famoso texto *Brotará como raíz de tierra sedienta; no hay buen parecer en él, ni hermosura; despreciado y el último de los hombres; varón de dolores, experimentado en quebrantos* (Isaías 53:2-3), es para muchos una previsión del crucificado, en la hora de su muerte; para algunos (verbigracia, Hans Lassen Martensen), una refutación de la hermosura que el consenso vulgar atribuye a Cristo; para Runeberg, la puntual profecía no de un momento sino de todo el atroz porvenir, en el tiempo y en la eternidad, del Verbo hecho carne. Dios totalmente se hizo hombre pero hombre hasta la infamia, hombre hasta la reprobación y el abismo. Para salvarnos, pudo elegir *cualquiera* de los destinos que traman la perpleja red de la historia; pudo ser Alejandro o Pitágoras o Rurik o Jesús; eligió un ínfimo destino: fue Judas.

En vano propusieron esa revelación las librerías de Estocolmo y de Lund. Los incrédulos la consideraron, *a priori*, un insípido y laborioso juego teológico; los teólogos la desdeñaron. Runeberg intuyó en esa indiferencia ecuménica una casi milagrosa confirmación. Dios ordenaba esa indiferencia; Dios no quería que se propalara en la tierra Su terrible secreto. Runeberg comprendió que no era llegada la hora. Sintió que estaban convergiendo sobre él antiguas maldiciones divinas; recordó a Elías y a Moisés, que en la montaña se taparon la cara para no ver a Dios; a Isaías, que se aterró cuando sus ojos vieron a Aquel cuya gloria llena la tierra; a Saúl, cuyos ojos quedaron ciegos en el camino de Damasco; al rabino Simeón ben Azaí, que vio el Paraíso y murió; al famoso hechicero Juan de Viterbo, que enloqueció cuando pudo ver a la Trinidad; a los Midrashim, que abominan de los impíos que pronuncian el *Shem Hamephorash*, el Secreto Nombre de Dios. ¿No era él, acaso, culpable de ese crimen oscuro? ¿No sería ésa la blasfemia contra el Espíritu, la que no será perdonada? (Mateo 12:31). Valerio Sorano murió por haber divulgado el

---

réputation polyglotte; sa résidence de trente-trois ans parmi les humains ne fut, en somme, qu'une villégiature." Erfjord, en el tercer apéndice de la *Christelige Dogmatik*, refuta ese pasaje. Anota que la crucifixión de Dios no ha cesado, porque lo acontecido una sola vez en el tiempo se repite sin tregua en la eternidad. Judas, *ahora*, sigue cobrando las monedas de plata; sigue besando a Jesucristo; sigue arrojando las monedas de plata en el templo; sigue anudando el lazo de la cuerda en el campo de sangre. (Erfjord, para justificar esa afirmación, invoca el último capítulo del primer tomo de la *Vindicación de la eternidad*, de Jaromir Hladík.)

oculto nombre de Roma; ¿qué infinito castigo sería el suyo, por haber descubierto y divulgado el horrible nombre de Dios?

Ebrio de insomnio y de vertiginosa dialéctica, Nils Runeberg erró por las calles de Malmö, rogando a voces que le fuera deparada la gracia de compartir con el Redentor el Infierno.

Murió de la rotura de un aneurisma, el primero de marzo de 1912. Los heresiólogos tal vez lo recordarán; agregó al concepto del Hijo, que parecía agotado, las complejidades del mal y del infortunio.

1944

EL FIN

Recabarren, tendido, entreabrió los ojos y vio el oblicuo cielo raso de junco. De la otra pieza le llegaba un rasgueo de guitarra, una suerte de pobrísimo laberinto que se enredaba y desataba infinitamente... Recobró poco a poco la realidad, las cosas cotidianas que ya no cambiaría nunca por otras. Miró sin lástima su gran cuerpo inútil, el poncho de lana ordinaria que le envolvía las piernas. Afuera, más allá de los barrotes de la ventana, se dilataban la llanura y la tarde; había dormido, pero aun quedaba mucha luz en el cielo. Con el brazo izquierdo tanteó, hasta dar con un cencerro de bronce que había al pie del catre. Una o dos veces lo agitó; del otro lado de la puerta seguían llegándole los modestos acordes. El ejecutor era un negro que había aparecido una noche con pretensiones de cantor y que había desafiado a otro forastero a una larga payada de contrapunto. Vencido, seguía frecuentando la pulpería, como a la espera de alguien. Se pasaba las horas con la guitarra, pero no había vuelto a cantar; acaso la derrota lo había amargado. La gente ya se había acostumbrado a ese hombre inofensivo. Recabarren, patrón de la pulpería, no olvidaría ese contrapunto; al día siguiente, al acomodar unos tercios de yerba, se le había muerto bruscamente el lado derecho y había perdido el habla. A fuerza de apiadarnos de las desdichas de los héroes de las novelas concluimos apiadándonos con exceso de las desdichas propias; no así el sufrido Recabarren, que aceptó la parálisis como antes había aceptado el rigor y las soledades de América. Habituado a vivir en el presente, como los animales, ahora miraba el cielo y pensaba que el cerco rojo de la luna era señal de lluvia.

Un chico de rasgos aindiados (hijo suyo, tal vez) entreabrió la puerta. Recabarren le preguntó con los ojos si había algún parroquiano. El chico, taciturno, le dijo por señas que no; el negro no contaba. El hombre postrado se quedó solo; su mano izquierda jugó un rato con el cencerro, como si ejerciera un poder.

La llanura, bajo el último sol, era casi abstracta, como vista en un sueño. Un punto se agitó en el horizonte y creció hasta ser un jinete, que venía, o parecía venir, a la casa. Recabarren vio el chambergo, el largo poncho oscuro, el caballo moro, pero no la cara del hombre, que, por fin, sujetó el galope y vino acercándose al trotecito. A unas doscientas varas dobló. Recabarren no lo vio más, pero lo oyó chistar, apearse, atar el caballo al palenque y entrar con paso firme en la pulpería.

Sin alzar los ojos del instrumento, donde parecía buscar algo, el negro dijo con dulzura:

—Ya sabía yo señor, que podía contar con usted.

El otro, con voz áspera, replicó:

—Y yo con vos, moreno. Una porción de días te hice esperar, pero aquí he venido.

Hubo un silencio. Al fin, el negro respondió:

—Me estoy acostumbrando a esperar. He esperado siete años.

El otro explicó sin apuro:

—Más de siete años pasé yo sin ver a mis hijos. Los encontré ese día y no quise mostrarme como un hombre que anda a las puñaladas.

—Ya me hice cargo —dijo el negro—. Espero que los dejó con salud.

El forastero, que se había sentado en el mostrador, se rió de buena gana. Pidió una caña y la paladeó sin concluirla.

—Les di buenos consejos —declaró—, que nunca están de más y no cuestan nada. Les dije, entre otras cosas, que el hombre no debe derramar la sangre del hombre.

Un lento acorde precedió la respuesta del negro:

—Hizo bien. Así no se parecerán a nosotros.

—Por lo menos a mí —dijo el forastero y añadió como si pensara en voz alta—: Mi destino ha querido que yo matara y ahora, otra vez, me pone el cuchillo en la mano.

El negro, como si no lo oyera, observó:

—Con el otoño se van acortando los días.

—Con la luz que queda me basta —replicó el otro, poniéndose de pie.

Se cuadró ante el negro y le dijo como cansado:

—Dejá en paz la guitarra, que hoy te espera otra clase de contrapunto.

Los dos se encaminaron a la puerta. El negro, al salir, murmuró:

—Tal vez en éste me vaya tan mal como en el primero.

El otro contestó con seriedad:

—En el primero no te fue mal. Lo que pasó es que andabas ganoso de llegar al segundo.

Se alejaron un trecho de las casas, caminando a la par. Un lugar de la llanura era igual a otro y la luna resplandecía. De pronto se miraron, se detuvieron y el forastero se quitó las espuelas. Ya estaban con el poncho en el antebrazo, cuando el negro dijo:

—Una cosa quiero pedirle antes que nos trabemos. Que en este encuentro ponga todo su coraje y toda su maña, como en aquel otro de hace siete años, cuando mató a mi hermano.

Acaso por primera vez en su diálogo, Martín Fierro oyó el odio. Su sangre lo sintió como un acicate. Se entreveraron y el acero filoso rayó y marcó la cara del negro.

Hay una hora de la tarde en que la llanura está por decir algo; nunca lo dice o tal vez lo dice infinitamente y no lo entendemos, o lo entendemos pero es intraducible como una música... Desde su catre, Recabarren vio el fin. Una embestida y el negro reculó, perdió pie, amagó un hachazo a la cara y se tendió en una puñalada profunda, que penetró en el vientre. Después vino otra que el pulpero no alcanzó a precisar y Fierro no se levantó. Inmóvil, el negro parecía vigilar su agonía laboriosa. Limpió el facón ensangrentado en el pasto y volvió a las casas con lentitud, sin mirar para atrás. Cumplida su tarea de justiciero, ahora era nadie. Mejor dicho era el otro: no tenía destino sobre la tierra y había matado a un hombre.

LA SECTA DEL FÉNIX

Quienes escriben que la secta del Fénix tuvo su origen en Heliópolis, y la derivan de la restauración religiosa que sucedió a la muerte del reformador Amenophis IV, alegan textos de Heródoto, de Tácito y de los monumentos egipcios, pero ignoran, o quieren ignorar, que la denominación por el Fénix no es anterior a Hrabano Mauro y que las fuentes más antiguas (las *Saturnales* o Flavio Josefo, digamos) sólo hablan de la Gente de la Costumbre o de la Gente del Secreto. Ya Gregorovius observó, en los conventículos de Ferrara, que la mención del Fénix era rarísima en el lenguaje oral; en Ginebra he tratado con artesanos que no me comprendieron cuando inquirí si eran hombres del Fénix, pero que admitieron, acto continuo, ser hombres del Secreto. Si no me engaño, igual cosa acontece con los budistas; el nombre por el cual los conoce el mundo no es el que ellos pronuncian.

Miklosich, en una página demasiado famosa, ha equiparado los sectarios del Fénix a los gitanos. En Chile y en Hungría hay gitanos y también hay sectarios; fuera de esa especie de ubicuidad, muy poco tienen en común unos y otros. Los gitanos son chalanes, caldereros, herreros y decidores de la buenaventura; los sectarios suelen ejercer felizmente las profesiones liberales. Los gitanos configuran un tipo físico y hablan, o hablaban, un idioma secreto; los sectarios se confunden con los demás y la prueba es que no han sufrido persecuciones. Los gitanos son pintorescos e inspiran a los malos poetas; los romances, los cromos y los boleros omiten a los sectarios... Martín Buber declara que los judíos son esencialmente patéticos; no todos los sectarios lo son y algunos abominan del patetismo; esta pública y notoria verdad basta para refutar el error vulgar (absurdamente defendido por Urmann) que ve en el Fénix una derivación de Israel. La gente más o menos discurre así: Urmann era un hombre sensible; Urmann era judío; Urmann frecuentó a los sectarios en la judería de Praga; la afinidad que Urmann sintió prueba un hecho real. Sinceramente, no puedo convenir con ese dictamen. Que los sectarios en un medio judío se parezcan a los judíos no prueba nada; lo innegable es que se parecen, como el infinito Shakespeare de Hazlitt, a todos los hombres del mundo. Son todo para todos, como el Apóstol; días pasados el doctor Juan Francisco Amaro, de Paysandú, ponderó la facilidad con que se acriollaban.

He dicho que la historia de la secta no registra persecuciones. Ello es verdad, pero como no hay grupo humano en que no figuren partidarios del Fénix, también es cierto que no hay persecución o rigor que estos no hayan sufrido y ejecutado. En las guerras occidentales y en las remotas guerras del Asia han vertido su sangre secularmente, bajo banderas enemigas; de muy poco les vale identificarse con todas las naciones del orbe.

Sin un libro sagrado que los congregue como la Escritura a Israel, sin una memoria común, sin esa otra memoria que es un idioma, desparramados por la faz de la tierra, diversos de color y de rasgos, una sola cosa —el Secreto— los une y los unirá hasta el fin de los días. Alguna vez, además del Secreto hubo una leyenda (y quizá un mito cosmogónico), pero los superficiales hombres del Fénix la han olvidado y hoy sólo guardan la oscura tradición de un castigo. De un castigo, de un pacto o de un privilegio, porque las versiones difieren y apenas dejan entrever el fallo de un Dios que asegura a una estirpe la eternidad, si sus hombres, generación tras generación, ejecutan un rito. He compulsado los informes de los viajeros, he conversado con patriarcas y teólogos; puedo dar fe de que el cumplimiento del rito es la única práctica religiosa que observan los sectarios. El rito constituye el Secreto. Éste, como ya indiqué, se trasmite de generación en generación, pero el uso no quiere que las madres lo enseñen a los hijos, ni tampoco los sacerdotes; la iniciación en el misterio es tarea de los individuos más bajos. Un esclavo, un leproso o un pordiosero hacen de mistagogos. También un niño puede adoctrinar a otro niño. El acto en sí es trivial, momentáneo y no requiere descripción. Los materiales son el corcho, la cera o la goma arábiga. (En la liturgia se habla de légamo; éste suele usarse también.) No hay templos dedicados especialmente a la celebración de este culto, pero una ruina, un sótano o un zaguán se juzgan lugares propicios. El Secreto es sagrado pero no deja de ser un poco ridículo; su ejercicio es furtivo y aun clandestino y los adeptos no hablan de él. No hay palabras decentes para nombrarlo, pero se entiende que todas las palabras lo nombran o mejor dicho, que inevitablemente lo aluden, y así, en el diálogo yo he dicho una cosa cualquiera y los adeptos han sonreído o se han puesto incómodos, porque sintieron que yo había tocado el Secreto. En las literaturas germánicas hay poemas escritos por sectarios, cuyo sujeto nominal es el mar o el crepúsculo de la noche; son, de algún modo, símbolos del Secreto, oigo repetir. *Orbis terrarum est speculum Ludi* reza un adagio apócrifo que Du Cange registró en su Glosario. Una suerte de horror sagrado impide a algunos fieles la ejecución del simplísimo rito; los otros los desprecian, pero ellos se desprecian aun más. Gozan de mucho crédito, en cambio, quienes deliberadamente renuncian a la Costumbre y logran un comercio directo con la divinidad; éstos, para manifestar ese comercio, lo hacen con figuras de la liturgia y así John of the Rood escribió:

*Sepan los Nueve Firmamentos que el Dios
Es deleitable como el Corcho y el Cieno.*

He merecido en tres continentes la amistad de muchos devotos del Fénix; me consta que el secreto, al principio, les pareció baladí, penoso, vulgar y (lo que aun es más extraño) increíble. No se avenían a admitir que sus padres se hubieran rebajado a tales manejos. Lo raro es que el Secreto no se haya perdido hace tiempo; a despecho de las vicisitudes del orbe, a despecho de las guerras y de los éxodos, llega, tremendamente, a todos los fieles. Alguien no ha vacilado en afirmar que ya es instintivo.

EL SUR

El hombre que desembarcó en Buenos Aires en 1871 se llamaba Johannes Dahlmann y era pastor de la iglesia evangélica; en 1939, uno de sus nietos, Juan Dahlmann, era secretario de una biblioteca municipal en la calle Córdoba y se sentía hondamente argentino. Su abuelo materno había sido aquel Francisco Flores, del 2 de infantería de línea, que murió en la frontera de Buenos Aires, lanceado por indios de Catriel; en la discordia de sus dos linajes, Juan Dahlmann (tal vez a impulso de la sangre germánica) eligió el de ese antepasado romántico, o de muerte romántica. Un estuche con el daguerrotipo de un hombre inexpresivo y barbado, una vieja espada, la dicha y el coraje de ciertas músicas, el hábito de estrofas del *Martín Fierro*, los años, el desgano y la soledad, fomentaron ese criollismo algo voluntario, pero nunca ostentoso. A costa de algunas privaciones, Dahlmann había logrado salvar el casco de una estancia en el Sur, que fue de los Flores; una de las costumbres de su memoria era la imagen de los eucaliptos balsámicos y de la larga casa rosada que alguna vez fue carmesí. Las tareas y acaso la indolencia lo retenían en la ciudad. Verano tras verano se contentaba con la idea abstracta de posesión y con la certidumbre de que su casa estaba esperándolo, en un sitio preciso de la llanura. En los últimos días de febrero de 1939, algo le aconteció.

Ciego a las culpas, el destino puede ser despiadado con las mínimas distracciones. Dahlmann había conseguido, esa tarde, un ejemplar descabalado de las Mil y una Noches de Weil; ávido de examinar ese hallazgo, no esperó que bajara el ascensor y subió con apuro las escaleras; algo en la oscuridad le rozó la frente ¿un murciélago, un pájaro? En la cara de la mujer que le abrió la puerta vio grabado el horror, y la mano que se pasó por la frente salió roja de sangre. La arista de un batiente recién pintado que alguien se olvidó de cerrar le habría hecho esa herida. Dahlmann logró dormir, pero a la madrugada estaba despierto y desde aquella hora el sabor de todas las cosas fue atroz. La fiebre lo gastó y las ilustraciones de las Mil y Una Noches sirvieron para decorar pesadillas. Amigos y parientes lo visitaban y con exagerada sonrisa le repetían que lo hallaban muy bien. Dahlmann los oía con una especie de débil estupor y le maravillaba que no supieran que estaba en el infierno. Ocho días pasaron, como ocho siglos. Una tarde, el médico habitual se presentó con un médico nuevo y lo condujeron a un sanatorio de la calle Ecuador, porque era indispensable sacarle una radiografía. Dahlmann, en el coche de plaza que los llevó, pensó que en una habitación que no fuera la suya podría, al fin, dormir. Se sintió feliz y conversador; en cuanto llegó, lo desvistieron; le raparon la cabeza, lo sujetaron con metales a una camilla, lo iluminaron hasta le ceguera y el vértigo, lo auscultaron y un hombre enmascarado le clavó una aguja en el brazo. Se despertó con náuseas, vendado, en una celda que tenía algo de pozo y, en los días y noches que siguieron a la operación pudo entender que apenas había estado, hasta entonces, en un arrabal del infierno. El hielo no dejaba en su boca el menor rastro de frescura. En esos días, Dahlmann minuciosamente se odió; odió su identidad, sus necesidades corporales, su humillación, la barba que le erizaba la cara. Sufrió con estoicismo las curaciones, que eran muy dolorosas, pero cuando el cirujano le dijo que había estado a punto de morir de una septicemia, Dahlmann se echó a llorar, condolido de su destino. Las miserias físicas y la incesante previsión de las malas noches no le habían dejado pensar en algo tan abstracto como la muerte. Otro día, el cirujano le dijo que estaba reponiéndose y que, muy pronto, podría ir a convalecer a la estancia. Increíblemente, el día prometido llegó.

A la realidad le gustan las simetrías y los leves anacronismos; Dahlmann había llegado al sanatorio en un coche de plaza y ahora un coche de plaza lo llevaba a Constitución. La primera frescura del otoño, después de la opresión del verano, era como un símbolo natural de su destino rescatado de la muerte y la fiebre. La ciudad, a las siete de la mañana, no había perdido ese aire de casa vieja que le infunde la noche; las calles eran como largos zaguanes, las plazas como patios. Dahlmann la reconocía con felicidad y con un principio de vértigo; unos segundos antes de que las registraran sus ojos, recordaba las esquinas, las carteleras, las modestas diferencias de Buenos Aires. En la luz amarilla del nuevo día, todas las cosas regresaban a él.

Nadie ignora que el Sur empieza del otro lado de Rivadavia. Dahlmann solía repetir que ello no es una convención y que quien atraviesa esa calle entra en un mundo más antiguo y más firme. Desde el coche buscaba entre la nueva edificación, la ventana de rejas, el llamador, el arco de la puerta, el zaguán, el íntimo patio.

En el *hall* de la estación advirtió que faltaban treinta minutos. Recordó bruscamente que en un café de la calle Brasil (a pocos metros de la casa de Yrigoyen) había un enorme gato que se dejaba acariciar por la gente, como una divinidad desdeñosa. Entró. Ahí estaba el gato, dormido. Pidió una taza de café, la endulzó lentamente, la probó (ese placer le había sido vedado en la clínica) y pensó, mientras alisaba el negro pelaje, que aquel contacto era ilusorio y que estaban como separados por un cristal, porque el hombre vive en el tiempo, en la sucesión, y el mágico animal, en la actualidad, en la eternidad del instante.

A lo largo del penúltimo andén el tren esperaba. Dahlmann recorrió los vagones y dio con uno casi vacío. Acomodó en la red la valija; cuando los coches arrancaron, la abrió y sacó, tras alguna vacilación, el primer tomo de las Mil y Una Noches. Viajar con este libro, tan vinculado a la historia de su desdicha, era una afirmación de que esa desdicha había sido anulada y un desafío alegre y secreto a las frustradas fuerzas del mal.

A los lados del tren, la ciudad se desgarraba en suburbios; esta visión y luego la de jardines y quintas demoraron el principio de la lectura. La verdad es que Dahlmann leyó poco; la montaña de piedra imán y el genio que ha jurado matar a su bienhechor eran, quién lo niega, maravillosos, pero no mucho más que la mañana y que el hecho de ser. La felicidad lo distraía de Shahrazad y de sus milagros superfluos; Dahlmann cerraba el libro y se dejaba simplemente vivir.

El almuerzo (con el caldo servido en boles de metal reluciente, como en los ya remotos veraneos de la niñez) fue otro goce tranquilo y agradecido.

Mañana me despertaré en la estancia, pensaba, y era como si a un tiempo fuera dos hombres: el que avanzaba por el día otoñal y por la geografía de la patria, y el otro, encarcelado en un sanatorio y sujeto a metódicas servidumbres. Vio casas de ladrillo sin revocar, esquinadas y largas, infinitamente mirando pasar los trenes; vio jinetes en los terrosos caminos; vio zanjas y lagunas y hacienda; vio largas nubes luminosas que parecían de mármol, y todas estas cosas eran casuales, como sueños de la llanura. También creyó reconocer árboles y sembrados que no hubiera podido nombrar, porque su directo conocimiento de la campaña era harto inferior a su conocimiento nostálgico y literario.

Alguna vez durmió y en sus sueños estaba el ímpetu del tren. Ya el blanco sol intolerable de las doce del día era el sol amarillo que precede al anochecer y no tardaría en ser rojo. También el coche era distinto; no era el que fue en Constitución, al dejar el andén: la llanura y las horas lo habían atravesado y transfigurado. Afuera la móvil sombra del vagón se alargaba hacia el horizonte. No turbaban la tierra elemental ni poblaciones ni otros signos humanos. Todo era vasto, pero al mismo tiempo era íntimo y, de alguna manera, secreto. En el campo desaforado, a veces no había otra cosa que un toro. La soledad era perfecta y tal vez hostil, y Dahlmann pudo sospechar que viajaba al pasado y no sólo al Sur. De esa conjetura fantástica lo distrajo el inspector, que al ver su boleto, le advirtió que el tren no lo dejaría en la estación de siempre sino en otra, un poco anterior y apenas conocida por Dahlmann. (El hombre añadió una explicación que Dahlmann no trató de entender ni siquiera de oír, porque el mecanismo de los hechos no le importaba.)

El tren laboriosamente se detuvo, casi en medio del campo. Del otro lado de las vías quedaba la estación, que era poco más que un andén con un cobertizo. Ningún vehículo tenían, pero el jefe opinó que tal vez pudiera conseguir uno en un comercio que le indicó a unas diez, doce, cuadras.

Dahlmann aceptó la caminata como una pequeña aventura. Ya se había hundido el sol, pero un esplendor final exaltaba la viva y silenciosa llanura, antes de que la borrara la noche. Menos para no fatigarse que para hacer durar esas cosas, Dahlmann caminaba despacio, aspirando con grave felicidad el olor del trébol.

El almacén, alguna vez, había sido punzó, pero los años habían mitigado para su bien ese color violento. Algo en su pobre arquitectura le recordó un grabado en acero, acaso de una vieja edición de *Pablo y Virginia*. Atados al palenque había unos caballos. Dahlmann, adentro, creyó reconocer al patrón; luego comprendió que lo había engañado su parecido con uno de los empleados del sanatorio. El hombre, oído el caso, dijo que le haría atar la jardinera; para agregar otro hecho a aquel día y para llenar ese tiempo, Dahlmann resolvió comer en el almacén.

En una mesa comían y bebían ruidosamente unos muchachones, en los que Dahlmann, al principio, no se fijó. En el suelo, apoyado en el mostrador, se acurrucaba, inmóvil como una cosa, un hombre muy viejo. Los muchos años lo habían reducido y pulido como las aguas a una piedra o las generaciones de los hombres a una sentencia. Era oscuro, chico y reseco, y estaba como fuera del tiempo, en una eternidad. Dahlmann registró con satisfacción la vincha, el poncho de bayeta, el largo chiripá y la bota de potro y se dijo, rememorando inútiles discusiones con gente de los partidos del Norte o con entrerrianos, que gauchos de esos ya no quedan más que en el Sur.

Dahlmann se acomodó junto a la ventana. La oscuridad fue quedándose con el campo, pero su olor y sus rumores aun le llegaban entre los barrotes de hierro. El patrón le trajo sardinas y después carne asada; Dahlmann las empujó con unos vasos de vino tinto. Ocioso, paladeaba el áspero sabor y dejaba errar la mirada por el local, ya un poco soñolienta. La lámpara de kerosén pendía de uno de los tirantes; los parroquianos de la otra mesa eran tres: dos parecían peones de chacra; otro, de rasgos achinados y torpes, bebía con el chambergo puesto. Dahlmann, de pronto, sintió un leve roce en la cara. Junto al vaso ordinario de vidrio turbio, sobre una de las rayas del mantel, había una bolita de miga. Eso era todo, pero alguien se la había tirado.

Los de la otra mesa parecían ajenos a él. Dahlmann, perplejo, decidió que nada había ocurrido y abrió el volumen de las *Mil y Una Noches*, como para tapar la realidad. Otra bolita lo alcanzó a los pocos minutos, y esta vez los peones se rieron. Dahlmann se dijo que no estaba asustado, pero que sería un disparate que él, un convaleciente, se dejara arrastrar por desconocidos a una pelea confusa. Resolvió salir; ya estaba de pie cuando el patrón se le acercó y lo exhortó con voz alarmada:

—Señor Dahlmann, no les haga caso a esos mozos, que están medio alegres.

Dahlmann no se extrañó de que el otro, ahora, lo conociera, pero sintió que estas palabras conciliadoras agravaban, de hecho, la situación. Antes, la provocación de los peones era a una cara accidental, casi a nadie; ahora iba contra él y contra su nombre y lo sabrían los vecinos. Dahlmann hizo a un lado al patrón, se enfrentó con los peones y les preguntó qué andaban buscando.

El compadrito de la cara achinada se paró, tambaleándose. A un paso de Juan Dahlmann, lo injurió a gritos, como si estuviera muy lejos. Jugaba a exagerar su borrachera y esa exageración era una ferocidad y una burla. Entre malas palabras y obscenidades, tiró al aire un largo cuchillo, lo siguió con los ojos, lo barajó, e invitó a Dahlmann a pelear. El patrón objetó con trémula voz que Dahlmann estaba desarmado. En ese punto, algo imprevisible ocurrió.

Desde un rincón, el viejo gaucho extático, en el que Dahlmann vio una cifra del Sur (del Sur que era suyo), le tiró una daga desnuda que vino a caer a sus pies. Era como si el Sur hubiera resuelto que Dahlmann aceptara el duelo. Dahlmann se inclinó a recoger la daga y sintió dos cosas. La primera, que ese acto casi instintivo lo comprometía a pelear. La segunda, que el arma, en su mano torpe, no serviría para defenderlo, sino para justificar que lo mataran. Alguna vez había jugado con un puñal, como todos los hombres, pero su esgrima no pasaba de una noción de que los golpes deben ir hacia arriba y con el filo para adentro. *No hubieran permitido en el sanatorio que me pasaran estas cosas,* pensó.

—Vamos saliendo —dijo el otro.

Salieron, y si en Dahlmann no había esperanza, tampoco había temor. Sintió, al atravesar el umbral, que morir en una pelea a cuchillo, a cielo abierto y acometiendo, hubiera sido una liberación para él, una felicidad y una fiesta, en la primera noche del sanatorio, cuando le clavaron la aguja. Sintió que si él, entonces, hubiera podido elegir o soñar su muerte, ésta es la muerte que hubiera elegido o soñado.

Dahlmann empuña con firmeza el cuchillo, que acaso no sabrá manejar, y sale a la llanura.

El Aleph
(1949)

EL INMORTAL

> Solomon saith: *There is no new thing upon the earth.* So that as Plato had an imagination, *that all knowledge was but remembrance;* so Solomon giveth his sentence, *that all novelty is but oblivion.*
>
> FRANCIS BACON: *Essays* LVIII.

En Londres, a principios del mes de junio de 1929, el anticuario Joseph Cartaphilus, de Esmirna, ofreció a la princesa de Lucinge los seis volúmenes en cuarto menor (1715-1720) de la Ilíada de Pope. La princesa los adquirió; al recibirlos, cambió unas palabras con él. Era, nos dice, un hombre consumido y terroso, de ojos grises y barba gris, de rasgos singularmente vagos. Se manejaba con fluidez e ignorancia en diversas lenguas; en muy pocos minutos pasó del francés al inglés y del inglés a una conjunción enigmática de español de Salónica y de portugués de Macao. En octubre, la princesa oyó por un pasajero del Zeus que Cartaphilus había muerto en el mar, al regresar a Esmirna, y que lo habían enterrado en la isla de Ios. En el último tomo de la Ilíada halló este manuscrito.

El original está redactado en inglés y abunda en latinismos. La versión que ofrecemos es literal.

I

Que yo recuerde, mis trabajos empezaron en un jardín de Tebas Hekatómpylos, cuando Diocleciano era emperador. Yo había militado (sin gloria) en las recientes guerras egipcias, yo era tribuno de una legión que estuvo acuartelada en Berenice, frente al Mar Rojo: la fiebre y la magia consumieron a muchos hombres que codiciaban magnánimos el acero. Los mauritanos fueron vencidos; la tierra que antes ocuparon las ciudades rebeldes fue dedicada eternamente a los dioses plutónicos; Alejandría, debelada, imploró en vano la misericordia del César; antes de un año las legiones reportaron el triunfo, pero yo logré apenas divisar el rostro de Marte. Esa privación me dolió y fue tal vez la causa de que yo me arrojara a descubrir, por temerosos y difusos desiertos, la secreta Ciudad de los Inmortales.

Mis trabajos empezaron, he referido, en un jardín de Tebas. Toda esa noche no dormí, pues algo estaba combatiendo en mi corazón. Me levanté poco antes del alba; mis esclavos dormían, la luna tenía el mismo color de la infinita arena. Un jinete rendido y ensangrentado venía del oriente. A unos pasos de mí, rodó del caballo. Con una tenue voz insaciable me preguntó en latín el nombre del río que bañaba los muros de la ciudad. Le respondí que era el Egipto, que alimentan las lluvias. *Otro es el río que persigo,* replicó tristemente, *el río secreto que purifica de la muerte a los hombres.* Oscura sangre le manaba del pecho. Me dijo que su patria era una montaña que está del otro lado del Ganges y que en esa montaña era fama que si alguien caminara hasta el occidente, donde se acaba el mundo, llegaría al río cuyas aguas dan la inmortalidad. Agregó que en la margen ulterior se eleva la Ciudad de los Inmortales, rica en baluartes y anfiteatros y templos. Antes de la aurora murió, pero yo determiné descubrir la ciudad y su río. Interrogados por el verdugo, algunos prisioneros mauritanos confirmaron la relación del viajero; alguien recordó la llanura elísea, en el término de la tierra, donde la vida de los hombres es perdurable; alguien, las cumbres donde nace el Pactolo, cuyos moradores viven un siglo. En Roma, conversé con filósofos que sintieron que dilatar la vida de los hombres era dilatar su agonía y multiplicar el número de sus muertes. Ignoro si creí alguna vez en la Ciudad de los Inmortales: pienso que entonces me bastó la tarea de buscarla. Flavio, procónsul de Getulia, me entregó doscientos soldados para la empresa. También recluté mercenarios, que se dijeron conocedores de los caminos y que fueron los primeros en desertar.

Los hechos ulteriores han deformado hasta lo inextricable el recuerdo de nuestras primeras jornadas. Partimos de Arsinoe y entramos en el abrasado desierto. Atravesamos el país de los trogloditas, que devoran serpientes y carecen del comercio de la palabra; el de los garamantas, que tienen las mujeres en común y se nutren de leones; el de los augilas, que sólo veneran el Tártaro. Fatigamos otros desiertos, donde es negra la arena, donde el viajero debe usurpar las horas de la noche, pues el fervor del día es intolerable. De lejos divisé la montaña que dio nombre al Océano: en sus laderas crece el euforbio, que anula los venenos; en la cumbre habitan los sátiros, nación de hombres ferales y rústicos, inclinados a la lujuria. Que esas regiones bárbaras, donde la tierra es madre de monstruos, pudieran albergar en su seno una ciudad famosa, a todos nos pareció inconcebible. Proseguimos la marcha, pues hubiera sido una afrenta retroceder. Algunos temerarios durmieron con la cara expuesta a la luna; la fiebre los ardió; en el agua depravada de las cisternas otros bebieron la locura y la muerte. Entonces comenzaron las deserciones; muy poco después, los motines. Para reprimirlos, no vacilé ante el ejercicio de la severidad. Procedí rectamente, pero un centurión me advirtió que los sediciosos (ávidos de vengar la crucifixión de uno de ellos) maquinaban mi muerte. Huí del campamento con los pocos soldados que me eran fieles. En el desierto los perdí, entre los remolinos de arena y la vasta noche. Una flecha cretense me laceró. Varios días erré sin encontrar agua, o un solo enorme día multiplicado por el sol, por la sed y por el temor de la sed. Dejé el camino al arbitrio de mi caballo. En el alba, la lejanía se erizó de pirámides y de torres. Insoportablemente soñé con un exiguo y nítido laberinto: en el centro había un cántaro; mis manos casi lo tocaban, mis ojos lo veían, pero tan intrincadas y perplejas eran las curvas que yo sabía que iba a morir antes de alcanzarlo.

II

Al desenredarme por fin de esa pesadilla, me vi tirado y maniatado en un oblongo nicho de piedra, no mayor que una sepultura común, superficialmente excavado en el agrio declive de una montaña. Los lados eran húmedos, antes pulidos por el tiempo que por la industria. Sentí en el pecho un doloroso latido, sentí que me abrazaba la sed. Me asomé y grité débilmente. Al pie de la montaña se dilataba sin rumor un arroyo impuro, entorpecido por escombros y arena; en la opuesta margen resplandecía (bajo el último sol o bajo el primero) la evidente Ciudad de los Inmortales. Vi muros, arcos, frontispicios y foros: el fundamento era una meseta de piedra. Un centenar de nichos irregulares, análogos al mío, surcaban la montaña y el valle. En la arena había pozos de poca hondura; de esos mezquinos agujeros (y de los nichos) emergían hombres de piel gris, de barba negligente, desnudos. Creí reconocerlos: pertenecían a la estirpe bestial de los trogloditas, que infestan las riberas del Golfo Arábigo y las grutas etiópicas; no me maravillé de que no hablaran y de que devoraran serpientes.

La urgencia de la sed me hizo temerario. Consideré que estaba a unos treinta pies de la arena; me tiré, cerrados los ojos, atadas a la espalda las manos, montaña abajo. Hundí la cara ensangrentada en el agua oscura. Bebí como se abrevan los animales. Antes de perderme otra vez en el sueño y en los delirios, inexplicablemente repetí unas palabras griegas: *Los ricos teucros de Zelea que beben el agua negra del Esepo...*

No sé cuántos días y noches rodaron sobre mí. Doloroso, incapaz de recuperar el abrigo de las cavernas, desnudo en la ignorada arena, dejé que la luna y el sol jugaran con mi aciago destino. Los trogloditas, infantiles en la barbarie, no me ayudaron a sobrevivir o a morir. En vano les rogué que me dieran muerte. Un día, con el filo de un pedernal rompí mis ligaduras. Otro, me levanté y pude mendigar o robar —yo, Marco Flaminio Rufo, tribuno militar de una de las legiones de Roma— mi primera detestada ración de carne de serpiente.

La codicia de ver a los Inmortales, de tocar la sobrehumana Ciudad, casi me vedaba dormir. Como si penetraran mi propósito, no dormían tampoco los trogloditas: al principio inferí que me vigilaban; luego, que se habían contagiado de mi inquietud, como podrían contagiarse los perros. Para alejarme de la bárbara aldea elegí la más pública de las horas, la declinación de la tarde, cuando casi todos los hombres emergen de las grietas y de los pozos y miran el poniente, sin verlo. Oré en voz alta, menos para suplicar el favor divino que para intimidar a la tribu con palabras articuladas. Atravesé el arroyo que los médanos entorpecen y me dirigí a la Ciudad. Confusamente me siguieron dos o tres hombres. Eran (como los otros de ese linaje) de menguada estatura; no inspiraban temor, sino repulsión. Debí rodear algunas hondonadas irregulares que me parecieron canteras; ofuscado por la grandeza de la Ciudad, yo la había creído cercana. Hacia la medianoche, pisé, erizada de formas idolátricas en la arena amarilla, la negra sombra de sus muros. Me detuvo una especie de horror sagrado. Tan abominadas del hombre son la novedad y el desierto que me alegré de que uno de los trogloditas me hubiera acompañado hasta el fin. Cerré los ojos y aguardé (sin dormir) que relumbrara el día.

He dicho que la Ciudad estaba fundada sobre una meseta de piedra. Esta meseta comparable a un acantilado no era menos ardua que los muros. En vano fatigué mis pasos: el negro basamento no descubría la menor irregularidad, los muros invariables no parecían consentir una sola puerta. La fuerza del día hizo que yo me refugiara en una caverna; en el fondo había un pozo, en el pozo una escalera que se abismaba hacia la tiniebla inferior. Bajé; por un caos de sórdidas galerías llegué a una vasta cámara circular, apenas visible. Había nueve puertas en aquel sótano; ocho daban a un laberinto que falazmente desembocaba en la misma cámara; la novena (a través de otro laberinto) daba a una segunda cámara circular, igual a la primera. Ignoro el número total de las cámaras; mi desventura y mi ansiedad las multiplicaron. El silencio era hostil y casi perfecto; otro rumor no había en esas profundas redes de piedra que un viento subterráneo, cuya causa no descubrí; sin ruido se perdían entre las grietas hilos de agua herrumbrada. Horriblemente me habitué a ese dudoso mundo; consideré increíble que pudiera existir otra cosa que sótanos provistos de nueve puertas y que sótanos largos que se bifurcan. Ignoro el tiempo que debí caminar bajo tierra; sé que alguna vez confundí, en la misma nostalgia, la atroz aldea de los bárbaros y mi ciudad natal, entre los racimos.

En el fondo de un corredor, un no previsto muro me cerró el paso. una remota luz cayó sobre mí. Alcé los ofuscados ojos: en lo vertiginoso, en lo altísimo, vi un círculo de cielo tan azul que pudo parecerme de púrpura. Unos peldaños de metal escalaban el muro. La fatiga me relajaba, pero subí, sólo deteniéndome a veces para torpemente sollozar de felicidad. Fui divisando capiteles y astrágalos, frontones triangulares y bóvedas, confusas pompas del granito y del mármol. Así me fue deparado ascender de la ciega región de negros laberintos entretejidos a la resplandeciente Ciudad.

Emergí a una suerte de plazoleta; mejor dicho, de patio. Lo rodeaba un solo edificio de forma irregular y altura variable; a ese edificio heterogéneo pertenecían las diversas cúpulas y columnas. Antes que ningún otro rasgo de ese monumento increíble, me suspendió lo antiquísimo de su fábrica. Sentí que era anterior a los hombres, anterior a la tierra. Esa notoria antigüedad (aunque terrible de algún modo para los ojos) me pareció adecuada al trabajo de obreros inmortales. Cautelosamente al principio, con indiferencia después, con desesperación al fin, erré por escaleras y pavimentos del inextricable palacio. (Después averigüé que eran inconstantes la extensión y la altura de los peldaños, hecho que me hizo comprender la singular fatiga que me infundieron.) *Este palacio es fábrica de los dioses*, pensé primeramente. Exploré los inhabitados recintos y corregí: *Los dioses que lo edificaron han muerto*. Noté sus peculiaridades y dije: *Los dioses que lo edificaron estaban locos*. Lo dije, bien lo sé, con una incomprensible reprobación que era casi un remordimiento, con más horror intelectual que miedo sensible. A la impresión de enorme antigüedad se agregaron otras: la de lo interminable, la de lo atroz, la de lo complejamente insensato. Yo había cruzado un laberinto, pero la nítida Ciudad de los Inmortales me atemorizó y repugnó. Un laberinto es una casa labrada para confundir a los hombres; su arquitectura, pródiga en simetrías, está subordinada a ese fin. En el palacio que imperfectamente exploré, la arquitectura carecía de fin. Abundaban el corredor sin salida, la alta ventana inalcanzable, la aparatosa puerta que daba a una celda o a un pozo, las increíbles escaleras inversas, con los peldaños y la balaustrada hacia abajo. Otras, adheridas aéreamente al costado de un muro monumental, morían sin llegar a ninguna parte, al cabo de dos o tres giros, en la tiniebla superior de las cúpulas. Ignoro si todos los ejemplos que he enumerado son literales; sé que durante muchos años infestaron mis pesadillas; no puedo ya saber si tal o cual rasgo es una transcripción de la realidad o de las formas que desatinaron mis noches. *Esta Ciudad* (pensé) *es tan horrible que su mera existencia y perduración, aunque en el centro de un desierto secreto, contamina el pasado y el porvenir y de algún modo compromete a los astros. Mientras perdure, nadie en el mundo podrá ser valeroso o feliz.* No quiero describirla; un caos de palabras heterogéneas, un cuerpo de tigre o de toro, en el que pulularan monstruosamente, conjugados y odiándose, dientes, órganos y cabezas, pueden (tal vez) ser imágenes aproximativas.

No recuerdo las etapas de mi regreso, entre los polvorientos y húmedos hipogeos. Únicamente sé que no me abandonaba el temor de que, al salir del último laberinto, me rodeara otra vez la nefanda Ciudad de los Inmortales. Nada más puedo recordar. Ese olvido, ahora insuperable, fue quizá voluntario; quizá las circunstancias de mi evasión fueron tan ingratas que, en algún día no menos olvidado también, he jurado olvidarlas.

III

Quienes hayan leído con atención el relato de mis trabajos recordarán que un hombre de la tribu me siguió como un perro podría seguirme, hasta la sombra irregular de los muros. Cuando salí del último sótano, lo encontré en la boca de la caverna. Estaba tirado en la arena, donde trazaba torpemente y borraba una hilera de signos, que eran como las letras de los sueños, que uno está a punto de entender y luego se juntan. Al principio, creí que se trataba de una escritura bárbara; después vi que es absurdo imaginar que hombres que no llegaron a la palabra lleguen a la escritura. Además, ninguna de las formas era igual a otra, lo cual excluía o alejaba la posibilidad de que fueran simbólicas. El hombre las trazaba, las miraba y las corregía. De golpe, como si le fastidiara ese juego, las borró con la palma y el antebrazo. Me miró, no pareció reconocerme. Sin embargo, tan grande era el alivio que me inundaba (o tan grande y medrosa mi soledad) que di en pensar que ese rudimental troglodita, que me miraba desde el suelo de la caverna, había estado esperándome. El sol caldeaba la llanura; cuando emprendimos el regreso a la aldea, bajo las primeras estrellas, la arena era ardorosa bajo los pies. El troglodita me precedió; esa noche concebí el propósito de enseñarle a reconocer, y acaso a repetir, algunas palabras. El perro y el caballo (reflexioné) son capaces de lo primero; muchas aves, como el ruiseñor de los Césares, de lo último. Por muy basto que fuera el entendimiento de un hombre, siempre sería superior al de irracionales.

La humildad y miseria del troglodita me trajeron a la memoria la imagen de Argos, el viejo perro moribundo de la Odisea, y así le puse el nombre de Argos y traté de enseñárselo. Fracasé y volví a fracasar. Los arbitrios, el rigor y la obstinación fueron del todo vanos. Inmóvil, con los ojos inertes, no parecía percibir los sonidos que yo procuraba inculcarle. A unos pasos de mí, era como si estuviera muy lejos. Echado en la arena, como una pequeña y ruinosa esfinge de lava, dejaba que sobre él giraran los cielos, desde el crepúsculo del día hasta el de la noche. Juzgué imposible que no se percatara de mi propósito. Recordé que es fama entre los etíopes que los monos deliberadamente no hablan para que no los obliguen a trabajar y atribuí a suspicacia o a temor el silencio de Argos. De esa imaginación pasé a otras, aun más extravagantes. Pensé que Argos y yo participábamos de universos distintos; pensé que nuestras percepciones eran iguales, pero que Argos las combinaba de otra manera y construia con ellas otros objetos; pensé que acaso no había objetos para él, sino un vertiginoso y continuo juego de impresiones brevísimas. Pensé en un mundo sin memoria, sin tiempo; consideré la posibilidad de un lenguaje que ignorara los sustantivos, un lenguaje de verbos impersonales o de indeclinables epítetos. Así fueron muriendo los días y con los días los años, pero algo parecido a la felicidad ocurrió una mañana. Llovió, con lentitud poderosa.

Las noches del desierto pueden ser frías, pero aquélla había sido un fuego. Soñé que un río de Tesalia (a cuyas aguas yo había restituido un pez de oro) venía a rescatarme; sobre la roja arena y la negra piedra yo lo oía acercarse; la frescura del aire y el rumor atareado de la lluvia me despertaron. Corrí desnudo a recibirla. Declinaba la noche; bajo las nubes amarillas la tribu, no menos dichosa que yo, se ofrecía a los vívidos aguaceros en una especie de éxtasis. Parecían coribantes a quienes posee la divinidad. Argos, puestos los ojos en la esfera, gemía; raudales le rodaban por la cara; no sólo de agua, sino (después lo supe) de lágrimas. Argos, le grité, Argos.

Entonces, con mansa admiración, como si descubriera una cosa perdida y olvidada hace mucho tiempo, Argos balbuceó estas palabras: *Argos, perro de Ulises*. Y después, también sin mirarme: *Este perro tirado en el estiércol*.

Fácilmente aceptamos la realidad, acaso porque intuimos que

nada es real. Le pregunté qué sabía de la Odisea. La práctica del griego le era penosa; tuve que repetir la pregunta.

Muy poco, dijo. *Menos que el rapsoda más pobre. Ya habrán pasado mil cien años desde que la inventé.*

IV

Todo me fue dilucidado, aquel día. Los trogloditas eran los Inmortales; el riacho de aguas arenosas, el Río que buscaba el jinete. En cuanto a la ciudad cuyo renombre se había dilatado hasta el Ganges, nueve siglos haría que los Inmortales la habían asolado. Con las reliquias de su ruina erigieron, en el mismo lugar, la desatinada ciudad que yo recorrí: suerte de parodia o reverso y también templo de los dioses irracionales que manejan el mundo y de los que nada sabemos, salvo que no se parecen al hombre. Aquella fundación fue el último símbolo a que condescendieron los Inmortales; marca una etapa en que, juzgando que toda empresa es vana, determinaron vivir en el pensamiento, en la pura especulación. Erigieron la fábrica, la olvidaron y fueron a morar en las cuevas. Absortos, casi no percibían el mundo físico.

Esas cosas Homero las refirió, como quien habla con un niño. También me refirió su vejez y el postrer viaje que emprendió, movido, como Ulises, por el propósito de llegar a los hombres que no saben lo que es el mar ni comen carne sazonada con sal ni sospechan lo que es un remo. Habitó un siglo en la Ciudad de los Inmortales. Cuando la derribaron, aconsejó la fundación de la otra. Ello no debe sorprendernos; es fama que después de cantar la guerra de Ilión, cantó la guerra de las ranas y los ratones. Fue como un dios que creara el cosmos y luego el caos.

Ser inmortal es baladí; menos el hombre, todas las criaturas lo son, pues ignoran la muerte; lo divino, lo terrible, lo incomprensible, es saberse inmortal. He notado que, pese a las religiones, esa convicción es rarísima. Israelitas, cristianos y musulmanes profesan la inmortalidad, pero la veneración que tributan al primer siglo prueba que sólo creen en él, ya que destinan todos los demás, en número infinito, a premiarlo o a castigarlo. Más razonable me parece la rueda de ciertas religiones del Indostán; en esa rueda, que no tiene principio ni fin, cada vida es efecto de la anterior y engendra la siguiente, pero ninguna determina el conjunto... Adoctrinada por un ejercicio de siglos, la república de hombres inmortales había logrado la perfección de la tolerancia y casi del desdén. Sabía que en un plazo infinito le ocurren a todo hombre todas las cosas. Por sus pasadas o futuras virtudes, todo hombre es acreedor a toda bondad, pero también a toda traición, por sus infamias del pasado o del porvenir. Así como en los juegos de azar las cifras pares y las cifras impares tienden al equilibrio, así también se anulan y se corrigen el ingenio y la estolidez, y acaso el rústico poema del Cid es el contrapeso exigido por un solo epíteto de las Églogas o por una sentencia de Heráclito. El pensamiento más fugaz obedece a un dibujo invisible y puede coronar, o inaugurar, una forma secreta. Sé de quienes obraban el mal para que en los siglos futuros resultara el bien, o hubiera resultado en los ya pretéritos... Encarados así, todos nuestros actos son justos, pero también son indiferentes. No hay méritos morales o intelectuales. Homero compuso la Odisea; postulado un plazo infinito, con infinitas circunstancias y cambios, lo imposible es no componer, siquiera una vez, la Odisea. Nadie es alguien, un solo hombre inmortal es todos los hombres. Como Cornelio Agrippa, soy dios, soy héroe, soy filósofo, soy demonio y soy mundo, lo cual es una fatigosa manera de decir que no soy.

 El concepto del mundo como sistema de precisas compensaciones influyó vastamente en los Inmortales. En primer término, los hizo invulnerables a la piedad. He mencionado las antiguas canteras que rompían los campos de la otra margen; un hombre se despeñó en la más honda; no podía lastimarse ni morir, pero lo abrasaba la sed; antes que le arrojaran una cuerda pasaron setenta años. Tampoco interesaba el propio destino. El cuerpo era un sumiso animal doméstico y le bastaba, cada mes, la limosna de unas horas de sueño, de un poco de agua y de una piltrafa de carne. Que nadie quiera rebajarnos a ascetas. No hay placer más complejo que el pensamiento y a él nos entregábamos. A veces, un estímulo extraordinario nos restituía al mundo físico. Por ejemplo, aquella mañana, el viejo goce elemental de la lluvia. Esos lapsos eran rarísimos; todos los Inmortales eran capaces de perfecta quietud; recuerdo alguno a quien jamás he visto de pie: un pájaro anidaba en su pecho.

 Entre los corolarios de la doctrina de que no hay cosa que no esté compensada por otra, hay uno de muy poca importancia teórica, pero que nos indujo, a fines o a principios del siglo x, a dispersarnos por la faz de la tierra. Cabe en estas palabras: *Existe un río cuyas aguas dan la inmortalidad; en alguna región habrá otro río cuyas aguas la borren.* El número de ríos no es infinito; un viajero inmortal que recorra el mundo acabará, algún día, por haber bebido de todos. Nos propusimos descubrir ese río.

 La muerte (o su alusión) hace preciosos y patéticos a los hombres. Éstos conmueven por su condición de fantasmas; cada acto que ejecutan puede ser último; no hay rostro que no esté por desdibujarse como el rostro de un sueño. Todo, entre los mortales, tiene el valor de lo irrecuperable y de lo azaroso. Entre los Inmortales, en cambio, cada acto (y cada pensamiento) es el eco de otros que en el pasado lo antecedieron, sin principio visible, o el fiel presagio de otros que en el futuro lo repetirán hasta el vértigo. No hay cosa que no esté como perdida entre infatigables espejos. Nada puede ocurrir una sola vez, nada es preciosamente precario. Lo elegíaco, lo grave, lo ceremonial, no rigen para los Inmortales. Homero y yo nos separamos en las puertas de Tánger; creo que no nos dijimos adiós.

V

Recorrí nuevos reinos, nuevos imperios. En el otoño de 1066 milité en el puente de Stamford, ya no recuerdo si en las filas de Harold, que no tardó en hallar su destino, o en las de aquel infausto Harald Hardrada que conquistó seis pies de tierra inglesa, o un poco más. En el séptimo siglo de la Héjira, en el arrabal de Bulaq, transcribí con pausada caligrafía, en un idioma que he olvidado, en un alfabeto que ignoro, los siete viajes de Simbad y la historia de la Ciudad de Bronce. En un patio de la cárcel de Samarcanda he jugado muchísimo al ajedrez. En Bikanir he profesado la astrología y también en Bohemia. En 1638 estuve en Kolozsvár y después en Leipzig. En Aberdeen, en 1714, me suscribí a los seis volúmenes de la Ilíada de Pope; sé que los frecuenté con deleite. Hacia 1729 discutí el origen de ese poema con un profesor de retórica, llamado, creo, Giambattista; sus razones me parecieron irrefutables. El cuatro de octubre de 1921, el *Patna*, que me conducía a Bombay, tuvo que fondear en un puerto de la costa eritrea.[1] Bajé; recordé otras mañanas muy antiguas, también frente al Mar Rojo; cuando yo era tribuno de Roma y la fiebre y la magia y la inacción consumían a los soldados. En las afueras vi un caudal de agua clara; la probé, movido por la costumbre. Al repechar la margen, un árbol espinoso me laceró el dorso de la mano. El inusitado dolor me pareció muy vivo. Incrédulo, silencioso y feliz, contemplé la preciosa formación de una lenta gota de sangre. De nuevo soy mortal, me repetí, de nuevo me parezco a todos los hombres. Esa noche, dormí hasta el amanecer.

...He revisado, al cabo de un año, estas páginas. Me consta que se ajustan a la verdad, pero en los primeros capítulos, y aun

[1] Hay una tachadura en el manuscrito; tal vez el nombre del puerto ha sido borrado.

en ciertos párrafos de los otros, creo percibir algo falso. Ello es obra, tal vez, del abuso de rasgos circunstanciales, procedimiento que aprendí en los poetas y que todo lo contamina de falsedad, ya que esos rasgos pueden abundar en los hechos, pero no en su memoria... Creo, sin embargo, haber descubierto una razón más íntima. La escribiré; no importa que me juzguen fantástico.

La historia que he narrado parece irreal porque en ella se mezclan los sucesos de dos hombres distintos. En el primer capítulo, el jinete quiere saber el nombre del río que baña las murallas de Tebas; Flaminio Rufo, que antes ha dado a la ciudad el epíteto de Hekatómpylos, dice que el río es el Egipto; ninguna de esas locuciones es adecuada a él, sino a Homero, que hace mención expresa, en la Ilíada, de Tebas Hekatómpylos, y en la Odisea, por boca de Proteo y de Ulises, dice invariablemente Egipto por Nilo. En el capítulo segundo, el romano, al beber el agua inmortal, pronuncia unas palabras en griego; esas palabras son homéricas y pueden buscarse en el fin del famoso catálogo de las naves. Después, en el vertiginoso palacio, habla de "una reprobación que era casi un remordimiento"; esas palabras corresponden a Homero, que había proyectado ese horror. Tales anomalías me inquietaron; otras, de orden estético, me permitieron descubrir la verdad. El último capítulo las incluye; ahí está escrito que milité en el puente de Stamford, que transcribí, en Bulaq, los viajes de Simbad el Marino y que me suscribí, en Aberdeen, a la Ilíada inglesa de Pope. Se lee, *inter alia*: "En Bikanir he profesado la astrología y también en Bohemia." Ninguno de esos testimonios es falso; lo significativo es el hecho de haberlos destacado. El primero de todos parece convenir a un hombre de guerra, pero luego se advierte que el narrador no repara en lo bélico y sí en la suerte de los hombres. Los que siguen son más curiosos. Una oscura razón elemental me obligó a registrarlos; lo hice porque sabía que eran patéticos. No lo son, dichos por el romano Flaminio Rufo. Lo son, dichos por Homero; es raro que éste copie, en el siglo trece, las aventuras de Simbad, de otro Ulises, y descubra, a la vuelta de muchos siglos, en un reino boreal y un idioma bárbaro, las formas de su Ilíada. En cuanto a la oración que recoge el nombre de Bikanir, se ve que la ha fabricado un hombre de letras, ganoso (como el autor del catálogo de las naves) de mostrar vocablos espléndidos.[1]

Cuando se acerca el fin, ya no quedan imágenes del recuerdo; sólo quedan palabras. No es extraño que el tiempo haya con-

---

[1] Ernesto Sabato sugiere que el "Giambattista" que discutió la formación de la Ilíada con el anticuario Cartaphilus es Giambattista Vico; ese italiano defendía que Homero es un personaje simbólico, a la manera de Plutón o de Aquiles.

fundido las que alguna vez me representaron con las que fueron símbolos de la suerte de quien me acompañó tantos siglos. Yo he sido Homero; en breve, seré Nadie, como Ulises; en breve, seré todos: estaré muerto.

Posdata de 1950. Entre los comentarios que ha despertado la publicación anterior, el más curioso, ya que no el más urbano, bíblicamente se titula *A coat of many colours* (Manchester, 1948) y es obra de la tenacísima pluma del doctor Nahum Cordovero. Abarca unas cien páginas. Habla de los centones griegos, de los centones de la baja latinidad, de Ben Jonson, que definió a sus contemporáneos con retazos de Séneca, del *Virgilius evangelizans* de Alexander Ross, de los artificios de George Moore y de Eliot y, finalmente, de "la narración atribuida al anticuario Joseph Cartaphilus". Denuncia, en el primer capítulo, breves interpolaciones de Plinio (*Historia naturalis*, V, 8); en el segundo, de Thomas de Quincey (*Writings*, III, 439); en el tercero, de una epístola de Descartes al embajador Pierre Chanut; en el cuarto, de Bernard Shaw (*Back to Methuselah*, V). Infiere de esas intrusiones, o hurtos, que todo el documento es apócrifo.

A mi entender, la conclusión es inadmisible. *Cuando se acerca el fin*, escribió Cartaphilus, *ya no quedan imágenes del recuerdo; sólo quedan palabras*. Palabras, palabras desplazadas y mutiladas, palabras de otros, fue la pobre limosna que le dejaron las horas y los siglos.

A Cecilia Ingenieros.

EL MUERTO

Que un hombre del suburbio de Buenos Aires, que un triste compadrito sin más virtud que la infatuación del coraje, se interne en los desiertos ecuestres de la frontera del Brasil y llegue a capitán de contrabandistas, parece de antemano imposible. A quienes lo entienden así, quiero contarles el destino de Benjamín Otálora, de quien acaso no perdura un recuerdo en el barrio de Balvanera y que murió en su ley, de un balazo, en los confines de Río Grande do Sul. Ignoro los detalles de su aventura; cuando me sean revelados, he de rectificar y ampliar estas páginas. Por ahora, este resumen puede ser útil.

Benjamín Otálora cuenta, hacia 1891, diecinueve años. Es un mocetón de frente mezquina, de sinceros ojos claros, de reciedumbre vasca; una puñalada feliz le ha revelado que es un hombre valiente; no lo inquieta la muerte de su contrario, tampoco la inmediata necesidad de huir de la República. El caudillo de la parroquia le da una carta para un tal Azevedo Bandeira, del Uruguay. Otálora se embarca, la travesía es tormentosa y crujiente; al otro día, vaga por las calles de Montevideo, con inconfesada y tal vez ignorada tristeza. No da con Azevedo Bandeira; hacia la medianoche, en un almacén del Paso del Molino, asiste a un altercado entre unos troperos. Un cuchillo relumbra; Otálora no sabe de qué lado está la razón, pero lo atrae el puro sabor del peligro, como a otros la baraja o la música. Para, en el entrevero, una puñalada baja que un peón le tira a un hombre de galera oscura y de poncho. Éste, después, resulta ser Azevedo Bandeira. (Otálora, al saberlo, rompe la carta, porque prefiere debérselo todo a sí mismo.) Azevedo Bandeira da, aunque fornido, la injustificable impresión de ser contrahecho; en su rostro, siempre demasiado cercano, están el judío, el negro y el indio; en su empaque, el mono y el tigre; la cicatriz que le atraviesa la cara es un adorno más, como el negro bigote cerdoso.

Proyección o error del alcohol, el altercado cesa con la misma rapidez con que se produjo. Otálora bebe con los troperos y luego los acompaña a una farra y luego a un caserón en la Ciudad Vieja, ya con el sol bien alto. En el último patio, que es de tierra, los hombres tienden su recado para dormir. Oscuramente,

Otálora compara esa noche con la anterior; ahora ya pisa tierra firme, entre amigos. Lo inquieta algún remordimiento, eso sí, de no extrañar a Buenos Aires. Duerme hasta la oración, cuando lo despierta el paisano que agredió, borracho, a Bandeira. (Otálora recuerda que ese hombre ha compartido con los otros la noche de tumulto y de júbilo y que Bandeira lo sentó a su derecha y lo obligó a seguir bebiendo.) El hombre le dice que el patrón lo manda buscar. En una suerte de escritorio que da al zaguán (Otálora nunca ha visto un zaguán con puertas laterales) está esperándolo Azevedo Bandeira, con una clara y desdeñosa mujer de pelo colorado. Bandeira lo pondera, le ofrece una copa de caña, le repite que le está pareciendo un hombre animoso, le propone ir al Norte con los demás a traer una tropa. Otálora acepta; hacia la madrugada están en camino, rumbo a Tacuarembó.

Empieza entonces para Otálora una vida distinta, una vida de vastos amaneceres y de jornadas que tienen el olor del caballo. Esa vida es nueva para él, y a veces atroz, pero ya está en su sangre, porque lo mismo que los hombres de otras naciones veneran y presienten el mar, así nosotros (también el hombre que entreteje estos símbolos) ansiamos la llanura inagotable que resuena bajo los cascos. Otálora se ha criado en los barrios del carrero y del cuarteador; antes de un año se hace gaucho. Aprende a jinetear, a entropillar la hacienda, a carnear, a manejar el lazo que sujeta y las boleadoras que tumban, a resistir el sueño, las tormentas, las heladas y el sol, a arrear con el silbido y el grito. Sólo una vez, durante ese tiempo de aprendizaje, ve a Azevedo Bandeira, pero lo tiene muy presente, porque ser *hombre de Bandeira* es ser considerado y temido, y porque, ante cualquier hombrada, los gauchos dicen que Bandeira lo hace mejor. Alguien opina que Bandeira nació del otro lado del Cuareim, en Río Grande do Sul; eso, que debería rebajarlo, oscuramente lo enriquece de selvas populosas, de ciénagas, de inextricables y casi infinitas distancias. Gradualmente, Otálora entiende que los negocios de Bandeira son múltiples y que el principal es el contrabando. Ser tropero es ser un sirviente; Otálora se propone ascender a contrabandista. Dos de los compañeros, una noche, cruzarán la frontera para volver con unas partidas de caña; Otálora provoca a uno de ellos, lo hiere y toma su lugar. Lo mueve la ambición y también una oscura fidelidad. *Que el hombre* (piensa) *acabe por entender que yo valgo más que todos sus orientales juntos.*

Otro año pasa antes que Otálora regrese a Montevideo. Recorren las orillas, la ciudad (que a Otálora le parece muy grande); llegan a casa del patrón; los hombres tienden los recados en el último patio. Pasan los días y Otálora no ha visto a Bandeira. Dicen, con temor, que está enfermo; un moreno suele subir a su dormitorio con la caldera y con el mate. Una tarde, le encomiendan a Otálora esa tarea. Éste se siente vagamente humillado, pero satisfecho también.

El dormitorio es desmantelado y oscuro. Hay un balcón que mira al poniente, hay una larga mesa con un resplandeciente desorden de taleros, de arreadores, de cintos, de armas de fuego y de armas blancas, hay un remoto espejo que tiene la luna empañada. Bandeira yace boca arriba; sueña y se queja; una vehemencia de sol último lo define. El vasto lecho blanco parece disminuirlo y oscurecerlo; Otálora nota las canas, la fatiga, la flojedad, las grietas de los años. Lo subleva que los esté mandando ese viejo. Piensa que un golpe bastaría para dar cuenta de él. En eso, ve en el espejo que alguien ha entrado. Es la mujer de pelo rojo; está a medio vestir y descalza y lo observa con fría curiosidad. Bandeira se incorpora; mientras habla de cosas de la campaña y despacha mate tras mate, sus dedos juegan con las trenzas de la mujer. Al fin, le da licencia a Otálora para irse.

Días después, les llega la orden de ir al Norte. Arriban a una estancia perdida, que está como en cualquier lugar de la interminable llanura. Ni árboles ni un arroyo la alegran, el primer sol y el último la golpean. Hay corrales de piedra para la hacienda, que es guampuda y menesterosa. *El Suspiro* se llama ese pobre establecimiento.

Otálora oye en rueda de peones que Bandeira no tardará en llegar de Montevideo. Pregunta por qué; alguien aclara que hay un forastero agauchado que está queriendo mandar demasiado. Otálora comprende que es una broma, pero le halaga que esa broma ya sea posible. Averigua, después, que Bandeira se ha enemistado con uno de los jefes políticos y que éste le ha retirado su apoyo. Le gusta esa noticia.

Llegan cajones de armas largas; llegan una jarra y una palangana de plata para el aposento de la mujer; llegan cortinas de intrincado damasco; llega de las cuchillas, una mañana, un jinete sombrío, de barba cerrada y de poncho. Se llama Ulpiano Suárez y es el *capanga* o guardaespaldas de Azevedo Bandeira. Habla muy poco y de una manera abrasilerada. Otálora no sabe si atribuir su reserva a hostilidad, a desdén o a mera barbarie. Sabe, eso sí, que para el plan que está maquinando tiene que ganar su amistad.

Entra después en el destino de Benjamín Otálora un colorado cabos negros que trae del sur Azevedo Bandeira y que luce apero chapeado y carona con bordes de piel de tigre. Ese caballo liberal es un símbolo de la autoridad del patrón y por eso lo codicia el muchacho, que llega también a desear, con deseo rencoroso, a la mujer de pelo resplandeciente. La mujer, el apero y el colorado son atributos o adjetivos de un hombre que él aspira a destruir.

Aquí la historia se complica y se ahonda. Azevedo Bandeira es diestro en el arte de la intimidación progresiva, en la satánica maniobra de humillar al interlocutor gradualmente, combinando veras y burlas; Otálora resuelve aplicar ese método ambiguo a la dura tarea que se propone. Resuelve suplantar, lentamente, a Azevedo Bandeira. Logra, en jornadas de peligro común, la amistad de Suárez. Le confía su plan; Suárez le promete su ayuda. Muchas cosas van aconteciendo después, de las que sé unas pocas. Otálora no obedece a Bandeira; da en olvidar, en corregir, en invertir sus órdenes. El universo parece conspirar con él y apresura los hechos. Un mediodía, ocurre en campos de Tacuarembó un tiroteo con gente riograndense; Otálora usurpa el lugar de Bandeira y manda a los orientales. Le atraviesa el hombro una bala, pero esa tarde Otálora regresa al *Suspiro* en el colorado del jefe y esa tarde unas gotas de su sangre manchan la piel de tigre y esa noche duerme con la mujer de pelo reluciente. Otras versiones cambian el orden de estos hechos y niegan que hayan ocurrido en un solo día.

Bandeira, sin embargo, siempre es nominalmente el jefe. Da órdenes que no se ejecutan; Benjamín Otálora no lo toca, por una mezcla de rutina y de lástima.

La última escena de la historia corresponde a la agitación de la última noche de 1894. Esa noche, los hombres del *Suspiro* comen cordero recién carneado y beben un alcohol pendenciero. Alguien infinitamente rasguea una trabajosa milonga. En la cabecera de la mesa, Otálora, borracho, erige exultación sobre exultación, júbilo sobre júbilo; esa torre de vértigo es un símbolo de su irresistible destino. Bandeira, taciturno entre los que gritan, deja que fluya clamorosa la noche. Cuando las doce campanadas resuenan, se levanta como quien recuerda una obligación. Se levanta y golpea con suavidad a la puerta de la mujer. Ésta le abre en seguida, como si esperara el llamado. Sale a medio vestir y descalza. Con una voz que se afemina y se arrastra, el jefe le ordena:

—Ya que vos y el porteño se quieren tanto, ahora mismo le vas a dar un beso a vista de todos.

Agrega una circunstancia brutal. La mujer quiere resistir,

pero dos hombres la han tomado del brazo y la echan sobre Otálora. Arrasada en lágrimas, le besa la cara y el pecho. Ulpiano Suárez ha empuñado el revólver. Otálora comprende, antes de morir, que desde el principio lo han traicionado, que ha sido condenado a muerte, que le han permitido el amor, el mando y el triunfo, porque ya lo daban por muerto, porque para Bandeira ya estaba muerto.

Suárez, casi con desdén, hace fuego.

LOS TEÓLOGOS

Arrasado el jardín, profanados los cálices y las aras, entraron a caballo los hunos en la biblioteca monástica y rompieron los libros incomprensibles y los vituperaron y los quemaron, acaso temerosos de que las letras encubrieran blasfemias contra su dios, que era una cimitarra de hierro. Ardieron palimpsestos y códices, pero en el corazón de la hoguera, entre la ceniza, perduró casi intacto el libro duodécimo de la *Civitas Dei*, que narra que Platón enseñó en Atenas que, al cabo de los siglos, todas las cosas recuperarán su estado anterior, y él, en Atenas, ante el mismo auditorio, de nuevo enseñará esa doctrina. El texto que las llamas perdonaron gozó de una veneración especial y quienes lo leyeron y releyeron en esa remota provincia dieron en olvidar que el autor sólo declaró esa doctrina para poder mejor confutarla. Un siglo después, Aureliano, coadjutor de Aquilea, supo que a orillas del Danubio la novísima secta de los *monótonos* (llamados también *anulares*) profesaba que la historia es un círculo y que nada es que no haya sido y que no será. En las montañas, la Rueda y la Serpiente habían desplazado a la Cruz. Todos temían, pero todos se confortaban con el rumor de que Juan de Panonia, que se había distinguido por un tratado sobre el séptimo atributo de Dios, iba a impugnar tan abominable herejía.

Aureliano deploró esas nuevas, sobre todo la última. Sabía que en materia teológica no hay novedad sin riesgo; luego reflexionó que la tesis de un tiempo circular era demasiado disímil, demasiado asombrosa, para que el riesgo fuera grave. (Las herejías que debemos temer son las que pueden confundirse con la ortodoxia.) Más le dolió la intervención —la intrusión— de Juan de Panonia. Hace dos años, éste había usurpado con su verboso *De septima affectione Dei sive de aeternitate* un asunto de la especialidad de Aureliano; ahora, como si el problema del tiempo le perteneciera, iba a rectificar, tal vez con argumentos de Procusto, con triacas más temibles que la Serpiente, a los anulares... Esa noche, Aureliano pasó las hojas del antiguo diálogo de Plutarco sobre la cesación de los oráculos; en el párrafo veintinueve, leyó una burla contra los estoicos que defienden un infinito ciclo de mundos, con infinitos soles, lunas, Apolos, Dianas y Poseidones. El hallazgo le pareció un pronóstico favorable; resolvió adelantarse a Juan de Panonia y refutar a los heréticos de la Rueda.

Hay quien busca el amor de una mujer para olvidarse de ella, para no pensar más en ella; Aureliano, parejamente, quería superar a Juan de Panonia para curarse del rencor que éste le infundía, no para hacerle mal. Atemperado por el mero trabajo, por la fabricación de silogismos y la invención de injurias, por los *nego* y los *autem* y los *nequaquam,* pudo olvidar ese rencor. Erigió vastos y casi inextricables períodos, estorbados de incisos, donde la negligencia y el solecismo parecían formas del desdén. De la cacofonía hizo un instrumento. Previó que Juan fulminaría a los anulares con gravedad profética; optó, para no coincidir con él, por el escarnio. Agustín había escrito que Jesús es la vía recta que nos salva del laberinto circular en que andan los impíos; Aureliano, laboriosamente trivial, los equiparó con Ixión, con el hígado de Prometeo, con Sísifo, con aquel rey de Tebas que vio dos soles, con la tartamudez, con loros, con espejos, con ecos, con mulas de noria y con silogismos bicornutos. (Las fábulas gentílicas perduraban, rebajadas a adornos.) Como todo poseedor de una biblioteca, Aureliano se sabía culpable de no conocerla hasta el fin; esa controversia le permitió cumplir con muchos libros que parecían reprocharle su incuria. Así pudo engastar un pasaje de la obra *De principiis* de Orígenes, donde se niega que Judas Iscariote volverá a vender al Señor, y Pablo a presenciar en Jerusalén el martirio de Esteban, y otro de los *Academica priora* de Cicerón, en el que éste se burla de quienes sueñan que mientras él conversa con Lúculo, otros Lúculos y otros Cicerones, en número infinito, dicen puntualmente lo mismo, en infinitos mundos iguales. Además, esgrimió contra los monótonos el texto de Plutarco y denunció lo escandaloso de que a un idólatra le valiera más el *lumen naturae* que a ellos la palabra de Dios. Nueve días le tomó ese trabajo; el décimo, le fue remitido un traslado de la refutación de Juan de Panonia.

Era casi irrisoriamente breve; Aureliano la miró con desdén y luego con temor. La primera parte glosaba los versículos terminales del noveno capítulo de la Epístola a los Hebreos, donde se dice que Jesús no fue sacrificado muchas veces desde el principio del mundo, sino ahora una vez en la consumación de los siglos. La segunda alegaba el precepto bíblico sobre las vanas repeticiones de los gentiles (Mateo 6:7) y aquel pasaje del séptimo libro de Plinio, que pondera que en el dilatado universo no haya dos caras iguales. Juan de Panonia declaraba que tampoco hay dos almas y que el pecador más vil es precioso como la sangre que por él vertió Jesucristo. El acto de un solo hombre (afirmó) pesa más que los nueve cielos concéntricos y trasoñar que puede perderse y volver es una aparatosa frivolidad. El tiempo no rehace lo que perdemos; la eternidad lo guarda para la gloria y también para el fuego. El tratado era límpido, universal; no parecía redactado por una persona concreta, sino por cualquier hombre o, quizá, por todos los hombres.

Aureliano sintió una humillación casi física. Pensó destruir o reformar su propio trabajo; luego, con rencorosa probidad, lo mandó a Roma sin modificar una letra. Meses después, cuando se juntó el concilio de Pérgamo, el teólogo encargado de impugnar los errores de los monótonos fue (previsiblemente) Juan de Panonia; su docta y mesurada refutación bastó para que Euforbo, heresiarca, fuera condenado a la hoguera. *Esto ha ocurrido y volverá a ocurrir*, dijo Euforbo. *No encendéis una pira, encendéis un laberinto de fuego. Si aquí se unieran todas las hogueras que he sido, no cabrían en la tierra y quedarían ciegos los ángeles. Esto lo dije muchas veces*. Después gritó, porque lo alcanzaron las llamas.

Cayó la Rueda ante la Cruz [1], pero Aureliano y Juan prosiguieron su batalla secreta. Militaban los dos en el mismo ejército, anhelaban el mismo galardón, guerreaban contra el mismo Enemigo, pero Aureliano no escribió una palabra que inconfesablemente no propendiera a superar a Juan. Su duelo fue invisible; si los copiosos índices no me engañan, no figura una sola vez el nombre del *otro* en los muchos volúmenes de Aureliano que atesora la Patrología de Migne. (De las obras de Juan, sólo han perdurado veinte palabras). Los dos desaprobaron los anatemas del segundo concilio de Constantinopla; los dos persiguieron a los arrianos, que negaban la generación eterna del Hijo; los dos atestiguaron la ortodoxia de la *Topographia christiana* de Cosmas, que enseña que la tierra es cuadrangular, como el tabernáculo hebreo. Desgraciadamente, por los cuatro ángulos de la tierra cundió otra tempestuosa herejía. Oriunda del Egipto o del Asia (porque los testimonios difieren y Bousset no quiere admitir las razones de Harnack), infestó las provincias orientales y erigió santuarios en Macedonia, en Cartago y en Tréveris. Pareció estar en todas partes; se dijo que en la diócesis de Britania habían sido invertidos los crucifijos y que a la imagen del Señor, en Cesárea, la había suplantado un espejo. El espejo y el óbolo eran emblemas de los nuevos cismáticos.

La historia los conoce por muchos nombres (*especulares, abismales, cainitas*), pero de todos el más recibido es *histriones*, que Aureliano les dio y que ellos con atrevimiento adoptaron. En Frigia les dijeron *simulacros*, y también en Dardania. Juan Da-

[1] En las cruces rúnicas los dos emblemas enemigos conviven entrelazados.

masceno los llamó *formas*; justo es advertir que el pasaje ha sido rechazado por Erfjord. No hay heresiólogo que con estupor no refiera sus desaforadas costumbres. Muchos histriones profesaron el ascetismo; alguno se mutiló, como Orígenes; otros moraron bajo tierra, en las cloacas; otros se arrancaron los ojos; otros (los *nabucodonosores* de Nitria) "pacían como los bueyes y su pelo crecía como de águila". De la mortificación y el rigor pasaban, muchas veces, al crimen; ciertas comunidades toleraban el robo; otras, el homicidio; otras, la sodomía, el incesto y la bestialidad. Todas eran blasfemas; no sólo maldecían del Dios cristiano, sino de las arcanas divinidades de su propio panteón. Maquinaron libros sagrados, cuya desaparición deploran los doctos. Sir Thomas Browne, hacia 1658, escribió "El tiempo ha aniquilado los ambiciosos Evangelios *Histriónicos*, no las Injurias con que se fustigó su Impiedad": Erfjord ha sugerido que esas "injurias" (que preserva un códice griego) son los evangelios perdidos. Ello es incomprensible, si ignoramos la cosmología de los histriones.

En los libros herméticos está escrito que lo que hay abajo es igual a lo que hay arriba, y lo que hay arriba, igual a lo que hay abajo; en el Zohar, que el mundo inferior es reflejo del superior. Los histriones fundaron su doctrina sobre una perversión de esa idea. Invocaron a Mateo 6:12 ("perdónanos nuestras deudas, como nosotros perdonamos a nuestros deudores") y 11:12 ("el reino de los cielos padece fuerza") para demostrar que la tierra influye en el cielo, y a I Corintios 13:12 ("vemos ahora por espejo, en oscuridad") para demostrar que todo lo que vemos es falso. Quizá contaminados por los monótonos, imaginaron que todo hombre es dos hombres y que el verdadero es el otro, el que está en el cielo. También imaginaron que nuestros actos proyectan un reflejo invertido, de suerte que si velamos, el otro duerme, si fornicamos, el otro es casto, si robamos, el otro es generoso. Muertos, nos uniremos a él y seremos él. (Algún eco de esas doctrinas perduró en Bloy). Otros histriones discurrieron que el mundo concluiría cuando se agotara la cifra de sus posibilidades; ya que no puede haber repeticiones, el justo debe eliminar (cometer) los actos más infames, para que estos no manchen el porvenir y para acelerar el advenimiento del reino de Jesús. Ese artículo fue negado por otras sectas, que defendieron que la historia del mundo debe cumplirse en cada hombre. Los más, como Pitágoras deberán trasmigrar por muchos cuerpos antes de obtener su liberación; algunos, los proteicos, "en el término de una sola vida son leones, son dragones, son jabalíes, son agua y son un árbol". Demóstenes refiere la purificación por el fango a que eran sometidos los iniciados, en los misterios órficos; los proteicos, analógicamente, buscaron la purificación por el mal. Entendieron, como Carpócrates, que nadie saldrá de la cárcel hasta pagar el último óbolo (Lucas 12:59), y solían embaucar a los penitentes con este otro versículo: "Yo he venido para que tengan vida los hombres y para que la tengan en abundancia" (Juan 10:10). También decían que no ser un malvado es una soberbia satánica... Muchas y divergentes mitologías urdieron los histriones; unos predicaron el ascetismo, otros la licencia, todos la confusión. Teopompo, histrión de Berenice, negó todas las fábulas; dijo que cada hombre es un órgano que proyecta la divinidad para sentir el mundo.

Los herejes de la diócesis de Aureliano eran de los que afirmaban que el tiempo no tolera repeticiones, no de los que afirmaban que todo acto se refleja en el cielo. Esa circunstancia era rara; en un informe a las autoridades romanas, Aureliano la mencionó. El prelado que recibiría el informe era confesor de la emperatriz; nadie ignoraba que ese ministerio exigente le vedaba las íntimas delicias de la teología especulativa. Su secretario —antiguo colaborador de Juan de Panonia, ahora enemistado con él— gozaba del renombre de puntualísimo inquisidor de heterodoxias; Aureliano agregó una exposición de la herejía histriónica, tal como ésta se daba en los conventículos de Genua y de Aquilea. Redactó unos párrafos; cuando quiso escribir la tesis atroz de que no hay dos instantes iguales, su pluma se detuvo. No dio con la fórmula necesaria; las admoniciones de la nueva doctrina ("¿Quieres ver lo que no vieron ojos humanos? Mira la luna. ¿Quieres oír lo que los oídos no oyeron? Oye el grito del pájaro. ¿Quieres tocar lo que no tocaron las manos? Toca la tierra. Verdaderamente digo que Dios está por crear el mundo") eran harto afectadas y metafóricas para la transcripción. De pronto, una oración de veinte palabras se presentó a su espíritu. La escribió, gozoso; inmediatamente después, lo inquietó la sospecha de que era ajena. Al día siguiente, recordó que la había leído hacía muchos años en el *Adversus annulares* que compuso Juan de Panonia. Verificó la cita; ahí estaba. La incertidumbre lo atormentó. Variar o suprimir esas palabras, era debilitar la expresión; dejarlas, era plagiar a un hombre que aborrecía; indicar la fuente, era denunciarlo. Imploró el socorro divino. Hacia el principio del segundo crepúsculo, el ángel de su guarda le dictó una solución intermedia. Aureliano conservó las palabras, pero les antepuso este aviso: *Lo que ladran ahora los heresiarcas para confusión de la fe, lo dijo en este siglo un varón doctísimo, con más ligereza que culpa.* Después, ocurrió lo temido, lo esperado, lo inevitable. Aureliano tuvo que declarar quién era ese varón; Juan de Panonia fue acusado de profesar opiniones heréticas.

Cuatro meses después, un herrero del Aventino, alucinado por los engaños de los histriones, cargó sobre los hombros de su hijito una gran esfera de hierro, para que su doble volara. El niño murió; el horror engendrado por ese crimen impuso una intachable severidad a los jueces de Juan. Éste no quiso retractarse; repitió que negar su proposición era incurrir en la pestilencial herejía de los monótonos. No entendió (no quiso entender) que hablar de los monótonos era hablar de lo ya olvidado. Con insistencia algo senil, prodigó los períodos más brillantes de sus viejas polémicas; los jueces ni siquiera oían lo que los arrebató alguna vez. En lugar de tratar de purificarse de la más leve mácula de histrionismo, se esforzó en demostrar que la proposición de que lo acusaban era rigurosamente ortodoxa. Discutió con los hombres de cuyo fallo dependía su suerte y cometió la máxima torpeza de hacerlo con ingenio y con ironía. El veintiséis de octubre, al cabo de una discusión que duró tres días y tres noches, lo sentenciaron a morir en la hoguera.

Aureliano presenció la ejecución, porque no hacerlo era confesarse culpable. El lugar del suplicio era una colina, en cuya verde cumbre había un palo, hincado profundamente en el suelo, y en torno muchos haces de leña. Un ministro leyó la sentencia del tribunal. Bajo el sol de las doce, Juan de Panonia yacía con la cara en el polvo, lanzando bestiales aullidos. Arañaba la tierra, pero los verdugos lo arrancaron, lo desnudaron y por fin lo amarraron a la picota. En la cabeza le pusieron una corona de paja untada de azufre; al lado, un ejemplar del pestilente *Adversus annulares*. Había llovido la noche antes y la leña ardía mal. Juan de Panonia rezó en griego y luego en un idioma desconocido. La hoguera iba a llevárselo, cuando Aureliano se atrevió a alzar los ojos. Las ráfagas ardientes se detuvieron; Aureliano vio por primera y última vez el rostro del odiado. Le recordó el de alguien, pero no pudo precisar el de quién. Después, las llamas lo perdieron; después gritó y fue como si un incendio gritara.

Plutarco ha referido que Julio César lloró la muerte de Pompeyo; Aureliano no lloró la de Juan, pero sintió lo que sentiría un hombre curado de una enfermedad incurable, que ya fuera una parte de su vida. En Aquilea, en Éfeso, en Macedonia, dejó que sobre él pasaran los años. Buscó los arduos límites del Imperio, las torpes ciénagas y los contemplativos desiertos, para que lo ayudara la soledad a entender su destino. En una celda mauritana, en la noche cargada de leones, repensó la compleja acusación contra Juan de Panonia y justificó, por enésima vez, el dictamen. Más le costó justificar su tortuosa denuncia. En Rusaddir predicó el anacrónico sermón *Luz de las luces encen-*

dida en la carne de un réprobo. En Hibernia, en una de las chozas de un monasterio cercado por la selva, lo sorprendió una noche, hacia el alba, el rumor de la lluvia. Recordó una noche romana en que lo había sorprendido, también, ese minucioso rumor. Un rayo, al mediodía, incendió los árboles y Aureliano pudo morir como había muerto Juan.

El final de la historia sólo es referible en metáforas, ya que pasa en el reino de los cielos, donde no hay tiempo. Tal vez cabría decir que Aureliano conversó con Dios y que Éste se interesa tan poco en diferencias religiosas que lo tomó por Juan de Panonia. Ello, sin embargo, insinuaría una confusión de la mente divina. Más correcto es decir que en el paraíso, Aureliano supo que para la insondable divinidad, él y Juan de Panonia (el ortodoxo y el hereje, el aborrecedor y el aborrecido, el acusador y la víctima) formaban una sola persona.

HISTORIA DEL GUERRERO Y DE LA CAUTIVA

En la página 278 del libro *La poesía* (Bari, 1942), Croce, abreviando un texto latino del historiador Pablo el Diácono, narra la suerte y cita el epitafio de Droctulft; éstos me conmovieron singularmente, luego entendí por qué. Fue Droctulft un guerrero lombardo que en el asedio de Ravena abandonó a los suyos y murió defendiendo la ciudad que antes había atacado. Los raveneses le dieron sepultura en un templo y compusieron un epitafio en el que manifestaron su gratitud ("contespsit caros, dum nos amat ille, parentes") y el peculiar contraste que se advertía entre la figura atroz de aquel bárbaro y su simplicidad y bondad:

> *Terribilis visu facies mente benignus,*
> *Longaque robusto pectores barba fuit!* [1]

Tal es la historia del destino de Droctulft, bárbaro que murió defendiendo a Roma, o tal es el fragmento de su historia que pudo rescatar Pablo el Diácono. Ni siquiera sé en qué tiempo ocurrió: si al promediar el siglo VI, cuando los longobardos desolaron las llanuras de Italia; si en el VIII, antes de la rendición de Ravena. Imaginemos (éste no es un trabajo histórico) lo primero.

Imaginemos, *sub specie aeternitatis*, a Droctulft, no al individuo Droctulft, que sin duda fue único e insondable (todos los individuos lo son), sino al tipo genérico que de él y de otros muchos como él ha hecho la tradición, que es obra del olvido y de la memoria. A través de una oscura geografía de selvas y de ciénagas, las guerras lo trajeron a Italia, desde las márgenes del Danubio y del Elba, y tal vez no sabía que iba al Sur y tal vez no sabía que guerreaba contra el nombre romano. Quizá profesaba el arrianismo, que mantiene que la gloria del Hijo es reflejo de la gloria del Padre, pero más congruente es imaginarlo devoto de la Tierra, de Hertha, cuyo ídolo tapado iba de cabaña en cabaña en un carro tirado por vacas, o de los dioses de la guerra y del trueno, que eran torpes figuras de madera,

---

[1] También Gibbon (*Decline and Fall*, XLV) transcribe estos versos.

envueltas en ropa tejida y recargadas de monedas y ajorcas. Venía de las selvas inextricables del jabalí y del uro; era blanco, animoso, inocente, cruel, leal a su capitán y a su tribu, no al universo. Las guerras lo traen a Ravena y ahí ve algo que no ha visto jamás, o que no ha visto con plenitud. Ve el día y los cipreses y el mármol. Ve un conjunto que es múltiple sin desorden; ve una ciudad, un organismo hecho de estatuas, de templos, de jardines, de habitaciones, de gradas, de jarrones, de capiteles, de espacios regulares y abiertos. Ninguna de esas fábricas (lo sé) lo impresiona por bella; lo tocan como ahora nos tocaría una maquinaria compleja, cuyo fin ignoráramos, pero en cuyo diseño se adivinara una inteligencia inmortal. Quizá le basta ver un solo arco, con una incomprensible inscripción en eternas letras romanas. Bruscamente lo ciega y lo renueva esa revelación, la Ciudad. Sabe que en ella será un perro, o un niño, y que no empezará siquiera a entenderla, pero sabe también que ella vale más que sus dioses y que la fe jurada y que todas las ciénagas de Alemania. Droctulft abandona a los suyos y pelea por Ravena. Muere, y en la sepultura graban palabras que él no hubiera entendido:

> *Contempsit caros, dum nos amat ille, parentes,*
> *Hanc patriam reputans esse, Ravenna, suam.*

No fue un traidor (los traidores no suelen inspirar epitafios piadosos); fue un iluminado, un converso. Al cabo de unas cuantas generaciones, los longobardos que culparon al tránsfuga procedieron como él; se hicieron italianos, lombardos y acaso alguno de su sangre —Aldíger— pudo engendrar a quienes engendraron al Alighieri... Muchas conjeturas cabe aplicar al acto de Droctulft; la mía es la más económica; si no es verdadera como hecho, lo será como símbolo.

Cuando leí en el libro de Croce la historia del guerrero, ésta me conmovió de manera insólita y tuve la impresión de recuperar, bajo forma diversa, algo que había sido mío. Fugazmente pensé en los jinetes mogoles que querían hacer de la China un infinito campo de pastoreo y luego envejecieron en las ciudades que habían anhelado destruir; no era ésta la memoria que yo buscaba. La encontré al fin; era un relato que le oí alguna vez a mi abuela inglesa, que ha muerto.

En 1872 mi abuelo Borges era jefe de las fronteras Norte y Oeste de Buenos Aires y Sur de Santa Fe. La comandancia estaba en Junín; más allá, a cuatro o cinco leguas uno de otro, la cadena de los fortines; más allá, lo que se denominaba entonces la Pampa y también Tierra Adentro. Alguna vez, entre maravillada y burlona, mi abuela comentó su destino de inglesa desterrada a ese fin del mundo; le dijeron que no era la única y le señalaron, meses después, una muchacha india que atravesaba lentamente la plaza. Vestía dos mantas coloradas e iba descalza; sus crenchas eran rubias. Un soldado le dijo que otra inglesa quería hablar con ella. La mujer asintió; entró en la comandancia sin temor, pero no sin recelo. En la cobriza cara, pintarrajeada de colores feroces, los ojos eran de ese azul desganado que los ingleses llaman gris. El cuerpo era ligero, como de cierva; las manos, fuertes y huesudas. Venía del desierto, de Tierra Adentro y todo parecía quedarle chico: las puertas, las paredes, los muebles.

Quizá las dos mujeres por un instante se sintieron hermanas, estaban lejos de su isla querida y en un increíble país. Mi abuela enunció alguna pregunta; la otra le respondió con dificultad, buscando las palabras y repitiéndolas, como asombrada de un antiguo sabor. Haría quince años que no hablaba el idioma natal y no le era fácil recuperarlo. Dijo que era de Yorkshire, que sus padres emigraron a Buenos Aires, que los había perdido en un malón, que la habían llevado los indios y que ahora era mujer de un capitanejo, a quien ya había dado dos hijos y que era muy valiente. Eso lo fue diciendo en un inglés rústico, entreverado de araucano o de pampa, y detrás del relato se vislumbraba una vida feral: los toldos de cuero de caballo, las hogueras de estiércol, los festines de carne chamuscada o de vísceras crudas, las sigilosas marchas al alba; el asalto de los corrales, el alarido y el saqueo, la guerra, el caudaloso arreo de las haciendas por jinetes desnudos, la poligamia, la hediondez y la magia. A esa barbarie se había rebajado una inglesa. Movida por la lástima y el escándalo, mi abuela la exhortó a no volver. Juró ampararla, juró rescatar a sus hijos. La otra le contestó que era feliz y volvió, esa noche, al desierto. Francisco Borges moriría poco después, en la revolución del 74; quizá mi abuela, entonces, pudo percibir en la otra mujer, también arrebatada y transformada por este continente implacable, un espejo monstruoso de su destino...

Todos los años, la india rubia solía llegar a las pulperías de Junín, o del Fuerte Lavalle, en procura de baratijas y "vicios"; no apareció, desde la conversación con mi abuela. Sin embargo, se vieron otra vez. Mi abuela había salido a cazar; en un rancho, cerca de los bañados, un hombre degollaba una oveja. Como en un sueño, pasó la india a caballo. Se tiró al suelo y bebió la sangre caliente. No sé si lo hizo porque ya no podía obrar de otro modo, o como un desafío y un signo.

Mil trescientos años y el mar median entre el destino de la

cautiva y el destino de Droctulft. Los dos, ahora, son igualmente irrecuperables. La figura del bárbaro que abraza la causa de Ravena, la figura de la mujer europea que opta por el desierto, pueden parecer antagónicos. Sin embargo, a los dos los arrebató un ímpetu secreto, un ímpetu más hondo que la razón, y los dos acataron ese ímpetu que no hubieran sabido justificar. Acaso las historias que he referido son una sola historia. El anverso y el reverso de esta moneda son, para Dios, iguales.

A Ulrike von Kühlmann.

BIOGRAFÍA DE TADEO ISIDORO CRUZ
(1829-1874)

*I'm looking for the face I had
Before the world was made.*

YEATS: *The Winding Stair.*

El seis de febrero de 1829, los montoneros que, hostigados ya por Lavalle, marchaban desde el Sur para incorporarse a las divisiones de López, hicieron alto en una estancia cuyo nombre ignoraban, a tres o cuatro leguas del Pergamino; hacia el alba, uno de los hombres tuvo una pesadilla tenaz: en la penumbra del galpón, el confuso grito despertó a la mujer que dormía con él. Nadie sabe lo que soñó, pues al otro día, a las cuatro, los montoneros fueron desbaratados por la caballería de Suárez y la persecución duró nueve leguas, hasta los pajonales ya lóbregos, y el hombre pereció en una zanja, partido el cráneo por un sable de las guerras del Perú y del Brasil. La mujer se llamaba Isidora Cruz; el hijo que tuvo recibió el nombre de Tadeo Isidoro.

Mi propósito no es repetir su historia. De los días y noches que la componen, sólo me interesa una noche; del resto no referiré sino lo indispensable para que esa noche se entienda. La aventura consta en un libro insigne; es decir, en un libro cuya materia puede ser todo para todos (I Corintios 9:22), pues es capaz de casi inagotables repeticiones, versiones, perversiones. Quienes han comentado, y son muchos, la historia de Tadeo Isidoro, destacan el influjo de la llanura sobre su formación, pero gauchos idénticos a él nacieron y murieron en las selváticas riberas del Paraná y en las cuchillas orientales. Vivió, eso sí, en un mundo de barbarie monótona. Cuando, en 1874, murió de una viruela negra, no había visto jamás una montaña ni un pico de gas ni un molino. Tampoco una ciudad. En 1849, fue a Buenos Aires con una tropa del establecimiento de Francisco Xavier Acevedo; los troperos entraron en la ciudad para vaciar el cinto; Cruz, receloso, no salió de una fonda en el vecindario de los corrales. Pasó ahí muchos días, taciturno, durmiendo en la tierra, mateando, levantándose al alba y recogiéndose a la oración. Comprendió (más allá de las palabras y aun del entendimiento) que nada tenía que ver con él la ciudad. Uno de los peones, borracho, se burló de él. Cruz no le replicó, pero en las noches del regreso, junto al fogón, el otro menudeaba las burlas, y entonces Cruz (que antes no había demostrado rencor, ni siquiera disgusto) lo tendió de una puñalada. Prófugo, hubo de guarecerse en un fachinal; noches después, el grito de un chajá le advirtió que lo había cercado la policía. Probó el cuchillo en una mata; para que no le estorbaran en la de a pie, se quitó las espuelas. Prefirió pelear a entregarse. Fue herido en el antebrazo, en el hombro, en la mano izquierda; malhirió a los más bravos de la partida; cuando la sangre le corrió entre los dedos, peleó con más coraje que nunca; hacia el alba, mareado por la pérdida de sangre, lo desarmaron. El ejército, entonces, desempeñaba una función penal: Cruz fue destinado a un fortín de la frontera Norte. Como soldado raso, participó en las guerras civiles; a veces combatió por su provincia natal, a veces en contra. El veintitrés de enero de 1856, en las Lagunas de Cardoso, fue uno de los treinta cristianos que, al mando del sargento mayor Eusebio Laprida, pelearon contra doscientos indios. En esa acción recibió una herida de lanza.

En su oscura y valerosa historia abundan los hiatos. Hacia 1868 lo sabemos de nuevo en el Pergamino: casado o amancebado, padre de un hijo, dueño de una fracción de campo. En 1869 fue nombrado sargento de la policía rural. Había corregido el pasado; en aquel tiempo debió de considerarse feliz, aunque profundamente no lo era. (Lo esperaba, secreta en el porvenir, una lúcida noche fundamental: la noche en que por fin vio su propia cara, la noche en que por fin oyó su nombre. Bien entendida, esa noche agota su historia; mejor dicho, un instante de esa noche, un acto de esa noche, porque los actos son nuestro símbolo.) Cualquier destino, por largo y complicado que sea, consta en realidad *de un solo momento*: el momento en que el hombre sabe para siempre quién es. Cuéntase que Alejandro de Macedonia vio reflejado su futuro de hierro en la fabulosa historia de Aquiles; Carlos XII de Suecia, en la de Alejandro. A Tadeo Isidoro Cruz, que no sabía leer, ese conocimiento no le fue revelado en un libro; se vio a sí mismo en un entrevero y un hombre. Los hechos ocurrieron así:

En los últimos días del mes de junio de 1870, recibió la orden de apresar a un malevo, que debía dos muertes a la justicia. Era éste un desertor de las fuerzas que en la frontera Sur mandaba el coronel Benito Machado; en una borrachera, había asesinado a un moreno en un lupanar; en otra, a un vecino del partido de Rojas; el informe agregaba que procedía de la Laguna Colorada. En este lugar, hacía cuarenta años, habíanse congregado los montoneros para la desventura que dio sus carnes a los pájaros y a los perros; de ahí salió Manuel Mesa, que fue ejecutado en la plaza de la Victoria, mientras los tambores sonaban para que no se oyera su ira; de ahí, el desconocido que engendró a Cruz y que pereció en una zanja, partido el cráneo por un sable de las batallas del Perú y del Brasil. Cruz había olvidado el nombre del lugar; con leve pero inexplicable inquietud lo reconoció... El criminal, acosado por los soldados, urdió a caballo un largo laberinto de idas y de venidas; éstos, sin embargo, lo acorralaron la noche del doce de julio. Se había guarecido en un pajonal. La tiniebla era casi indescifrable; Cruz y los suyos, cautelosos y a pie, avanzaron hacia las matas en cuya hondura trémula acechaba o dormía el hombre secreto. Gritó un chajá; Tadeo Isidoro Cruz tuvo la impresión de haber vivido ya ese momento. El criminal salió de la guarida para pelearlos. Cruz lo entrevió, terrible; la crecida melena y la barba gris parecían comerle la cara. Un motivo notorio me veda referir la pelea. Básteme recordar que el desertor malhirió o mató a varios de los hombres de Cruz. Éste, mientras combatía en la oscuridad (mientras su cuerpo combatía en la oscuridad), empezó a comprender. Comprendió que un destino no es mejor que otro, pero que todo hombre debe acatar el que lleva adentro. Comprendió que las jinetas y el uniforme ya lo estorbaban. Comprendió su íntimo destino de lobo, no de perro gregario; comprendió que el otro era él. Amanecía en la desaforada llanura; Cruz arrojó por tierra el quepís, gritó que no iba a consentir el delito de que se matara a un valiente y se puso a pelear contra los soldados, junto al desertor Martín Fierro.

EMMA ZUNZ

El catorce de enero de 1922, Emma Zunz, al volver de la fábrica de tejidos Tarbuch y Loewenthal, halló en el fondo del zaguán una carta, fechada en el Brasil, por la que supo que su padre había muerto. La engañaron, a primera vista, el sello y el sobre; luego, la inquietó la letra desconocida. Nueve o diez líneas borroneadas querían colmar la hoja; Emma leyó que el señor Maier había ingerido por error una fuerte dosis de veronal y había fallecido el tres del corriente en el hospital de Bagé. Un compañero de pensión de su padre firmaba la noticia, un tal Fein o Fain, de Rio Grande, que no podía saber que se dirigía a la hija del muerto.

Emma dejó caer el papel. Su primera impresión fue de malestar en el vientre y en las rodillas; luego de ciega culpa, de irrealidad, de frío, de temor; luego, quiso ya estar en el día siguiente. Acto continuo comprendió que esa voluntad era inútil porque la muerte de su padre era lo único que había sucedido en el mundo, y seguiría sucediendo sin fin. Recogió el papel y se fue a su cuarto. Furtivamente lo guardó en un cajón, como si de algún modo ya conociera los hechos ulteriores. Ya había empezado a vislumbrarlos, tal vez; ya era la que sería.

En la creciente oscuridad, Emma lloró hasta el fin de aquel día el suicidio de Manuel Maier, que en los antiguos días felices fue Emanuel Zunz. Recordó veraneos en una chacra, cerca de Gualeguay, recordó (trató de recordar) a su madre, recordó la casita de Lanús que les remataron, recordó los amarillos losanges de una ventana, recordó el auto de prisión, el oprobio, recordó los anónimos con el suelto sobre "el desfalco del cajero", recordó (pero eso jamás lo olvidaba) que su padre, la última noche, le había jurado que el ladrón era Loewenthal. Loewenthal, Aarón Loewenthal, antes gerente de la fábrica y ahora uno de los dueños. Emma, desde 1916, guardaba el secreto. A nadie se lo había revelado, ni siquiera a su mejor amiga, Elsa Urstein. Quizá rehuía la profana incredulidad; quizá creía que el secreto era un vínculo entre ella y el ausente. Loewenthal no sabía que ella sabía; Emma Zunz derivaba de ese hecho íntimo un sentimiento de poder.

No durmió aquella noche, y cuando la primera luz definió

el rectángulo de la ventana, ya estaba perfecto su plan. Procuró que ese día, que le pareció interminable, fuera como los otros. Había en la fábrica rumores de huelga; Emma se declaró, como siempre, contra toda violencia. A las seis, concluido el trabajo, fue con Elsa a un club de mujeres, que tiene gimnasio y pileta. Se inscribieron; tuvo que repetir y deletrear su nombre y su apellido; tuvo que festejar las bromas vulgares que comentan la revisación. Con Elsa y con la menor de las Kronfuss discutió a qué cinematógrafo irían el domingo a la tarde. Luego, se habló de novios y nadie esperó que Emma hablara. En abril cumpliría diecinueve años, pero los hombres le inspiraban, aún, un temor casi patológico... De vuelta, preparó una sopa de tapioca y unas legumbres, comió temprano, se acostó y se obligó a dormir. Así, laborioso y trivial, pasó el viernes quince, la víspera.

El sábado, la impaciencia la despertó. La impaciencia, no la inquietud, y el singular alivio de estar en aquel día, por fin. Ya no tenía que tramar y que imaginar; dentro de algunas horas alcanzaría la simplicidad de los hechos. Leyó en *La Prensa* que el *Nordstjärnan*, de Malmö, zarparía esa noche del dique 3; llamó por teléfono a Loewenthal, insinuó que deseaba comunicar, sin que lo supieran las otras, algo sobre la huelga y prometió pasar por el escritorio, al oscurecer. Le temblaba la voz; el temblor convenía a una delatora. Ningún otro hecho memorable ocurrió esa mañana. Emma trabajó hasta las doce y fijó con Elsa y con Perla Kronfuss los pormenores del paseo del domingo. Se acostó después de almorzar y recapituló, cerrados los ojos, el plan que había tramado. Pensó que la etapa final sería menos horrible que la primera y que le depararía, sin duda, el sabor de la victoria y de la justicia. De pronto, alarmada, se levantó y corrió al cajón de la cómoda. Lo abrió; debajo del retrato de Milton Sills, donde la había dejado la antenoche, estaba la carta de Fain. Nadie podía haberla visto; la empezó a leer y la rompió.

Referir con alguna realidad los hechos de esa tarde sería difícil y quizá improcedente. Un atributo de lo infernal es la irrealidad, un atributo que parece mitigar sus terrores y que los agrava tal vez. ¿Cómo hacer verosímil una acción en la que casi no creyó quien la ejecutaba, cómo recuperar ese breve caos que hoy la memoria de Emma Zunz repudia y confunde? Emma vivía por Almagro, en la calle Liniers; nos consta que esa tarde fue al puerto. Acaso en el infame Paseo de Julio se vio multiplicada en espejos, publicada por luces y desnudada por los ojos hambrientos, pero más razonable es conjeturar que al principio erró, inadvertida, por la indiferente recova... Entró en dos o tres bares, vio la rutina o los manejos de otras mujeres. Dio al fin con hombres del *Nordstjärnan*. De uno, muy joven, temió que le inspirara alguna ternura y optó por otro, quizá más bajo que ella y grosero, para que la pureza del horror no fuera mitigada. El hombre la condujo a una puerta y después a un turbio zaguán y después a una escalera tortuosa y después a un vestíbulo (en el que había una vidriera con losanges idénticos a los de la casa en Lanús) y después a un pasillo y después a una puerta que se cerró. Los hechos graves están fuera del tiempo, ya porque en ellos el pasado inmediato queda como tronchado del porvenir, ya porque no parecen consecutivas las partes que los forman.

¿En aquel tiempo fuera del tiempo, en aquel desorden perplejo de sensaciones inconexas y atroces, pensó Emma Zunz *una sola vez* en el muerto que motivaba el sacrificio? Yo tengo para mí que pensó una vez y que en ese momento peligró su desesperado propósito. Pensó (no pudo no pensar) que su padre le había hecho a su madre la cosa horrible que a ella ahora le hacían. Lo pensó con débil asombro y se refugió, en seguida, en el vértigo. El hombre, sueco o finlandés, no hablaba español; fue una herramienta para Emma como ésta lo fue para él, pero ella sirvió para el goce y él para la justicia.

Cuando se quedó sola, Emma no abrió en seguida los ojos. En la mesa de luz estaba el dinero que había dejado el hombre: Emma se incorporó y lo rompió como antes había roto la carta. Romper dinero es una impiedad, como tirar el pan; Emma se arrepintió, apenas lo hizo. Un acto de soberbia y en aquel día... El temor se perdió en la tristeza de su cuerpo, en el asco. El asco y la tristeza la encadenaban, pero Emma lentamente se levantó y procedió a vestirse. En el cuarto no quedaban colores vivos; el último crepúsculo se agravaba. Emma pudo salir sin que la advirtieran; en la esquina subió a un Lacroze, que iba al oeste. Eligió, conforme a su plan, el asiento más delantero, para que no le vieran la cara. Quizá le confortó verificar, en el insípido trajín de las calles, que lo acaecido no había contaminado las cosas. Viajó por barrios decrecientes y opacos, viéndolos y olvidándolos en el acto, y se apeó en una de las bocacalles de Warnes. Paradójicamente su fatiga venía a ser una fuerza, pues la obligaba a concentrarse en los pormenores de la aventura y le ocultaba el fondo y el fin.

Aarón Loewenthal era, para todos, un hombre serio; para sus pocos íntimos, un avaro. Vivía en los altos de la fábrica, solo. Establecido en el desmantelado arrabal, temía a los ladrones; en el patio de la fábrica había un gran perro y en el cajón de su escritorio, nadie lo ignoraba, un revólver. Había llorado con decoro, el año anterior, la inesperada muerte de su mujer —¡una Gauss, que le trajo una buena dote!—, pero el dinero era su verdadera pasión. Con íntimo bochorno se sabía menos apto para ganarlo que para conservarlo. Era muy religioso; creía tener con el Señor un pacto secreto, que lo eximía de obrar bien, a trueque de oraciones y devociones. Calvo, corpulento, enlutado, de quevedos ahumados y barba rubia, esperaba de pie, junto a la ventana, el informe confidencial de la obrera Zunz.

La vio empujar la verja (que él había entornado a propósito) y cruzar el patio sombrío. La vio hacer un pequeño rodeo cuando el perro atado ladró. Los labios de Emma se atareaban como los de quien reza en voz baja; cansados, repetían la sentencia que el señor Loewenthal oiría antes de morir.

Las cosas no ocurrieron como había previsto Emma Zunz. Desde la madrugada anterior, ella se había soñado muchas veces, dirigiendo el firme revólver, forzando al miserable a confesar la miserable culpa y exponiendo la intrépida estratagema que permitiría a la Justicia de Dios triunfar de la justicia humana. (No por temor, sino por ser un instrumento de la Justicia, ella no quería ser castigada). Luego, un solo balazo en mitad del pecho rubricaría la suerte de Loewenthal. Pero las cosas no ocurrieron así.

Ante Aarón Loewenthal, más que la urgencia de vengar a su padre, Emma sintió la de castigar el ultraje padecido por ello. No podía no matarlo, después de esa minuciosa deshonra. Tampoco tenía tiempo que perder en teatralerías. Sentada, tímida, pidió excusas a Loewenthal, invocó (a fuer de delatora) las obligaciones de la lealtad, pronunció algunos nombres, dio a entender otros y se cortó como si la venciera el temor. Logró que Loewenthal saliera a buscar una copa de agua. Cuando éste, incrédulo de tales aspavientos, pero indulgente, volvió del comedor, Emma ya había sacado del cajón el pesado revólver. Apretó el gatillo dos veces. El considerable cuerpo se desplomó como si los estampidos y el humo lo hubieran roto, el vaso de agua se rompió, la cara la miró con asombro y cólera, la boca de la cara la injurió en español y en ídisch. Las malas palabras no cejaban; Emma tuvo que hacer fuego otra vez. En el patio, el perro encadenado rompió a ladrar, y una efusión de brusca sangre manó de los labios obscenos y manchó la barba y la ropa. Emma inició la acusación que tenía preparada ("He vengado a mi padre y no me podrán castigar..."), pero no la acabó, porque el señor Loewenthal ya había muerto. No supo nunca si alcanzó a comprender.

Los ladridos tirantes le recordaron que no podía, aún, descansar. Desordenó el diván, desabrochó el saco del cadáver, le quitó los quevedos salpicados y los dejó sobre el fichero. Luego tomó el teléfono y repitió lo que tantas veces repetiría, con esas y con otras palabras: *Ha ocurrido una cosa que es increíble... El señor Loewenthal me hizo venir con el pretexto de la huelga... Abusó de mí, lo maté...*

La historia era increíble, en efecto, pero se impuso a todos, porque sustancialmente era cierta. Verdadero era el tono de Emma Zunz, verdadero el pudor, verdadero el odio. Verdadero también era el ultraje que había padecido; sólo eran falsas las circunstancias, la hora y uno o dos nombres propios.

LA CASA DE ASTERIÓN

Y la reina dio a luz un hijo que se llamó Asterión.
Apolodoro: <i>Biblioteca</i>, III, I.

Sé que me acusan de soberbia, y tal vez de misantropía, y tal vez de locura. Tales acusaciones (que yo castigaré a su debido tiempo) son irrisorias. Es verdad que no salgo de mi casa, pero también es verdad que sus puertas (cuyo número es infinito)[1] están abiertas día y noche a los hombres y también a los animales. Que entre el que quiera. No hallará pompas mujeriles aquí ni el bizarro aparato de los palacios pero sí la quietud y la soledad. Asimismo hallará una casa como no hay otra en la faz de la tierra. (Mienten los que declaran que en Egipto hay una parecida.) Hasta mis detractores admiten que no hay *un solo mueble* en la casa. Otra especie ridícula es que yo, Asterión, soy un prisionero. ¿Repetiré que no hay una puerta cerrada, añadiré que no hay una cerradura? Por lo demás, algún atardecer he pisado la calle; si antes de la noche volví, lo hice por el temor que me infundieron las caras de la plebe, caras descoloridas y aplanadas, como la mano abierta. Ya se había puesto el sol, pero el desvalido llanto de un niño y las toscas plegarias de la grey dijeron que me habían reconocido. La gente oraba, huía, se prosternaba; unos se encaramaban al estilóbato del templo de las Hachas, otros juntaban piedras. Alguno, creo, se ocultó bajo el mar. No en vano fue una reina mi madre; no puedo confundirme con el vulgo, aunque mi modestia lo quiera.

El hecho es que soy único. No me interesa lo que un hombre pueda trasmitir a otros hombres; como el filósofo, pienso que nada es comunicable por el arte de la escritura. Las enojosas y triviales minucias no tienen cabida en mi espíritu, que está capacitado para lo grande; jamás he retenido la diferencia entre una letra y otra. Cierta impaciencia generosa no ha consentido que yo aprendiera a leer. A veces lo deploro, porque las noches y los días son largos.

Claro que no me faltan distracciones. Semejante al carnero que va a embestir, corro por las galerías de piedra hasta rodar al suelo, mareado. Me agazapo a la sombra de un aljibe o a la vuelta de un corredor y juego a que me buscan. Hay azoteas desde las que me dejo caer, hasta ensangrentarme. A cualquier

---

[1] El original dice *catorce*, pero sobran motivos para inferir que, en boca de Asterión, ese adjetivo numeral vale por *infinitos*.

hora puedo jugar a estar dormido, con los ojos cerrados y la respiración poderosa. (A veces me duermo realmente, a veces ha cambiado el color del día cuando he abierto los ojos.) Pero de tantos juegos el que prefiero es el de otro Asterión. Finjo que viene a visitarme y que yo le muestro la casa. Con grandes reverencias le digo: *Ahora volvemos a la encrucijada anterior* o *Ahora desembocamos en otro patio* o *Bien decía yo que te gustaría la canaleta* o *Ahora verás una cisterna que se llenó de arena* o *Ya verás cómo el sótano se bifurca*. A veces me equivoco y nos reímos buenamente los dos.

No sólo he imaginado esos juegos; también he meditado sobre la casa. Todas las partes de la casa están muchas veces, cualquier lugar es otro lugar. No hay un aljibe, un patio, un abrevadero, un pesebre; son catorce [son infinitos] los pesebres, abrevaderos, patios, aljibes. La casa es del tamaño del mundo; mejor dicho, es el mundo. Sin embargo, a fuerza de fatigar patios con un aljibe y polvorientas galerías de piedra gris he alcanzado la calle y he visto el templo de las Hachas y el mar. Eso no lo entendí hasta que una visión de la noche me reveló que también son catorce [son infinitos] los mares y los templos. Todo está muchas veces, catorce veces, pero dos cosas hay en el mundo que parecen estar una sola vez: arriba, el intrincado sol; abajo, Asterión. Quizá yo he creado las estrellas y el sol y la enorme casa, pero ya no me acuerdo.

Cada nueve años entran en la casa nueve hombres para que yo los libere de todo mal. Oigo sus pasos o su voz en el fondo de las galerías de piedra y corro alegremente a buscarlos. La ceremonia dura pocos minutos. Uno tras otro caen sin que yo me ensangriente las manos. Donde cayeron, quedan, y los cadáveres ayudan a distinguir una galería de las otras. Ignoro quiénes son, pero sé que uno de ellos profetizó, en la hora de su muerte, que alguna vez llegaría mi redentor. Desde entonces no me duele la soledad, porque sé que vive mi redentor y al fin se levantará sobre el polvo. Si mi oído alcanzara todos los rumores del mundo, yo percibiría sus pasos. Ojalá me lleve a un lugar con menos galerías y menos puertas. ¿Cómo será mi redentor?, me pregunto. ¿Será un toro o un hombre? ¿Será tal vez un toro con cara de hombre? ¿O será como yo?

El sol de la mañana reverberó en la espada de bronce. Ya no quedaba ni un vestigio de sangre.

—¿Lo creerás, Ariadna? —dijo Teseo—. El minotauro apenas se defendió.

A Marta Mosquera Eastman.

LA OTRA MUERTE

Un par de años hará (he perdido la carta), Gannon me escribió de Gualeguaychú, anunciando el envío de una versión, acaso la primera española, del poema *The Past*, de Ralph Waldo Emerson, y agregando en una posdata que don Pedro Damián, de quien yo guardaría alguna memoria, había muerto noches pasadas, de una congestión pulmonar. El hombre, arrasado por la fiebre, había revivido en su delirio la sangrienta jornada de Masoller; la noticia me pareció previsible y hasta convencional, porque don Pedro, a los diecinueve o veinte años, había seguido las banderas de Aparicio Saravia. La revolución de 1904 lo tomó en una estancia de Río Negro o de Paysandú, donde trabajaba de peón; Pedro Damián era entrerriano, de Gualeguay, pero fue adonde fueron los amigos, tan animoso y tan ignorante como ellos. Combatió en algún entrevero y en la batalla última; repatriado en 1905, retomó con humilde tenacidad las tareas de campo. Que yo sepa, no volvió a dejar su provincia. Los últimos treinta años los pasó en un puesto muy solo, a una o dos leguas del Ñancay; en aquel desamparo, yo conversé con él una tarde (yo traté de conversar con él una tarde), hacia 1942. Era hombre taciturno, de pocas luces. El sonido y la furia de Masoller agotaban su historia; no me sorprendió que los reviviera, en la hora de su muerte... Supe que no vería más a Damián y quise recordarlo; tan pobre es mi memoria visual que sólo recordé una fotografía que Gannon le tomó. El hecho nada tiene de singular, si consideramos que al hombre lo vi a principios de 1942, una vez, y a la efigie, muchísimas. Gannon me mandó esa fotografía; la he perdido y ya no la busco. Me daría miedo encontrarla.

El segundo episodio se produjo en Montevideo, meses después. La fiebre y la agonía del entrerriano me sugirieron un relato fantástico sobre la derrota de Masoller; Emir Rodríguez Monegal, a quien referí el argumento, me dio unas líneas para el coronel Dionisio Tabares, que había hecho esa campaña. El coronel me recibió después de cenar. Desde un sillón de hamaca, en un patio, recordó con desorden y con amor los tiempos que fueron. Habló de municiones que no llegaron y de caballadas rendidas, de hombres dormidos y terrosos tejiendo laberintos de marchas, de Saravia, que pudo haber entrado en Montevideo y que se desvió, "porque el gaucho le teme a la ciudad", de hombres degollados hasta la nuca, de una guerra civil que me pareció menos la colisión de dos ejércitos que el sueño de un matrero. Habló de Illescas, de Tupambaé, de Masoller. Lo hizo con períodos tan cabales y de un modo tan vívido que comprendí que muchas veces había referido esas mismas cosas, y temí que detrás de sus palabras casi no quedaran recuerdos. En un respiro conseguí intercalar el nombre de Damián.

—¿Damián? ¿Pedro Damián? —dijo el coronel—. Ése sirvió conmigo. Un tapecito que le decían Daymán los muchachos. —Inició una ruidosa carcajada y la cortó de golpe, con fingida o veraz incomodidad.

Con otra voz dijo que la guerra servía, como la mujer, para que se probaran los hombres, y que, antes de entrar en batalla, nadie sabía quién es. Alguien podía pensarse cobarde y ser un valiente, y asimismo al revés, como le ocurrió a ese pobre Damián, que se anduvo floreando en las pulperías con su divisa blanca y después flaqueó en Masoller. En algún tiroteo con los *zumacos* se portó como un hombre, pero otra cosa fue cuando los ejércitos se enfrentaron y empezó el cañoneo y cada hombre sintió que cinco mil hombres se habían coaligado para matarlo. Pobre gurí, que se la había pasado bañando ovejas y que de pronto lo arrastró esa patriada...

Absurdamente, la versión de Tabares me avergonzó. Yo hubiera preferido que los hechos no ocurrieran así. Con el viejo Damián, entrevisto una tarde, hace muchos años, yo había fabricado, sin proponérmelo, una suerte de ídolo; la versión de Tabares lo destrozaba. Súbitamente comprendí la reserva y la obstinada soledad de Damián; no las había dictado la modestia, sino el bochorno. En vano me repetí que un hombre acosado por un acto de cobardía es más complejo y más interesante que un hombre meramente animoso. El gaucho Martín Fierro, pensé, es menos memorable que Lord Jim o que Razumov. Sí, pero Damián, como gaucho, tenía obligación de ser Martín Fierro—sobre todo, ante gauchos orientales. En lo que Tabares dijo y no dijo percibí el agreste sabor de lo que se llamaba artiguismo: la conciencia (tal vez incontrovertible) de que el Uruguay es más elemental que nuestro país y, por ende, más bravo... Recuerdo que esa noche nos despedimos con exagerada efusión.

En el invierno, la falta de una o dos circunstancias para mi relato fantástico (que torpemente se obstinaba en no dar con su forma) hizo que yo volviera a la casa del coronel Tabares. Lo hallé con otro señor de edad: el doctor Juan Francisco Amaro, de Paysandú, que también había militado en la revolución de Saravia. Se habló, previsiblemente, de Masoller. Amaro refirió unas anécdotas y después agregó con lentitud, como quien está pensando en voz alta:

—Hicimos noche en *Santa Irene,* me acuerdo, y se nos incorporó alguna gente. Entre ellos, un veterinario francés que murió la víspera de la acción, y un mozo esquilador, de Entre Ríos, un tal Pedro Damián.

Lo interrumpí con acritud.

—Ya sé —le dije—. El argentino que flaqueó ante las balas.

Me detuve; los dos me miraban perplejos.

—Usted se equivoca, señor —dijo, al fin, Amaro—. Pedro Damián murió como querría morir cualquier hombre. Serían las cuatro de la tarde. En la cumbre de la cuchilla se había hecho fuerte la infantería colorada; los nuestros la cargaron, a lanza; Damián iba en la punta, gritando, y una bala lo acertó en pleno pecho. Se paró en los estribos, concluyó el grito y rodó por tierra y quedó entre las patas de los caballos. Estaba muerto y la última carga de Masoller le pasó por encima. Tan valiente y no había cumplido veinte años.

Hablaba, a no dudarlo, de otro Damián, pero algo me hizo preguntar qué gritaba el gurí.

—Malas palabras —dijo el coronel—, que es lo que se grita en las cargas.

—Puede ser —dijo Amaro—, pero también gritó ¡Viva Urquiza!

Nos quedamos callados. Al fin, el coronel murmuró:

—No como si peleara en Masoller, sino en Cagancha o India Muerta, hará un siglo.

Agregó con sincera perplejidad:

—Yo comandé esas tropas, y juraría que es la primera vez que oigo hablar de un Damián.

No pudimos lograr que lo recordara.

En Buenos Aires, el estupor que me produjo su olvido se repitió. Ante los once deleitables volúmenes de las obras de Emerson, en el sótano de la librería inglesa de Mitchell, encontré, una tarde, a Patricio Gannon. Le pregunté por su traducción de *The Past.* Dijo que no pensaba traducirlo y que la literatura española era tan tediosa que hacía innecesario a Emerson. Le recordé que me había prometido esa versión en la misma carta en que me escribió la muerte de Damián. Preguntó quién era Damián. Se lo dije, en vano. Con un principio de terror advertí que me oía con extrañeza, y busqué amparo en una discusión literaria sobre los detractores de Emerson, poeta más complejo, más diestro y sin duda más singular que el desdichado Poe.

Algunos hechos más debo registrar. En abril tuve carta del coronel Dionisio Tabares; éste ya no estaba ofuscado y ahora se acordaba muy bien del entrerrianito que hizo punta en la carga de Masoller y que enterraron esa noche sus hombres, al pie de la cuchilla. En julio pasé por Gualeguaychú; no di con el rancho de Damián, de quien ya nadie se acordaba. Quise interrogar al puestero Diego Abaroa, que lo vio morir; éste había fallecido antes del invierno. Quise traer a la memoria los rasgos de Damián; meses después, hojeando unos álbumes, comprobé que el rostro sombrío que yo había conseguido evocar era el del célebre tenor Tamberlick, en el papel de Otelo.

Paso ahora a las conjeturas. La más fácil, pero también la menos satisfactoria, postula dos Damianes: el cobarde que murió en Entre Ríos hacia 1946, el valiente, que murió en Masoller en 1904. Su defecto reside en no explicar lo realmente enigmático: los curiosos vaivenes de la memoria del coronel Tabares, el olvido que anula en tan poco tiempo la imagen y hasta el nombre del que volvió. (No acepto, no quiero aceptar, una conjetura más simple: la de haber yo soñado al primero.) Más curiosa es la conjetura sobrenatural que ideó Ulrike von Kühlmann. Pedro Damián, decía Ulrike, pereció en la batalla, y en la hora de su muerte suplicó a Dios que lo hiciera volver a Entre Ríos. Dios vaciló un segundo antes de otorgar esa gracia, y quien la había pedido ya estaba muerto, y algunos hombres lo habían visto caer. Dios, que no puede cambiar el pasado, pero sí las imágenes del pasado, cambió la imagen de la muerte en la de un desfallecimiento, y la sombra del entrerriano volvió a su tierra. Volvió, pero debemos recordar su condición de sombra. Vivió en la soledad, sin una mujer, sin amigos; todo lo amó y lo poseyó, pero desde lejos, como del otro lado de un cristal; "murió", y su tenue imagen se perdió, como el agua en el agua. Esa conjetura es errónea, pero hubiera debido sugerirme la verdadera (la que hoy creo la verdadera), que a la vez es más simple y más inaudita. De un modo casi mágico la descubrí en el tratado *De Omnipotentia*, de Pier Damiani, a cuyo estudio me llevaron dos versos del canto XXI del *Paradiso*, que plantean precisamente un problema de identidad. En el quinto capítulo de aquel tratado, Pier Damiani sostiene, contra Aristóteles y contra Fredegario de Tours, que Dios puede efectuar que no haya sido lo que alguna vez fue. Leí esas viejas discusiones teológicas y empecé a comprender la trágica historia de don Pedro Damián.

La adivino así. Damián se portó como un cobarde en el campo de Masoller, y dedicó la vida a corregir esa bochornosa flaqueza. Volvió a Entre Ríos; no alzó la mano a ningún hombre, no *marcó* a nadie, no buscó fama de valiente, pero en los campos del Ñancay se hizo duro, lidiando con el monte y la hacienda chúcara. Fue preparando, sin duda sin saberlo, el milagro. Pensó con lo más hondo: Si el destino me trae otra batalla, yo sabré merecerla. Durante cuarenta años la aguardó con oscura esperanza, y el destino al fin se la trajo, en la hora de su muerte. La trajo en forma de delirio pero ya los griegos sabían que somos las sombras de un sueño. En la agonía revivió su batalla, y se condujo como un hombre y encabezó la carga final y una bala lo acertó en pleno pecho. Así, en 1946, por obra de una larga pasión, Pedro Damián murió en la derrota de Masoller, que ocurrió entre el invierno y la primavera de 1904.

En la Suma Teológica se niega que Dios pueda hacer que lo pasado no haya sido, pero nada se dice de la intrincada concatenación de causas y efectos, que es tan vasta y tan íntima que acaso no cabría anular *un solo* hecho remoto, por insignificante que fuera, sin invalidar el presente. Modificar el pasado no es modificar un solo hecho; es anular sus consecuencias, que tienden a ser infinitas. Dicho sea con otras palabras; es crear dos historias universales. En la primera (digamos), Pedro Damián murió en Entre Ríos, en 1946; en la segunda, en Masoller, en 1904. Ésta es la que vivimos ahora, pero la supresión de aquélla no fue inmediata y produjo las incoherencias que he referido. En el coronel Dionisio Tabares se cumplieron las diversas etapas: al principio recordó que Damián obró como un cobarde; luego, lo olvidó totalmente; luego, recordó su impetuosa muerte. No menos corroborativo es el caso del puestero Abaroa; éste murió, lo entiendo, porque tenía demasiadas memorias de don Pedro Damián.

En cuanto a mí, entiendo no correr un peligro análogo. He adivinado y registrado un proceso no accesible a los hombres, una suerte de escándalo de la razón; pero algunas circunstancias mitigan ese privilegio temible. Por lo pronto, no estoy seguro de haber escrito siempre la verdad. Sospecho que en mi relato hay falsos recuerdos. Sospecho que Pedro Damián (si existió) no se llamó Pedro Damián, y que yo lo recuerdo bajo ese nombre para creer algún día que su historia me fue sugerida por los argumentos de Pier Damiani. Algo parecido acontece con el poema que mencioné en el primer párrafo y que versa sobre la irrevocabilidad del pasado. Hacia 1951 creeré haber fabricado un cuento fantástico y habré historiado un hecho real; también el inocente Virgilio, hará dos mil años, creyó anunciar el nacimiento de un hombre y vaticinaba el de Dios.

¡Pobre Damián! La muerte lo llevó a los veinte años en una triste guerra ignorada y en una batalla casera, pero consiguió lo que anhelaba su corazón, y tardó mucho en conseguirlo, y acaso no hay mayores felicidades.

DEUTSCHES REQUIEM

Aunque él me quitare la vida, en él confiaré.

JOB 13:15

Mi nombre es Otto Dietrich zur Linde. Uno de mis antepasados, Christoph zur Linde, murió en la carga de caballería que decidió la victoria de Zorndorf. Mi bisabuelo materno, Ulrich Forkel, fue asesinado en la foresta de Marchenoir por francotiradores franceses, en los últimos días de 1870; el capitán Dietrich zur Linde, mi padre, se distinguió en el sitio de Namur, en 1914, y, dos años después, en la travesía del Danubio.[1] En cuanto a mí, seré fusilado por torturador y asesino. El tribunal ha procedido con rectitud; desde el principio, yo me he declarado culpable. Mañana, cuando el reloj de la prisión dé las nueve, yo habré entrado en la muerte; es natural que piense en mis mayores, ya que tan cerca estoy de su sombra, ya que de algún modo soy ellos.

Durante el juicio (que afortunadamente duró poco) no hablé; justificarme, entonces, hubiera entorpecido el dictamen y hubiera parecido una cobardía. Ahora las cosas han cambiado; en esta noche que precede a mi ejecución, puedo hablar sin temor. No pretendo ser perdonado, porque no hay culpa en mí, pero quiero ser comprendido. Quienes sepan oírme, comprenderán la historia de Alemania y la futura historia del mundo. Yo sé que casos como el mío, excepcionales y asombrosos ahora, serán muy en breve triviales. Mañana moriré, pero soy un símbolo de las generaciones del porvenir.

Nací en Marienburg, en 1908. Dos pasiones, ahora casi olvidadas, me permitieron afrontar con valor y aun con felicidad muchos años infaustos: la música y la metafísica. No puedo mencionar a todos mis bienhechores, pero hay dos nombres que no

---

[1] Es significativa la omisión del antepasado más ilustre del narrador, el teólogo y hebraísta Johannes Forkel (1799-1846), que aplicó la dialéctica de Hegel a la cristología y cuya versión literal de algunos de los Libros Apócrifos mereció la censura de Hengstenberg y la aprobación de Thilo y Geseminus. *(Nota del editor.)*

me resigno a omitir: el de Brahms y el de Schopenhauer. También frecuenté la poesía; a esos nombres quiero juntar otro vasto nombre germánico, William Shakespeare. Antes, la teología me interesó, pero de esa fantástica disciplina (y de la fe cristiana) me desvió para siempre Schopenhauer, con razones directas; Shakespeare y Brahms, con la infinita variedad de su mundo. Sepa quien se detiene maravillado, trémulo de ternura y de gratitud, ante cualquier lugar de la obra de esos felices, que yo también me detuve ahí, yo el abominable.

Hacia 1927 entraron en mi vida Nietzsche y Spengler. Observa un escritor del siglo XVIII que nadie quiere deber nada a sus contemporáneos; yo, para libertarme de una influencia que presentí opresora, escribí un artículo titulado *Abrechnung mit Spengler*, en el que hacía notar que el monumento más inequívoco de los rasgos que el autor llama fáusticos no es el misceláneo drama de Goethe[1] sino un poema redactado hace veinte siglos, el *De rerum natura*. Rendí justicia, empero, a la sinceridad del filósofo de la historia, a su espíritu radicalmente alemán (*kerndeutsch*), militar. En 1929 entré en el Partido.

Poco diré de mis años de aprendizaje. Fueron más duros para mí que para muchos otros, ya que a pesar de no carecer de valor, me falta toda vocación de violencia. Comprendí, sin embargo, que estábamos al borde de un tiempo nuevo y que ese tiempo, comparable a las épocas iniciales del Islam o del Cristianismo, exigía hombres nuevos. Individualmente, mis camaradas me eran odiosos; en vano procuré razonar que para el alto fin que nos congregaba, no éramos individuos.

Aseveran los teólogos que si la atención del Señor se desviara un solo segundo de mi derecha mano que escribe, ésta recaería en la nada, como si la fulminara un fuego sin luz. Nadie puede ser, digo yo, nadie puede probar una copa de agua o partir un trozo de pan, sin justificación. Para cada hombre, esa justificación es distinta; yo esperaba la guerra inexorable que probaría nuestra fe. Me bastaba saber que yo sería un soldado de sus batallas. Alguna vez temí que nos defraudaran la cobardía de Inglaterra y de Rusia. El azar, o el destino, tejió de otra manera mi porvenir: el primero de marzo de 1939, al oscurecer, hubo disturbios en Tilsit que los diarios no registraron; en la calle detrás de la sinagoga, dos balas me atravesaron la pierna, que fue necesario

---

[1] Otras naciones viven con inocencia, en sí y para sí como los minerales o los meteoros; Alemania es el espejo universal que a todas recibe, la conciencia del mundo (*das Weltbewusstsein*). Goethe es el prototipo de esa comprensión ecuménica. No lo censuro, pero no veo en él al hombre fáustico de la tesis de Spengler.

amputar.[1] Días después, entraban en Bohemia nuestros ejércitos; cuando las sirenas lo proclamaron, yo estaba en el sedentario hospital, tratando de perderme y de olvidarme en los libros de Schopenhauer. Símbolo de mi vano destino, dormía en el borde de la ventana un gato enorme y fofo.

En el primer volumen de *Parerga und Paralipomena* releí que todos los hechos que pueden ocurrirle a un hombre, desde el instante de su nacimiento hasta el de su muerte, han sido prefijados por él. Así, toda negligencia es deliberada, todo casual encuentro una cita, toda humillación una penitencia, todo fracaso una misteriosa victoria, toda muerte un suicidio. No hay consuelo más hábil que el pensamiento de que hemos elegido nuestras desdichas; esa teleología individual nos revela un orden secreto y prodigiosamente nos confunde con la divinidad. ¿Qué ignorado propósito (cavilé) me hizo buscar ese atardecer, esas balas y esa mutilación? No el temor de la guerra, yo lo sabía; algo más profundo. Al fin creí entender. Morir por una religión es más simple que vivirla con plenitud; batallar en Éfeso contra las fieras es menos duro (miles de mártires oscuros lo hicieron) que ser Pablo, siervo de Jesucristo; un acto es menos que todas las horas de un hombre. La batalla y la gloria son *facilidades*; más ardua que la empresa de Napoleón fue la de Raskolnikov. El siete de febrero de 1941 fui nombrado subdirector del campo de concentración de Tarnowitz.

El ejercicio de ese cargo no me fue grato; pero no pequé nunca de negligencia. El cobarde se prueba entre las espadas; el misericordioso, el piadoso, busca el examen de las cárceles y del dolor ajeno. El nazismo, intrínsecamente, es un hecho moral, un despojarse del viejo hombre, que está viciado, para vestir el nuevo. En la batalla esa mutación es común, entre el clamor de los capitanes y el vocerío; no así en un torpe calabozo, donde nos tienta con antiguas ternuras la insidiosa piedad. No en vano escribo esa palabra; la piedad por el hombre superior es el último pecado de Zarathustra. Casi lo cometí (lo confieso) cuando nos remitieron de Breslau al insigne poeta David Jerusalem.

Era éste un hombre de cincuenta años. Pobre de bienes de este mundo, perseguido, negado, vituperado, había consagrado su genio a cantar la felicidad. Creo recordar que Albert Soergel, en la obra *Dichtung der Zeit*, lo equipara con Whitman. La comparación no es feliz; Whitman celebra el universo de un modo previo, general, casi indiferente; Jerusalem se alegra de cada cosa, con minucioso amor. No comete jamás enumeraciones, catálogos. Aún

[1] Se murmura que las consecuencias de esa herida fueron muy graves. *(Nota del editor.)*

puedo repetir muchos hexámetros de aquel hondo poema que se titula *Tse Yang, pintor de tigres*, que está como rayado de tigres, que está como cargado y atravesado de tigres transversales y silenciosos. Tampoco olvidaré el soliloquio *Rosencrantz habla con el Ángel*, en el que un prestamista londinense del siglo XVI vanamente trata, al morir, de vindicar sus culpas, sin sospechar que la secreta justificación de su vida es haber inspirado a uno de sus clientes (que lo ha visto una sola vez y a quien no recuerda) el carácter de Shylock. Hombre de memorables ojos, de piel cetrina, de barba casi negra, David Jerusalem era el prototipo del judío sefardí, si bien pertenecía a los depravados y aborrecidos Ashkenazim. Fui severo con él; no permití que me ablandaran ni la compasión ni su gloria. Yo había comprendido hace muchos años que no hay cosa en el mundo que no sea germen de un Infierno posible; un rostro, una palabra, una brújula, un aviso de cigarrillos, podrían enloquecer a una persona, si ésta no lograra olvidarlos. ¿No estaría loco un hombre que continuamente se figurara el mapa de Hungría? Determiné aplicar ese principio al régimen disciplinario de nuestra casa y [1]... A fines de 1942, Jerusalem perdió la razón; el primero de marzo de 1943, logró darse muerte.[2]

Ignoro si Jerusalem comprendió que si yo lo destruí, fue para destruir mi piedad. Ante mis ojos, no era un hombre, ni siquiera un judío; se había transformado en el símbolo de una detestada zona de mi alma. Yo agonicé con él, yo morí con él, yo de algún modo me he perdido con él; por eso, fui implacable.

Mientras tanto, giraban sobre nosotros los grandes días y las grandes noches de una guerra feliz. Había en el aire que respirábamos un sentimiento parecido al amor. Como si bruscamente el mar estuviera cerca, había un asombro y una exaltación en la sangre. Todo, en aquellos años, era distinto; hasta el sabor del sueño. (Yo, quizá, nunca fui plenamente feliz, pero es sabido que la desventura requiere paraísos perdidos.) No hay hombre que no aspire a la plenitud, es decir a la suma de experiencias de que un hombre es capaz; no hay hombre que no tema ser defraudado de alguna parte de ese patrimonio infinito. Pero todo

---

[1] Ha sido inevitable, aquí, omitir unas líneas. *(Nota del editor).*

[2] Ni en los archivos ni en la obra de Soergel figura el nombre de Jerusalem. Tampoco lo registran las historias de la literatura alemana. No creo, sin embargo, que se trate de un personaje falso. Por orden de Otto Dietrich zur Linde fueron torturados en Tarnowitz muchos intelectuales judíos, entre ellos la pianista Emma Rosenzweig. "David Jerusalem" es tal vez un símbolo de varios individuos. Nos dicen que murió el primero de marzo de 1943; el primero de marzo de 1939, el narrador fue herido en Tilsit. *(Nota del editor.)*

lo ha tenido mi generación, porque primero le fue deparada la gloria y después la derrota.

En octubre o noviembre de 1942, mi hermano Friedrich pereció en la segunda batalla de El Alamein, en los arenales egipcios; un bombardeo aéreo, meses después, destrozó nuestra casa natal; otro, a fines de 1943, mi laboratorio. Acosado por vastos continentes, moría el Tercer Reich; su mano estaba contra todos y las manos de todos contra él. Entonces, algo singular ocurrió, que ahora creo entender. Yo me creía capaz de apurar la copa de la cólera, pero en las heces me detuvo un sabor no esperado, el misterioso y casi terrible sabor de la felicidad. Ensayé diversas explicaciones; no me bastó ninguna. Pensé: *Me satisface la derrota, porque secretamente me sé culpable y sólo puede redimirme el castigo.* Pensé: *Me satisface la derrota, porque es un fin y yo estoy muy cansado.* Pensé: *Me satisface la derrota, porque ha ocurrido, porque está innumerablemente unida a todos los hechos que son, que fueron, que serán, porque censurar o deplorar un solo hecho real es blasfemar del universo.* Esas razones ensayé, hasta dar con la verdadera.

Se ha dicho que todos los hombres nacen aristotélicos o platónicos. Ello equivale a declarar que no hay debate de carácter abstracto que no sea un momento de la polémica de Aristóteles y Platón; a través de los siglos y latitudes, cambian los nombres, los dialectos, las caras, pero no los eternos antagonistas. También la historia de los pueblos registra una continuidad secreta. Arminio, cuando degolló en una ciénaga las legiones de Varo, no se sabía precursor de un Imperio Alemán; Lutero, traductor de la Biblia, no sospechaba que su fin era forjar un pueblo que destruyera para siempre la Biblia; Christoph zur Linde, a quien mató una bala moscovita en 1758, preparó de algún modo las victorias de 1914; Hitler creyó luchar por *un* país, pero luchó por todos, aun por aquellos que agredió y detestó. No importa que su yo lo ignorara; lo sabían su sangre, su voluntad. El mundo se moría de judaísmo y de esa enfermedad del judaísmo, que es la fe de Jesús; nosotros le enseñamos la violencia y la fe de la espada. Esa espada nos mata y somos comparables al hechicero que teje un laberinto y que se ve forzado a errar en él hasta el fin de sus días o a David que juzga a un desconocido y lo condena a muerte y oye después la revelación: *Tú eres aquel hombre.* Muchas cosas hay que destruir para edificar el nuevo orden; ahora sabemos que Alemania era una de esas cosas. Hemos dado algo más que nuestra vida, hemos dado la suerte de nuestro querido país. Que otros maldigan y otros lloren; a mí me regocija que nuestro don sea orbicular y perfecto.

Se cierne ahora sobre el mundo una época implacable. Nosotros la forjamos, nosotros que ya somos su víctima. ¿Qué importa que Inglaterra sea el martillo y nosotros el yunque? Lo importante es que rija la violencia, no las serviles timideces cristianas. Si la victoria y la injusticia y la felicidad no son para Alemania, que sean para otras naciones. Que el cielo exista, aunque nuestro lugar sea el infierno.

Miro mi cara en el espejo para saber quién soy, para saber cómo me portaré dentro de unas horas, cuando me enfrente con el fin. Mi carne puede tener miedo; yo, no.

LA BUSCA DE AVERROES

> S'imaginant que la tragédie n'est autre chose que l'art de louer...
>
> ERNEST RENAN: *Averroés,* 48 (1861).

Abulgualid Muhámmad Ibn-Ahmad ibn-Muhámmad ibn-Rushd (un siglo tardaría ese largo nombre en llegar a Averroes, pasando por Benraist y por Avenryz, y aun por Aben-Rassad y Filius Rosadis) redactaba el undécimo capítulo de la obra *Tahafut-ul-Tahafut* (Destrucción de la Destrucción), en el que se mantiene, contra el asceta persa Ghazali, autor del *Tahafut-ul-falasifa* (Destrucción de filósofos), que la divinidad sólo conoce las leyes generales del universo, lo concerniente a las especies, no al individuo. Escribía con lenta seguridad, de derecha a izquierda; el ejercicio de formar silogismos y de eslabonar vastos párrafos no le impedía sentir, como un bienestar, la fresca y honda casa que lo rodeaba. En el fondo de la siesta se enronquecían amorosas palomas; de algún patio invisible se elevaba el rumor de una fuente; algo en la carne de Averroes, cuyos antepasados procedían de los desiertos árabes, agradecía la constancia del agua. Abajo estaban los jardines, la huerta; abajo, el atareado Guadalquivir y después la querida ciudad de Córdoba, no menos clara que Bagdad o que el Cairo, como un complejo y delicado instrumento, y alrededor (esto Averroes lo sentía también) se dilataba hacia el confín la tierra de España, en la que hay pocas cosas, pero donde cada una parece estar de un modo sustantivo y eterno.

La pluma corría sobre la hoja, los argumentos se enlazaban, irrefutables, pero una leve preocupación empañó la felicidad de Averroes. No la causaba el Tahafut, trabajo fortuito, sino un problema de índole filológica vinculado a la obra monumental que lo justificaría ante las gentes: el comentario de Aristóteles. Este griego, manantial de toda filosofía, había sido otorgado a los hombres para enseñarles todo lo que se puede saber; interpretar sus libros como los ulemas interpretan el Alcorán era el arduo propósito de Averroes. Pocas cosas más bellas y más patéticas registrará la historia que esa consagración de un médico árabe a los pensamientos de un hombre de quien lo separaban catorce siglos; a las dificultades intrínsecas debemos añadir que Averroes, ignorante del siríaco y del griego, trabajaba sobre la traducción de una traducción. La víspera, dos palabras dudosas lo habían detenido en el principio de la *Poética*. Esas palabras eran *tragedia* y *comedia*. Las había encontrado años atrás, en el libro tercero de la *Retórica*; nadie, en el ámbito del Islam, barruntaba lo que querían decir. Vanamente había fatigado las páginas de Alejandro de Afrodisia, vanamente había compulsado las versiones del nestoriano Hunáin ibn-Ishaq y de Abu-Bashar Mata. Esas dos palabras arcanas pululaban en el texto de la *Poética*; imposible eludirlas.

Averroes dejó la pluma. Se dijo (sin demasiada fe) que suele estar muy cerca lo que buscamos, guardó el manuscrito del *Tahafut* y se dirigió al anaquel donde se alineaban, copiados por calígrafos persas, los muchos volúmenes del *Mohkam* del ciego Abensida. Era irrisorio imaginar que no los había consultado, pero lo tentó el ocioso placer de volver sus páginas. De esa estudiosa distracción lo distrajo una suerte de melodía. Miró por el balcón enrejado; abajo, en el estrecho patio de tierra, jugaban unos chicos semidesnudos. Uno, de pie en los hombros de otro, hacía notoriamente de almuédano; bien cerrados los ojos, salmodiaba *No hay otro dios que el Dios*. El que lo sostenía, inmóvil, hacía de alminar; otro, abyecto en el polvo y arrodillado, de congregación de los fieles. El juego duró poco: todos querían ser el almuédano, nadie la congregación o la torre. Averroes los oyó disputar en dialecto *grosero*, vale decir en el incipiente español de la plebe musulmana de la Península. Abrió el *quitah ul ain* de Jalil y pensó con orgullo que en toda Córdoba (acaso en todo Al-Andalus) no había otra copia de la obra perfecta que ésta que el emir Yacub Almansur le había remitido de Tánger. El nombre de ese puerto le recordó que el viajero Abulcásim Al-Asharí, que había regresado de Marruecos, cenaría con él esa noche en casa del alcoranista Farach. Abulcásim decía haber alcanzado los reinos del imperio de Sin (de la China); sus detractores, con esa lógica peculiar que da el odio, juraban que nunca había pisado la China y que en los templos de ese país había blasfemado de Alá. Inevitablemente, la reunión duraría unas horas; Averroes, presuroso, retomó la escritura del *Tahafut*. Trabajó hasta el crepúsculo de la noche.

El diálogo en la casa de Farach, pasó de las incomparables virtudes del gobernador a las de su hermano el emir; después, en el jardín, hablaron de rosas. Abulcásim, que no las había mirado, juró que no había rosas como las rosas que decoran los cármenes andaluces. Farach no se dejó sobornar; observó que el docto Ibn Qutaiba describe una excelente variedad de la rosa perpetua, que se da en los jardines del Indostán y cuyos pétalos, de un rojo encarnado, presentan caracteres que dicen: *No hay otro dios que el Dios, Muhámmad es el Apóstol de Dios.* Agregó que Abulcásim, seguramente, conocería esas rosas. Abulcásim lo miró con alarma. Si respondía que sí, todos lo juzgarían, con razón, el más disponible y casual de los impostores; si respondía que no, lo juzgarían un infiel. Optó por musitar que con el Señor están las llaves de las cosas ocultas y que no hay en la tierra una cosa verde o una cosa marchita que no esté registrada en Su Libro. Esas palabras pertenecen a una de las primeras azoras; las acogió un murmullo reverencial. Envanecido por esa victoria dialéctica, Abulcásim iba a pronunciar que el Señor es perfecto en sus obras e inescrutable. Entonces Averroes declaró, prefigurando las remotas razones de un todavía problemático Hume:

—Me cuesta menos admitir un error en el docto Ibn Qutaiba, o en los copistas, que admitir que la tierra da rosas con la profesión de la fe.

—Así es. Grandes y verdaderas palabras —dijo Abulcásim.

—Algún viajero —recordó el poeta Abdalmálik— habla de un árbol cuyo fruto son verdes pájaros. Menos me duele creer en él que en rosas con letras.

—El color de los pájaros —dijo Averroes— parece facilitar el portento. Además, los frutos y los pájaros pertenecen al mundo natural, pero la escritura es un arte. Pasar de hojas a pájaros es más fácil que de rosas a letras.

Otro huésped negó con indignación que la escritura fuese un arte, ya que el original del Qurán —*la madre del Libro*— es anterior a la Creación y se guarda en el cielo. Otro habló de Cháhiz de Basra, que dijo que el Qurán es una sustancia que puede tomar la forma de un hombre o la de un animal, opinión que parece convenir con la de quienes le atribuyen dos caras. Farach expuso largamente la doctrina ortodoxa. El Qurán (dijo) es uno de los atributos de Dios, como Su piedad; se copia en un libro, se pronuncia con la lengua, se recuerda en el corazón, y el idioma y los signos y la escritura son obra de los hombres, pero el Qurán es irrevocable y eterno. Averroes, que había comentado la República, pudo haber dicho que la madre del Libro es algo así como su modelo platónico, pero notó que la teología era un tema del todo inaccesible a Abulcásim.

Otros, que también lo advirtieron, instaron a Abulcásim a referir alguna maravilla. Entonces como ahora, el mundo era atroz; los audaces podían recorrerlo, pero también los miserables, los que se allanaban a todo. La memoria de Abulcásim era un espejo de íntimas cobardías. ¿Qué podía referir? Además, le exigían maravillas y la maravilla es acaso incomunicable: la luna de Bengala no es igual a la luna del Yemen, pero se deja des-

cribir con las mismas voces. Abulcásim vaciló; luego, habló:
—Quien recorre los climas y las ciudades —proclamó con unción— ve muchas cosas que son dignas de crédito. Ésta, digamos, que sólo he referido una vez, al rey de los turcos. Ocurrió en Sin Kalán (Cantón), donde el río del Agua de la Vida se derrama en el mar.

Farach preguntó si la ciudad quedaba a muchas leguas de la muralla que Iskandar Zul Qarnain (Alejandro Bicorne de Macedonia) levantó para detener a Gog y a Magog.

—Desiertos la separan —dijo Abulcásim, con involuntaria soberbia—. Cuarenta días tardaría una cáfila (caravana) en divisar sus torres y dicen que otros tantos en alcanzarlas. En Sin Kalán no sé de ningún hombre que la haya visto o que haya visto a quien la vio.

El temor de lo crasamente infinito, del mero espacio, de la mera materia, tocó por un instante a Averroes. Miró el simétrico jardín; se supo envejecido, inútil, irreal. Decía Abulcásim:

—Una tarde, los mercaderes musulmanes de Sin Kalán me condujeron a una casa de madera pintada, en la que vivían muchas personas. No se puede contar cómo era esa casa, que más bien era un solo cuarto, con filas de alacenas o de balcones, unas encima de otras. En esas cavidades había gente que comía y bebía; y asimismo en el suelo, y asimismo en una terraza. Las personas de esa terraza tocaban el tambor y el laúd, salvo unas quince o veinte (con máscaras de color carmesí) que rezaban, cantaban y dialogaban. Padecían prisiones, y nadie veía la cárcel; cabalgaban, pero no se percibía el caballo; combatían, pero las espadas eran de caña; morían y después estaban de pie.

—Los actos de los locos —dijo Farach— exceden las previsiones del hombre cuerdo.

—No estaban locos —tuvo que explicar Abulcásim—. Estaban figurando, me dijo un mercader, una historia.

Nadie comprendió, nadie pareció querer comprender. Abulcásim, confuso, pasó de la escuchada narración a las desairadas razones. Dijo, ayudándose con las manos:

—Imaginemos que alguien muestra una historia en vez de referirla. Sea esa historia la de los durmientes de Éfeso. Los vemos retirarse a la caverna, los vemos orar y dormir, los vemos dormir con los ojos abiertos, los vemos crecer mientras duermen, los vemos despertar a la vuelta de trescientos nueve años, los vemos entregar al vendedor una antigua moneda, los vemos despertar en el paraíso, los vemos despertar con el perro. Algo así nos mostraron aquella tarde las personas de la terraza.

—¿Hablaban esas personas? —interrogó Farach.

—Por supuesto que hablaban —dijo Abulcásim, convertido en

apologista de una función que apenas recordaba y que lo había fastidiado bastante—. ¡Hablaban y cantaban y peroraban!

—En tal caso —dijo Farach— no se requerían *veinte* personas. Un solo hablista puede referir cualquier cosa, por compleja que sea.

Todos aprobaron ese dictamen. Se encarecieron las virtudes del árabe; que es el idioma que usa Dios para dirigir a los ángeles; luego, de la poesía de los árabes. Abdalmálik, después de ponderarla debidamente, motejó de anticuados a los poetas que en Damasco o en Córdoba se aferraban a imágenes pastoriles y a un vocabulario beduino. Dijo que era absurdo que un hombre ante cuyos ojos se dilataba el Guadalquivir celebrara el agua de un pozo. Urgió la conveniencia de renovar las antiguas metáforas; dijo que cuando Zuhair comparó al destino con un camello ciego, esa figura pudo suspender a la gente, pero que cinco siglos de admiración la habían gastado. Todos aprobaron ese dictamen, que ya habían escuchado muchas veces, de muchas bocas. Averroes callaba. Al fin habló, menos para los otros que para él mismo.

—Con menos elocuencia —dijo Averroes— pero con argumentos congéneres, he defendido alguna vez la proposición que mantiene Abdalmálik. En Alejandría se ha dicho que sólo es incapaz de una culpa quien ya la cometió y ya se arrepintió; para estar libre de un error, agreguemos, conviene haberlo profesado. Zuhair, en su mohalaca, dice que en el decurso de ochenta años de dolor y de gloria, ha visto muchas veces al destino atropellar de golpe a los hombres, como un camello ciego; Abdalmálik entiende que esa figura ya no puede maravillar. A ese reparo cabría contestar muchas cosas. La primera, que si el fin del poema fuera el asombro, su tiempo no se mediría por siglos, sino por días y por horas y tal vez por minutos. La segunda, que un famoso poeta es menos inventor que descubridor. Para alabar a Ibn-Sháraf de Berja, se ha repetido que sólo él pudo imaginar que las estrellas en el alba caen lentamente, como las hojas caen de los árboles; ello, si fuera cierto, evidenciaría que la imagen es baladí. La imagen que un solo hombre puede formar es la que no toca a ninguno. Infinitas cosas hay en la tierra; cualquiera puede equipararse a cualquiera. Equiparar estrellas con hojas no es menos arbitrario que equipararlas con peces o con pájaros. En cambio, nadie no sintió alguna vez que el destino es fuerte y es torpe, que es inocente y es también inhumano. Para esa convicción, que puede ser pasajera o continua, pero que nadie elude, fue escrito el verso de Zuhair. No se dirá mejor lo que allí se dijo. Además (y esto es acaso lo esencial de mis reflexiones), el tiempo, que despoja los alcázares, enriquece los versos. El de Zuhair, cuando éste lo compuso en Arabia, sirvió para confrontar dos imágenes, la del viejo camello y la del destino: repetido ahora, sirve para memoria de Zuhair y para confundir nuestros pesares con los de aquel árabe muerto. Dos términos tenía la figura y hoy tiene cuatro. El tiempo agranda el ámbito de los versos y sé de algunos que a la par de la música, son todo para todos los hombres. Así, atormentado hace años en Marrakesh por memorias de Córdoba, me complacía en repetir el apóstrofe que Abdurrahmán dirigió en los jardines de Ruzafa a una palma africana:

Tú también eres, ¡oh palma!
En este suelo extranjera...

Singular beneficio de la poesía; palabras redactadas por un rey que anhelaba el Oriente me sirvieron a mí, desterrado en África, para mi nostalgia de España.

Averroes, después, habló de los primeros poetas, de aquellos que en el Tiempo de la Ignorancia, antes del Islam, ya dijeron todas las cosas, en el infinito lenguaje de los desiertos. Alarmado, no sin razón, por las fruslerías de Ibn-Sháraf, dijo que en los antiguos y en el Qurán estaba cifrada toda poesía y condenó por analfabeta y por vana la ambición de innovar. Los demás lo escucharon con placer, porque vindicaba lo antiguo.

Los muecines llamaban a la oración de la primera luz cuando Averroes volvió a entrar en la biblioteca. (En el harén, las esclavas de pelo negro habían torturado a una esclava de pelo rojo, pero él no lo sabría sino a la tarde.) Algo le había revelado el sentido de las dos palabras oscuras. Con firme y cuidadosa caligrafía agregó estas líneas al manuscrito: *Aristú* (Aristóteles) *denomina tragedia a los panegíricos y comedias a las sátiras y anatemas. Admirables tragedias y comedias abundan en las páginas del Corán y en las mohalacas del santuario.*

Sintió sueño, sintió un poco de frío. Desceñido el turbante, se miró en un espejo de metal. No sé lo que vieron sus ojos, porque ningún historiador ha descrito las formas de su cara. Sé que desapareció bruscamente, como si lo fulminara un fuego sin luz, y que con él desaparecieron la casa y el invisible surtidor y los libros y los manuscritos y las palomas y las muchas esclavas de pelo negro y la trémula esclava de pelo rojo y Farach y Abulcásim y los rosales y tal vez el Guadalquivir.

En la historia anterior quise narrar el proceso de una derrota. Pensé, primero, en aquel arzobispo de Canterbury que se propuso demostrar que hay un Dios; luego, en los alquimistas que buscaron la piedra filosofal; luego, en los vanos trisectores del ángulo y rectificadores del círculo. Reflexioné, después, que más poético es el caso de un hombre que se propone un fin que no está vedado a los otros, pero sí a él. Recordé a Averroes, que encerrado en el ámbito del Islam, nunca pudo saber el significado de las voces *tragedia* y *comedia*. Referí el caso; a medida que adelantaba, sentí lo que hubo de sentir aquel dios mencionado por Burton que se propuso crear un toro y creó un búfalo. Sentí que la obra se burlaba de mí. Sentí que Averroes, queriendo imaginar lo que es un drama sin haber sospechado lo que es un teatro, no era más absurdo que yo, queriendo imaginar a Averroes, sin otro material que unos adarmes de Renan, de Lane y de Asín Palacios. Sentí, en la última página, que mi narración era un símbolo del hombre que yo fui, mientras la escribía y que, para redactar esa narración, yo tuve que ser aquel hombre y que, para ser aquel hombre, yo tuve que redactar esa narración, y así hasta lo infinito. (En el instante en que yo dejo de creer en él, "Averroes" desaparece.)

EL ZAHIR

En Buenos Aires el Zahir es una moneda común, de veinte centavos; marcas de navaja o de cortaplumas rayan las letras N T y el número dos; 1929 es la fecha grabada en el anverso. (En Guzerat, a fines del siglo XVIII, un tigre fue Zahir; en Java, un ciego de la mezquita de Surakarta, a quien lapidaron los fieles; en Persia, un astrolabio que Nadir Shah hizo arrojar al fondo del mar; en las prisiones de Mahdí, hacia 1892, una pequeña brújula que Rudolf Carl von Slatin tocó, envuelta en un jirón de turbante; en la aljama de Córdoba, según Zotenberg, una veta en el mármol de uno de los mil doscientos pilares; en la judería de Tetuán, el fondo de un pozo.) Hoy es el trece de noviembre; el día siete de junio, a la madrugada, llegó a mis manos el Zahir; no soy el que era entonces pero aún me es dado recordar, y acaso referir, lo ocurrido. Aún, siquiera parcialmente, soy Borges.

El seis de junio murió Teodelina Villar. Sus retratos, hacia 1930, obstruían las revistas mundanas; esa plétora acaso contribuyó a que la juzgaran muy linda, aunque no todas las efigies apoyaran incondicionalmente esa hipótesis. Por lo demás, Teodelina Villar se preocupaba menos de la belleza que de la perfección. Los hebreos y los chinos codificaron todas las circunstancias humanas; en la Mishnah se lee que, iniciado el crepúsculo del sábado, un sastre no debe salir a la calle con una aguja; en el Libro de los Ritos que un huésped, al recibir la primera copa, debe tomar un aire grave y, al recibir la segunda, un aire respetuoso y feliz. Análogo, pero más minucioso, era el rigor que se exigía Teodelina Villar. Buscaba, como el adepto de Confucio o el talmudista, la irreprochable corrección de cada acto, pero su empeño era más admirable y más duro, porque las normas de su credo no eran eternas, sino que se plegaban a los azares de París o de Hollywood. Teodelina Villar se mostraba en lugares ortodoxos, a la hora ortodoxa, con atributos ortodoxos, con desgano ortodoxo, pero el desgano, los atributos, la hora y los lugares caducaban casi inmediatamente y servirían (en boca de Teodelina Villar) para definición de lo cursi. Buscaba lo absoluto, como Flaubert, pero lo absoluto en lo momentáneo. Su vida era ejemplar y, sin embargo, la roía sin tregua una desesperación interior. Ensayaba continuas metamorfosis, como para huir de sí misma; el color de su pelo y las formas de su peinado eran famosamente inestables. También cambiaban la sonrisa, la tez, el sesgo de los ojos. Desde 1932, fue estudiosamente delgada... La guerra le dio mucho que pensar. Ocupado París por los alemanes ¿cómo seguir la moda? Un extranjero de quien ella siempre había desconfiado se permitió abusar de su buena fe para venderle una porción de sombreros cilíndricos; al año, se propaló que esos adefesios *nunca se habían llevado en París* y por consiguiente no eran sombreros, sino arbitrarios y desautorizados caprichos. Las desgracias no vienen solas; el doctor Villar tuvo que mudarse a la calle Aráoz y el retrato de su hija decoró anuncios de cremas y de automóviles. (¡Las cremas que harto se aplicaba, los automóviles que ya *no* poseía!) Ésta sabía que el buen ejercicio de su arte exigía una gran fortuna; prefirió retirarse a claudicar. Además, le dolía competir con chicuelas insustanciales. El siniestro departamento de Aráoz resultó demasiado oneroso; el seis de junio, Teodelina Villar cometió el solecismo de morir en pleno Barrio Sur. ¿Confesaré que, movido por la más sincera de las pasiones argentinas, el esnobismo, yo estaba enamorado de ella y que su muerte me afectó hasta las lágrimas? Quizá ya lo haya sospechado el lector.

En los velorios, el progreso de la corrupción hace que el muerto recupere sus caras anteriores. En alguna etapa de la confusa noche del seis, Teodelina Villar fue mágicamente la que fue hace veinte años; sus rasgos recobraron la autoridad que dan la soberbia, el dinero, la juventud, la conciencia de coronar una jerarquía, la falta de imaginación, las limitaciones, la estolidez. Más o menos pensé: ninguna versión de esa cara que tanto me inquietó será tan memorable como ésta; conviene que sea la última, ya que pudo ser la primera. Rígida entre las flores la dejé, perfeccionando su desdén por la muerte. Serían las dos de la mañana cuando salí. Afuera, las previstas hileras de casas bajas y de casas de un piso habían tomado ese aire abstracto que suelen tomar en la noche, cuando la sombra y el silencio las simplifican. Ebrio de una piedad casi impersonal, caminé por las calles. En la esquina de Chile y de Tacuarí vi un almacén abierto. En aquel almacén, para mi desdicha, tres hombres jugaban al truco.

En la figura que se llama *oximoron*, se aplica a una palabra un epíteto que parece contradecirla; así los gnósticos hablaron de luz oscura; los alquimistas, de un sol negro. Salir de mi última visita a Teodelina Villar y tomar una caña en un almacén era una especie de oximoron; su grosería y su facilidad me tentaron. (La circunstancia de que se jugara a los naipes aumentaba el contraste.) Pedí una caña de naranja; en el vuelto me dieron el Zahir; lo miré un instante; salí a la calle, tal vez con un principio de fiebre. Pensé que no hay moneda que no sea símbolo de las monedas que sin fin resplandecen en la historia y la fábula. Pensé en el óbolo de Caronte; en el óbolo que pidió Belisario; en los treinta dineros de Judas; en las dracmas de la cortesana Laís; en la antigua moneda que ofreció uno de los durmientes de Éfeso; en las claras monedas del hechicero de las 1001 Noches, que después eran círculos de papel; en el denario inagotable de Isaac Laquedem; en las sesenta mil piezas de plata, una por cada verso de una epopeya, que Firdusi devolvió a un rey porque no eran de oro; en la onza de oro que hizo clavar Ahab en el mástil; en el florín irreversible de Leopold Bloom; en el luis cuya efigie delató, cerca de Varennes, al fugitivo Luis XVI. Como en un sueño, el pensamiento de que toda moneda permite esas ilustres connotaciones me pareció de vasta, aunque inexplicable, importancia. Recorrí, con creciente velocidad, las calles y las plazas desiertas. El cansancio me dejó en una esquina. Vi una sufrida verja de fierro; detrás vi las baldosas negras y blancas del atrio de la Concepción. Había errado en círculo; ahora estaba a una cuadra del almacén donde me dieron el Zahir.

Doblé; la ochava oscura me indicó, desde lejos, que el almacén ya estaba cerrado. En la calle Belgrano tomé un taxímetro. Insomne, poseído, casi feliz, pensé que nada hay menos material que el dinero, ya que cualquier moneda (una moneda de veinte centavos, digamos) es, en rigor, un repertorio de futuros posibles. El dinero es abstracto, repetí, el dinero es tiempo futuro. Puede ser una tarde en las afueras, puede ser música de Brahms, puede ser mapas, puede ser ajedrez, puede ser café, puede ser las palabras de Epicteto, que enseñan el desprecio del oro; es un Proteo más versátil que el de la isla de Pharos. Es tiempo imprevisible, tiempo de Bergson, no duro tiempo del Islam o del Pórtico. Los deterministas niegan que haya en el mundo un solo hecho posible, *id est* un hecho que pudo acontecer; una moneda simboliza nuestro libre albedrío. (No sospechaba yo que esos "pensamientos" eran un artificio contra el Zahir y una primera forma de su demoníaco influjo.) Dormí tras de tenaces cavilaciones, pero soñé que yo era las monedas que custodiaba un grifo.

Al otro día resolví que yo había estado ebrio. También resolví librarme de la moneda que tanto me inquietaba. La miré: nada tenía de particular, salvo unas rayaduras. Enterrarla en el jardín o esconderla en un rincón de la biblioteca hubiera sido lo mejor, pero yo quería alejarme de su órbita. Preferí perderla. No fui al Pilar, esa mañana, ni al cementerio; fui, en subterráneo, a Constitución y de Constitución a San Juan y Boedo. Bajé, impensadamente, en Urquiza; me dirigí al oeste y al sur; barajé, con desorden estudioso, unas cuantas esquinas y en una calle que me pareció igual a todas, entré en un boliche cualquiera, pedí una caña y la pagué con el Zahir. Entrecerré los ojos, detrás de los cristales ahumados; logré no ver los números de las casas ni el nombre de la calle. Esa noche, tomé una pastilla de veronal y dormí tranquilo.

Hasta fines de junio me distrajo la tarea de componer un relato fantástico. Éste encierra dos o tres perífrasis enigmáticas —en lugar de *sangre* pone *agua de la espada*; en lugar de *oro, lecho de la serpiente*— y está escrito en primera persona. El narrador es un asceta que ha renunciado al trato de los hombres y vive en una suerte de páramo. (Gnitaheidr es el nombre de ese lugar.) Dado el candor y la sencillez de su vida, hay quienes lo juzgan un ángel; ello es una piadosa exageración, porque no hay hombre que esté libre de culpa. Sin ir más lejos, él mismo ha degollado a su padre; bien es verdad que éste era un famoso hechicero que se había apoderado, por artes mágicas, de un tesoro infinito. Resguardar el tesoro de la insana codicia de los humanos es la misión a la que ha dedicado su vida; día y noche vela sobre él. Pronto, quizá demasiado pronto, esa vigilia tendrá fin: las estrellas le han dicho que ya se ha forjado la espada que la tronchará para siempre. (Gram es el nombre de esa espada.) En un estilo cada vez más tortuoso, pondera el brillo y la flexibilidad de su cuerpo; en algún párrafo habla distraídamente de escamas; en otro dice que el tesoro que guarda es de oro fulgurante y de anillos rojos. Al final entendemos que el asceta es la serpiente Fafnir y el tesoro en que yace, el de los Nibelungos. La aparición de Sigurd corta bruscamente la historia.

He dicho que la ejecución de esa fruslería (en cuyo decurso intercalé, seudoeruditamente, algún verso de la *Fáfnismál*) me permitió olvidar la moneda. Noches hubo en que me creí tan seguro de poder olvidarla que voluntariamente la recordaba. Lo cierto es que abusé de esos ratos; darles principio resultaba más fácil que darles fin. En vano repetí que ese abominable disco de níquel no difería de los otros que pasan de una mano a otra mano, iguales, infinitos e inofensivos. Impulsado por esa reflexión, procuré pensar en otra moneda, pero no pude. También recuerdo algún experimento, frustrado, con cinco y diez centavos chilenos y con un vintén oriental. El dieciséis de julio adquirí una libra esterlina: no la miré durante el día, pero esa noche (y otras) la puse bajo un vidrio de aumento y la estudié a la luz de una poderosa lámpara eléctrica. Después la dibujé con un lápiz, a través de un papel. De nada me valieron el fulgor y el dragón y el San Jorge; no logré cambiar de idea fija.

El mes de agosto, opté por consultar a un psiquiatra. No le

confié toda mi ridícula historia; le dije que el insomnio me atormentaba y que la imagen de un objeto cualquiera solía perseguirme; la de una ficha o la de una moneda, digamos... Poco después, exhumé en una librería de la calle Sarmiento un ejemplar de *Urkunden zur Geschichte der Zahirsage* (Breslau, 1899) de Julius Barlach.

En aquel libro estaba declarado mi mal. Según el prólogo, el autor se propuso "reunir en un solo volumen en manuable octavo mayor todos los documentos que se refieren a la superstición del Zahir, incluso cuatro piezas pertenecientes al archivo de Habicht y el manuscrito original del informe de Philip Meadows Taylor". La creencia en el Zahir es islámica y data, al parecer, del siglo XVIII. (Barlach impugna los pasajes que Zotenberg atribuye a Abulfeda.) *Zahir*, en árabe, quiere decir notorio, visible; en tal sentido, es uno de los noventa y nueve nombres de Dios; la plebe, en tierras musulmanas, lo dice de "los seres o cosas que tienen la terrible virtud de ser inolvidables y cuya imagen acaba por enloquecer a la gente". El primer testimonio incontrovertido es el del persa Lutf Alí Azur. En las puntales páginas de la enciclopedia biográfica titulada *Templo del Fuego*, ese polígrafo y derviche ha narrado que en un colegio de Shiraz hubo un astrolabio de cobre, "construido de tal suerte que quien lo miraba una vez no pensaba en otra cosa y así el rey ordenó que lo arrojaran a lo más profundo del mar, para que los hombres no se olvidaran del universo". Más dilatado es el informe de Meadows Taylor, que sirvió al nizam de Haidarabad y compuso la famosa novela *Confessions of a Thug*. Hacia 1832, Taylor oyó en los arrabales de Bhuj la desacostumbrada locución "Haber visto al Tigre" (*Verily he has looked on the Tiger*) para significar la locura o la santidad. Le dijeron que la referencia era a un tigre mágico, que fue la perdición de cuantos lo vieron, aun de muy lejos, pues todos continuaron pensando en él, hasta el fin de sus días. Alguien dijo que uno de esos desventurados había huido a Mysore, donde había pintado en un palacio la figura del tigre. Años después, Taylor visitó las cárceles de ese reino; en la de Nithur el gobernador le mostró una celda, en cuyo piso, en cuyos muros, y en cuya bóveda un faquir musulmán había diseñado (en bárbaros colores que el tiempo, antes de borrar, afinaba) una especie de tigre infinito. Ese tigre estaba hecho de muchos tigres, de vertiginosa manera; lo atravesaban tigres, estaba rayado de tigres, incluía mares e Himalayas y ejércitos que parecían otros tigres. El pintor había muerto hace muchos años, en esa misma celda; venía de Sind o acaso de Guzerat y su propósito inicial había sido trazar un mapamundi. De ese propósito quedaban vestigios en la monstruosa imagen. Taylor narró la historia a Muhammad Al-Yemení, de Fort William; éste le dijo que no había criatura en el orbe que no propendiera a *Zaheer* [1], pero que el Todomisericordioso no deja que dos cosas lo sean a un tiempo, ya que una sola puede fascinar muchedumbres. Dijo que siempre hay un Zahir y que en la Edad de la Ignorancia fue el ídolo que se llamó Yaúq y después un profeta del Jorasán, que usaba un velo recamado de piedras o una máscara de oro.[2] También dijo que Dios es inescrutable.

Muchas veces leí la monografía de Barlach. No desentraño cuáles fueron mis sentimientos; recuerdo la desesperación cuando comprendí que ya nada me salvaría, el intrínseco alivio de saber que yo no era culpable de mi desdicha, la envidia que me dieron aquellos hombres cuyo Zahir no fue una moneda sino un trozo de mármol o un tigre. Qué empresa fácil no pensar en un tigre, reflexioné. También recuerdo la inquietud singular con que leí este párrafo: "Un comentador del *Gulshan i Raz* dice que quien ha visto al Zahir pronto verá la Rosa y alega un verso interpolado en el *Asrar Nama* (Libro de cosas que se ignoran) de Attar: el Zahir es la sombra de la Rosa y la rasgadura del Velo."

La noche que velaron a Teodelina, me sorprendió no ver entre los presentes a la señora de Abascal, su hermana menor. En octubre, una amiga suya me dijo:

—Pobre Julita, se había puesto rarísima y la internaron en el Bosch. Cómo las postrará a las enfermeras que le dan de comer en la boca. Sigue dele temando con la moneda, idéntica al *chauffeur* de Morena Sackmann.

El tiempo, que atenúa los recuerdos, agrava el del Zahir. Antes yo me figuraba el anverso y después el reverso; ahora, veo simultáneamente los dos. Ello no ocurre como si fuera de cristal el Zahir, pues una cara no se superpone a la otra; más bien ocurre como si la visión fuera esférica y el Zahir campeara en el centro. Lo que no es el Zahir me llega tamizado y como lejano: la desdeñosa imagen de Teodelina, el dolor físico. Dijo Tennyson que si pudiéramos comprender una sola flor sabríamos quiénes somos y qué es el mundo. Tal vez quiso decir que no hay hecho, por humilde que sea, que no implique la historia universal y su infinita concatenación de efectos y causas. Tal vez quiso decir que el mundo visible se da entero en cada representación, de igual manera que la voluntad, según Schopenhauer,

---

[1] Así escribe Taylor esa palabra.
[2] Barlach observa que Yaúq figura en el Corán (71, 23) y que el profeta es Al-Moqanna (El Velado) y que nadie, fuera del sorprendente corresponsal de Philip Meadows Taylor, los ha vinculado al Zahir.

se da entera en cada sujeto. Los cabalistas entendieron que el hombre es un microcosmo, un simbólico espejo del universo; todo, según Tennyson, lo sería. Todo, hasta el intolerable Zahir.

Antes de 1948, el destino de Julia me habrá alcanzado. Tendrán que alimentarme y vestirme, no sabré si es de tarde o de mañana, no sabré quién fue Borges. Calificar de terrible ese porvenir es una falacia, ya que ninguna de sus circunstancias obrará para mí. Tanto valdría mantener que es terrible el dolor de un anestesiado a quien le abren el cráneo. Ya no percibiré el universo, percibiré el Zahir. Según la doctrina idealista, los verbos *vivir* y *soñar* son rigurosamente sinónimos; de miles de apariencias pasaré a una; de un sueño muy complejo a un sueño muy simple. Otros soñarán que estoy loco y yo con el Zahir. Cuando todos los hombres de la tierra piensen, día y noche, en el Zahir, ¿cuál será un sueño y cuál una realidad, la tierra o el Zahir?

En las horas desiertas de la noche aún puedo caminar por las calles. El alba suele sorprenderme en un banco de la plaza Garay, pensando (procurando pensar) en aquel pasaje del *Asrar Nama*, donde se dice que el Zahir es la sombra de la Rosa y la rasgadura del Velo. Vinculo ese dictamen a esta noticia: Para perderse en Dios, los sufíes repiten su propio nombre o los noventa y nueve nombres divinos hasta que éstos ya nada quieren decir. Yo anhelo recorrer esa senda. Quizá yo acabe por gastar el Zahir a fuerza de pensarlo y de repensarlo; quizá detrás de la moneda esté Dios.

A Wally Zenner.

LA ESCRITURA DEL DIOS

La cárcel es profunda y de piedra; su forma, la de un hemisferio casi perfecto, si bien el piso (que también es de piedra) es algo menor que un círculo máximo, hecho que agrava de algún modo los sentimientos de opresión y de vastedad. Un muro medianero la corta; éste, aunque altísimo, no toca la parte superior de la bóveda; de un lado estoy yo, Tzinacán, mago de la pirámide de Qaholom, que Pedro de Alvarado incendió; del otro hay un jaguar, que mide con secretos pasos iguales el tiempo y el espacio del cautiverio. A ras del suelo, una larga ventana con barrotes corta el muro central. En la hora sin sombra [el mediodía], se abre una trampa en lo alto y un carcelero que han ido borrando los años maniobra una roldana de hierro, y nos baja, en la punta de un cordel, cántaros con agua y trozos de carne. La luz entra en la bóveda; en ese instante puedo ver al jaguar.

He perdido la cifra de los años que yazgo en la tiniebla; yo, que alguna vez era joven y podía caminar por esta prisión, no hago otra cosa que aguardar, en la postura de mi muerte, el fin que me destinan los dioses. Con el hondo cuchillo de pedernal he abierto el pecho de las víctimas y ahora no podría, sin magia, levantarme del polvo.

La víspera del incendio de la Pirámide, los hombres que bajaron de altos caballos me castigaron con metales ardientes para que revelara el lugar de un tesoro escondido. Abatieron, delante de mis ojos, el ídolo del dios, pero éste no me abandonó y me mantuve silencioso entre los tormentos. Me laceraron, me rompieron, me deformaron y luego desperté en esta cárcel, que ya no dejaré en mi vida mortal.

Urgido por la fatalidad de hacer algo, de poblar de algún modo el tiempo, quise recordar, en mi sombra, todo lo que sabía. Noches enteras malgasté en recordar el orden y el número de unas sierpes de piedra o la forma de un árbol medicinal. Así fui debelando los años, así fui entrando en posesión de lo que ya era mío. Una noche sentí que me acercaba a un recuerdo preciso; antes de ver el mar, el viajero siente una agitación en la sangre. Horas después, empecé a avistar el recuerdo; era una de las tradiciones del dios. Éste, previendo que en el fin de los tiempos ocurrirían muchas desventuras y ruinas, escribió el primer día de la Creación una sentencia mágica, apta para conjurar esos males. La escribió de manera que llegara a las más apartadas generaciones y que no la tocara el azar. Nadie sabe en qué punto la escribió ni con qué caracteres, pero nos consta que perdura, secreta, y que la leerá un elegido. Consideré que estábamos, como siempre, en el fin de los tiempos y que mi destino de último sacerdote del dios me daría acceso al privilegio de intuir esa escritura. El hecho de que me rodeara una cárcel no me vedaba esa esperanza; acaso yo había visto miles de veces la inscripción de Qaholom y sólo me faltaba entenderla.

Esta reflexión me animó y luego me infundió una especie de vértigo. En el ámbito de la tierra hay formas antiguas, formas incorruptibles y eternas; cualquiera de ellas podía ser el símbolo buscado. Una montaña podía ser la palabra del dios, o un río o el imperio o la configuración de los astros. Pero en el curso de los siglos las montañas se allanan y el camino de un río suele desviarse y los imperios conocen mutaciones y estragos y la figura de los astros varía. En el firmamento hay mudanza. La montaña y la estrella son individuos y los individuos caducan. Busqué algo más tenaz, más invulnerable. Pensé en las generaciones de los cereales, de los pastos, de los pájaros, de los hombres. Quizá en mi cara estuviera escrita la magia, quizá yo mismo fuera el fin de mi busca. En ese afán estaba cuando recordé que el jaguar era uno de los atributos del dios.

Entonces mi alma se llenó de piedad. Imaginé la primera mañana del tiempo, imaginé a mi dios confiando el mensaje a la piel viva de los jaguares, que se amarían y se engendrarían sin fin, en cavernas, en cañaverales, en islas, para que los últimos hombres lo recibieran. Imaginé esa red de tigres, ese caliente laberinto de tigres, dando horror a los prados y a los rebaños para conservar un dibujo. En la otra celda había un jaguar; en su vecindad percibí una confirmación de mi conjetura y un secreto favor.

Dediqué largos años a aprender el orden y la configuración de las manchas. Cada ciega jornada me concedía un instante de luz, y así pude fijar en la mente las negras formas que tachaban el pelaje amarillo. Algunas incluían puntos; otras formaban rayas trasversales en la cara interior de las piernas; otras, anulares, se repetían. Acaso eran un mismo sonido o una misma palabra. Muchas tenían bordes rojos.

No diré las fatigas de mi labor. Más de una vez grité a la bóveda que era imposible descifrar aquel texto. Gradualmente, el enigma concreto que me atareaba me inquietó menos que el enigma genérico de una sentencia escrita por un dios. ¿Qué tipo de sentencia (me pregunté) construirá una mente absoluta? Consideré que aun en los lenguajes humanos no hay proposición que no implique el universo entero; decir *el tigre* es decir los tigres que lo engendraron, los ciervos y tortugas que devoró, el pasto de que se alimentaron los ciervos, la tierra que fue madre del pasto, el cielo que dio luz a la tierra. Consideré que en el lenguaje de un dios toda palabra enunciaría esa infinita concatenación de los hechos, y no de un modo implícito, sino explícito, y no de un modo progresivo, sino inmediato. Con el tiempo, la noción de una sentencia divina parecióme pueril o blasfematoria. Un dios, reflexioné, sólo debe decir una palabra y en esa palabra la plenitud. Ninguna voz articulada por él puede ser inferior al universo o menos que la suma del tiempo. Sombras o simulacros de esa voz que equivale a un lenguaje y a cuanto puede comprender un lenguaje son las ambiciosas y pobres voces humanas, *todo, mundo, universo*.

Un día o una noche —entre mis días y mis noches, ¿qué diferencia cabe?— soñé que en el piso de la cárcel había un grano de arena. Volví a dormir, indiferente; soñé que despertaba y que había dos granos de arena. Volví a dormir; soñé que los granos de arena eran tres. Fueron, así, multiplicándose hasta colmar la cárcel y yo moría bajo ese hemisferio de arena. Comprendí que estaba soñando; con un vasto esfuerzo me desperté. El despertar fue inútil; la innumerable arena me sofocaba. Alguien me dijo: *No has despertado a la vigilia, sino a un sueño anterior. Ese sueño está dentro de otro, y así hasta lo infinito, que es el número de los granos de arena. El camino que habrás de desandar es interminable y morirás antes de haber despertado realmente.*

Me sentí perdido. La arena me rompía la boca, pero grité: *Ni una arena soñada puede matarme ni hay sueños que estén dentro de sueños.* Un resplandor me despertó. En la tiniebla superior se cernía un círculo de luz. Vi la cara y las manos del carcelero, la roldana, el cordel, la carne y los cántaros.

Un hombre se confunde, gradualmente, con la forma de su destino; un hombre es, a la larga, sus circunstancias. Más que un descifrador o un vengador, más que un sacerdote del dios, yo era un encarcelado. Del incansable laberinto de sueños yo regresé como a mi casa a la dura prisión. Bendije su humedad, bendije su tigre, bendije el agujero de luz, bendije mi viejo cuerpo doliente, bendije la tiniebla y la piedra.

Entonces ocurrió lo que no puedo olvidar ni comunicar. Ocurrió la unión con la divinidad, con el universo (no sé si estas palabras difieren). El éxtasis no repite sus símbolos; hay quien ha visto a Dios en un resplandor, hay quien lo ha percibido en una espada o en los círculos de una rosa. Yo vi una Rueda altísima, que no estaba delante de mis ojos, ni detrás, ni a los lados, sino en todas partes, a un tiempo. Esa Rueda estaba hecha de agua, pero también de fuego, y era (aunque se veía el borde) infinita. Entretejidas, la formaban todas las cosas que serán, que son y que fueron, y yo era una de las hebras de esa trama total, y Pedro de Alvarado, que me dio tormento, era otra. Ahí estaban las causas y los efectos y me bastaba ver esa Rueda para entenderlo todo, sin fin. ¡Oh dicha de entender, mayor que la de imaginar o la de sentir! Vi el universo y vi los íntimos designios del universo. Vi los orígenes que narra el Libro del Común. Vi las montañas que surgieron del agua, vi los primeros hombres de palo, vi las tinajas que se volvieron contra los hombres, vi los perros que les destrozaron las caras. Vi el dios sin cara que hay detrás de los dioses. Vi infinitos procesos que formaban una sola felicidad y, entendiéndolo todo, alcancé también a entender la escritura del tigre.

Es una fórmula de catorce palabras casuales (que parecen casuales) y me bastaría decirla en voz alta para ser todopoderoso. Me bastaría decirla para abolir esta cárcel de piedra, para que el día entrara en mi noche, para ser joven, para ser inmortal, para que el tigre destrozara a Alvarado, para sumir el santo cuchillo en pechos españoles, para reconstruir la pirámide, para reconstruir el imperio. Cuarenta sílabas, catorce palabras, y yo, Tzinacán, regiría las tierras que rigió Moctezuma. Pero yo sé que nunca diré esas palabras, porque ya no me acuerdo de Tzinacán.

Que muera conmigo el misterio que está escrito en los tigres. Quien ha entrevisto el universo, quien ha entrevisto los ardientes designios del universo, no puede pensar en un hombre, en sus triviales dichas o desventuras, aunque ese hombre sea él. Ese hombre *ha sido él* y ahora no le importa. Qué le importa la suerte de aquel otro, qué le importa la nación de aquel otro, si él, ahora es nadie. Por eso no pronuncio la fórmula, por eso dejo que me olviden los días, acostado en la oscuridad.

A Ema Risso Platero.

ABENJACÁN EL BOJARÍ, MUERTO EN SU LABERINTO

...son comparables a la araña, que edifica una casa.

ALCORÁN, XXIX, 40.

Ésta —dijo Dunraven con un vasto ademán que no rehusaba las nubladas estrellas y que abarcaba el negro páramo, el mar y un edificio majestuoso y decrépito que parecía una caballeriza venida a menos— es la tierra de mis mayores.

Unwin, su compañero, se sacó la pipa de la boca y emitió sonidos modestos y aprobatorios. Era la primera tarde del verano de 1914; hartos de un mundo sin la dignidad del peligro, los amigos apreciaban la soledad de ese confín de Cornwall. Dunraven fomentaba una barba oscura y se sabía autor de una considerable epopeya que sus contemporáneos casi no podrían escandir y cuyo tema no le había sido aún revelado; Unwin había publicado un estudio sobre el teorema que Fermat no escribió al margen de una página de Diofanto. Ambos —¿será preciso que lo diga?— eran jóvenes, distraídos y apasionados.

—Hará un cuarto de siglo —dijo Dunraven— que Abenjacán el Bojarí, caudillo o rey de no sé qué tribu nilótica, murió en la cámara central de esa casa a manos de su primo Zaid. Al cabo de los años, las circunstancias de su muerte siguen oscuras.

Unwin preguntó por qué, dócilmente.

—Por diversas razones —fue la respuesta—. En primer lugar, esa casa es un laberinto. En segundo lugar, la vigilaban un esclavo y un león. En tercer lugar, se desvaneció un tesoro secreto. En cuarto lugar, el asesino estaba muerto cuando el asesinato ocurrió. En quinto lugar...

Unwin, cansado, lo detuvo.

—No multipliques los misterios —le dijo—. Éstos deben ser simples. Recuerda la carta robada de Poe, recuerda el cuarto cerrado de Zangwill.

—O complejos —replicó Dunraven—. Recuerda el universo.

Repechando colinas arenosas, habían llegado al laberinto. Éste, de cerca, les pareció una derecha y casi interminable pared, de ladrillos sin revocar, apenas más alta que un hombre. Dunraven dijo que tenía la forma de un círculo, pero tan dilatada era su área que no se percibía la curvatura. Unwin recordó a Nicolás de Cusa, para quien toda línea recta es el arco de un círculo infinito... Hacia la medianoche descubrieron una ruinosa puerta, que daba a un ciego y arriesgado zaguán. Dunraven dijo que en el interior de la casa había muchas encrucijadas, pero que, doblando siempre a la izquierda, llegarían en poco más de una hora al centro de la red. Unwin asintió. Los pasos cautelosos resonaron en el suelo de piedra; el corredor se bifurcó en otros más angostos. La casa parecía querer ahogarlos, el techo era muy bajo. Debieron avanzar uno tras otro por la complicada tiniebla. Unwin iba adelante. Entorpecido de asperezas y de ángulos, fluía sin fin contra su mano el invisible muro. Unwin, lento en la sombra, oyó de boca de su amigo la historia de la muerte de Abenjacán.

—Acaso el más antiguo de mis recuerdos —contó Dunraven— es el de Abenjacán el Bojarí en el puerto de Pentreath. Lo seguía un hombre negro con un león; sin duda el primer negro y el primer león que miraron mis ojos, fuera de los grabados de la Escritura. Entonces yo era niño, pero la fiera del color del sol y el hombre del color de la noche me impresionaron menos que Abenjacán. Me pareció muy alto; era un hombre de piel cetrina, de entrecerrados ojos negros, de insolente nariz, de carnosos labios, de barba azafranada, de pecho fuerte, de andar seguro y silencioso. En casa dije: "Ha venido un rey en un buque." Después, cuando trabajaron los albañiles, amplié ese título y le puse el Rey de Babel.

La noticia de que el forastero se fijaría en Pentreath fue recibida con agrado; la extensión y la forma de su casa, con estupor y aun con escándalo. Pareció intolerable que una casa constara de una sola habitación y de leguas y leguas de corredores. "Entre los moros se usarán tales casas, pero no entre cristianos", decía la gente. Nuestro rector, el señor Allaby, hombre de curiosa lectura, exhumó la historia de un rey a quien la Divinidad castigó por haber erigido un laberinto y la divulgó desde el púlpito. El lunes, Abenjacán visitó la rectoría; las circunstancias de la breve entrevista no se conocieron entonces, pero ningún sermón ulterior aludió a la soberbia, y el moro pudo contratar albañiles. Años después, cuando pereció Abenjacán, Allaby declaró a las autoridades la substancia del diálogo.

Abenjacán le dijo, de pie, estas o parecidas palabras: "Ya nadie puede censurar lo que yo hago. Las culpas que me infaman son tales que aunque yo repitiera durante siglos el Último Nombre de Dios, ello no bastaría a mitigar uno solo de mis tormentos; las culpas que me infaman son tales que aunque yo lo matara con estas manos, ello no agravaría los tormentos que me destina la infinita Justicia. En tierra alguna es desconocido mi nombre; soy Abenjacán el Bojarí y he regido las tribus del desierto con un cetro de hierro. Durante muchos años las despojé, con asistencia de mi primo Zaid, pero Dios oyó su clamor y sufrió que se rebelaran. Mis gentes fueron rotas y acuchilladas; yo alcancé a huir con el tesoro recaudado en mis años de expoliación. Zaid me guió al sepulcro de un santo, al pie de una montaña de piedra. Le ordené a mi esclavo que vigilara la cara del desierto; Zaid y yo dormimos, rendidos. Esa noche creí que me aprisionaba una red de serpientes. Desperté con horror; a mi lado, en el alba, dormía Zaid; el roce de una telaraña en mi carne me había hecho soñar aquel sueño. Me dolió que Zaid, que era cobarde, durmiera con tanto reposo. Consideré que el tesoro no era infinito y que él podía reclamar una parte. En mi cinto estaba la daga con empuñadura de plata; la desnudé y le atravesé la garganta. En su agonía balbuceó unas palabras que no pude entender. Lo miré; estaba muerto, pero yo temí que se levantara y le ordené al esclavo que le deshiciera la cara con una roca. Después erramos bajo el cielo y un día divisamos un mar. Lo surcaban buques muy altos; pensé que un muerto no podría andar por el agua y decidí buscar otras tierras. La primera noche que navegamos soñé que yo mataba a Zaid. Todo se repitió pero yo entendí sus palabras. Decía: *Como ahora me borras te borraré, dondequiera que estés.* He jurado frustrar esa amenaza; me ocultaré en el centro de un laberinto para que su fantasma se pierda."

Dicho lo cual, se fue. Allaby trató de pensar que el moro estaba loco y que el absurdo laberinto era un símbolo y un claro testimonio de su locura. Luego reflexionó que esa explicación condecía con el extravagante edificio y con el extravagante relato, no con la enérgica impresión que dejaba el hombre Abenjacán. Quizá tales historias fueran comunes en los arenales egipcios, quizá tales rarezas correspondieran (como los dragones de Plinio) menos a una persona que a una cultura... Allaby, en Londres, revisó números atrasados del *Times*; comprobó la verdad de la rebelión y de una subsiguiente derrota del Bojarí y de su visir, que tenía fama de cobarde.

Aquél, apenas concluyeron los albañiles, se instaló en el centro del laberinto. No lo vieron más en el pueblo; a veces Allaby temió que Zaid ya lo hubiera alcanzado y aniquilado. En las noches el viento nos traía el rugido del león, y las ovejas del redil se apretaban con un antiguo miedo.

Solían anclar en la pequeña bahía, rumbo a Cardiff o a Bristol, naves de puertos orientales. El esclavo descendía del laberinto (que entonces, lo recuerdo, no era rosado, sino de color carmesí) y cambiaba palabras africanas con las tripulaciones y parecía buscar entre los hombres el fantasma del visir. Era fama que tales embarcaciones traían contrabando, y si de alcoholes o marfiles prohibidos, ¿por qué no, también, de sombras de muertos? A los tres años de erigida la casa, ancló al pie de los cerros el *Rose of Sharon*. No fui de los que vieron ese velero y tal vez en la imagen que tengo de él influyen olvidadas litografías de Aboukir o de Trafalgar, pero entiendo que era de esos barcos muy trabajados que no parecen obra de naviero, sino de carpintero y menos de carpintero que de ebanista. Era (si no en la realidad, en mis sueños) bruñido, oscuro, silencioso y veloz, y lo tripulaban árabes y malayos.

Ancló en el alba de uno de los días de octubre. Hacia el atardecer, Abenjacán irrumpió en casa de Allaby. Lo dominaba la pasión del terror; apenas pudo articular que Zaid ya había entrado en el laberinto y que su esclavo y su león habían perecido. Seriamente preguntó si las autoridades podrían ampararlo. Antes que Allaby respondiera, se fue, como si lo arrebatara el mismo terror que lo había traído a esa casa, por segunda y última vez. Allaby, solo en su biblioteca, pensó con estupor que ese temeroso había oprimido en el Sudán a tribus de hierro y sabía qué cosa es una batalla y qué cosa es matar. Advirtió, al otro día, que ya había zarpado el velero (rumbo a Suakin en el Mar Rojo, se averiguó después). Reflexionó que su deber era comprobar la muerte del esclavo y se dirigió al laberinto. El jadeante relato del Bojarí le pareció fantástico, pero en un recodo de las galerías dio con el león, y el león estaba muerto, y en otro, con el esclavo, que estaba muerto, y en la cámara central con el Bojarí, a quien le habían destrozado la cara. A los pies del hombre había un arca taraceada de nácar; alguien había forzado la cerradura y no quedaba ni una sola moneda.

Los períodos finales, agravados de pausas oratorias, querían ser elocuentes; Unwin adivinó que Dunraven los había emitido muchas veces, con idéntico aplomo y con idéntica ineficacia. Preguntó, para simular interés:

—¿Cómo murieron el león y el esclavo?

La incorregible voz contestó con sombría satisfacción:

—También les habían destrozado la cara.

Al ruido de los pasos se agregó el ruido de la lluvia. Unwin pensó que tendrían que dormir en el laberinto, en la cámara central del relato, y que en el recuerdo esa larga incomodidad sería una aventura. Guardó silencio; Dunraven no pudo contenerse y le preguntó, como quien no perdona una deuda:

—¿No es inexplicable esta historia?

Unwin le respondió, como si pensara en voz alta:

—No sé si es explicable o inexplicable. Sé que es mentira.

Dunraven prorrumpió en malas palabras e invocó el testimonio del hijo mayor del rector (Allaby, parece, había muerto) y de todos los vecinos de Pentreath. No menos atónito que Dunraven, Unwin se disculpó. El tiempo, en la oscuridad, parecía más largo, los dos temieron haber extraviado el camino y estaban muy cansados cuando una tenue claridad superior les mostró los peldaños iniciales de una angosta escalera. Subieron y llegaron a una ruinosa habitación redonda. Dos signos perduraban del temor del malhadado rey: una estrecha ventana que dominaba los páramos y el mar y en el suelo una trampa que se abría sobre la curva de la escalera. La habitación, aunque espaciosa, tenía mucho de celda carcelaria.

Menos instados por la lluvia que por el afán de vivir para la rememoración y la anécdota, los amigos hicieron noche en el laberinto. El matemático durmió con tranquilidad; no así el poeta, acosado por versos que su razón juzgaba detestables:

> *Faceless the sultry and overpowering lion,*
> *Faceless the stricken slave, faceless the king.*

Unwin creía que no le había interesado la historia de la muerte del Bojarí, pero se despertó con la convicción de haberla descifrado. Todo aquel día estuvo preocupado y huraño, ajustando y reajustando las piezas, y dos noches después, citó a Dunraven en una cervecería de Londres y le dijo estas o parecidas palabras:

—En Cornwall dije que era mentira la historia que te oí. Los *hechos* eran ciertos, o podían serlo, pero contados como tú los contaste, eran, de un modo manifiesto, mentiras. Empezaré por la mayor mentira de todas, por el laberinto increíble. Un fugitivo no se oculta en un laberinto. No erige un laberinto sobre un alto lugar de la costa, un laberinto carmesí que avistan desde lejos los marineros. No precisa erigir un laberinto, cuando el universo ya lo es. Para quien verdaderamente quiere ocultarse, Londres es mejor laberinto que un mirador al que conducen todos los corredores de un edificio. La sabia reflexión que ahora te someto me fue deparada antenoche, mientras oíamos llover sobre el laberinto y esperábamos que el sueño nos visitara; amonestado y mejorado por ella, opté por olvidar tus absurdidades y pensar en algo sensato.

—En la teoría de los conjuntos, digamos, o en una cuarta dimensión del espacio —observó Dunraven.

—No —dijo Unwin con seriedad—. Pensé en el laberinto de Creta. El laberinto cuyo centro era un hombre con cabeza de toro.

Dunraven, versado en obras policiales, pensó que la solución del misterio siempre es inferior al misterio. El misterio participa de lo sobrenatural y aun de lo divino; la solución, del juego de manos. Dijo, para aplazar lo inevitable:

—Cabeza de toro tiene en medallas y esculturas el minotauro. Dante lo imaginó con cuerpo de toro y cabeza de hombre.

—También esa versión me conviene —Unwin asintió—. Lo que importa es la correspondencia de la casa monstruosa con el habitante monstruoso. El minotauro justifica con creces la existencia del laberinto. Nadie dirá lo mismo de una amenaza percibida en un sueño. Evocada la imagen del minotauro (evocación fatal en un caso en que hay un laberinto), el problema, virtualmente, estaba resuelto. Sin embargo, confieso que no entendí que esa antigua imagen era la clave y así fue necesario que tu relato me suministrara un símbolo más preciso: la telaraña.

—¿La telaraña? —repitió, perplejo, Dunraven.

—Sí. Nada me asombraría que la telaraña (la forma universal de la telaraña, entendamos bien, la telaraña de Platón) hubiera sugerido al asesino (porque hay un asesino) su crimen. Recordarás que el Bojarí, en una tumba, soñó con una red de serpientes y que al despertar descubrió que una telaraña le había sugerido aquel sueño. Volvamos a esa noche en que el Bojarí soñó con una red. El rey vencido y el visir y el esclavo huyen por el desierto con un tesoro. Se refugian en una tumba. Duerme el visir, de quien sabemos que es un cobarde; no duerme el rey, de quien sabemos que es un valiente. El rey, para no compartir el tesoro con el visir, lo mata de una cuchillada; su sombra lo amenaza en un sueño, noches después. Todo esto es increíble; yo entiendo que los hechos ocurrieron de otra manera. Esa noche durmió el rey, el valiente, y veló Zaid, el cobarde. Dormir es distraerse del universo, y la distracción es difícil para quien sabe que lo persiguen con espadas desnudas. Zaid, ávido, se inclinó sobre el sueño de su rey. Pensó en matarlo (quizá jugó con el puñal), pero no se atrevió. Llamó al esclavo, ocultaron parte del tesoro en la tumba, huyeron a Suakin y a Inglaterra. No para ocultarse del Bojarí, sino para atraerlo y matarlo construyó a la vista del mar el alto laberinto de muros rojos. Sabía que las naves llevarían a los puertos de Nubia la fama del hombre bermejo, del esclavo y del león, y que, tarde o temprano, el Bojarí lo vendría a buscar en su laberinto. En el último corredor de la red esperaba la trampa. El Bojarí lo despreciaba infinitamente; no se rebajaría a tomar la menor precaución. El día codiciado llegó; Abenjacán desembarcó en Inglaterra, caminó hasta la puerta del laberinto, barajó los ciegos corredores y ya había pisado, tal vez, los primeros peldaños cuando su visir lo mató, no sé si de un balazo, desde la trampa. El esclavo mataría al león y otro balazo mataría al esclavo. Luego Zaid deshizo las tres caras con una piedra. Tuvo que obrar así; un solo muerto con la cara deshecha hubiera sugerido un problema de identidad, pero la fiera, el negro y el rey formaban una serie y, dados los dos términos iniciales, todos postularían el último. No es raro que lo dominara el temor cuando habló con Allaby; acababa de ejecutar la horrible faena y se disponía a huir de Inglaterra para recuperar el tesoro.

Un silencio pensativo, o incrédulo, siguió a las palabras de Unwin. Dunraven pidió otro jarro de cerveza negra antes de opinar.

—Acepto —dijo— que mi Abenjacán sea Zaid. Tales metamorfosis, me dirás, son clásicos artificios del género, son verdaderas *convenciones* cuya observación exige el lector. Lo que me resisto a admitir es la conjetura de que una porción del tesoro quedara en el Sudán. Recuerda que Zaid huía del rey y de los enemigos del rey; más fácil es imaginarlo robándose todo el tesoro que demorándose a enterrar una parte. Quizá no se encontraron monedas porque no quedaban monedas; los albañiles habrían agotado un caudal que, a diferencia del oro rojo de los Nibelungos, no era infinito. Tendríamos así a Abenjacán atravesando el mar para reclamar un tesoro dilapidado.

—Dilapidado, no —dijo Unwin—. Invertido en armar en tierra de infieles una gran trampa circular de ladrillo destinada a apresarlo y aniquilarlo. Zaid, si tu conjetura es correcta, procedió urgido por el odio y por el temor y no por la codicia. Robó el tesoro y luego comprendió que el tesoro no era lo esencial para él. Lo esencial era que Abenjacán pereciera. Simuló ser Abenjacán, mató a Abenjacán y finalmente *fue Abenjacán*.

—Sí —confirmó Dunraven—. Fue un vagabundo que, antes de ser nadie en la muerte, recordaría haber sido un rey o haber fingido ser un rey, algún día.

LOS DOS REYES Y LOS DOS LABERINTOS [1]

Cuentan los hombres dignos de fe (pero Alá sabe más) que en los primeros días hubo un rey de las islas de Babilonia que congregó a sus arquitectos y magos y les mandó construir un laberinto tan perplejo y sutil que los varones más prudentes no se aventuraban a entrar, y los que entraban se perdían. Esa obra era un escándalo, porque la confusión y la maravilla son operaciones propias de Dios y no de los hombres. Con el andar del tiempo vino a su corte un rey de los árabes, y el rey de Babilonia (para hacer burla de la simplicidad de su huésped) lo hizo penetrar en el laberinto, donde vagó afrentado y confundido hasta la declinación de la tarde. Entonces imploró socorro divino y dio con la puerta. Sus labios no profirieron queja ninguna, pero le dijo al rey de Babilonia que él en Arabia tenía otro laberinto y que, si Dios era servido, se lo daría a conocer algún día. Luego regresó a Arabia, juntó sus capitanes y sus alcaides y estragó los reinos de Babilonia con tan venturosa fortuna que derribó sus castillos, rompió sus gentes e hizo cautivo al mismo rey. Lo amarró encima de un camello veloz y lo llevó al desierto. Cabalgaron tres días, y le dijo: "¡Oh, rey del tiempo y sustancia y cifra del siglo!, en Babilonia me quisiste perder en un laberinto de bronce con muchas escaleras, puertas y muros; ahora el Poderoso ha tenido a bien que te muestre el mío, donde no hay escaleras que subir, ni puertas que forzar, ni fatigosas galerías que recorrer, ni muros que te veden el paso."

Luego le desató las ligaduras y lo abandonó en mitad del desierto, donde murió de hambre y de sed. La gloria sea con Aquel que no muere.

---

[1] Ésta es la historia que el rector divulgó desde el púlpito. Véase la página 601.

LA ESPERA

El coche lo dejó en el cuatro mil cuatro de esa calle del Noroeste. No habían dado las nueve de la mañana; el hombre notó con aprobación los manchados plátanos, el cuadrado de tierra al pie de cada uno, las decentes casas de balconcito, la farmacia contigua, los desvaídos rombos de la pinturería y ferretería. Un largo y ciego paredón de hospital cerraba la acera de enfrente; el sol reverberaba, más lejos, en unos invernáculos. El hombre pensó que esas cosas (ahora arbitrarias y casuales y en cualquier orden, como las que se ven en los sueños) serían con el tiempo, si Dios quisiera, invariables, necesarias y familiares. En la vidriera de la farmacia se leía en letras de loza: Breslauer; los judíos estaban desplazando a los italianos, que habían desplazado a los criollos. Mejor así; el hombre prefería no alternar con gente de su sangre.

El cochero le ayudó a bajar el baúl; una mujer de aire distraído o cansado abrió por fin la puerta. Desde el pescante el cochero le devolvió una de las monedas, un vintén oriental que estaba en su bolsillo desde esa noche en el hotel de Melo. El hombre le entregó cuarenta centavos, y en el acto sintió: "Tengo la obligación de obrar de manera que todos se olviden de mí. He cometido dos errores: he dado una moneda de otro país y he dejado ver que me importa esa equivocación."

Precedido por la mujer, atravesó el zaguán y el primer patio. La pieza que le habían reservado daba, felizmente, al segundo. La cama era de hierro, que el artífice había deformado en curvas fantásticas, figurando ramas y pámpanos; había, asimismo, un alto ropero de pino, una mesa de luz, un estante con libros a ras del suelo, dos sillas desparejas y un lavatorio con su palangana, su jarra, su jabonera y un botellón de vidrio turbio. Un mapa de la provincia de Buenos Aires y un crucifijo adornaban las paredes; el papel era carmesí, con grandes pavos reales repetidos, de cola desplegada. La única puerta daba al patio. Fue necesario variar la colocación de las sillas para dar cabida al baúl. Todo lo aprobó el inquilino; cuando la mujer le preguntó cómo se llamaba, dijo Villari, no como un desafío secreto, no para mitigar una humillación que, en verdad, no sentía, sino porque ese nombre lo trabajaba, porque le fue imposible pensar en otro. No lo sedujo, ciertamente, el error literario de imaginar que asumir el nombre del enemigo podía ser una astucia.

El señor Villari, al principio, no dejaba la casa; cumplidas unas cuantas semanas, dio en salir, un rato, al oscurecer. Alguna noche entró en el cinematógrafo que había a las tres cuadras. No pasó nunca de la última fila; siempre se levantaba un poco antes del fin de la función. Vio trágicas historias del hampa; éstas, sin duda, incluian errores; éstas sin duda, incluian imágenes que también lo eran de su vida anterior; Villari no los advirtió porque la idea de una coincidencia entre el arte y la realidad era ajena a él. Dócilmente trataba de que le gustaran las cosas; quería adelantarse a la intención con que se las mostraban. A diferencia de quiénes han leído novelas, no se veía nunca a sí mismo como un personaje del arte.

No le llegó jamás una carta, ni siquiera una circular, pero leía con borrosa esperanza una de las secciones del diario. De tarde, arrimaba a la puerta una de las sillas y mateaba con seriedad, puestos los ojos en la enredadera del muro de la inmediata casa de altos. Años de soledad le habían enseñado que los días, en la memoria, tienden a ser iguales, pero que no hay un día, ni siquiera de cárcel o de hospital, que no traiga sorpresas. En otras reclusiones había cedido a la tentación de contar los días y las horas, pero esta reclusión era distinta, porque no tenía término —salvo que el diario, una mañana trajera la noticia de la muerte de Alejandro Villari. También era posible que Villari *ya hubiera muerto* y entonces esta vida era un sueño. Esa posibilidad lo inquietaba, porque no acabó de entender si se parecía al alivio o a la desdicha; se dijo que era absurda y la rechazó. En días lejanos, menos lejanos por el curso del tiempo que por dos o tres hechos irrevocables, había deseado muchas cosas, con amor sin escrúpulo; esa voluntad poderosa, que había movido el odio de los hombres y el amor de alguna mujer, ya no quería cosas particulares: sólo quería perdurar, no concluir. El sabor de la yerba, el sabor del tabaco negro, el creciente filo de sombra que iba ganando el patio.

Había en la casa un perro lobo, ya viejo. Villari se amistó con él. Le hablaba en español, en italiano y en las pocas palabras que le quedaban del rústico dialecto de su niñez. Villari trataba de vivir en el mero presente, sin recuerdos ni previsiones; los primeros le importaban menos que las últimas. Oscuramente creyó intuir que el pasado es la sustancia de que el tiempo está hecho; por ello es que éste se vuelve pasado en seguida. Su fatiga, algún día, se pareció a la felicidad; en momentos así, no era mucho más complejo que el perro.

Una noche lo dejó asombrado y temblando una íntima descarga de dolor en el fondo de la boca. Ese horrible milagro recurrió a los pocos minutos y otra vez hacia el alba. Villari, al día siguiente, mandó buscar un coche que lo dejó en un consultorio dental del barrio del Once. Ahí le arrancaron la muela. En ese trance no estuvo más cobarde ni más tranquilo que otras personas.

Otra noche, al volver del cinematógrafo, sintió que lo empujaban. Con ira, con indignación, con secreto alivio, se encaró con el insolente. Le escupió una injuria soez; el otro, atónito, balbuceó una disculpa. Era un hombre alto, joven, de pelo oscuro, y lo acompañaba una mujer de tipo alemán; Villari, esa noche, se repitió que no los conocía. Sin embargo, cuatro o cinco días pasaron antes que saliera a la calle.

Entre los libros del estante había una Divina Comedia, con el viejo comentario de Andreoli. Menos urgido por la curiosidad que por un sentimiento de deber, Villari acometió la lectura de esa obra capital; antes de comer, leía un canto, y luego, en orden riguroso, las notas. No juzgó inverosímiles o excesivas las penas infernales y no pensó que Dante lo hubiera condenado al último círculo, donde los dientes de Ugolino roen sin fin la nuca de Ruggieri.

Los pavos reales del papel carmesí parecían destinados a alimentar pesadillas tenaces, pero el señor Villari no soñó nunca con una glorieta monstruosa hecha de inextricables pájaros vivos. En los amaneceres soñaba un sueño de fondo igual y de circunstancias variables. Dos hombres y Villari entraban con revólveres en la pieza o lo agredían al salir del cinematógrafo o eran, los tres a un tiempo, el desconocido que lo había empujado, o lo esperaban tristemente en el patio y parecían no conocerlo. Al fin del sueño, él sacaba el revólver del cajón de la inmediata mesa de luz (y es verdad que en ese cajón guardaba un revólver) y lo descargaba contra los hombres. El estruendo del arma lo despertaba, pero siempre era un sueño y en otro sueño el ataque se repetía y en otro sueño tenía que volver a matarlos.

Una turbia mañana del mes de julio, la presencia de gente desconocida (no el ruido de la puerta cuando la abrieron) lo despertó. Altos en la penumbra del cuarto, curiosamente simplificados por la penumbra (siempre en los sueños del temor habían sido más claros), vigilantes, inmóviles y pacientes, bajos los ojos como si el peso de las armas los encorvara, Alejandro Villari y un desconocido lo habían alcanzado, por fin. Con una seña les pidió que esperaran y se dio vuelta contra la pared, como si retomara el sueño. ¿Lo hizo para despertar la misericordia de quienes lo mataron, o porque es menos duro sobrellevar un acontecimiento espantoso que imaginarlo y aguardarlo sin fin, o —y esto es quizá lo más verosímil— para que los asesinos fueran un sueño, como ya lo habían sido tantas veces, en el mismo lugar, a la misma hora?

En esa magia estaba cuando lo borró la descarga.

EL HOMBRE EN EL UMBRAL

Bioy Casares trajo de Londres un curioso puñal de hoja triangular y empuñadura en forma de H; nuestro amigo Christopher Dewey, del Consejo Británico, dijo que tales armas eran de uso común en el Indostán. Ese dictamen lo alentó a mencionar que había trabajado en aquel país, entre las dos guerras. (*Ultra Auroram et Gangen,* recuerdo que dijo en latín, equivocando un verso de Juvenal.) De las historias que esa noche contó, me atrevo a reconstruir la que sigue. Mi texto será fiel: líbreme Alá de la tentación de añadir breves rasgos circunstanciales o de agravar, con interpolaciones de Kipling, el cariz exótico del relato. Éste, por lo demás, tiene un antiguo y simple sabor que sería una lástima perder, acaso el de las Mil y una noches.

*

"La exacta geografía de los hechos que voy a referir importa muy poco. Además, ¿qué precisión guardan en Buenos Aires los nombres de Amritsar o de Udh? Básteme, pues, decir que en aquellos años hubo disturbios en una ciudad musulmana y que el gobierno central envió a un hombre fuerte para imponer el orden. Ese hombre era escocés, de un ilustre clan de guerreros, y en la sangre llevaba una tradición de violencia. Una sola vez lo vieron mis ojos, pero no olvidaré el cabello muy negro, los pómulos salientes, la ávida nariz y la boca, los anchos hombros, la fuerte osatura de viking. David Alexander Glencairn se llamará esta noche en mi historia; los dos nombres convienen; porque fueron de reyes que gobernaron con un cetro de hierro. David Alexander Glencairn (me tendré que habituar a llamarlo así) era, lo sospecho, un hombre temido; el mero anuncio de su advenimiento bastó para apaciguar la ciudad. Ello no impidió que decretara diversas medidas enérgicas. Unos años pasaron. La ciudad y el distrito estaban en paz: *sikhs* y musulmanes habían depuesto las antiguas discordias y de pronto Glencairn desapareció. Naturalmente, no faltaron rumores de que lo habían secuestrado o matado.

Estas cosas las supe por mi jefe, porque la censura era rígida y los diarios no comentaron (ni siquiera registraron, que yo recuerde) la desaparición de Glencairn. Un refrán dice que la India es más grande que el mundo; Glencairn, tal vez omnipotente en la ciudad que una firma al pie de un decreto le destinó, era una mera cifra en los engranajes de la administración del Imperio. Las pesquisas de la policía local fueron del todo vanas; mi jefe pensó que un particular podría infundir menos recelo y alcanzar mejor éxito. Tres o cuatro días después (las distancias en la India son generosas) yo fatigaba sin mayor esperanza las calles de la opaca ciudad que había escamoteado a un hombre.

Sentí, casi inmediatamente, la infinita presencia de una conjuración para ocultar la suerte de Glencairn. *No hay un alma en esta ciudad* (pude sospechar) *que no sepa el secreto y que no haya jurado guardarlo*. Los más, interrogados, profesaban una ilimitada ignorancia; no sabían quién era Glencairn, no lo habían visto nunca, jamás oyeron hablar de él. Otros, en cambio, lo habían divisado hace un cuarto de hora hablando con Fulano de Tal, y hasta me acompañaban a la casa en que entraron los dos, y en la que nada sabían de ellos, o que acababan de dejar en ese momento. A alguno de esos mentirosos precisos le di con el puño en la cara. Los testigos aprobaron mi desahogo, y fabricaron otras mentiras. No las creí, pero no me atreví a desoírlas. Una tarde me dejaron un sobre con una tira de papel en la que había unas señas...

El sol había declinado cuando llegué. El barrio era popular y humilde; la casa era muy baja; desde la acera entreví una sucesión de patios de tierra y hacia el fondo una claridad. En el último patio se celebraba no sé qué fiesta musulmana; un ciego entró con un laúd de madera rojiza.

A mis pies, inmóvil como una cosa, se acurrucaba en el umbral un hombre muy viejo. Diré cómo era, porque es parte esencial de la historia. Los muchos años lo habían reducido y pulido como las aguas a una piedra o las generaciones de los hombres a una sentencia. Largos harapos lo cubrían, o así me pareció, y el turbante que le rodeaba la cabeza era un jirón más. En el crepúsculo, alzó hacia mí una cara oscura y una barba muy blanca. Le hablé sin preámbulos, porque ya había perdido toda esperanza, de David Alexander Glencairn. No me entendió (tal vez no me oyó) y hube de explicar que era un juez y que yo lo buscaba. Sentí, al decir estas palabras, lo irrisorio de interrogar a aquel hombre antiguo, para quien el presente era apenas un indefinido rumor. *Nuevas de la Rebelión o de Akbar podría dar este hombre* (pensé) *pero no de Glencairn*. Lo que me dijo confirmó esta sospecha.

—¡Un juez! —articuló con débil asombro—. Un juez que se

ha perdido y lo buscan. El hecho aconteció cuando yo era niño. No sé de fechas, pero no había muerto aún Nikal Seyn (Nicholson) ante la muralla de Delhi. El tiempo que se fue queda en la memoria; sin duda soy capaz de recuperar lo que entonces pasó. Dios había permitido, en su cólera, que la gente se corrompiera; llenas de maldición estaban las bocas y de engaños y fraude. Sin embargo, no todos eran perversos, y cuando se pregonó que la reina iba a mandar un hombre que ejecutaría en este país la ley de Inglaterra, los menos malos se alegraron, porque sintieron que la ley es mejor que el desorden. Llegó el cristiano y no tardó en prevaricar y oprimir, en paliar delitos abominables y en vender decisiones. No lo culpamos, al principio; la justicia inglesa que administraba no era conocida de nadie y los aparentes atropellos del nuevo juez correspondían acaso a válidas y arcanas razones. *Todo tendrá justificación en su libro*, queríamos pensar, pero su afinidad con todos los malos jueces del mundo era demasiado notoria, y al fin hubimos de admitir que era simplemente un malvado. Llegó a ser un tirano y la pobre gente (para vengarse de la errónea esperanza que alguna vez pusieron en él) dio en jugar con la idea de secuestrarlo y someterlo a juicio. Hablar no basta; de los designios tuvieron que pasar a las obras. Nadie, quizá, fuera de los muy simples o los muy jóvenes, creyó que ese propósito temerario podría llevarse a cabo, pero miles de *sikhs* y de mulsumanes cumplieron su palabra y un día ejecutaron, incrédulos, lo que a cada uno de ellos había parecido imposible. Secuestraron al juez y le dieron por cárcel una alquería en un apartado arrabal. Después, apalabraron a los sujetos agraviados por él, o (en algún caso) a los huérfanos y a las viudas, porque la espada del verdugo no había descansado en aquellos años. Por fin —esto fue quizá lo más arduo— buscaron y nombraron un juez para juzgar al juez.

Aquí lo interrumpieron unas mujeres que entraban en la casa.

Luego prosiguió, lentamente:

—Es fama que no hay generación que no incluya cuatro hombres rectos que secretamente apuntalan el universo y lo justifican ante el Señor: uno de esos varones hubiera sido el juez más cabal. ¿Pero dónde encontrarlos, si andan perdidos por el mundo y anónimos y no se reconocen cuando se ven y ni ellos mismos saben el alto ministerio que cumplen? Alguien entonces discurrió que si el destino nos vedaba los sabios, había que buscar a los insensatos. Esta opinión prevaleció. Alcoranistas, doctores de la ley, *sikhs* que llevan el nombre de leones y que adoran a un

Dios, hindúes que adoran muchedumbres de dioses, monjes de Mahavira que enseñan que la forma del universo es la de un hombre con las piernas abiertas, adoradores del fuego y judíos negros, integraron el tribunal, pero el último fallo fue encomendado al arbitrio de un loco.

Aquí lo interrumpieron unas personas que se iban de la fiesta.

—De un loco —repitió— para que la sabiduría de Dios hablara por su boca y avergonzara las soberbias humanas. Su nombre se ha perdido o nunca se supo, pero andaba desnudo por estas calles, o cubierto de harapos, contándose los dedos con el pulgar y haciendo mofa de los árboles.

Mi buen sentido se rebeló. Dije que entregar a un loco la decisión era invalidar el proceso.

—El acusado aceptó al juez —fue la contestación—. Acaso comprendió que dado el peligro que los conjurados corrían si lo dejaban en libertad, sólo de un loco podía no esperar sentencia de muerte. He oído que se rió cuando le dijeron quién era el juez. Muchos días y noches duró el proceso, por lo crecido del número de testigos.

Se calló. Una preocupación lo trabajaba. Por decir algo, pregunté cuántos días.

—Por lo menos, diecinueve —replicó. Gente que se iba de la fiesta lo volvió a interrumpir; el vino está vedado a los musulmanes, pero las caras y las voces parecían de borrachos. Uno le gritó algo, al pasar.

—Diecinueve días, precisamente —rectificó—. El perro infiel oyó la sentencia, y el cuchillo se cebó en su garganta.

Hablaba con alegre ferocidad. Con otra voz dio fin a la historia:

—Murió sin miedo; en los más viles hay alguna virtud.

—¿Dónde ocurrió lo que has contado? —le pregunté—. ¿En una alquería?

Por primera vez me miró en los ojos. Luego aclaró con lentitud, midiendo las palabras:

—Dije que en una alquería le dieron cárcel, no que lo juzgaron ahí. En esta ciudad lo juzgaron: en una casa como todas, como ésta. Una casa no puede diferir de otra: lo que importa es saber si está edificada en el infierno o en el cielo.

Le pregunté por el destino de los conjurados.

—No sé —me dijo con paciencia—. Estas cosas ocurrieron y se olvidaron hace ya muchos años. Quizá los condenaron los hombres, pero no Dios.

Dicho lo cual, se levantó. Sentí que sus palabras me despedían y que yo había cesado para él, desde aquel momento. Una turba hecha de hombres y mujeres de todas las naciones del Punjab se desbordó, rezando y cantando, sobre nosotros y casi nos barrió: me azoró que de patios tan angostos, que eran poco más que largos zaguanes, pudiera salir tanta gente. Otros salían de las casas del vecindario: sin duda habían saltado las tapias... A fuerza de empujones e imprecaciones me abrí camino. En el último patio me crucé con un hombre desnudo, coronado de flores amarillas, a quien todos besaban y agasajaban, y con una espada en la mano. La espada estaba sucia, porque había dado muerte a Glencairn, cuyo cadáver mutilado encontré en las caballerizas del fondo".

EL ALEPH

> O God, I could be bounded in a nutshell
> and count myself a King of infinite space.
>
> *Hamlet*, II, 2.

> But they will teach us that Eternity is
> the Standing still of the Present Time, a
> *Nunc-stans* (as the Schools call it); which
> neither they, nor any else understand, no
> more than they would a *Hic-stans* for an
> Infinite greatnesse of Place.
>
> *Leviathan*, IV, 46.

La candente mañana de febrero en que Beatriz Viterbo murió, después de una imperiosa agonía que no se rebajó un solo instante ni al sentimentalismo ni al miedo, noté que las carteleras de fierro de la Plaza Constitución habían renovado no sé qué aviso de cigarrillos rubios; el hecho me dolió, pues comprendí que el incesante y vasto universo ya se apartaba de ella y que ese cambio era el primero de una serie infinita. Cambiará el universo pero yo no, pensé con melancólica vanidad; alguna vez, lo sé, mi vana devoción la había exasperado; muerta yo podía consagrarme a su memoria, sin esperanza, pero también sin humillación. Consideré que el treinta de abril era su cumpleaños; visitar ese día la casa de la calle Garay para saludar a su padre y a Carlos Argentino Daneri, su primo hermano, era un acto cortés, irreprochable, tal vez ineludible. De nuevo aguardaría en el crepúsculo de la abarrotada salita, de nuevo estudiaría las circunstancias de sus muchos retratos. Beatriz Viterbo, de perfil, en colores; Beatriz, con antifaz, en los carnavales de 1921; la primera comunión de Beatriz; Beatriz, el día de su boda con Roberto Alessandri; Beatriz, poco después del divorcio, en un almuerzo del Club Hípico; Beatriz, en Quilmes, con Delia San Marco Porcel y Carlos Argentino; Beatriz, con el pekinés que le regaló Villegas Haedo; Beatriz, de frente y de tres cuartos, sonriendo, la mano en el mentón... No estaría obligado, como otras veces, a justificar mi presencia con módicas ofrendas de libros: libros cuyas páginas, finalmente, aprendí a cortar, para no comprobar, meses después, que estaban intactos.

Beatriz Viterbo murió en 1929; desde entonces, no dejé pasar un treinta de abril sin volver a su casa. Yo solía llegar a las siete y cuarto y quedarme unos veinticinco minutos; cada año aparecía un poco más tarde y me quedaba un rato más; en 1933, una lluvia torrencial me favoreció: tuvieron que invitarme a comer. No desperdicié, como es natural, ese buen precedente; en 1934, aparecí, ya dadas las ocho, con un alfajor santafecino; con toda naturalidad me quedé a comer. Así, en aniversarios melancólicos y vanamente eróticos, recibí las graduales confidencias de Carlos Argentino Daneri.

Beatriz era alta, frágil, muy ligeramente inclinada; había en su andar (si el oximoron es tolerable) una como graciosa torpeza, un principio de éxtasis; Carlos Argentino es rosado, considerable, canoso, de rasgos finos. Ejerce no sé qué cargo subalterno en una biblioteca ilegible de los arrabales del Sur; es autoritario, pero también es ineficaz; aprovechaba, hasta hace muy poco, las noches y las fiestas para no salir de su casa. A dos generaciones de distancia, la ese italiana y la copiosa gesticulación italiana sobreviven en él. Su actividad mental es continua, apasionada, versátil y del todo insignificante. Abunda en inservibles analogías y en ociosos escrúpulos. Tiene (como Beatriz) grandes y afiladas manos hermosas. Durante algunos meses padeció la obsesión de Paul Fort, menos por sus baladas que por la idea de una gloria intachable. "Es el Príncipe de los poetas de Francia", repetía con fatuidad. "En vano te revolverás contra él; no lo alcanzará, no, la más inficionada de tus saetas."

El treinta de abril de 1941 me permití agregar al alfajor una botella de coñac del país. Carlos Argentino lo probó, lo juzgó interesante y emprendió, al cabo de unas copas, una vindicación del hombre moderno.

—Lo evoco —dijo con una animación algo inexplicable— en su gabinete de estudio, como si dijéramos en la torre albarrana de una ciudad, provisto de teléfonos, de telégrafos, de fonógrafos, de aparatos de radiotelefonía, de cinematógrafos, de linternas mágicas, de glosarios, de horarios, de prontuarios, de boletines...

Observó que para un hombre así facultado el acto de viajar era inútil; nuestro siglo XX había trasformado la fábula de Mahoma y de la montaña; las montañas, ahora, convergían sobre el moderno Mahoma.

Tan ineptas me parecieron esas ideas, tan pomposa y tan vasta su exposición, que las relacioné inmediatamente con la literatura;

le dije que por qué no las escribía. Previsiblemente respondió que ya lo había hecho: esos conceptos, y otros no menos novedosos, figuraban en el Canto Augural, Canto Prologal o simplemente Canto-Prólogo de un poema en el que trabajaba hacía muchos años, sin *réclame*, sin bullanga ensordecedora, siempre apoyado en esos dos báculos que se llaman el trabajo y la soledad. Primero abría las compuertas a la imaginación; luego hacía uso de la lima. El poema se titulaba *La Tierra*; tratábase de una descripción del planeta, en la que no faltaban, por cierto, la pintoresca digresión y el gallardo apóstrofe.

Le rogué que me leyera un pasaje, aunque fuera breve. Abrió un cajón del escritorio, sacó un alto legajo de hojas de block estampadas con el membrete de la Biblioteca Juan Crisóstomo Lafinur y leyó con sonora satisfacción:

He visto, como el griego, las urbes de los hombres,
Los trabajos, los días de varia luz, el hambre;
No corrijo los hechos, no falseo los nombres,
Pero el *voyage* que narro, es... *autour de ma chambre.*

—Estrofa a todas luces interesante —dictaminó—. El primer verso granjea el aplauso del catedrático, del académico, del helenista, cuando no de los eruditos a la violeta, sector considerable de la opinión; el segundo pasa de Homero a Hesíodo (todo un implícito homenaje, en el frontis del flamante edificio, al padre de la poesía didáctica), no sin remozar un procedimiento cuyo abolengo está en la Escritura, la enumeración, congerie o conglobación; el tercero —¿barroquismo, decadentismo, culto depurado y fanático de la forma?— consta de dos hemistiquios gemelos; el cuarto, francamente bilingüe, me asegura el apoyo incondicional de todo espíritu sensible a los desenfadados envites de la facecia. Nada diré de la rima rara ni de la ilustración que me permite ¡sin pedantismo! acumular en cuatro versos tres alusiones eruditas que abarcan treinta siglos de apretada literatura: la primera a la *Odisea*, la segunda a los *Trabajos y días*, la tercera a la bagatela inmortal que nos depararan los ocios de la pluma del saboyano... Comprendo una vez más que el arte moderno exige el bálsamo de la risa, el *scherzo.* ¡Decididamente, tiene la palabra Goldoni!

Otras muchas estrofas me leyó que también obtuvieron su aprobación y su comentario profuso. Nada memorable había en ellas; ni siquiera las juzgué mucho peores que la anterior. En su escritura habían colaborado la aplicación, la resignación y el azar; las virtudes que Daneri les atribuía eran posteriores. Comprendí que el trabajo del poeta no estaba en la poesía; estaba en la invención de razones para que la poesía fuera admirable; naturalmente, ese ulterior trabajo modificaba la obra para él, pero no para otros. La dicción oral de Daneri era extravagante; su torpeza métrica le vedó, salvo contadas veces, trasmitir esa extravagancia al poema.[1]

Una sola vez en mi vida he tenido ocasión de examinar los quince mil dodecasílabos del *Polyolbion*, esa epopeya topográfica en la que Michael Drayton registró la fauna, la flora, la hidrografía, la orografía, la historia militar y monástica de Inglaterra; estoy seguro de que ese producto considerable, pero limitado es menos tedioso que la vasta empresa congénere de Carlos Argentino. Éste se proponía versificar toda la redondez del planeta; en 1941 ya había despachado unas hectáreas del estado de Queensland, más de un kilómetro del curso del Ob, un gasómetro al norte de Veracruz, las principales casas de comercio de la parroquia de la Concepción, la quinta de Mariana Cambaceres de Alvear en la calle Once de Setiembre, en Belgrano, y un establecimiento de baños turcos no lejos del acreditado acuario de Brighton. Me leyó ciertos laboriosos pasajes de la zona australiana de su poema; esos largos e informes alejandrinos carecían de la relativa agitación del prefacio. Copio una estrofa:

> Sepan. A manderecha del poste rutinario
> (Viniendo, claro está, desde el Nornoroeste)
> Se aburre una osamenta —¿Color? Blanquiceleste—
> Que da al corral de ovejas catadura de osario.

—¡Dos audacias —gritó con exultación— rescatadas, te oigo mascullar, por el éxito! Lo admito, lo admito. Una, el epíteto *rutinario*, que certeramente denuncia, *en passant*, el inevitable tedio inherente a las faenas pastoriles y agrícolas, tedio que ni las geórgicas ni nuestro ya laureado *Don Segundo* se atrevieron jamás a denunciar así, al rojo vivo. Otra, el enérgico prosaísmo *se aburre una osamenta*, que el melindroso querrá excomulgar con horror pero que apreciará más que su vida el crítico de

---

[1] Recuerdo, sin embargo, estas líneas de una sátira en que fustigó con rigor a los malos poetas:

> *Aqueste da al poema belicosa armadura.*
> *De erudición; estotro le da pompas y galas.*
> *Ambos baten en vano las ridículas alas...*
> *¡Olvidaron, cuitados, el factor HERMOSURA!*

Sólo el temor de crearse un ejército de enemigos implacables y poderosos lo disuadió (me dijo) de publicar sin miedo el poema.

gusto viril. Todo el verso, por lo demás, es de muy subidos quilates. El segundo hemistiquio entabla animadísima charla con el lector; se adelanta a su viva curiosidad, le pone una pregunta en la boca y la satisface... al instante. ¿Y qué me dices de ese hallazgo, *blanquiceleste*? El pintoresco neologismo *sugiere* el cielo, que es un factor importantísimo del paisaje australiano. Sin esa evocación resultarían demasiado sombrías las tintas del boceto y el lector se vería compelido a cerrar el volumen, herida en lo más íntimo el alma de incurable y negra melancolía.

Hacia la medianoche me despedí.

Dos domingos después, Daneri me llamó por teléfono, entiendo que por primera vez en la vida. Me propuso que nos reuniéramos a las cuatro, "para tomar juntos la leche, en el contiguo salón-bar que el progresismo de Zunino y de Zungri —los propietarios de mi casa, recordarás— inaugura en la esquina; confitería que te importará conocer." Acepté, con más resignación que entusiasmo. Nos fue difícil encontrar mesa; el "salón-bar", inexorablemente moderno, era apenas un poco menos atroz que mis previsiones; en las mesas vecinas, el excitado público mencionaba las sumas invertidas sin regatear por Zunino y por Zungri. Carlos Argentino fingió asombrarse de no sé qué primores de la instalación de la luz (que, sin duda, ya conocía) y me dijo con cierta severidad:

—Mal de tu grado habrás de reconocer que este local se parangona con los más encopetados de Flores.

Me releyó, después, cuatro o cinco páginas del poema. Las había corregido según un depravado principio de ostentación verbal: donde antes escribió *azulado*, ahora abundaba en *azulino*, *azulenco* y hasta *azulillo*. La palabra *lechoso* no era bastante fea para él; en la impetuosa descripción de un lavadero de lanas, prefería *lactario*, *lacticinoso*, *lactescente*, *lechal*... Denostó con amargura a los críticos; luego, más benigno, los equiparó a esas personas, "que no disponen de metales preciosos ni tampoco de prensas de vapor, laminadores y ácidos sulfúricos para la acuñación de tesoros, pero que pueden *indicar* a los *otros el sitio* de un tesoro". Acto continuo censuró la *prologomanía*, "de la que ya hizo mofa, en la donosa prefación del Quijote, el Príncipe de los Ingenios". Admitió, sin embargo, que en la portada de la nueva obra convenía el prólogo vistoso, el espaldarazo firmado por el plumífero de garra, de fuste. Agregó que pensaba publicar los cantos iniciales de su poema. Comprendí, entonces, la singular invitación telefónica; el hombre iba a pedirme que prologara su pedantesco fárrago. Mi temor resultó infundado: Carlos Argentino observó, con admiración rencorosa, que no creía errar el epíteto al calificar de sólido el prestigio logrado en todos los círculos por Álvaro Melián Lafinur, hombre de letras, que, si yo me empeñaba, prologaría con embeleso el poema. Para evitar el más imperdonable de los fracasos, yo tenía que hacerme portavoz de dos méritos inconcusos: la perfección formal y el rigor científico, "porque ese dilatado jardín de tropos, de figuras, de galanuras, no tolera un solo detalle que no confirme la severa verdad". Agregó que Beatriz siempre se había distraído con Álvaro.

Asentí, profusamente asentí. Aclaré, para mayor verosimilitud, que no hablaría el lunes con Álvaro, sino el jueves: en la pequeña cena que suele coronar toda reunión del Club de Escritores. (No hay tales cenas, pero es irrefutable que las reuniones tienen lugar los jueves, hecho que Carlos Argentino Daneri podía comprobar en los diarios y que dotaba de cierta realidad a la frase.) Dije, entre adivinatorio y sagaz, que antes de abordar el tema del prólogo, describiría el curioso plan de la obra. Nos despedimos; al doblar por Bernardo de Irigoyen, encaré con toda imparcialidad los porvenires que me quedaban: a) hablar con Álvaro y decirle que el primo hermano aquel de Beatriz (ese eufemismo explicativo me permitiría nombrarla) había elaborado un poema que parecía dilatar hasta lo infinito las posibilidades de la cacofonía y del caos; b) no hablar con Álvaro. Preví, lúcidamente, que mi desidia optaría por b.

A partir del viernes a primera hora, empezó a inquietarme el teléfono. Me indignaba que ese instrumento, que algún día produjo la irrecuperable voz de Beatriz, pudiera rebajarse a receptáculo de las inútiles y quizá coléricas quejas de ese engañado Carlos Argentino Daneri. Felizmente, nada ocurrió —salvo el rencor inevitable que me inspiró aquel hombre que me había impuesto una delicada gestión y luego me olvidaba.

El teléfono perdió sus terrores, pero a fines de octubre, Carlos Argentino me habló. Estaba agitadísimo; no identifiqué su voz, al principio. Con tristeza y con ira balbuceó que esos ya ilimitados Zunino y Zungri, so pretexto de ampliar su desaforada confitería, iban a demoler su casa.

—¡La casa de mis padres, mi casa, la vieja casa inveterada de la calle Garay! —repitió, quizá olvidando su pesar en la melodía.

No me resultó muy difícil compartir su congoja. Ya cumplidos los cuarenta años, todo cambio es un símbolo detestable del pasaje del tiempo; además, se trataba de una casa que, para mí, aludía infinitamente a Beatriz. Quise aclarar ese delicadísimo rasgo; mi interlocutor no me oyó. Dijo que si Zunino y Zungri persistían en ese propósito absurdo, el doctor Zunni, su abogado, los demandaría *ipso facto* por daños y perjuicios y los obligaría a abonar cien mil nacionales.

El nombre de Zunni me impresionó; su bufete, en Caseros y Tacuarí, es de una seriedad proverbial. Interrogué si éste se había encargado ya del asunto. Daneri dijo que le hablaría esa misma tarde. Vaciló y con esa voz llana, impersonal, a que solemos recurrir para confiar algo muy íntimo, dijo que para terminar el poema le era indispensable la casa, pues en un ángulo del sótano había un Aleph. Aclaró que un Aleph es uno de los puntos del espacio que contiene todos los puntos.

—Está en el sótano del comedor —explicó, aligerada su dicción por la angustia—. Es mío, es mío: yo lo descubrí en la niñez, antes de la edad escolar. La escalera del sótano es empinada, mis tíos me tenían prohibido el descenso, pero alguien dijo que había un mundo en el sótano. Se refería, lo supe después, a un baúl, pero yo entendí que había un mundo. Bajé secretamente, rodé por la escalera vedada, caí. Al abrir los ojos, vi el Aleph.

—¿El Aleph? —repetí.

—Sí, el lugar donde están, sin confundirse, todos los lugares del orbe, vistos desde todos los ángulos. A nadie revelé mi descubrimiento, pero volví. ¡El niño no podía comprender que le fuera deparado ese privilegio para que el hombre burilara el poema! No me despojarán Zunino y Zungri, no y mil veces no. Código en mano, el doctor Zunni probará que es *inajenable* mi Aleph.

Traté de razonar.

—Pero, ¿no es muy oscuro el sótano?

—La verdad no penetra en un entendimiento rebelde. Si todos los lugares de la tierra están en el Aleph, ahí estarán todas las luminarias, todas las lámparas, todos los veneros de luz.

—Iré a verlo inmediatamente.

Corté, antes de que pudiera emitir una prohibición. Basta el conocimiento de un hecho para percibir en el acto una serie de rasgos confirmatorios, antes insospechados; me asombró no haber comprendido hasta ese momento que Carlos Argentino era un loco. Todos esos Viterbo, por lo demás... Beatriz (yo mismo suelo repetirlo) era una mujer, una niña de una clarividencia casi implacable, pero había en ella negligencias, distracciones, desdenes, verdaderas crueldades, que tal vez reclamaban una explicación patológica. La locura de Carlos Argentino me colmó de maligna felicidad; íntimamente, siempre nos habíamos detestado.

En la calle Garay, la sirvienta me dijo que tuviera la bondad de esperar. El niño estaba, como siempre, en el sótano, revelando fotografías. Junto al jarrón sin una flor, en el piano inútil, sonreía (más intemporal que anacrónico) el gran retrato de Beatriz, en torpes colores. No podía vernos nadie; en una desesperación de ternura me aproximé al retrato y le dije:

—Beatriz, Beatriz Elena, Beatriz Elena Viterbo, Beatriz querida, Beatriz perdida para siempre, soy yo, soy Borges.

Carlos entró poco después. Habló con sequedad; comprendí que no era capaz de otro pensamiento que de la perdición del Aleph.

—Una copita del seudo coñac —ordenó— y te zampuzarás en el sótano. Ya sabes, el decúbito dorsal es indispensable. También lo son la oscuridad, la inmovilidad, cierta acomodación ocular. Te acuestas en el piso de baldosas y fijas los ojos en el decimonono escalón de la pertinente escalera. Me voy, bajo la trampa y te quedas solo. Algún roedor te mete miedo ¡fácil empresa! A los pocos minutos ves el Aleph. ¡El microcosmo de alquimistas y cabalistas, nuestro concreto amigo proverbial, el *multum in parvo!*

Ya en el comedor, agregó:

—Claro está que si no lo ves, tu incapacidad no invalida mi testimonio... Baja; muy en breve podrás entablar un diálogo con *todas* las imágenes de Beatriz.

Bajé con rapidez, harto de sus palabras insustanciales. El sótano, apenas más ancho que la escalera, tenía mucho de pozo. Con la mirada, busqué en vano el baúl de que Carlos Argentino me habló. Unos cajones con botellas y unas bolsas de lona entorpecían un ángulo. Carlos tomó una bolsa, la dobló y la acomodó en un sitio preciso.

—La almohada es humildosa —explicó—, pero si la levanto un solo centímetro, no verás ni una pizca y te quedas corrido y avergonzado. Repantiga en el suelo ese corpachón y cuenta diecinueve escalones.

Cumplí con sus ridículos requisitos; al fin se fue. Cerró cautelosamente la trampa; la oscuridad, pese a una hendija que después distinguí, pudo parecerme total. Súbitamente comprendí mi peligro: me había dejado soterrar por un loco, luego de tomar un veneno. Las bravatas de Carlos trasparentaban el íntimo terror de que yo no viera el prodigio; Carlos, para defender su delirio, para no saber que estaba loco, *tenía que matarme.* Sentí un confuso malestar, que traté de atribuir a la rigidez, y no a la operación de un narcótico. Cerré los ojos, los abrí. Entonces vi el Aleph.

Arribo, ahora, al inefable centro de mi relato; empieza, aquí, mi desesperación de escritor. Todo lenguaje es un alfabeto de símbolos cuyo ejercicio presupone un pasado que los interlocutores comparten; ¿cómo trasmitir a los otros el infinito Aleph, que mi temerosa memoria apenas abarca? Los místicos, en análogo trance, prodigan los emblemas: para significar la divinidad, un persa habla de un pájaro que de algún modo es todos los pájaros; Alanus de Insulis, de una esfera cuyo centro está en todas partes y la circunferencia en ninguna; Ezequiel, de un ángel de cuatro caras que a un tiempo se dirige al Oriente y al Occidente, al Norte y al Sur. (No en vano rememoro esas inconcebibles analogías; alguna relación tienen con el Aleph.) Quizá los dioses no me negarían el hallazgo de una imagen equivalente, pero este informe quedaría contaminado de literatura, de falsedad. Por lo demás, el problema central es irresoluble: la enumeración, siquiera parcial, de un conjunto infinito. En ese instante gigantesco, he visto millones de actos deleitables o atroces; ninguno me asombró como el hecho de que todos ocuparan el mismo punto, sin superposición y sin trasparencia. Lo que vieron mis ojos fue simultáneo: lo que transcribiré, sucesivo, porque el lenguaje lo es. Algo, sin embargo, recogeré.

En la parte inferior del escalón, hacia la derecha, vi una pequeña esfera tornasolada, de casi intolerable fulgor. Al principio la creí giratoria; luego comprendí que ese movimiento era una ilusión producida por los vertiginosos espectáculos que encerraba. El diámetro del Aleph sería de dos o tres centímetros, pero el espacio cósmico estaba ahí, sin disminución de tamaño. Cada cosa (la luna del espejo, digamos) era infinitas cosas, porque yo claramente la veía desde todos los puntos del universo. Vi el populoso mar, vi el alba y la tarde, vi las muchedumbres de América, vi una plateada telaraña en el centro de una negra pirámide, vi un laberinto roto (era Londres), vi interminables ojos inmediatos escrutándose en mí como en un espejo, vi todos los espejos del planeta y ninguno me reflejó, vi en un traspatio de la calle Soler las mismas baldosas que hace treinta años vi en el zaguán de una casa en Fray Bentos, vi racimos, nieve, tabaco, vetas de metal, vapor de agua, vi convexos desiertos ecuatoriales y cada uno de sus granos de arena, vi en Inverness a una mujer que no olvidaré, vi la violenta cabellera, el altivo cuerpo, vi un cáncer en el pecho, vi un círculo de tierra seca en una vereda, donde antes hubo un árbol, vi una quinta de Adrogué, un ejemplar de la primera versión inglesa de Plinio, la de Philemon Holland, vi a un tiempo cada letra de cada página (de chico, yo solía maravillarme de que las letras de un volumen cerrado no se mezclaran y perdieran en el decurso de la noche), vi la noche y el día contemporáneo, vi un poniente en Querétaro que parecía reflejar el color de una rosa en Bengala, vi mi dormitorio sin nadie, vi en un gabinete de Alkmaar un globo terráqueo entre dos espejos que lo multiplican sin fin, vi caballos de crin arremolinada, en una playa del Mar Caspio en el alba, vi la delicada osatura de una mano, vi a los sobrevivientes de una batalla, enviando tarjetas postales, vi en un escaparate de Mirzapur una baraja española, vi las sombras oblicuas de unos helechos en el suelo de un invernáculo, vi tigres, émbolos, bisontes, marejadas y ejércitos, vi todas las hormigas que hay en la tierra, vi un astrolabio persa, vi en un cajón del escritorio (y la letra me hizo temblar) cartas obscenas, increíbles, precisas, que Beatriz había dirigido a Carlos Argentino, vi un adorado monumento en la Chacarita, vi la reliquia atroz de lo que deliciosamente había sido Beatriz Viterbo, vi la circulación de mi oscura sangre, vi el engranaje del amor y la modificación de la muerte, vi el Aleph, desde todos los puntos, vi en el Aleph la tierra, y en la tierra otra vez el Aleph y en el Aleph la tierra, vi mi cara y mis vísceras, vi tu cara, y sentí vértigo y lloré, porque mis ojos habían visto ese objeto secreto y conjetural, cuyo nombre usurpan los hombres, pero que ningún hombre ha mirado: el inconcebible universo.

Sentí infinita veneración, infinita lástima.

—Tarumba habrás quedado de tanto curiosear donde no te llaman —dijo una voz aborrecida y jovial—. Aunque te devanes los sesos, no me pagarás en un siglo esta revelación. ¡Qué observatorio formidable, che Borges!

Los zapatos de Carlos Argentino ocupaban el escalón más alto. En la brusca penumbra, acerté a levantarme y a balbucear:

—Formidable. Sí, formidable.

La indiferencia de mi voz me extrañó. Ansioso, Carlos Argentino insistía:

—¿Lo viste todo bien, en colores?

En ese instante concebí mi venganza. Benévolo, manifiestamente apiadado, nervioso, evasivo, agradecí a Carlos Argentino Daneri la hospitalidad de su sótano y lo insté a aprovechar la demolición de la casa para alejarse de la perniciosa metrópoli, que a nadie ¡créame, que a nadie! perdona. Me negué, con suave energía, a discutir el Aleph; lo abracé, al despedirme, y le repetí que el campo y la serenidad son dos grandes médicos.

En la calle, en las escaleras de Constitución, en el subterráneo, me parecieron familiares todas las caras. Temí que no quedara una sola cosa capaz de sorprenderme, temí que no me abandonara jamás la impresión de volver. Felizmente, al cabo de unas noches de insomnio, me trabajó otra vez el olvido.

Posdata del primero de marzo de 1943. A los seis meses de la demolición del inmueble de la calle Garay, la Editorial Procusto no se dejó arredrar por la longitud del considerable poema y lanzó al mercado una selección de "trozos argentinos". Huelga repetir lo ocurrido; Carlos Argentino Daneri recibió el Segundo

Premio Nacional de Literatura.[1] El primero fue otorgado al doctor Aita; el tercero, al doctor Mario Bonfanti; increíblemente, mi obra *Los naipes del tahur* no logró un solo voto. ¡Una vez más, triunfaron la incomprensión y la envidia! Hace ya mucho tiempo que no consigo ver a Daneri; los diarios dicen que pronto nos dará otro volumen. Su afortunada pluma (no entorpecida ya por el Aleph) se ha consagrado a versificar los epítomes del doctor Acevedo Díaz.

Dos observaciones quiero agregar: una, sobre la naturaleza del Aleph; otra, sobre su nombre. Éste, como es sabido, es el de la primera letra del alfabeto de la lengua sagrada. Su aplicación al disco de mi historia no parece casual. Para la Cábala, esa letra significa el En Soph, la ilimitada y pura divinidad; también se dijo que tiene la forma de un hombre que señala el cielo y la tierra, para indicar que el mundo inferior es el espejo y es el mapa del superior; para la *Mengenlehre*, es el símbolo de los números transfinitos, en los que el todo no es mayor que alguna de las partes. Yo querría saber: ¿Eligió Carlos Argentino ese nombre, o lo leyó, *aplicado a otro punto donde convergen todos los puntos*, en alguno de los textos innumerables que el Aleph de su casa le reveló? Por increíble que parezca, yo creo que hay (o que hubo) otro Aleph, yo creo que el Aleph de la calle Garay era un falso Aleph.

Doy mis razones. Hacia 1867 el capitán Burton ejerció en el Brasil el cargo de cónsul británico; en julio de 1942 Pedro Henríquez Ureña descubrió en una biblioteca de Santos un manuscrito suyo que versaba sobre el espejo que atribuye el Oriente a Iskandar Zu al-Karnayn, o Alejandro Bicorne de Macedonia. En su cristal se reflejaba el universo entero. Burton menciona otros artificios congéneres —la séptuple copa de Kai Josrú, el espejo que Tárik Benzeyad encontró en una torre (1001 *Noches*, 272), el espejo que Luciano de Samosata pudo examinar en la luna (*Historia Verdadera*, I, 26), la lanza especular que el primer libro del *Satyricon* de Capella atribuye a Júpiter, el espejo universal de Merlín, "redondo y hueco y semejante a un mundo de vidrio" (*The Faerie Queene*, III, 2, 19) — y añade estas curiosas palabras: "Pero los anteriores (además del defecto de no existir) son meros instrumentos de óptica. Los fieles que concurren a la mezquita de Amr, en el Cairo, saben muy bien que el universo está en el interior de una de las columnas de piedra que rodean

---

[1] "Recibí tu apenada congratulación", me escribió. "Bufas, mi lamentable amigo, de envidia, pero confesarás —¡aunque te ahogue!— que esta vez pude coronar mi bonete con la más roja de las plumas; mi turbante, con el más *califa* de los rubíes."

el patio central... Nadie, claro está, puede verlo, pero quienes acercan el oído a la superficie, declaran percibir, al poco tiempo, su atareado rumor... La mezquita data del siglo VII; las columnas proceden de otros templos de religiones anteislámicas, pues como ha escrito Abenjaldún: *En las repúblicas fundadas por nómadas, es indispensable el concurso de forasteros para todo lo que sea albañilería".*

¿Existe ese Aleph en lo íntimo de una piedra? ¿Lo he visto cuando vi todas las cosas y lo he olvidado? Nuestra mente es porosa para el olvido; yo mismo estoy falseando y perdiendo, bajo la trágica erosión de los años, los rasgos de Beatriz.

A Estela Canto.

EPÍLOGO

Fuera de *Emma Zunz* (cuyo argumento espléndido, tan superior a su ejecución temerosa, me fue dado por Cecilia Ingenieros) y de la *Historia del guerrero y de la cautiva* que se propone interpretar dos hechos fidedignos, las piezas de este libro corresponden al género fantástico. De todas ellas, la primera es la más trabajada; su tema es el efecto que la inmortalidad causaría en los hombres. A ese bosquejo de una ética para inmortales, lo sigue *El muerto*: Azevedo Bandeira, en ese relato, es un hombre de Rivera o de Cerro Largo y es también una tosca divinidad, una versión mulata y cimarrona del incomparable Sunday de Chesterton. (El capítulo XXIX del *Decline and Fall of the Roman Empire* narra un destino parecido al de Otálora, pero harto más grandioso y más increíble.) De *Los teólogos* basta escribir que son un sueño, un sueño más bien melancólico, sobre la identidad personal; de la *Biografía de Tadeo Isidoro Cruz*, que es una glosa al Martín Fierro. A una tela de Watts, pintada en 1896, debo *La casa de Asterión* y el carácter del pobre protagonista. *La otra muerte* es una fantasía sobre el tiempo, que urdí a la luz de unas razones de Pier Damiani. En la última guerra nadie pudo anhelar más que yo que fuera derrotada Alemania; nadie pudo sentir más que yo lo trágico del destino alemán; *Deutsches Requiem* quiere entender ese destino, que no supieron llorar, ni siquiera sospechar, nuestros "germanófilos", que nada saben de Alemania. *La escritura del dios* ha sido generosamente juzgada; el jaguar me obligó a poner en boca de un "mago de la pirámide de Qaholom", argumentos de cabalista o de teólogo. En *El Zahir* y *El Aleph* creo notar algún influjo del cuento *The Cristal Egg* (1899) de Wells.

J. L. B.

Buenos Aires, 3 de mayo de 1949.

Posdata de 1952. Cuatro piezas he incorporado a esta reedición. *Abenjacán el Bojarí, muerto en su laberinto* no es (me aseguran) memorable a pesar de su título tremebundo. Podemos considerarlo una variación de *Los dos reyes y los dos laberintos* que los copistas intercalaron en las 1001 Noches y que omitió el prudente Galland. De *La espera* diré que le sugirió una crónica policial que Alfredo Doblas me leyó, hará diez años, mientras clasificábamos libros según el manual del Instituto Bibliográfico de Bruselas, código del que todo he olvidado, salvo que a Dios le corresponde la cifra 231. El sujeto de la crónica era turco; lo hice italiano para intuirlo con más facilidad. La momentánea y repetida visión de un hondo conventillo que hay a la vuelta de la calle Paraná, en Buenos Aires, me deparó la historia que se titula *El hombre en el umbral*; la situé en la India para que su inverosimilitud fuera tolerable.

J. L. B.

Otras inquisiciones
(1952)

A Margot Guerrero

LA MURALLA Y LOS LIBROS

*He, whose long wall the wand'ring Tar-
tar bounds...*

Dunciad, II, 76.

Leí, días pasados, que el hombre que ordenó la edificación de la casi infinita muralla china fue aquel primer Emperador, Shih Huang Ti, que asimismo dispuso que se quemaran todos los libros anteriores a él. Que las dos vastas operaciones —las quinientas a seiscientas leguas de piedra opuestas a los bárbaros, la rigurosa abolición de la historia, es decir del pasado— procedieran de una persona y fueran de algún modo sus atributos, inexplicablemente me satisfizo y, a la vez, me inquietó. Indagar las razones de esa emoción es el fin de esta nota.

Históricamente, no hay misterio en las dos medidas. Contemporáneo de las guerras de Aníbal, Shih Huang Ti, rey de Tsin, redujo a su poder los Seis Reinos y borró el sistema feudal; erigió la muralla, porque las murallas eran defensas; quemó los libros, porque la oposición los invocaba para alabar a los antiguos emperadores. Quemar libros y erigir fortificaciones es tarea común de los príncipes; lo único singular en Shih Huang Ti fue la escala en que obró. Así lo dejan entender algunos sinólogos, pero yo siento que los hechos que he referido son algo más que una exageración o una hipérbole de disposiciones triviales. Cercar un huerto o un jardín es común; no, cercar un imperio. Tampoco es baladí pretender que la más tradicional de las razas renuncie a la memoria de su pasado, mítico o verdadero. Tres mil años de cronología tenían los chinos (y en esos años, el Emperador Amarillo y Chuang Tzu y Confucio y Lao Tzu), cuando Shih Huang Ti ordenó que la historia empezara con él.

Shih Huang Ti había desterrado a su madre por libertina; en su dura justicia, los ortodoxos no vieron otra cosa que una impiedad; Shih Huang Ti, tal vez, quiso borrar los libros canónigos porque éstos lo acusaban; Shih Huang Ti, tal vez, quiso abolir todo el pasado para abolir un solo recuerdo: la infamia de su madre. (No de otra suerte un rey, en Judea, hizo matar a todos los niños para matar a uno.) Esta conjetura es atendible, pero nada nos dice de la muralla, de la segunda cara del mito. Shih Huang Ti, según los historiadores, prohibió que se mencionara la muerte y buscó el elixir de la inmortalidad y se recluyó en un palacio figurativo, que constaba de tantas habitaciones como hay días en el año; estos datos sugieren que la muralla en el espacio y el incendio en el tiempo fueron barreras mágicas destinadas a detener la muerte. Todas las cosas quieren persistir en su ser, ha escrito Baruch Spinoza; quizá el Emperador y sus magos creyeron que la inmortalidad es intrínseca y que la corrupción no puede entrar en un orbe cerrado. Quizá el Emperador quiso recrear el principio del tiempo y se llamó Primero, para ser realmente primero, y se llamó Huang Ti, para ser de algún modo Huang Ti, el legendario emperador que inventó la escritura y la brújula. Éste, según el Libro de los Ritos, dio su nombre verdadero a las cosas; parejamente Shih Huang Ti se jactó, en inscripciones que perduran, de que todas las cosas, bajo su imperio, tuvieran el nombre que les conviene. Soñó fundar una dinastía inmortal; ordenó que sus herederos se llamaran Segundo Emperador, Tercer Emperador, Cuarto Emperador, y así hasta lo infinito... He hablado de un propósito mágico; también cabría suponer que erigir la muralla y quemar los libros no fueron actos simultáneos. Esto (según el orden que eligiéramos) nos daría la imagen de un rey que empezó por destruir y luego se resignó a conservar, o la de un rey desengañado que destruyó lo que antes defendía. Ambas conjeturas son dramáticas, pero carecen, que yo sepa, de base histórica. Herbert Allen Giles cuenta que quienes ocultaron libros fueron marcados con un hierro candente y condenados a construir, hasta el día de su muerte, la desaforada muralla. Esta noticia favorece o tolera otra interpretación. Acaso la muralla fue una metáfora, acaso Shih Huang Ti condenó a quienes adoraban el pasado a una obra tan vasta como el pasado, tan torpe y tan inútil. Acaso la muralla fue un desafío y Shih Huang Ti pensó: "Los hombres aman el pasado y contra ese amor nada puedo, ni pueden mis verdugos, pero alguna vez habrá un hombre que sienta como yo, y ése destruirá mi muralla, como yo he destruido los libros, y ése borrará mi memoria y será mi sombra y mi espejo y no lo sabrá." Acaso Shih Huang Ti amuralló el imperio porque sabía que éste era deleznable y destruyó los libros por entender que eran libros sagrados, o sea libros que enseñan lo que enseña el universo entero o la conciencia de cada hombre. Acaso el incendio de las bibliotecas y la edificación de la muralla son operaciones que de un modo secreto se anulan.

La muralla tenaz que en este momento, y en todos, proyecta sobre tierras que no veré, su sistema de sombras, es la sombra de un César que ordenó que la más reverente de las naciones quemara su pasado; es verosímil que la idea nos toque de por sí, fuera de las conjeturas que permite. (Su virtud puede estar en la oposición de construir y destruir, en enorme escala.) Generalizando el caso anterior, podríamos inferir que *todas* las formas tienen su virtud en sí mismas y no en un "contenido" conjetural. Esto concordaría con la tesis de Benedetto Croce; ya Pater, en 1877, afirmó que todas las artes aspiran a la condición de la música, que no es otra cosa que forma. La música, los estados de felicidad, la mitología, las caras trabajadas por el tiempo, ciertos crepúsculos y ciertos lugares, quieren decirnos algo, o algo dijeron que no hubiéramos debido perder, o están por decir algo; esta inminencia de una revelación, que no se produce, es, quizá, el hecho estético.

Buenos Aires, 1950.

LA ESFERA DE PASCAL

Quizá la historia universal es la historia de unas cuantas metáforas. Bosquejar un capítulo de esa historia es el fin de esta nota.

Seis siglos antes de la era cristiana, el rapsoda Jenófanes de Colofón, harto de los versos homéricos que recitaba de ciudad en ciudad, fustigó a los poetas que atribuyeron rasgos antropomórficos a los dioses y propuso a los griegos un solo Dios, que era una esfera eterna. En el *Timeo*, de Platón, se lee que la esfera es la figura más perfecta y más uniforme, porque todos los puntos de la superficie equidistan del centro; Olof Gigon (*Ursprang der griechischen Philosophie*, 183) entiende que Jenófanes habló analógicamente; el Dios era esferoide, porque esa forma es la mejor, o la menos mala, para representar la divinidad. Parménides, cuarenta años después, repitió la imagen ("el Ser es semejante a la masa de una esfera bien redondeada, cuya fuerza es constante desde el centro en cualquier dirección"); Calogero y Mondolfo razonan que intuyó una esfera infinita, o infinitamente creciente, y que las palabras que acabo de transcribir tienen un sentido dinámico (Albertelli: *Gli Eleati*, 148). Parménides enseñó en Italia; a pocos años de su muerte, el siciliano Empédocles de Agrigento urdió una laboriosa cosmogonía; hay una etapa en que las partículas de tierra, de agua, de aire y de fuego, integran una esfera sin fin, "el *Sphairos redondo*, que exulta en su soledad circular".

La historia universal continuó su curso, los dioses demasiado humanos que Jenófanes atacó fueron rebajados a ficciones poéticas o a demonios, pero se dijo que uno, Hermes Trismegisto, había dictado un número variable de libros (42, según Clemente de Alejandría; 20.000, según Jámblico; 36.525, según los sacerdotes de Thoth, que también es Hermes), en cuyas páginas estaban escritas todas las cosas. Fragmentos de esa biblioteca ilusoria, compilados o fraguados desde el siglo III, *forman* lo que se llama el *Corpus Hermeticum;* en alguno de ellos, o en el *Asclepio*, que también se atribuyó a Trismegisto, el teólogo francés Alain de Lille —Alanus de Insulis— descubrió a fines del siglo XII esta fórmula, que las edades venideras no olvidarían: "Dios es una esfera inteligible, cuyo centro está en todas partes y la circunferencia en ninguna". Los presocráticos hablaron de una esfera sin fin; Albertelli (como antes, Aristóteles) piensa que hablar así es cometer una *contradictio in adjecto*, porque sujeto y predicado se anulan; ello bien puede ser verdad, pero la fórmula de los libros herméticos nos deja, casi, intuir esa esfera. En el siglo XIII, la imagen reapareció en el simbólico *Roman de la Rose*, que la da como de Platón, y en la enciclopedia *Speculum Triplex*; en el XVI, el último capítulo del último libro de *Pantagruel* se refirió a "esa esfera intelectual, cuyo centro está en todas partes y la circunferencia en ninguna, que llamamos Dios". Para la mente medieval, el sentido era claro: Dios está en cada una de sus criaturas, pero ninguna Lo limita. "El cielo, el cielo de los cielos, no te contiene", dijo Salomón (I Reyes, 8, 27); la metáfora geométrica de la esfera hubo de parecer una glosa de esas palabras.

El poema de Dante ha preservado la astronomía ptolemaica, que durante mil cuatrocientos años rigió la imaginación de los hombres. La tierra ocupa el centro del universo. Es una esfera inmóvil; en torno giran nueve esferas concéntricas. Las siete primeras son los cielos planetarios (cielos de la Luna, de Mercurio, de Venus, del Sol, de Marte, de Júpiter, de Saturno); la octava, el cielo de las estrellas fijas; la novena, el cielo cristalino llamado también Primer Móvil. A éste lo rodea el Empíreo, que está hecho de luz. Todo este laborioso aparato de esferas huecas, trasparentes y giratorias (algún sistema requería cincuenta y cinco), había llegado a ser una necesidad mental; *De hipothesibus motuum coelestium commentariolus* es el tímido título que Copérnico, negador de Aristóteles, puso al manuscrito que trasformó nuestra visión del cosmos. Para un hombre, para Giordano Bruno, la rotura de las bóvedas estelares fue una liberación. Proclamó, en la *Cena de las cenizas*, que el mundo es el efecto infinito de una causa infinita y que la divinidad está cerca, "pues está dentro de nosotros más aun de lo que nosotros mismos estamos dentro de nosotros". Buscó palabras para declarar a los hombres el espacio copernicano y en una página famosa estampó: "Podemos afirmar con certidumbre que el universo es todo centro, o que el centro del universo está en todas partes y la circunferencia en ninguna" (*De la causa, principio de uno*, V).

Esto se escribió con exultación, en 1584, todavía en la luz del Renacimiento; setenta años después, no quedaba un reflejo de ese fervor y los hombres se sintieron perdidos en el tiempo y en el espacio. En el tiempo, porque si el futuro y el pasado son infinitos, no habrá realmente un cuándo; en el espacio, porque si todo ser equidista de lo infinito y de lo infinitesimal, tampoco habrá un dónde. Nadie está en algún día, en algún lugar; nadie sabe el tamaño de su cara. En el Renacimiento, la humanidad creyó haber alcanzado la edad viril, y así lo declaró por boca de Bruno, de Campanella y de Bacon. En el siglo xvii la acobardó una sensación de vejez; para justificarse, exhumó la creencia de una lenta y fatal degeneración de todas las criaturas, por obra del pecado de Adán. (En el quinto capítulo del Génesis consta que "todos los días de Matusalén fueron novecientos setenta y nueve años"; en el sexto, que "había gigantes en la tierra en aquellos días".) El primer aniversario de la elegía *Anatomy of the World*, de John Donne, lamentó la vida brevísima y la estatura mínima de los hombres contemporáneos, que son como las hadas y los pigmeos; Milton, según la biografía de Johnson, temió que ya fuera imposible en la tierra el género épico; Glanvill juzgó que Adán, "medalla de Dios", gozó de una visión telescópica y microscópica; Robert South famosamente escribió: "Un Aristóteles no fue sino los escombros de Adán, y Atenas, los rudimentos del Paraíso". En aquel siglo desanimado, el espacio absoluto que inspiró los hexámetros de Lucrecio, el espacio absoluto que había sido una liberación para Bruno, fue un laberinto y un abismo para Pascal. Éste aborrecía el universo y hubiera querido adorar a Dios, pero Dios, para él, era menos real que el aborrecido universo. Deploró que no hablara el firmamento, comparó nuestra vida con la de náufragos en una isla desierta. Sintió el peso incesante del mundo físico, sintió vértigo, miedo y soledad, y los puso en otras palabras: "La naturaleza es una esfera infinita, cuyo centro está en todas partes y la circunferencia en ninguna." Así publica Brunschvicg el texto, pero la edición crítica de Tourneur (París, 1941), que reproduce las tachaduras y vacilaciones del manuscrito, revela que Pascal empezó a escribir *effroyable*: "Una esfera espantosa, cuyo centro está en todas partes y la circunferencia en ninguna."

Quizá la historia universal es la historia de la diversa entonación de algunas metáforas.

Buenos Aires, 1951.

LA FLOR DE COLERIDGE

Hacia 1938, Paul Valéry escribió: "La Historia de la literatura no debería ser la historia de los autores y de los accidentes de su carrera o de la carrera de sus obras sino la Historia del Espíritu como productor o consumidor de literatura. Esa historia podría llevarse a término sin mencionar un solo escritor." No era la primera vez que el Espíritu formulaba esa observación; en 1844, en el pueblo de Concord, otro de sus amanuenses había anotado: "Diríase que una sola persona ha redactado cuantos libros hay en el mundo; tal unidad central hay en ellos que es innegable que son obra de un solo caballero omnisciente" (Emerson: *Essays*, 2, VIII). Veinte años antes, Shelley dictaminó que todos los poemas del pasado, del presente y del porvenir, son episodios o fragmentos de un solo poema infinito, erigido por todos los poetas del orbe (*A Defence of Poetry*, 1821).

Esas consideraciones (implícitas, desde luego, en el panteísmo) permitirían un inacabable debate; yo, ahora, las invoco para ejecutar un modesto propósito: la historia de la evolución de una idea, a través de los textos heterogéneos de tres autores. El primer texto es una nota de Coleridge; ignoro si éste la escribió a fines del siglo XVIII, o a principios del XIX. Dice, literalmente:

"Si un hombre atravesara el Paraíso en un sueño, y le dieran una flor como prueba de que había estado allí, y si al despertar encontrara esa flor en su mano... ¿entonces, qué?".

No sé que opinará mi lector de esa imaginación; yo la juzgo perfecta. Usarla como base de otras invenciones felices, parece previamente imposible; tiene la integridad y la unidad de un *terminus ad quem*, de una meta. Claro está que lo es; en el orden de la literatura, como en los otros, no hay acto que no sea coronación de una infinita serie de causas y manantial de una infinita serie de efectos. Detrás de la invención de Coleridge está la general y antigua invención de las generaciones de amantes que pidieron como prenda una flor.

El segundo texto que alegaré es una novela que Wells bosquejó en 1887 y reescribió siete años después, en el verano de 1894. La primera versión se tituló *The Chronic Argonauts* (en este título abolido, *chronic* tiene el valor etimológico de *temporal*); la definitiva, *The Time Machine*. Wells, en esa novela, continúa y reforma una antiquísima tradición literaria: la previsión de hechos futuros. Isaías *ve* la desolación de Babilonia y la restauración de Israel; Eneas, el destino militar de su posteridad, los romanos; la profetisa de la *Edda Saemundi*, la vuelta de los dioses que, después de la cíclica batalla en que nuestra tierra perecerá, descubrirán, tiradas en el pasto de una nueva pradera, las piezas de ajedrez con que antes jugaron... El protagonista de Wells, a diferencia de tales espectadores proféticos, viaja físicamente al porvenir. Vuelve rendido, polvoriento y maltrecho; vuelve de una remota humanidad que se ha bifurcado en especies que se odian (los ociosos *eloi*, que habitan en palacios dilapidados y en ruinosos jardines; los subterráneos y nictálopes *morlocks*, que se alimentan de los primeros); vuelve con las sienes encanecidas y trae del porvenir una flor marchita. Tal es la segunda versión de la imagen de Coleridge. Más increíble que una flor celestial o que la flor de un sueño es la flor futura, la contradictoria flor cuyos átomos ahora ocupan otros lugares y no se combinaron aún.

La tercera versión que comentaré, la más trabajada, es invención de un escritor harto más complejo que Wells, si bien menos dotado de esas agradables virtudes que es usual llamar clásicas. Me refiero al autor de *La humillación de los Northmore*, el triste y laberíntico Henry James. Éste, al morir, dejó inconclusa una novela de carácter fantástico, *The Sense of the Past*, que es una variación o elaboración de *The Time Machine*.[1] El protagonista de Wells viaja al porvenir en un inconcebible vehículo, que progresa o retrocede en el tiempo como los otros vehículos en el espacio; el de James regresa al pasado, al siglo XVIII, a fuerza de competetrarse con esa época. (Los dos procedimientos son imposibles, pero es menos arbitrario el de James.) En *The Sense of the Past*, el nexo entre lo real y lo imaginario (entre la actualidad y el pasado) no es una flor, como en las anteriores ficciones; es un retrato que data del siglo XVIII y que misteriosamente representa al protagonista. Éste, fascinado por esa tela, consigue trasladarse a la fecha en que la ejecutaron. Entre las personas que encuentra, figura, necesariamente, el pintor; éste lo pinta con temor y con aversión, pues intuye algo desacostumbrado y anómalo en esas facciones futuras... James, crea, así, un incomparable *regressus in infinitum*, ya que su héroe, Ralph Pendrel, se traslada al siglo XVIII. La causa es posterior al efecto, el motivo del viaje es una de las consecuencias del viaje.

Wells, verosímilmente, desconocía el texto de Coleridge; Henry

[1] No he leído *The Sense of the Past*, pero conozco el suficiente análisis de Stephen Spender, en su obra *The Destructive Element* (páginas 105-110). James fue amigo de Wells; para su relación puede consultarse el vasto *Experiment in Autobiography* de éste.

James conocía y admiraba el texto de Wells. Claro está que si es válida la doctrina de que todos los autores son un autor [1], tales hechos son insignificantes. En rigor, no es indispensable ir tan lejos; el panteísta que declara que la pluralidad de los autores es ilusoria, encuentra inesperado apoyo en el clasicista, según el cual esa pluralidad importa muy poco. Para las mentes clásicas, la literatura es lo esencial, no los individuos. George Moore y James Joyce han incorporado en sus obras, páginas y sentencias ajenas; Oscar Wilde solía regalar argumentos para que otros los ejecutaran; ambas conductas, aunque superficialmente contrarias, pueden evidenciar un mismo sentido del arte. Un sentido ecuménico, impersonal... Otro testigo de la unidad profunda del Verbo, otro negador de los límites del sujeto, fue el insigne Ben Jonson, que empeñado en la tarea de formular su testamento literario y los dictámenes propicios o adversos que sus contemporáneos le merecían, se redujo a ensamblar fragmentos de Séneca, de Quintiliano, de Justo Lipsio, de Vives, de Erasmo, de Maquiavelo, de Bacon y de los dos Escalígeros.

Una observación última. Quienes minuciosamente copian a un escritor, lo hacen impersonalmente, lo hacen porque confunden a ese escritor con la literatura, lo hacen porque sospechan que apartarse de él en un punto es apartarse de la razón y de la ortodoxia. Durante muchos años, yo creí que la casi infinita literatura estaba en un hombre. Ese hombre fue Carlyle, fue Johannes Becher, fue Whitman, fue Rafael Cansinos-Asséns, fue De Quincey.

---

[1] Al promediar el siglo XVII, el epigramatista del panteísmo Angelus Silesius dijo que todos los bienaventurados son uno (*Cherubinischer Wandersmann*, V, 7) y que todo cristiano debe ser Cristo (*op. cit.*, V, 9).

EL SUEÑO DE COLERIDGE

El fragmento lírico *Kubla Khan* (cincuenta y tantos versos rimados e irregulares, de prosodia exquisita) fue soñado por el poeta inglés Samuel Taylor Coleridge, en uno de los días del verano de 1797. Coleridge escribe que se había retirado a una granja en el confín de Exmoor; una indisposición lo obligó a tomar un hipnótico; el sueño lo venció momentos después de la lectura de un pasaje de Purchas, que refiere la edificación de un palacio por Kublai Khan, el emperador cuya fama occidental labró Marco Polo. En el sueño de Coleridge, el texto casualmente leído procedió a germinar y a multiplicarse; el hombre que dormía intuyó una serie de imágenes visuales y, simplemente, de palabras que las manifestaban; al cabo de unas horas se despertó, con la certidumbre de haber compuesto, o recibido, un poema de unos trescientos versos. Los recordaba con singular claridad y pudo transcribir el fragmento que perdura en sus obras. Una visita inesperada lo interrumpió y le fue imposible, después, recordar el resto. "Descubrí, con no pequeña sorpresa y mortificación —cuenta Coleridge—, que si bien retenía de un modo vago la forma general de la visión, todo lo demás, salvo unas ocho o diez líneas sueltas, había desaparecido como las imágenes en la superficie de un río en el que se arroja una piedra, pero, ay de mí, sin la ulterior restauración de estas últimas." Swinburne sintió que lo rescatado era el más alto ejemplo de la música del inglés y que el hombre capaz de analizarlo podría (la metáfora es de John Keats) destejer un arco iris. Las traducciones o resúmenes de poemas cuya virtud fundamental es la música son vanas y pueden ser perjudiciales; bástenos retener, por ahora, que a Coleridge le fue dada *en un sueño* una página de no discutido esplendor.

El caso, aunque extraordinario, no es único. En el estudio psicológico *The World of Dreams*, Havelock Ellis lo ha equiparado con el del violinista y compositor Giuseppe Tartini, que soñó que el Diablo (su esclavo) ejecutaba en el violín una prodigiosa sonata; el soñador, al despertar, dedujo de su imperfecto recuerdo el *Trillo del Diavolo*. Otro clásico ejemplo de cerebración inconsciente es el de Robert Louis Stevenson, a quien un sueño (según él mismo ha referido en su *Chapter on Dreams*) le dio el argumento de *Olalla* y otro, en 1884, el de *Jekyll & Hide*. Tartini quiso imitar en la vigilia la música de un sueño; Stevenson recibió del sueño argumentos, es decir, formas generales; más afín a la inspiración verbal de Coleridge es la que Beda el Venerable atribuye a Caedmon (*Historia ecclessiastica gentis Anglocum*, IV, 24). El caso ocurrió a fines del siglo VII, en la Inglaterra misionera y guerrera de los reinos sajones. Caedmon era un rudo pastor y ya no era joven; una noche, se escurrió de una fiesta porque previó que le pasarían el arpa, y se sabía incapaz de cantar. Se echó a dormir en el establo, entre los caballos, y en el sueño alguien lo llamó por su nombre y le ordenó que cantara. Caedmon contestó que no sabía, pero el otro le dijo: "Canta el principio de las cosas creadas." Caedmon, entonces, dijo versos que jamás había oído. No los olvidó, al despertar, y pudo repetirlos ante los monjes del cercano monasterio de Hild. No aprendió a leer, pero los monjes le explicaban pasajes de la historia sagrada y él "los rumiaba como un limpio animal y los convertía en versos dulcísimos, y de esa manera cantó la creación del mundo y del hombre y toda la historia del Génesis y el éxodo de los hijos de Israel y su entrada en la tierra de promisión, y muchas otras cosas de la Escritura, y la encarnación, pasión, resurrección y ascensión del Señor, y la venida del Espíritu Santo y la enseñanza de los apóstoles, y también el terror del Juicio Final, el horror de las penas infernales, las dulzuras del cielo y las mercedes y los juicios de Dios." Fue el primer poeta sagrado de la nación inglesa; "nadie se igualó a él —dice Beda—, porque no aprendió de los hombres sino de Dios." Años después, profetizó la hora en que iba a morir y la esperó durmiendo. Esperemos que volvió a encontrarse con su ángel.

A primera vista, el sueño de Coleridge corre el albur de parecer menos asombroso que el de su precursor. *Kubla Khan* es una composición admirable y las nueve líneas del himno soñado por Caedmon casi no presentan otra virtud que su origen onírico, pero Coleridge ya era un poeta y a Caedmon le fue revelada una vocación. Hay, sin embargo, un hecho ulterior, que magnifica hasta lo insondable la maravilla del sueño en que se engendró *Kubla Khan*. Si este hecho es verdadero, la historia del sueño de Coleridge es anterior en muchos siglos a Coleridge y no ha tocado aún a su fin.

El poeta soñó en 1797 (otros entienden que en 1798) y publicó su relación del sueño en 1816, a manera de glosa o justificación del poema inconcluso. Veinte años después, apareció en París, fragmentariamente, la primera versión occidental de una de esas historias universales en que la literatura persa es tan rica, el

Compendio de Historias de Rashid ed-Din, que data del siglo XIV. En una página se lee: "Al este de Shang-tu, Kubla Khan erigió un palacio, según un plano que había visto en un sueño y que guardaba en la memoria". Quien esto escribió era visir de Ghazan Mahmud, que descendía de Kubla.

Un emperador mogol, en el siglo XIII, sueña un palacio y lo edifica conforme a la visión; en el siglo XVIII, un poeta inglés que no pudo saber que esa fábrica se derivó de un sueño, sueña un poema sobre el palacio. Confrontadas con esta simetría, que trabaja con almas de hombres que duermen y abarca continentes y siglos, nada o muy poco son, me parece, las levitaciones, resurrecciones y apariciones de los libros piadosos.

¿Qué explicación preferiremos? Quienes de antemano rechazan lo sobrenatural (yo trato, siempre, de pertenecer, a ese gremio) juzgarán que la historia de los dos sueños es una coincidencia, un dibujo trazado por el azar, como las formas de leones o de caballos que a veces configuran las nubes. Otros argüirán que el poeta supo de algún modo que el emperador había soñado el palacio y dijo haber soñado el poema para crear una espléndida ficción que asimismo paliara o justificara lo truncado y rapsódico de los versos.[1] Esta conjetura es verosímil, pero nos obliga a postular, arbitrariamente, un texto no identificado por los sinólogos en el que Coleridge pudo leer, antes de 1816, el sueño de Kubla.[2] Más encantadoras son las hipótesis que trascienden lo racional. Por ejemplo, cabe suponer que el alma del emperador, destruido el palacio, penetró en el alma de Coleridge, para que éste lo reconstruyera en palabras, más duraderas que los mármoles y metales.

El primer sueño agregó a la realidad un palacio; el segundo, que se produjo cinco siglos después, un poema (o principio de poema) sugerido por el palacio; la similitud de los sueños deja entrever un plan; el período enorme revela un ejecutor sobrehumano. Indagar el propósito de ese inmortal o de ese longevo sería, tal vez, no menos atrevido que inútil, pero es lícito sospechar que no lo ha logrado. En 1691, el P. Gerbillon, de la Compañía de Jesús, comprobó que del palacio de Kublai Khan sólo quedaban ruinas; del poema nos consta que apenas se rescataron cincuenta versos. Tales hechos permiten conjeturar que la serie de sueños y de trabajos no ha tocado a su fin. Al primer soñador le fue deparada en la noche la visión del palacio y lo

---

[1] A principios del siglo XIX o a fines del XVIII, juzgado por lectores de gusto clásico, *Kubla Khan* era harto más desaforado que ahora. En 1884, el primer biógrafo de Coleridge, Traill, pudo aún escribir: "El extravagante poema onírico *Kubla Khan* es poco más que una curiosidad psicológica."

[2] Véase John Livingston Lowes: *The Road to Xanadu*, 1927, págs. 358, 585.

construyó; al segundo, que no supo del sueño del anterior, el poema sobre el palacio. Si no marra el esquema, alguien, en una noche de la que nos apartan los siglos, soñará el mismo sueño y no sospechará que otros lo soñaron y le dará la forma de un mármol o de una música. Quizá la serie de los sueños no tenga fin, quizá la clave esté en el último.

Ya escrito lo anterior, entreveo o creo entrever otra explicación. Acaso un arquetipo no revelado aún a los hombres, un objeto eterno (para usar la nomenclatura de Whitehead), esté ingresando paulatinamente en el mundo; su primera manifestación fue el palacio; la segunda el poema. Quien los hubiera comparado habría visto que eran esencialmente iguales.

EL TIEMPO Y J. W. DUNNE

En el número 63 de *Sur* (diciembre de 1939) publiqué una prehistoria, una primera historia rudimental, de la regresión infinita. No todas las omisiones de ese bosquejo eran involuntarias: deliberadamente excluí la mención de J. W. Dunne, que ha derivado del interminable *regressus* una doctrina suficientemente asombrosa del sujeto y del tiempo. La discusión (la mera exposición) de su tesis hubiera rebasado los límites de esa nota. Su complejidad requería un artículo independiente: que ahora ensayaré. A su escritura me estimula el examen del último libro de Dunne —*Nothing Dies* (1940, Faber and Faber) — que repite o resume los argumentos de los tres anteriores.

El argumento único, mejor dicho. Su mecanismo nada tiene de nuevo; lo casi escandaloso, lo insólito, son las inferencias del autor. Antes de comentarlas, anoto unos previos avatares de las premisas.

El séptimo de los muchos sistemas filosóficos de la India que Paul Deussen registra [1], niega que el yo pueda ser objeto inmediato del conocimiento, "porque si fuera conocible nuestra alma, se requeriría un alma segunda para conocer la primera y una tercera para conocer la segunda". Los hindúes no tienen sentido histórico (es decir: perversamente prefieren el examen de las ideas al de los nombres y las fechas de los filósofos) pero nos consta que esa negación radical de la introspección cuenta unos ocho siglos. Hacia 1843, Schopenhauer la redescubre. "El sujeto conocedor", repite, "no es conocido como tal, porque sería objeto de conocimiento de otro sujeto conocedor" (*Welt als Wille und Vorstellung*, tomo segundo, capítulo diecinueve). Herbart jugó también con esa multiplicación ontológica. Antes de cumplir los veinte años había razonado que el yo es inevitablemente infinito, pues el hecho de saberse a sí mismo, postula un otro yo que se sabe también a sí mismo, y ese yo postula a su vez otro yo (Deussen: *Die neuere Philosophie*, 1920, pág. 367). Exornado de anécdotas, de parábolas, de buenas ironías y de diagramas, ese argumento es el que informa los tratados de Dunne.

---

[1] *Nachvedische Philosophie der Inder*, 318.

Éste (*An Experiment with Time*, capítulo XXII) razona que un sujeto consciente no sólo es consciente de lo que observa, sino de un sujeto A que observa y, por lo tanto, de otro sujeto B que es consciente de A y, por lo tanto, de otro sujeto C consciente de B... No sin misterio agrega que esos innumerables sujetos íntimos no caben en las tres dimensiones del espacio pero sí en las no menos innumerables dimensiones del tiempo. Antes de aclarar esa aclaración, invito a mi lector a que repensemos lo que dice este párrafo.

Huxley, buen heredero de los nominalistas británicos, mantiene que sólo hay una diferencia verbal entre el hecho de percibir un dolor y el hecho de saber que uno lo percibe, y se burla de los metafísicos puros, que distinguen en toda sensación "un sujeto sensible, un objeto sensígeno y ese personaje imperioso: el Yo" (*Essays*, tomo sexto, página 87). Gustav Spíller (*The Mind of Man*, 1902) admite que la conciencia del dolor y el dolor son dos hechos distintos, pero los considera tan comprensibles como la simultánea percepción de una voz y de un rostro. Su opinión me parece válida. En cuanto a la conciencia de la conciencia, que invoca Dunne para instalar en cada individuo una vertiginosa y nebulosa jerarquía de sujetos, prefiero sospechar que se trata de estados sucesivos (o imaginarios) del sujeto inicial. "Si el espíritu —ha dicho Leibniz— tuviera que repensar lo pensado, bastaría percibir un sentimiento para pensar en él y para pensar luego en el pensamiento y luego en el pensamiento del pensamiento, y así hasta lo infinito" (*Nouveaux essais sur l'entendement humain*, libro segundo, capítulo primero.)

El procedimiento creado por Dunne para la obtención inmediata de un número infinito de tiempos es menos convincente y más ingenioso. Como Juan de Mena en su *Labyrintho* [1], como Uspenski en el *Tertium Organum*, postula que ya existe el porvenir, con sus vicisitudes y pormenores. Hacia el porvenir preexistente (o desde el porvenir preexistente, como Bradley prefiere) fluye el río absoluto del tiempo cósmico, o los ríos mortales de nuestras vidas. Esa traslación, ese fluir, exige como todos los movimientos un tiempo determinado; tendremos pues, un tiempo segundo para que se traslade el primero; un tercero para que se traslade el segundo, y así hasta lo infinito...[2] Tal es la

---

[1] En este poema del siglo xv hay una visión de "muy grandes tres ruedas": la primera, inmóvil, es el pasado; la segunda, giratoria, el presente; la tercera, inmóvil, el porvenir.

[2] Medio siglo antes de que la propusiera Dunne, "la absurda conjetura

máquina propuesta por Dunne. En esos tiempos hipotéticos o ilusorios tienen interminable habitación los sujetos imperceptibles que multiplica el otro *regressus*.

No sé qué opinará mi lector. No pretendo saber qué cosa es el tiempo (ni siquiera si es una "cosa") pero adivino que el curso del tiempo y el tiempo son un solo misterio y no dos. Dunne, lo sospecho, comete un error parecido al de los distraídos poetas que hablan (digamos) de la luna que muestra su rojo disco, sustituyendo así a una indivisa imagen visual un sujeto, un verbo y un complemento, que no es otro que el mismo sujeto, ligeramente enmascarado... Dunne es una víctima ilustre de esa mala costumbre intelectual que Bergson denunció: concebir el tiempo como una cuarta dimensión del espacio. Postula que ya existe el porvenir y que debemos trasladarnos a él, pero ese postulado basta para convertirlo en espacio y para requerir un tiempo segundo (que también es concebido en forma espacial, en forma de línea o de río) y después un tercero y un millonésimo. Ninguno de los cuatro libros de Dunne deja de proponer *infinitas dimensiones de tiempo* [1], pero esas dimensiones son espaciales. El tiempo verdadero, para Dunne, es el inalcanzable término último de una serie infinita.

¿Qué razones hay para postular que ya existe el futuro? Dunne suministra dos: una, los sueños premonitorios; otra, la relativa simplicidad que otorga esa hipótesis a los inextricables diagramas que son típicos de su estilo. También quiere eludir los problemas de una creación continua...

Los teólogos definen la eternidad como la simultánea y lúcida posesión de todos los instantes del tiempo y la declaran uno de los atributos divinos. Dunne, asombrosamente, supone que ya es nuestra la eternidad y que los sueños de cada noche lo corroboran. En ellos, según él, confluyen el pasado inmediato y el inmediato porvenir. En la vigilia recorremos a uniforme velocidad el tiempo sucesivo, en el sueño abarcamos una zona que puede ser vastísima. Soñar es coordinar los vistazos de esa contemplación y urdir con ellos una historia, o una serie de historias. Vemos la imagen de una esfinge y la de una botica e inventamos que una botica se convierte en esfinge. Al hombre que mañana

---

de un segundo tiempo, en el que fluye, rápida o lentamente, el primero", fue descubierta y rechazada por Schopenhauer, en una nota manuscrita agregada a su *Welt als Wille und Vorstellung*. La registra la pág. 829 del segundo volumen de la edición histórico-crítica de Otto Weiss.

[1] La frase es reveladora. En el capítulo XXI del libro *An Experiment with Time*, habla de un tiempo que es perpendicular a otro.

conoceremos le ponemos la boca de una cara que nos miró antenoche... (Ya Schopenhauer escribió que la vida y los sueños eran hojas de un mismo libro, y que leerlas en orden es vivir; hojearlas, soñar).

Dunne asegura que en la muerte aprenderemos el manejo feliz de la eternidad. Recobraremos todos los instantes de nuestra vida y los combinaremos como nos plazca. Dios y nuestros amigos y Shakespeare colaborarán con nosotros.

Ante una tesis tan espléndida, cualquier falacia cometida por el autor, resulta baladí.

LA CREACIÓN Y P. H. GOSSE

"The man without a Navel yet lives in me", (el hombre sin Ombligo perdura en mí), curiosamente escribe Sir Thomas Browne (*Religio medici, 1642*) para significar que fue concebido en pecado, por descender de Adán. En el primer capítulo del *Ulises*, Joyce evoca asimismo el vientre inmaculado y tirante de la mujer sin madre: *Heva, naked Eve. She had no navel*. El tema (ya lo sé) corre el albur de parecer grotesco y baladí, pero el zoólogo Philip Henry Gosse lo ha vinculado al problema central de la metafísica: el problema del tiempo. Esa vinculación es de 1857; ochenta años de olvido equivalen tal vez a la novedad.

Dos lugares de la Escritura (Romanos, V; I Corintios, XV) contraponen el primer hombre Adán en el que mueren todos los hombres, al postrer Adán, que es Jesús.[1] Esa contraposición, para no ser una mera blasfemia, presupone cierta enigmática paridad, que se traduce en mitos y en simetría. La *Aurea leyenda* dice que la madera de la Cruz procede de aquel Árbol prohibido que está en el Paraíso; los teólogos, que Adán fue creado por el Padre y el Hijo a la precisa edad en que murió el Hijo: a los treinta y tres años. Esta insensata precisión tiene que haber influido en la cosmogonía de Gosse.

Éste la divulgó en el libro *Omphalos* (Londres, 1857), cuyo subtítulo es *Tentativa de desatar el nudo geológico*. En vano he interrogado las bibliotecas en busca de ese libro; para redactar esta nota, me serviré de los resúmenes de Edmund Gosse (*Father and Son*, 1970), y de H. G. Wells (*All Aboard for Ararat*, 1940). Introduce ilustraciones que no figuran en esas breves páginas, pero que juzgo compatibles con el pensamiento de Gosse.

En aquel capítulo de su *Lógica* que trata de la ley de causalidad, John Stuart Mill razona que el estado del universo en cualquier instante es una consecuencia de su estado en el instante

---

[1] En la poesía devota, esa conjunción es común. Quizá el ejemplo más intenso esté en la penúltima estrofa del *Hymn to God, my God, in my sickness*, March 23, 1630, que compuso John Donne:

> We think that Paradise and Calvary,
> Christ's Cross, and Adam's tree, stood in one place,
> Look Lord, and find both Adams met in me;
> As the first Adam's sweat surrounds, my face,
> May the last Adam's blood my soul embrace.

previo y que a una inteligencia infinita le bastaría el conocimiento perfecto de un *solo instante* para saber la historia del universo, pasada y venidera. (También razona —¡oh Louis Auguste Blanqui, oh Nietzsche, oh Pitágoras!— que la repetición de cualquier estado comportaría la repetición de todos los otros y haría de la historia universal una serie cíclica.) En esa moderada versión de cierta fantasía de Laplace —éste había imaginado que el estado presente del universo es, en teoría, reductible a una fórmula, de la que Alguien podría deducir todo el porvenir y todo el pasado. Mill no excluye la posibilidad de una futura intervención exterior que rompa la serie. Afirma que el estado q fatalmente producirá el estado r; el estado r, el s, el estado s, el t; pero admite que antes de t; una catástrofe divina —la *consummatio mundi*, digamos— puede haber aniquilado el planeta. El porvenir es inevitable, preciso, pero puede no acontecer. Dios acecha en los intervalos.

En 1857, una discordia preocupaba a los hombres. El Génesis atribuía seis días —seis días hebreos inequívocos, de ocaso a ocaso— a la creación divina del mundo; los paleontólogos impiadosamente exigían enormes acumulaciones de tiempo. En vano repetía De Quincey que la Escritura tiene la obligación de no instruir a los hombres en ciencia alguna, ya que las ciencias constituyen un vasto mecanismo para desarrollar y ejercitar el intelecto humano... ¿Cómo reconciliar a Dios con los fósiles, a Sir Charles Lyell con Moisés? Gosse, fortalecido por la plegaria, propuso una respuesta asombrosa.

Mill imagina un tiempo causal, infinito, que puede ser interrumpido por un acto futuro de Dios; Gosse, un tiempo rigurosamente causal, infinito, que ha sido interrumpido por un acto pretérito: la Creación. El estado n producirá fatalmente el estado v, pero antes de v puede ocurrir el Juicio Universal; el estado n presupone el estado c, pero c no ha ocurrido, porque el mundo fue creado en f o en b. El primer instante del tiempo coincide con el instante de la Creación, como dicta San Agustín, pero ese primer instante comporta no sólo un infinito porvenir sino un infinito pasado. Un pasado hipotético, claro está, pero minucioso y fatal. Surge Adán y sus dientes y su esqueleto cuentan 33 años; surge Adán (escribe Edmund Gosse) y ostenta un ombligo, aunque ningún cordón umbilical lo ha atado a una madre. El principio de razón exige que no haya un solo efecto sin causa; esas causas requieren otras causas, que regresivamente se multiplican [1]; de todas hay vestigios concretos, pero sólo han existido realmente las que son posteriores a la Creación. Perduran esque-

---

[1] Cf. Spencer: *Facts and Comments*, pág. 148-151, 1902.

letos de gliptodonte en la cañada de Luján, pero no hubo jamás gliptodontes. Tal es la tesis ingeniosa (y ante todo increíble) que Philip Henry Gosse propuso a la religión y a la ciencia.

Ambas la rechazaron. Los periodistas la redujeron a la doctrina de que Dios había escondido fósiles bajo tierra para probar la fe de los geólogos; Charles Kingsley desmintió que el Señor hubiera grabado en las rocas "una superflua y vasta mentira". En vano expuso Gosse la base metafísica de la tesis: lo inconcebible de un instante de tiempo sin otro instante precedente y otro ulterior, y así hasta lo infinito. No sé si conoció la antigua sentencia que figura en las páginas iniciales de la antología talmúdica de Rafael Cansinos-Asséns: *No era sino la primera noche, pero una serie de siglos la había ya precedido.*

Dos virtudes quiero reinvindicar para la olvidada tesis de Gosse. La primera: su elegancia un poco monstruosa. La segunda: su involuntaria reducción al absurdo de una *creatio ex nihilo*, su demostración indirecta de que el universo es eterno, como pensaron el Vedanta y Heráclito, Spinoza y los atomistas... Bertrand Russell la ha actualizado. En el capítulo noveno del libro *The Analysis of Mind* (Londres, 1921) supone que el planeta ha sido creado hace pocos minutos, provisto de una humanidad que "recuerda" un pasado ilusorio.

Buenos Aires, 1941.

Posdata: En 1802, Chateaubriand (*Génie du Christianisme*, I, 4, 5) formuló, partiendo de razones estéticas, una tesis idéntica a la de Gosse. Denunció lo insípido, e irrisorio, de un primer día de la Creación, poblado de pichones, de larvas, de cachorros y de semillas. *Sans une vieillesse originaire, la nature dans son innocence eût été moins belle qu'elle ne l'est aujourd'hui dans sa corruption*, escribió.

LAS ALARMAS DEL DOCTOR AMÉRICO CASTRO [1]

La palabra *problema* puede ser una insidiosa petición de principio. Hablar del *problema judío* es postular que los judíos son un problema; es vaticinar (y recomendar) las persecuciones, la expoliación, los balazos, el degüello, el estupro y la lectura de la prosa del doctor Rosenberg. Otro demérito de los falsos problemas es el de promover soluciones que son falsas también. A Plinio (*Historia natural*, libro octavo) no le basta observar que los dragones atacan en verano a los elefantes: aventura la hipótesis de que lo hacen para beberles toda la sangre que, como nadie ignora, es muy fría. Al doctor Castro (*La peculiaridad lingüística*, etcétera) no le basta observar un "desbarajuste lingüístico en Buenos Aires": aventura la hipótesis del "lunfardismo" y de la "mística gauchofilia".

Para demostrar la primera tesis —la corrupción del idioma español en el Plata—, el doctor apela a un procedimiento que debemos calificar de sofístico, para no poner en duda su inteligencia; de candoroso, para no dudar de su probidad. Acumula retazos de Pacheco, de Vacarezza, de Lima, de *Last Reason*, de Contursi, de Enrique González Tuñón, de Palermo, de Llanderas y de Malfatti, los copia con infantil gravedad y luego los exhibe *urbi et orbi* como ejemplos de nuestro depravado lenguaje. No sospecha que tales ejercicios ("Con un feca con chele | y una ensaimada | vos te venís pal Centro | de gran bacán") son caricaturales; los declara "síntomas de una alteración grave", cuya causa remota son "las conocidas circunstancias que hicieron de los países platenses zonas hasta donde el latido del imperio hispano llegaba ya sin brío". Con igual eficacia cabría argumentar que en Madrid no quedan ya vestigios del español, según lo demuestran las coplas que Rafael Salillas transcribe (*El delincuente español: su lenguaje*, 1896):

> El minche de esa rumi
> dicen no tenela bales;
> los he dicaito yo,
> los tenela muy juncales...

[1] *La peculiaridad lingüística rioplatense y su sentido histórico* (Losada, Buenos Aires, 1941).

> *El chibel barba del breje*
> *menjindé a los burós:*
> *apincharé ararajay*
> *y menda la pirabó.*

Ante su poderosa tiniebla es casi límpida esta pobre copla lunfarda:

> *El bacán le acanaló*
> *el escracho a la minushia;*
> *después espirajushió*
> *por temor a la canushia.*[1]

En la página 139, el doctor Castro nos anuncia otro libro sobre el problema de la lengua de Buenos Aires; en la 87, se jacta de haber descifrado un diálogo campero de Lynch "en el cual los personajes usan los medios más bárbaros de expresión, que sólo comprendemos enteramente los familiarizados con las jergas rioplatenses". Las jergas: *ce pluriel est bien singulier*. Salvo el lunfardo (módico esbozo carcelario que nadie sueña en parangonar con el exuberante caló de los españoles), no hay jergas en este país. No adolecemos de dialectos, aunque sí de institutos dialectológicos. Esas corporaciones viven de reprobar las sucesivas jerigonzas que inventan. Han improvisado el *gauchesco*, a base de Hernández; el *cocoliche*, a base de un payaso que trabajó con los Podestá; el *vesre*, a base de los alumnos de cuarto grado. En esos detritus se apoyan; esas riquezas les debemos y deberemos.

No menos falsos son "los graves problemas que el habla presenta en Buenos Aires". He viajado por Cataluña, por Alicante, por Andalucía, por Castilla; he vivido un par de años en Valldemosa y uno en Madrid; tengo gratísimos recuerdos de esos lugares; no he observado jamás que los españoles hablaran mejor que nosotros. (Hablan en voz más alta, eso sí, con el aplomo de quienes ignoran la duda.) El doctor Castro nos imputa arcaísmo. Su método es curioso: descubre que las personas más cultas de San Mamed de Puga, en Orense, han olvidado tal o cual acepción de tal o cual palabra; inmediatamente resuelve que los argentinos deben olvidarla también... El hecho es que el idioma español adolece de varias imperfecciones (monótono predominio de las vocales, excesivo relieve de las palabras, inep-

---

[1] La registra el vocabulario jergal de Luis Villamayor: *El lenguaje del bajo fondo* (Buenos Aires, 1915). Castro ignora este léxico, tal vez porque lo señala Arturo Costa Álvarez en un libro esencial: *El castellano en la Argentina* (La Plata, 1928). Inútil advertir que nadie pronuncia *minushia, canushia, espirajushiar.*

titud para formar palabras compuestas) pero no de la imperfección que sus torpes vindicadores le atacan: la dificultad. El español es facilísimo. Sólo los españoles lo juzgan arduo: tal vez porque los turban las atracciones del catalán, del bable, del mallorquín, del galaico, del vascuence y del valenciano; tal vez por un error de la vanidad; tal vez por cierta rudeza verbal (confunden acusativo y dativo, dicen *le mató* por *lo mató*, suelen ser incapaces de pronunciar *Atlántico* o *Madrid*, piensan que un libro puede sobrellevar este cacofónico título: *La peculiaridad lingüística rioplatense y su sentido histórico*).

El doctor Castro, en cada una de las páginas de este libro, abunda en supersticiones convencionales. Desdeña a López y venera a Ricardo Rojas; niega los tangos y alude con respeto a las jácaras, piensa que Rosas fue un caudillo de montoneras, un hombre a lo Ramírez o Artigas, y ridículamente lo llama "centauro máximo". (Con mejor estilo y juicio más lúcido, Groussac prefirió la definición: "miliciano de retaguardia".) Proscribe —entiendo que con toda razón— la palabra *cachada*, pero se resigna a *tomadura de pelo*, que no es visiblemente más lógica ni más encantadora. Ataca los idiotismos americanos, porque los idiotismos españoles le gustan más. No quiere que digamos *de arriba*; quiere que digamos *de gorra*... Este examinador "del hecho lingüístico bonaerense" anota seriamente que los porteños llaman *acridio* a la langosta, este lector inexplicable de Carlos de la Púa y de *Yacaré* nos revela que *taita*, en arrabalero significa *padre*.

En este libro, la forma no desdice del fondo. A veces el estilo es comercial: "Las bibliotecas de Méjico poseían libros de alta calidad" (página 49); "La aduana seca... imponía precios fabulosos" (página 52). Otras, la trivialidad continua del pensamiento no excluye el pintoresco dislate: "Surge entonces lo único posible, el tirano, condensación de la energía sin rumbo de la masa, que él no encauza, porque no es guía sino mole aplastante, ingente aparato ortopédico que mecánicamente, bestialmente, enredila al rebaño que se desbanda" (páginas 71, 72). Otras, el investigador de Vacarezza intenta el *mot juste*: "Por los mismos motivos por los que se torpedea la maravillosa gramática de A. Alonso y P. Henríquez Ureña" (página 31).

Los compadritos de *Last Reason* emiten metáforas hípicas; el doctor Castro, más versátil en el error, conjuga la radiotelefonía y el football: "El pensamiento y el arte rioplatense son antenas valiosas para cuanto en el mundo significa valía y esfuerzo, actitud intensamente receptiva que no ha de tardar en convertirse en fuerza creadora, si el destino no tuerce el rumbo de las señales propicias. La poesía, la novela y el ensayo lograron allá más de un "goal" perfecto. La ciencia y el pensar filosófico cuentan entre sus cultivadores nombres de suma distinción" (página 9).

A la errónea y mínima erudición, el doctor Castro añade el infatigable ejercicio de la zalamería, de la prosa rimada y del terrorismo.

P. S. — Leo en la página 136: "Lanzarse en serio, sin ironía, a escribir como Ascasubi, Del Campo o Hernández es asunto que da en qué pensar". Copio las últimas estrofas del *Martín Fierro*:

> *Cruz y Fierro de una estancia*
> *Una tropilla se arriaron,*
> *Por delante se la echaron*
> *Como criollos entendidos*
> *Y pronto, sin ser sentidos,*
> *Por la frontera cruzaron.*
>
> *Y cuando la habían pasao*
> *Una madrugada clara,*
> *Le dijo Cruz que mirara*
> *Las últimas poblaciones;*
> *Y a Fierro dos lagrimones*
> *Le rodaron por la cara.*
>
> *Y siguiendo el fiel del rumbo,*
> *Se entraron en el desierto,*
> *No sé si los habrán muerto*
> *En alguna correría*
> *Pero espero que algún día*
> *Sabré de ellos algo cierto.*
>
> *Y ya con estas noticias*
> *Mi relación acabé,*
> *Por ser ciertas las conté,*
> *Todas las desgracias dichas:*
> *Es un telar de desdichas*
> *Cada gaucho que usté vé.*
>
> *Pero ponga su esperanza*
> *En el Dios que lo firmó,*
> *Y aquí me despido yo*
> *Que he relatao a mi modo,*
> *Males que conocen todos*
> *Pero que naides contó.*

"En serio, sin ironía", pregunto: ¿Quién es más dialectal: el cantor de las límpidas estrofas que he repetido o el incoherente redactor de los aparatos ortopédicos que enredilan rebaños, de los géneros literarios que juegan al football y de las gramáticas torpedeadas?

En la página 122, el doctor Castro ha enumerado algunos escritores cuyo estilo es correcto; a pesar de la inclusión de mi nombre en ese catálogo, no me creo del todo incapacitado para hablar de estilística.

NUESTRO POBRE INDIVIDUALISMO

Las ilusiones del patriotismo no tienen término. En el primer siglo de nuestra era, Plutarco se burló de quienes declaran que la luna de Atenas es mejor que la luna de Corinto; Milton, en el XVII notó que Dios tenía la costumbre de revelarse primero a Sus ingleses; Fichte, a principio del XIX, declaró que tener carácter y ser alemán es, evidentemente, lo mismo. Aquí, los nacionalistas pululan; los mueve, según ellos, el atendible o inocente propósito de fomentar los mejores rasgos argentinos. Ignoran, sin embargo, a los argentinos; en la polémica, prefieren definirlos en función de algún hecho externo; de los conquistadores españoles (digamos) o de una imaginaria tradición católica o del "imperialismo sajón".

El argentino, a diferencia de los americanos del Norte y de casi todos los europeos, no se identifica con el Estado. Ello puede atribuirse a la circunstancia de que, en este país, los gobiernos suelen ser pésimos o al hecho general de que el Estado es una inconcebible abstracción [1]; lo cierto es que el argentino es un individuo, no un ciudadano. Aforismos como el de Hegel "El Estado es la realidad de la idea moral" le parecen bromas siniestras. Los films elaborados en Hollywood repetidamente proponen a la admiración el caso de un hombre (generalmente, un periodista) que busca la amistad de un criminal para entregarlo después a la policía; el argentino, para quien la amistad es una pasión y la policía una *maffia*, siente que ese "héroe" es un incomprensible canalla. Siente con D. Quijote que "allá se lo haya cada uno con su pecado" y que "no es bien que los hombres honrados sean verdugos de los otros hombres, no yéndoles nada en ello" (*Quijote*, I, XXII). Más de una vez, ante las vanas simetrías del estilo español, he sospechado que diferimos insalvablemente de España; esas dos líneas del *Quijote* han bastado para convencerme de error; son como el símbolo tranquilo y secreto de nuestra afinidad. Profundamente lo confirma una noche de la literatura argentina: esa desesperada noche en la que un sargento de la policía rural gritó que no iba a consentir el delito de que se matara a un valiente y se puso a pelear contra sus soldados, junto al desertor Martín Fierro.

[1] El Estado es impersonal: el argentino sólo concibe una relación personal. Por eso, para él, robar dineros públicos no es un crimen. Compruebo un hecho; no lo justifico o excuso.

El mundo, para el europeo, es un cosmos, en el que cada cual íntimamente corresponde a la función que ejerce; para el argentino, es un caos. El europeo y el americano del Norte juzgan que ha de ser bueno un libro que ha merecido un premio cualquiera, el argentino admite la posibilidad de que no sea malo, a pesar del premio. En general, el argentino descree de las circunstancias. Puede ignorar la fábula de que la humanidad siempre incluye treinta y seis hombres justos —los *Lamed Wufniks*— que no se conocen entre ellos pero que secretamente sostienen el universo; si la oye, no le extrañará que esos beneméritos sean oscuros y anónimos... Su héroe popular es el hombre solo que pelea con la partida, ya en acto (Fierro, Moreira, Hormiga Negra), ya en potencia o en el pasado (Segundo Sombra). Otras literaturas no registran hechos análogos. Consideremos, por ejemplo, dos grandes escritores europeos: Kipling y Franz Kafka. Nada, a primera vista, hay entre los dos de común, pero el tema del uno es la vindicación del orden, de un orden (la carretera en *Kim*, el puente en *The Bridge-Builders*, la muralla romana en *Puck of Pook's Hill*); el del otro, la insoportable y trágica soledad de quien carece de un lugar, siquiera humildísimo, en el orden del universo.

Se dirá que los rasgos que he señalado son meramente negativos o anárquicos; se añadirá que no son capaces de explicación política. Me atrevo a sugerir lo contrario. El más urgente de los problemas de nuestra época (ya denunciado con profética lucidez por el casi olvidado Spencer) es la gradual intromisión del Estado en los actos del individuo; en la lucha con ese mal, cuyos nombres son comunismo y nazismo, el individualismo argentino, acaso inútil o perjudicial hasta ahora, encontrará justificación y deberes.

Sin esperanza y con nostalgia, pienso en la abstracta posibilidad de un partido que tuviera alguna afinidad con los argentinos; un partido que nos prometiera (digamos) un severo mínimo de gobierno.

El nacionalismo quiere embelesarnos con la visión de un Estado infinitamente molesto; esa utopía, una vez lograda en la tierra, tendría la virtud providencial de hacer que todos anhelaran, y finalmente construyeran, su antítesis.

Buenos Aires, 1946.

QUEVEDO

Como la otra, la historia de la literatura abunda en enigmas. Ninguno de ellos me ha inquietado, y me inquieta, como la extraña gloria parcial que le ha tocado en suerte a Quevedo. En los censos de nombres universales el suyo no figura. Mucho he tratado de inquirir las razones de esa extravagante omisión; alguna vez, en una conferencia olvidada, creí encontrarlas en el hecho de que sus duras páginas no fomentan, ni siquiera toleran, el menor desahogo sentimental. ("Ser sensiblero es tener éxito", ha observado George Moore.) Para la gloria, decía yo, no es indispensable que un escritor se muestre sentimental, pero es indispensable que su obra, o alguna circunstancia biográfica, estimulen el patetismo. Ni la vida ni el arte de Quevedo, reflexioné, se prestan a esas tiernas hipérboles cuya repetición es la gloria...

Ignoro si es correcta esa explicación: yo, ahora la complementaría con ésta: virtualmente, Quevedo no es inferior a nadie, pero no ha dado con un símbolo que se apodere de la imaginación de la gente. Homero tiene a Príamo, que besa las homicidas manos de Aquiles; Sófocles tiene un rey que descifra enigmas y a quien los hados harán descifrar el horror de su propio destino; Lucrecio tiene el infinito abismo estelar y las discordias de los átomos; Dante, los nueve círculos infernales y la Rosa paradisíaca; Shakespeare, sus orbes de violencia y de música; Cervantes, el afortunado vaivén de Sancho y de Quijote; Swift, su república de caballos virtuosos y de *yahoos* bestiales; Melville, la abominación y el amor de la Ballena Blanca; Franz Kafka, sus crecientes y sórdidos laberintos. No hay escritor de fama universal que no haya amonedado un símbolo; éste, conviene recordar, no siempre es objetivo y externo. Góngora o Mallarmé, verbigracia, perduran como tipos del escritor que laboriosamente elabora una obra secreta; Whitman, como protagonista semidivino de *Leaves of Grass*. De Quevedo, en cambio, sólo perdura una imagen caricatural. "El más noble estilista español se ha transformado en un prototipo chascarrillero", observa Leopoldo Lugones (*El imperio jesuítico*, 1904, pág. 59).

Lamb dijo que Edmund Spencer era *the poets' poet*, el poeta de los poetas. De Quevedo habría que resignarse a decir que es el literato de los literatos. Para gustar de Quevedo hay que ser (en acto o en potencia) un hombre de letras; inversamente, nadie que tenga vocación literaria puede no gustar de Quevedo.

La grandeza de Quevedo es verbal. Juzgarlo un filósofo, un teólogo o (como quiere Aureliano Fernández Guerra) un hombre de estado, es un error que pueden consentir los títulos de sus obras, no el contenido. Su tratado *Providencia de Dios, padecida de los que la niegan y gozada de los que la confiesan: doctrina estudiada en los gusanos y persecuciones de Job* prefiere la intimidación al razonamiento. Como Cicerón (*De natura deorum*, II, 40-44), prueba un orden divino mediante el orden que se observa en los astros, "dilatada república de luces", y, despachada esa variación estelar del argumento cosmológico, agrega: "Pocos fueron los que absolutamente negaron que había Dios; sacaré a la vergüenza los que tuvieron menos, y son: Diágoras milesio, Protágoras abderites, discípulos de Demócrito y Theodoro (llamado Atheo vulgarmente), y Bión borysthenites, discípulo del inmundo y desatinado Theodoro", lo cual es mero terrorismo. Hay en la historia de la filosofía doctrinas, probablemente falsas, que ejercen un oscuro encanto sobre la imaginación de los hombres: la doctrina platónica y pitagórica del tránsito del alma por muchos cuerpos, la doctrina gnóstica de que el mundo es obra de un dios hostil o rudimentario. Quevedo, sólo estudioso de la verdad, es invulnerable a ese encanto. Escribe que la transmigración de las almas es "bobería bestial" y "locura bruta". Empédocles de Agrigento afirmó: "He sido un niño, una muchacha, una mata, un pájaro y un mudo pez que surge del mar"; Quevedo anota (*Providencia de Dios*): "Descubrióse por juez y legislador desta tropelía Empédocles, hombre tan desatinado, que afirmando que había sido pez, se mudó en tan contraria y opuesta naturaleza, que murió mariposa del Etna; y a vista del mar, de quien había sido pueblo, se precipitó en el fuego." A los gnósticos, Quevedo los moteja de infames, de malditos, de locos y de inventores de disparates (*Zahurdas de Plutón, in fine*).

Su *Política de Dios y gobierno de Cristo nuestro Señor* debe considerarse, según Aureliano Fernández Guerra, "como un sistema completo de gobierno, el más acertado, noble y conveniente". Para estimar ese dictamen en lo que vale bástenos recordar que los cuarenta y siete capítulos de ese libro ignoran otro fundamento que la curiosa hipótesis de que los actos y palabras de Cristo (que fue, según es fama, *Rex Judaeorum*) son símbolos secretos a cuya luz el político tiene que resolver su problema. Fiel a esa cábala, Quevedo extrae, del episodio de la samaritana, que los tributos que los reyes exigen deben ser leves; del episodio de los panes y de los peces, que los reyes deben remediar las necesidades; de la repetición de la fórmula *sequebantur*, que "el rey ha de llevar tras sí los ministros, no los ministros al rey"... El asombro vacila entre lo arbitrario del método y la trivialidad de las conclusiones. Quevedo, sin embargo, todo lo salva, o casi, con la dignidad del lenguaje.[1] El lector distraído puede juzgarse edificado por esa obra. Análoga discordia se advierte en el *Marco Bruto*, donde el pensamiento no es memorable aunque lo son las cláusulas. Logra su perfección en ese tratado el más imponente de los estilos que Quevedo ejerció. El español, en sus páginas lapidarias, parece regresar al arduo latín de Séneca, de Tácito y de Lucano, al atormentado y duro latín de la edad de plata. El ostentoso laconismo, el hipérbaton, el casi algebraico rigor, la oposición de términos, la aridez, la repetición de palabras, dan a ese texto una precisión ilusoria. Muchos períodos merecen, o exigen, el juicio de perfectos. Éste, verbigracia, que copio: "Honraron con unas hojas de laurel un linaje; pagaron grandes y soberanas victorias con las aclamaciones de un triunfo; recompensaron vidas casi divinas con unas estatuas; y para que no descaeciesen de prerrogativas de tesoro los ramos y las yerbas y el mármol y las voces, no las permitieron a la pretensión, sino al mérito." Otros estilos frecuentó Quevedo con no menos felicidad: el estilo aparentemente oral del *Buscón*, el estilo desaforado y orgiástico (pero no ilógico) de *La hora de todos*.

"El lenguaje —ha observado Chesterton (*G. F. Watts*, 1904, pág. 91)— no es un hecho científico, sino artístico; lo inventaron guerreros y cazadores y es muy anterior a la ciencia." Nunca lo entendió así Quevedo, para quien el lenguaje fue, esencialmente, un instrumento lógico. Las trivialidades o eternidades de la poesía —aguas equiparadas a cristales, manos equiparadas a nieve, ojos que lucen como estrellas y estrellas que miran como ojos— le incomodaban por ser fáciles, pero mucho más por ser falsas. Olvidó, al censurarlas, que la metáfora es el contacto momentáneo de dos imágenes, no la metódica asimilación de dos cosas... También abominó de los idiotismos. Con el propósito de "sacarlos a la vergüenza" urdió con ellos la rapsodia que se titula *Cuento de cuentos*; muchas generaciones, embelesadas, han preferido ver en esa reducción al absurdo un museo de primores, divinamente destinado a salvar del olvido las locuciones *zurriburi, abarrisco, cochite hervite, quítame allá esas pajas y a trochi-moche.*

Quevedo ha sido equiparado, más de una vez, a Luciano de Samosata. Hay una diferencia fundamental: Luciano, al comba-

[1] Reyes certeramente observa (*Capítulos de literatura española*, 1939, pág. 133): "Las obras políticas de Quevedo no proponen una nueva interpretación de los valores políticos, ni tienen ya más que un valor retórico... O son panfletos de oportunidad, o son obras de declamación académica. La *Política de Dios*, a pesar de su ambiciosa apariencia, no es más que un alegato contra los malos ministros. Pero entre estas páginas pueden encontrarse algunos de los rasgos más propios de Quevedo."

tir en el siglo II a las divinidades olímpicas, hace obra de polémica religiosa; Quevedo, al repetir ese ataque en el siglo XVI de nuestra era, se limita a observar una tradición literaria.

Examinada, siquiera brevemente, su prosa, paso a discutir su poesía, no menos múltiple.

Considerados como documentos de una pasión, los poemas eróticos de Quevedo son insatisfactorios; considerados como juegos de hipérboles, como deliberados ejercicios de petrarquismo, suelen ser admirables. Quevedo, hombre de apetitos vehementes, no dejó nunca de aspirar al ascetismo estoico; también debió de parecerle insensato depender de mujeres ("aquél es avisado, que usa de sus caricias y no se fía de éstas"); bastan esos motivos para explicar la artificialidad voluntaria de aquella Musa IV de su Parnaso, que "canta hazañas del amor y de la hermosura". El acento personal de Quevedo está en otras piezas; en las que le permiten publicar su melancolía, su coraje o su desengaño. Por ejemplo, en este soneto que envió, desde su Torre de Juan Abad, a don José de Salas (*Musa*, II, 109):

> *Retirado en la paz de estos desiertos,*
> *Con pocos, pero doctos, libros juntos,*
> *Vivo en conversación con los difuntos*
> *Y escucho con mis ojos a los muertos.*
>
> *Si no siempre entendidos, siempre abiertos,*
> *O enmiendan o secundan mis asuntos,*
> *Y en músicos callados contrapuntos*
> *Al sueño de la vida hablan despiertos.*
>
> *Las grandes almas que la muerte ausenta,*
> *De injurias de los años vengadora,*
> *Libra, oh gran don Joseph, docta la Imprenta.*
>
> *En fuga irrevocable huye la hora;*
> *Pero aquélla el mejor cálculo cuenta,*
> *Que en la lección y estudio nos mejora.*

No faltan rasgos conceptistas en la pieza anterior (escuchar con los ojos, hablar despiertos al sueño de la vida) pero el soneto es eficaz a despecho de ellos, no a causa de ellos. No diré que se trata de una transcripción de la realidad, porque la realidad no es verbal, pero sí que sus palabras importan menos que la escena que evocan o que el acento varonil que parece informarlas. No siempre ocurre así; en el más ilustre soneto de este volumen

—*Memoria inmortal de don Pedro Girón, duque de Osuna, muerto en la prisión*—, la espléndida eficacia del dístico

> *Su Tumba son de Flandes las Campañas*
> *y su Epitaphio la sangrienta Luna*

es anterior a toda interpretación y no depende de ella. Digo lo mismo de la subsiguiente expresión: *el llanto militar,* cuyo sentido no es enigmático, pero sí baladí: *el llanto de los militares.* En cuanto a la *sangrienta Luna,* mejor es ignorar que se trata del símbolo de los turcos, eclipsado por no sé qué piraterías de don Pedro Téllez Girón.

No pocas veces, el punto de partida de Quevedo es un texto clásico. Así, la memorable línea (*Musa,* IV, 31):

> *Polvo serán, mas polvo enamorado*

es una recreación, o exaltación, de una de Propercio (*Elegías,* I, 19):

> *Ut meus oblito pulvis amore vacet.*

Grande es el ámbito de la obra poética de Quevedo. Comprende pensativos sonetos, que de algún modo prefiguran a Wordsworth; opacas y crujientes severidades [1], bruscas magias de teólogo ("Con los doce cené: yo fui la cena"); gongorismos intercalados

---

[1] *Temblaron los umbrales y las puertas,*
Donde la majestad negra y oscura
Las frías desangradas sombras muertas
Oprime en ley desesperada y dura;
Las tres gargantas al ladrido abiertas,
Viendo la nueva luz divina y pura,
Enmudeció Cerbero, y de repente
Hondos suspiros dio la negra gente.

Gimió debajo de los pies el suelo,
Desiertos montes de ceniza canos,
Que no merecen ver ojos del cielo,
Y en nuestra amarillez ciegan los llanos.
Acrecentaban miedo y desconsuelo
Los roncos perros, que en los reinos vanos
Molestan el silencio y los oídos,
Confundiendo lamentos y ladridos.

(Musa IX)

para probar que también él era capaz de jugar a ese juego [1];
urbanidades y dulzuras de Italia ("humilde soledad verde y sonora"); variaciones de Persio, de Séneca, de Juvenal, de las Escrituras, de Joachim de Bellay; brevedades latinas; chocarrerías [2]; burlas de curioso artificio [3]; lóbregas pompas de la aniquilación y del caos.

> Harta la Toga del veneno tirio,
> O ya en el oro pálido y rigente
> Cubre con los tesoros del Oriente,
> Mas no descansa, ¡oh Licas!, tu martirio.
>
> Padeces un magnífico delirio,
> cuando felicidad tan delincuente
> Tu horror oscuro en esplendor te miente,
> Víbora en rosicler, áspid en lirio.
>
> Competir su Palacio a Jove quieres,
> Pues miente el oro Estrellas a su modo,
> En el que vives, sin saber que mueres.
>
> Y en tantas glorias tú, señor de todo,
> Para quien sabe examinarse, eres
> Lo solamente vil, el asco, el lodo.

---

[1] *Un animal a la labor nacido*
Y símbolo celoso a los mortales,
Que a Jove fue disfraz, y fue vestido;
Que un tiempo endureció manos reales,
Y detrás de él los cónsules gimieron,
Y rumia luz en campos celestiales.

(Musa II)

[2] *La Méndez llegó chillando*
Con trasudores de aceite,
Derramando por los hombros
El columpio de las liendres.

(Musa V)

[3] *Aquesto Fabio cantaba*
A los balcones y rejas
De Aminta, que aun de olvidarlo,
Le han dicho que no se acuerda.

(Musa VI)

Las mejores piezas de Quevedo existen más allá de la moción que las engendró y de las comunes ideas que las informan. No son oscuras; eluden el error de perturbar, o de distraer, con enigmas, a diferencia de otras de Mallarmé, de Yeats y de George. Son (para de alguna manera decirlo) objetos verbales, puros e independientes como una espada o como un anillo de plata. Ésta, por ejemplo: *Hasta la Toga del veneno tirio.*

Trescientos años ha cumplido la muerte corporal de Quevedo, pero éste sigue siendo el primer artífice de las letras hispánicas. Como Joyce, como Goethe, como Shakespeare, como Dante, como ningún otro escritor, Francisco de Quevedo es menos un hombre que una dilatada y compleja literatura.

MAGIAS PARCIALES DEL QUIJOTE

Es verosímil que estas observaciones hayan sido enunciadas alguna vez y, quizá muchas veces; la discusión de su novedad me interesa menos que la de su posible verdad.

Cotejado con otros libros clásicos (la Ilíada, la Eneida, la Farsalia, la Comedia dantesca, las tragedias y comedias de Shakespeare), el Quijote es realista; este realismo, sin embargo, difiere esencialmente del que ejerció el siglo XIX. Joseph Conrad pudo escribir que excluía de su obra lo sobrenatural, porque admitirlo parecía negar que lo cotidiano fuera maravilloso: ignoro si Miguel de Cervantes compartió esa intuición, pero sé que la forma del Quijote le hizo contraponer a un mundo imaginario poético, un mundo real prosaico. Conrad y Henry James novelaron la realidad porque la juzgaban poética; para Cervantes son antinomias lo real y lo poético. A las vastas y vagas geografías del Amadís opone los polvorientos caminos y los sórdidos mesones de Castilla; imaginemos a un novelista de nuestro tiempo que destacara con sentido paródico las estaciones de aprovisionamiento de nafta. Cervantes ha creado para nosotros la poesía de la España del siglo XVII, pero ni aquel siglo ni aquella España eran poéticas para él; hombres como Unamuno o Azorín o Antonio Machado, enternecidos ante la evocación de la Mancha, le hubieran sido incomprensibles. El plan de su obra le vedaba lo maravilloso; éste, sin embargo, tenía que figurar, siquiera de manera indirecta, como los crímenes y el misterio en una parodia de la novela policial. Cervantes no podía recurrir a talismanes o a sortilegios, pero insinuó lo sobrenatural de un modo sutil, y, por ello mismo, más eficaz. Íntimamente, Cervantes amaba lo sobrenatural. Paul Groussac, en 1924, observó: "Con alguna mal fijada tintura de latín e italiano, la cosecha literaria de Cervantes provenía sobre todo de las novelas pastoriles y las novelas de caballerías, fábulas arrulladoras del cautiverio." El *Quijote* es menos un antídoto de esas ficciones que una secreta despedida nostálgica.

En la realidad, cada novela es un plano ideal; Cervantes se complace en confundir lo objetivo y lo subjetivo, el mundo del lector y el mundo del libro. En aquellos capítulos que discuten si la bacía del barbero es un yelmo y la albarda un jaez, el problema se trata de modo explícito; en otros lugares, como ya anoté, lo insinúa. En el sexto capítulo de la primera parte, el cura y el barbero revisan la biblioteca de don Quijote; asombrosamente uno de los libros examinados es la *Galatea* de Cervantes, y resulta que el barbero es amigo suyo y no lo admira demasiado, y dice que es más versado en desdichas que en versos y que el libro tiene algo de buena invención, propone algo y no concluye nada. El barbero, sueño de Cervantes o forma de un sueño de Cervantes, juzga a Cervantes.... También es sorprendente saber, en el principio del noveno capítulo, que la novela entera ha sido traducida del árabe y que Cervantes adquirió el manuscrito en el mercado de Toledo, y lo hizo traducir por un morisco, a quien alojó más de mes y medio en su casa, mientras concluía la tarea. Pensamos en Carlyle, que fingió que el *Sartor Resartus* era versión parcial de una obra publicada en Alemania por el doctor Diógenes Teufelsdroeckh; pensamos en el rabino castellano Moisés de León, que compuso el *Zohar* o *Libro del Esplendor* y lo divulgó como obra de un rabino palestiniano del siglo III.

Ese juego de extrañas ambigüedades culmina en la segunda parte; los protagonistas han leído la primera, los protagonistas del *Quijote* son, asimismo, lectores del *Quijote*. Aquí es inevitable recordar el caso de Shakespeare, que incluye en el escenario de *Hamlet* otro escenario, donde se representa una tragedia, que es más o menos la de *Hamlet*; la correspondencia imperfecta de la obra principal y la secundaria aminora la eficacia de esa inclusión. Un artificio análogo al de Cervantes, y aun más asombroso, figura en el *Ramayana*, poema de Valmiki, que narra las proezas de Rama y su guerra con los demonios. En el libro final, los hijos de Rama, que no saben quién es su padre, buscan amparo en una selva, donde un asceta les enseña a leer. Ese maestro es, extrañamente, Valmiki; el libro en que estudian, el *Ramayana*. Rama ordena un sacrificio de caballos; a esa fiesta acude Valmiki con sus alumnos. Éstos acompañados por el laúd, cantan el *Ramayana*. Rama oye su propia historia, reconoce a sus hijos y luego recompensa al poeta... Algo parecido ha obrado el azar en *Las Mil y Una Noches*. Esta compilación de historias fantásticas duplica y reduplica hasta el vértigo la ramificación de un cuento central en cuentos adventicios, pero no trata de graduar sus realidades, y el efecto (que debió ser profundo) es superficial, como una alfombra persa. Es conocida la historia liminar de la serie: el desolado juramento del rey, que cada noche se desposa con una virgen que hace decapitar en el alba, y la resolución de Shahrazad, que lo distrae con fábulas, hasta que encima de los dos han girado mil y una noches y ella le muestra su hijo. La necesidad de completar mil y una secciones obligó a los copistas de la obra a interpolaciones de todas clases. Ninguna tan perturbadora como la de la noche DCII, mágica entre las noches.

En esa noche, el rey oye de boca de la reina su propia historia. Oye el principio de la historia, que abarca a todas las demás, y también —de monstruoso modo—, a sí misma. ¿Intuye claramente el lector la vasta posibilidad de esa interpolación, el curioso peligro? Que la reina persista y el inmóvil rey oirá para siempre la trunca historia de *Las Mil y Una Noches,* ahora infinita y circular... Las invenciones de la filosofía no son menos fantásticas que las del arte: Josiah Royce, en el primer volumen de la obra *The World and the Individual* (1899), ha formulado la siguiente: "Imaginemos que una porción del suelo de Inglaterra ha sido nivelada perfectamente y que en ella traza un cartógrafo un mapa de Inglaterra. La obra es perfecta; no hay detalle del suelo de Inglaterra, por diminuto que sea, que no esté registrado en el mapa; todo tiene ahí su correspondencia. Ese mapa, en tal caso, debe contener un mapa del mapa, que debe contener un mapa del mapa del mapa, y así hasta lo infinito."

¿Por qué nos inquieta que el mapa esté incluido en el mapa y las mil y una noches en el libro de *Las Mil y Una Noches*? ¿Por qué nos inquieta que Don Quijote sea lector del *Quijote,* y Hamlet, espectador de *Hamlet*? Creo haber dado con la causa: tales inversiones sugieren que si los caracteres de una ficción pueden ser lectores o espectadores, nosotros, sus lectores o espectadores, podemos ser ficticios. En 1833, Carlyle observó que la historia universal es un infinito libro sagrado que todos los hombres escriben y leen y tratan de entender, y en el que también los escriben.

NATHANIEL HAWTHORNE [1]

Empezaré la historia de las letras americanas con la historia de una metáfora; mejor dicho, con algunos ejemplos de esa metáfora. No sé quién la inventó; es quizá un error suponer que puedan inventarse metáforas. Las verdaderas, las que formulan íntimas conexiones entre una imagen y otra, han existido siempre; las que aún podemos inventar son las falsas, las que no vale la pena inventar. Ésta que digo es la que asimila los sueños a una función de teatro. En el siglo XVII, Quevedo la formuló en el principio del *Sueño de la muerte*; Luis de Góngora, en el soneto *Varia imaginación*, donde leemos:

> *El sueño, autor de representaciones,*
> *en su teatro sobre el viento armado,*
> *sombras suele vestir de bulto bello.*

En el siglo XVIII, Addison lo dirá con más precisión. "El alma, cuando sueña —escribe Addison—, es teatro, actores y auditorio." Mucho antes, el persa Umar Khyyam había escrito que la historia del mundo es una representación que Dios, el numeroso Dios de los panteístas, planea, representa y contempla, para distraer su eternidad; mucho después, el suizo Jung, en encantadores y, sin duda, exactos volúmenes, equipara las invenciones literarias a las invenciones oníricas, la literatura a los sueños.

Si la literatura es un sueño, un sueño dirigido y deliberado, pero fundamentalmente un sueño, está bien que los versos de Góngora sirvan de epígrafe a esta historia de las letras americanas y que inauguremos con el examen de Hawthorne, el soñador. Algo anteriores en el tiempo hay otros escritores americanos —Fenimore Cooper, una suerte de Eduardo Gutiérrez infinitamente inferior a Eduardo Gutiérrez; Washington Irving, urdidor de agradables españoladas— pero podemos olvidarlos sin riesgo.

Hawthorne nació en 1804, en el puerto de Salem. Salem adolecía, ya entonces, de dos rasgos anómalos en América; era una ciudad, aunque pobre, muy vieja, era una ciudad en decadencia. En esa vieja y decaída ciudad de honesto nombre bíblico, Hawthorne vivió hasta 1836; la quiso con el triste amor que inspiran

---

[1] Este texto es el de una conferencia dictada en el Colegio Libre de Estudios Superiores, en marzo de 1949.

las personas que no nos quieren, los fracasos, las enfermedades, las manías; esencialmente no es mentira decir que no se alejó nunca de ella. Cincuenta años después, en Londres o en Roma, seguía en su aldea puritana de Salem; por ejemplo, cuando desaprobó que los escultores, en pleno siglo XIX, labraran estatuas desnudas...

Su padre, el capitán Nathaniel Hawthorne, murió en 1808, en las Indias Orientales, en Surinam, de fiebre amarilla; uno de sus antepasados, John Hawthorne, fue juez en los procesos de hechicería de 1692, en los que diecinueve mujeres, entre ellas una esclava, Tituba, fueron condenadas a la horca. En esos curiosos procesos (ahora el fanatismo tiene otras formas), Justice Hawthorne obró con severidad y sin duda con sinceridad. "Tan conspícuo se hizo —escribió Nathaniel, nuestro Nathaniel— en el martirio de las brujas, que es lícito pensar que la sangre de esas desventuradas dejó una mancha en él. Una mancha tan honda que debe perdurar en sus viejos huesos, en el cementerio de Charter Street, si ahora no son polvo." Hawthorne agrega, después de ese rasgo pictórico: "No sé si mis mayores se arrepintieron y suplicaron la divina misericordia; yo, ahora, lo hago por ellos y pido que cualquier maldición que haya caído sobre mi raza, nos sea, desde el día de hoy, perdonada." Cuando el capitán Hawthorne murió, su viuda, la madre de Nathaniel, se recluyó en su dormitorio, en el segundo piso. En ese piso estaban los dormitorios de las hermanas, Louisa y Elizabeth; en el último, el de Nathaniel. Esas personas no comían juntas y casi no se hablaban; les dejaban la comida en una bandeja, en el corredor. Nathaniel se pasaba los días escribiendo cuentos fantásticos; a la hora del crepúsculo de la tarde salía a caminar. Ese furtivo régimen de vida duró doce años. En 1837 le escribió a Longfellow: "Me he recluido; sin el menor propósito de hacerlo, sin la menor sospecha de que eso iba a ocurrirme. Me he convertido en un prisionero, me he encerrado en un calabozo, y ahora ya no doy con la llave, y aunque estuviera abierta la puerta, casi me daría miedo salir." Hawthorne era alto, hermoso, flaco, moreno. Tenía un andar hamacado de hombre de mar. En aquel tiempo no había (sin duda felizmente para los niños) literatura infantil; Hawthorne había leído a los seis años el *Pilgrim's Progress;* el primer libro que compró con su plata fue *The Faerie Queen;* dos alegorías. También, aunque sus biógrafos no lo digan, la Biblia; quizá la misma que el primer Hawthorne, William Hawthorne de Wilton, trajo de Inglaterra con una espada, en 1630. He pronunciado la palabra *alegorías;* esa palabra es importante, quizá imprudente o indiscreta, tratándose de la obra de Hawthorne. Es sabido que Hawthorne fue acusado de alegorizar por

Edgar Allan Poe y que éste opinó que esa actividad y ese género eran indefendibles. Dos tareas nos encaran: la primera, indagar si el género alegórico es, en efecto, ilícito; la segunda, indagar si Nathaniel Hawthorne incurrió en ese género. Que yo sepa, la mejor refutación de las alegorías es la de Croce; la mejor vindicación, la de Chesterton. Croce acusa a la alegoría de ser un fatigoso pleonasmo, un juego de vanas repeticiones, que en primer término nos muestra (digamos) a Dante guiado por Virgilio y Beatriz y luego nos explica, o nos da a entender, que Dante es el alma, Virgilio la filosofía o la razón o la luz natural y Beatriz la teología o la gracia. Según Croce, según el argumento de Croce (el ejemplo no es de él), Dante primero habría pensado: "La razón y la fe obran la salvación de las almas" o "La filosofía y la teología nos conducen al cielo" y luego, donde pensó *razón* o *filosofía* puso *Virgilio* y donde pensó *teología* o *fe* puso *Beatriz*, lo que sería una especie de mascarada. La alegoría, según esa interpretación desdeñosa, vendría a ser una adivinanza, más extensa, más lenta y mucho más incómoda que las otras. Sería un género bárbaro o infantil, una distracción de la estética. Croce formuló esa refutación en 1907; en 1904, Chesterton ya la había refutado sin que aquél lo supiera. ¡Tan incomunicada y tan vasta es la literatura! La página pertinente de Chesterton consta en una monografía sobre el pintor Watts, ilustre en Inglaterra a fines del siglo XIX y acusado, como Hawthorne, de alegorismo. Chesterton admite que Watts ha ejecutado alegorías, pero niega que ese género sea culpable. Razona que la realidad es de una interminable riqueza y que el lenguaje de los hombres no agota ese vertiginoso caudal. Escribe: "El hombre sabe que hay en el alma tintes más desconcertantes, más innumerables y más anónimos que los colores de una selva otoñal. Cree, sin embargo que esos tintes en todas sus fusiones y conversiones, son representables con precisión por un mecanismo arbitrario de gruñidos y de chillidos. Cree que del interior de un bolsista salen realmente ruidos que significan todos los misterios de la memoria y todas las agonías del anhelo...". Chesterton infiere, después, que puede haber diversos lenguajes que de algún modo correspondan a la inasible realidad; entre esos muchos, el de las alegorías y fábulas.

En otras palabras: Beatriz no es un emblema de la fe, un trabajoso y arbitrario sinónimo de la palabra *fe*; la verdad es que en el mundo hay una cosa —un sentimiento peculiar, un proceso íntimo, una serie de estados análogos— que cabe indicar por dos símbolos: uno, asaz pobre, el sonido fe; otro, Beatriz, la gloriosa Beatriz que bajó del cielo y dejó sus huellas en el Infierno para salvar a Dante. No sé si es válida la tesis de Chesterton; sé que una alegoría es tanto mejor cuanto sea menos reductible a un esquema, a un frío juego de abstracciones. Hay escritor que piensa por imágenes (Shakespeare o Donne o Víctor Hugo, digamos) y escritor que piensa por abstracciones (Benda o Bertrand Russell); *a priori*, los unos valen tanto como los otros, pero, cuando un abstracto, un razonador, quiere ser también imaginativo, o pasar por tal, ocurre lo denunciado por Croce. Notamos que un proceso lógico ha sido engalanado y disfrazado por el autor, "para deshonra del entendimiento del lector", como dijo Wordsworth. Es, para citar un ejemplo notorio de esa dolencia, el caso de José Ortega y Gasset, cuyo buen pensamiento queda obstruido por laboriosas y adventicias metáforas; es, muchas veces, el de Hawthorne. Por lo demás, ambos escritores son antagónicos. Ortega puede razonar, bien o mal, pero no imaginar; Hawthorne era hombre de continua y curiosa imaginación; pero refractario, digámoslo así al pensamiento. No digo que era estúpido; digo que pensaba por imágenes, por intuiciones, como suelen pensar las mujeres, no por un mecanismo dialéctico. Un error estético lo dañó: el deseo puritano de hacer de cada imaginación una fábula lo inducía a agregarles moralidades y a veces a falsearlas y a deformarlas. Se han conservado los cuadernos de apuntes en que anotaba, brevemente, argumentos; en uno de ellos, de 1836, está escrito: "Una serpiente es admitida en el estómago de un hombre y es alimentada por él, desde los quince a los treinta y cinco, atormentándolo horriblemente." Basta con eso, pero Hawthorne se considera obligado a añadir: "Podría ser un emblema de la envidia o de otra malvada pasión." Otro ejemplo, de 1838 esta vez: "Que ocurran acontecimientos extraños, misteriosos y atroces, que destruyan la felicidad de una persona. Que esa persona los impute a enemigos secretos y que descubra, al fin, que él es el único culpable y la causa. Moral, la felicidad está en nosotros mismos." Otro, del mismo año: "Un hombre, en la vigilia, piensa bien de otro y confía en él, plenamente, pero lo inquietan sueños en que ese amigo obra como enemigo mortal. Se revela, al fin, que el carácter soñado era el verdadero. Los sueños tenían razón. La explicación sería la percepción instintiva de la verdad." Son mejores aquellas fantasías puras que no buscan justificación o moralidad y que parecen no tener otro fondo que un oscuro terror. Ésta, de 1838: "En medio de una multitud imaginar un hombre cuyo destino y cuya vida están en poder de otro, como si los dos estuviesen en un desierto". Ésta, que es una variación de la anterior y que Hawthorne apuntó cinco años después: "Un hombre de fuerte voluntad ordena a otro, moralmente sujeto a él, que ejecute un acto. El que ordena muere y el otro, hasta el fin de sus días, sigue ejecutando aquel acto." (No sé de qué manera Hawthorne hubiera escrito ese argumento; no sé si hubiera convenido que el acto ejecutado fuera trivial o levemente horrible o fantástico o tal vez humillante.) Éste, cuyo tema es también la esclavitud, la sujeción a otro: "Un hombre rico deja en su testamento su casa a una pareja pobre. Ésta se muda ahí; encuentra un sirviente sombrío que el testamento les prohibe expulsar. Éste los atormenta; se descubre, al fin, que es el hombre que les ha legado la casa." Citaré dos bosquejos más, bastante curiosos, cuyo tema (no ignorado por Pirandello o por André Gide) es la coincidencia o confesión del plano estético y del plano común, de la realidad y del arte. He aquí el primero: "Dos personas esperan en la calle un acontecimiento y la aparición de los principales actores. El acontecimiento ya está ocurriendo y ellos son los actores." El otro es más complejo: "Que un hombre escriba un cuento y compruebe que éste se desarrolla contra sus intenciones; que los personajes no obren como él quería; que ocurran hechos no previstos por él y que se acerque una catástrofe que él trate, en vano, de eludir. Ese cuento podría prefigurar su propio destino y uno de los personajes es él." Tales juegos, tales momentáneas confluencias del mundo imaginario y del mundo real —del mundo que en el curso de la lectura simulamos que es real— son, o nos parecen, modernos. Su origen, su antiguo origen, está acaso en aquel lugar de la *Ilíada* en que Elena de Troya teje su tapiz y lo que teje son batallas y desventuras de la misma guerra de Troya. Ese rasgo tiene que haber impresionado a Virgilio, pues en la *Eneida* consta que Eneas, guerrero de la guerra de Troya, arribó al puerto de Cartago y vio esculpidas en el mármol de un templo escenas de esa guerra y, entre tantas imágenes de guerreros, también su propia imagen. A Hawthorne le gustaban esos contactos de lo imaginario y lo real, son reflejos y duplicaciones del arte; también se nota en los bosquejos que he señalado, que propendía a la noción panteísta de que un hombre es los otros, de que un hombre es todos los hombres.

Algo más grave que las duplicaciones y el panteísmo se advierte en los bosquejos, algo más grave para un hombre que aspira a novelista, quiero decir. Se advierte que el estímulo de Hawthorne, que el punto de partida de Hawthorne era, en general, situaciones. Situaciones, no caracteres. Hawthorne primero imaginaba, acaso involuntariamente, una situación y buscaba después caracteres que la encarnaran. No soy un novelista, pero sospecho que ningún novelista ha procedido así: "Creo que Schomberg es real", escribió Joseph Conrad de uno de los personajes más memorables de su novela *Victory* y eso podría honestamente afirmar cualquier novelista de cualquier personaje. Las aventuras del *Quijote* no están muy bien ideadas, los lentos y antitéticos diálogos —razonamientos, creo que los llama el autor— pecan de inverosímiles, pero no cabe duda de que Cervantes conocía bien a Don Quijote y podía creer en él. Nuestra creencia en la creencia del novelista salva todas las negligencias y fallas. Qué importan hechos increíbles o torpes si nos consta que el autor los ha ideado, no para sorprender nuestra buena fe, sino para definir a sus personajes. Qué importan los pueriles escándalos y los confusos crímenes de la supuesta Corte de Dinamarca si creemos en el príncipe Hamlet. Hawthorne, en cambio, primero concebía una situación, o una serie de situaciones, y después elaboraba la gente que su plan requería. Ese método puede producir, o permitir, admirables cuentos, porque en ellos, en razón de su brevedad, la trama es más visible que los actores, pero no admirables novelas, donde la forma general (si la hay) sólo es visible al fin y donde un solo personaje mal inventado puede contaminar de irrealidad a quienes lo acompañan. De las razones anteriores podría, de antemano, inferirse que los cuentos de Hawthorne valen más que las novelas de Hawthorne. Yo entiendo que así es. Los veinticuatro capítulos que componen *La letra escarlata* abundan en pasajes memorables, redactados en buena y sensible prosa, pero ninguno de ellos me ha conmovido como la singular historia de Wakefield que está en los *Twice-Told Tales*. Hawthorne había leído en un diario, o simuló por fines literarios haber leído en un diario, el caso de un señor inglés que dejó a su mujer sin motivo alguno, se alojó a la vuelta de su casa, y ahí, sin que nadie lo sospechara, pasó oculto veinte años. Durante ese largo período, pasó todos los días frente a su casa o la miró desde la esquina, y muchas veces divisó a su mujer. Cuando lo habían dado por muerto, cuando hacía mucho tiempo que su mujer se había resignado a ser viuda, el hombre, un día, abrió la puerta de su casa y entró. Sencillamente, como si hubiera faltado unas horas. (Fue hasta el día de su muerte un esposo ejemplar.) Hawthorne leyó con inquietud el curioso caso y trató de entenderlo, de imaginarlo. Caviló sobre el tema; el cuento *Wakefield* es la historia conjetural de ese desterrado. Las interpretaciones del enigma pueden ser infinitas; veamos la de Hawthorne.

Este imagina a Wakefield un hombre sosegado, tímidamente vanidoso, egoísta, propenso a misterios pueriles, a guardar secretos insignificantes; un hombre tibio, de gran proeza imaginativa y mental, pero capaz de largas y ociosas e inconclusas y vagas meditaciones; un marido constante, defendido por la pereza. Wakefield, en el atardecer de una día de octubre, se despide de su mujer. Le ha dicho —no hay que olvidar que estamos a principios del siglo xix— que va a tomar la diligencia y que regresará, a más tardar, dentro de unos días. La mujer, que lo sabe aficionado a misterios inofensivos, no le pregunta las razones del viaje. Wakefield está de botas, de galera, de sobretodo; lleva paraguas y valijas. Wakefield —esto me parece admirable— no sabe aún lo que ocurrirá, fatalmente. Sale, con la resolución más o menos firme de inquietar o asombrar a su mujer, faltando una semana entera de casa. Sale, cierra la puerta de calle, luego la entreabre y, un momento, sonríe. Años después, la mujer recordará esa sonrisa última. Lo imaginará en un cajón con la sonrisa helada en la cara, o en el paraíso, en la gloria, sonriendo con astucia y tranquilidad. Todos creerán que ha muerto y ella recordará esa sonrisa y pensará que, acaso, no es viuda. Wakefield, al cabo de unos cuantos rodeos, llega al alojamiento que tenía listo. Se acomoda junto a la chimenea y sonríe; está a la vuelta de su casa y ha arribado al término de su viaje. Duda, se felicita, le parece increíble ya estar ahí, teme que lo hayan observado y que lo denuncien. Casi arrepentido, se acuesta; en la vasta cama desierta tiende los brazos y repite en voz alta: "No dormiré solo otra noche." Al otro día, se recuerda más temprano que de costumbre y se pregunta, con perplejidad, qué va a hacer. Sabe que tiene algún propósito, pero le cuesta definirlo. Descubre, finalmente, que su propósito es averiguar la impresión que una semana de viudez causará en la ejemplar señora de Wakefield. La curiosidad lo impulsa a la calle. Murmura: "Espiaré de lejos mi casa." Camina, se distrae; de pronto se da cuenta que el hábito lo ha traído, alevosamente, a su propia puerta y que está por entrar. Entonces retrocede aterrado. ¿No lo habrán visto; no lo perseguirán? En una esquina se da vuelta y mira su casa; ésta le parece distinta, porque él ya es otro, porque una sola noche ha obrado en él, aunque él no lo sabe, una transformación. En su alma se ha operado el cambio moral que lo condenará a veinte años de exilio. Ahí, realmente, empieza la larga aventura. Wakefield adquiere una peluca rojiza. Cambia de hábitos; al cabo de algún tiempo ha establecido una nueva rutina. Lo aqueja la sospecha de que su ausencia no ha trastornado bastante a la señora Wakefield. Decide no volver hasta haberle dado un buen susto. Un día el boticario entra en la casa, otro día el médico. Wakefield se aflige, pero teme que su brusca reaparición pueda agravar el mal. Poseído, deja correr el tiempo; antes pensaba: "Volveré en tantos días", ahora, "en tantas semanas". Y así pasan diez años. Hace ya mucho que no sabe que su conducta es rara. Con todo el tibio afecto de que su corazón es capaz, Wakefield sigue queriendo a su mujer y ella está olvidándolo. Un domingo por la mañana se cruzan los dos en la calle, entre las muchedumbres de Londres. Wakefield ha enflaquecido; camina oblicuamente, como ocultándose, como huyendo; su frente baja está como surcada de arrugas; su rostro que antes era vulgar, ahora es extraordinario, por la empresa extraordinaria que ha ejecutado. En sus ojos chicos la mirada acecha o se pierde. La mujer ha engrosado; lleva en la mano un libro de misa y toda ella parece un emblema de plácida y resignada viudez. Se ha acostumbrado a la tristeza y no la cambiaría, tal vez, por la felicidad. Cara a cara, los dos se miran en los ojos. La muchedumbre los aparta, los pierde. Wakefield huye a su alojamiento, cierra la puerta con dos vueltas de llave y se tira en la cama donde lo trabaja un sollozo. Por un instante ve la miserable singularidad de su vida. "¡Wakefield, Wakefield! ¡Estás loco!", se dice. Quizá lo está. En el centro de Londres se ha desvinculado del mundo. Sin haber muerto ha renunciado a su lugar y a sus privilegios entre los hombres vivos. Mentalmente sigue viviendo junto a su mujer en su hogar. No sabe, o casi nunca sabe, que es otro. Repite "pronto regresaré" y no piensa que hace veinte años que está repitiendo lo mismo. En el recuerdo los veinte años de soledad le parecen un interludio, un mero paréntesis. Una tarde, una tarde igual a otras tardes, a las miles de tardes anteriores, Wakefield mira su casa. Por los cristales ve que en el primer piso han encendido el fuego; en el moldeado cielo raso las llamas lanzan grotescamente la sombra de la señora Wakefield. Rompe a llover; Wakefield siente una racha de frío. Le parece ridículo mojarse cuando ahí tiene su casa, su hogar. Sube pesadamente la escalera y abre la puerta. En su rostro juega, espectral, la taimada sonrisa que conocemos. Wakefield ha vuelto, al fin. Hawthorne no nos refiere su destino ulterior, pero nos deja adivinar que ya estaba, en cierto modo, muerto. Copio las palabras finales: "En el desorden aparente de nuestro misterioso mundo, cada hombre está ajustado a un sistema con tan exquisito rigor —y los sistemas entre sí, y todos a todo— que el individuo que se desvía un solo momento, corre el terrible albur de perder para siempre su lugar. Corre el albur de ser, como Wakefield, el Paria del Universo".

En esta breve y ominosa parábola —que data de 1835— ya estamos en el mundo de Herman Melville, en el mundo de Kafka. Un mundo de castigos enigmáticos y de culpas indescifrables. Se dirá que ello nada tiene de singular, pues el orbe de Kafka es el judaísmo, y el de Hawthorne, las iras y los castigos del Viejo Testamento. La observación es justa, pero su alcance no rebasa la ética, y entre la horrible historia de Wakefield y muchas historias de Kafka, no sólo hay una ética común sino una retórica. Hay, por ejemplo, la honda *trivialidad* del protagonista, que contrasta con la magnitud de su perdición y que lo entrega, aun más desvalido, a las Furias. Hay el fondo borroso, contra el cual se recorta la pesadilla. Hawthorne, en otras narraciones, invoca un pasado romántico; en ésta se limita a un Londres burgués, cuyas multitudes le sirven, por lo demás, para ocultar al héroe.

Aquí, sin desmedro alguno de Hawthorne, yo desearía intercalar una observación. La circunstancia, la extraña circunstancia, de percibir en un cuento de Hawthorne, redactado a principios del siglo XIX, el sabor mismo de los cuentos de Kafka que trabajó a principios del siglo XX, no debe hacernos olvidar que el sabor de Kafka ha sido creado, ha sido determinado, por Kafka. *Wakefield* prefigura a Franz Kafka, pero éste modifica, y afina, la lectura de *Wakefield*. La deuda es mutua; un gran escritor crea a sus precursores. Los crea y de algún modo los justifica. Así ¿qué sería de Marlowe sin Shakespeare?

El traductor y crítico Malcolm Cowley ve en *Wakefield* una alegoría de la curiosa reclusión de Nathaniel Hawthorne. Schopenhauer ha escrito, famosamente, que no hay acto, que no hay pensamiento, que no hay enfermedad que no sean voluntarios; si hay verdad en esa opinión, cabría conjeturar que Nathaniel Hawthorne se apartó muchos años de la sociedad de los hombres para que no faltara en el universo, cuyo fin es acaso la variedad, la singular historia de Wakefield. Si Kafka hubiera escrito esa historia, Wakefield no hubiera conseguido, jamás, volver a su casa; Hawthorne le permite volver, pero su vuelta no es menos lamentable ni menos atroz que su larga ausencia.

Una parábola de Hawthorne, que estuvo a punto de ser magistral y que no lo es, pues la ha dañado la preocupación de la ética, es la que se titula *Earth's Holocaust*: el Holocausto de la Tierra. En esa ficción alegórica, Hawthorne prevé un momento en que los hombres, hartos de acumulaciones inútiles, resuelven destruir el pasado. En el atardecer se congregan, para ese fin, en uno de los vastos territorios del oeste de América. A esa llanura occidental llegan hombres de todos los confines del mundo. En el centro hacen una altísima hoguera que alimentan con todas las genealogías, con todos los diplomas, con todas las medallas, con todas las órdenes, con todas las ejecutorias, con todos los escudos, con todas las coronas, con todos los cetros, con todas las tiaras, con todas las púrpuras, con todos los doseles, con todos los tronos, con todos los alcoholes, con todas las bolsas de café, con todos los cajones de té, con todos los cigarros, con todas las cartas de amor, con toda la artillería, con todas las espadas, con todas las banderas, con todos los tambores marciales, con todos los instrumentos de tortura, con todas las guillotinas, con todas las horcas, con todos los metales preciosos, con todo el dinero, con todos los títulos de propiedad, con todas las constituciones y códigos, con todos los libros, con todas las mitras, con todas las dalmáticas, con todas las sagradas escrituras que hoy pueblan y fatigan la Tierra. Hawthorne ve con asombro la combustión y con algún escándalo; un hombre de aire pensativo le dice que no debe alegrarse ni entristecerse, pues la vasta pirámide de fuego no ha consumido sino lo que era consumible en las cosas. Otro espectador —el demonio— observa que los empresarios del holocausto se han olvidado de arrojar lo esencial, el corazón humano, donde está la raiz de todo pecado, y que sólo han destruido unas cuantas formas. Hawthorne concluye así: "El corazón, el corazón, ésa es la breve esfera ilimitada en la que radica la culpa de lo que apenas son unos símbolos el crimen y la miseria del mundo. Purifiquemos esa esfera interior, y las muchas formas del mal que entenebrecen este mundo visible huirán como fantasmas, porque si no rebasamos la inteligencia y procuramos, con ese instrumento imperfecto, discernir y corregir lo que nos aqueja, toda nuestra obra será un sueño. Un sueño tan insustancial que nada importa que la hoguera, que he descrito con tal fidelidad, sea lo que llamamos un hecho real y un fuego que chamusque las manos o un fuego imaginado y una parábola". Hawthorne, aquí, se ha dejado arrastrar por la doctrina cristiana, y específicamente calvinista, de la depravación ingénita de los hombres y no parece haber notado que su parábola de una ilusoria destrucción de todas las cosas es capaz de un sentido filosófico y no sólo moral. En efecto, si el mundo es el sueño de Alguien, si hay Alguien que ahora está soñándonos y que sueña la historia del universo, como es doctrina de la escuela idealista, la aniquilación de las religiones y de las artes, el incendio general de las bibliotecas, no importa mucho más que la destrucción de los muebles de un sueño. La mente que una vez los soñó volverá a soñarlos; mientras la mente siga soñando, nada se habrá perdido. La convicción de esta verdad, que parece fantástica, hizo que Schopenhauer, en su libro *Parerga und Paralipomena*, comparara la historia a un calidoscopio, en el que cambian las figuras, no los pedacitos de vidrio, a una eterna y confusa tragicomedia en la que cambian los papeles y máscaras, pero no los actores. Esa misma intuición de que el universo es una proyección de nuestra alma y de que la historia universal está en cada hombre, hizo escribir a Emerson el poema que se titula *History*.

En lo que se refiere a la fantasía de abolir el pasado, no sé si cabe recordar que ésta fue ensayada en la China, con adversa fortuna, tres siglos antes de Jesús. Escribe Herbert Allen Giles: "El ministro Li Su propuso que la historia comenzara con el nuevo monarca, que tomó el título de Primer Emperador. Para tronchar las vanas pretensiones de la antigüedad, se ordenó la confiscación y quemazón de todos los libros, salvo los que enseñaran agricultura, medicina o astrología. Quienes ocultaron sus libros, fueron marcados con un hierro candente y obligados a trabajar en la construcción de la Gran Muralla. Muchas obras valiosas perecieron; a la abnegación y al valor de oscuros e ignorados hombres de letras debe la posteridad la conservación del canon de Confucio. Tantos literatos, se dice, fueron ejecutados por desacatar las órdenes imperiales, que en invierno crecieron melones en el lugar donde los habían enterrado". En Inglaterra, al promediar el siglo XVII, ese mismo propósito resurgió, entre los puritanos, entre los antepasados de Hawthorne. "En uno de los parlamentos populares convocados por Cronwell —refiere Samuel Johnson— se propuso muy seriamente que se quemaran los archivos de la Torre de Londres, que se borrara toda memoria de las cosas pretéritas y que todo el régimen de la vida recomenzara." Es decir, el propósito de abolir el pasado ya ocurrió en el pasado y —paradójicamente— es una de las pruebas de que el pasado no se puede abolir. El pasado es indestructible; tarde o temprano vuelven todas las cosas, y una de las cosas que vuelven es el proyecto de abolir el pasado.

Como Stevenson, también hijo de puritanos, Hawthorne no dejó de sentir nunca que la tarea de escritor era frívola o, lo que es peor, culpable. En el prológo de la *Letra escarlata*, imagina a las sombras de sus mayores mirándolo escribir su novela. El pasaje es curioso. "*¿Qué estará haciendo?* —dice una antigua sombra a las otras—. *¡Está escribiendo un libro de cuentos! ¿Qué oficio será ése, qué manera de glorificar a Dios o de ser útil a los hombres, en su día y generación? Tanto le valdría a ese descastado ser violinista.*" El pasaje es curioso, porque encierra una suerte de confidencia y corresponde a escrúpulos íntimos. Corresponde también al antiguo pleito de la ética y de la estética o, si se quiere, de la teología y la estética. Uno de sus primeros testimonios consta en la Sagrada Escritura y prohibe a los hombres que adoren ídolos. Otro es el de Platón, que en el décimo libro de la *República* razona de este modo: "Dios crea el Arquetipo (la idea original) de la mesa; el carpintero, un simulacro". Otro es el de Mahoma, que declaró que toda representación de una cosa viva comparecerá ante el Señor, el día del Juicio Final. Los ángeles ordenarán al artífice que la anime; éste fracasará y lo arrojarán al Infierno, durante cierto tiempo. Algunos doctores musulmanes pretenden que sólo están vedadas las imágenes capaces de proyectar una sombra (las esculturas)... De Plotino se cuenta que estaba casi avergonzado de habitar en un cuerpo y que no permitió a los escultores la perpetuación de sus rasgos. Un amigo le rogaba una vez que se dejara retratar; Plotino le dijo: "Bastante me fatiga tener que arrastrar este simulacro en que la naturaleza me ha encarcelado. ¿Consentiré además que se perpetúe la imagen de esta imagen?".

Nathaniel Hawthorne desató esa dificultad (que no es ilusoria) de la manera que sabemos; compuso moralidades y fábulas; hizo o procuró hacer del arte una función de la conciencia. Así para concretarnos a un solo ejemplo, la novela *The House of the Seven Gables* (*La casa de los siete tejados*) quiere mostrar que el mal cometido por una generación perdura y se prolonga en las subsiguientes, como una suerte de castigo heredado. Andrew Lang ha confrontado esa novela con las de Emilio Zola, o con la teoría de las novelas de Emilio Zola; salvo un asombro momentáneo, no sé qué utilidad puede rendir la aproximación de esos nombres heterogéneos. Que Hawthorne persiguiera, o tolerara, propósito de tipo moral no invalida, no puede invalidar, su obra. En el decurso de una vida consagrada menos a vivir que a leer, he verificado muchas veces que los propósitos y teorías literarias no son otra cosa que estímulos y que la obra final suele ignorarlos y hasta contradecirlos. Si en el autor hay algo, ningún propósito, por baladí o erróneo que sea, podrá afectar, de un modo irreparable, su obra. Un autor puede adolecer de prejuicios absurdos, pero su obra, si es genuina, si responde a una genuina visión, no podrá ser absurda. Hacia 1916, los novelistas de Inglaterra y de Francia creían (o creían que creían) que todos los alemanes eran demonios; en sus novelas, sin embargo, los presentaban como seres humanos. En Hawthorne, siempre la visión germinal era verdadera; lo falso, lo eventualmente falso, son las moralidades que agregaba en el último párrafo o los personajes que ideaba, que armaba, para representarla. Los personajes de la *Letra escarlata* —especialmente Hester Prynne, la heroína— son más independientes, más autónomos, que los de otras ficciones suyas; suelen asemejarse a los habitantes de la mayoría de las novelas y no son meras proyecciones de Hawthorne, ligeramente disfrazadas. Esta objetividad, esta relativa y parcial objetividad, es quizá la razón de que dos escritores tan agudos (y tan disímiles) como Henry James y Ludwig Lewisohn, juzguen que la *Letra escarlata* es la obra maestra de Hawthorne, su testimonio imprescindible. Yo me aventuro a diferir de esas autoridades. Quien anhele objetividad, quien tenga hambre y sed de objetividad, búsquela en Joseph Conrad o en Tolstoi; quien busque el peculiar sabor de Nathaniel Hawthorne, lo hallará menos en sus laboriosas novelas que en alguna página lateral o que en los leves y patéticos cuentos. No sé muy bien cómo razonar mi desvío; en las tres novelas americanas y en el *Fauno de mármol* sólo veo una serie de situaciones, urdidas con destreza profesional para conmover al lector, no una espontánea y viva actividad de la imaginación. Ésta (lo repito) ha obrado el argumento general y las digresiones, no la trabazón de los episodios y la psicología —de algún modo tenemos que llamarla— de los actores.

Johnson observa que a ningún escritor le gusta deber algo a sus contemporáneos; Hawthorne los ignoró en lo posible. Quizá obró bien; quizá nuestros contemporáneos —siempre— se parecen demasiado a nosotros, y quien busca novedades las hallará con más facilidad en los antiguos. Hawthorne, según sus biógrafos, no leyó a De Quincey, no leyó a Keats, no leyó a Víctor Hugo —que tampoco se leyeron entre ellos—. Groussac no toleraba que un americano pudiera ser original; en Hawthorne denunció "la notable influencia de Hoffmann"; dictamen que parece fundado en una equitativa ignorancia de ambos autores. La imaginación de Hawthorne es romántica; su estilo, a pesar de algunos excesos, corresponde al siglo XVIII, al débil fin del admirable siglo XVIII.

He leído varios fragmentos del diario que Hawthorne escribió para distraer su larga soledad; he referido, siquiera brevemente, dos cuentos; ahora leeré una página del *Marble Faun* para que ustedes oigan a Hawthorne. El tema es aquel pozo o abismo que se abrió, según los historiadores latinos, en el centro del Foro y en cuya ciega hondura un romano se arrojó, armado y a caballo, para propiciar a los dioses. Reza el texto de Hawthorne:

"Resolvamos —dijo Kenyon— que éste es precisamente el lugar donde la caverna se abrió, en la que el héroe se lanzó con su buen caballo. Imaginemos el enorme y oscuro hueco, impenetrablemente hondo, con vagos monstruos y con caras atroces mirando desde abajo y llenando de horror a los ciudadanos que se habían asomado a los bordes. Adentro había, a no dudarlo, visiones proféticas (intimaciones de todos los infortunios de Roma), sombras de galos y de vándalos y de los soldados franceses. ¡Qué lástima que lo cerraron tan pronto! Yo daría cualquier cosa por un vistazo.

"Yo creo —dijo Miriam— que no hay persona que no eche una mirada a esa grieta, en momentos de sombra y de abatimiento, es decir, de intuición.

"Esa grieta —dijo su amigo— era sólo una boca del abismo de oscuridad que está debajo de nosotros, en todas partes. La sustancia más firme de la felicidad de los hombres es una lámina interpuesta sobre ese abismo y que mantiene nuestro mundo ilusorio. No se requiere un terremoto para romperla; basta apoyar el pie. Hay que pisar con mucho cuidado. Inevitablemente, al fin nos hundimos. Fue un tonto alarde de heroísmo el de Curcio cuando se adelantó a arrojarse a la hondura, pues Roma entera, como ven, ha caído adentro. El Palacio de los Césares ha caído, con un ruido de piedras que se derrumba. Todos los templos han caído, y luego han arrojado miles de estatuas. Todos los ejércitos y los triunfos han caído, marchando, en esa caverna, y tocaba la música marcial mientras se despeñaban..."

Hasta aquí, Hawthorne. Desde el punto de vista de la razón (de la mera razón que no debe entrometerse en las artes) el ferviente pasaje que he traducido es indefendible. La grieta que se abrió en la mitad del foro es demasiadas cosas. En el curso de un solo párrafo es la grieta de que hablan los historiadores latinos y también es la boca del Infierno "con vagos monstruos y con caras atroces" y también es el horror esencial de la vida humana y también es el Tiempo, que devora estatuas y ejércitos, y también es la Eternidad, que encierra los tiempos. Es un símbolo múltiple, un símbolo capaz de muchos valores, acaso incompatibles. Para la razón, para el entendimiento lógico, esta variedad de valores puede constituir un escándalo, no así para los sueños que tienen su álgebra singular y secreta, y en cuyo ambiguo territorio una cosa puede ser muchas. Ese mundo de sueños es el de Hawthorne. Éste se propuso una vez escribir un sueño, "que fuera como un sueño verdadero, y que tuviera la incoherencia, las rarezas y la falta de propósito de los sueños" y se maravilló de que nadie, hasta el día de hoy, hubiera ejecutado algo semejante. En el mismo diario en que dejó escrito ese extraño proyecto —que toda nuestra literatura "moderna" trata vanamente de ejecutar, y que, tal vez, sólo ha realizado Lewis Carroll— anotó miles de impresiones triviales de pequeños rasgos concretos (el movimiento de una gallina, la sombra de una rama en la pared) que abarcan seis volúmenes, cuya inexplicable abundancia es la consternación de todos los biógrafos. "Parecen cartas agradables e inútiles —escribe con perplejidad Henry James— que se dirigiera a sí mismo un hombre que abrigara el temor de que las abrieran en el correo y que hubiera resuelto no decir nada comprometedor." Yo tengo para mí que Nathaniel Hawthorne registraba, a lo largo de los años, esas trivialidades para demostrarse a sí mismo que él era real, para liberarse, de algún modo, de la impresión de irrealidad, de fantasmidad, que solía visitarlo.

En uno de los días de 1840 escribió: "Aquí estoy en mi cuarto habitual, donde me parece estar siempre. Aquí he concluido muchos cuentos, muchos que después he quemado, muchos que sin duda, merecen ese ardiente destino. Esta es una pieza embrujada, porque miles y miles de visiones han poblado su ámbito, y algunas ahora son visibles al mundo. A veces creía estar en la sepultura, helado y detenido y entumecido; otras, creía ser feliz... Ahora empiezo a comprender por qué fui prisionero tantos años en este cuarto solitario y por qué no pude romper sus rejas invisibles. Si antes hubiera conseguido evadirme, ahora sería duro y áspero y tendría el corazón cubierto de polvo terrenal... En verdad, sólo somos sombras...". En las líneas que acabo de transcribir, Hawthorne menciona "miles y miles de visiones". La cifra no es acaso una hipérbole; los doce tomos de las obras completas de Hawthorne incluyen ciento y tantos cuentos, y éstos son unos pocos de los muchísimos que abocetó en su diario. (Entre los concluidos hay uno —*Mr. Higginbotham's Catastrophe* [La muerte repetida]— que prefigura el género policial que inventaría Poe.) Miss Margaret Fuller, que lo trató en la comunidad utópica de Brook Farm, escribió después: "De aquel océano sólo hemos tenido unas gotas", y Emerson, que también era amigo suyo, creía que Hawthorne no había dado jamás toda su medida. Hawthorne se casó en 1842, es decir, a los treinta y ocho años; su vida, hasta esa fecha, fue casi puramente imaginativa, mental. Trabajó en la aduana de Boston, fue cónsul de los Estados Unidos en Liverpool, vivió en Florencia, en Roma y en Londres, pero su realidad fue, siempre, el tenue mundo crepuscular, o lunar, de las imaginaciones fantásticas.

En el principio de esta clase he mencionado la doctrina del psicólogo Jung que equipara las invenciones literarias a las invenciones oníricas, la literatura a los sueños. Esta doctrina no parece aplicable a las literaturas que usan el idioma español, clientes del diccionario y de la retórica, no de la fantasía. En cambio, es adecuada a las letras de América del Norte. Éstas (como las de Inglaterra o las de Alemania) son más capaces de inventar que de transcribir, de crear que de observar. De ese rasgo, procede la curiosa veneración que tributan los norteamericanos a las obras realistas y que los mueve a postular, por ejemplo, que Maupassant es más importante que Hugo. La razón es que un escritor norteamericano tiene la posibilidad de ser Hugo; no, sin violencia, la de ser Maupassant. Comparada con la de los Estados Unidos, que ha dado varios hombres de genio, que ha influido en Inglaterra y en Francia, nuestra literatura argentina corre el albur de parecer un tanto provincial; sin embargo, en el siglo XIX, produjo algunas páginas de realismo —algunas admirables crueldades de Echeverría, de Ascasubi, de Hernández, del ignorado Eduardo Gutiérrez— que los norteamericanos no han superado (tal vez no han igualado) hasta ahora. Faulkner, se objetará, no es menos brutal que nuestros gauchescos. Lo es, ya lo sé, pero de un modo alucinatorio. De un modo infernal, no terrestre. Del modo de los sueños, del modo inaugurado por Hawthorne.

Éste murió el dieciocho de mayo de 1864, en las montañas de New Hampshire. Su muerte fue tranquila y fue misteriosa, pues ocurrió en el sueño. Nada nos veda imaginar que murió soñando y hasta podemos inventar la historia que soñaba —la última de una serie infinita— y de qué manera la coronó o la borró la muerte. Algún día, acaso, la escribiré y trataré de rescatar con un cuento aceptable esta deficiente y harta digresiva lección.

Van Wyck Brooks, en *The Flowering of New England*, D. H. Lawrence en *Studies in Classic American Literature* y Ludwig Lewisohn, en *The Story of American Literature*, analizan y juzgan la obra de Hawthorne. Hay muchas biografías. Yo he manejado la que Henry James redactó en 1879 para la serie *English Men of Letters*, de Morley.

Muerto Hawthorne, los demás escritores heredaron su tarea de soñar. En la próxima clase estudiaremos, si lo tolera la indulgencia de ustedes, la gloria y los tormentos de Poe, en quien el sueño se exaltó a pesadilla.

VALÉRY COMO SÍMBOLO

Aproximar el nombre de Whitman al de Paul Valéry es, a primera vista, una operación arbitraria y (lo que es peor) inepta. Valéry es símbolo de infinitas destrezas pero asimismo de infinitos escrúpulos; Whitman, de una casi incoherente pero titánica vocación de felicidad; Valéry ilustremente personifica los laberintos del espíritu; Whitman, las interjecciones del cuerpo. Valéry es símbolo de Europa y de su delicado crepúsculo; Whitman, de la mañana en América. El orbe entero de la literatura parece no admitir dos aplicaciones más antagónicas de la palabra *poeta*. Un hecho, sin embargo, los une: la obra de los dos es menos preciosa como poesía que como signo de un poeta ejemplar, creado por esa obra. Así, el poeta inglés Lascelles Abercrombie pudo alabar a Whitman por haber creado "de la riqueza de su noble experiencia, esa figura vívida y personal que es una de las pocas cosas realmente grandes de la poesía de nuestro tiempo: la figura de él mismo". El dictamen es vago y superlativo, pero tiene la singular virtud de no identificar a Whitman, hombre de letras y devoto de Tennyson, con Whitman, héroe semidivino de *Leaves of Grass*. La distinción es válida; Whitman redactó sus rapsodias en función de un yo imaginario, formado parcialmente de él mismo, parcialmente de cada uno de sus lectores. De ahí las divergencias que han exasperado a la crítica; de ahí la costumbre de fechar sus poemas en territorios que jamás conoció; de ahí que, en tal página de su obra, naciera en los estados del sur, y en tal otra (también en la realidad) en Long Island.

Uno de los propósitos de las composiciones de Whitman es definir a un hombre posible —Walt Whitman— de ilimitada y negligente felicidad; no menos hiperbólico, no menos ilusorio, es el hombre que definen las composiciones de Valéry. Éste no magnifica, como aquél, las capacidades humanas de filantropía, de fervor y de dicha; magnifica las virtudes mentales. Valéry ha creado a Edmond Teste; ese personaje sería uno de los mitos de nuestro siglo si todos, íntimamente, no lo juzgáramos un mero *Doppelgänger* de Valéry. Para nosotros, Valéry es Edmond Teste. Es decir, Valéry es una derivación del Chevalier Dupin de Edgar Allan Poe y del inconcebible Dios de los teólogos. Lo cual, verosímilmente, no es cierto.

Yeats, Rilke y Eliot han escrito versos más memorables que los de Valéry; Joyce y Stefan George han ejecutado modificaciones más profundas en su instrumento (quizá el francés es menos modificable que el inglés y que el alemán); pero detrás de la obra de esos eminentes artífices no hay una personalidad comparable a la de Valéry. La circunstancia de que esa personalidad sea, de algún modo, una proyección de la obra, no disminuye el hecho. Proponer a los hombres la lucidez en una era bajamente romántica, en la era melancólica del nazismo y del materialismo dialéctico, de los augures de la secta de Freud y de los comerciantes del *surréalisme,* tal es la benemérita misión que desempeñó (que sigue desempeñando) Valéry.

Paul Valéry nos deja, al morir, el símbolo de un hombre infinitamente sensible a todo hecho y para el cual todo hecho es un estímulo que puede suscitar una infinita serie de pensamientos. De un hombre que trasciende los rasgos diferenciales del yo y de quien podemos decir, como William Hazlitt de Shakespeare: *He is nothing in himself.* De un hombre cuyos admirables textos no agotan, ni siquiera definen, sus omnímodas posibilidades. De un hombre que, en un siglo que adora los caóticos ídolos de la sangre, de la tierra y de la pasión, prefirió siempre los lúcidos placeres del pensamiento y las secretas aventuras del orden.

Buenos Aires, 1945.

EL ENIGMA DE EDWARD FITZGERALD

Un hombre, Umar ben Ibrahim, nace en Persia, en el siglo XI de la era cristiana (aquel siglo fue para él el quinto de la Héjira), y aprende el Alcorán y las tradiciones con Hassán ben Sabbáh, futuro fundador de la secta de los Hashishin o Asesinos, y con Nizam ul-Mulk, que será visir de Alp Arslán, conquistador del Cáucaso. Los tres amigos, entre burlas y veras, juran que si la fortuna, algún día, da en favorecer a uno de ellos, el agraciado no se olvidará de los otros. Al cabo de los años, Nizam logra la dignidad de visir: Umar no le pide otra cosa que un rincón a la sombra de su dicha, para rezar por la prosperidad del amigo y para meditar en las matemáticas. (Hassán pide y obtiene un cargo elevado, y, finalmente, hace apuñalar al visir.) Umar recibe del tesoro de Nishapur una pensión anual de diez mil dinares y puede consagrarse al estudio. Descree de la astrología judiciaria, pero cultiva la astronomía, colabora en la reforma del calendario que promueve el sultán y compone un famoso tratado de álgebra, que da soluciones numéricas para las ecuaciones de primero y segundo grado, y geométricas, mediante intersección de cónicas, para las de tercero. Los arcanos del número y de los astros no agotan su atención; lee, en la soledad de su biblioteca, los textos de Plotino, que en el vocabulario del Islam es el Platón Egipcio o el Maestro Griego, y las cincuenta y tantas epístolas de la herética y mística Enciclopedia de los Hermanos de la Pureza, donde se razona que el universo es una emanación de la Unidad, y regresará a la Unidad... Lo dicen prosélito de Alfarabi, que entendió que las formas universales no existen fuera de las cosas, y de Avicena, que enseñó que el mundo es eterno. Alguna crónica nos refiere que cree, o que juega a creer, en las transmigraciones del alma, de cuerpo humano a cuerpo bestial, y que una vez habló con un asno como Pitágoras habló con un perro. Es ateo, pero sabe interpretar de un modo ortodoxo los más arduos pasajes del Alcorán, porque todo hombre culto es un teólogo, y para serlo no es indispensable la fe. En los intervalos de la astronomía, del álgebra y de la apologética, Umar ben Ibrahim al-Khayyami labra composiciones de cuatro versos, de los cuales el primero, el segundo y el último riman entre sí; el manuscrito más copioso le atribuye quinientas de esas cuartetas, número exiguo que será desfavorable a su gloria, pues en Persia (como en España de Lope y de Calderón) el poeta debe ser abundante.

El año 517 de la Héjira, Umar está leyendo un tratado que se titula *El Uno y los Muchos*; un malestar o una premonición lo interrumpe. Se levanta, marca la página que sus ojos no volverán a ver y se reconcilia con Dios, con aquel Dios que acaso existe y cuyo favor ha implorado en las páginas difíciles de su álgebra. Muere ese mismo día, a la hora de la puesta del sol. Por aquéllos años, en una isla occidental y boreal que los cartógrafos del Islam desconocen, un rey sajón que ha derrotado a un rey de Noruega es derrotado por un duque normando.

Siete siglos transcurren, con sus luces y agonías y mutaciones, y en Inglaterra, nace un hombre, Fitzgerald, menos intelectual que Umar, pero acaso más sensible y más triste. Fitzgerald sabe que su verdadero destino es la literatura y la ensaya con indolencia y tenacidad. Lee y relee el Quijote, que casi le parece el mejor de todos los libros (pero no quiere ser injusto con Shakespeare y con *dear old Virgil*), y su amor se extiende al diccionario en el que busca las palabras. Entiende que todo hombre en cuya alma se encierra alguna música puede versificar diez o doce veces en el curso natural de su vida, si le son propicios los astros, pero no se propone abusar de ese módico privilegio. Es amigo de personas ilustres (Tennyson, Carlyle, Dickens, Thackeray), a las que no se siente inferior, a despecho de su modestia y su cortesía. Ha publicado un diálogo decorosamente escrito, *Euphranor*, y mediocres versiones de Calderón y de los grandes trágicos griegos. Del estudio del español ha pasado al estudio del persa y ha iniciado una traducción de *Mantiq al-Tayr*, esa epopeya mística de los pájaros que buscan a su rey, el Simurg, y finalmente arriban a su palacio, que está detrás de siete mares, y descubren que ellos son el Simurg y que el Simurg es todos y cada uno. Hacia 1854 le prestan una colección manuscrita de las composiciones de Umar, hecha sin otra ley que el orden alfabético de las rimas; Fitzgerald vierte alguna al latín y entrevé la posibilidad de tejer con ellas un libro continuo y orgánico en cuyo principio estén las imágenes de la mañana, de la rosa y del ruiseñor, y al fin, las de la noche y la sepultura. A ese propósito improbable y aun inverosímil, Fitzgerald consagra su vida de hombre indolente, solitario y maniático. En 1859 publica una primera versión de *Rubaiyat*, a la que siguen otras, ricas en variaciones y escrúpulos. Un milagro acontece: de la fortuita conjunción de un astrónomo persa que condescendió a la poesía, de un inglés excéntrico que recorre, tal vez sin entenderlos del todo, libros orientales e hispánicos, surge un extraordinario poeta, que no se parece a los dos. Swinburne escribe que Fitzgerald "ha dado a Omar Khayyán un sitio perpetuo entre los mayores poetas de Inglaterra", y Chesterton, sensible a lo romántico y a lo clásico de ese libro sin par, observa que a la vez hay en él "una melodía que se escapa y una inscripción que dura". Algunos críticos entienden que el *Omar* de Fitzgerald es, de hecho, un poema inglés con alusiones persas; Fitzgerald interpeló, afinó e inventó, pero sus *Rubaiyat* parecen exigir de nosotros que las leamos como persas y antiguas.

El caso invita a conjeturas de índole metafísica. Umar profesó (lo sabemos) la doctrina platónica y pitagórica del tránsito del alma por muchos cuerpos; al cabo de los siglos, la suya acaso reencarnó en Inglaterra para cumplir en un lejano idioma germánico veteado de latín el destino literario que en Nishapur reprimieron las matemáticas. Isaac Luria el León enseñó que el alma de un muerto puede entrar en un alma desventurada para sostenerla o instruirla; quizá el alma de Umar se hospedó, hacia 1857, en la de Fitzgerald. En las *Rubaiyat* se lee que la historia universal es un espectáculo que Dios concibe, representa y contempla; esta especulación (cuyo nombre técnico es panteísmo) nos dejaría pensar que el inglés pudo recrear al persa, porque ambos eran, esencialmente, Dios o caras momentáneas de Dios. Más verosímil y no menos maravillosa que estas conjeturas de tipo sobrenatural es la suposición de un azar benéfico. Las nubes configuran, a veces, formas de montañas o leones; análogamente la tristeza de Edward Fitzgerald y un manuscrito de papel amarillo y de letras purpúreas, olvidado en un anaquel de la Bodleiana de Oxford, configuraron, para nuestro bien, el poema.

Toda colaboración es misteriosa. Ésta del inglés y del persa lo fue más que ninguna, porque eran muy distintos los dos y acaso en vida no hubieran trabado amistad y la muerte y las vicisitudes y el tiempo sirvieron para que uno supiera del otro y fueran un solo poeta.

SOBRE OSCAR WILDE

Mencionar el nombre de Wilde es mencionar a un *dandy* que fuera también un poeta, es evocar la imagen de un caballero dedicado al pobre propósito de asombrar con corbatas y con metáforas. También es evocar la noción del arte como un juego selecto o secreto —a la manera del tapiz de Hugh Vereker y del tapiz de Stefan George— y del poeta como un laborioso *monstrorum artifex* (*Plinio*, XXVIII, 2). Es evocar el fatigado crepúsculo del siglo XIX y esa opresiva pompa de invernáculo o de baile de máscaras. Ninguna de estas evocaciones es falsa, pero todas corresponden, lo afirmo, a verdades parciales y contradicen, o descuidan, hechos notorios.

Consideremos, por ejemplo, la noción de que Wilde fue una especie de simbolista. Un cúmulo de circunstancias la apoya: Wilde, hacia 1881, dirigió a los estetas y diez años después a los decadentes; Rebeca West pérfidamente lo acusa (*Henry James*, III) de imponer a la última de estas sectas "el sello de la clase media"; el vocabulario del poema *The Sphinx* es estudiosamente magnífico; Wilde fue amigo de Schwob y de Mallarmé. La refuta un hecho capital: en verso o en prosa, la sintaxis de Wilde es siempre simplísima. De los muchos escritores británicos, ninguno es tan accesible a los extranjeros. Lectores incapaces de descifrar un párrafo de Kipling o una estrofa de William Morris empiezan y concluyen la misma tarde *Lady Windermere's Fan*. La métrica de Wilde es espontánea o quiere parecer espontánea; su obra no encierra un solo verso experimental, como este duro y sabio alejandrino de Lionel Johnson: *Alone with Christ, desolate else, left by mankind*.

La insignificancia *técnica* de Wilde puede ser un argumento a favor de su grandeza intrínseca. Si la obra de Wilde correspondiera a la índole de su fama, la integrarían meros artificios del tipo de *Les Palais Nomades* o de *Los Crepúsculos del Jardín*. En la obra de Wilde esos artificios abundan, recordemos el undécimo capítulo de *Dorian Gray* o *The Harlot's House* o *Symphony in Yellow*— pero su índole adjetiva es notoria. Wilde puede prescindir de esos *purple patches* (retazos de púrpura); frase cuya invención le atribuyen Ricketts y Hesketh Pearson, pero que ya registra el exordio de la epístola a los Pisones. Esa atribución prueba el hábito de vincular al nombre de Wilde la noción de pasajes decorativos.

Leyendo y releyendo, a lo largo de los años, a Wilde, noto un hecho que sus panegiristas no parecen haber sospechado siquiera: el hecho comprobable y elemental de que Wilde, casi siempre, tiene razón. *The Soul of Man under Socialism* no sólo es elocuente; también es justo. Las notas misceláneas que prodigó en la *Pall Mall Gazette* y en el *Speaker* abundan en perspicuas observaciones que exceden las mejores posibilidades de Leslie Stephen o de Saintsbury. Wilde ha sido acusado de ejercer una suerte de arte combinatoria, a lo Raimundo Lulio; ello es aplicable, tal vez, a alguna de sus bromas ("uno de esos rostros británicos que, vistos una vez, siempre se olvidan"), pero no al dictamen de que la música nos revela un pasado desconocido y acaso real (*The Critic as Artist*) o aquel de que todos los hombres matan la cosa que aman (*The Ballad of Reading Gaol*) o a aquel otro de que arrepentirse de un acto es modificar el pasado (*De Profundis*) o a aquel [1], no indigno de León Bloy o de Swedenborg, de que no hay hombre que no sea, en cada momento, lo que ha sido y lo que será (*ibidem*). No trascribo estas líneas para veneración del lector; las alego como indicio de una mentalidad muy diversa de la que, en general, se atribuye a Wilde. Éste, si no me engaño, fue mucho más que un Moréas irlandés; fue un hombre del siglo XVIII, que alguna vez condescendió a los juegos del simbolismo. Como Gibbon, como Johnson, como Voltaire fue un ingenioso que tenía razón además. Fue, "para de una vez decir palabras fatales, clásico en suma".[2] Dio al siglo lo que el siglo exigía —*comedies larmoyantes* para los más y arabescos verbales para los menos— y ejecutó esas cosas disímiles con una suerte de negligente felicidad. Lo ha perjudicado la perfección; su obra es tan armoniosa que puede parecer inevitable y aun baladí. Nos cuesta imaginar el universo sin los epigramas de Wilde; esa dificultad no los hace menos plausibles.

Una observación lateral. El nombre de Oscar Wilde está vinculado a las ciudades de la llanura; su gloria, a la condena y a la cárcel. Sin embargo (esto lo ha sentido muy bien Hesketh Pearson) el sabor fundamental de su obra es la felicidad. En cambio, la valerosa obra de Chesterton, prototipo de la sanidad física y

---

[1] Cf. la curiosa tesis de Leibniz, que tanto escándalo produjo en Arnauld: *La noción de cada individuo encierra* a priori *todos los hechos que a éste le ocurrirán.* Según ese fatalismo dialéctico, el hecho de que Alejandro el Grande moriría en Babilonia es una cualidad de ese rey, como la soberbia.

[2] La sentencia es de Reyes, que la aplica al hombre mejicano (*Reloj de Sol*, pág. 158).

moral, siempre está a punto de convertirse en una pesadilla. La acechan lo diabólico y el horror; puede asumir, en la página más inocua, las formas del espanto. Chesterton es un hombre que quiere recuperar la niñez; Wilde, un hombre que guarda, pese a los hábitos del mal y de la desdicha, una invulnerable inocencia.

Como Chesterton, como Lang, como Boswell, Wilde es de aquellos venturosos que pueden prescindir de la aprobación de la crítica y aun, a veces, de la aprobación del lector, pues el agrado que nos proporciona su trato es irresistible y constante.

SOBRE CHESTERTON

> Because He does not take away
> The terror from the tree...
>
> CHESTERTON: *A Second Childhood.*

Edgar Allan Poe escribió cuentos de puro horror fantástico o de pura *bizarrerie*; Edgar Allan Poe fue inventor del cuento policial. Ello no es menos indudable que el hecho de que no combinó los dos géneros. No impuso al caballero Auguste Dupin la tarea de fijar el antiguo crimen del Hombre de las Multitudes o de explicar el simulacro que fulminó, en la cámara negra y escarlata, al enmascarado príncipe Próspero. En cambio, Chesterton prodigó con pasión y felicidad esos *tours de force*. Cada una de las piezas de la Saga del Padre Brown presenta un misterio, propone explicaciones de tipo demoníaco o mágico y las reemplaza, al fin, con otras que son de este mundo. La maestría no agota la virtud de esas breves ficciones; en ellas creo percibir una cifra de la historia de Chesterton, un símbolo o espejo de Chesterton. La repetición de su esquema a través de los años y de los libros (*The Man Who Knew Too Much, The Poet and the Lunatics, The Paradoxes of Mr. Pond*) parece confirmar que se trata de una forma esencial, no de un artificio retórico. Estos apuntes quieren interpretar esa forma.

Antes, conviene reconsiderar unos hechos de excesiva notoriedad. Chesterton fue católico, Chesterton creyó en la Edad Media de los prerrafaelistas (*Of London, small and white, and clean*), Chesterton pensó, como Whitman, que el mero hecho de ser es tan prodigioso que ninguna desventura debe eximirnos de una suerte de cómica gratitud. Tales creencias pueden ser justas, pero el interés que promueven es limitado; suponer que agotan a Chesterton es olvidar que un credo es el último término de una serie de procesos mentales y emocionales y que un hombre es toda la serie. En este país, los católicos exaltan a Chesterton, los librepensadores lo niegan. Como todo escritor que profesa un credo, Chesterton es juzgado por él, es reprobado o aclamado por él. Su caso es parecido al de Kipling a quien siempre lo juzgan en función del Imperio Británico.

Poe y Baudelaire se propusieron, como el atormentado Urizen de Blake, la creación de un mundo de espanto; es natural que su obra sea pródiga de formas del horror. Chesterton, me parece, no hubiera tolerado la imputación de ser un tejedor de pesadillas, un *monstrorum artifex* (Plinio, XXVIII, 2), pero invenciblemente suele incurrir en atisbos atroces. Pregunta si acaso un hombre tiene tres ojos, o un pájaro tres alas; habla, contra los panteístas, de un muerto que descubre en el paraíso; que los espíritus de los coros angélicos tienen sin fin su misma cara [1]; habla de una cárcel de espejos; habla de un laberinto sin centro; habla de un hombre devorado por autómatas de metal; habla de un árbol que devora a los pájaros y que en lugar de hojas da plumas; imagina (*The Man Who Was Thursday*, VI) que en los confines orientales del mundo acaso existe un árbol que ya es más, y menos, que un árbol, y en los occidentales, algo, una torre, cuya sola arquitectura es malvada. Define lo cercano por lo lejano, y aun por lo atroz; si habla de sus ojos, los llama con palabras de Ezequiel (1:22) *un terrible cristal*, si de la noche, perfecciona un antiguo horror (Apocalipsis, 4:6) y la llama un *monstruo hecho de ojos*. No menos ilustrativa es la narración *How I found the Superman*. Chesterton habla con los padres del Superhombre; interrogados sobre la hermosura del hijo, que no sale de un cuarto oscuro, éstos le recuerdan que el Superhombre crea su propio canon y debe ser medido por él ("En ese plano es más bello que Apolo. Desde nuestro plano inferior, por supuesto..."); después admiten que no es fácil estrecharle la mano ("Usted comprende; la estructura es muy otra"); después, son incapaces de precisar si tiene pelo o plumas. Una corriente de aire lo mata y unos hombres retiran un ataúd que no es de forma humana. Chesterton refiere en tono de burla esa fantasía teratológica.

Tales ejemplos, que sería fácil multiplicar, prueban que Chesterton se defendió de ser Edgar Allan Poe o Franz Kafka, pero que algo en el barro de su yo propendía a la pesadilla, algo secreto, y ciego y central. No en vano dedicó su primeras obras a la justificación de dos grandes artífices góticos, Browning y Dickens: no en vano repitió que el mejor libro salido de Alemania era el de los cuentos de Grimm. Denigró a Ibsen y defendió (acaso indefendiblemente) a Rostand, pero los Trolls y el Fundidor de *Peer Gynt* eran de la madera de sus sueños, *the stuff his dreams were made of*. Esa discordia, esa precaria sujeción de una voluntad demoníaca, definen la naturaleza de Chesterton. Emblemas de esa guerra son para mí las aventuras del Padre

[1] Amplificando un pensamiento de Attar ("En todas partes sólo vemos Tu cara"), Jalal-uddin Rumi compuso unos versos que ha traducido Rückert (*Werke*, IV, 222), donde se dice que en los cielos, en el mar y en los sueños hay Uno Solo y donde se alaba a ese Único por haber reducido a unidad los cuatro briosos animales que tiran del carro de los mundos: la tierra, el fuego, el aire y el agua.

Brown, cada una de las cuales quiere explicar, mediante la sola razón, un hecho inexplicable.[1] Por eso dije, en el párrafo inicial de esta nota, que esas ficciones eran cifras de la historia de Chesterton, símbolos y espejos de Chesterton. Eso es todo, salvo que la "razón" a la que Chesterton supeditó sus imaginaciones no era precisamente la razón sino la fe católica o sea un conjunto de imaginaciones hebreas supeditadas a Platón y a Aristóteles.

Recuerdo dos parábolas que se oponen. La primera consta en el primer tomo de las obras de Kafka. Es la historia del hombre que pide ser admitido a la ley. El guardián de la primera puerta le dice, que adentro hay muchas otras [2] y que no hay sala que no esté custodiada por un guardián, cada uno más fuerte que el anterior. El hombre se sienta a esperar. Pasan los días y los años, y el hombre muere. En la agonía pregunta: "¿Será posible que en los años que espero nadie haya querido entrar sino yo?". El guardián le responde: "Nadie ha querido entrar porque a ti sólo estaba destinada esta puerta. Ahora voy a cerrarla." (Kafka comenta esta parábola, complicándola aun más, en el noveno capítulo de *El proceso*.) La otra parábola está en el *Pilgrim's Progress*, de Bunyan. La gente mira codiciosa un castillo que custodian muchos guerreros; en la puerta hay un guardián con un libro para escribir el nombre de aquel que sea digno de entrar. Un hombre intrépido se allega a ese guardián y le dice: "Anote mi nombre, señor." Luego saca la espada y se arroja sobre los guerreros y recibe y devuelve heridas sangrientas, hasta abrirse camino entre el fragor y entrar en el castillo.

Chesterton dedicó su vida a escribir la segunda de las parábolas, pero algo en él propendió siempre a escribir la primera.

---

[1] No la explicación de lo inexplicable sino de lo confuso es la tarea que se imponen, por lo común, los novelistas policiales.
[2] La noción de puertas detrás de puertas, que se interponen entre el pecador y la gloria, está en el Zohar. Véase Glatzer: *In Time and Eternity*, 30; también Martin Buber: *Tales of the Hasidim*, 92.

EL PRIMER WELLS

Harris refiere que Oscar Wilde, interrogado acerca de Wells, respondió:
—Un Julio Verne científico.

El dictamen es de 1899, se adivina que Wilde pensó menos en definir a Wells, o en aniquilarlo, que en pasar a otro tema. H. G. Wells y Julio Verne son, ahora nombres incompatibles. Todos lo sentimos así, pero el examen de las intrincadas razones en que nuestro sentimiento se funda puede no ser inútil.
La más notoria de esas razones es de orden técnico. Wells (antes de resignarse a especulador sociológico) fue un admirable narrador, un heredero de las brevedades de Swift y de Edgar Allan Poe; Verne, un jornalero laborioso y risueño. Verne escribió para adolescentes; Wells, para todas las edades del hombre. Hay otra diferencia, ya denunciada alguna vez por el propio Wells: las ficciones de Verne trafican en cosas probables (un buque submarino, un buque más extenso que los de 1872, el descubrimiento del Polo Sur, la fotografía parlante, la travesía de África en globo, los cráteres de un volcán apagado que dan al centro de la tierra); las de Wells en meras posibilidades (un hombre invisible, una flor que devora a un hombre, un huevo de cristal que refleja los acontecimientos de Marte), cuando no en cosas imposibles: un hombre que regresa del porvenir con una flor futura; un hombre que regresa de la otra vida con el corazón a la derecha, porque lo han invertido íntegramente, igual que en un espejo. He leído que Verne, escandalizado por las licencias que se permite *The First Men in the Moon*, dijo con indignación: *Il invente!*
Las razones que acabo de indicar me parecen válidas, pero no explican por qué Wells es infinitamente superior al autor de *Héctor Servadac*, así como también a Rosney, a Lytton, a Robert Paltock, a Cyrano o a cualquier otro precursor de sus métodos.[1] La mayor felicidad de sus argumentos no basta a resolver el problema. En libros no muy breves, al argumento no puede ser más que un pretexto, o un punto de partida. Es importante para la ejecución de la obra, no para los goces de la lectura. Ello puede observarse en *todos* los géneros; las mejores novelas policiales no son las de mejor argumento. (Si lo fueran todos los

[1] Wells, en *The Outline of History* (1931), exalta la obra de otros dos precursores: Francis Bacon y Luciano de Samosata.

argumentos, no existiría el *Quijote* y Shaw valdría menos que O'Neill.) En mi opinión, la precedencia de las primeras novelas de Wells —*The Island of Dr. Moreau*, verbigracia, o *The Invisible Man*— se debe a una razón más profunda. No sólo es ingenioso lo que refieren; es también simbólico de procesos que de algún modo son inherentes a todos los destinos humanos. El acosado hombre invisible que tiene que dormir como con los ojos abiertos porque sus párpados no excluyen la luz es nuestra soledad y nuestro terror; el convertículo de monstruos sentados que gangosean en su noche un credo servil es el Vaticano y es Lhasa. La obra que perdura es siempre capaz de una infinita y plástica ambigüedad; es todo para todos, como el Apóstol; es un espejo que declara los rasgos del lector y es también un mapa del mundo. Ello debe ocurrir, además, de un modo evanescente y modesto, casi a despecho del autor; éste debe aparecer ignorante de todo simbolismo. Con esa lúcida inocencia obró Wells en sus primeros ejercicios fantásticos, que son, a mi entender, lo más admirable que comprende su obra admirable.

Quienes dicen que el arte no debe propagar doctrinas, suelen referirse a doctrinas contrarias a las suyas. Desde luego, tal no es mi caso; agradezco y profeso casi todas las doctrinas de Wells, pero deploro que éste las intercalara en sus narraciones. Buen heredero de los nominalistas británicos, Wells reprueba nuestra costumbre de hablar de la tenacidad de "Inglaterra" o de las maquinaciones de "Prusia"; los argumentos contra esa mitología perjudicial me parecen irreprochables, no así la circunstancia de interpolarlos en la historia del sueño del señor Parham. Mientras un autor se limita a referir sucesos o a trazar los tenues desvíos de una conciencia, podemos suponerlo omnisciente, podemos confundirlo con el universo o con Dios; en cuanto se rebaja a razonar, lo sabemos falible. La realidad procede por hechos, no por razonamientos; a Dios le toleramos que afirme (Éxodo, 3, 14) Soy El Que Soy, no que declare y analice, como Hegel o Anselmo, el *argumentum ontologicum*. Dios no debe teologizar; el escritor no debe invalidar con razones humanas la momentánea fe que exige de nosotros el arte. Hay otro motivo, el autor que muestra aversión a un personaje parece no acabar de entenderlo, parece confesar que éste no es inevitable para él. Desconfiamos de su inteligencia, como desconfiaríamos de la inteligencia de un Dios que mantuviera cielos e infiernos. Dios, ha escrito Spinoza (*Etica*, 5, 17), no aborrece a nadie y no quiere a nadie.

Como Quevedo, como Voltaire, como Goethe, como algún otro más, Wells es menos un literato que una literatura. Escribió libros gárrulos en los que de algún modo resurge la gigantesca felicidad de Charles Dickens, prodigó parábolas sociológicas, erigió enciclopedias, dilató las posibilidades de la novela, reescribió para nuestro tiempo el Libro de Job, *esa gran imitación hebrea del diálogo platónico*, redactó sin soberbia y sin humildad una autobiografía gratísima, combatió el comunismo, el nazismo y el cristianismo, polemizó (cortés y mortalmente) con Belloc, historió el pasado, historió el porvenir, registró vidas reales e imaginarias. De la vasta y diversa biblioteca que nos dejó, nada me gusta más que su narración de algunos milagros atroces: *The Time Machine, The Island of Dr. Moreau, The Plattner Story, The First Men in the Moon*. Son los primeros libros que yo leí; tal vez serán los últimos... Pienso que habrán de incorporarse, como la fórmula de Teseo o la de Ahasverus, a la memoria general de la especie y que se multiplicarán en su ámbito, más allá de los términos de la gloria de quien los escribió, más allá de la muerte del idioma en que fueron escritos.

EL "BIATHANATOS"

A De Quincey (con quien es tan vasta mi deuda que especificar una parte parece repudiar o callar las otras) debo mi primer noticia del *Biathanatos*. Este tratado fue compuesto a principios del siglo XVII por el gran poeta John Donne [1], que dejó el manuscrito a Sir Robert Carr, sin otra prohibición que la de darlo "a la prensa o al fuego". Donne murió en 1631; en 1642 estalló la guerra civil; en 1644, el hijo primogénito del poeta dio el viejo manuscrito a la prensa, "para defenderle del fuego". El *Biathanatos* abarca unas doscientas páginas; De Quincey (*Writings*, VIII, 336) las compendia así: El suicidio es una de las formas del homicidio; los canonistas distinguen el homicidio voluntario del homicidio justificable; en buena lógica, también cabe aplicar al suicidio esa distinción. De igual manera que no todo homicida es un asesino, no todo suicida es culpable de pecado mortal. En efecto, tal es la tesis aparente del *Biathanatos*; la declara el subtítulo (*The Self-homicide is not so naturally Sin that it may never be otherwise*) y la ilustra, o la agobia, un docto catálogo de ejemplos fabulosos o auténticos, desde Homero [2], "que había escrito mil cosas que no pudo entender otro alguno y de quien dicen que se ahorcó por no haber entendido la adivinanza de los pescadores", hasta el pelícano, símbolo de amor paternal, y las abejas, que, según consta en el *Hexameron* de Ambrosio, "se dan muerte cuando han contravenido a las leyes de su rey". Tres páginas ocupan el catálogo y en ellas he notado esta vanidad: la inclusión de ejemplos oscuros ("Festo, favorito de Domiciano, que se mató para disimular los estragos de una enfermedad de la piel"), la omisión de otros de virtud persuasiva —Séneca, Temístocles, Catón—, que podrían parecer demasiado fáciles.

Epicteto ("Recuerda lo esencial: la puerta está abierta") y Schopenhauer ("¿Es el monólogo de Hamlet la meditación de un criminal?") han vindicado con acopio de páginas el suicidio;

---

[1] Que de veras fue un gran poeta pueden demostrarlo estos versos:

> Licence my roving hands and let them go
> Before, behind, between, above, below.
> O my America! my new-found-land...
>
> (*Elegies*, XIX.)

[2] Cf. el epigrama sepulcral de Alceo de Mesena (*Antología Griega*, VII, 1).

la previa certidumbre de que esos defensores tienen razón hace que los leamos con negligencia. Ello me aconteció con el *Biathanatos* hasta que percibí, o creí percibir, un argumento implícito o esotérico bajo el argumento notorio.

No sabemos nunca si Donne redactó el *Biathanatos* con el deliberado fin de insinuar ese oculto argumento o si una previsión de ese argumento, siquiera momentánea o crepuscular, lo llamó a la tarea. Más verosímil me parece lo último; la hipótesis de un libro que para decir A dice B, a la manera de un criptograma, es artificial, no así la de un trabajo impulsado por una intuición imperfecta. Hugh Fausset ha sugerido que Donne pensaba coronar con el suicidio su vindicación del suicidio; que Donne haya jugado con esa idea es posible o probable; que ella baste a explicar el *Biathanatos* es, naturalmente, ridículo.

Donne, en la tercera parte del *Biathanatos*, considera las muertes voluntarias que las Escrituras refieren; a ninguna dedica tantas páginas como a la de Sansón. Empieza por establecer que ese "hombre ejemplar" es emblema de Cristo y que parece haber servido a los griegos como arquetipo de Hércules. Francisco de Vitoria y el jesuita Gregorio de Valencia no quisieron incluirlo entre los suicidas; Donne, para refutarlos copia las últimas palabras que dijo, antes de cumplir su venganza: *Muera yo con los filisteos* (Jueces, 16: 30). Asimismo rechaza la conjetura de San Agustín, que afirma que Sansón, rompiendo los pilares del templo, no fue culpable de las muertes ajenas ni de la propia, sino que obedeció a una inspiración del Espíritu Santo, "como la espada que dirige sus filos por disposición del que la usa" (*La Ciudad de Dios*, I, 20). Donne, tras de probar que esa conjetura es gratuita, cierra el capítulo con una sentencia de Benito Pereiro, que dice que Sansón, no menos en su muerte que en otros actos, fue símbolo de Cristo.

Invirtiendo la tesis agustiniana, los quietistas creyeron que Sansón "por violencia del demonio se mató juntamente con los filisteos" (*Heterodoxos españoles*, V, I, 8); Milton (*Samson Agonistes, in fine*) lo vindicó de la atribución de suicidio; Donne, lo sospecho, no vio en ese problema casuístico sino una suerte de metáfora o simulacro. No le importaba el caso de Sansón —¿y por qué había de importarle?— o solamente le importaba, diremos, como "emblema de Cristo". En el Antiguo Testamento no hay héroe que no haya sido promovido a esa autoridad; para San Pablo, Adán es figura del que había de venir; para San Agustín, Abel representa la muerte del Salvador, y su hermano Seth, la resurrección; para Quevedo, "prodigioso diseño fue Job de Cristo". Donne incurrió en esa analogía trivial para que su lector comprendiera: *Lo anterior, dicho de Sansón, bien puede ser falso; no lo es, dicho de Cristo.*

El capítulo que directamente habla de Cristo no es efusivo. Se limita a invocar dos lugares de la Escritura: la frase "doy mi vida por las ovejas" (Juan, 10:15) y la curiosa locución "dio el espíritu", que usan los cuatro evangelistas para decir "murió". De esos lugares, que confirma el versículo "Nadie me quita la vida, yo la doy" (Juan, 10:18), infiere que el suplicio de la cruz no mató a Jesucristo y que éste, en verdad, se dio muerte con una prodigiosa y voluntaria emisión de su alma. Donne escribió esa conjetura en 1608; en 1631 la incluyó en un sermón que predicó, casi agonizante, en la capilla del palacio de Whitehall.

El declarado fin del *Biathanatos* es paliar el suicidio; el fundamental, indicar que Cristo se suicidó.[1] Que, para manifestar esta tesis, Donne se viera reducido a un versículo de San Juan y a la repetición del verbo *expirar* es cosa inverosímil y aun increíble; sin duda prefirió no insistir sobre un tema blasfematorio. Para el cristiano, la vida y la muerte de Cristo son el acontecimiento central de la historia del mundo; los siglos anteriores lo prepararon, los subsiguientes lo reflejan. Antes que Adán fuera formado del polvo de la tierra, antes que el firmamento separara las aguas de las aguas, el Padre ya sabía que el Hijo había de morir en la cruz y, para teatro de esa muerte futura, creó la tierra y los cielos. Cristo murió de muerte voluntaria, sugiere Donne, y ello quiere decir que los elementos y el orbe y las generaciones de los hombres y Egipto y Roma y Babilonia y Judá fueron sacados de la nada para destruirlo. Quizá el hierro fue creado para los clavos y las espinas para la corona de escarnio y la sangre y el agua para la herida. Esa idea barroca se entrevé detrás del *Biathanatos*. La de un dios que fabrica el universo para fabricar su patíbulo.

Al releer esta nota, pienso en aquel trágico Philipp Batz, que se llama en la historia de la filosofía Philipp Mainländer. Fue, como yo, lector apasionado de Schopenhauer. Bajo su influjo (y quizá bajo el de los gnósticos) imaginó que somos fragmentos de un Dios, que en el principio de los tiempos se destruyó, ávido de no ser. La historia universal es la oscura agonía de esos fragmentos. Mainländer nació en 1841; en 1876 publicó su libro, *Filosofía de la redención*. Ese mismo año se dio muerte.

---

[1] Cf. De Quincey: *Writings*, VIII, 398; Kant: *Religión innehalb der Grenzen der Vernunft*, II, 2.

PASCAL

Mis amigos me dicen que los pensamientos de Pascal les sirven para pensar. Ciertamente, no hay nada en el universo que no sirva de estímulo al pensamiento; en cuanto a mí, jamás he visto en esas memorables fracciones una contribución a los problemas, ilusorios o verdaderos, que encaran. Las he visto más bien como predicados del sujeto Pascal, como rasgos o epítetos de Pascal. Así, como la definición *quintessence of dust* no nos ayuda a comprender a los hombres sino al príncipe Hamlet, la definición *roseau pensant* no nos ayuda a comprender a los hombres pero sí a un hombre, Pascal.

Valéry, creo, acusa a Pascal de una dramatización voluntaria; el hecho es que su libro no proyecta la imagen de una doctrina o de un procedimiento dialéctico sino de un poeta perdido en el tiempo y en el espacio. En el tiempo, porque si el futuro y el pasado son infinitos, no habrá realmente un cuándo; en el espacio, porque si todo ser equidista de lo infinito y de lo infinitesimal, tampoco habrá un dónde. Pascal menciona con desdén "la opinión de Copérnico", pero su obra refleja para nosotros el vértigo de un teólogo, desterrado del orbe del Almagesto y extraviado en el universo copernicano de Kepler y de Bruno. El mundo de Pascal es el de Lucrecio (y también el de Spencer), pero la infinitud que embriagó al romano acobarda al francés. Bien es verdad que éste busca a Dios y que aquél se propone libertarnos del temor de los dioses.

Pascal, nos dicen, halló a Dios, pero su manifestación de esa dicha es menos elocuente que su manifestación de la soledad. Fue incomparable en ésta; básteme recordar, aquí, el famoso fragmento 207 de la edición de Brunschvieg (*Combien de royaumes nous ignorent!*) y aquel otro, inmediato, en que habla de "la infinita inmensidad de espacios que ignoro *y que me ignoran*". En el primero, la vasta palabra *royaumes* y el desdeñoso verbo final impresionan físicamente; alguna vez pensé que esa exclamación era de origen bíblico. Recorrí, lo recuerdo, las Escrituras; no di con el lugar que buscaba, y que tal vez no existe, pero sí con su perfecto reverso, con las palabras temblorosas de un hombre que se sabe desnudo hasta la entraña bajo la vigilancia de Dios. Dice el Apóstol (I Corintios, XIII:12): "Vemos ahora por espejo, en oscuridad; después veremos cara a cara: ahora conozco en parte; pero después conoceré *como ahora soy conocido.*"

No menos ejemplar es el caso del fragmento 72. En el segundo párrafo, Pascal afirma que la naturaleza (el espacio) es "una esfera infinita cuyo centro está en todas partes y la circunferencia en ninguna". Pascal pudo encontrar esa esfera en Rabelais (III, 13), que la atribuye a Hermes Trismegisto, o en el simbólico *Roman de la Rose*, que la da como de Platón. Ello no importa; lo significativo es que la metáfora que usa Pascal para definir el espacio es empleada por quiénes lo precedieron (y por Sir Thomas Browne en *Religio Medici*) para definir la divinidad.[1] No la grandeza del Creador sino la grandeza de la Creación afecta a Pascal.

Éste, declarando en palabras incorruptibles el desorden y la miseria (*on mourra seul*), es uno de los hombres más patéticos de la historia de Europa; aplicando a las artes apologéticas el cálculo de probalidades, uno de los más vanos y frívolos. No es un místico; pertenece a aquellos cristianos denunciados por Swedenborg, que suponen que el cielo es un galardón y el infierno un castigo y que, habituados a la meditación melancólica, no saben hablar con los ángeles.[2] Menos le importa Dios que la refutación de quienes lo niegan.

Esta edición[3], quiere reproducir, mediante un complejo sistema de signos tipográficos, el aspecto "inacabado, hirsuto y confuso" del manuscrito; es evidente que ha logrado ese fin. Las notas, en cambio, son pobres. Así, en la página 71 del primer tomo, se publica un fragmento que desarrolla en siete renglones la conocida prueba cosmológica de Santo Tomás y de Leibniz; el editor no la reconoce y observa: "Tal vez Pascal hace hablar aquí a un incrédulo".

Al pie de algunos textos, el editor cita pasajes congéneres de Montaigne o de la Sagrada Escritura; ese trabajo podría ampliarse. Para ilustración del *Pari*, cabría citar los textos de Arnobio,

[1] Que yo recuerde, la historia no registra dioses cónicos, cúbicos o piramidales, aunque sí ídolos. En cambio, la forma de la esfera es perfecta y conviene a la divinidad (Cicerón: *De natura deorum*, II, 17). Esférico fue Dios para Jenófanes y para el poeta Parménides. En opinión de algunos historiadores, Empédocles (fragmento 28) y Meliso lo concibieron como esfera infinita. Orígenes entendió que los muertos resucitarán en forma de esfera; Fechner (*Vergleichende Anatomie der Engel*) atribuyó esa forma, que es la del órgano visual, a los ángeles.

Antes que Pascal, el insigne panteísta Giordano Bruno (*De la causa*, V) aplicó al universo material la sentencia de Trismegisto.

[2] *De coelo et inferno*, 535. Para Swedenborg, como para Boehme (*Sex puncta theosophica*, 9, 34), el cielo y el infierno son estados que con libertad busca el hombre, no un establecimiento penal y un establecimiento piadoso. Cf. también Bernard Shaw: *Man and Superman*, III.

[3] La de Zacharie Tourneur (París, 1942).

de Sirmond y de Algazel que indicó Asín Palacios (*Huellas del Islam*, Madrid, 1941); para ilustración del fragmento contra la pintura, aquel pasaje del décimo libro de *La República*, donde se nos dice que Dios crea el Arquetipo de la mesa, el carpintero, un simulacro del arquetipo, y el pintor, un simulacro del simulacro; para ilustración del fragmento 72 (*Je lui veux peindre l'immensité... dans l'enceinte de ce raccourci d'atome...*), su prefiguración en el concepto del microcosmo, su reaparición en Leibniz (*Monadología*, 67), y en Hugo (*La chauve-souris*):

> *Le moindre grain de sable est un globe qui roule*
> *Traînant comme la terre une lugubre foule*
> *Qui s'abhorre et s'acharme...*

Demócrito pensó que en el infinito se dan mundos iguales, en los que hombres iguales cumplen sin una variación destinos iguales; Pascal (en quien también pudieron influir las antiguas palabras de Anaxágoras de que todo está en cada cosa) incluyó a esos mundos parejos unos adentro de otros, de suerte que no hay átomo en el espacio que no encierre universo ni universo que no sea también un átomo. Es lógico pensar (aunque no lo dijo) que se vio multiplicado en ellos sin fin.

EL IDIOMA ANALÍTICO DE JOHN WILKINS

He comprobado que la décimocuarta edición de la *Encyclopaedia Britannica* suprime el artículo sobre John Wilkins. Esa omisión es justa, si recordamos la trivialidad del artículo (veinte renglones de meras circunstancias biográficas: Wilkins nació en 1614, Wilkins murió en 1672, Wilkins fue capellán de Carlos Luis, príncipe palatino; Wilkins fue nombrado rector de uno de los colegios de Oxford, Wilkins fue el primer secretario de la Real Sociedad de Londres, etc.); es culpable, si consideramos la obra especulativa de Wilkins. Éste abundó en felices curiosidades: le interesaron la teología, la criptografía, la música, la fabricación de colmenas transparentes, el curso de un planeta invisible, la posibilidad de un viaje a la luna, la posibilidad y los principios de un lenguaje mundial. A este último problema dedicó el libro *An Essay Towards a Real Character and a Philosophical Language* (600 páginas en cuarto mayor, 1668). No hay ejemplares de ese libro en nuestra Biblioteca Nacional; he interrogado, para redactar esta nota, *The Life and Times of John Wilkins* (1910), de P. A. Wright Henderson; el *Woerterbuch der Philosophie* (1924), de Fritz Mauthner; *Delphos* (1935), de E. Sylvia Pankhurst; *Dangerous Thoughts* (1939), de Lancelot Hogben.

Todos, alguna vez, hemos padecido esos debates inapelables en que una dama, con acopio de interjecciones y de ancolutos, jura que la palabra *luna* es más (o menos) expresiva que la palabra *moon*. Fuera de la evidente observación de que el monosílabo *moon* es tal vez más apto para representar un objeto muy simple que la palabra bisilábica *luna*, nada es posible contribuir a tales debates; descontadas las palabras compuestas y las derivaciones, todos los idiomas del mundo (sin excluir el *volapük* de Johann Martin Schleyer y la romántica *interlingua* de Peano) son igualmente inexpresivos. No hay edición de la Gramática de la Real Academia que no pondere "el envidiado tesoro de voces pintorescas, felices y expresivas de la riquísima lengua española", pero se trata de una mera jactancia, sin corroboración. Por lo pronto, esa misma Real Academia elabora cada tantos años un diccionario, que define las voces del español... En el idioma universal que ideó Wilkins al promediar el siglo XVII, cada palabra se define a sí misma. Descartes, en una epístola fechada en noviembre de 1629, ya había anotado que mediante el sistema decimal de numeración, podemos aprender en un solo día a nombrar todas las cantidades hasta el infinito y a escribirlas en un idioma nuevo que es el de los guarismos [1]; también había propuesto la formación de un idioma análogo, general, que organizara y abarcara todos los pensamientos humanos. John Wilkins, hacia 1664, acometió esa empresa.

Dividió el universo en cuarenta categorías o géneros, subdivisibles luego en diferencias, subdivisibles a su vez en especies. Asignó a cada género un monosílabo de dos letras; a cada diferencia, una consonante; a cada especie, una vocal. Por ejemplo: *de*, quiere decir elemento; *deb*, el primero de los elementos, el fuego; *deba*, una porción del elemento del fuego, una llama. En el idioma análogo de Letellier (1850) *a*, quiere decir animal; *ab*, mamífero; *abo*, carnívoro; *aboj*, felino; *aboje*, gato; *abi*, herbívoro; *abiv*, equino; etc. En el de Bonifacio Sotos Ochando (1845), *imaba*, quiere decir edificio; *imaca*, serrallo; *imafe*, hospital; *imafo*, lazareto; *imarri*, casa; *imaru*, quinta; *imedo*, poste; *imede*, pilar; *imego*, suelo; *imela*, techo; *imogo*, ventana; *bire*, encuadernador; *birer*, encuadernar. (Debo este último censo a un libro impreso en Buenos Aires en 1886: el *Curso de lengua universal*, del doctor Pedro Mata.)

Las palabras del idioma analítico de John Wilkins no son torpes símbolos arbitrarios; cada una de las letras que las integran es significativa, como lo fueron las de la Sagrada Escritura para los cabalistas. Mauthner observa que los niños podrían aprender ese idioma sin saber que es artificioso; después en el colegio, descubrirían que es también una clave universal y una enciclopedia secreta.

Ya definido el procedimiento de Wilkins, falta examinar un problema de imposible o difícil postergación: el valor de la tabla cuadragesimal que es base del idioma. Consideremos la octava categoría, la de las piedras. Wilkins las divide en comunes (pedernal, cascajo, pizarra), módicas (mármol, ámbar, coral), preciosas (perla, ópalo), transparentes (amatista, zafiro) e insolubles (hulla, greda y arsénico). Casi tan alarmante como la octava, es la novena categoría. Ésta nos revela que los metales pueden ser imperfectos (bermellón, azogue), artificiales (bronce, latón), recrementicios (limaduras, herrumbre) y naturales (oro, estaño,

---

[1] Teóricamente, el número de sistemas de numeración es ilimitado. El más complejo (para uso de las divinidades y de los ángeles) registraría un número infinito de símbolos, uno para cada número entero; el más simple sólo requiere dos. Cero se escribe 0, uno 1, dos 10, tres 11, cuatro 100, cinco 101, seis 110, siete 111, ocho 1000... Es invención de Leibniz, a quien estimularon (parece) los hexagramas enigmáticos del I King.

cobre). La belleza figura en la categoría décimosexta; es un pez vivíparo, oblongo. Esas ambigüedades, redundancias y deficiencias recuerdan las que el doctor Franz Kuhn atribuye a cierta enciclopedia china que se titula *Emporio celestial de conocimientos benévolos*. En sus remotas páginas está escrito que los animales se dividen en (a) pertenecientes al Emperador, (b) embalsamados, (c) amaestrados, (d) lechones, (e) sirenas, (f) fabulosos, (g) perros sueltos, (h) incluidos en esta clasificación, (i) que se agitan como locos, (j) innumerables, (k) dibujados con un pincel finísimo de pelo de camello, (l) etcétera, (m) que acaban de romper el jarrón, (n) que de lejos parecen moscas. El Instituto Bibliográfico de Bruselas también ejerce el caos: ha parcelado el universo en 1000 subdivisiones, de las cuales la 262 corresponde al Papa; la 282, a la Iglesia Católica Romana; la 263, al Día del Señor; la 268, a las escuelas dominicales; la 298, al mormonismo, y la 294, al brahmanismo, budismo, shintoísmo y taoísmo. No rehusa las subdivisiones heterogéneas, verbigracia, la 179: "Crueldad con los animales. Protección de los animales. El duelo y el suicidio desde el punto de vista de la moral. Vicios y defectos varios. Virtudes y cualidades varias."

He registrado las arbitrariedades de Wilkins, del desconocido (o apócrifo) enciclopedista chino y del Instituto Bibliográfico de Bruselas; notoriamente no hay clasificación del universo que no sea arbitraria y conjetural. La razón es muy simple: no sabemos qué cosa es el universo. "El mundo —escribe David Hume— es tal vez el bosquejo rudimentario de algún dios infantil, que lo abandonó a medio hacer, avergonzado de su ejecución deficiente; es obra de un dios subalterno, de quien los dioses superiores se burlan; es la confusa producción de una divinidad decrépita y jubilada, que ya se ha muerto" (*Dialogues Concerning Natural Religion*, V. 1779). Cabe ir más lejos; cabe sospechar que no hay universo en el sentido orgánico, unificador, que tiene esa ambiciosa palabra. Si lo hay, falta conjeturar su propósito; falta conjeturar las palabras, las definiciones, las etimologías, las sinonimias, del secreto diccionario de Dios.

La imposibilidad de penetrar el esquema divino del universo no puede, sin embargo, disuadirnos de planear esquemas humanos, aunque nos conste que éstos son provisorios. El idioma analítico de Wilkins no es el menos admirable de esos esquemas. Los géneros y especies que lo componen son contradictorios y vagos; el artificio de que las letras de las palabras indiquen subdivisiones y divisiones es, sin duda, ingenioso. La palabra *salmón* no nos dice nada; *zana*, la voz correspondiente, define (para el hombre versado en las cuarenta categorías y en los géneros de esas categorías) un pez escamoso, fluvial, de carne rojiza. (Teóricamente, no es inconcebible un idioma donde el nombre de cada ser indicara todos los pormenores de su destino, pasado y venidero.)

Esperanzas y utopías aparte, acaso lo más lúcido que sobre el lenguaje se ha escrito son estas palabras de Chesterton: "El hombre sabe que hay en el alma tintes más desconcertantes, más innumerables y más anónimos que los colores de una selva otoñal... cree, sin embargo, que esos tintes, en todas sus fusiones y conversiones, son representables con precisión por un mecanismo arbitrario de gruñidos y de chillidos. Cree que del interior de un bolsista salen realmente ruidos que significan todos los misterios de la memoria y todas las agonías del anhelo" (*G. F. Watts*, pág. 88, 1904).

KAFKA Y SUS PRECURSORES

Yo premedité alguna vez un examen de los precursores de Kafka. A éste, al principio, lo pensé tan singular como el fénix de las alabanzas retóricas; a poco de frecuentarlo, creí reconocer su voz, o sus hábitos, en textos de diversas literaturas y de diversas épocas. Registraré unos pocos aquí, en orden cronológico.

El primero es la paradoja de Zenón contra el movimiento. Un móvil que está en A (declara Aristóteles) no podrá alcanzar el punto B, porque antes deberá recorrer la mitad del camino entre los dos, y antes, la mitad de la mitad, y antes, la mitad de la mitad, y así hasta lo infinito; la forma de este ilustre problema es, exactamente, la de *El Castillo*, y el móvil y la flecha y Aquiles son los primeros personajes kafkianos de la literatura. En el segundo texto que el azar de los libros me deparó, la afinidad no está en la forma sino en el tono. Se trata de un apólogo de Han Yu, prosista del siglo IX, y consta en la admirable *Anthologie raisonée de la littérature chinoise* (1948) de Margouliè. Éste es el párrafo que marqué, misterioso y tranquilo: "Universalmente se admite que el unicornio es un ser sobrenatural y de buen agüero; así lo declaran las odas, los anales, las biografías de varones ilustres y otros textos cuya autoridad es indiscutible. Hasta los párvulos y las mujeres del pueblo saben que el unicornio constituye un presagio favorable. Pero este animal no figura entre los animales domésticos, no siempre es fácil encontrarlo, no se presta a una clasificación. No es como el caballo o el toro, el lobo o el ciervo. En tales condiciones, podríamos estar frente al unicornio y no sabríamos con seguridad que lo es. Sabemos que tal animal con crin es caballo y que tal animal con cuernos es toro. No sabemos cómo es el unicornio".[1]

El tercer texto procede de una fuente más previsible: los escritos de Kierkegaard. La afinidad mental de ambos escritores es cosa de nadie ignorada; lo que no se ha destacado aún, que

---

[1] El desconocimiento del animal sagrado y su muerte oprobiosa o casual a manos del vulgo son temas tradicionales de la literatura china. Véase el último capítulo de *Psychologie und Alchemie* (Zürich, 1944), de Jung, que encierra dos curiosas ilustraciones.

yo sepa, es el hecho de que Kierkegaard, como Kafka, abundó en parábolas religiosas de tema contemporáneo y burgués. Lowrie, en su *Kierkegaard* (Oxford University Press, 1938), transcribe dos. Una es la historia de un falsificador que revisa, vigilado incesantemente, los billetes del Banco de Inglaterra; Dios, de igual modo, desconfiaría de Kierkegaard y le habría encomendado una misión, justamente por saberlo avezado al mal. El sujeto de otra son las expediciones al Polo Norte. Los párrocos daneses habrían declarado desde los púlpitos que participar en tales expediciones conviene a la salud eterna del alma. Habrían admitido, sin embargo, que llegar al Polo es difícil y tal vez imposible y que no todos pueden acometer la aventura. Finalmente, anunciarían que cualquier viaje —de Dinamarca a Londres, digamos, en el vapor de la carrera—, o un paseo dominical en coche de plaza, son, bien mirados, verdaderas expediciones al Polo Norte. La cuarta de las prefiguraciones la hallé en el poema *Fears and Scruples* de Browning, publicado en 1876. Un hombre tiene, o cree tener, un amigo famoso. Nunca lo ha visto y el hecho es que éste no ha podido, hasta el día de hoy, ayudarlo, pero se cuentan rasgos suyos muy nobles, y circulan cartas auténticas. Hay quien pone en duda los rasgos, y los grafólogos afirman la apocrifidad de las cartas. El hombre, en el último verso, pregunta: "¿Y si este amigo fuera Dios?"

Mis notas registran asimismo dos cuentos. Uno pertenece a las *Histoires désobligeantes* de León Bloy y refiere el caso de unas personas que abundan en globos terráqueos, en atlas, en guías de ferrocarril y en baúles, y que mueren sin haber logrado salir de su pueblo natal. El otro se titula *Carcassonne* y es obra de Lord Dunsany. Un invencible ejército de guerreros parte de un castillo infinito, sojuzga reinos y ve monstruos y fatiga los desiertos y las montañas, pero nunca llegan a Carcasona, aunque alguna vez la divisan. (Este cuento es, como fácilmente se advertirá, el estricto reverso del anterior; en el primero, nunca se sale de una ciudad; en el último, no se llega.)

Si no me equivoco, las heterogéneas piezas que he enumerado se parecen a Kafka; si no me equivoco, no todas se parecen entre sí. Este último hecho es el más significativo. En cada uno de esos textos está la idiosincrasia de Kafka, en grado mayor o menor, pero si Kafka no hubiera escrito, no la percibiríamos; vale decir, no existiría. El poema *Fears and Scruples* de Robert Browning profetiza la obra de Kafka, pero nuestra lectura de Kafka afina y desvía sensiblemente nuestra lectura del poema. Browning no lo leía como ahora nosotros lo leemos. En el vocabulario crítico, la palabra *precursor* es indispensable, pero habría que tratar de purificarla de toda connotación de polémica o de rivalidad. El hecho es que cada escritor *crea* a sus precursores. Su labor modifica nuestra concepción del pasado, como ha de modificar el futuro [1]. En esta correlación nada importa la identidad o la pluralidad de los hombres. El primer Kafka de *Betrachtung* es menos precursor del Kafka de los mitos sombríos y de las instituciones atroces que Browning o Lord Dunsany.

Buenos Aires, 1951.

---

[1] Véase T. S. Eliot: *Points of View* (1941), págs. 25-26.

DEL CULTO DE LOS LIBROS

En el octavo libro de la *Odisea* se lee que los dioses tejen desdichas para que a las futuras generaciones no les falte algo que cantar; la declaración de Mallarmé: *El mundo existe para llegar a un libro*, parece repetir, unos treinta siglos después, el mismo concepto de una justificación estética de los males. Las dos teleologías, sin embargo, no coinciden íntegramente; la del griego corresponde a la época de la palabra oral, y la del francés, a una época de la palabra escrita. En una se habla de contar y en otra de libros. Un libro, cualquier libro, es para nosotros un objeto sagrado: ya Cervantes, que tal vez no escuchaba todo lo que decía la gente, leía hasta "los papeles rotos de las calles". El fuego, en una de las comedias de Bernard Shaw, amenaza la biblioteca de Alejandría; alguien exclama que arderá la memoria de la humanidad, y César le dice: *Déjala arder. Es una memoria de infamias*. El César histórico, en mi opinión, aprobaría o condenaría el dictamen que el autor le atribuye, pero no lo juzgaría, como nosotros, una broma sacrílega. La razón es clara: para los antiguos la palabra escrita no era otra cosa que un sucedáneo de la palabra oral.

Es fama que Pitágoras no escribió; Gomperz (*Griechische Denker*, I, 3) defiende que obró así por tener más fe en la virtud de la instrucción hablada. De mayor fuerza que la mera abstención de Pitágoras es el testimonio inequívoco de Platón. Éste, en el *Timeo*, afirmó: "Es dura tarea descubrir al hacedor y padre de este universo, y, una vez descubierto, es imposible declararlo a todos los hombres", y en el *Fedro* narró una fábula egipcia contra la escritura (cuyo hábito hace que la gente descuide el ejercicio de la memoria y dependa de símbolos), y dijo que los libros son como las figuras pintadas, "que parecen vivas, pero no contestan una palabra a las preguntas que les hacen". Para atenuar o eliminar este inconveniente imaginó el diálogo filosófico. El maestro elige al discípulo, pero el libro no elige a sus lectores, que pueden ser malvados o estúpidos; este recelo platónico perdura en las palabras de Clemente de Alejandría, hombre de cultura pagana: "Lo más prudente es no escribir sino aprender y enseñar de viva voz, porque lo escrito queda" (*Stromateis*), y en éstas del mismo tratado: "Escribir en un libro todas las cosas es dejar una espada en manos de un niño"; que derivan también de las evangélicas: "No deis lo santo a los perros ni echéis vuestras perlas delante de los puercos, porque no las huellen con los pies, y vuelvan y os despedacen." Esta sentencia es de Jesús, el mayor de los maestros orales, que una sola vez escribió unas palabras en la tierra y no las leyó ningún hombre (Juan, 8:6).

Clemente Alejandrino escribió su recelo de la escritura a fines del siglo II; a fines del siglo IV se inició el proceso mental que, a la vuelta de muchas generaciones, culminaría en el predominio de la palabra escrita sobre la hablada, de la pluma sobre la voz. Un admirable azar ha querido que un escritor fijara el instante (apenas exagero al llamarlo instante) en que tuvo principio el vasto proceso. Cuenta San Agustín, en el libro seis de las *Confesiones*: "Cuando Ambrosio leía, pasaba la vista sobre las páginas penetrando su alma, en el sentido, sin proferir una palabra ni mover la lengua. Muchas veces —pues a nadie se le prohibía entrar, ni había costumbre de avisarle quién venía—, lo vimos leer calladamente y nunca de otro modo, y al cabo de un tiempo nos íbamos, conjeturando que aquel breve intervalo que se le concedía para reparar su espíritu, libre del tumulto de los negocios ajenos, no quería que se lo ocupasen en otra cosa, tal vez receloso de que un oyente, atento a las dificultades del texto, le pidiera la explicación de un pasaje oscuro o quisiera discutirlo con él, con lo que no pudiera leer tantos volúmenes como deseaba. Yo entiendo que leía de ese modo por conservar la voz, que se le tomaba con facilidad. En todo caso, cualquiera que fuese el propósito de tal hombre, ciertamente era bueno." San Agustín fue discípulo de San Ambrosio, obispo de Milán, hacia el año 384; trece años después, en Numidia, redactó sus *Confesiones* y aún lo inquietaba aquel singular espectáculo: un hombre en una habitación, con un libro, leyendo sin articular las palabras.[1]

Aquel hombre pasaba directamente del signo de escritura a la intuición, omitiendo el signo sonoro; el extraño arte que iniciaba, el arte de leer en voz baja, conduciría a consecuencias maravillosas. Conduciría, cumplidos muchos años, al concepto del libro como fin, no como instrumento de un fin. (Este concepto místico, trasladado a la literatura profana, daría los singulares destinos de Flaubert y de Mallarmé, de Henry James y de James Joyce.) A la noción de un Dios que habla con los hombres para ordenarles algo o prohibirles algo, se superpone la del Libro Absoluto, la de una Escritura Sagrada. Para los musulmanes, el

---

[1] Los comentadores advierten que, en aquel tiempo, era costumbre leer en voz alta, para penetrar mejor el sentido, porque no había signos de puntuación, ni siquiera división de palabras, y leer en común, para moderar o salvar los inconvenientes de la escasez de códices. El diálogo de Luciano de Samosata, *Contra un ignorante comprador de libros*, encierra un testimonio de esa costumbre en el siglo II.

"Alcorán" (también llamado El Libro, *Al Kitab*), no es una mera obra de Dios, como las almas de los hombres o el universo; es uno de los atributos de Dios como Su eternidad o Su ira. En el capítulo XIII, leemos que el texto original, *La Madre del Libro*, está depositado en el Cielo. Muhammad-al-Ghazali, el Algazel de los escolásticos, declaró: "el *Alcorán* se copia en un libro, se pronuncia con la lengua, se recuerda en el corazón y, sin embargo sigue perdurando en el centro de Dios y no lo altera su pasaje por las hojas escritas y por los entendimientos humanos". George Sale observa que ese increado Alcorán no es otra cosa que su idea o arquetipo platónico; es verosímil que Algazel recurriera a los arquetipos, comunicados al Islam por la Enciclopedia de los Hermanos de la Pureza y por Avicena, para justificar la noción de la Madre del Libro.

Aun más extravagantes que los musulmanes fueron los judíos. En el primer capítulo de su Biblia se halla la sentencia famosa: "Y Dios dijo; sea la luz; y fue la luz"; los cabalistas razonaron que la virtud de esa orden del Señor procedió de las letras de las palabras. El tratado *Sefer Yetsirah* (Libro de la Formación), redactado en Siria o en Palestina hacia el siglo VI, revela que Jehová de los Ejércitos, Dios de Israel y Dios Todopoderoso, creó el universo mediante los números cardinales que van del uno al diez y las veintidós letras del alfabeto. Que los números sean instrumentos o elementos de la Creación es dogma de Pitágoras y de Jámblico; que las letras lo sean es claro indicio del nuevo culto de la escritura. El segundo párrafo del segundo capítulo reza: "Veintidós letras fundamentales: Dios las dibujó, las grabó, las combinó, las pesó, las permutó, y con ellas produjo todo lo que es y todo lo que será." Luego se revela qué letra tiene poder sobre el aire, y cuál sobre el agua, y cuál sobre el fuego, y cuál sobre la sabiduría, y cuál sobre la paz y cuál sobre la gracia, y cuál sobre el sueño, y cuál sobre la cólera, y cómo (por ejemplo) la letra *kaf*, que tiene poder sobre la vida, sirvió para formar el sol en el mundo, el miércoles en el año y la oreja izquierda en el cuerpo.

Más lejos fueron los cristianos. El pensamiento de que la divinidad había escrito un libro los movió a imaginar que había escrito dos y que el otro era el universo. A principios del siglo XVII, Francis Bacon declaró en su *Advancement of Learning* que Dios nos ofrecía dos libros, para que no incidiéramos en error: el primero, el volumen de las Escrituras, que revela Su voluntad; el segundo, el volumen de las criaturas, que revela Su poderío y que éste era la llave de aquél. Bacon se proponía mucho más que hacer una metáfora; opinaba que el mundo era reducible a formas esenciales (temperaturas, densidades, pesos, colores), que integraban, en número limitado, un *abecedarium naturae* o serie de las letras con que se escribe el texto universal.[1] Sir Thomas Browne, hacia 1642, confirmó: "Dos son los libros en que suelo aprender teología: La Sagrada Escritura y aquel universal y público manuscrito que está patente a todos los ojos. Quienes nunca Lo vieron en el primero, Lo descubrieron en el otro" (*Religio Medici,*. I, 16). En el mismo párrafo se lee: "Todas las cosas son artificiales, porque la Naturaleza es el Arte de Dios." Doscientos años transcurrieron y el escocés Carlyle, en diversos lugares de su labor y particularmente en el ensayo sobre Cagliostro, superó la conjetura de Bacon; estampó que la historia universal es una Escritura Sagrada que desciframos y escribimos inciertamente, y en la que también nos escriben. Después, León Bloy escribió: "No hay en la tierra un ser humano capaz de declarar quién es. Nadie sabe qué ha venido a hacer a este mundo, a qué corresponden sus actos, sus sentimientos, sus ideas, ni cuál es su *nombre* verdadero, su imperecedero Nombre en el registro de la Luz... La historia es un inmenso texto litúrgico, donde las iotas y los puntos no valen menos que los versículos o capítulos íntegros, pero la importancia de unos y de otros es indeterminable y está profundamente escondida" (*L'Ame de Napoleón*, 1912). El mundo, según Mallarmé, existe para un libro; según Bloy, somos versículos o palabras o letras de un libro mágico, y ese libro incesante es la única cosa que hay en el mundo: es, mejor dicho, el mundo.

Buenos Aires, 1951.

---

[1] En las obras de Galileo abunda el concepto del universo como libro. La segunda sección de la antología de Favaro (*Galileo Gelileo: Pensieri, motti e sentenze*, Firenze, 1949) se titula *Il libro della Natura*. Copio el siguiente párrafo: "La filosofía está escrita en aquel grandísimo libro que continuamente está abierto ante nuestros ojos (quiero decir, el universo), pero que no se entiende si antes no se estudia la lengua y se conocen los caracteres en que está escrito. La lengua de ese libro es matemática y los caracteres son triángulos, círculos y otras figuras geométricas."

EL RUISEÑOR DE KEATS

Quienes han frecuentado la poesía lírica de Inglaterra no olvidarán la *Oda a un ruiseñor* que John Keats, tísico, pobre y acaso infortunado en amor, compuso en un jardín de Hampstead, a la edad de veintitrés años, en una de las noches del mes de abril de 1819. Keats, en el jardín suburbano, oyó el eterno ruiseñor de Ovidio y de Shakespeare y sintió su propia mortalidad y la contrastó con la tenue voz imperecedera del invisible pájaro. Keats había escrito que el poeta debe dar poesías naturalmente, como el árbol da hojas; dos o tres horas le bastaron para producir esas páginas de inagotable e insaciable hermosura, que apenas limaría después; su virtud, que yo sepa, no ha sido discutida por nadie, pero sí la interpretación. El nudo del problema está en la penúltima estrofa. El hombre circunstancial y mortal se dirige al pájaro, "que no huellan las hambrientas generaciones" y cuya voz, ahora, es la que en campos de Israel, una antigua tarde, oyó Ruth la moabita.

En su monografía sobre Keats, publicada en 1887, Sidney Colvin (corresponsal y amigo de Stevenson) percibió o inventó una dificultad en la estrofa de que hablo. Copio su curiosa declaración: "Con un error de lógica, que a mi parecer, es también una falla poética, Keats opone a la fugacidad de la vida humana, por la que entiende la vida del individuo, la permanencia de la vida del pájaro, por la que entiende la vida de la especie." En 1895, Bridges repitió la denuncia: F. R. Leavis la aprobó en 1936 y le agregó el escolio: "Naturalmente, la falacia incluida en este concepto prueba la intensidad del sentimiento que la prohijó..." Keats, en la primera estrofa de su poema, había llamado *dríade* al ruiseñor; otro crítico, Garrod, seriamente alegó ese epíteto para dictaminar que en la séptima, el ave es inmortal porque es una dríade, una divinidad de los bosques. Amy Lowell escribió con mejor acierto: "El lector que tenga una chispa de sentido imaginativo o poético intuirá inmediatamente que Keats no se refiere al ruiseñor que cantaba en ese momento, sino a la especie."

Cinco dictámenes de cinco críticos actuales y pasados he recogido; entiendo que de todos el menos vano es el de la norteamericana Amy Lowell, pero niego la oposición que en él se postula entre el efímero ruiseñor de esa noche y el ruiseñor genérico. La clave, la exacta clave de la estrofa, está, lo sospecho, en un párrafo metafísico de Schopenhauer, que no la leyó nunca.

La *Oda a un ruiseñor* data de 1819; en 1844 apareció el segundo volumen de *El mundo como voluntad y representación*. En el capítulo 41 se lee: "Preguntémonos con sinceridad si la golondrina de este verano es otra que la del primero y si realmente entre las dos el milagro de sacar algo de la nada ha ocurrido millones de veces para ser burlado otras tantas por la aniquilación absoluta. Quien me oiga asegurar que ese gato que está jugando ahí es el mismo que brincaba y que traveseaba en ese lugar hace trescientos años pensará de mí lo que quiera, pero locura más extraña es imaginar que fundamentalmente es otro." Es decir, el individuo es de algún modo la especie, y el ruiseñor de Keats es también el ruiseñor de Ruth.

Keats, que, sin exagerada injusticia, pudo escribir: "No sé nada, no he leído nada", adivinó a través de las páginas de algún diccionario escolar el espíritu griego; sutilísima prueba de esa adivinación o recreación es haber intuido en el oscuro ruiseñor de una noche el ruiseñor platónico. Keats, acaso incapaz de definir la palabra *arquetipo*, se anticipó en un cuarto de siglo a una tesis de Schopenhauer.

Aclarada así la dificultad, queda por aclarar una segunda, de muy diversa índole. ¿Cómo no dieron con esta interpretación evidente Garrod y Leavis y los otros?[1] Leavis es profesor de uno de los colegios de Cambridge; —la ciudad que, en el siglo XVII, congregó y dio nombre a los *Cambridge Platonists*—; Bridges escribió un poema platónico titulado *The Fourth Dimension*; la mera enumeración de estos hechos parece agravar el enigma. Si no me equivoco, su razón deriva de algo esencial en la mente británica.

Observa Coleridge que todos los hombres nacen aristotélicos o platónicos. Los últimos sienten que las clases, los órdenes y los géneros son realidades; los primeros, que son generalizaciones; para éstos, el lenguaje no es otra cosa que un aproximativo juego de símbolos; para aquéllos es el mapa del universo. El platónico sabe que el universo es de algún modo un cosmos, un orden; ese orden, para el aristotélico, puede ser un error o una ficción de nuestro conocimiento parcial. A través de las latitudes y de las épocas, los dos antagonistas inmortales cambian de dialecto y de nombre: uno es Parménides, Platón, Spinoza, Kant, Francis Bradley; el otro, Heráclito, Aristóteles, Locke, Hume, William James. En las arduas escuelas de la Edad Media, todos invocan a Aristóteles, maestro de la humana razón (*Convivio*, IV, 2), pero

[1] A los que habría que agregar el genial poeta William Butler Yeats que, en la primera estrofa de *Sailing to Byzantium*, habla de las "murientes generaciones" de pájaros, con alusión deliberada o involuntaria a la Oda. Véase T. R. Henn: *The Lonely Tower*, 1950, pág. 211.

los nominalistas son Aristóteles; los realistas, Platón. El nominalismo inglés del siglo XIV resurge en el escrupuloso idealismo inglés del siglo XVIII; la economía de la fórmula de Occam, *entia non sunt multiplicanda praeter necessitatem* permite o prefigura el no menos taxativo *esse est percipi*. Los hombres, dijo Coleridge, nacen aristotélicos o platónicos; de la mente inglesa cabe afirmar que nació aristotélica. Lo real, para esa mente, no son los conceptos abstractos, sino los individuos; no el ruiseñor genérico, sino los ruiseñores concretos. Es natural, es acaso inevitable, que en Inglaterra no sea comprendida rectamente la *Oda a un ruiseñor*.

Que nadie lea una reprobación o un desdén en las anteriores palabras. El inglés rechaza lo genérico porque siente que lo individual es irreductible, inasimilable e impar. Un escrúpulo ético, no una incapacidad especulativa, le impide traficar en abstracciones, como los alemanes. No entiende la *Oda a un ruiseñor*; esa valiosa incomprensión le permite ser Locke, ser Berkeley y ser Hume, y redactar, hará setenta años, las no escuchadas y proféticas advertencias del *Individuo contra el Estado*.

El ruiseñor, en todas las lenguas del orbe, goza de nombres melodiosos (*nightingale, nachtigall, usignolo*), como si los hombres instintivamente hubieran querido que éstos no desmerecieran del canto que los maravilló. Tanto lo han exaltado los poetas que ahora es un poco irreal; menos afín a la calandria que al ángel. Desde los enigmas sajones del Libro de Exeter ("yo, antiguo cantor de la tarde, traigo a los nobles alegría en las villas") hasta la trágica *Atalanta* de Swinburne, el infinito ruiseñor ha cantado en la literatura británica; Chaucer y Shakespeare lo celebran, Milton y Matthew Arnold, pero a John Keats unimos fatalmente su imagen como a Blake la del tigre.

EL ESPEJO DE LOS ENIGMAS

El pensamiento de que la Sagrada Escritura tiene (además de su valor literal) un valor simbólico no es irracional y es antiguo: está en Filón de Alejandría, en los cabalistas, en Swedenborg. Como los hechos referidos por la Escritura son verdaderos (Dios es la Verdad, la Verdad no puede mentir, etcétera), debemos admitir que los hombres, al ejecutarlos, representaron ciegamente un drama secreto, determinado y premeditado por Dios. De ahí a pensar que la historia del universo —y en ella nuestras vidas y el más tenue detalle de nuestras vidas— tiene un valor inconjeturable, simbólico, no hay un trecho infinito. Muchos deben haberlo recorrido; nadie, tan asombrosamente como León Bloy. (En los fragmentos psicológicos de Novalis y en aquel tomo de la autobiografía de Machen que se llama *The London Adventure*, hay una hipótesis afín: la de que el mundo externo —las formas, las temperaturas, la luna— es un lenguaje que hemos olvidado los hombres, o que deletreamos apenas... También la declara De Quincey [1]: "Hasta los sonidos irracionales del globo deben ser otras tantas álgebras y lenguajes que de algún modo tienen sus llaves correspondientes, su severa gramática y su sintaxis, y así las mínimas cosas del universo pueden ser espejos secretos de las mayores").

Un versículo de San Pablo (I, Corintios, XIII, 12) inspiró a León Bloy: *Videmus nunc per speculum in aenigmate: tunc autem facie ad faciem. Nunc cognosco ex parte: tunc autem cognoscam sicut et cognitus sum.* Torres Amat miserablemente traduce: "Al presente no vemos a *Dios* sino como en un espejo, y bajo imágenes oscuras: pero entonces *le* veremos cara a cara. Yo no *le* conozco ahora sino imperfectamente: mas entonces *le* conoceré *con una visión clara*, a la manera que soy yo conocido." 44 voces hacen el oficio de 22; imposible ser más palabrero y más lánguido. Cipriano de Valera es más fiel: "Ahora vemos por espejo, en oscuridad; mas entonces *veremos* cara a cara. Ahora conozco en parte; mas entonces conoceré como soy conocido." Torres Amat opina que el versículo se refiere a nuestra visión de la divinidad; Cipriano de Valera (y León Bloy) a nuestra visión general.

Que yo sepa, Bloy no imprimió a su conjetura una forma definitiva. A lo largo de su obra fragmentaria (en la que abundan,

---

[1] *Writings*, 1896, volumen primero, página 129.

como nadie lo ignora, la quejumbre y la afrenta) hay versiones o facetas distintas. He aquí unas cuantas, que he rescatado de las páginas clamorosas de *Le mendiant ingrat*, de *Le Vieux de la Montagne* y de *L'invendable*. No creo haberlas agotado: espero que algún especialista en León Bloy (yo no lo soy) las complete y las rectifique.

La primera es de junio de 1894. La traduzco así: "La sentencia de San Pablo: *Videmus nunc per speculum in aenigmate* sería una claraboya para sumergirse en el Abismo verdadero, que es el alma del hombre. La aterradora inmensidad de los abismos del firmamento es una ilusión, un reflejo exterior de *nuestros abismos*, percibidos "en un espejo". Debemos invertir nuestros ojos y ejercer una astronomía sublime en el infinito de nuestros corazones, por los que Dios quiso morir... Si vemos la Vía Láctea, es porque existe *verdaderamente* en nuestra alma."

La segunda es de noviembre del mismo año. "Recuerdo una de mis ideas más antiguas. El Zar es el jefe y el padre espiritual de ciento cincuenta millones de hombres. Atroz responsabilidad que sólo es aparente. Quizá no es responsable, ante Dios, sino de unos pocos seres humanos. Si los pobres de su imperio están oprimidos durante su reinado, si de ese reinado resultan catástrofes inmensas ¿quién sabe si el sirviente encargado de lustrarle las botas no es el verdadero y solo culpable? En las disposiciones misteriosas de la Profundidad ¿quién es de veras Zar, quién es rey, quién puede jactarse de ser un mero sirviente?".

La tercera es de una carta escrita en diciembre. "Todo es símbolo, hasta el dolor más desgarrador. Somos durmientes que gritan en el sueño. No sabemos si tal cosa que nos aflige no es el principio secreto de nuestra alegría ulterior. Vemos ahora, afirma San Pablo, *per speculum in aenigmate*, literalmente: "en enigma por medio de un espejo" y no veremos de otro modo hasta el advenimiento de Aquel que está todo en llamas y que debe enseñarnos todas las cosas".

La cuarta es de mayo de 1904. "*Per speculum in aenigmate*, dice San Pablo. Vemos todas las cosas al revés. Cuando creemos dar, recibimos, etc. Entonces (me dice una querida alma angustiada) nosotros estamos en el cielo y Dios sufre en la tierra."

La quinta es de mayo de 1908. "Aterradora idea de Juana, acerca del texto *Per speculum*. Los goces de este mundo serían los tormentos del infierno, vistos *al revés*, en un espejo."

La sexta es de 1912. En cada una de las páginas de *L'Ame de Napoleon*, libro cuyo propósito es descifrar el símbolo *Napoleón*, considerado como precursor de otro héroe —hombre y simbólico también— que está oculto en el porvenir. Básteme citar dos pasajes: Uno: "Cada hombre está en la tierra para simbolizar algo que ignora y para realizar una partícula, o una montaña, de los materiales invisibles que servirán para edificar la Ciudad de Dios." Otro: "No hay en la tierra un ser humano capaz de declarar quién es, con certidumbre. Nadie sabe qué ha venido a hacer a este mundo, a qué corresponden sus actos, sus sentimientos, sus ideas, ni cuál es su *nombre* verdadero, su imperecedero Nombre en el registro de la Luz... La historia es un inmenso texto litúrgico donde las iotas y los puntos no valen menos que los versículos o capítulos íntegros, pero la importancia de unos y de otros es indeterminable y está profundamente escondida."

Los anteriores párrafos tal vez parecerán al lector meras gratitudes de Bloy. Que yo sepa, no se cuidó nunca de razonarlos. Yo me atrevo a juzgarlos verosímiles, y acaso inevitables dentro de la doctrina cristiana. Bloy (lo repito) no hizo otra cosa que aplicar a la Creación entera el método que los cabalistas judíos aplicaron a la Escritura. Éstos pensaron que una obra dictada por el Espíritu Santo era un texto absoluto: vale decir un texto donde la colaboración del azar es calculable en cero. Esa premisa portentosa de un libro impenetrable a la contingencia, de un libro que es un mecanismo de propósitos infinitos, les movió a permutar las palabras escriturales, a sumar el valor numérico de las letras, a tener en cuenta su forma, a observar las minúsculas y mayúsculas, a buscar acrósticos y anagramas y a otros rigores exegéticos de los que no es difícil burlarse. Su apología es que nada puede ser contingente en la obra de una inteligencia infinita.[1] León Bloy postula ese carácter jeroglífico —ese carácter de escritura divina, de criptografía de los ángeles— en todos los instantes y en todos los seres del mundo. El supersticioso cree penetrar esa escritura orgánica: trece comensales articulan el símbolo de la muerte; un ópalo amarillo, el de la desgracia...

Es dudoso que el mundo tenga sentido; es más dudoso aun que tenga doble y triple sentido, observará el incrédulo. Yo entiendo que así es; pero entiendo que el mundo jeroglífico postulado por Bloy es el que más conviene a la dignidad del Dios intelectual de los teólogos.

Ningún nombre sabe quién es, afirmó León Bloy. Nadie como él para ilustrar esa ignorancia íntima. Se creía un católico riguroso y fue un continuador de los cabalistas, un hermano secreto de Swedenborg y de Blake: heresiarcas.

---

[1] ¿Qué es una inteligencia infinita?, indagará tal vez el lector. No hay teólogo que no la defina; yo prefiero un ejemplo. Los pasos que da un hombre, desde el día de su nacimiento hasta el de su muerte, dibujan en el tiempo una inconcebible figura. La Inteligencia Divina intuye esa figura inmediatamente, como la de los hombres un triángulo. Esa figura (acaso) tiene su determinada función en la economía del universo.

DOS LIBROS

El último libro de Wells —*Guide to the Ney World. A Handbook of Constructive World Revolution*— corre el albur de parecer, a primera vista, una mera enciclopedia de injurias. Sus muy legibles páginas denuncian al Fuehrer, "que chilla como un conejo estrujado"; a Goering, "aniquilador de ciudades que, al día siguiente, barren los vidrios rotos y retoman las tareas de la víspera"; a Eden, "el inconsolable viudo quintaesencial de la Liga de las Naciones"; a José Stalin, que en un dialecto irreal sigue vindicando la dictadura del proletariado, "aunque nadie sabe qué es el proletariado, ni cómo y dónde dicta"; al "absurdo Ironside"; a los generales del ejército francés, "derrotados por la conciencia de la ineptitud, por tanques fabricados en Checoeslovaquia, por voces y rumores radiotelefónicos y por algunos mandaderos en bicicleta"; a la "evidente voluntad de derrota" (*will for defeat*) de la aristocracia británica; al "rencoroso conventillo" Irlanda del Sur; al Ministerio de Relaciones Exteriores inglés, "que parece no ahorrar el menor esfuerzo para que Alemania gane la guerra que ya ha perdido"; a Sir Samuel Hoare, "mental y moralmente tonto"; a los norteamericanos e ingleses "que traicionaron la causa liberal en España"; a los que opinan que esta guerra "es una guerra de ideologías" y no una fórmula criminal "del desorden presente"; a los ingenuos que suponen que basta exorcizar o destruir a los demonios Goering y Hitler para que el mundo sea paradisíaco.

He congregado algunas invectivas de Wells: no son literariamente memorables; algunas me parecen injustas, pero demuestran la imparcialidad de sus odios o de su indignación. Demuestran asimismo la libertad de que gozan los escritores en Inglaterra, en las horas centrales de una batalla. Más importante que esos malhumores epigramáticos (de los que apenas he citado unos pocos y que sería muy fácil triplicar o cuadruplicar) es la doctrina de este manual revolucionario. Esa doctrina es resumible en esta disyuntiva precisa: o Inglaterra identifica su causa con la de una revolución general (con la de un mundo federado), o la victoria es inaccesible e inútil. El capítulo XII (página 48-54) fija los fundamentos del mundo nuevo. Los tres capítulos finales discuten algunos problemas menores.

Wells, increíblemente, no es nazi. Increíblemente, pues casi todos mis contemporáneos lo son, aunque lo nieguen o lo ignoren. Desde 1925, no hay publicista que no opine que el hecho inevitable y trivial de haber nacido en un determinado país y de pertenecer a tal raza (o a tal buena mixtura de razas) no sea un privilegio singular y un talismán suficiente. Vindicadores de la democracia, que se creen muy diversos de Goebbels, instan a sus lectores, en el dialecto mismo del enemigo, a escuchar los latidos de un corazón que recoge los íntimos mandatos de la sangre y de la tierra. Recuerdo, durante la guerra civil española, ciertas discusiones indescifrables. Unos se declaraban republicanos; otros, nacionalistas; otros, marxistas; todos, en un léxico de *Gauleiter*, hablaban de la Raza y del Pueblo. Hasta los hombres de la hoz y el martillo resultaban racistas... También recuerdo con algún estupor cierta asamblea que se convocó para confundir el antisemitismo. Varias razones hay para que yo no sea un antisemita; la principal es ésta: la diferencia entre judíos y no-judíos me parece, en general, insignificante; a veces, ilusoria o imperceptible. Nadie, aquel día, quiso compartir mi opinión; todos juraron que un judío alemán difiere vastamente de un alemán. Vanamente les recordé que no otra cosa dice Adolfo Hitler; vanamente insinué que una asamblea contra el racismo no debe tolerar la doctrina de una Raza Elegida; vanamente alegué la sabia declaración de Mark Twain: "Yo no pregunto de qué raza es un hombre; basta que sea un ser humano; nadie puede ser nada peor" (*The Man that Corrupted Hadleyburg*, página 204).

En este libro, como en otros —*The Fate of Homo Sapiens*, 1939; *The Common Sense of War and Peace*, 1940—; Wells nos exhorta a recordar nuestra humanidad esencial y a refrenar nuestros miserables rasgos diferenciales, por patéticos o pintorescos que sean. En verdad, esa represión no es exorbitante: se limita a exigir de los estados, para su mejor convivencia, lo que una cortesía elemental exige de los individuos. "Nadie en su recto juicio —declara Wells— piensa que los hombres de Gran Bretaña son un pueblo elegido, una más noble especie de nazis, que disputan la hegemonía del mundo a los alemanes. Son el frente de batalla de la humanidad. Si no son ese frente, no son nada. Ese deber es un privilegio."

Let the People Think es el título de una selección de los ensayos de Bertrand Russell. Wells, en la obra cuyo comentario he esbozado, nos insta a repensar la historia del mundo sin preferencia de carácter geográfico, económico o étnico; Russell también dispensa consejos de universalidad. En el tercer artículo —*Free thought and official propaganda*— propone que las escuelas primarias enseñen el arte de leer con incredulidad los periódicos. Entiendo que esa disciplina socrática. no sería inútil. De las personas que conozco, muy pocas la deletrean siquiera. Se dejan embaucar por artificios tipográficos o sintácticos; piensan que un hecho ha acontecido porque está impreso en grandes letras negras; confunden la verdad con el cuerpo doce; no quieren entender que la afirmación: *Todas las tentativas del agresor para avanzar más allá de B han fracasado de manera sangrienta*, es un mero eufemismo para admitir la pérdida de B. Peor aun: ejercen una especie de magia, piensan que formular un temor es colaborar con el enemigo... Russell propone que el Estado trate de inmunizar a los hombres contra esas agüerías, y esos sofismas. Por ejemplo sugiere que los alumnos estudien las últimas derrotas de Napoleón, a través de los boletines del *Moniteur*, ostensiblemente triunfales. Planea deberes como éste: una vez estudiada en textos ingleses la historia de la guerra con Francia, reescribir esa historia, desde el punto de vista francés. Nuestros "nacionalistas" ya ejercen ese método paradójico: enseñan la historia argentina desde un punto de vista español, cuando no quichua o querandí.

De los otros artículos, no es el menos certero el que se titula *Genealogía del fascismo*. El autor empieza por observar que los hechos políticos proceden de especulaciones muy anteriores y que suele mediar mucho tiempo entre la divulgación de una doctrina y su aplicación. Así es: la "actualidad candente", que nos exaspera o exalta y que con alguna frecuencia nos aniquila, no es otra cosa que una reverberación imperfecta de viejas discusiones. Hitler, horrendo en públicos ejércitos y en secretos espías, es un pleonasmo de Carlyle (1795-1881) y aun de J. G. Fichte (1762-1814); Lenin, una trascripción de Karl Marx. De ahí que el verdadero intelectual rehuya los debates contemporáneos: la realidad es siempre anacrónica.

Russell imputa la teoría del fascismo a Fichte y a Carlyle. El primero, en la cuarta y quinta de las famosas *Reden an die deutsche Nation*, funda la superioridad de los alemanes en la no interrumpida posesión de un idioma puro. Esa razón es casi inagotablemente falaz; podemos conjeturar que no hay en la tierra un idioma puro (aunque lo fueran las palabras, no lo son las representaciones; aunque los puristas digan *deporte*, se representan *sport*); podemos recordar que el alemán es menos "puro" que el vascuence o el hotentote; podemos interrogar por qué es preferible un idioma sin mezcla... Más compleja y más elocuente es la contribución de Carlyle. Éste, en 1843, escribió que la democracia es la desesperación de no encontrar héroes que nos dirijan. En 1870 aclamó la victoria de la "paciente, noble, profunda, sólida y piadosa Alemania" sobre la "fanfarrona, vanagloriosa, gesticulante, pendenciera, intranquila, hipersensible Francia" (*Miscellanies*, tomo séptimo, página 251). Alabó la Edad Media, condenó las bolsas de viento parlamentarias, vindicó la memoria del dios Thor, de Guillermo el Bastardo, de Knox, de Cromwell, de Federico II, del taciturno Doctor Francia y de Napoleón, anheló un mundo que no fuera "el caos provisto de urnas electorales", abominó de la abolición de la esclavitud, propuso la conversión de las estatuas —"horrendos solecismos de bronce"— en útiles bañaderas de bronce, ponderó la pena de muerte, se alegró de que en toda población hubiera un cuartel, aduló, e inventó, la Raza Teutónica. Quienes anhelen otras imprecaciones o apoteosis, pueden interrogar *Past and Present* (1843) y los *Latterday Pamphlets*, que son de 1850.

Bertrand Russell concluye: "En cierto modo, es lícito afirmar que el ambiente de principios del siglo xviii era racional y el de nuestro tiempo, antirracional". Yo eliminaría el tímido adverbio que encabeza la frase.

ANOTACIÓN AL 23 DE AGOSTO DE 1944

Esa jornada populosa me deparó tres heterogéneos asombros: el grado *físico* de mi felicidad cuando me dijeron la liberación de París; el descubrimiento de que una emoción colectiva puede no ser innoble; el enigmático y notorio entusiasmo de muchos partidarios de Hitler. Sé que indagar ese entusiasmo es correr el albur de parecerme a los vanos hidrógrafos que indagaban por qué basta un solo rubí para detener el curso de un río; muchos me acusarán de investigar un hecho quimérico. Éste, sin embargo, ocurrió y miles de personas en Buenos Aires pueden atestiguarlo.

Desde el principio, comprendí que era inútil interrogar a los mismos protagonistas. Esos versátiles, a fuerza de ejercer la incoherencia, han perdido toda noción de que ésta debe justificarse: veneran la raza germánica, pero abominan de la América "sajona"; condenan los artículos de Versailles, pero aplaudieron los prodigios del *Blitzkrieg*; son antisemitas, pero profesan una religión de origen hebreo; bendicen la guerra submarina, pero reprueban con vigor las piraterías británicas; denuncian el imperialismo, pero vindican y promulgan la tesis del espacio vital; idolatran a San Martín, pero opinan que la independencia de América fue un error; aplican a los actos de Inglaterra el canon de Jesús, pero a los de Alemania el de Zarathustra.

Reflexioné, también, que toda incertidumbre era preferible a la de un diálogo con esos consanguíneos del caos, a quienes la infinita repetición de la interesante fórmula *soy argentino* exime del honor y de la piedad. Además ¿no ha razonado Freud y no ha presentido Walt Whitman que los hombres gozan de poca información acerca de los móviles profundos de su conducta? Quizá, me dije, la magia de los símbolos *París* y *liberación* es tan poderosa que los partidarios de Hitler han olvidado que significan una derrota de sus armas. Cansado, opté por suponer que la novelería y el temor y la simple adhesión a la realidad eran explicaciones verosímiles del problema.

Noches después, un libro y un recuerdo me iluminaron. El libro fue el *Man and Superman* de Shaw; el pasaje a que me refiero es aquel del sueño metafísico de John Tanner, donde se afirma que el horror del Infierno es su irrealidad; esa doctrina puede parangonarse con la de otro irlandés, Juan Escoto Erígena, que negó la existencia sustantiva del pecado y del mal y declaró que todos las criaturas, incluso el Diablo, regresarán a Dios. El recuerdo fue de aquel día que es perfecto y detestado reverso del 23 de agosto: el 14 de junio de 1940. Un germanófilo, de cuyo nombre no quiero acordarme, entró ese día en mi casa; de pie, desde la puerta, anunció la vasta noticia: los ejércitos nazis habían ocupado a París. Sentí una mezcla de tristeza, de asco, de malestar. Algo que no entendí me detuvo: la insolencia del júbilo no explicaba ni la estentórea voz ni la brusca proclamación. Agregó que muy pronto esos ejércitos entrarían en Londres. Toda oposición era inútil, nada podría detener su victoria. Entonces comprendí que él también estaba aterrado.

Ignoro si los hechos que he referido requieren elucidación. Creo poder interpretarlos así: Para los europeos y americanos, hay un orden —un solo orden— posible: el que antes llevó el nombre de Roma y que ahora es la cultura del Occidente. Ser nazi (jugar a la barbarie enérgica, jugar a ser un viking, un tártaro, un conquistador del siglo XVI, un gaucho, un piel roja) es, a la larga, una imposibilidad mental y moral. El nazismo adolece de irrealidad, como los infiernos de Erígena. Es inhabitable; los hombres sólo pueden morir por él, mentir por él, matar y ensangrentar por él. Nadie, en la soledad central de su yo, puede anhelar que triunfe. Arriesgo esta conjetura: *Hitler quiere ser derrotado*. Hitler de un modo ciego, colabora con los inevitables ejércitos que lo aniquilarán, como los buitres de metal y el dragón (que no debieron de ignorar que eran monstruos) colaboraban, misteriosamente, con Hércules.

SOBRE EL "VATHEK" DE WILLIAM BECKFORD

Wilde atribuye la siguiente broma a Carlyle: una biografía de Miguel Ángel que omitiera toda mención de las obras de Miguel Ángel. Tan compleja es la realidad, tan fragmentaria y tan simplificada la historia, que un observador omnisciente podría redactar un número indefinido, y casi infinito, de biografías de un hombre, que destacan hechos independientes y de las que tendríamos que leer muchas antes de comprender que el protagonista es el mismo. Simplifiquemos desaforadamente una vida: imaginemos que la integran trece mil hechos. Una de las hipotéticas biografías registraría la serie 11, 22, 33...; otra, la serie 9, 13, 17, 21...; otra, la serie 3, 12, 21, 30, 39... No es inconcebible una historia de los sueños de un hombre; otra, de los órganos de su cuerpo; otra, de las falacias cometidas por él; otra, de todos los momentos en que se imaginó las pirámides; otra, de su comercio con la noche y con las auroras. Lo anterior puede parecer meramente quimérico; desgraciadamente, no lo es. Nadie se resigna a escribir la biografía literaria de un escritor, la biografía militar de un soldado; todos prefieren la biografía genealógica, la biografía económica, la biografía psiquiátrica, la biografía quirúrgica, la biografía tipográfica. Setecientas páginas en octavo comprende cierta vida de Poe; el autor, fascinado por los cambios de domicilio, apenas logra rescatar un paréntesis para el Maelstrom y para la cosmogonía de *Eureka*. Otro ejemplo: esta curiosa revelación del prólogo de una biografía de Bolívar: "En este libro se habla tan escasamente de batallas como en el que el mismo autor escribió sobre Napoleón". La broma de Carlyle predecía nuestra literatura contemporánea: en 1943 lo paradójico es una biografía de Miguel Ángel que tolere alguna mención de las obras de Miguel Ángel.

El examen de una reciente biografía de William Beckford (1760-1844) me dicta las anteriores observaciones. William Beckford, de Fonthill, encarnó un tipo suficientemente trivial de millonario, gran señor, viajero, bibliófilo, constructor de palacios y libertino; Chapman, su biógrafo, desentraña (o procura desentrañar) su vida laberíntica, pero prescinde de un análisis de *Vathek*, novela a cuyas últimas diez páginas William Beckford debe su gloria.

He confrontado varias críticas de *Vathek*. El prólogo que Mallarmé redactó para su reimpresión de 1876, abunda en observaciones felices (ejemplo: hace notar que la novela principia en la azotea de una torre desde la que se lee el firmamento, para concluir en un subterráneo encantado), pero está escrito en un dialecto etimológico del francés, de ingrata o imposible lectura. Belloc (*A Conversation with an Angel*, 1928) opina sobre Beckford sin condescender a razones; equipara su prosa a la de Voltaire y lo juzga uno de los hombres más viles de su época, *one of the vilest men of his time*. Quizá el juicio más lúcido es el de Saintsbury, en el undécimo volumen de la *Cambridge History of English Literature*.

Esencialmente la fábula de *Vathek* no es compleja. Vathek (Harún Benalmotásim Vatiq Bilá, noveno califa abbasida) erige una torre babilónica para descifrar los planetas. Éstos le auguran una sucesión de prodigios, cuyo instrumento será un hombre sin par, que vendrá de una tierra desconocida. Un mercader llega a la capital del imperio: su cara es tan atroz que los guardias que lo conducen ante el califa avanzan con los ojos cerrados. El mercader vende una cimitarra al califa; luego desaparece. Grabados en la hoja hay misteriosos caracteres cambiantes que burlan la curiosidad de Vathek. Un hombre (que luego desaparece también) los descifra; un día significan: *Soy la menor maravilla de una región donde todo es maravilloso y digno del mayor príncipe de la tierra*; otro: *Ay de quien temerariamente aspira a saber lo que debería ignorar*. El califa se entrega a las artes mágicas; la voz del mercader, en la oscuridad, le propone abjurar la fe musulmana y adorar los poderes de las tinieblas. Si lo hace, le será franqueado el Alcázar del Fuego Subterráneo. Bajo sus bóvedas podrá contemplar los tesoros que los astros le prometieron, los talismanes que sojuzgan el mundo, las diademas de los sultanes preadamitas y de Suleimán Bendaúd. El ávido califa se rinde; el mercader le exige cuarenta sacrificios humanos. Transcurren muchos años sangrientos; Vathek, negra de abominaciones el alma, llega a una montaña desierta. La tierra se abre; con terror y con esperanza, Vathek baja hasta el fondo del mundo. Una silenciosa y pálida muchedumbre de personas que no se miran erra por las soberbias galerías de un palacio infinito. No le ha mentido el mercader: el Alcázar del Fuego Subterráneo abunda en esplendores y en talismanes, pero también es el Infierno. (En la congénere historia del doctor Fausto, y en las muchas leyendas medievales que la prefiguraron, el Infierno es el castigo del pecador que pacta con los dioses del Mal; en ésta es el castigo y la tentación.)

Saintsbury y Andrew Lang declaran o sugieren que la invención del Alcázar del Fuego Subterráneo es la mayor gloria de Beckford. Yo afirmo que se trata del primer Infierno realmente atroz de la literatura.[1] Arriesgo esta paradoja: el más ilustre de los avernos literarios, el *dolente regno* de la *Comedia*, no es un lugar atroz; es un lugar en el que ocurren hechos atroces. La distinción es válida.

Stevenson (*A Chapter on Dreams*) refiere que en los sueños de la niñez lo perseguía un matiz abominable del color pardo; Chesterton (*The Man who was Thursday*, IV) imagina que en los confines occidentales del mundo acaso existe un árbol que ya es más, y menos, que un árbol, y en los confines orientales, algo, una torre, cuya sola arquitectura es malvada. Poe, en el *Manuscrito encontrado en una botella*, habla de un mar austral donde crece el volumen de la nave como el cuerpo viviente del marinero; Melville dedica muchas páginas de *Moby Dick* a dilucidar el horror de la blancura insoportable de la ballena... He prodigado ejemplos; quizá hubiera bastado observar que el Infierno dantesco magnifica la noción de una cárcel; el de Beckford, los túneles de una pesadilla. *La Divina Comedia* es el libro más justificable y más firme de todas las literaturas: *Vathek* es una mera curiosidad, *the perfume and suppliance of a minute*; creo, sin embargo, que *Vathek* pronostica, siquiera de un modo rudimentario, los satánicos esplendores de Thomas de Quincey y de Poe, de Charles Baudelaire y de Huysmans. Hay un intraducible epíteto inglés, el epíteto *uncanny*, para denotar el horror sobrenatural; ese epíteto (*unheimlich* en alemán) es aplicable a ciertas páginas de *Vathek*; que yo recuerde, a ningún otro libro anterior.

Chapman indica algunos libros que influyeron en Beckford: la *Bibliothéque Orientale*, de Barthélemy d'Herbelot; los *Quatre Facardins*, de Hamilton; *La princesa de Babylone*, de Voltaire; las siempre denigradas y admirables *Mille et une Nuits*, de Galland. Yo complementaría esa lista con las *Carceri d'invenzione*, de Piranesi; aguafuertes alabadas por Beckford, que representan poderosos palacios, que son también laberintos inextricables. Beckford, en el primer capítulo de *Vathek*, enumera cinco palacios dedicados a los cinco sentidos; Marino, en el *Adone*, ya había descrito cinco jardines análogos.

Sólo tres días y dos noches del invierno de 1782 requirió William Beckford para redactar la trágica historia de su califa.

---

[1] De la literatura, he dicho, no de la mística: el electivo Infierno de Swedenborg —*De coelo et inferno*, 545, 554— es de fecha anterior.

La escribió en idioma francés; Henley la tradujo al inglés en 1785. El original es infiel a la traducción; Saintsbury observa que el francés del siglo XVIII es menos apto que el inglés para comunicar los "indefinidos horrores" (la frase es de Beckford) de la singularísima historia.

La versión inglesa de Henley figura en el volumen 856 de la *Everyman's Library*; la editorial Perrin, de París, ha publicado el texto original, revisado y prologado por Mallarmé. Es raro que la laboriosa bibliografía de Chapman ignore esa revisión y ese prólogo.

Buenos Aires, 1943.

SOBRE "THE PURPLE LAND"

Esta novela primigenia de Hudson es reducible a una fórmula tan antigua que casi puede comprender la *Odisea;* tan elemental que sutilmente la difama y la desvirtúa el nombre de fórmula. El héroe se echa a andar y le salen al paso sus aventuras. A ese género nómada y azaroso pertenecen el *Asno de oro* y los fragmentos del *Satiricón; Pickwick* y el *Don Quijote; Kim* de Lahore y *Segundo Sombra* de Areco. Llamar novelas picarescas a esas ficciones me parece injustificado; en primer término, por la connotación mezquina de la palabra; en segundo, por sus limitaciones locales y temporales (siglo xvi español, siglo xvii). El género es complejo, por lo demás. El desorden, la incoherencia y la variedad no son inaccesibles, pero es indispensable que los gobierne un orden secreto, que gradualmente se descubra. He recordado algunos ejemplos ilustres; quizá no haya uno que no exhiba defectos evidentes. Cervantes moviliza dos tipos: un hidalgo "seco de carnes", alto, ascético, loco y altisonante; un villano carnoso, bajo, comilón, cuerdo y dicharachero: esa discordia tan simétrica y persistente acaba por quitarles realidad por disminuirlos a figuras de circo. (En el séptimo capítulo de *El payador,* nuestro Lugones ya insinuó ese reproche). Kipling inventa un Amiguito del Mundo Entero, el libérrimo Kim: a los pocos capítulos, urgido por no sé qué patriótica perversión, le da el horrible oficio de espía. (En su autobiografía literaria, redactada unos treinta y cinco años después, Kipling se muestra impenitente y aun inconsciente.) Anoto sin animadversión esas lacras; lo hago para juzgar *The Purple Land* con pareja sinceridad.

Del género de novelas que considero, las más rudimentarias buscan la mera sucesión de aventuras, la mera variedad; los siete viajes de Simbad el Marino suministran quizá el ejemplo más puro. El héroe, en ellas, es un mero sujeto, tan impersonal y pasivo como el lector. En otras (apenas más complejas) los hechos cumplen la función de mostrar el carácter del héroe, cuando no sus absurdidades y manías; tal es el caso de la primera parte del *Don Quijote.* En otras (que corresponden a una etapa ulterior) el movimiento es doble, recíproco: el héroe modifica las circunstancias, las circunstancias modifican el carácter del héroe. Tal es el caso de la parte segunda del *Quijote,* del *Huckleberry*

Finn de Mark Twain, de *The Purple Land*. Esta ficción, en realidad, tiene dos argumentos. El primero, visible: las aventuras del muchacho inglés Richard Lamb en la Banda Oriental. El segundo, íntimo, invisible; el venturoso acriollamiento de Lamb, su conversión gradual a una moralidad cimarrona que recuerda un poco a Rousseau y prevé un poco a Nietzsche. Sus *Wanderjahre* son *Lehrjahre* también. En carne propia, Hudson conoció los rigores de una vida semibárbara, pastoril; Rousseau y Nietzsche, sólo a través de los sedentarios volúmenes de la *Histoire Générale des Voyages* y de las epopeyas homéricas. Lo anterior no quiere decir que *The Purple Land* sea intachable. Adolece de un error evidente, que es lógico imputar a los azares de la improvisación: la vana y fatigosa complejidad de ciertas aventuras. Pienso en las del final: son lo bastante complicadas para fatigar la atención, pero no para interesarla. En esos onerosos capítulos, Hudson parece no entender que el libro es sucesivo (casi tan puramente sucesivo como el *Satiricón* o como *El Buscón*) y lo entorpece de artificios inútiles. Se trata de un error harto difundido: Dickens, en todas sus novelas, incurre en prolijidades análogas.

Quizá ninguna de las obras de la literatura gauchesca aventaje a *The Purple Land*. Sería deplorable que alguna distracción topográfica y tres o cuatro errores o erratas (*Camelones* por *Canelones*, *Aria* por *Arias*, *Gumesinda* por *Gumersinda*) nos escamotearan esa verdad... *The Purple Land* es fundamentalmente criolla. La circunstancia de que el narrador sea un inglés justifica ciertas aclaraciones y ciertos énfasis que requiere el lector y que resultarían anómalos en un gaucho, habituado a esas cosas. En el número 31 de *Sur*, afirma Ezequiel Martínez Estrada: "Nuestras cosas no han tenido poeta, pintor ni intérprete semejante a Hudson, ni lo tendrán nunca. Hernández es una parcela de ese cosmorama de la vida argentina que Hudson cantó, describió y comentó... En las últimas páginas de *The Purple Land*, por ejemplo, hay contenida la máxima filosofía y la suprema justificación de América frente a la civilización occidental y a los valores de la cultura de cátedra". Martínez Estrada, como se ve, no ha vacilado en preferir la obra total de Hudson al más insigne de los libros canónicos de nuestra literatura gauchesca. Por lo pronto, el ámbito que abarca *The Purple Land* es incomparablemente mayor. El *Martín Fierro* (pese al proyecto de canonización de Lugones) es menos la epopeya de nuestros orígenes —¡en 1872!— que la autobiografía de un cuchillero, falseada por bravatas y por quejumbres que casi profetizan el tango. En Ascasubi hay rasgos más vívidos, más felicidad, más coraje, pero todo ello está fragmentario y secreto en tres tomos incidentales, de cuatrocientas páginas cada uno. *Don Segundo Sombra,* pese a la veracidad de los diálogos, está maleado por el afán de magnificar las tareas más inocentes. Nadie ignora que su narrador es un gaucho, de ahí lo doblemente injustificado de ese gigantismo teatral, que hace de un arreo de novillos una función de guerra. Güiraldes ahueca la voz para referir los trabajos cotidianos del campo, Hudson (como Ascasubi, como Hernández, como Eduardo Gutiérrez) narra con toda naturalidad hechos acaso atroces.

Alguien observará que en *The Purple Land* el gaucho no figura sino de modo literal, secundario. Tanto mejor para la veracidad del retrato, cabe responder. El gaucho es hombre taciturno, el gaucho desconoce, o desdeña, las complejas delicias de la memoria y de la introspección; mostrarlo autobiográfico y efusivo, ya es deformarlo.

Otro acierto de Hudson, es el geográfico. Nacido en la provincia de Buenos Aires, en el círculo mágico de la pampa, elige, sin embargo, la tierra cárdena donde la montonera fatigó sus primeras y últimas lanzas: el Estado Oriental. En la literatura argentina privan los gauchos de la provincia de Buenos Aires; la paradójica razón de esa primacía es la existencia de una gran ciudad, Buenos Aires, madre de insignes literatos "gauchescos". Si en vez de interrogar la literatura, nos atenemos a la historia, comprobaremos que ese glorificado gauchaje ha influido poco en los destinos de su provincia, nada en los del país. El organismo típico de la guerra gaucha, la montonera, sólo aparece en Buenos Aires de manera esporádica. Manda la ciudad, mandan los caudillos de la ciudad. Apenas si algún individuo —Hormiga Negra en los documentos judiciales, Martín Fierro en las letras— logra, con una rebelión de matrero, cierta notoriedad policial.

Hudson, he dicho, elige para las correrías de su héroe las cuchillas de la otra banda. Esta elección propicia le permite enriquecer el destino de Richard Lamb con el azar y con la variedad de la guerra —azar que favorece las ocasiones del amor vagabundo—. Macaulay, en el artículo sobre Bunyan, se maravilla de que las imaginaciones de un hombre sean con el tiempo recuerdos personales de muchos otros. Las de Hudson perduran en la memoria; los balazos británicos retumbando en la noche de Paysandú; el gaucho ensimismado que pita con fruición el tabaco negro, antes de la batalla; la muchacha que se da a un forastero, en la secreta margen de un río.

Mejorando hasta la perfección una frase divulgada por Boswell, Hudson refiere que muchas veces en la vida emprendió el estudio de la metafísica, pero que siempre lo interrumpió la felicidad. La frase (una de las más memorables que el trato de las letras me ha deparado) es típica del hombre y del libro. Pese a la brusca sangre derramada y a las separaciones, *The Purple Land* es de los muy pocos libros felices que hay en la tierra. (Otro, también americano, también de sabor casi paradisíaco, es el *Huckleberry Finn*, de Mark Twain.) No pienso en el debate caótico de pesimistas y optimistas; no pienso en la felicidad doctrinaria que inexorablemente se impuso el patético Whitman; pienso en el temple venturoso de Richard Lamb, en su hospitalidad para recibir todas las vicisitudes del ser, amigas o aciagas.

Una observación última. Percibir o no los matices criollos es quizá baladí, pero el hecho es que de todos los extranjeros (sin excluir, por cierto, a los españoles) nadie los percibe sino el inglés. Miller, Robertson, Burton, Cunninghame Graham, Hudson.

Buenos Aires, 1941.

DE ALGUIEN A NADIE

En el principio, Dios es los Dioses (Elohim), plural que algunos llaman de majestad y otros de plenitud y en el que se ha creído notar un eco de anteriores politeísmos o una premonición de la doctrina, declarada en Nicea, de que Dios es Uno y es Tres. Elohim rige verbos en singular; el primer versículo de la Ley dice literalmente: *En el principio hizo los Dioses el cielo y la tierra*. Pese a la vaguedad que el plural sugiere: Elohim es concreto; se llama Jehová Dios y leemos que se paseaba en el huerto al aire del día o, como dicen las versiones inglesas, *in the cool of the day*. Lo definen rasgos humanos; en un lugar de la Escritura se lee *Arrepintióse Jehová de haber hecho hombre en la tierra y pesóle en su corazón* y en otro, *Porque yo Jehová tu Dios soy un Dios celoso* y en otro, *He hablado en el fuego de mi ira*. El sujeto de tales locuciones es indiscutiblemente Alguien, un Alguien corporal que los siglos irán agigantando y desdibujando. Sus títulos varían: Fuerte de Jacob, Piedra de Israel, Soy El Que Soy, Dios de los Ejércitos, Rey de Reyes. El último, que sin duda inspiró por oposición el Siervo de los Siervos de Dios, de Gregorio Magno, es en el texto original un superlativo de rey: "propiedad es de la lengua hebrea —dice Fray Luis de León— doblar ansí unas mismas palabras, cuando quiere encarecer alguna cosa, o en bien o en mal. Ansí que decir *Cantar de cantares* es lo mismo que solemos decir en castellano *Cantar entre cantares, hombre entre hombres*, esto es, señalado y eminente entre todos y más excelente que otros muchos". En los primeros siglos de nuestra era, los teólogos habilitan el prefijo *omni*, antes reservado a los adjetivos de la naturaleza o de Júpiter; cunden las palabras *omnipotente, omnipresente, omniscio*, que hacen de Dios un respetuoso caos de superlativos no imaginables. Esa nomenclatura, como las otras, parece limitar la divinidad: a fines del siglo v, el escondido autor del *Corpus Dionysiacum* declara que ningún predicado afirmativo conviene a Dios. Nada se debe afirmar de Él, todo puede negarse. Schopenhauer anota secamente: "Esa teología es la única verdadera, pero no tiene contenido". Redactados en griego, los tratados y las cartas que forman el *Corpus Dionysiacum* dan en el siglo IX con un lector que los vierte al latín: Johannes Eríugena o Scotus, es decir Juan el Irlandés.

cuyo nombre en la historia es Escoto Erígena o sea Irlandés Irlandés. Éste formula una doctrina de índole panteísta: las cosas particulares son teofanías (revelaciones o apariciones de lo divino) y detrás está Dios, que es lo único real, "pero que no sabe qué es, porque no es un qué, y es incomprensible a sí mismo y a toda inteligencia". No es sapiente, es más que sapiente; no es bueno, es más que bueno; inescrutablemente excede y rechaza todos los atributos. Juan el Irlandés, para definirlo, acude a la palabra *nihilum*, que es la nada; Dios es la nada primordial de la *creatio ex nihilo*, el abismo en que se engendraron los arquetipos y luego los seres concretos. Es Nada y Nada; quienes lo concibieron así obraron con el sentimiento de que ello es más que ser un Quién o un Qué. Análogamente, Samkara enseña que los hombres, en el sueño profundo, son el universo, son Dios.

El proceso que acabo de ilustrar no es, por cierto, aleatorio. La magnificación hasta la nada sucede o tiende a suceder en todos los cultos; inequívocamente la observamos en el caso de Shakespeare. Su contemporáneo Ben Jonson lo quiere sin llegar a la idolatría, *on this side Idolatry*; Dryden lo declara el Homero de los poetas dramáticos de Inglaterra, pero admite que suele ser insípido y ampuloso; el discursivo siglo XVIII procura aquilatar sus virtudes y reprender sus faltas: Maurice Morgan, en 1774, afirma que el rey Lear y Falstaff no son otra cosa que modificaciones de la mente de su inventor; a principios del siglo XIX, ese dictamen es recreado por Coleridge, para quien Shakespeare ya no es un hombre sino una variación literaria del infinito Dios de Spinoza. "La persona Shakespeare —escribe— fue una *natura naturata*, un efecto, pero lo universal, que está potencialmente en lo particular, le fue revelado, no como abstraído de la observación de una pluralidad de casos sino como la sustancia capaz de infinitas modificaciones, de las que su existencia personal era sólo una". Hazlitt corrobora o confirma: "Shakespeare se parecía a todos los hombres, salvo en lo de parecerse a todos los hombres. Intimamente no era nada, pero era todo lo que son los demás, o lo que pueden ser". Hugo, después, lo equipara con el océano, que es un almácigo de formas posibles.[1]

[1] En el budismo se repite el dibujo. Los primeros textos narran que el Buddha, al pie de la higuera, intuye la infinita concatenación de todos los efectos y causas del universo, las pasadas y futuras encarnaciones de cada ser; los últimos, redactados siglos después, razonan que nada es real y que todo conocimiento es ficticio y que si hubiera tantos Ganges como hay granos de arena en el Ganges y otra vez tantos Ganges como granos de arena en los nuevos Ganges, el número de granos de arena sería menor que el número de cosas que *ignora* el Buddha.

Ser una cosa es inexorablemente no ser todas las otras cosas; la intuición confusa de esa verdad ha inducido a los hombres a imaginar que no ser es más que ser algo y que, de alguna manera, es ser todo. Esta falacia está en las palabras de aquel rey legendario del Indostán, que renuncia al poder y sale a pedir limosna en las calles: "Desde ahora no tengo reino o mi reino es ilimitado, desde ahora no me pertenece mi cuerpo o me pertenece toda la tierra". Schopenhauer ha escrito que la historia es un interminable y perplejo sueño de las generaciones humanas; en el sueño hay formas que se repiten, quizá no hay otra cosa que formas; una de ellas es el proceso que denuncia esta página.

Buenos Aires, 1950.

FORMAS DE UNA LEYENDA

A la gente le repugna ver un anciano, un enfermo o un muerto, y sin embargo está sometida a la muerte, a las enfermedades y a la vejez; el Buddha declaró que esta reflexión lo indujo a abandonar su casa y sus padres y a vestir la ropa amarilla de los ascetas. El testimonio consta en uno de los libros del canon; otro registra la parábola de los cinco mensajeros secretos que envían los dioses; son un párvulo, un anciano encorvado, un tullido, un criminal en los tormentos y un muerto, y avisan que nuestro destino es nacer, caducar, enfermar, sufrir justo castigo y morir. El Juez de las Sombras (en las mitologías del Indostán Yama desempeña ese cargo, porque fue el primer hombre que murió) pregunta al pecador si no ha visto a los mensajeros; éste admite que sí, pero no ha descifrado su aviso; los esbirros lo encierran en una casa que está llena de fuego. Acaso el Buddha no inventó esta amenazadora parábola; bástenos saber que la dijo (*Majjhima nikaya*, 130) y que no la vinculó nunca, tal vez, a su propia vida.

La realidad puede ser demasiado compleja para la trasmisión oral; la leyenda la recrea de una manera que sólo accidentalmente es falsa y que le permite andar por el mundo, de boca en boca. En la parábola y en la declaración figuran un hombre viejo, un hombre enfermo y un hombre muerto; el tiempo hizo de los dos textos uno y forjó, confundiéndolos, otra historia.

Siddhartha, el Bodhisattva, el pre-Buddha, es hijo de un gran rey, Suddhodana, de la estirpe del sol. La noche de su concepción, la madre sueña que en su lado derecho entra un elefante, del color de la nieve y con seis colmillos.[1] Los adivinos interpretan que su hijo reinará sobre el mundo o hará girar la rueda de la doctrina [2] y enseñará a los hombres cómo librarse de la vida

---

[1] Este sueño es, para nosotros, una mera fealdad. No así para los hindúes; el elefante, animal doméstico, es símbolo de mansedumbre; la multiplicación de colmillos no puede incomodar a los espectadores de un arte que, para sugerir que Dios es el todo, labra figuras de múltiples brazos y caras; el seis es número habitual (seis vías de la transmigración; seis Budhas anteriores al Budha; seis puntos cardinales, contando el cenit y el nadir; seis divinidades que el Yajurveda llama las seis puertas de Brahma).

[2] Esta metáfora puede haber sugerido a los tibetanos la invención de las máquinas de rezar, ruedas o cilindros que giran alrededor de un eje, llenas de tiras de papel enrolladas en las que se repiten palabras mágicas. Algunas son manuales; otras son como grandes molinos y las mueve el agua o el viento.

y la muerte. El rey prefiere que Siddhartha logre grandeza temporal y no eterna, y lo recluye en un palacio, del que han sido apartadas todas las cosas que pueden revelarle que es corruptible. Veintinueve años de ilusoria felicidad trascurren así, dedicados al goce de los sentidos, pero Siddhartha, una mañana, sale en su noche y ve con estupor a un hombre encorvado, "cuyo pelo no es como el de los otros, cuyo cuerpo no es como el de los otros", que se apoya en un bastón para caminar y cuya carne tiembla. Pregunta qué hombre es ése; el cochero explica que es un anciano y que todos los hombres de la tierra serán como él. Siddhartha, inquieto, da orden de volver inmediatamente pero en otra salida ve a un hombre que devora la fiebre, lleno de lepra y de úlceras; el cochero explica que es un enfermo y que nadie está exento de ese peligro. En otra salida ve a un hombre que llevan en un féretro, ese hombre inmóvil es un muerto, le explican, y morir es la ley de todo el que nace. En otra salida, la última, ve a un monje de las órdenes mendicantes que no desea ni morir ni vivir. La paz está en su cara; Siddhartha ha encontrado el camino.

Hardy (*Der Buddhismus nach älteren Pali-Werken*) alabó el colorido de esta leyenda; un indólogo contemporáneo. A. Foucher, cuyo tono de burla no siempre es inteligente o urbano, escribe que, admitida la ignorancia previa del Bodhisattva, la historia no carece de gradación dramática ni de valor filosófico. A principios del siglo V de nuestra era, el monje Fa-Hien peregrinó a los reinos del Indostán en busca de libros sagrados y vio las ruinas de la ciudad de Kapilavastu y cuatro imágenes que Asoka erigió, al norte, al sur, al este y al oeste de las murallas, para conmemorar los encuentros. A principios del siglo VII un monje cristiano redactó la novela que se titula *Barlaam y Josafat*; Josafat (Josafat, Bodhisattva) es hijo de un rey de la India; los astrólogos predicen que reinará sobre un reino mayor, que es el de la Gloria; el rey lo encierra en un palacio, pero Josafat descubre la infortunada condición de los hombres bajo las especies de un ciego, de un leproso y de un moribundo y es convertido, finalmente, a la fe por el ermitaño Barlaam. Esta versión cristiana de la leyenda fue traducida a muchos idiomas, incluso el holandés y el latín; a instancia del Hákon Hákonarson, se produjo en Islandia, a mediados del siglo XIII, una *Barlaams saga*. El cardenal César Baronio incluyó a Josafat en su revisión (1585-1590) del Martirologio romano; en 1615, Diego de Couto denunció, en su continuación de las *Décadas*, las analogías de la fingida fábula indiana con la verdadera y piadosa historia de San Josafat. Todo esto y mucho más hallará el lector en el primer volumen de *Orígenes de la novela* de Menéndez y Pelayo.

La leyenda que en tierras occidentales determinó que el Buddha fuera canonizado por Roma tenía, sin embargo, un defecto: los encuentros que postula son eficaces pero también son increíbles. Cuatro salidas de Siddhartha y cuatro figuras didácticas no condicen con los hábitos del azar. Menos atentos a lo estético que a la conversión de la gente, los doctores quisieron justificar esta anomalía; Koeppen (*Die Religion des Buddha*, I, 82) anota que en la última forma de la leyenda, el leproso, el muerto y el monje son simulacros que las divinidades producen para instruir a Siddhartha. Así, en el tercer libro de la epopeya sánscrita *Buddhacarita*, se dice que los dioses crearon a un muerto y que ningún hombre lo vio mientras lo llevaban, fuera del cochero y del príncipe. En una biografía legendaria del siglo XVI, las cuatro apariciones son cuatro metamorfosis de un dios (Wieger: *Vies chinoises du Bouddha*, 37-41).

Más lejos había ido el *Lalitavistara*. De esa compilación de prosa y de verso, escrita en un sánscrito impuro, es costumbre hablar con alguna sorna; en sus páginas la historia del Redentor se infla hasta la opresión y hasta el vértigo. El Buddha, a quien rodean doce mil monjes y treinta y dos mil Bodhisattvas, revela el texto de la obra a los dioses; desde el cuarto cielo fijó el período, el continente, el reino y la casta en que renacería para morir por última vez; ochenta mil timbales acompañan las palabras de su discurso y en el cuerpo de su madre hay la fuerza de diez mil elefantes. El Buddha, en el extraño poema, dirige cada etapa de su destino; hace que las divinidades proyecten las cuatro figuras simbólicas y, cuando interroga al cochero, ya sabe quiénes son y qué significan. Foucher ve en este rasgo un mero servilismo de los autores, que no pueden tolerar que el Buddha no sepa lo que sabe un sirviente; el enigma merece, a mi entender, otra solución. El Buddha crea las imágenes y luego inquiere de un tercero el sentido que encierran. Teológicamente cabría tal vez contestar: el libro es de la escuela del Mahayana, que enseña que el Buddha temporal es emanación o reflejo de un Buddha eterno; el del cielo ordena las cosas, el de la tierra las padece o las ejecuta. (Nuestro siglo, con otra mitología o vocabulario, habla de lo inconsciente.) La humanidad del Hijo, segunda persona de Dios, pudo gritar desde la cruz: *Dios mío, Dios mío, ¿por qué me has desamparado?* la del Buddha, análogamente, pudo espantarse de las formas que había creado su propia divinidad... Para desatar el problema, no son indispensables, por lo demás, tales sutilezas dogmáticas, basta recordar que todas las religiones del Indostán y en particular el budismo enseñan que el mundo es ilusorio. *Minuciosa relación del juego* (de un Buddha) quiere decir Lalitavistara, según Winternitz; un juego o un sueño es, para el Mahayana, la vida del Buddha sobre la tierra, que es otro sueño. Siddhartha elige su nación y sus padres. Siddhartha labra cuatro formas que lo colmarán de estupor, Siddhartha ordena que otra forma declare el sentido de las primeras; todo ello es razonable si lo pensamos un sueño de Siddhartha. Mejor aun si lo pensamos un sueño en el que figura Siddhartha (como figuran el leproso y el monje) y que nadie sueña, porque a los ojos del budismo del Norte [1] el mundo y los prosélitos y el Nirvana y la rueda de las transmigraciones y el Buddha son igualmente irreales. Nadie se apaga en el Nirvana, leemos en un tratado famoso, porque la extinción de innumerables seres en el Nirvana es como la desaparición de una fantasmagoría que un hechicero en una encrucijada crea por artes mágicas, y en otro lugar está escrito que todo es mera vacuidad, mero nombre, y también el libro que lo declara y el hombre que lo lee. Paradójicamente, los excesos numéricos del poema quitan, no agregan, realidad; doce mil monjes y treinta y dos mil Bodhisattvas son menos concretos que *un* monje y que *un* Bodhisattva. Las vastas formas y los vastos guarismos (el capítulo XII incluye una serie de veintitrés palabras que indican la unidad seguida de un número creciente de ceros, desde 9 a 49, 51 y 53) son vastas y monstruosas burbujas, énfasis de la Nada. Lo irreal, así, ha ido agrietando la historia; primero hizo fantásticas las figuras, después al príncipe y, con el príncipe, a todas las generaciones y al universo.

A fines del siglo XIX, Oscar Wilde propuso una variante; el príncipe feliz muere en la reclusión del palacio, sin haber descubierto el dolor, pero su efigie póstuma lo divisa desde lo alto del pedestal.

La cronología del Indostán es incierta; mi erudición lo es mucho más; Koeppen y Hermann Beckh son quizá tan falibles como el compilador que arriesga esta nota; no me sorprendería que mi historia de la leyenda fuera legendaria, hecha de verdad sustancial y de errores accidentales.

---

[1] Rhys Davids proscribe esta locución que introdujo Burnouf, pero su empleo en esta frase es menos incómodo que el de Gran Travesía o Gran Vehículo, que hubieran detenido al lector.

DE LAS ALEGORÍAS A LAS NOVELAS

Para todos nosotros, la alegoría es un error estético. (Mi primer propósito fue escribir "no es otra cosa que un error de la estética", pero luego noté que mi sentencia comportaba una alegoría.) Que yo sepa, el género alegórico ha sido analizado por Schopenhauer (*Welt als Wille und Vorstellung*, I, 50), por De Quincey (*Writings*, XI, 198), por Francesco De Sanctis (*Storia della letteratura italiana*, VII), por Croce (*Estetica*, 39) y por Chesterton (*G. F. Watts*, 83); en este ensayo me limitaré a los dos últimos. Croce niega el arte alegórico, Chesterton lo vindica; opino que la razón está con aquél, pero me gustaría saber cómo pudo gozar de tanto favor una forma que nos parece injustificable.

Las palabras de Croce son cristalinas; básteme repetirlas en español: "Si el símbolo es concebido como inseparable de la intuición artística, es sinónimo de la intuición misma, que siempre tiene carácter ideal. Si el símbolo es concebido separable, si por un lado puede expresarse el símbolo y por otro la cosa simbolizada, se recae en el error intelectualista; el supuesto símbolo es la exposición de un concepto abstracto, es una alegoría, es ciencia, o arte que remeda la ciencia. Pero también debemos ser justos con lo alegórico y advertir que en algunos casos éste es innocuo. De la *Jerusalén libertada* puede extraerse cualquier moralidad; del *Adonis*, de Marino, poeta de la lascivia, la reflexión de que el placer desmesurado termina en el dolor; ante una estatua, el escultor puede colocar un cartel diciendo que ésta es la Clemencia o la Bondad. Tales alegorías agregadas a una obra conclusa, no la perjudican. Son expresiones que extrínsecamente se añaden a otras expresiones. A la *Jerusalén* se añade una página en prosa que expresa otro pensamiento del poeta; al *Adonis*, un verso o una estrofa que expresa lo que el poeta quiere dar a entender; a la estatua, la palabra *clemencia* o la palabra *bondad*." En la página 222 del libro *La Poesia* (Bari, 1946), el tono es más hostil: "La alegoría no es un modo directo de manifestación espiritual, sino una suerte de escritura o de criptografía."

Croce no admite diferencia entre el contenido y la forma. Ésta es aquél y aquél es ésta. La alegoría le parece monstruosa porque aspira a cifrar en una forma dos contenidos: el inmediato o literal (Dante, guiado por Virgilio, llega a Beatriz) y el figurativo (el hombre finalmente llega a la fe, guiado por la razón). Juzga que esa manera de escribir comporta laboriosos enigmas.

Chesterton, para vindicar lo alegórico, empieza por negar que el lenguaje agote la expresión de la realidad. "El hombre sabe que hay en el alma tintes más desconcertantes, más innumerables y más anónimos que los colores de una selva otoñal... Cree, sin embargo, que esos tintes, en todas sus fusiones y conversiones son representables con precisión por un mecanismo arbitrario de gruñidos y de chillidos. Cree que del interior de un bolsista salen realmente ruidos que significan todos los misterios de la memoria y todas las agonías del anhelo." Declarado insuficiente el lenguaje, hay lugar para otros; la alegoría puede ser uno de ellos, como la arquitectura o la música. Está formada de palabras, pero no es un lenguaje del lenguaje, un signo de otros signos de la virtud valerosa y de las iluminaciones secretas que indica esa palabra. Un signo más preciso que el monosílabo, más rico y más feliz.

No sé muy bien cuál de los eminentes contradictores tiene razón; sé que el arte alegórico pareció alguna vez encantador (el laberíntico *Roman de la Rose*, que perdura en doscientos manuscritos, consta de veinticuatro mil versos) y ahora es intolerable. Sentimos que, además de intolerable, es estúpido y frívolo. Ni Dante, que figuró la historia de su pasión en la *Vita nuova*; ni el romano Boecio, redactando en la torre de Pavía, a la sombra de la espada de su verdugo, el *De consolatione*, hubieran entendido ese sentimiento. ¿Cómo explicar esta discordia sin recurrir a una petición de principio sobre gustos que cambian?

Observa Coleridge que todos los hombres nacen aristotélicos o platónicos. Los últimos intuyen que las ideas son realidades; los primeros, que son generalizaciones; para éstos, el lenguaje no es otra cosa que un sistema de símbolos arbitrarios; para aquéllos, es el mapa del universo. El platónico sabe que el universo es de algún modo un cosmos, un orden; ese orden, para el aristotélico, puede ser un error o una ficción de nuestro conocimiento parcial. A través de las latitudes y de las épocas, los dos antagonistas inmortales cambian de dialecto y de nombre: uno es Parménides, Platón, Spinoza, Kant, Francis Bradley; el otro, Heráclito, Aristóteles, Locke, Hume, William James. En las arduas escuelas de la Edad Media todos invocan a Aristóteles, maestro de la humana razón (*Convivio*, IV, 2), pero los nominalistas son Aristóteles; los realistas, Platón. George Henry Lewes ha opinado que el único debate medieval que tiene algún valor filosófico es el de nominalismo y realismo; el juicio es temerario, pero destaca la importancia de esa controversia tenaz que una sentencia de Porfirio, vertida y comentada por Boecio, provocó a principios del siglo IX, que Anselmo y Roscelino mantuvieron a fines del siglo XI y que Guillermo de Occam reanimó en el siglo XIV.

Como es de suponer, tantos años multiplicaron hacia lo infinito las posiciones intermedias y los distingos; cabe, sin embargo, afirmar que para el realismo lo primordial eran los universales (Platón diría las ideas, las formas; nosotros, los conceptos abstractos), y para el nominalismo, los individuos. La historia de la filosofía, no es un vano museo de distracciones y de juegos verbales; verosímilmente, las dos tesis corresponden a dos maneras de intuir la realidad. Maurice de Wulf escribe: "El ultrarrealismo recogió las primeras adhesiones. El cronista Heriman (siglo XI) denomina *antiqui doctores* a los que enseñan la dialéctica *in re*; Abelardo habla de ella como de una *antigua doctrina*, y hasta el fin del siglo XII se aplica a sus adversarios el nombre de *moderni*." Una tesis ahora inconcebible pareció evidente en el siglo IX, y de algún modo perduró hasta el siglo XIV. El nominalismo, antes la novedad de unos pocos, hoy abarca a toda la gente; su victoria es tan vasta y fundamental que su nombre es inútil. Nadie se declara nominalista porque no hay quien sea otra cosa. Tratemos de entender, sin embargo, que para los hombres de la Edad Media lo sustantivo no eran los hombres sino la humanidad, no los individuos sino la especie, no las especies sino el género, no los géneros sino Dios. De tales conceptos (cuya más clara manifestación es quizá el cuádruple sistema de Erígena) ha procedido, a mi entender, la literatura alegórica. Ésta es fábula de abstracciones, como la novela lo es de individuos. Las abstracciones están personificadas; por eso, en toda alegoría hay algo novelístico. Los individuos que los novelistas proponen aspiran a genéricos (Dupin es la Razón, Don Segundo Sombra es el Gaucho); en las novelas hay un elemento alegórico.

El pasaje de alegoría a novela, de especies a individuos, de realismo a nominalismo, requirió algunos siglos, pero me atrevo a sugerir una fecha ideal. Aquél día de 1382 en que Geoffrey Chaucer, que tal vez no se creía nominalista, quiso traducir al inglés el verso de Boccaccio *E con gli occulti ferri i Tradimenti* ("Y con hierros ocultos las Traiciones"), y lo repitió de este modo: *The smyler with the knyf under the cloke* ("El que sonríe, con el cuchillo bajo la capa"). El original está en el séptimo libro de la *Teseida*; la versión, en el *Knightes Tale*.

Buenos Aires, 1949.

NOTA SOBRE (HACIA) BERNARD SHAW

A fines del siglo XIII, Raimundo Lulio (Ramón Lull) se aprestó a resolver todos los arcanos mediante una armazón de discos concéntricos, desiguales y giratorios, subdivididos en sectores con palabras latinas; John Stuart Mill, a principios del siglo XIX, temió que se agotara algún día el número de combinaciones musicales y no hubiera lugar en el porvenir para indefinidos Webers y Mozarts; Kurd Lasswitz, a fines del XIX, jugó con la abrumadora fantasía de una biblioteca universal, que registrara todas las variaciones de los veintitantos símbolos ortográficos, o sea cuanto es dable expresar, en todas las lenguas. La máquina de Lulio, el temor de Mill y la caótica biblioteca de Lasswitz pueden ser materia de burlas, pero exageran una propensión que es común: hacer de la metafísica, y de las artes, una suerte de juego combinatorio. Quienes practican ese juego olvidan que un libro es más que una estructura verbal, o que una serie de estructuras verbales; es el diálogo que entabla con su lector y la entonación que impone a su voz y las cambiantes y durables imágenes que deja en su memoria. Ese diálogo es infinito; las palabras *amica silentia lunae* significan ahora la luna íntima, silenciosa y luciente, y en la Eneida significaron el interlunio, la oscuridad que permitió a los griegos entrar en la ciudadela de Troya...[1] La literatura no es agotable, por la suficiente y simple razón de que un solo libro no lo es. El libro no es un ente incomunicado: es una relación, es un eje de innumerables relaciones. Una literatura difiere de otra, ulterior o anterior, menos por el texto que por la manera de ser leída: si me fuera otorgado leer cualquier página actual —ésta, por ejemplo— como la leerán el año dos mil, yo sabría cómo será la literatura del año dos mil. La concepción de la literatura como juego formal conduce, en el mejor de los casos, al

---

[1] Así las interpretaron Milton y Dante, a juzgar por ciertos pasajes que parecen imitativos. En la *Comedia* (*Infierno*, I, 60; V, 28) tenemos: *d'ogni luce muto* y *dove il sol tace* para significar lugares oscuros; en el *Samson Agonistes* (86-89):

> The Sun to me is dark
> And silent as the Moon,
> When she deserts the night
> Hid in her vacant interlunar cave.

Cf. E. M. W. Tillyard: *The Miltonic Setting,* 101.

buen trabajo del período y de la estrofa, a un decoro a ....
(Johnson, Renan, Flaubert), y en el peor a las incomodidades
de una obra hecha de sorpresas dictadas por la vanidad y el azar
(Gracián, Herrera Reissig).

Si la literatura no fuera más que un álgebra verbal, cualquiera
podría producir cualquier libro, a fuerza de ensayar variaciones.
La lapidaria fórmula *Todo fluye* abrevia en dos palabras la filosofía de Heráclito: Raimundo Lulio nos diría que, dada la primera, basta ensayar los verbos intransitivos para descubrir la
segunda y obtener, gracias al metódico azar, esa filosofía, y otras
muchísimas. Cabría responder que la fórmula obtenida por eliminación, carecería de valor y hasta de sentido; para que tenga
alguna virtud debemos concebirla en función de Heráclito, en
función de una experiencia de Heráclito, aunque "Heráclito"
no sea otra cosa que el presumible sujeto de esa experiencia. He
dicho que un libro es un diálogo, una forma de relación; en el
diálogo, un interlocutor no es la suma o promedio de lo que dice:
puede no hablar y traslucir que es inteligente, puede emitir observaciones inteligentes y traslucir estupidez. Con la literatura ocurre
lo mismo; D'Artagnan ejecuta hazañas innúmeras y Don Quijote
es apaleado y escarnecido, pero el valor de Don Quijote se siente
más. Lo anterior nos conduce a un problema estético no planteado hasta ahora: ¿Puede un autor crear personajes superiores a
él? Yo respondería que no y en esa negación abarcaría lo intelectual y lo moral. Pienso que de nosotros no saldrán criaturas
más lúcidas o más nobles que nuestros mejores momentos. En ese
parecer fundo mi convicción de la preeminencia de Shaw. Los
problemas gremiales y municipales de las primeras obras perderán su interés, o ya lo perdieron; las bromas de los *Pleasant Plays*
corren el albur de ser, algún día, no menos incómodas que las de
Shakespeare (el humorismo es, lo sospecho, un género oral, un
súbito favor de la conversación, no una cosa escrita); las ideas
que declaran los prólogos y las elocuentes tiradas se buscarán
en Schopenhauer y en Samuel Butler [1]; pero Lavinia, Blanco
Posnet, Kreegan, Shotover, Richard Dudgeon, y, sobre todo, Julio
César, exceden a cualquier personaje imaginado por el arte de
nuestro tiempo. Pensar a Monsieur Teste junto a ellos o al histriónico Zarathustra de Nietzsche es intuir con asombro y aun
con escándalo la primacía de Shaw. En 1911, Albert Soergel pudo
escribir, repitiendo un lugar común de la época, "Bernard Shaw

---

[1] También en Swedenborg. En *Man and Superman* se lee que el Infierno
no es un establecimiento penal sino un estado que los pecadores muertos
eligen, por razones de íntima afinidad, como los bienaventurados el Cielo;
el tratado *De Coelo et Inferno*, de Swedenborg, publicado en 1758, expone
la misma doctrina.

es un aniquilador del concepto heroico, un matador de héroes" (*Dichtung und Dichter der Zeit*, 214); no comprendía que lo heroico prescindiera de lo romántico y se encarnara en el capitán Bluntschli de *Arms and the Man*, no en Sergio Saránoff...

La biografía de Bernard Shaw por Frank Harris encierra una admirable carta de aquél, de la que copio estas palabras: "Yo comprendo todo y a todos y soy nada y soy nadie." De esa nada (tan comparable a la de Dios antes de crear el mundo, tan comparable a la divinidad primordial que otro irlandés, Juan Escoto Erígena, llamó *Nihil*), Bernard Shaw edujo casi innumerables personas, o *dramatis personae*: la más efímera será, lo sospecho, aquel G. B. S. que lo representó ante la gente y que prodigó en las columnas de los periódicos tantas fáciles agudezas.

Los temas fundamentales de Shaw son la filosofía y la ética: es natural e inevitable que no sea valorado en este país, o que lo sea únicamente en función de algunos epigramas. El argentino siente que el universo no es otra cosa que una manifestación del azar, que el fortuito concurso de átomos de Demócrito; la filosofía no le interesa. La ética tampoco: lo social se reduce, para él, a un conflicto de individuos o de clases o de naciones, en el que todo es lícito, salvo ser escarnecido o vencido.

El carácter del hombre y sus variaciones son el tema esencial de la novela de nuestro tiempo; la lírica es la complaciente magnificación de venturas o desventuras amorosas; las filosofías de Heidegger y de Jaspers hacen de cada uno de nosotros el interesante interlocutor de un diálogo secreto y continuo con la nada o con la divinidad; estas disciplinas, que formalmente pueden ser admirables, fomentan esa ilusión del yo que el Vedanta reprueba como error capital. Suelen jugar a la desesperación y a la angustia, pero en el fondo halagan la vanidad; son, en tal sentido, inmorales. La obra de Shaw, en cambio, deja un sabor de liberación. El sabor de las doctrinas del Pórtico y el sabor de las sagas.

Buenos Aires, 1951.

HISTORIA DE LOS ECOS DE UN NOMBRE

Aislados en el tiempo y en el espacio, un dios, un sueño y un hombre que está loco, y que no lo ignora, repiten una oscura declaración; referir y pesar esas palabras, y sus dos ecos, es el fin de esta página.

La lección original es famosa. La registra el capítulo tercero del segundo libro de Moisés, llamado Éxodo. Leemos ahí que el pastor de ovejas, Moisés, autor y protagonista del libro, preguntó a Dios Su Nombre y Aquel le dijo: *Soy El Que Soy.* Antes de examinar estas misteriosas palabras quizá no huelgue recordar que para el pensamiento mágico, o primitivo, los nombres no son símbolos arbitrarios sino parte vital de lo que definen.[1] Así, los aborígenes de Australia reciben nombres secretos que no deben oír los individuos de la tribu vecina. Entre los antiguos egipcios prevaleció una costumbre análoga; cada persona recibía dos nombres: el nombre pequeño que era de todos conocido, y el nombre verdadero o gran nombre, que se tenía oculto. Según la literatura funeraria, son muchos los peligros que corre el alma después de la muerte del cuerpo; olvidar su nombre (perder su identidad personal) es acaso el mayor. También importa conocer los verdaderos nombres de los dioses, de los demonios y de las puertas del otro mundo.[2] Escribe Jacques Vandier: "Basta saber el nombre de una divinidad o de una criatura divinizada para tenerla en su poder." (*La religion égyptienne*, 1949). Parejamente, De Quincey nos recuerda que era secreto el verdadero nombre de Roma; en los últimos días de la República, Quinto Valerio Sorano cometió el sacrilegio de revelarlo, y murió ejecutado...

El salvaje oculta su nombre para que a éste no lo sometan a operaciones mágicas, que podrían matar, enloquecer o esclavizar a su poseedor. En los conceptos de calumnia y de injuria perdura esta superstición, o su sombra; no toleramos que al sonido de nuestro nombre se vinculen ciertas palabras. Mauthner ha analizado y ha fustigado este hábito mental.

---

[1] Uno de los diálogos platónicos, el *Cratilo*, discute y parece negar una conexión necesaria de las palabras y las cosas.

[2] Los gnósticos heredaron o redescubrieron esta singular opinión. Se formó así un vasto vocabulario de nombres propios, que Basílides (según Ireneo) redujo a la palabra cacofónica o cíclica Kaulakau, suerte de llave universal de todos los cielos.

Moisés preguntó al Señor cuál era Su nombre: no se trataba, lo hemos visto, de una curiosidad de orden filológico, sino de averiguar quién era Dios, o más precisamente, qué era. (En el siglo IX Erígena escribiría que Dios no sabe quien es ni que es, porque no es un qué ni es un quién.)

¿Qué interpretaciones ha suscitado la tremenda contestación que escuchó Moisés? Según la teología cristiana, *Soy El Que Soy* declara que sólo Dios existe realmente o, como enseñó el Maggid de Mesritch, que la palabra *yo* sólo puede ser pronunciada por Dios. La doctrina de Spinoza, que hace de la extensión y del pensamiento meros atributos de una sustancia eterna, que es Dios, bien puede ser una magnificación de esta idea: "Dios sí existe; nosotros somos los que no existimos", escribió un mejicano, análogamente.

Según esta primera interpretación, *Soy El Que Soy*, es una afirmación ontológica. Otros han entendido que la respuesta elude la pregunta; Dios no dice quién es, porque ello excedería la comprensión de su interlocutor humano. Martín Buber indica que *Ehyeh asher ehyeh* puede traducirse también por *Soy el que seré* o por *Yo estaré dónde yo estaré*. Moisés, a manera de los hechiceros egipcios, habría preguntado a Dios cómo se llamaba para tenerlo en su poder; Dios le habría contestado, de hecho: *Hoy converso contigo, pero mañana puedo revestir cualquier forma, y también las formas de la presión, de la injusticia y de la adversidad.* Eso leemos en el *Gog und Magog*.[1]

Multiplicado por las lenguas humanas —*Ich bin der ich bin, Ego sum qui sum, I am that I am*—, el sentencioso nombre de Dios, el nombre que a despecho de constar de muchas palabras, es más impenetrable y más firme que los que constan de una sola, creció y reverberó por los siglos, hasta que en 1602 William Shakespeare escribió una comedia. En esta comedia entrevemos, asaz lateralmente, a un soldado fanfarrón y cobarde, a un *miles gloriosus*, que ha logrado, a favor de una estratagema, ser ascendido a capitán. La trampa se descubre, el hombre es degradado públicamente y entonces Shakespeare interviene y le pone en la boca palabras que reflejan, como en un espejo caído, aquellas otras que la divinidad dijo en la montaña: *Ya no seré capitán, pero he de comer y beber y dormir como un capitán; esta cosa que soy me hará vivir.* Así habla Parolles y bruscamente deja de ser un personaje convencional de la farsa cómica y es un hombre y todos los hombres.

[1] Buber (*Was ist der Mensch?* 1938) escribe que vivir es penetrar en una extraña habitación del espíritu, cuyo piso es el tablero en el que jugamos un juego inevitable y desconocido contra un adversario cambiante y a veces espantoso.

La última versión se produjo hacia mil setecientos cuarenta y tantos, en uno de los años que duró la larga agonía de Swift y que acaso fueron para él un solo instante insoportable, una forma de la eternidad del infierno. De inteligencia glacial y de odio glacial había vivido Swift, pero siempre lo fascinó la idiotez (como fascinaría a Flaubert), tal vez porque sabía que en el confín la locura estaba esperándolo. En la tercera parte de *Gulliver* imaginó con minucioso aborrecimiento una estirpe de hombres decrépitos e inmortales, entregados a débiles apetitos que no pueden satisfacer, incapaces de conversar con sus semejantes, porque el curso del tiempo ha modificado el lenguaje, y de leer, porque la memoria no les alcanza de un renglón a otro. Cabe sospechar que Swift imaginó este horror porque lo temía, o acaso para conjurarlo mágicamente. En 1717 había dicho a Young, el de los *Night Thoughts*: "Soy como ese árbol; empezaré a morir por la copa." Más que en la sucesión de sus días, Swift perdura para nosotros en unas pocas frases terribles. Este carácter sentencioso y sombrío se extiende a veces a lo dicho sobre él, como si quienes lo juzgaran no quisieran ser menos. "Pensar en él es como pensar en la ruina de un gran imperio" ha escrito Thackeray. Nada tan patético, sin embargo, como su aplicación de las misteriosas palabras de Dios.

La sordera, el vértigo, el temor de la locura y finalmente la idiotez, agravaron y fueron profundizando la melancolía de Swift. Empezó a perder la memoria. No quería usar anteojos, no podía leer y ya era incapaz de escribir. Suplicaba todos los días a Dios que le enviara la muerte. Y una tarde, viejo y loco y ya moribundo, le oyeron repetir, no sabemos si con resignación, con desesperación, o como quien se afirma y se ancla en su íntima esencia invulnerable; *Soy lo que soy, soy lo que soy.*

Seré una desventura, pero soy, habrá sentido Swift, y también *Soy una parte del universo, tan inevitable y necesaria como las otras,* y también *Soy lo que Dios quiere que sea, soy lo que me han hecho las leyes universales,* y acaso *Ser es ser todo.*

Aquí se acaba la historia de la sentencia; básteme agregar, a modo de epílogo, las palabras que Schopenhauer dijo, ya cerca de la muerte, a Eduard Grisebach: "Si a veces me he creído desdichado, ello se debe a una confusión, a un error. Me he tomado por otro, verbigracia, por un suplente que no puede llegar a titular, o por el acusado en un proceso por difamación, o por el enamorado a quien esa muchacha desdeña, o por el enfermo que no puede salir de su casa, o por otras personas que adolecen de análogas miserias. No he sido esas personas; ello, a lo sumo, ha sido la tela de trajes que he vestido y que he desechado. ¿Quién soy realmente? Soy el autor de *El mundo como voluntad y como representación*, soy el que ha dado una respuesta al enigma del Ser, que ocupará a los pensadores de los siglos futuros. Ese soy yo, ¿y quién podría discutirlo en los años que aún me quedan de vida?" Precisamente por haber escrito *El mundo como voluntad y como representación*, Schopenhauer sabía muy bien que ser un pensador es tan ilusorio como ser un enfermo o un desdeñado y que él era otra cosa, profundamente. Otra cosa: la voluntad, la oscura raíz de Parolles, la cosa que era Swift.

EL PUDOR DE LA HISTORIA

El 20 de setiembre de 1792, Johann Wolfgang von Goethe (que había acompañado al Duque de Weimar en un paseo militar a París) vio al primer ejército de Europa inexplicablemente rechazado en Valmy por unas milicias francesas y dijo a sus desconcertados amigos: *En este lugar y el día de hoy, se abre una época en la historia del mundo y podemos decir que hemos asistido a su origen.* Desde aquel día han abundado las jornadas históricas y una de las tareas de los gobiernos (singularmente en Italia, Alemania y Rusia) ha sido fabricarlas o simularlas, con acopio de previa propaganda y de persistente publicidad. Tales jornadas, en las que se advierte el influjo de Cecil B. de Mille, tienen menos relación con la historia que con el periodismo: yo he sospechado que la historia, la verdadera historia, es más pudorosa y que sus fechas esenciales pueden ser, asimismo, durante largo tiempo, secretas. Un prosista chino ha observado que el unicornio, en razón misma de lo anómalo que es, ha de pasar inadvertido. Los ojos ven lo que están habituados a ver: Tácito no percibió la Crucifixión, aunque la registra su libro.

A esta reflexión me condujo una frase casual que entreví al hojear una historia de la literatura griega y que me interesó, por ser ligeramente enigmática. He aquí la frase: *He brought in a second actor* (trajo a un segundo actor). Me detuve, comprobé que el sujeto de esa misteriosa acción era Esquilo y que éste, según se lee en el cuarto capítulo de la *Poética* de Aristóteles, "elevó de uno a dos el número de los actores". Es sabido que el drama nació de la religión de Dionisos; originariamente, un solo actor, el *hipócrita*, elevado por el coturno, trajeado de negro o de púrpura y agrandada la cara por una máscara, compartía la escena con los doce individuos del coro. El drama era una de las ceremonias del culto y, como todo lo ritual, corrió alguna vez el albur de ser invariable. Esto pudo ocurrir pero un día, quinientos años antes de la era cristiana, los atenienses vieron con maravilla y tal vez con escándalo (Víctor Hugo ha conjeturado lo último) la no anunciada aparición de un segundo actor. En aquel día de una primavera remota, en aquel teatro del color de la miel ¿qué pensaron, qué sintieron exactamente? Acaso ni estupor ni escándalo; acaso, apenas, un principio de asombro. En las *Tusculanas* consta que Esquilo ingresó en la orden pitagórica, pero nunca sabremos si presintió, siquiera de un modo imperfecto, lo significativo de aquel pasaje del uno al dos, de la unidad a la pluralidad y así a lo infinito. Con el segundo actor entraron el diálogo y las indefinidas posibilidades de la reacción de unos caracteres sobre otros. Un espectador profético hubiera visto que multitudes de apariencias futuras lo acompañaban: Hamlet y Fausto y Segismundo y Macbeth y Peer Gynt, y otros que, todavía, no pueden discernir nuestros ojos.

Otra jornada histórica he descubierto en el curso de mis lecturas. Ocurrió en Islandia, en el siglo XIII de nuestra era; digamos, en 1225. Para enseñanza de futuras generaciones, el historiador y polígrafo Snorri Sturlason, en su finca de Borgarfjord, escribía la última empresa del famoso rey Harold Sigurdarson, llamado el Implacable (Hardrada), que antes había militado en Bizancio, en Italia y en África. Tostig, hermano del rey sajón de Inglaterra, Harold Hijo de Godwin, codiciaba el poder y había conseguido el apoyo de Harold Sigurdarson. Con un ejército noruego desembarcaron en la costa oriental y rindieron el castillo de Jorvik (York). Al sur de Jorvik los enfrentó el ejército sajón. Declarados los hechos anteriores, el texto de Snorri prosigue: "Veinte jinetes se allegaron a las filas del invasor; los hombres, y también los caballos, estaban revestidos de hierro. Uno de los jinetes gritó:

—¿Está aquí el conde Tostig?
—No niego estar aquí —dijo el conde.
—Si verdaderamente eres Tostig —dijo el jinete— vengo a decirte que tu hermano te ofrece su perdón y una tercera parte del reino.
—Si acepto —dijo Tostig— ¿qué dará al rey Harold Sigurdarson?
—No se ha olvidado de él —contestó el jinete—. Le dará seis pies de tierra inglesa y, ya que es tan alto, uno más.
—Entonces —dijo Tostig— dile a tu rey que pelearemos hasta morir.

Los jinetes se fueron. Harold Sigurdarson preguntó, pensativo:
—¿Quién era ese caballero que habló tan bien?
—Harold hijo de Godwin."

Otros capítulos refieren que antes que declinara el sol de ese día el ejército noruego fue derrotado. Harold Sigurdarson pereció en la batalla y también el conde (*Heimskringla*, X, 92).

Hay un sabor que nuestro tiempo (hastiado, acaso, por las torpes imitaciones de los profesionales del patriotismo) no suele percibir sin algún recelo: el elemental sabor de lo heroico. Me aseguran que el *Poema del Cid* encierra ese sabor; yo lo he sentido, inconfundible, en versos de la *Eneida* ("Hijo, aprende de mí, valor y verdadera firmeza; de otros, el éxito"), en la balada anglosajona de Maldon ("Mi pueblo pagará el tributo con lanzas y con viejas espadas"), en·la *Canción de Rolando*, en Víctor Hugo, en Whitman y en Faulkner ("la alhucema, más fuerte que el olor de los caballos y del coraje"), en el *Epitafio para un ejército de mercenarios* de Housman, y en los "seis pies de tierra inglesa" de la *Heimskringla*. Detrás de la aparente simplicidad del historiador hay un delicado juego psicológico. Harold finge no reconocer a su hermano, para que éste, a su vez, advierta que no debe reconocerlo; Tostig no lo traiciona, pero no traicionará tampoco a su aliado; Harold, listo a perdonar a su hermano, pero no a tolerar la intromisión del rey de Noruega, obra de una manera muy comprensible. Nada diré de la destreza verbal de su contestación: dar una tercera parte del reino, dar seis pies de tierra.[1]

Una sola cosa hay más admirable que la admirable respuesta del rey sajón: la circunstancia de que sea un islandés, un hombre de la sangre de los vencidos, quien la haya perpetuado. Es como si un cartaginés nos hubiera legado la memoria de la hazaña de Régulo. Con razón escribió Saxo Gramático en su *Gesta Danorum*: "A los hombres de Thule (Islandia) les deleita aprender y registrar la historia de todos los pueblos y no tienen por menos glorioso publicar las excelencias ajenas que las propias."

No el día en que el sajón dijo sus palabras, sino aquel en que un enemigo las perpetuó marca una fecha histórica. Una fecha profética de algo que aún está en el futuro: el olvido de sangres y de naciones, la solidaridad del género humano. La oferta debe su virtud al concepto de patria; Snorri, por el hecho de referirla, lo supera y trasciende.

Otro tributo a un enemigo recuerdo en los capítulos últimos de los *Seven Pillars of Wisdom* de Lawrence; éste alaba el valor de un destacamento alemán y escribe estas palabras: "Entonces, por primera vez en esa campaña, me enorgullecí de los hombres que habían matado a mis hermanos." Y agrega después: "*They were glorious.*"

Buenos Aires, 1952.

---

[1] Carlyle (*Early Kings of Norway*, XI) desbarata, con una desdichada adición, esta economía. A los seis pies de tierra inglesa, agrega *for a grave* ("para sepultura").

NUEVA REFUTACIÓN DEL TIEMPO

> *Vor mir war keine Zeit, nach mir wird keine seyn.*
> *Mit mir gebiert sie sich, mit mir geht sie auch ein.*
> Daniel von Czepko: *Sexcenta monodisticha sapientum*, III. (1655).

NOTA PRELIMINAR

Publicada al promediar el siglo XVIII, esta refutación (o su nombre) perduraría en las bibliografías de Hume y acaso hubiera merecido una línea de Huxley o de Kemp Smith. Publicada en 1947 —después de Bergson—, es la anacrónica reductio ad absurdum de un sistema pretérito o, lo que es peor, el débil artificio de un argentino extraviado en la metafísica. Ambas conjeturas son verosímiles y quizá verdaderas; para corregirlas, no puedo prometer, a trueque de mi dialéctica rudimentaria, una conclusión inaudita. La tesis que propalaré es tan antigua como la flecha de Zenón o como el carro del rey griego, en el *Milinda Pañha*; la novedad, si la hay, consiste en aplicar a ese fin el clásico instrumento de Berkeley. Éste y su continuador David Hume abundan en párrafos que contradicen o que excluyen mi tesis; creo haber deducido, no obstante, la consecuencia inevitable de su doctrina.

El primer artículo (A) es de 1944 y apareció en el número 115 de la revista Sur; el segundo, de 1946, es una revisión del primero. Deliberadamente, no hice de los dos uno solo, por entender que la lectura de dos textos análogos puede facilitar la comprensión de una materia indócil.

Una palabra sobre el título. No se me oculta que éste es un ejemplo del monstruo que los lógicos han denominado contradictio in adjecto, porque decir que es nueva (o antigua) una refutación del tiempo es atribuirle un predicado de índole temporal, que instaura la noción que el sujeto quiere destruir. Lo dejo, sin embargo, para que su ligerísima burla pruebe que no exagero la importancia de estos juegos verbales. Por lo demás, tan saturado y animado de tiempo está nuestro lenguaje que es muy posible que no haya en estas hojas una sentencia que de algún modo no lo exija o lo invoque.

Dedico estos ejercicios a mi ascendiente Juan Crisóstomo Lafinur (1797-1824), que ha dejado a las letras argentinas algún endecasílabo memorable y que trató de reformar la enseñanza de la filosofía, purificándola de sombras teológicas y exponiendo en la cátedra los principios de Locke y de Condillac. Murió en el destierro; le tocaron, como a todos los hombres, malos tiempos en que vivir.[1]

J. L. B.

Buenos Aires, 23 de diciembre de 1946.

---

[1] No hay exposición del budismo que no mencione el *Milinda Pañha*, obra apologética del siglo II, que refiere un debate cuyos interlocutores son el rey de la Bactriana, Menandro, y el monje Nagasena. Éste razona que así como el carro del rey no es las ruedas ni l. caja ni el eje ni la lanza ni el yugo, tampoco el hombre es la materia, la forma, las impresiones, las ideas, los instintos o la conciencia. No es la combinación de esas partes ni existe fuera de ellas... Al cabo de una controversia de muchos días, Menandro (Milinda) se convierte a la fe del Buddha.

El *Milindra Pañha* ha sido vertido al inglés por Rhys Davids (Oxford, 1890-1894).

A

I

En el decurso de una vida consagrada a las letras y (alguna vez) a la perplejidad metafísica, he divisado o presentido una refutación del tiempo, de la que yo mismo descreo, pero que suele visitarme en las noches y en el fatigado crepúsculo, con ilusoria fuerza de axioma. Esa refutación está de algún modo en todos mis libros: la prefiguran los poemas *Inscripción en cualquier sepulcro* y *El truco*, de mi *Fervor de Buenos Aires* (1923); la declaran cierta página de *Evaristo Carriego* (1930) y el relato *Sentirse en muerte*, que más adelante transcribo. Ninguno de los textos que he enumerado me satisface, ni siquiera el penúltimo de la serie, menos demostrativo y razonado que adivinatorio y patético. A todos ellos procuraré fundamentarlos con este escrito.

Dos argumentos me abocaron a esa refutación: el idealismo de Berkeley, el principio de los indiscernibles, de Leibniz.

Berkeley (*Principles of Human Knowledge*, 3) observó: "Todos admitirán que ni nuestros pensamientos ni nuestras pasiones ni las ideas formadas por nuestra imaginación existen sin la mente. No menos claro es para mí que las diversas sensaciones, o ideas impresas en los sentidos, de cualquier modo que se combinen (*id est*, cualquiera sea el objeto que formen), no pueden existir más que en una mente que las perciba... Afirmo que esta mesa existe; es decir, la veo y la toco. Si al estar fuera de mi escritorio, afirmo lo mismo, sólo quiero decir que si estuviera aquí la percibiría, o que la percibe algún otro espíritu... Hablar de la existencia absoluta de cosas inanimadas, sin relación al hecho de si las perciben o no, es para mí insensato. Su *esse es percipi*; no es posible que existan fuera de las mentes que las perciben". En el párrafo 23 agregó, previniendo objeciones: "Pero, se dirá, nada es más fácil que imaginar árboles en un prado o libros en una biblioteca, y nadie cerca de ellos que los percibe. En efecto, nada es más fácil. Pero, os pregunto, ¿que habéis hecho sino formar en la mente algunas ideas que llamáis *libros o árboles* y omitir al mismo tiempo la idea de alguien que los percibe? Vosotros, mientras tanto, ¿no los pensábais? No niego que la mente sea capaz de imaginar ideas; niego que los objetos puedan existir fuera de la mente." En otro párrafo, el número 6, ya había declarado: "Hay verdades tan claras que para verlas nos basta abrir los ojos. Una de ellas es la importante verdad: Todo el coro del cielo y los aditamentos de la tierra —todos los cuerpos que componen la poderosa fábrica del universo— no existen fuera de una mente; no tienen otro ser que ser percibidos; no existen cuando no los pensamos, o sólo existen en la mente de un Espíritu Eterno".

Tal es, en las palabras de su inventor, la doctrina idealista. Comprenderla es fácil; lo difícil es pensar dentro de su límite. El mismo Schopenhauer, al exponerla, comete negligencias culpables. En las primeras líneas del primer libro de su Welt als Wille und Vorstellung —año de 1819— formula esta declaración que lo hace acreedor a la imperecedera perplejidad de todos los hombres: "El mundo es mi representación. El hombre que confiesa esta verdad sabe claramente que no conoce un sol ni una tierra, sino tan sólo unos ojos que ven un sol y una mano que siente el contacto de una tierra." Es decir, para el idealista Schopenhauer los ojos y la mano del hombre son menos ilusorios o aparenciales que la tierra y el sol. En 1844, publica un tomo complementario. En su primer capítulo redescubre y agrava el antiguo error: define el universo como un fenómeno cerebral y distingue "el mundo en la cabeza" del "mundo fuera de la cabeza". Berkeley, sin embargo, le había hecho decir a Philonous en 1713: "El cerebro de que hablas, siendo una cosa sensible, sólo puede existir en la mente. Yo querría saber si te parece razonable la conjetura de que una idea o cosa en la mente ocasiona todas las otras. Si contestas que sí, ¿cómo explicarás el origen de esa idea primaria o cerebro?". Al dualismo o cerebrismo de Schopenhauer, también es justo contraponer el monismo de Spiller. Éste (*The Mind of Man*, capítulo VIII, 1902) arguye que la retina y la superficie cutánea invocadas para explicar lo visual y lo táctil son, a su vez, dos sistemas táctiles y visuales y que el aposento que vemos (el "objetivo") no es mayor que el imaginado (el "cerebral") y no lo contiene, ya que se trata de dos sistemas visuales independientes. Berkeley (*Principles of Human Knowledge*, 10 y 116) negó asimismo las cualidades primarias —la solidez y la extensión de las cosas— y el espacio absoluto.

Berkeley afirmó la existencia continua de los objetos, ya que cuando algún individuo no los percibe, Dios los percibe; Hume, con más lógica, la niega (*Treatise of Human Nature*, I, 4, 2); Berkeley afirmó la identidad personal, "pues yo no meramente soy mis ideas, sino otra cosa: un principio activo y pensante" (*Dialogues*, 3); Hume, el escéptico, la refuta y hace de cada hombre "una colección o atadura de percepciones, que se suceden unas a otras con inconcebible rapidez" (obra citada, I, 4, 6). Ambos afirman el tiempo: para Berkeley, es "la sucesión de ideas que fluye uniformemente y de la que todos los seres participan" (*Principles of Human Knowledge*, 98); para Hume, "una sucesión de momentos indivisibles" (obra citada, I, 2, 2).

He acumulado transcripciones de los apologistas del idealismo, he prodigado sus pasajes canónicos, he sido iterativo y explícito, he censurado a Schopenhauer (no sin ingratitud), para que mi lector vaya penetrando en ese inestable mundo mental. Un mundo de impresiones evanescentes; un mundo sin materia ni espíritu, ni objetivo ni subjetivo; un mundo sin la arquitectura ideal del espacio; un mundo hecho de tiempo, del absoluto tiempo uniforme de los *Principia*; un laberinto infatigable, un caos, un sueño. A esa casi perfecta disgregación llegó David Hume.

Admitido el argumento idealista, entiendo que es posible —tal vez, inevitable— ir más lejos. Para Hume no es lícito hablar de la forma de la luna o de su color; la forma y el color *son* la luna; tampoco puede hablarse de las percepciones de la mente, ya que la mente no es otra cosa que una serie de percepciones. El *pienso, luego soy* cartesiano queda invalidado; decir *pienso* es postular el yo, es una petición de principio; Lichtenberg, en el siglo XVIII, propuso que en lugar de *pienso*, dijéramos impersonalmente *piensa*, como quien dice *truena* o *relampaguea*. Lo repito: no hay detrás de las caras un yo secreto, que gobierna los actos y que recibe las impresiones; somos únicamente la serie de esos actos imaginarios y de esas impresiones errantes. ¿La serie? Negados el espíritu y la materia, que son continuidades, negado también el espacio, no sé qué derecho tenemos a esa continuidad que es el tiempo. Imaginemos un presente cualquiera. En una de las noches del Misisipí, Huckleberry Finn se despierta; la balsa, perdida en la tiniebla parcial, prosigue río abajo; hace tal vez un poco de frío. Huckleberry Finn reconoce el manso ruido infatigable del agua; abre con negligencia los ojos; ve un vago número de estrellas, ve una raya indistinta que son los árboles; luego, se hunde en el sueño inmemorable como en un agua oscura.[1] La metafísica idealista declara que añadir a esas percepciones una sustancia material (el objeto) y una sustancia espiritual (el sujeto) es aventurado e inútil; yo afirmo que no menos ilógico es pensar que son términos de una serie cuyo principio es tan inconcebible como su fin. Agregar al río y a la ribera percibidos por Huck la noción de otro río sustantivo de otra ribera, agregar otra percepción a esa red inmediata de percepciones, es, para el idealismo, injustificable; para mí, no

---

[1] Para facilidad del lector he elegido un instante entre dos sueños, un instante literario, no histórico. Si alguien sospecha una falacia, puede intercalar otro ejemplo; de su vida, si quiere.

es menos injustificable agregar una precisión cronológica: el hecho, por ejemplo, de que lo anterior ocurrió la noche del 7 de junio de 1849, entre las cuatro y diez y las cuatro y once. Dicho sea con otras palabras: niego, con argumentos del idealismo, la vasta serie temporal que el idealismo admite. Hume ha negado la existencia de un espacio absoluto, en el que tiene su lugar cada cosa; yo, la de un solo tiempo, en el que se eslabonan todos los hechos. Negar la coexistencia no es menos arduo que negar la sucesión.

Niego, en un número elevado de casos, lo sucesivo; niego, en un número elevado de casos, lo contemporáneo también. El amante que piensa *Mientras yo estaba tan feliz, pensando en la fidelidad de mi amor, ella me engañaba*, se engaña: si cada estado que vivimos es absoluto, esa felicidad no fue contemporánea de esa traición; el descubrimiento de esa traición es un estado más, inapto para modificar a los "anteriores", aunque no a su recuerdo. La desventura de hoy no es más real que la dicha pretérita. Busco un ejemplo más concreto. A principios de agosto de 1824, el capitán Isidoro Suárez, a la cabeza de un escuadrón de Húsares del Perú, decidió la victoria de Junín; a principios de agosto de 1824, De Quincey publicó una diatriba contra *Wilhelm Meisters Lehrjahre*; tales hechos no fueron contemporáneos (ahora lo son), ya que los dos hombres murieron, aquél en la ciudad de Montevideo, éste en Edimburgo, sin saber nada el uno del otro... Cada instante es autónomo. Ni la venganza ni el perdón ni las cárceles ni siquiera el olvido pueden modificar el invulnerable pasado. No menos vanos me parecen la esperanza y el miedo, que siempre se refieren a hechos futuros; es decir, a hechos que no nos ocurrirán a nosotros, que somos el minucioso presente. Me dicen que el presente, el *specious present* de los psicólogos, dura entre unos segundos y una minúscula fracción de segundo; eso dura la historia del universo. Mejor dicho, no hay esa historia, como no hay la vida de un hombre, ni siquiera una de sus noches; cada momento que vivimos existe, no su imaginario conjunto. El universo, la suma de todos los hechos, es una colección no menos ideal que la de todos los caballos con que Shakespeare soñó —¿uno, muchos, ninguno?— entre 1592 y 1594. Agrego: si el tiempo es un proceso mental ¿cómo pueden compartirlo millares de hombres, o aun dos hombres distintos?

El argumento de los párrafos anteriores, interrumpido y como entorpecido de ejemplos, puede parecer intrincado. Busco un método más directo. Consideremos una vida en cuyo decurso las repeticiones abundan: la mía, verbigracia. No paso ante la Recoleta sin recordar que están sepultados ahí mi padre, mis abuelos y trasabuelos, como yo lo estaré; luego recuerdo ya haber recordado lo mismo, ya innumerables veces; no puedo caminar por los arrabales en la soledad de la noche, sin pensar que ésta nos agrada porque suprime los ociosos detalles, como el recuerdo; no puedo lamentar la perdición de un amor o de una amistad sin meditar que sólo se pierde lo que realmente no se ha tenido; cada vez que atravieso una de las esquinas del sur, pienso en usted, Helena; cada vez que el aire me trae un olor de eucaliptos, pienso en Adrogué, en mi niñez; cada vez que recuerdo el fragmento 91 de Heráclito: *No bajarás dos veces al mismo río*, admiro su destreza dialéctica, pues la facilidad con que aceptamos el primer sentido ("El río es otro") nos impone clandestinamente el segundo ("Soy otro") y nos concede la ilusión de haberlo inventado; cada vez que oigo a un germanófilo vituperar el *yiddish*, reflexiono que el *yiddish* es, ante todo, un dialecto alemán, apenas maculado por el idioma del Espíritu Santo. Esas tautologías (y otras que callo) son mi vida entera. Naturalmente, se repiten sin precisión; hay diferencias de énfasis, de temperatura, de luz, de estado fisiológico general. Sospecho, sin embargo, que el número de variaciones circunstanciales no es infinito: podemos postular, en la mente de un individuo (o de dos individuos que se ignoran, pero en quienes se opera el mismo proceso), dos momentos iguales. Postulada esa igualdad, cabe preguntar: Esos idénticos momentos ¿no son el mismo? ¿No basta *un solo término repetido* para desbaratar y confundir la serie del tiempo? ¿Los fervorosos que se entregan a una línea de Shakespeare no son, literalmente, Shakespeare?

Ignoro, aún, la ética del sistema que he bosquejado. No sé si existe. El quinto párrafo del cuarto capítulo del tratado *Sanhedrín* de la Mishnah declara que, para la Justicia de Dios, el que mata a un solo hombre, destruye el mundo; si no hay pluralidad, el que aniquilara a todos los hombres no sería más culpable que el primitivo y solitario Caín, lo cual es ortodoxo, ni más universal en la destrucción, lo que puede ser mágico. Yo entiendo que así es. Las ruidosas catástrofes generales —incendios, guerras, epidemias— son un solo dolor, ilusoriamente multiplicado en muchos espejos. Así lo juzga Bernard Shaw (*Guide to Socialism*, 86): "Lo que tú puedes padecer es lo máximo que pueda padecerse en la tierra. Si mueres de inanición sufrirás toda la inanición que ha habido o que habrá. Si diez mil personas mueren contigo, su participación en tu suerte no hará que tengas diez mil veces más hambre ni multiplicará por diez mil el tiempo en que agonices. No te dejes abrumar por la horrenda suma de los padecimientos humanos; la tal suma no existe. Ni la pobreza ni el dolor son acumulables". *Cf.* también *The Problem of Pain*, VII, de C. S. Lewis.

Lucrecio (*De rerum natura*, I, 830) atribuye a Anaxágoras la doctrina de que el oro consta de partículas de oro; el fuego, de chispas; el hueso, de huesitos imperceptibles. Josiah Royce, tal vez influido por San Agustín, juzga que el tiempo está hecho de tiempo y que "todo presente en el que algo ocurre es también una sucesión" (*The World and the Individual*, II, 139). Esa proposición es compatible con la de este trabajo.

II

Todo lenguaje es de índole sucesiva; no es hábil para razonar lo eterno, lo intemporal. Quienes hayan seguido con desagrado la argumentación anterior, preferirían tal vez. esta página de 1928. La he mencionado ya; se trata del relato que se titula *Sentirse en muerte*:

"Deseo registrar aquí una experiencia que tuve hace unas noches: fruslería demasiado evanescente y extática para que la llame aventura; demasiado irrazonable y sentimental para pensamiento. Se trata de una escena y de su palabra: palabra ya antedicha por mí, pero no vivida hasta entonces con entera dedicación. Paso a historiarla, con los accidentes de tiempo y de lugar que la declararon.

Lo rememoro así. La tarde que precedió a esa noche, estuve en Barracas: localidad no visitada por mi costumbre, y cuya distancia de las que después recorrí, ya dio un sabor extraño a ese día. Su noche no tenía destino alguno; como era serena, salí a caminar y recordar, después de comer. No quise determinarle rumbo a esa caminata; procuré una máxima latitud de probabilidades para no cansar la expectativa con la obligatoria antevisión de una sola de ellas. Realicé en la mala medida de lo posible, eso que llaman caminar al azar; acepté, sin otro consciente prejuicio que el de soslayar las avenidas o calles anchas, las más oscuras invitaciones de la casualidad. Con todo, una suerte de gravitación familiar me alejó hacia unos barrios, de cuyo nombre quiero siempre acordarme y que dictan reverencia a mi pecho. No quiero significar así el barrio mío, el preciso ámbito de la infancia, sino sus todavía misteriosas inmediaciones: confín que he poseído entero en palabras y poco en realidad, vecino y mitológico a un tiempo. El revés de lo conocido, su espalda, son para mí esas calles penúltimas, casi tan efectivamente ignoradas como el soterrado cimiento de nuestra casa o nuestro invisible esqueleto. La marcha me dejó en una esquina. Aspiré noche, en asueto serenísimo de pensar. La visión, nada complicada por cierto, parecía simplificada por mi cansancio. La irrealizaba su misma tipicidad. La calle era de casas bajas y aunque su primera significación fuera de pobreza, la segunda era ciertamente de dicha. Era de lo más pobre y de lo más lindo. Ninguna casa se animaba a la calle; la higuera oscurecía sobre la ochava; los portoncitos —más altos que las líneas estiradas de las paredes— parecían obrados en la misma sustancia infinita de la noche. La vereda era escarpada sobre la calle, la calle era de barro elemental, barro de América no conquistado aún. Al fondo, el callejón, ya pampeano, se desmoronaba hacia el Maldonado. Sobre la tierra turbia y caótica, una tapia rosada parecía no hospedar luz de luna, sino efundir luz íntima. No habrá manera de nombrar la ternura mejor que ese rosado.

Me quedé mirando esa sencillez. Pensé, con seguridad en voz alta: Esto es lo mismo de hace treinta años.... Conjeturé esa fecha: época reciente en otros países, pero ya remota en este cambiadizo lado del mundo. Tal vez cantaba un pájaro y sentí por él un cariño chico, de tamaño de pájaro; pero lo más seguro es que en ese ya vertiginoso silencio no hubo más ruido que el también intemporal de los grillos. El fácil pensamiento *Estoy en mil ochocientos y tantos* dejó de ser unas cuantas aproximativas palabras y se profundizó a realidad. Me sentí muerto, me sentí percibidor abstracto del mundo; indefinido temor imbuido de ciencia que es la mejor claridad de la metafísica. No creí; no, haber remontado las presuntivas aguas del Tiempo; más bien me sospeché poseedor del sentido reticente o ausente de la inconcebible palabra *eternidad*. Sólo después alcancé a definir esa imaginación.

La escribo, ahora, así: Esa pura representación de hechos homogéneos —noche en serenidad, parecita límpida, olor provinciano de la madreselva, barro fundamental— no es meramente idéntica a la que hubo en esa esquina hace tantos años; es, sin parecidos ni repeticiones, la misma. El tiempo, si podemos intuir esa identidad, es una delusión: la indiferencia e inseparabilidad de un momento de su aparente ayer y otro de su aparente hoy, basta para desintegrarlo.

Es evidente que el número de tales momentos humanos no es infinito. Los elementales —los de sufrimiento físico y goce físico, los de acercamiento del sueño, los de la audición de una sola música, los de mucha intensidad o mucho desgano— son más impersonales aún. Derivo de antemano esta conclusión: la vida es demasiado pobre para no ser también inmortal. Pero ni siquiera tenemos la seguridad de nuestra pobreza, puesto que el tiempo, fácilmente refutable en lo sensitivo, no lo es también en lo intelectual, de cuya esencia parece inseparable el concepto de sucesión. Quede pues en anécdota emocional la vislumbrada idea y en la confesa irresolución de esta hoja el momento verdadero de éxtasis y la insinuación posible de eternidad de que esa noche no me fue avara".

B

De las muchas doctrinas que la historia de la filosofía registra, tal vez el idealismo es la más antigua y la más divulgada. La observación es de Carlyle (*Novalis*, 1829); a los filósofos que alega cabe añadir, sin esperanza de integrar el infinito censo, los platónicos, para quienes lo único real son los prototipos (Norris, Judas, Abrabanel, Gemisto, Plotino), los teólogos, para quienes es contingente todo lo que no es la divinidad (Malebranche, Johannes Eckhart), los monistas, que hacen del universo un ocioso adjetivo de lo Absoluto (Bradley, Hegel, Parménides)... El idealismo es tan antiguo como la inquietud metafísica: su apologista más agudo, George Berkeley, floreció en el siglo XVIII; contrariamente a lo que Schopenhauer declara (*Welt als Wille und Vorstellung*, II, 1), su mérito no pudo consistir en la intuición de esa doctrina sino en los argumentos que ideó para razonarla. Berkeley usó de esos argumentos contra la noción de materia; Hume los aplicó a la conciencia; mi propósito es aplicarlos al tiempo. Antes recapitularé brevemente las diversas etapas de esa dialéctica.

Berkeley negó la materia. Ello no significa, entiéndase bien, que negó los colores, los olores, los sabores, los sonidos y los contactos; lo que negó fue que, además de esas percepciones, que componen el mundo externo, hubiera dolores que nadie siente, colores que nadie ve, formas que nadie toca. Razonó que agregar una materia a las percepciones es agregar al mundo un inconcebible mundo superfluo. Creyó en el mundo aparencial que urden los sentidos, pero entendió que el mundo material (digamos, el de Toland) es una duplicación ilusoria. Observó (*Principles of Human Knowledge*, 3): "Todos admitirán que ni nuestros pensamientos ni nuestras pasiones ni las ideas formadas por nuestra imaginación existen sin la mente. No menos claro es para mí que las diversas sensaciones o ideas impresas en los sentidos, de cualquier modo que se combinen (*id, est*, cualquiera sea el objeto que formen), no pueden existir sino en alguna mente que las perciba... Afirmo que esta mesa existe; es decir, la veo y la toco. Si, al haber dejado esta habitación, afirmo lo mismo, sólo quiero manifestar que si yo estuviera aquí la percibiría, o que la percibe algún otro espíritu... Hablar de la existencia absoluta de cosas inanimadas, sin relación al hecho de si las perciben o no, es para mí insensato. Su *esse es percipi*; no es posible que existan fuera de las mentes que las perciben". En el párrafo 23 agregó, previniendo objeciones: "Pero, se dirá, nada es más fácil que imaginar árboles en un parque o libros en una biblioteca, y nadie cerca de ellos que los percibe. En efecto, nada es más fácil. Pero, os pregunto, ¿qué habéis hecho sino formar en la mente algunas ideas que llamáis *libros* o *árboles* y omitir al mismo tiempo la idea de alguien que las percibe? Vosotros, mientras tanto, ¿no las pensábais? No niego que la mente sea capaz de imaginar ideas; niego que las ideas pueden existir fuera de la mente". En el párrafo 6 ya había declarado: "Hay verdades tan claras que para verlas nos basta abrir los ojos. Tal es la importante verdad: Todo el coro del cielo y los aditamentos de la tierra —todos los cuerpos que componen la enorme fábrica del universo— no existen fuera de una mente; no tienen otro ser que ser percibidos; no existen cuando no los pensamos, o sólo existen en la mente de un Espíritu Eterno". (El dios de Berkeley es un ubicuo espectador cuyo fin es dar coherencia al mundo.)

La doctrina que acabo de exponer ha sido interpretada perversalmente. Herbert Spencer cree refutarla (*Principles of Psychology*, VIII, 6), razonando que si nada hay fuera de la conciencia, ésta debe ser infinita en el tiempo y en el espacio. Lo primero es cierto si comprendemos que todo tiempo es tiempo percibido por alguien, erróneo si inferimos que ese tiempo debe, necesariamente, abarcar un número infinito de siglos; lo segundo es ilícito, ya que Berkeley (*Principles of Human Knowledge*, 116; *Siris*, 266) repetidamente negó el espacio absoluto. Aun más indescifrable es el error en que Schopenhauer incurre (*Welt als Wille und Vorstellung*, II, 1), al enseñar que para los idealistas el mundo es un fenómeno cerebral; Berkeley, sin embargo, había escrito (*Dialogues Between Hylas and Philonus*, II): "El cerebro, como cosa sensible, sólo puede existir en la mente. Yo querría saber si juzgas razonable la conjetura de que una idea o cosa en la mente ocasione todas las otras. Si contestas que sí, ¿cómo explicarás el origen de esa idea primaria o cerebro?". El cerebro, efectivamente, no es menos una parte del mundo externo que la constelación del Centauro.

Berkeley negó que hubiera un objeto detrás de las impresiones de los sentidos; David Hume, que hubiera un sujeto detrás de la percepción de los cambios. Aquél había negado la materia, éste negó el espíritu; aquél no había querido que agregáramos a la sucesión de impresiones la noción metafísica de materia, éste no quiso que agregáramos a la sucesión de estados mentales la noción metafísica de un yo. Tan lógica es esa ampliación de los argumentos de Berkeley que éste ya la había previsto, como Alexander Campbell Fraser hace notar, y hasta procuró recusarla mediante el *ergo sum* cartesiano. "Si tus principios son valederos, tú mismo no eres más que un sistema de ideas fluctuantes, no sostenidas por ninguna sustancia, ya que tan absurdo es hablar de sustancia espiritual como de sustancia material", razona Hylas, anticipándose a David Hume, en el tercero y último de los *Dialogues*. Corrobora Hume, (*Treatise of Human Nature*, I, 4, 6): "Somos una colección o conjunto de percepciones, que se suceden unas a otras con inconcebible rapidez.... La mente es una especie de teatro, donde las percepciones aparecen, desaparecen, vuelven y se combinan de infinitas maneras. La metáfora no debe engañarnos. Las percepciones constituyen la mente y no podemos vislumbrar en qué sitio ocurren las escenas ni de qué materiales está hecho el teatro".

Admitido el argumento idealista, entiendo que es posible —tal vez, inevitable— ir más lejos. Para Berkeley, el tiempo es "la sucesión de ideas que fluye uniformemente y de la que todos los seres participan" (*Principles of Human Knowledge*, 98); para Hume, "una sucesión de momentos indivisibles" (*Treatise of Human Nature*, I, 2, 3). Sin embargo, negadas la materia y el espíritu, que son continuidades, negado también el espacio, no sé con qué derecho retendremos esa continuidad que es el tiempo. Fuera de cada percepción (actual o conjetural) no existe la materia; fuera de cada estado mental no existe el espíritu; tampoco el tiempo existirá fuera de cada instante presente. Elijamos un momento de máxima simplicidad: verbigracia, el del sueño de Chuang Tzu (Herbert Allen Giles: *Chuang Tzu*, 1889). Éste, hará unos veinticuatro siglos, soñó que era una mariposa y no sabía al despertar si era un hombre que había soñado ser una mariposa o una mariposa que ahora soñaba ser un hombre. No consideremos el despertar, consideremos el momento del sueño; o uno de los momentos. "Soñé que era una mariposa que andaba por el aire y que nada sabía de Chuang Tzu", dice el antiguo texto. Nunca sabremos si Chuang Tzu vio un jardín sobre el que le parecía volar o un móvil triángulo amarillo, que sin duda era él, pero nos consta que la imagen fue subjetiva, aunque la suministró la memoria. La doctrina del paralelismo psicofísico juzgará que a esa imagen debió de corresponder algún cambio en el sistema nervioso del soñador; según Berkeley, no existía en aquel momento el cuerpo de Chuang Tzu, ni el negro dormitorio en que soñaba, salvo como una percepción en la mente divina. Hume simplifica aun más lo ocurrido. Según él, no existía en aquel momento el espíritu de Chuang Tzu; sólo existían los colores del sueño y la certidumbre de ser una mariposa. Existía como término momentáneo de la "colección o conjunto de percepciones" que fue, unos cuatro siglos antes de Cristo, la mente de Chuang Tzu; existían como término n de una infinita serie temporal, entre $n-1$ y $n+1$. No hay otra realidad, para el idealismo, que la de los procesos mentales; agregar a la mariposa que se percibe una mariposa objetiva le parece una vana duplicación; agregar a los procesos un yo le parece no menos exorbitante. Juzga que hubo un soñar, un percibir, pero no un soñador ni siquiera un sueño; juzga que hablar de objetos y de sujetos es incurrir en una impura mitología. Ahora bien, si cada estado psíquico es suficiente, si vincularlo a una circunstancia o a un yo es una ilícita y ociosa adición, ¿con qué derecho le impondremos después, un lugar en el tiempo? Chuang Tzu soñó que era una mariposa y durante aquel sueño no era Chuang Tzu, era una mariposa. ¿Cómo, abolidos el espacio y el yo, vincularemos esos instantes a los del despertar y a la época feudal de la historia china? Ello no quiere decir que nunca sabremos, siquiera de manera aproximativa, la fecha de aquel sueño; quiere decir que la fijación cronológica de un suceso, de cualquier suceso del orbe, es ajena a él, y exterior. En la China, el sueño de Chuang Tzu es proverbial; imaginemos que de sus casi infinitos lectores, uno sueña que es una mariposa y luego que es Chuang Tzu. Imaginemos que, por un azar no imposible, este sueño repite puntualmente el que soñó el maestro. Postulada esa igualdad, cabe preguntar: Esos instantes que coinciden ¿no son el mismo? ¿No basta *un solo término repetido* para desbaratar y confundir la historia del mundo, para denunciar que no hay tal historia?

Negar el tiempo es dos negaciones: negar la sucesión de los términos de una serie, negar el sincronismo de los términos de dos series. En efecto, si cada término es absoluto, sus relaciones se reducen a la conciencia de que esas relaciones existen. Un estado precede a otro si se sabe anterior; un estado de G es contemporáneo de un estado de H si se sabe contemporáneo. Contrariamente a lo declarado por Schopenhauer [1] en su tabla de verdades fundamentales (*Welt als Wille und Vorstellung*, II, 4), cada fracción de tiempo no llena simultáneamente el espacio entero, el tiempo no es ubicuo. (Claro está que, a esta altura del argumento, ya no existe el espacio.)

Meinong, en su teoría de la aprehensión, admite la de objetos imaginarios: la cuarta dimensión, digamos, o la estatua sensible de Condillac o el animal hipotético de Lotze o la raíz cuadrada

---

[1] Antes, por Newton, que afirmó: "Cada partícula de espacio es eterna, cada indivisible momento de duración está en todas partes" (*Principia*, III, 42).

de — 1. Si las razones que he indicado son válidas, a ese orbe nebuloso pertenecen también la materia, el yo, el mundo externo, la historia universal, nuestras vidas.

Por lo demás, la frase *negación del tiempo* es ambigua. Puede significar la eternidad de Platón o de Boecio y también los dilemas de Sexto Empírico. Éste (*Adversus mathematicos*, XI, 197) niega el pasado, que ya fue, y el futuro, que no es aún, y arguye que el presente es divisible o indivisible. No es indivisible, pues en tal caso no tendría principio que lo vinculara al pasado ni fin que lo vinculara al futuro, ni siquiera medio, porque no tiene medio lo que carece de principio y de fin; tampoco es divisible, pues en tal caso constaría de una parte que fue y de otra que no es. *Ergo*, no existe, pero como tampoco existen el pasado y el porvenir, el tiempo no existe. F. H. Bradley redescubre y mejora esa perplejidad. Observa (*Appearance and Reality*, IV) que si el ahora es divisible en otros ahoras, no es menos complicado que el tiempo, y si es indivisible, el tiempo es una mera relación entre cosas intemporales. Tales razonamientos, como se ve, niegan las partes para luego negar el todo; yo rechazo el todo para exaltar cada una de las partes. Por la dialéctica de Berkeley y de Hume he arribado al dictamen de Schopenhauer: "La forma de la aparición de la voluntad es sólo el presente, no el pasado ni el porvenir; éstos no existen más que para el concepto y por el encadenamiento de la conciencia, sometida al principio de razón. Nadie ha vivido en el pasado, nadie vivirá en el futuro: el presente es la forma de toda vida, es una posesión que ningún mal puede arrebatarle... El tiempo es como un círculo que girara infinitamente: el arco que desciende es el pasado, el que asciende es el porvenir; arriba, hay un punto indivisible que toca la tangente y es el ahora. Inmóvil como la tangente, ese inextenso punto marca el contacto del objeto, cuya forma es el tiempo, con el sujeto, que carece de forma, porque no pertenece a lo conocible y es previa condición del conocimiento" (*Welt als Wille und Vorstellung*, I, 54). Un tratado budista del siglo v, el *Visuddhimagga* (*Camino de la Pureza*), ilustra la misma doctrina con la misma figura: "En rigor, la vida de un ser dura lo que una idea. Como una rueda de carruaje, al rodar, toca la tierra en un solo punto, dura la vida lo que dura una sola idea" (Radhakrishman: *Indian Philosophy*, I, 373). Otros textos budistas dicen que el mundo se aniquila y resurge seis mil quinientos millones de veces por día y que todo hombre es una ilusión, vertiginosamente obrada por una serie de hombres momentáneos y solos. "El hombre de un momento pretérito —nos advierte el *Camino de la pureza*— ha vivido, pero no vive ni vivirá; el hombre de un momento futuro vivirá, pero no ha vivido ni vive; el hombre del momento presente vive, pero no ha vivido ni vivirá" (obra citada, I, 407), dictamen que podemos comparar con éste de Plutarco (*De E apud Delphos*, 18): "El hombre de ayer ha muerto en el de hoy, el de hoy muere en el de mañana."

And yet, and yet... Negar la sucesión temporal, negar el yo, negar el universo astronómico, son desesperaciones aparentes y consuelos secretos. Nuestro destino (a diferencia del infierno de Swedenborg y del infierno de la mitología tibetana) no es espantoso por irreal; es espantoso porque es irreversible y de hierro. El tiempo es la sustancia de que estoy hecho. El tiempo es un río que me arrebata, pero yo soy el río; es un tigre que me destroza, pero yo soy el tigre; es un fuego que me consume, pero yo soy el fuego. El mundo, desgraciadamente, es real; yo, desgraciadamente, soy Borges.

Freund, es ist auch genug. Im Fall du mehr willst lesen,
So geh und werde selbst die Schrift und selbst das Wesen.

(Angelus Silesius: *Cherubinischer Wandersmann*, VI, 263. 1675).

SOBRE LOS CLÁSICOS

Escasas disciplinas habrá de mayor interés que la etimología; ello se debe a las imprevisibles transformaciones del sentido primitivo de las palabras, a lo largo del tiempo. Dadas tales transformaciones, que pueden lindar con lo paradójico, de nada o de muy poco nos servirá para la aclaración de un concepto el origen de una palabra. Saber que cálculo, en latín, quiere decir piedrita y que los pitagóricos las usaron antes de la invención de los números, no nos permite dominar los arcanos del álgebra; saber que hipócrita era actor, y persona, máscara, no es un instrumento valioso para el estudio de la ética. Parejamente, para fijar lo que hoy entendemos por clásico, es inútil que este adjetivo descienda del latín *classis*, flota, que luego tomaría el sentido de orden. (Recordemos de paso, la formación análoga de *ship-shape*.)

¿Qué es, ahora, un libro clásico? Tengo al alcance de la mano las definiciones de Eliot, de Arnold y de Sainte-Beuve, sin duda razonables y luminosas, y me sería grato estar de acuerdo con esos ilustres autores, pero no los consultaré. He cumplido sesenta y tantos años; a mi edad, las coincidencias o novedades importan menos que lo que uno cree verdadero. Me limitaré, pues, a declarar lo que sobre este punto he pensado.

Mi primer estímulo fue una *Historia de la literatura china* (1901) de Herbert Allen Giles. En su capítulo segundo leí que uno de los cinco textos canónicos que Confucio editó es el Libro de los Cambios o *I King*, hecho de 64 hexagramas, que agotan las posibles combinaciones de seis líneas partidas o enteras. Uno de los esquemas, por ejemplo, consta de dos líneas enteras, de una partida y de tres enteras, verticalmente dispuestas. Un emperador prehistórico los habría descubierto en la caparazón de una de las tortugas sagradas. Leibniz creyó ver en los hexagramas un sistema binario de numeración; otros, una filosofía enigmática; otros, como Wilhelm, un instrumento para la adivinación del futuro, ya que las 64 figuras corresponden a las 64 fases de cualquier empresa o proceso; otros, un vocabulario de cierta tribu; otros, un calendario. Recuerdo que Xul-Solar solía reconstruir ese texto con palillos o fósforos. Para los extranjeros, el Libro de los Cambios corre el albur de parecer una mera *chinoiserie*; pero generaciones milenarias de hombres muy cultos lo han leído y releído con devoción y seguirán leyéndolo. Confucio declaró a sus discípulos que si el destino le otorgara cien años más de vida, consagraría la mitad a su estudio y al de los comentarios o *alas*.

Deliberadamente he elegido un ejemplo extremo, una lectura que reclama un acto de fe. Llego, ahora, a mi tesis. Clásico es aquel libro que una nación o un grupo de naciones o el largo tiempo han decidido leer como si en sus páginas todo fuera deliberado, fatal, profundo como el cosmos y capaz de interpretaciones sin término. Previsiblemente, esas decisiones varían. Para los alemanes y austríacos el Fausto es una obra genial; para otros, una de las más famosas formas del tedio, como el segundo Paraíso de Milton o la obra de Rabelais. Libros como el de Job, la Divina Comedia, Macbeth (y, para mí, algunas de las sagas del Norte) prometen una larga inmortalidad, pero nada sabemos del porvenir, salvo que diferirá del presente. Una preferencia bien puede ser una superstición.

No tengo vocación de iconoclasta. Hacia el año treinta creía, bajo el influjo de Macedonio Fernández, que la belleza es privilegio de unos pocos autores; ahora sé que es común y que está acechándonos en las casuales páginas del mediocre o en un diálogo callejero. Así, mi desconocimiento de las letras malayas o húngaras es total, pero estoy seguro de que si el tiempo me deparara la ocasión de su estudio, encontraría en ellas todos los alimentos que requiere el espíritu. Además de las barreras lingüísticas intervienen las políticas o geográficas. Burns es un clásico en Escocia; al sur del Tweed interesa menos que Dunbar o que Stevenson. La gloria de un poeta depende, en suma, de la excitación o de la apatía de las generaciones de hombres anónimos que la ponen a prueba, en la soledad de sus bibliotecas.

Las emociones que la literatura suscita son quizá eternas, pero los medios deben constantemente variar, siquiera de un modo levísimo, para no perder su virtud. Se gastan a medida que los reconoce el lector. De ahí el peligro de afirmar que existen obras clásicas y que lo serán para siempre.

Cada cual descree de su arte y de sus artificios. Yo, que me he resignado a poner en duda la indefinida perduración de Voltaire o de Shakespeare, creo (esta tarde de uno de los últimos días de 1965) en la de Schopenhauer y en la de Berkeley.

Clásico no es un libro (lo repito) que necesariamente posee tales o cuales méritos; es un libro que las generaciones de los hombres, urgidas por diversas razones, leen con previo fervor y con una misteriosa lealtad.

EPÍLOGO

Dos tendencias he descubierto, al corregir las pruebas, en los misceláneos trabajos de este volumen.

Una, a estimar las ideas religiosas o filosóficas por su valor estético y aun por lo que encierran de singular y de maravilloso. Esto es, quizá, indicio de un escepticismo esencial. Otra, a presuponer (y a verificar) que el número de fábulas o de metáforas de que es capaz la imaginación de los hombres es limitado, pero que esas contadas invenciones pueden ser todo para todos, como el Apóstol.

Quiero asimismo aprovechar esta hoja para corregir un error. En un ensayo he atribuido a Bacon el pensamiento de que Dios compuso dos libros: el mundo y la Sagrada Escritura. Bacon se limitó a repetir un lugar común escolástico; en el Breviloquium de San Buenaventura —obra del siglo XIII— se lee: creatura mundi est quasi quidam liber in quo legitur Trinitas. Véase Etienne Gilson: *La philosophie au moyen âge*, págs. 442, 464.

J. L. B.

Buenos Aires, 25 de junio de 1952.

El hacedor
(1960)

A LEOPOLDO LUGONES

Los rumores de la plaza quedan atrás y entro en la Biblioteca. De una manera casi física siento la gravitación de los libros, el ámbito sereno de un orden, el tiempo disecado y conservado mágicamente. A izquierda y a la derecha, absortos en su lúcido sueño, se perfilan los rostros momentáneos de los lectores, a la luz de las lámparas estudiosas, como en la hipálage de Milton. Recuerdo haber recordado ya esa figura, en este lugar, y después aquel otro epíteto que también define por el contorno, el árido camello del Lunario, y después aquel hexámetro de la Eneida, que maneja y supera el mismo artificio:

        Ibant obscuri sola sub nocte per umbras.

Estas reflexiones me dejan en la puerta de su despacho. Entro; cambiamos unas cuantas convencionales y cordiales palabras y le doy este libro. Si no me engaño, usted no me malquería, Lugones, y le hubiera gustado que le gustara algún trabajo mío. Ello no ocurrió nunca, pero esta vez usted vuelve las páginas y lee con aprobación algún verso, acaso porque en él ha reconocido su propia voz, acaso porque la práctica deficiente le importa menos que la sana teoría.
En este punto se deshace mi sueño, como el agua en el agua. La vasta biblioteca que me rodea está en la calle México, no en la calle Rodríguez Peña, y usted, Lugones, se mató a principios del treinta y ocho. Mi vanidad y mi nostalgia han armado una escena imposible. Así será (me digo) pero mañana yo también habré muerto y se confundirán nuestros tiempos y la cronología se perderá en un orbe de símbolos y de algún modo será justo afirmar que yo le he traído este libro y que usted lo ha aceptado.

J. L. B.

Buenos Aires, 9 de agosto de 1960.

EL HACEDOR

Nunca se había demorado en los goces de la memoria. Las impresiones resbalaban sobre él, momentáneas y vívidas; el bermellón de un alfarero, la bóveda cargada de estrellas que también eran dioses, la luna, de la que había caído un león, la lisura del mármol bajo las lentas yemas sensibles, el sabor de la carne de jabalí, que le gustaba desgarrar con dentelladas blancas y bruscas, una palabra fenicia, la sombra negra que una lanza proyecta en la arena amarilla, la cercanía del mar o de las mujeres, el pesado vino cuya aspereza mitigaba la miel, podían abarcar por entero el ámbito de su alma. Conocía el terror pero también la cólera y el coraje, y una vez fue el primero en escalar un muro enemigo. Ávido, curioso, casual, sin otra ley que la fruición y la indiferencia inmediata, anduvo por la variada tierra y miró, en una u otra margen del mar, las ciudades de los hombres y sus palacios. En los mercados populosos o al pie de una montaña de cumbre incierta, en la que bien podía haber sátiros, había escuchado complicadas historias, que recibió como recibía la realidad, sin indagar si eran verdaderas o falsas.

Gradualmente, el hermoso universo fue abandonándolo; una terca neblina le borró las líneas de la mano, la noche se despobló de estrellas, la tierra era insegura bajo sus pies. Todo se alejaba y se confundía. Cuando supo que se estaba quedando ciego, gritó; el pudor estoico no había sido aún inventado y Héctor podía huir sin desmedro. *Ya no veré* (sintió) *ni el cielo lleno de pavor mitológico, ni esta cara que los años transformarán.* Días y noches pasaron sobre esa desesperación de su carne, pero una mañana se despertó, miró (ya sin asombro) las borrosas cosas que lo rodeaban e inexplicablemente sintió, como quien reconoce una música o una voz, que ya le había ocurrido todo eso y que lo había encarado con temor, pero también con júbilo, esperanza y curiosidad. Entonces descendió a su memoria, que le pareció interminable, y logró sacar de aquel vértigo el recuerdo perdido que relució como una moneda bajo la lluvia, acaso porque nunca lo había mirado, salvo, quizá, en un sueño.

El recuerdo era así. Lo había injuriado otro muchacho y él había acudido a su padre y le había contado la historia. Éste lo dejó hablar como si no escuchara o no comprendiera y descolgó de la pared un puñal de bronce, bello y cargado de poder, que el chico había codiciado furtivamente. Ahora lo tenía en las manos y la sorpresa de la posesión anuló la injuria padecida, pero la voz del padre estaba diciendo: *Que alguien sepa que eres un hombre*, y había una orden en la voz. La noche cegaba los caminos; abrazado al puñal, en el que presentía una fuerza mágica, descendió la brusca ladera que rodeaba la casa y corrió a la orilla del mar, soñándose Ayax y Perseo y poblando de heridas y de batallas la oscuridad salobre. El sabor preciso de aquel momento era lo que ahora buscaba; no le importaba lo demás: las afrentas del desafío, el torpe combate, el regreso con la hoja sangrienta.

Otro recuerdo, en el que también había una noche y una inminencia de aventura, brotó de aquél. Una mujer, la primera que le depararon los dioses, lo había esperado en la sombra de un hipogeo, y él la buscó por galerías que eran como redes de piedra y por declives que se hundían en la sombra. ¿Por qué le llegaban esas memorias y por qué le llegaban sin amargura, como una mera prefiguración del presente?

Con grave asombro comprendió. En esta noche de sus ojos mortales, a la que ahora descendía, lo aguardaban también el amor y el riesgo. Ares y Afrodita, porque ya adivinaba (porque ya lo cercaba) un rumor de gloria y de hexámetros, un rumor de hombres que defienden un templo que los dioses no salvarán y de bajeles negros que buscan por el mar una isla querida, el rumor de las Odiseas e Ilíadas que era su destino cantar y dejar resonando cóncavamente en la memoria humana. Sabemos estas cosas, pero no las que sintió al descender a la última sombra.

DREAMTIGERS

En la infancia yo ejercí con fervor la adoración del tigre: no el tigre overo de los camalotes del Paraná y de la confusión amazónica, sino el tigre rayado, asiático, real, que sólo pueden afrontar los hombres de guerra, sobre un castillo encima de un elefante. Yo solía demorarme sin fin ante una de las jaulas en el Zoológico; yo apreciaba las vastas enciclopedias y los libros de historia natural, por el esplendor de sus tigres. (Todavía me acuerdo de esas figuras: yo que no puedo recordar sin error la frente o la sonrisa de una mujer.) Pasó la infancia, caducaron los tigres y su pasión, pero todavía están en mis sueños. En esa napa sumergida o caótica siguen prevaleciendo y así: Dormido, me distrae un sueño cualquiera y de pronto sé que es un sueño. Suelo pensar entonces: Éste es un sueño, una pura diversión de mi voluntad, y ya que tengo un ilimitado poder, voy a causar un tigre.

¡Oh, incompetencia! Nunca mis sueños saben engendrar la apetecida fiera. Aparece el tigre, eso sí, pero disecado o endeble, o con impuras variaciones de forma, o de un tamaño inadmisible, o harto fugaz, o tirando a perro o a pájaro.

DIÁLOGO SOBRE UN DIÁLOGO

A. — Distraídos en razonar la inmortalidad, habíamos dejado que anocheciera sin encender la lámpara. No nos veíamos las caras. Con una indiferencia y una dulzura más convincentes que el fervor, la voz de Macedonio Fernández repetía que el alma es inmortal. Me aseguraba que la muerte del cuerpo es del todo insignificante y que morirse tiene que ser el hecho más nulo que puede sucederle a un hombre. Yo jugaba con la navaja de Macedonio; la abría y la cerraba. Un acordeón vecino despachaba infinitamente la Cumparsita, esa pamplina consternada que les gusta a muchas personas, porque les mintieron que es vieja... Yo le propuse a Macedonio que nos suicidáramos, para discutir sin estorbo.

Z (burlón). — Pero sospecho que al final no se resolvieron.

A (ya en plena mística). — Francamente no recuerdo si esa noche nos suicidamos.

LAS UÑAS

Dóciles medias los halagan de día y zapatos de cuero claveteados los fortifican, pero los dedos de mi pie no quieren saberlo. No les interesa otra cosa que emitir uñas: láminas córneas, semitransparentes y elásticas, para defenderse ¿de quién? Brutos y desconfiados como ellos solos, no dejan un segundo de preparar ese tenue armamento. Rehusan el universo y el éxtasis para seguir elaborando sin fin unas vanas puntas, que cercenan y vuelven a cercenar los bruscos tijerazos de Solingen. A los noventa días crepusculares de encierro prenatal establecieron esa única industria. Cuando yo esté guardado en la Recoleta, en una casa de color ceniciento provista de flores secas y de talismanes, continuarán su terco trabajo, hasta que los modere la corrupción. Ellos, y la barba en mi cara.

LOS ESPEJOS VELADOS

El Islam asevera que el día inapelable del Juicio, todo perpetrador de la imagen de una cosa viviente resucitará con sus obras, y le será ordenado que las anime, y fracasará, y será entregado con ella al fuego del castigo. Yo conocí de chico ese horror de una duplicación o multiplicación espectral de la realidad, pero ante los grandes espejos. Su infalible y continuo funcionamiento, su persecución de mis actos, su pantomima cósmica, eran sobrenaturales entonces, desde que anochecía. Uno de mis insistidos ruegos a Dios y al ángel de mi guarda era el de no soñar con espejos. Yo sé que los vigilaba con inquietud. Temí, unas veces, que empezaran a divergir de la realidad; otras, ver desfigurado en ellos mi rostro por adversidades extrañas. He sabido que ese temor está, otra vez, prodigiosamente en el mundo. La historia es harto simple, y desagradable.

Hacia mil novecientos veintisiete, conocí una chica sombría: primero por teléfono (porque Julia empezó siendo una voz sin nombre y sin cara); después, en una esquina al atardecer. Tenía los ojos alarmantes de grandes, el pelo renegrido y lacio, el cuerpo estricto. Era nieta y bisnieta de federales, como yo de unitarios, y esa antigua discordia de nuestras sangres era para nosotros un vínculo, una posesión mejor de la patria. Vivía con los suyos en un desmantelado caserón de cielo raso altísimo, en el resentimiento y la insipidez de la decencia pobre. De tarde —algunas contadas veces de noche— salíamos a caminar por su barrio, que era el de Balvanera. Orillábamos el paredón del ferrocarril; por Sarmiento llegamos una vez hasta los desmontes del Parque Centenario. Entre nosotros no hubo amor ni ficción de amor: yo adivinaba en ella una intensidad que era del todo extraña a la erótica, y la temía. Es común referir a las mujeres, para intimar con ellas, rasgos verdaderos o apócrifos del pasado pueril; yo debí contarle una vez el de los espejos y dicté así, el 1928, una alucinación que iba a florecer el 1931. Ahora, acabo de saber que se ha enloquecido y que en su dormitorio los espejos están velados pues en ellos ve mi reflejo, usurpando el suyo, y tiembla y calla y dice que yo la persigo mágicamente.

Aciaga servidumbre la de mi cara, la de una de mis caras antiguas. Ese odioso destino de mis facciones tiene que hacerme odioso también, pero ya no me importa.

ARGUMENTUM ORNITHOLOGICUM

Cierro los ojos y veo una bandada de pájaros. La visión dura un segundo o acaso menos; no sé cuántos pájaros vi. ¿Era definido o indefinido su número? El problema involucra el de la existencia de Dios. Si Dios existe, el número es definido, porque Dios sabe cuántos pájaros vi. Si Dios no existe, el número es indefinido, porque nadie pudo llevar la cuenta. En tal caso, vi menos de diez pájaros (digamos) y más de uno, pero no vi nueve, ocho, siete, seis, cinco, cuatro, tres o dos pájaros. Vi un número entre diez y uno, que no es nueve, ocho, siete, seis, cinco, etcétera. Ese número entero es inconcebible; *ergo*, Dios existe.

EL CAUTIVO

En Junín o en Tapalquén refieren la historia. Un chico desapareció después de un malón; se dijo que lo habían robado los indios. Sus padres lo buscaron inútilmente; al cabo de los años, un soldado que venía de tierra adentro les habló de un indio de ojos celestes que bien podía ser su hijo. Dieron al fin con él (la crónica ha perdido las circunstancias y no quiero inventar lo que no sé) y creyeron reconocerlo. El hombre, trabajado por el desierto y por la vida bárbara, ya no sabía oír las palabras de la lengua natal, pero se dejó conducir, indiferente y dócil, hasta la casa. Ahí se detuvo, tal vez porque los otros se detuvieron. Miró la puerta, como sin entenderla. De pronto bajó la cabeza, gritó, atravesó corriendo el zaguán y los dos largos patios y se metió en la cocina. Sin vacilar, hundió el brazo en la ennegrecida campana y sacó el cuchillito de mango de asta que había escondido ahí, cuando chico. Los ojos le brillaron de alegría y los padres lloraron porque habían encontrado al hijo.

Acaso a este recuerdo siguieron otros, pero el indio no podía vivir entre paredes y un día fue a buscar su desierto. Yo querría saber qué sintió en aquel instante de vértigo en que el pasado y el presente se confundieron; yo querría saber si el hijo perdido renació y murió en aquel éxtasis o si alcanzó a reconocer, siquiera como una criatura o un perro, los padres y la casa.

EL SIMULACRO

En uno de los días de julio de 1952, el enlutado apareció en aquel pueblito del Chaco. Era alto, flaco, aindiado, con una cara inexpresiva de opa o de máscara; la gente lo trataba con deferencia, no por él sino por el que representaba o ya era. Eligió un rancho cerca del río; con la ayuda de unas vecinas armó una tabla sobre dos caballetes y encima una caja de cartón con una muñeca de pelo rubio. Además, encendieron cuatro velas en candeleros altos y pusieron flores alrededor. La gente no tardó en acudir. Viejas desesperadas, chicos atónitos, peones que se quitaban con respeto el casco de corcho, desfilaban ante la caja y repetían: *Mi sentido pésame, General.* Éste, muy compungido, los recibía junto a la cabecera, las manos cruzadas sobre el vientre, como mujer encinta. Alargaba la derecha para estrechar la mano que le tendían y contestaba con entereza y resignación: *Era el destino. Se ha hecho todo lo humanamente posible.* Una alcancía de lata recibía la cuota de dos pesos y a muchos no les bastó venir una sola vez.

¿Qué suerte de hombre (me pregunto) ideó y ejecutó esa fúnebre farsa? ¿Un fanático, un triste, un alucinado o un impostor y un cínico? ¿Creía ser Perón al representar su doliente papel de viudo macabro? La historia es increíble pero ocurrió y acaso no una vez sino muchas, con distintos actores y con diferencias locales. En ella está la cifra perfecta de una época irreal y es como el reflejo de un sueño o como aquel drama en el drama, que se ve en Hamlet. El enlutado no era Perón y la muñeca rubia no era la mujer Eva Duarte, pero tampoco Perón era Perón ni Eva era Eva sino desconocidos o anónimos (cuyo nombre secreto y cuyo rostro verdadero ignoramos) que figuraron, para el crédulo amor de los arrabales, una crasa mitología.

DELIA ELENA SAN MARCO

Nos despedimos en una de las esquinas del Once.
Desde la otra vereda volví a mirar; usted se había dado vuelta y me dijo adiós con la mano.
Un río de vehículos y de gente corría entre nosotros; eran las cinco de una tarde cualquiera; cómo iba yo a saber que aquel río era el triste Aqueronte, el insuperable.
Ya no nos vimos y un año después usted había muerto.
Y ahora yo busco esa memoria y la miro y pienso que era falsa y que detrás de la despedida trivial estaba la infinita separación.
Anoche no salí después de comer y releí, para comprender estas cosas, la última enseñanza que Platón pone en boca de su maestro. Leí que el alma puede huir cuando muere la carne.
Y ahora no sé si la verdad está en la aciaga interpretación ulterior o en la despedida inocente.
Porque si no mueren las almas, está muy bien que en sus despedidas no haya énfasis.
Decirse adiós es negar la separación, es decir: *Hoy jugamos a separarnos pero nos veremos mañana.* Los hombres inventaron el adiós porque se saben de algún modo inmortales, aunque se juzguen contingentes y efímeros.
Delia: alguna vez anudaremos ¿junto a qué río? este diálogo incierto y nos preguntaremos si alguna vez, en una ciudad que se perdía en una llanura, fuimos Borges y Delia.

DIÁLOGO DE MUERTOS

El hombre llegó del sur de Inglaterra en un amanecer del invierno de 1877. Rojizo, atlético y obeso, resultó inevitable que casi todos lo creyeran inglés y lo cierto es que se parecía notablemente al arquetípico John Bull. Usaba sombrero de copa y una curiosa manta de lana con una abertura en el medio. Un grupo de hombres, de mujeres y de criaturas lo esperaba con ansiedad; a muchos les rayaba la garganta una línea roja, otros no tenían cabeza y andaban con recelo y vacilación, como quien camina en la sombra. Fueron cercando al forastero y, desde el fondo, alguno vociferó una mala palabra, pero un terror antiguo los detenía y no se atrevieron a más. A todos se adelantó un militar de piel cetrina y ojos como tizones; la melena revuelta y la barba lóbrega parecían comerle la cara. Diez o doce heridas mortales le surcaban el cuerpo como las rayas en la piel de los tigres. El forastero, al verlo, se demudó, pero luego avanzó y le tendió la mano.

—¡Qué aflicción ver a un guerrero tan espectable derribado por las armas de la perfidia! —dijo en tono rotundo—. ¡Pero también qué íntima satisfacción haber ordenado que los victimarios purgaran sus fechorías en el patíbulo, en la plaza de la Victoria!

—Si habla de Santos Pérez y de los Reinafé, sepa que ya les he agradecido —dijo con lenta gravedad el ensangrentado.

El otro lo miró como recelando una burla o una amenaza, pero Quiroga prosiguió:

—Rosas, usted no me entendió nunca. ¿Y cómo iba a entenderme, si fueron tan diversos nuestros destinos? A usted le tocó mandar en una ciudad, que mira a Europa y que será de las más famosas del mundo; a mí, guerrear por las soledades de América, en una tierra pobre, de gauchos pobres. Mi imperio fue de lanzas y de gritos y de arenales y de victorias casi secretas en lugares perdidos. ¿Qué títulos son esos para el recuerdo? Yo vivo y seguiré viviendo por muchos años en la memoria de la gente porque morí asesinado en una galera, en el sitio llamado Barranca Yaco, por hombres con caballos y espadas. A usted le debo este regalo de una muerte bizarra, que no supe apreciar en aquella hora, pero que las siguientes generaciones no han querido olvidar. No le serán desconocidas a usted unas litografías muy primorosas y la obra interesante que ha redactado un sanjuanino de valía.

Rosas, que había recobrado su aplomo, lo miró con desdén.

—Usted es un romántico —sentenció—. El halago de la posteridad no vale mucho más que el contemporáneo, que no vale nada y que se logra con unas cuantas divisas.

—Conozco su manera de pensar —contestó Quiroga—. En 1852, el destino, que es generoso o que quería sondearlo hasta el fondo, le ofreció una muerte de hombre, en una batalla. Usted se mostró indigno de ese regalo, porque la pelea y la sangre le dieron miedo.

—¿Miedo? —repitió Rosas—. ¿Yo, que he domado potros en el Sur y después a todo un país?

Por primera vez, Quiroga sonrió.

—Ya sé —dijo con lentitud— que usted ha ejecutado más de una lindeza a caballo, según el testimonio imparcial de sus capataces y peones; pero en aquellos días, en América y también a caballo, se ejecutaron otras lindezas que se llaman Chacabuco y Junín y Palma Redonda y Caseros.

Rosas lo oyó sin inmutarse y replicó así:

—Yo no necesité ser valiente. Una lindeza mía, como usted dice, fue lograr que hombres más valientes que yo pelearan y murieran por mí. Santos Pérez, pongo por caso, que acabó con usted. El valor, es cuestión de aguante; unos aguantan más y otros menos, pero tarde o temprano todos aflojan.

—Así será —dijo Quiroga—, pero yo he vivido y he muerto y hasta el día de hoy no sé lo que es miedo. Y ahora voy a que me borren, a que me den otra cara y otro destino, porque la historia se harta de los violentos. No sé quién será el otro, qué harán conmigo, pero sé que no tendrá miedo.

—A mí me basta ser el que soy —dijo Rosas— y no quiero ser otro.

—También las piedras quieren ser piedras para siempre —dijo Quiroga— y durante siglos lo son, hasta que se deshacen en polvo. Yo pensaba como usted cuando entré en la muerte, pero aquí aprendí muchas cosas. Fíjese bien, ya estamos cambiando los dos.

Pero Rosas no le hizo caso y dijo como si pensara en voz alta:

—Será que no estoy hecho a estar muerto, pero estos lugares y esta discusión me parecen un sueño, y no un sueño soñado por mí sino por otro, que está por nacer todavía.

No hablaron más, porque en ese momento Alguien los llamó.

LA TRAMA

Para que su horror sea perfecto, César, acosado al pie de una estatua por los impacientes puñales de sus amigos, descubre entre las caras y los aceros la de Marco Junio Bruto, su protegido, acaso su hijo, y ya no se defiende y exclama: *¡Tú también, hijo mío!* Shakespeare y Quevedo recogen el patético grito.

Al destino le agradan las repeticiones, las variantes, las simetrías; diecinueve siglos después, en el sur de la provincia de Buenos Aires, un gaucho es agredido por otros gauchos y, al caer, reconoce a un ahijado suyo y le dice con mansa reconvención y lenta sorpresa (estas palabras hay que oírlas, no leerlas): *Pero, che!* Lo matan y no sabe que muere para que se repita una escena.

UN PROBLEMA

Imaginemos que en Toledo se descubre un papel con un texto arábigo y que los paleógrafos lo declaran de puño y letra de aquel Cide Hamete Benengeli de quien Cervantes derivó el Don Quijote. En el texto leemos que el héroe (que, como es fama, recorría los caminos de España, armado de espada y de lanza, y desafiaba por cualquier motivo a cualquiera) descubre, al cabo de uno de sus muchos combates, que ha dado muerte a un hombre. En este punto cesa el fragmento; el problema es adivinar, o conjeturar, cómo reacciona Don Quijote.

Que yo sepa, hay tres contestaciones posibles. La primera es de índole negativa; nada especial ocurre, porque en el mundo alucinatorio de Don Quijote la muerte no es menos común que la magia y haber matado a un hombre no tiene por qué perturbar a quien se bate, o cree batirse, con endriagos y encantadores. La segunda es patética. Don Quijote no logró jamás olvidar que era una proyección de Alonso Quijano, lector de historias fabulosas; ver la muerte, comprender que un sueño lo ha llevado a la culpa de Caín, lo despierta de su consentida locura acaso para siempre. La tercera es quizá la más verosímil. Muerto aquel hombre, Don Quijote no puede admitir que el acto tremendo es obra de un delirio; la realidad del efecto le hace presuponer una pareja realidad de la causa y Don Quijote no saldrá nunca de su locura.

Queda otra conjetura, que es ajena al orbe español y aun al orbe del Occidente y requiere un ámbito más antiguo, más complejo y más fatigado. Don Quijote —que ya no es Don Quijote sino un rey de los ciclos del Indostán— intuye ante el cadáver del enemigo que matar y engendrar son actos divinos o mágicos que notoriamente trascienden la condición humana. Sabe que el muerto es ilusorio como lo son la espada sangrienta que le pesa en la mano y él mismo y toda su vida pretérita y los vastos dioses y el universo.

UNA ROSA AMARILLA

Ni aquella tarde ni la otra murió el ilustre Giambattista Marino, que las bocas unánimes de la Fama (para usar una imagen que le fue cara) proclamaron el nuevo Homero y el nuevo Dante, pero el hecho inmóvil y silencioso que entonces ocurrió fue en verdad el último de su vida. Colmado de años y de gloria, el hombre se moría en un vasto lecho español de columnas labradas. Nada cuesta imaginar a unos pasos un sereno balcón que mira al poniente y, más abajo, mármoles y laureles y un jardín que duplica sus graderías en un agua rectangular. Una mujer ha puesto en una copa una rosa amarilla; el hombre murmura los versos inevitables que a él mismo, para hablar con sinceridad, ya lo hastían un poco:

Púrpura del jardín, pompa del prado,
gema de primavera, ojo de abril...

Entonces ocurrió la revelación. Marino *vio* la rosa, como Adán pudo verla en el Paraíso, y sintió que ella estaba en su eternidad y no en sus palabras y que podemos mencionar o aludir pero no expresar y que los altos y soberbios volúmenes que formaban en un ángulo de la sala una penumbra de oro no eran (como su vanidad soñó) un espejo del mundo, sino una cosa más agregada al mundo.

Esta iluminación alcanzó Marino en la víspera de su muerte, y Homero y Dante acaso la alcanzaron también.

EL TESTIGO

En un establo que está casi a la sombra de la nueva iglesia de piedra, un hombre de ojos grises y barba gris, tendido entre el olor de los animales, humildemente busca la muerte como quien busca el sueño. El día, fiel a vastas leyes secretas, va desplazando y confundiendo las sombras en el pobre recinto; afuera están las tierras aradas y un zanjón cegado por hojas muertas y algún rastro de lobo en el barro negro donde empiezan los bosques. El hombre duerme y sueña, olvidado. El toque de oración lo despierta. En los reinos de Inglaterra el son de campanas ya es uno de los hábitos de la tarde, pero el hombre, de niño, ha visto la cara de Woden, el horror divino y la exultación, el torpe ídolo de madera recargado de monedas romanas y de vestiduras pesadas, el sacrificio de caballos, perros y prisioneros. Antes del alba morirá y con él morirán, y no volverán, las últimas imágenes inmediatas de los ritos paganos; el mundo será un poco más pobre cuando este sajón haya muerto.

Hechos que pueblan el espacio y que tocan a su fin cuando alguien se muere pueden maravillarnos, pero una cosa, o un número infinito de cosas, muere en cada agonía, salvo que exista una memoria del universo, como han conjeturado los teósofos. En el tiempo hubo un día que apagó los últimos ojos que vieron a Cristo; la batalla de Junín y el amor de Helena murieron con la muerte de un hombre. ¿Qué morirá conmigo cuando yo muera, qué forma patética o deleznable perderá el mundo? ¿La voz de Macedonio Fernández, la imagen de un caballo colorado en el baldío de Serrano y de Charcas, una barra de azufre en el cajón de un escritorio de caoba?

MARTÍN FIERRO

De esta ciudad salieron ejércitos que parecían grandes y que después lo fueron por la magnificación de la gloria. Al cabo de los años, alguno de los soldados volvió y, con un dejo forastero, refirió historias que le habían ocurrido en lugares llamados Ituzaingó o Ayacucho. Estas cosas, ahora, son como si no hubieran sido.
. Dos tiranías hubo aquí. Durante la primera, unos hombres, desde el pescante de un carro que salía del mercado del Plata, pregonaron duraznos blancos y amarillos; un chico levantó una punta de la lona que los cubría y vio cabezas unitarias con la barba sangrienta. La segunda fue para muchos cárcel y muerte; para todos un malestar, un sabor de oprobio en los actos de cada día, una humillación incesante. Estas cosas, ahora, son como si no hubieran sido.
Un hombre que sabía todas las palabras miró con minucioso amor las plantas y los pájaros de esta tierra y los definió, tal vez para siempre, y escribió con metáforas de metales la vasta crónica de los tumultuosos ponientes y de las formas de la luna. Estas cosas, ahora, son como si no hubieran sido.
También aquí las generaciones han conocido esas vicisitudes comunes y de algún modo eternas que son la materia del arte. Estas cosas, ahora, son como si no hubieran sido, pero en una pieza de hotel, hacia mil ochocientos sesenta y tantos, un hombre soñó una pelea. Un gaucho alza a un moreno con el cuchillo, lo tira como un saco de huesos, lo ve agonizar y morir, se agacha para limpiar el acero, desata su caballo y monta despacio, para que no piensen que huye. Esto que fue una vez vuelve a ser, infinitamente; los visibles ejércitos se fueron y queda un pobre duelo a cuchillo; el sueño de uno es parte de la memoria de todos.

MUTACIONES

En un corredor vi una flecha que indicaba una dirección y pensé que aquel símbolo inofensivo había sido alguna vez una cosa de hierro, un proyectil inevitable y mortal, que entró en la carne de los hombres y de los leones y nubló el sol en las Termópilas y dio a Harald Sigurdarson, para siempre, seis pies de tierra inglesa.

Días después, alguien me mostró una fotografía de un jinete magyar; un lazo dado vueltas rodeaba el pecho de su cabalgadura. Supe que el lazo, que antes anduvo por el aire y sujetó a los toros del pastizal, no era sino una gala insolente del apero de los domingos.

En el cementerio del Oeste vi una cruz rúnica, labrada en mármol rojo; los brazos eran curvos y se ensanchaban y los rodeaba un círculo. Esa cruz apretada y limitada figuraba la otra, de brazos libres, que a su vez figura el patíbulo en que un dios padeció, la "máquina vil" insultada por Luciano de Samosata.

Cruz, lazo y flecha, viejos utensilios del hombre, hoy rebajados o elevados a símbolos; no sé por qué me maravillan, cuando no hay en la tierra una sola cosa que el olvido no borre o que la memoria no altere y cuando nadie sabe en qué imágenes lo traducirá el porvenir.

PARÁBOLA DE CERVANTES Y DE QUIJOTE

Harto de su tierra de España, un viejo soldado del rey buscó solaz en las vastas geografías de Ariosto, en aquel valle de la luna donde está el tiempo que malgastan los sueños y en el ídolo de oro de Mahoma que robó Montalbán.

En mansa burla de sí mismo, ideó un hombre crédulo que, perturbado por la lectura de maravillas, dio en buscar proezas y encantamientos en lugares prosaicos que se llamaban El Toboso o Montiel.

Vencido por la realidad, por España, Don Quijote murió en su aldea natal hacia 1614. Poco tiempo lo sobrevivió Miguel de Cervantes.

Para los dos, para el soñador y el soñado, toda ésa trama fue la oposición de dos mundos: el mundo irreal de los libros de caballerías, el mundo cotidiano y común del siglo XVII.

No sospecharon que los años acabarían por limar la discordia, no sospecharon que la Mancha y Montiel y la magra figura del caballero serían, para el porvenir, no menos poéticas que las etapas de Simbad o que las vastas geografías de Ariosto.

Porque en el principio de la literatura está el mito, y asimismo en el fin.

Clínica Devoto, enero de 1955.

PARADISO, XXXI, 108

Diodoro Sículo refiere la historia de un dios despedazado y disperso. ¿Quién, al andar por el crepúsculo o al trazar una fecha de su pasado, no sintió alguna vez que se había perdido una cosa infinita?

Los hombres han perdido una cara, una cara irrecuperable, y todos querían ser aquel peregrino (soñado en el empíreo, bajo la Rosa) que en Roma ve el sudario de la Verónica y murmura con fe: Jesucristo, Dios mío, Dios verdadero ¿así era, pues, tu cara?

Una cara de piedra hay en un camino y una inscripción que dice *El verdadero Retrato de la Santa Cara del Dios de Jaén*; si realmente supiéramos cómo fue, sería nuestra la clave de las parábolas y sabríamos si el hijo del carpintero fue también el Hijo de Dios.

Pablo la vio como una luz que lo derribó; Juan, como el sol cuando resplandece en su fuerza; Teresa de Jesús, muchas veces, bañada en luz tranquila, y no pudo jamás precisar el color de los ojos.

Perdimos esos rasgos, como puede perderse un número mágico, hecho de cifras habituales; como se pierde para siempre una imagen en el calidoscopio. Podemos verlos e ignorarlos. El perfil de un judío en el subterráneo es tal vez el de Cristo; las manos que nos dan unas monedas en una ventanilla tal vez repiten las que unos soldados, un día, clavaron en la cruz.

Tal vez un rasgo de la cara crucificada acecha en cada espejo; tal vez la cara se murió, se borró, para que Dios sea todos.

Quién sabe si esta noche no la veremos en los laberintos del sueño y no lo sabremos mañana.

PARÁBOLA DEL PALACIO

Aquel día, el Emperador Amarillo mostró su palacio al poeta. Fueron dejando atrás, en largo desfile, las primeras terrazas occidentales que, como gradas de un casi inabarcable anfiteatro, declinan hacia un paraíso o jardín cuyos espejos de metal y cuyos intrincados cercos de enebro prefiguraban ya el laberinto. Alegremente se perdieron en él, al principio como si condescendieran a un juego y después no sin inquietud, porque sus rectas avenidas adolecían de una curvatura muy suave pero continua y secretamente eran círculos. Hacia la medianoche, la observación de los planetas y el oportuno sacrificio de una tortuga les permitieron desligarse de esa región que parecía hechizada, pero no del sentimiento de estar perdido, que los acompañó hasta el fin. Antecámaras y patios y bibliotecas recorrieron después y una sala exagonal con una clepsidra, y una mañana divisaron desde una torre un hombre de piedra, que luego se les perdió para siempre. Muchos resplandecientes ríos atravesaron en canoas de sándalo, o un solo río muchas veces. Pasaba el séquito imperial y la gente se prosternaba, pero un día arribaron a una isla en que alguno no lo hizo, por no haber visto nunca al Hijo del Cielo, y el verdugo tuvo que decapitarlo. Negras cabelleras y negras danzas y complicadas máscaras de oro vieron con indiferencia sus ojos; lo real se confundía con lo soñado o, mejor dicho, lo real era una de las configuraciones del sueño. Parecía imposible que la tierra fuera otra cosa que jardines, aguas, arquitecturas y formas de esplendor. Cada cien pasos una torre cortaba el aire; para los ojos el color era idéntico, pero la primera de todas era amarilla y la última escarlata, tan delicadas eran las gradaciones y tan larga la serie.

Al pie de la penúltima torre fue que el poeta (que estaba como ajeno a los espectáculos que eran maravilla de todos) recitó la breve composición que hoy vinculamos indisolublemente a su nombre y que, según repiten los historiadores más elegantes, le deparó la inmortalidad y la muerte. El texto se ha perdido; hay quien entiende que constaba de un verso; otros, de una sola palabra. Lo cierto, lo increíble, es que en el poema estaba entero y minucioso el palacio enorme, con cada ilustre porcelana y cada dibujo en cada porcelana y las penumbras y las luces de los crepúsculos y cada instante desdichado o feliz de las gloriosas dinastías de mortales, de dioses y de dragones que habitaron en él desde el interminable pasado. Todos callaron, pero el Emperador exclamó: *¡Me has arrebatado el palacio!* y la espada de hierro del verdugo segó la vida del poeta.

Otros refieren de otro modo la historia. En el mundo no puede haber dos cosas iguales; bastó (nos dicen) que el poeta pronunciara el poema para que desapareciera el palacio, como abolido y fulminado por la última sílaba. Tales leyendas, claro está, no pasan de ser ficciones literarias. El poeta era esclavo del emperador y murió como tal; su composición cayó en el olvido porque merecía el olvido y sus descendientes buscan aún, y no encontrarán, la palabra del universo.

EVERYTHING AND NOTHING

Nadie hubo en él; detrás de su rostro (que aun a través de las malas pinturas de la época no se parece a ningún otro) y de sus palabras, que eran copiosas, fantásticas y agitadas, no había más que un poco de frío, un sueño no soñado por alguien. Al principio creyó que todas las personas eran como él pero la extrañeza de un compañero con el que había empezado a comentar esa vacuidad, le reveló su error y le dejó sentir, para siempre, que un individuo no debe diferir de la especie. Alguna vez pensó que en los libros hallaría remedio para su mal y así aprendió el poco latín y menos griego de que hablaría un contemporáneo; después consideró que en el ejercicio de un rito elemental de la humanidad, bien podía estar lo que buscaba y se dejó iniciar por Anne Hathaway, durante una larga siesta de junio. A los veintitantos años fue a Londres. Instintivamente, ya se había adiestrado en el hábito de simular que era alguien, para que no se descubriera su condición de nadie; en Londres encontró la profesión a la que estaba predestinado, la del actor, que en un escenario, juega a ser otro, ante un concurso de personas que juegan a tomarlo por aquel otro. Las tareas histriónicas le enseñaron una felicidad singular, acaso la primera que conoció; pero aclamado el último verso y retirado de la escena el último muerto, el odiado sabor de la irrealidad recaía sobre él. Dejaba de ser Ferrex o Tamerlán y volvía a ser nadie. Acosado, dio en imaginar otros héroes y otras fábulas trágicas. Así, mientras el cuerpo cumplía su destino de cuerpo, en lupanares y tabernas de Londres, el alma que lo habitaba era César, que desoye la admonición del augur, y Julieta, que aborrece a la alondra, y Macbeth, que conversa en el páramo con las brujas que también son las parcas. Nadie fue tantos hombres como aquel hombre, que a semejanza del egipcio Proteo pudo agotar todas las apariencias del ser. A veces, dejó en algún recodo de la obra una confesión, seguro de que no la descifrarían; Ricardo afirma que en su sola persona, hace el papel de muchos, y Yago dice con curiosas palabras *no soy lo que soy*. La identidad fundamental de existir, soñar y representar le inspiró pasajes famosos.

Veinte años persistió en esa alucinación dirigida, pero una mañana lo sobrecogieron el hastío y el horror de ser tantos reyes que mueren por la espada y tantos desdichados amantes que convergen, divergen y melodiosamente agonizan. Aquel mismo día resolvió la venta de su teatro. Antes de una semana había regresado al pueblo natal, donde recuperó los árboles y el río de la niñez y no los vinculó a aquellos otros que había celebrado su musa, ilustres de alusión mitológica y de voces latinas. Tenía que ser alguien; fue un empresario retirado que ha hecho fortuna y a quien le interesan los préstamos, los litigios y la pequeña usura. En ese carácter dictó el árido testamento que conocemos, del que deliberadamente excluyó todo rasgo patético o literario. Solían visitar su retiro amigos de Londres, y él retomaba para ellos el papel de poeta.

La historia agrega que, antes o después de morir, se supo frente a Dios y le dijo: *Yo, que tantos hombres he sido en vano, quiero ser uno y yo.* La voz de Dios le contestó desde un torbellino: *Yo tampoco soy; yo soñé el mundo como tú soñaste tu obra, mi Shakespeare, y entre las formas de mi sueño estás tú, que como yo eres muchos y nadie.*

RAGNARÖK

En los sueños (escribe Coleridge) las imágenes figuran las impresiones que pensamos que causan; no sentimos horror porque nos oprime una esfinge, soñamos una esfinge para explicar el horror que sentimos. Si esto es así ¿cómo podría una mera crónica de sus formas transmitir el estupor, la exaltación, las alarmas, la amenaza y el júbilo que tejieron el sueño de esa noche? Ensayaré esa crónica, sin embargo; acaso el hecho de que una sola escena integró aquel sueño borre o mitigue la dificultad esencial.

El lugar era la Facultad de Filosofía y Letras; la hora, el atardecer. Todo (como suele ocurrir en los sueños) era un poco distinto; una ligera magnificación alteraba las cosas. Elegíamos autoridades; yo hablaba con Pedro Henríquez Ureña, que en la vigilia ha muerto hace muchos años. Bruscamente nos aturdió un clamor de manifestación o de murga. Alaridos humanos y animales llegaban desde el Bajo. Una voz gritó: ¡Ahí vienen! y después ¡Los Dioses! ¡Los Dioses! Cuatro a cinco sujetos salieron de la turba y ocuparon la tarima del Aula Magna. Todos aplaudimos, llorando; eran los Dioses que volvían al cabo de un destierro de siglos. Agrandados por la tarima, la cabeza echada hacia atrás y el pecho hacia adelante, recibieron con soberbia nuestro homenaje. Uno sostenía una rama, que se conformaba, sin duda, a la sencilla botánica de los sueños; otro, en amplio ademán, extendía una mano que era una garra; una de las caras de Jano miraba con recelo el encorvado pico de Thoth. Tal vez excitado por nuestros aplausos, uno, ya no sé cual, prorrumpió en un cloqueo victorioso, increíblemente agrio, con algo de gárgara y de silbido. Las cosas, desde aquel momento, cambiaron.

Todo empezó por la sospecha (tal vez exagerada) de que los Dioses no sabían hablar. Siglos de vida fugitiva y feral habían atrofiado en ellos lo humano; la luna del Islam y la cruz de Roma habían sido implacables con esos prófugos. Frentes muy bajas, dentaduras amarillas, bigotes ralos de mulato o de chino y belfos bestiales publicaban la degeneración de la estirpe olímpica. Sus prendas no correspondían a una pobreza decorosa y decente sino al lujo malevo de los garitos y de los lupanares del Bajo. En un ojal sangraba un clavel; en un saco ajustado se adivinaba el bulto de una daga. Bruscamente sentimos que jugaban su última carta, que eran taimados, ignorantes y crueles como viejos animales de presa y que, si nos dejábamos ganar por el miedo o la lástima, acabarían por destruirnos.

Sacamos los pesados revólveres (de pronto hubo revólveres en el sueño) y alegremente dimos muerte a los Dioses.

INFERNO, I, 32

Desde el crepúsculo del día hasta el crepúsculo de la noche, un leopardo, en los años finales del siglo XII, veía unas tablas de madera, unos barrotes verticales de hierro, hombres y mujeres cambiantes, un paredón y tal vez una canaleta de piedra con hojas secas. No sabía, no podía saber, que anhelaba amor y crueldad y el caliente placer de despedazar y el viento con olor a venado, pero algo en él se ahogaba y se rebelaba y Dios le habló en un sueño: *Vives y morirás en esta prisión, para que un hombre que yo sé te mire un número determinado de veces y no te olvide y ponga tu figura y tu símbolo en un poema, que tiene su preciso lugar en la trama del universo. Padeces cautiverio, pero habrás dado una palabra al poema.* Dios, en el sueño, iluminó la rudeza del animal y éste comprendió las razones y aceptó ese destino, pero sólo hubo en él, cuando despertó, una oscura resignación, una valerosa ignorancia, porque la máquina del mundo es harto compleja para la simplicidad de una fiera.

Años después, Dante se moría en Ravena, tan injustificado y tan solo como cualquier otro hombre. En un sueño, Dios le declaró el secreto propósito de su vida y de su labor; Dante, maravillado, supo al fin quién era y qué era y bendijo sus amarguras. La tradición refiere que, al despertar, sintió que había recibido y perdido una cosa infinita, algo que no podría recuperar, ni vislumbrar siquiera, porque la máquina del mundo es harto compleja para la simplicidad de los hombres.

BORGES Y YO

Al otro, a Borges, es a quien le ocurren las cosas. Yo camino por Buenos Aires y me demoro, acaso ya mecánicamente, para mirar el arco de un zaguán y la puerta cancel; de Borges tengo noticias por el correo y veo su nombre en una terna de profesores o en un diccionario biográfico. Me gustan los relojes de arena, los mapas, la tipografía del siglo XVIII, las etimologías, el sabor del café y la prosa de Stevenson; el otro comparte esas preferencias, pero de un modo vanidoso que las convierte en atributos de un actor. Sería exagerado afirmar que nuestra relación es hostil; yo vivo, yo me dejo vivir, para que Borges pueda tramar su literatura y esa literatura me justifica. Nada me cuesta confesar que ha logrado ciertas páginas válidas, pero esas páginas no me pueden salvar, quizá porque lo bueno ya no es de nadie, ni siquiera del otro, sino del lenguaje o la tradición. Por lo demás, yo estoy destinado a perderme, definitivamente, y sólo algún instante de mí podrá sobrevivir en el otro. Poco a poco voy cediéndole todo, aunque me consta su perversa costumbre de falsear y magnificar. Spinoza entendió que todas las cosas quieren perseverar en su ser; la piedra eternamente quiere ser piedra y el tigre un tigre. Yo he de quedar en Borges, no en mí (si es que alguien soy), pero me reconozco menos en sus libros que en muchos otros o que en el laborioso rasgueo de una guitarra. Hace años yo traté de librarme de él y pasé de las mitologías del arrabal a los juegos con el tiempo y con lo infinito, pero esos juegos son de Borges ahora y tendré que idear otras cosas. Así mi vida es una fuga y todo lo pierdo y todo es del olvido, o del otro.

No sé cuál de los dos escribe esta página.

POEMA DE LOS DONES

A María Esther Vázquez

Nadie rebaje a lágrima o reproche
Esta declaración de la maestría
De Dios, que con magnífica ironía
Me dio a la vez los libros y la noche.

De esta ciudad de libros hizo dueños
A unos ojos sin luz, que sólo pueden
Leer en las bibliotecas de los sueños
Los insensatos párrafos que ceden

Las albas a su afán. En vano el día
Les prodiga sus libros infinitos,
Arduos como los arduos manuscritos
Que perecieron en Alejandría.

De hambre y de sed (narra una historia griega)
Muere un rey entre fuentes y jardines;
Yo fatigo sin rumbo los confines
De esa alta y honda biblioteca ciega.

Enciclopedias, atlas, el Oriente
Y el Occidente, siglos, dinastías,
Símbolos, cosmos y cosmogonías
Brindan los muros, pero inútilmente.

Lento en mi sombra, la penumbra hueca
Exploro con el báculo indeciso,
Yo, que me figuraba el Paraíso
Bajo la especie de una biblioteca.

Algo, que ciertamente no se nombra
Con la palabra *azar*, rige estas cosas;
Otro ya recibió en otras borrosas
Tardes los muchos libros y la sombra.

Al errar por las lentas galerías
Suelo sentir con vago horror sagrado

Que soy el otro, el muerto, que habrá dado
Los mismos pasos en los mismos días.

¿Cuál de los dos escribe este poema
De un yo plural y de una sola sombra?
¿Qué importa la palabra que me nombra
si es indiviso y uno el anatema?

Groussac o Borges, miro este querido
Mundo que se deforma y que se apaga
En una pálida ceniza vaga
Que se parece al sueño y al olvido.

EL RELOJ DE ARENA

Está bien que se mida con la dura
Sombra que una columna en el estío
Arroja o con el agua de aquel río
En que Heráclito vio nuestra locura

El tiempo, ya que al tiempo y al destino
Se parecen los dos: la imponderable
Sombra diurna y el curso irrevocable
Del agua que prosigue su camino.

Está bien, pero el tiempo en los desiertos
Otra substancia halló, suave y pesada,
Que parece haber sido imaginada
Para medir el tiempo de los muertos.

Surge así el alegórico instrumento
De los grabados de los diccionarios,
La pieza que los grises anticuarios
Relegarán al mundo ceniciento

Del alfil desparejo, de la espada
Inerme, del borroso telescopio,
Del sándalo mordido por el opio,
Del polvo, del azar y de la nada.

¿Quién no se ha demorado ante el severo
Y tétrico instrumento que acompaña
En la diestra del dios a la guadaña
Y cuyas líneas repitió Durero?

Por el ápice abierto el cono inverso
Deja caer la cautelosa arena,
Oro gradual que se desprende y llena
El cóncavo cristal de su universo.

Hay un agrado en observar la arcana
Arena que resbala y que declina
Y, a punto de caer, se arremolina
Con una prisa que es del todo humana.

La arena de los ciclos es la misma
E infinita es la historia de la arena;
Así, bajo tus dichas o tu pena,
La invulnerable eternidad se abisma.

No se detiene nunca la caída.
Yo me desangro, no el cristal. El rito
De decantar la arena es infinito
Y con la arena se nos va la vida.

En los minutos de la arena creo
Sentir el tiempo cósmico: la historia
Que encierra en sus espejos la memoria
O que ha disuelto el mágico Leteo.

El pilar de humo y el pilar de fuego,
Cartago y Roma y su apretada guerra,
Simón Mago, los siete pies de tierra
Que el rey sajón ofrece al rey noruego,

Todo lo arrastra y pierde este incansable
Hilo sutil de arena numerosa.
No he de salvarme yo, fortuita cosa
De tiempo, que es materia deleznable.

AJEDREZ

I

En su grave rincón, los jugadores
Rigen las lentas piezas. El tablero
Los demora hasta el alba en su severo
Ámbito en que se odian dos colores.

Adentro irradian mágicos rigores
Las formas: torre homérica, ligero
Caballo, armada reina, rey postrero,
Oblicuo alfil y peones agresores.

Cuando los jugadores se hayan ido,
Cuando el tiempo los haya consumido,
Ciertamente no habrá cesado el rito.

En el Oriente se encendió esta guerra
Cuyo anfiteatro es hoy toda la tierra.
Como el otro, este juego es infinito.

II

Tenue rey, sesgo alfil, encarnizada
Reina, torre directa y peón ladino
Sobre lo negro y blanco del camino
Buscan y libran su batalla armada.

No saben que la mano señalada
Del jugador gobierna su destino,
No saben que un rigor adamantino
Sujeta su albedrío y su jornada.

También el jugador es prisionero
(La sentencia es de Omar) de otro tablero
De negras noches y de blancos días.

Dios mueve al jugador, y éste, la pieza.
¿Qué dios detrás de Dios la trama empieza
De polvo y tiempo y sueño y agonías?

LOS ESPEJOS

Yo que sentí el horror de los espejos
No sólo ante el cristal impenetrable
Donde acaba y empieza, inhabitable,
un imposible espacio de reflejos

Sino ante el agua especular que imita
El otro azul en su profundo cielo
Que a veces raya el ilusorio vuelo
Del ave inversa o que un temblor agita

Y ante la superficie silenciosa
Del ébano sutil cuya tersura
Repite como un sueño la blancura
De un vago mármol o una vaga rosa,

Hoy, al cabo de tantos y perplejos
Años de errar bajo la varia luna,
Me pregunto qué azar de la fortuna
Hizo que yo temiera los espejos.

Espejos de metal, enmascarado
Espejo de caoba que en la bruma
De su rojo crepúsculo disfuma
Ese rostro que mira y es mirado,

Infinitos los veo, elementales
Ejecutores de un antiguo pacto,
Multiplicar el mundo como el acto
Generativo, insomnes y fatales.

Prolongan este vano mundo incierto
En su vertiginosa telaraña;
A veces en la tarde los empaña
El hálito de un hombre que no ha muerto.

Nos acecha el cristal. Si entre las cuatro
Paredes de la alcoba hay un espejo,
Ya no estoy solo. Hay otro. Hay el reflejo
Que arma en el alba un sigiloso teatro.

Todo acontece y nada se recuerda
En esos gabinetes cristalinos
Donde, como fantásticos rabinos,
Leemos los libros de derecha a izquierda.

Claudio, rey de una tarde, rey soñado,
No sintió que era un sueño hasta aquel día
En que un actor mimó su felonía
Con arte silencioso, en un tablado.

Que haya sueños es raro, que haya espejos,
Que el usual y gastado repertorio
De cada día incluya el ilusorio
Orbe profundo que urden los reflejos.

Dios (he dado en pensar) pone un empeño
En toda esa inasible arquitectura
Que edifica la luz con la tersura
Del cristal y la sombra con el sueño.

Dios ha creado las noches que se arman
De sueños y las formas del espejo
Para que el hombre sienta que es reflejo
Y vanidad. Por eso nos alarman.

ELVIRA DE ALVEAR

Todas las cosas tuvo y lentamente
Todas la abandonaron. La hemos visto
Armada de belleza. La mañana
Y el claro mediodía le mostraron,
Desde su cumbre, los hermosos reinos
De la tierra. La tarde fue borrándolos.
El favor de los astros (la infinita
Y ubicua red de causas) le había dado
La fortuna, que anula las distancias
Como el tapiz del árabe, y confunde
Deseo y posesión, y el don del verso,
Que transforma las penas verdaderas
En una música, un rumor y un símbolo
Y el fervor, y en la sangre la batalla
De Ituzaingó y el peso de laureles,
Y el goce de perderse en el errante
Río del tiempo (río y laberinto)
Y en los lentos colores de las tardes.
Todas las cosas la dejaron, menos
Una. La generosa cortesía
La acompañó hasta el fin de su jornada,
Más allá del delirio y del eclipse,
De un modo casi angélico. De Elvira
Lo primero que vi, hace tantos años,
Fue la sonrisa y es también lo último.

SUSANA SOCA

Con lento amor miraba los dispersos
Colores de la tarde. Le placía
Perderse en la compleja melodía
O en la curiosa vida de los versos.
No el rojo elemental sino los grises
Hilaron su destino delicado,
Hecho a discriminar y ejercitado
En la vacilación y en los matices.
Sin atreverse a hollar este perplejo
Laberinto, atisbaba desde afuera
Las formas, el tumulto y la carrera,
Como aquella otra dama del espejo.
Dioses que moran más allá del ruego
La abandonaron a ese tigre, el Fuego.

LA LUNA

Cuenta la historia que en aquel pasado
Tiempo en que sucedieron tantas cosas
Reales, imaginarias y dudosas,
Un hombre concibió el desmesurado

Proyecto de cifrar el universo
En un libro y con ímpetu infinito
Erigió el alto y arduo manuscrito
Y limó y declamó el último verso.

Gracias iba a rendir a la fortuna
Cuando al alzar los ojos vio un bruñido
Disco en el aire y comprendió, aturdido,
Que se había olvidado de la luna.

La historia que he narrado aunque fingida,
Bien puede figurar el maleficio
De cuantos ejercemos el oficio
De cambiar en palabras nuestra vida.

Siempre se pierde lo esencial. Es una
Ley de toda palabra sobre el numen.
No la sabrá eludir este resumen
De mi largo comercio con la luna.

No sé dónde la vi por vez primera,
Si en el cielo anterior de la doctrina
Del griego o en la tarde que declina
Sobre el patio del pozo y de la higuera.

Según se sabe, esta mudable vida
Puede, entre tantas cosas, ser muy bella
Y hubo así alguna tarde en que con ella
Te miramos, oh luna compartida.

Más que las lunas de las noches puedo
Recordar las del verso: la hechizada
Dragon moon que da horror a la balada
Y la luna sangrienta de Quevedo.

De otra luna de sangre y de escarlata
Habló Juan en su libro de feroces
Prodigios y de júbilos atroces;
Otras más claras lunas hay de plata.

Pitágoras con sangre (narra una
Tradición) escribía en un espejo
Y los hombres leían el reflejo
En aquel otro espejo que es la luna.

De hierro hay una selva donde mora
El alto lobo cuya extraña suerte
Es derribar la luna y darle muerte
Cuando enrojezca el mar la última aurora.

(Esto el Norte profético lo sabe
Y también que ese día los abiertos
Mares del mundo infestará la nave
Que se hace con las uñas de los muertos.)

Cuando, en Ginebra o Zürich, la fortuna
Quiso que yo también fuera poeta,
Me impuse, como todos, la secreta
Obligación de definir la luna.

Con una suerte de estudiosa pena
Agotaba modestas variaciones,
Bajo el vivo temor de que Lugones
Ya hubiera usado el ámbar o la arena.

De lejano marfil, de humo, de fría
Nieve fueron las lunas que alumbraron
Versos que ciertamente no lograron
El arduo honor de la tipografía.

Pensaba que el poeta es aquel hombre
Que, como el rojo Adán del Paraíso,
Impone a cada cosa su preciso
Y verdadero y no sabido nombre.

Ariosto me enseñó que en la dudosa
Luna moran los sueños, lo inasible,
El tiempo que se pierde, lo posible
O lo imposible, que es la misma cosa.

De la Diana triforme Apolodoro
Me dejó divisar la sombra mágica;
Hugo me dio una hoz que era de oro,
Y un irlandés, su negra luna trágica.

Y, mientras yo sondeaba aquella mina
De las lunas de la mitología,
Ahí estaba, a la vuelta de la esquina,
La luna celestial de cada día.

Sé que entre todas las palabras, una
Hay para recordarla o figurarla.
El secreto, a mi ver, está en usarla
Con humildad. Es la palabra *luna*.

Ya no me atrevo a macular su pura
Aparición con una imagen vana;
La veo indescifrable y cotidiana
Y más allá de mi literatura.

Sé que la luna o la palabra *luna*
Es una letra que fue creada para
La compleja escritura de esa rara
Cosa que somos, numerosa y una.

Es uno de los símbolos que al hombre
Da el hado o el azar para que un día
De exaltación gloriosa o de agonía
Pueda escribir su verdadero nombre.

LA LLUVIA

Bruscamente la tarde se ha aclarado
Porque ya cae la lluvia minuciosa.
Cae o cayó. La lluvia es una cosa
Que sin duda sucede en el pasado.

Quien la oye caer ha recobrado
El tiempo en que la suerte venturosa
Le reveló una flor llamada *rosa*
Y el curioso color del colorado.

Esta lluvia que ciega los cristales
Alegrará en perdidos arrabales
Las negras uvas de una parra en cierto

Patio que ya no existe. La mojada
Tarde me trae la voz, la voz deseada,
De mi padre que vuelve y que no ha muerto.

A LA EFIGIE DE UN CAPITÁN
DE LOS EJÉRCITOS DE CROMWELL

No rendirán de Marte las murallas
A éste, que salmos del Señor inspiran;
Desde otra luz (desde otro siglo) miran
Los ojos, que miraron las batallas.
La mano está en los hierros de la espada.
Por la verde región anda la guerra;
Detrás de la penumbra está Inglaterra,
Y el caballo y la gloria y tu jornada.
Capitán, los afanes son engaños,
Vano el arnés y vana la porfía
Del hombre, cuyo término es un día;
Todo ha concluido hace ya muchos años.
El hierro que ha de herirte se ha herrumbrado;
Estás (como nosotros) condenado.

A UN VIEJO POETA

Caminas por el campo de Castilla
Y casi no lo ves. Un intrincado
Versículo de Juan es tu cuidado
Y apenas reparaste en la amarilla

Puesta del sol. La vaga luz delira
Y en el confín del Este se dilata
Esa luna de escarnio y de escarlata
Que es acaso el espejo de la Ira.

Alzas los ojos y la miras. Una
Memoria de algo que fue tuyo empieza
Y se apaga. La pálida cabeza

Bajas y sigues caminando triste,
Sin recordar el verso que escribiste:
Y su epitafio la sangrienta luna.

EL OTRO TIGRE

And the craft that createth a semblance
MORRIS: SIGURD THE VOLSUNG (1876)

Pienso en un tigre. La penumbra exalta
La vasta Biblioteca laboriosa
Y parece alejar los anaqueles;
Fuerte, inocente, ensangrentado y nuevo,
Él irá por su selva y su mañana
Y marcará su rastro en la limosa
Margen de un río cuyo nombre ignora
(En su mundo no hay nombres ni pasado
Ni porvenir, sólo un instante cierto.)
Y salvará las bárbaras distancias
Y husmeará en el trenzado laberinto
De los olores el olor del alba
Y el olor deleitable del venado;
Entre las rayas del bambú descifro
Sus rayas y presiento la osatura
Bajo la piel espléndida que vibra.
En vano se interponen los convexos
Mares y los desiertos del planeta;
Desde esta casa de un remoto puerto
De América del Sur, te sigo y sueño,
Oh tigre de las márgenes del Ganges.

Cunde la tarde en mi alma y reflexiono
Que el tigre vocativo de mi verso
Es un tigre de símbolos y sombras,
Una serie de tropos literarios
Y de memorias de la enciclopedia
Y no el tigre fatal, la aciaga joya
Que, bajo el sol o la diversa luna,
Va cumpliendo en Sumatra o en Bengala
Su rutina de amor, de ocio y de muerte.
Al tigre de los símbolos he opuesto
El verdadero, el de caliente sangre,
El que diezma la tribu de los búfalos
Y hoy, 3 de agosto del 59,
Alarga en la pradera una pausada

Sombra, pero ya el hecho de nombrarlo
Y de conjeturar su circunstancia
Lo hace ficción del arte y no criatura
Viviente de las que andan por la tierra.

Un tercer tigre buscaremos. Éste
Será como los otros una forma
De mi sueño, un sistema de palabras
Humanas y no el tigre vertebrado
Que, más allá de las mitologías,
Pisa la tierra. Bien lo sé, pero algo
Me impone esta aventura indefinida,
Insensata y antigua, y persevero
En buscar por el tiempo de la tarde
El otro tigre, el que no está en el verso.

BLIND PEW

Lejos del mar y de la hermosa guerra,
Que así el amor lo que ha perdido alaba,
El bucanero ciego fatigaba
Los terrosos caminos de Inglaterra.

Ladrado por los perros de las granjas,
Pifia de los muchachos del poblado,
Dormía un achacoso y agrietado
Sueño en el negro polvo de las zanjas.

Sabía que en remotas playas de oro
Era suyo un recóndito tesoro
Y esto aliviaba su contraria suerte;

A ti también, en otras playas de oro,
Te aguarda incorruptible tu tesoro:
La vasta y vaga y necesaria muerte.

ALUSIÓN A UNA SOMBRA DE MIL OCHOCIENTOS NOVENTA Y TANTOS

Nada. Sólo el cuchillo de Muraña.
Sólo en la tarde gris la historia trunca.
No sé por qué en las tardes me acompaña
Este asesino que no he visto nunca.
Palermo era más bajo. El amarillo
Paredón de la cárcel dominaba
Arrabal y barrial. Por esa brava
Región anduvo el sórdido cuchillo.
El cuchillo. La cara se ha borrado
Y de aquel mercenario cuyo austero
Oficio era el coraje, no ha quedado
Más que una sombra y un fulgor de acero.
Que el tiempo, que los mármoles empaña,
Salve este firme nombre, Juan Muraña.

ALUSIÓN A LA MUERTE DEL CORONEL FRANCISCO BORGES (1833-74)

Lo dejo en el caballo, en esa hora
Crepuscular en que buscó la muerte;
Que de todas las horas de su suerte
Ésta perdure, amarga y vencedora.
Avanza por el campo la blancura
Del caballo y del poncho. La paciente
Muerte acecha en los rifles. Tristemente
Francisco Borges va por la llanura.
Esto que lo cercaba, la metralla,
Esto que ve, la pampa desmedida,
Es lo que vio y oyó toda la vida.
Está en lo cotidiano, en la batalla.
Alto lo dejo en su épico universo
Y casi no tocado por el verso.

IN MEMORIAM A. R.

El vago azar o las precisas leyes
Que rigen este sueño, el universo,
Me permitieron compartir un terso
Trecho del curso con Alfonso Reyes.

Supo bien aquel arte que ninguno
Supo del todo, ni Simbad ni Ulises,
Que es pasar de un país a otros países
Y estar íntegramente en cada uno.

Si la memoria le clavó su flecha
Alguna vez, labró con el violento
Metal del arma el numeroso y lento
Alejandrino o la afligida endecha.

En los trabajos lo asistió la humana
Esperanza y fue lumbre de su vida
Dar con el verso que ya no se olvida
Y renovar la prosa castellana.

Más allá del Myo Cid de paso tardo
Y de la grey que aspira a ser oscura,
Rastreaba la fugaz literatura
Hasta los arrabales del lunfardo.

En los cinco jardines del Marino
Se demoró, pero algo en él había
Inmortal y esencial que prefería
El arduo estudio y el deber divino.

Prefirió, mejor dicho, los jardines
De la meditación, donde Porfirio
Erigió ante las sombras y el delirio
El Árbol del Principio y de los Fines.

Reyes, la indescifrable providencia
Que administra lo pródigo y lo parco
Nos dio a los unos el sector o el arco,
Pero a ti la total circunferencia.

Lo dichoso buscabas o lo triste
Que ocultan frontispicios y renombres;
Como el Dios del Erígena, quisiste
Ser nadie para ser todos los hombres.

Vastos y delicados esplendores
Logró tu estilo, esa precisa rosa,
Y a las guerras de Dios tornó gozosa
La sangre militar de tus mayores.

¿Dónde estará (pregunto) el mexicano?
¿Contemplará con el horror de Edipo
Ante la extraña Esfinge, el Arquetipo
Inmóvil de la Cara o de la Mano?

¿O errará, como Swedenborg quería,
Por un orbe más vívido y complejo
Que el terrenal, que apenas es reflejo
De aquella alta y celeste algarabía?

Si (como los imperios de la laca
Y del ébano enseñan) la memoria
Labra su íntimo Edén, ya hay en la gloria
Otro México y otro Cuernavaca.

Sabe Dios los colores que la suerte
Propone al hombre más allá del día;
Yo ando por estas calles. Todavía
Muy poco se me alcanza de la muerte.

Sólo una cosa sé. Que Alfonso Reyes
(Dondequiera que el mar lo haya arrojado)
Se aplicará dichoso y desvelado
Al otro enigma y a las otras leyes.

Al impar tributemos, al diverso
Las palmas y el clamor de la victoria;
No profane mi lágrima este verso
Que nuestro amor inscribe a su memoria.

LOS BORGES

Nada o muy poco sé de mis mayores
Portugueses, los Borges: vaga gente
Que prosigue en mi carne, oscuramente,
Sus hábitos, rigores y temores.
Tenues como si nunca hubieran sido
Y ajenos a los trámites del arte,
Indescifrablemente forman parte
Del tiempo, de la tierra y del olvido.
Mejor así. Cumplida la faena,
Son Portugal, son la famosa gente
Que forzó las murallas del Oriente
Y se dio al mar y al otro mar de arena.
Son el rey que en el místico desierto
Se perdió y el que jura que no ha muerto.

A LUIS DE CAMOENS

Sin lástima y sin ira el tiempo mella
Las heroicas espadas. Pobre y triste
A tu patria nostálgica volviste,
Oh capitán, para morir en ella
Y con ella. En el mágico desierto
La flor de Portugal se había perdido
Y el áspero español, antes vencido,
Amenazaba su costado abierto.
Quiero saber si aquende la ribera
Última comprendiste humildemente
Que todo lo perdido, el Occidente
Y el Oriente, el acero y la bandera,
Perduraría (ajeno a toda humana
Mutación) en tu Eneida lusitana.

MIL NOVECIENTOS VEINTITANTOS

La rueda de los astros no es infinita
Y el tigre es una de las formas que vuelven,
Pero nosotros, lejos del azar y de la aventura,
Nos creíamos desterrados a un tiempo exhausto,
El tiempo en el que nada puede ocurrir.
El universo, el trágico universo, no estaba aquí
Y fuerza era buscarlo en los ayeres;
Yo tramaba una humilde mitología de tapias y cuchillos
Y Ricardo pensaba en sus reseros.
No sabíamos que el porvenir encerraba el rayo,
No presentimos el oprobio, el incendio y la tremenda noche de
la Alianza;
Nada nos dijo que la historia argentina echaría a andar por la
calles,
La historia, la indignación, el amor,
Las muchedumbres como el mar, el nombre de Córdoba,
El sabor de lo real y de lo increíble, el horror y la gloria.

ODA COMPUESTA EN 1960

El claro azar o las secretas leyes
Que rigen este sueño, mi destino,
Quieren, oh necesaria y dulce patria
Que no sin gloria y sin oprobio abarcas
Ciento cincuenta laboriosos años,
Que yo, la gota, hable contigo, el río,
Que yo, el instante, hable contigo, el tiempo,
Y que el íntimo diálogo recurra,
Como es de uso, a los ritos y a la sombra
Que aman los dioses y al pudor del verso.

Patria, yo te he sentido en los ruinosos
Ocasos de los vastos arrabales
Y en esa flor de cardo que el pampero
Trae al zaguán y en la paciente lluvia
Y en las lentas costumbres de los astros
Y en la mano que templa una guitarra
Y en la gravitación de la llanura
Que desde lejos nuestra sangre siente
Como el britano el mar y en los piadosos
Símbolos y jarrones de una bóveda
Y en el rendido amor de los jazmines
Y en la plata de un marco y en el suave
Roce de la caoba silenciosa
Y en sabores de carnes y de frutas
Y en la bandera casi azul y blanca
De un cuartel y en historias desganadas
De cuchillo y de esquina y en las tardes
Iguales que se apagan y nos dejan
Y en la vaga memoria complacida
De patios con esclavos que llevaban
El nombre de sus amos y en las pobres
Hojas de aquellos libros para ciegos
Que el fuego dispersó y en la caída
De las épicas lluvias de setiembre

Que nadie olvidará, pero estas cosas
Son apenas tus modos y tus símbolos.

Eres más que tu largo territorio
Y que los días de tu largo tiempo,
Eres más que la suma inconcebible
de tus generaciones. No sabemos
Cómo eres para Dios en el viviente
Seno de los eternos arquetipos,
Pero por ese rostro vislumbrado
Vivimos y morimos y anhelamos,
Oh inseparable y misteriosa patria.

ARIOSTO Y LOS ÁRABES

Nadie puede escribir un libro. Para
Que un libro sea verdaderamente,
Se requieren la aurora y el poniente,
Siglos, armas y el mar que une y separa.

Así lo pensó Ariosto, que al agrado
Lento se dio, en el ocio de caminos
De claros mármoles y negros pinos,
De volver a soñar lo ya soñado.

El aire de su Italia estaba henchido
De sueños, que con formas de la guerra
Que en duros siglos fatigó la tierra
Urdieron la memoria y el olvido.

Una legión que se perdió en los valles
De Aquitania cayó en una emboscada;
Así nació aquel sueño de una espada
Y del cuerno que clama en Roncesvalles.

Sus ídolos y ejércitos el duro
Sajón sobre los huertos de Inglaterra
Dilató en apretada y torpe guerra
Y de esas cosas quedó un sueño: Arturo.

De las islas boreales donde un ciego
Sol desdibuja el mar, llegó aquel sueño
De una virgen dormida que a su dueño
Aguarda, tras un círculo de fuego.

Quién sabe si de Persia o del Parnaso
Vino aquel sueño del corcel alado
Que por el aire el hechicero armado
Urge y que se hunde en el desierto ocaso.

Como desde el corcel del hechicero,
Ariosto vio los reinos de la tierra
Surcada por las fiestas de la guerra
Y del joven amor aventurero.

Como a través de tenue bruma de oro
Vio en el mundo un jardín que sus confines
Dilata en otros íntimos jardines
Para el amor de Angélica y Medoro.

Como los ilusorios esplendores
Que al Indostán deja entrever el opio,
Pasan por el Furioso los amores
En un desorden de calidoscopio.

Ni el amor ignoró ni la ironía
Y soñó así, de pudoroso modo,
El singular castillo en el que todo
Es (como en esta vida) una falsía.

Como a todo poeta, la fortuna
O el destino le dio una suerte rara;
Iba por los caminos de Ferrara
Y al mismo tiempo andaba por la luna.

Escoria de los sueños, indistinto
Limo que el Nilo de los sueños deja,
Con ellos fue tejida la madeja
De ese resplandeciente laberinto,

De ese enorme diamante en el que un hombre
Puede perderse venturosamente
Por ámbitos de música indolente,
Más allá de su carne y de su nombre.

Europa entera se perdió. Por obra
De aquel ingenuo y malicioso arte,
Milton pudo llorar de Brandimarte
El fin y de Dalinda la zozobra.

Europa se perdió, pero otros dones
Dio el vasto sueño a la famosa gente
Que habita los desiertos del Oriente
Y la noche cargada de leones.

De un rey que entrega, al despuntar el día,
Su reina de una noche a la implacable
Cimitarra, nos cuenta el deleitable
Libro que al tiempo hechiza todavía.

Alas que son la brusca noche, crueles
Garras de las que pende un elefante,
Magnéticas montañas cuyo amante
Abrazo despedaza los bajeles.

La tierra sostenida por un toro
Y el toro por un pez; abracadabras,
Talismanes y místicas palabras
Que en el granito abren cavernas de oro;

Esto soñó la sarracena gente
Que sigue las banderas de Agramante;
Esto, que vagos rostros con turbante
Soñaron, se adueñó del Occidente.

Y el Orlando es ahora una risueña
Región que alarga inhabitadas millas
De indolentes y ociosas maravillas
Que son un sueño que ya nadie sueña.

Por islámicas artes reducido
A simple erudición, a mera historia,
Está solo, soñándose. (La gloria
Es una de las formas del olvido.)

Por el cristal ya pálido la incierta
Luz de una tarde más toca el volumen
Y otra vez arden y otra se consumen
Los otros que envanecen la cubierta.

En la desierta sala el silencioso
Libro viaja en el tiempo. Las auroras
Quedan atrás y las nocturnas horas
Y mi vida, este sueño presuroso.

AL INICIAR EL ESTUDIO DE LA GRAMÁTICA ANGLOSAJONA

Al cabo de cincuenta generaciones
(Tales abismos nos depara a todos el tiempo)
Vuelvo en la margen ulterior de un gran río
Que no alcanzaron los dragones del viking,
A las ásperas y laboriosas palabras
Que, con una boca hecha polvo,
Usé en los días de Nortumbria y de Mercia,
Antes de ser Haslam o Borges.
El sábado leímos que Julio el César
Fue el primero que vino de Romeburg para develar a Bretaña;
Antes que vuelvan los racimos habré escuchado
La voz del ruiseñor del enigma
Y la elegía de los doce guerreros
Que rodean el túmulo de su rey.
Símbolos de otros símbolos, variaciones
Del futuro inglés o alemán me parecen estas palabras
Que alguna vez fueron imágenes
Y que un hombre usó para celebrar el mar o una espada;
Mañana volverá a vivir,
Mañana *fyr* no será *fire* sino esa suerte
De dios domesticado y cambiante
Que a nadie le está dado mirar sin un antiguo asombro.

Alabada sea la infinita
Urdimbre de los efectos y de las causas
Que antes de mostrarme el espejo
En que no veré a nadie o veré a otro
Me concede esta pura contemplación
De un lenguaje del alba.

LUCAS, XXIII

Gentil o hebreo o simplemente un hombre
Cuya cara en el tiempo se ha perdido;
Ya no rescataremos del olvido
Las silenciosas letras de su nombre.

Supo de la clemencia lo que puede
Saber un bandolero que Judea
Clava a una cruz. Del tiempo que antecede
Nada alcanzamos hoy. En su tarea

Última de morir crucificado,
Oyó, entre los escarnios de la gente,
Que el que estaba muriéndose a su lado
Era Dios y le dijo ciegamente:

*Acuérdate de mí cuando vinieres
A tu reino,* y la voz inconcebible
Que un día juzgará a todos los seres
Le prometió desde la Cruz terrible

El Paraíso. Nada más dijeron
Hasta que vino el fin, pero la historia
No dejará que muera la memoria
De aquella tarde en que los dos murieron.

Oh amigos, la inocencia de este amigo
De Jesucristo, ese candor que hizo
Que pidiera y ganara el Paraíso
Desde las ignominias del castigo,

Era el que tantas veces al pecado
Lo arrojó y al azar ensangrentado.

ADROGUÉ

Nadie en la noche indescifrable tema
Que yo me pierda entre las negras flores
Del parque, donde tejen su sistema
Propicio a los nostálgicos amores

O al ocio de las tardes, la secreta
Ave que siempre un mismo canto afina,
El agua circular y la glorieta,
La vaga estatua y la dudosa ruina.

Hueca en la hueca sombra, la cochera
Marca (lo sé) los trémulos confines
De este mundo de polvo y de jazmines,
Grato a Verlaine y grato a Julio Herrera.

Su olor medicinal dan a la sombra
Los eucaliptos: ese olor antiguo
Que, más allá del tiempo y del ambiguo
Lenguaje, el tiempo de las quintas nombra.

Mi paso busca y halla el esperado
Umbral. Su oscuro borde la azotea
Define y en el patio ajedrezado
La canilla periódica gotea.

Duermen del otro lado de las puertas
Aquéllos que por obra de los sueños
Son en la sombra visionaria dueños
Del vasto ayer y de las cosas muertas.

Cada objeto conozco de este viejo
Edificio: las láminas de mica
Sobre esa piedra gris que se duplica
Continuamente en el borroso espejo

Y la cabeza de león que muerde
Una argolla y los vidrios de colores
Que revelan al niño los primores
De un mundo rojo y de otro mundo verde.

Más allá del azar y de la muerte
Duran, y cada cual tiene su historia,
Pero todo esto ocurre en esa suerte
De cuarta dimensión, que es la memoria.

En ella y sólo en ella están ahora
Los patios y jardines. El pasado
Los guarda en ese círculo vedado
Que a un tiempo abarca el véspero y la aurora.

¿Cómo pude perder aquel preciso
Orden de humildes y queridas cosas,
Inaccesibles hoy como las rosas
Que dio al primer Adán el Paraíso?

El antiguo estupor de la elegía
Me abruma cuando pienso en esa casa
Y no comprendo cómo el tiempo pasa,
Yo, que soy tiempo y sangre y agonía.

ARTE POÉTICA

Mirar el río hecho de tiempo y agua
Y recordar que el tiempo es otro río,
Saber que nos perdemos como el río
Y que los rostros pasan como el agua.

Sentir que la vigilia es otro sueño
Que sueña no soñar y que la muerte
Que teme nuestra carne es esa muerte
De cada noche, que se llama sueño.

Ver en el día o en el año un símbolo
De los días del hombre y de sus años,
Convertir el ultraje de los años
En una música, un rumor y un símbolo,

Ver en la muerte el sueño, en el ocaso
Un triste oro, tal es la poesía
Que es inmortal y pobre. La poesía
Vuelve como la aurora y el ocaso.

A veces en las tardes una cara
Nos mira desde el fondo de un espejo;
El arte debe ser como ese espejo
Que nos revela nuestra propia cara.

Cuentan que Ulises, harto de prodigios,
Lloró de amor al divisar su Itaca
Verde y humilde. El arte es esa Itaca
De verde eternidad, no de prodigios.

También es como el río interminable
Que pasa y queda y es cristal de un mismo
Heráclito inconstante, que es el mismo
Y es otro, como el río interminable.

MUSEO

DEL RIGOR EN LA CIENCIA

...En aquel Imperio, el Arte de la Cartografía logró tal Perfección que el mapa de una sola Provincia ocupaba toda una Ciudad, y el mapa del imperio, toda una Provincia. Con el tiempo, esos Mapas Desmesurados no satisfacieron y los Colegios de Cartógrafos levantaron un Mapa del Imperio, que tenía el tamaño del Imperio y coincidía puntualmente con él. Menos Adictas al Estudio de la Cartografía, las Generaciones Siguientes entendieron que ese dilatado Mapa era Inútil y no sin Impiedad lo entregaron a las Inclemencias del Sol y de los Inviernos. En los desiertos del Oeste perduran despedazadas Ruinas del Mapa, habitadas por Animales y por Mendigos; en todo el País no hay otra reliquia de las Disciplinas Geográficas.

Suárez Miranda: VIAJES DE VARONES PRUDENTES, LIBRO CUARTO, CAP. XLV, LÉRIDA, 1658.

CUARTETA

Murieron otros, pero ello aconteció en el pasado,
Que es la estación (nadie lo ignora) más propicia a la muerte.
¿Es posible que yo, súbdito de Yaqub Almansur,
Muera como tuvieron que morir las rosas y Aristóteles?

De Diván de Almotásim el
Magrebí (siglo xii).

LÍMITES

Hay una línea de Verlaine que no volveré a recordar,
Hay una calle próxima que está vedada a mis pasos,
Hay un espejo que me ha visto por última vez,
Hay una puerta que he cerrado hasta el fin del mundo
Entre los libros de mi biblioteca (estoy viéndolos)
Hay alguno que ya nunca abriré.
Este verano cumpliré cincuenta años;
La muerte me desgasta, incesante.

De Inscripciones (Montevideo, 1923), de Julio Platero Haedo.

EL POETA DECLARA SU NOMBRADÍA

El círculo del cielo mide mi gloria,
Las bibliotecas del Oriente se disputan mis versos,
Los emires me buscan para llenarme de oro la boca,
Los ángeles ya saben de memoria mi último zéjel.
Mis instrumentos de trabajo son la humillación y la angustia;
Ojalá yo hubiera nacido muerto.

Del Diván de Abulcásim el
Hadramí (siglo XII).

EL ENEMIGO GENEROSO

Magnus Barfod, en el año 1102, emprendió la conquista general de los reinos de Irlanda; se dice que la víspera de su muerte recibió este saludo de Muirchertach, rey en Dublín:

Que en tus ejércitos militen el oro y la tempestad, Magnus Barfod.
Que mañana, en los campos de mi reino, sea feliz tu batalla.
Que tus manos de rey tejan terribles la tela de la espada.
Que sean alimento del cisne rojo los que se oponen a tu espada.
Que te sacien de gloria tus muchos dioses, que te sacien de sangre.
Que seas victorioso en la aurora rey que pisas a Irlanda.
Que de tus muchos días ninguno brille como el día de mañana.
Porque ese día será el último. Te lo juro, rey Magnus.
Porque antes que se borre su luz, te venceré y te borraré, Magnus Barfod.

Del Anhang zur Heimskringla
(1893), de H. Gering.

LE REGRET D'HÉRACLITE

Yo, que tantos hombres he sido, no he sido nunca
Aquel en cuyo abrazo desfallecía Matilde Urbach.

Gaspar Camerarius, en Deliciae
Poetarum Borussiae, vii, 16.

IN MEMORIAM J. F. K.

Esta bala es antigua.

En 1897 la disparó contra el presidente del Uruguay un muchacho de Montevideo, Arredondo, que había pasado largo tiempo sin ver a nadie, para que lo supieran sin cómplices. Treinta años antes, el mismo proyectil mató a Lincoln, por obra criminal o mágica de un actor, a quien las palabras de Shakespeare habían convertido en Marco Bruto, asesino de César. Al promediar el siglo XVII, la venganza la usó para dar muerte a Gustavo Adolfo de Suecia, en mitad de la pública hecatombe de una batalla.

Antes, la bala fue otras cosas, porque la transmigración pitagórica no sólo es propia de los hombres. Fue el cordón de seda que en el Oriente reciben los vizires, fue la fusilería y las bayonetas que destrozaron a los defensores del Álamo, fue la cuchilla triangular que segó el cuello de una reina, fue los oscuros clavos que atravesaron la carne del Redentor y el leño de la Cruz, fue el veneno que el jefe cartaginés guardaba en una sortija de hierro, fue la serena copa que en un atardecer bebió Sócrates.

En el alba del tiempo fue la piedra que Caín lanzó contra Abel y será muchas cosas que hoy ni siquiera imaginamos y que podrán concluir con los hombres y con su prodigioso y frágil destino.

EPÍLOGO

Quiera Dios que la monotonía esencial de esta miscelánea (que el tiempo ha compilado, no yo, y que admite piezas pretéritas que no me he atrevido a enmendar, porque las escribí con otro concepto de la literatura) sea menos evidente que la diversidad geográfica o histórica de los temas. De cuantos libros he entregado a la imprenta, ninguno, creo, es tan personal como esta colecticia y desordenada silva de varia lección, precisamente porque abunda en reflejos y en interpolaciones. Pocas cosas me han ocurrido y muchas he leído. Mejor dicho: pocas cosas me han ocurrido más dignas de memoria que el pensamiento de Schopenhauer o la música verbal de Inglaterra.

Un hombre se propone la tarea de dibujar el mundo. A lo largo de los años puebla un espacio con imágenes de provincias, de reinos, de montañas, de bahías, de naves, de islas, de peces, de habitaciones, de instrumentos, de astros, de caballos y de personas. Poco antes de morir, descubre que ese paciente laberinto de líneas traza la imagen de su cara.

J. L. B.

Buenos Aires, 31 de octubre de 1960.

El otro, el mismo
(1964)

PRÓLOGO

De los muchos libros de versos que mi resignación, mi descuido y a veces mi pasión fueron borroneando, El otro, el mismo es el que prefiero. Ahí están el Otro poema de los dones, el Poema conjetural, Una Rosa y Milton, y Junín, que si la parcialidad no me engaña, no me deshonran. Ahí están asimismo mis hábitos: Buenos Aires, el culto de los mayores, la germanística, la contradicción del tiempo que pasa y de la identidad que perdura, mi estupor de que el tiempo, nuestra substancia, pueda ser compartido.
 Este libro no es otra cosa que una compilación. Las piezas fueron escribiéndose para diversos moods y momentos, no para justificar un volumen. De ahí las previsibles monotonías, la repetición de palabras y tal vez de líneas enteras. En su cenáculo de la calle Victoria, el escritor —llamémoslo así— Alberto Hidalgo señaló mi costumbre de escribir la misma página dos veces, con variaciones mínimas. Lamento haberle contestado que él era no menos binario, salvo que en su caso particular la versión primera era de otro. Tales eran los deplorables modales de aquella época, que muchos miran con nostalgia. Todos queríamos ser héroes de anécdotas triviales. La observación de Hidalgo era justa; Alexander Selkirk no difiere notoriamente de Odisea, libro vigésimo tercero, El puñal prefigura la milonga que he titulado Un cuchillo en el Norte y quizá el relato El encuentro. Lo extraño, lo que no acabo de entender, es que mis segundas versiones, como ecos apagados e involuntarios, suelen ser inferiores a las primeras. En Lubbock, al borde del desierto, una alta muchacha me preguntó si al escribir El Golem, yo no había intentado una variación de Las ruinas circulares; le respondí que había tenido que atravesar todo el continente para recibir esa revelación, que era verdadera. Ambas composiciones, por lo demás, tienen sus diferencias; el soñador soñado está en una, la relación de la divinidad con el hombre y acaso la del poeta con la obra, en la que después redacté.
 Los idiomas del hombre son tradiciones que entrañan algo de fatal. Los experimentos individuales son, de hecho, mínimos, salvo cuando el innovador se resigna a labrar un espécimen de museo, un juego destinado a la discusión de los historiadores de la literatura o al mero escándalo, como el Finnegans Wake o las Soledades. Alguna vez me atrajo la tentación de trasladar al castellano la música del inglés o del alemán; si hubiera ejecutado esa aventura, acaso imposible, yo sería un gran poeta, como aquel

Garcilaso que nos dio la música de Italia, o como aquel anónimo sevillano que nos dio la de Roma, o como Darío, que nos dio la de Francia. No pasé de algún borrador urdido con palabras de pocas sílabas, que juiciosamente destruí.

Es curiosa la suerte del escritor. Al principio es barroco, vanidosamente barroco, y al cabo de los años puede lograr, si son favorables los astros, no la sencillez, que no es nada, sino la modesta y secreta complejidad.

Menos que las escuelas me ha educado una biblioteca —la de mi padre—; pese a las vicisitudes del tiempo y de las geografías, creo no haber leído en vano aquellos queridos volúmenes. En el Poema conjetural *se advertirá la influencia de los monólogos dramáticos de Robert Browning; en otros, la de Lugones y, así lo espero, la de Whitman. Al rever estas páginas, me he sentido más cerca del modernismo que de las sectas ulteriores que su corrupción engendró y que ahora lo niegan.*

Pater escribió que todas las artes propenden a la condición de la música, acaso porque en ella el fondo es la forma, ya que no podemos referir una melodía como podemos referir las líneas generales de un cuento. La poesía, admitido ese dictamen, sería un arte híbrido: la sujeción de un sistema abstracto de símbolos, el lenguaje, a fines musicales. Los diccionarios tienen la culpa de ese concepto erróneo. Suele olvidarse que son repertorios artificiosos, muy posteriores a las lenguas que ordenan. La raíz del lenguaje es irracional y de carácter mágico. El danés que articulaba el nombre de Thor o el sajón que articulaba el nombre de Thunor no sabía si esas palabras significaban el dios del trueno o el estrépito que sucede al relámpago. La poesía quiere volver a esa antigua magia. Sin prefijadas leyes, obra de un modo vacilante y osado, como si caminara en la oscuridad. Ajedrez misterioso la poesía, cuyo tablero y cuyas piezas cambian como en un sueño y sobre el cual me inclinaré después de haber muerto.

J. L. B.

INSOMNIO

De fierro,
de encorvados tirantes de enorme fierro tiene que ser la noche,
para que no la revienten y la desfonden
las muchas cosas que mis abarrotados ojos han visto,
las duras cosas que insoportablemente la pueblan.

Mi cuerpo ha fatigado los niveles, las temperaturas, las luces:
en vagones de largo ferrocarril,
en un banquete de hombres que se aborrecen,
en el filo mellado de los suburbios,
en una quinta calurosa de estatuas húmedas,
en la noche repleta donde abundan el caballo y el hombre.

El universo de esta noche tiene la vastedad
del olvido y la precisión de la fiebre.

En vano quiero distraerme del cuerpo
y del desvelo de un espejo incesante
que lo prodiga y que lo acecha
y de la casa que repite sus patios
y del mundo que sigue hasta un despedazado arrabal
de callejones donde el viento se cansa y de barro torpe.

En vano espero
las desintegraciones y los símbolos que preceden al sueño.

Sigue la historia universal:
los rumbos minuciosos de la muerte en las caries dentales,
la circulación de mi sangre y de los planetas.

(He odiado el agua crapulosa de un charco,
he aborrecido en el atardecer el canto del pájaro.)

Las fatigadas leguas incesantes del suburbio del Sur,
leguas de pampa basurera y obscena, leguas de execración,
no se quieren ir del recuerdo.
Lotes anegadizos, ranchos en montón como perros, charcos de
      plata fétida:
soy el aborrecible centinela de esas colocaciones inmóviles.

Alambre, terraplenes, papeles muertos, sobras de Buenos Aires.

Creo esta noche en la terrible inmortalidad:
ningún hombre ha muerto en el tiempo, ninguna mujer, ningún
 muerto,
porque esta inevitable realidad de fierro y de barro
tiene que atravesar la indiferencia de cuantos estén dormidos o
 muertos
—aunque se oculten en la corrupción y en los siglos—
y condenarlos a vigilia espantosa.

Toscas nubes color borra de vino infamarán el cielo;
amanecerá en mis párpados apretados.

Adrogué, 1936

TWO ENGLISH POEMS

To Beatriz Bibiloni Webster de Bullrich

I

The useless dawn finds me in a deserted streetcorner; I have
    outlived the night.
Nights are proud waves: darkblue topheavy waves laden with all
    hues of deep spoil, laden with things unlikely and desirable.
Nights have a habit of mysterious gifts and refusals, of things
    half given away, half withheld, of joys with a dark
    hemisphere. Nights act that way, I tell you.
The surge, that night, left me the customary shreds and odd
    ends: some hated friends to chat with, music for dreams,
    and the smoking of bitter ashes. The things my hungry
    heart has no use for.
The big wave brought you.
Words, any words, your laughter; and you so lazily and incessantly
    beautiful. We talked and you have forgotten the words.
The shattering dawn finds me in a deserted street of my city.
Your profile turned away, the sounds that go to make your name,
    the lilt of your laughter: these are illustrious toys you
    have left me.
I turn them over in the dawn, I lose them, I find them; I tell
    them to the few stray dogs and to the few stray stars of
    the dawn.
Your dark rich life...
I must get at you, somehow: I put away those illustrious toys
    you have left me, I want your hidden look, your real smile
    —that lonely, mocking smile your cool mirror knows.

II

What can I hold you with?
I offer you lean streets, desperate sunsets, the moon of the ragged
    suburbs.
I offer you the bitterness of a man who has looked long and long
    at the lonely moon.

I offer you my ancestors, my dead men, the ghosts that living men have honoured in marble: my father's father killed in the frontier of Buenos Aires, two bullets through his lungs, bearded and dead, wrapped by his soldiers in the hide of a cow; my mother's grandfather —just twentyfour— heading a charge of three hundred men in Peru, now ghosts on vanished horses.

I offer you whatever insight my books may hold, whatever manliness or humour my life.

I offer you the loyalty of a man who has never been loyal.

I offer you that kernel of myself that I have saved, somehow —the central heart that deals not in words, traffics not with dreams and is untouched by time, by joy, by adversities.

I offer you the memory of a yellow rose seen at sunset, years before you were born.

I offer you explanations of yourself, theories about yourself, authentic and surprising news of yourself.

I can give you my loneliness, my darkness, the hunger of my heart; I am trying to bribe you with uncertainty, with danger, with defeat.

1934

LA NOCHE CÍCLICA

A Sylvina Bullrich

Lo supieron los arduos alumnos de Pitágoras:
Los astros y los hombres vuelven cíclicamente;
Los átomos fatales repetirán la urgente
Afrodita de oro, los tebanos, las ágoras.

En edades futuras oprimirá el centauro
Con el casco solípedo el pecho del lapita;
Cuando Roma sea polvo, gemirá en la infinita
Noche de su palacio fétido el minotauro.

Volverá toda noche de insomnio: minuciosa.
La mano que esto escribe renacerá del mismo
Vientre. Férreos ejércitos construirán el abismo.
(David Hume de Edimburgo dijo la misma cosa.)

No sé si volveremos en un ciclo segundo
Como vuelven las cifras de una fracción periódica;
Pero sé que una oscura rotación pitagórica
Noche a noche me deja en un lugar del mundo.

Que es de los arrabales. Una esquina remota
Que puede ser del norte, del sur o del oeste,
Pero que tiene siempre una tapia celeste,
Una higuera sombría y una vereda rota.

Ahí está Buenos Aires. El tiempo que a los hombres
Trae el amor o el oro, a mí apenas me deja
Esta rosa apagada, esta vana madeja
De calles que repiten los pretéritos nombres

De mi sangre: Laprida, Cabrera, Soler, Suárez...
Nombres en que retumban (ya secretas) las dianas,
Las repúblicas, los caballos y las mañanas,
Las felices victorias, las muertes militares.

Las plazas agravadas por la noche sin dueño
Son los patios profundos de un árido palacio

Y las calles unánimes que engendran el espacio
Son corredores de vago miedo y de sueño.

Vuelve la noche cóncava que descifró Anaxágoras;
Vuelve a mi carne humana la eternidad constante
Y el recuerdo ¿el proyecto? de un poema incesante:
"Lo supieron los arduos alumnos de Pitágoras..."

1940

DEL INFIERNO Y DEL CIELO

El Infierno de Dios no necesita
el esplendor del fuego. Cuando el Juicio
Universal retumbe en las trompetas
y la tierra publique sus entrañas
y resurjan del polvo las naciones
para acatar la Boca inapelable,
los ojos no verán los nueve círculos
de la montaña inversa; ni la pálida
pradera de perennes asfodelos
donde la sombra del arquero sigue
la sombra de la corza, eternamente;
ni la loba de fuego que en el ínfimo
piso de los infiernos musulmanes
es anterior a Adán y a los castigos;
ni violentos metales, ni siquiera
la visible tiniebla de Juan Milton.
No oprimirá un odiado laberinto
de triple hierro y fuego doloroso
las atónitas almas de los réprobos.

Tampoco el fondo de los años guarda
un remoto jardín. Dios no requiere
para alegrar los méritos del justo,
orbes de luz, concéntricas teorías
de tronos, potestades, querubines,
ni el espejo ilusorio de la música
ni las profundidades de la rosa
ni el esplendor aciago de uno solo
de Sus tigres, ni la delicadeza
de un ocaso amarillo en el desierto
ni el antiguo, natal sabor del agua.
En Su misericordia no hay jardines
ni luz de una esperanza o de un recuerdo.

En el cristal de un sueño he vislumbrado
el Cielo y el Infierno prometidos:
cuando el Juicio retumbe en las trompetas
últimas y el planeta milenario
sea obliterado y bruscamente cesen

¡oh Tiempo! tus efímeras pirámides,
los colores y líneas del pasado
definirán en la tiniebla un rostro
durmiente, inmóvil, fiel, inalterable
(tal vez el de la amada, quizá el tuyo)
y la contemplación de ese inmediato
rostro incesante, intacto, incorruptible,
será para los réprobos, Infierno;
para los elegidos, Paraíso.

1942

POEMA CONJETURAL

> *El doctor Francisco Laprida, asesinado el día 22 de setiembre de 1829 por los montoneros de Aldao, piensa antes de morir:*

Zumban las balas en la tarde última.
Hay viento y hay cenizas en el viento,
se dispersan el día y la batalla
deforme, y la victoria es de los otros.
Vencen los bárbaros, los gauchos vencen.
Yo, que estudié las leyes y los cánones,
yo, Francisco Narciso de Laprida,
cuya voz declaró la independencia
de estas crueles provincias, derrotado,
de sangre y de sudor manchado el rostro,
sin esperanza ni temor, perdido,
huyo hacia el Sur por arrabales últimos.
Como aquel capitán del Purgatorio
que, huyendo a pie y ensangrentando el llano,
fue cegado y tumbado por la muerte
donde un oscuro río pierde el nombre,
así habré de caer. Hoy es el término.
La noche lateral de los pantanos
me acecha y me demora. Oigo los cascos
de mi caliente muerte que me busca
con jinetes, con belfos y con lanzas.

Yo que anhelé ser otro, ser un hombre
de sentencias, de libros, de dictámenes,
a cielo abierto yaceré entre ciénagas;
pero me endiosa el pecho inexplicable
un júbilo secreto. Al fin me encuentro
con mi destino sudamericano.
A esta ruinosa tarde me llevaba
el laberinto múltiple de pasos
que mis días tejieron desde un día
de la niñez. Al fin he descubierto
la recóndita clave de mis años,
la suerte de Francisco de Laprida,
la letra que faltaba, la perfecta

forma que supo Dios desde el principio.
En el espejo de esta noche alcanzo
mi insospechado rostro eterno. El círculo
se va a cerrar. Yo aguardo que así sea.

Pisan mis pies la sombra de las lanzas
que me buscan. Las befas de mi muerte,
los jinetes, las crines, los caballos,
se ciernen sobre mí... Ya el primer golpe,
ya el duro hierro que me raja el pecho,
el íntimo cuchillo en la garganta.

1943

POEMA DEL CUARTO ELEMENTO

El dios a quien un hombre de la estirpe de Atreo
Apresó en una playa que el bochorno lacera,
Se convirtió en león, en dragón, en pantera,
En un árbol y en agua. Porque el agua es Proteo.

Es la nube, la irrecordable nube, es la gloria
Del ocaso que ahonda, rojo, los arrabales;
Es el Maelström que tejen los vórtices glaciales,
Y la lágrima inútil que doy a tu memoria.

Fue, en las cosmogonías, el origen secreto
De la tierra que nutre, del fuego que devora,
De los dioses que rigen el poniente y la aurora.
(Así lo afirman Séneca y Tales de Mileto.)

El mar y la moviente montaña que destruye
A la nave de hierro sólo son tus anáforas,
Y el tiempo irreversible que nos hiere y que huye,
Agua, no es otra cosa que una de tus metáforas.

Fuiste, bajo ruinosos vientos, el laberinto
Sin muros ni ventana, cuyos caminos grises
Largamente desviaron al anhelado Ulises,
A la Muerte segura y al Azar indistinto.

Brillas como las crueles hojas de los alfanjes,
Hospedas, como el sueño, monstruos y pesadillas.
Los lenguajes del hombre te agregan maravillas
Y tu fuga se llama el Éufrates o el Ganges.

(Afirman que es sagrada el agua del postrero,
Pero como los mares urden oscuros canjes
Y el planeta es poroso, también es verdadero
Afirmar que todo hombre se ha bañado en el Ganges.)

De Quincey, en el tumulto de los sueños, ha visto
Empedrarse tu océano de rostros, de naciones;
Has aplacado el ansia de las generaciones,
Has lavado la carne de mi padre y de Cristo.

Agua, te lo suplico. Por este soñoliento
Enlace de numéricas palabras que te digo,
Acuérdate de Borges, tu nadador, tu amigo.
No faltes a mis labios en el postrer momento.

A UN POETA MENOR DE LA ANTOLOGÍA

¿Dónde está la memoria de los días
que fueron tuyos en la tierra, y tejieron
dicha y dolor y fueron para tí el universo?

El río numerable de los años
los ha perdido; eres una palabra en un índice.

Dieron a otros gloria interminable los dioses,
inscripciones y exergos y monumentos y puntuales historiadores;
de ti sólo sabemos, oscuro amigo,
que oíste al ruiseñor, una tarde.

Entre los asfodelos de la sombra, tu vana sombra
pensará que los dioses han sido avaros.

Pero los días son una red de triviales miserias,
¿y habrá suerte mejor que la ceniza
de que está hecho el olvido?

Sobre otros arrojaron los dioses
la inexorable luz de la gloria, que mira las entrañas y enumera
　　　las grietas,
de la gloria, que acaba por ajar la rosa que venera;
contigo fueron más piadosos, hermano.

En el éxtasis de un atardecer que no será una noche,
oyes la voz del ruiseñor de Teócrito.

PÁGINA PARA RECORDAR AL CORONEL SUÁREZ, VENCEDOR EN JUNÍN

Qué importan las penurias, el destierro,
la humillación de envejecer, la sombra creciente
del dictador sobre la patria, la casa en el Barrio del Alto
que vendieron sus hermanos mientras guerreaba, los días inútiles
(los días que uno espera olvidar, los días que uno sabe que
      olvidará),
si tuvo su hora alta, a caballo,
en la visible pampa de Junín como en un escenario para el
      futuro,
como si el anfiteatro de montañas fuera el futuro.

Qué importa el tiempo sucesivo si en él
hubo una plenitud, un éxtasis, una tarde.

Sirvió trece años en las guerras de América. Al fin la suerte lo
      llevó al Estado Oriental, a campos del Río Negro.
En los atardeceres pensaría
que para él había florecido esa rosa:
la encarnada batalla de Junín, el instante infinito
en que las lanzas se tocaron, la orden que movió la batalla,
la derrota inicial, y entre los fragores
(no menos brusca para él que para la tropa)
su voz gritando a los peruanos que arremetieran,
la luz, el ímpetu y la fatalidad de la carga,
el furioso laberinto de los ejércitos,
la batalla de lanzas en la que no retumbó un solo tiro,
el *godo* que atravesó con el hierro,
la victoria, la felicidad, la fatiga, un principio de sueño,
y la gente muriendo entre los pantanos,
y Bolívar pronunciando palabras sin duda históricas
y el sol ya occidental y el recuperado sabor del agua y del vino,
y aquel muerto sin cara porque la pisó y borró la batalla...

Su bisnieto escribe estos versos y una tácita voz
desde lo antiguo de la sangre le llega:

—Qué importa mi batalla de Junín si es una gloriosa memoria,
una fecha que se aprende para un examen o un lugar en el atlas.
La batalla es eterna y puede prescindir de la pompa
de visibles ejércitos con clarines;
Junín son dos civiles que en una esquina maldicen a un tirano,
o un hombre oscuro que se muere en la cárcel.

1953

MATEO, XXV, 30

El primer puente de Constitución y a mis pies
Fragor de trenes que tejían laberintos de hierro.
Humo y silbatos escalaban la noche,
Que de golpe fue el Juicio Universal. Desde el invisible horizonte
Y desde el centro de mi ser, una voz infinita
Dijo estas cosas (estas cosas, no estas palabras,
Que son mi pobre traducción temporal de una sola palabra):
—Estrellas, pan, bibliotecas orientales y occidentales,
Naipes, tableros de ajedrez, galerías, claraboyas y sótanos,
Un cuerpo humano para andar por la tierra,
Uñas que crecen en la noche, en la muerte,
Sombra que olvida, atareados espejos que multiplican,
Declives de la música, la más dócil de las formas del tiempo,
Fronteras del Brasil y del Uruguay, caballos y mañanas,
Una pesa de bronce y un ejemplar de la Saga de Grettir,
Álgebra y fuego, la carga de Junín en tu sangre,
Días más populosos que Balzac, el olor de la madreselva,
Amor y víspera de amor y recuerdos intolerables,
El sueño como un tesoro enterrado, el dadivoso azar
Y la memoria, que el hombre no mira sin vértigo,
Todo eso te fue dado, y también
El antiguo alimento de los héroes:
La falsía, la derrota, la humillación.
En vano te hemos prodigado el océano,
En vano el sol, que vieron los maravillados ojos de Whitman;
Has gastado los años y te han gastado,
Y todavía no has escrito el poema.

1953

UNA BRÚJULA

A Esther Zemborain de Torres

Todas las cosas son palabras del
Idioma en que Alguien o Algo, noche y día,
Escribe esa infinita algarabía
Que es la historia del mundo. En su tropel

Pasan Cartago y Roma, yo, tú, él.
Mi vida que no entiendo, esta agonía
De ser enigma, azar, criptografía
Y toda la discordia de Babel.

Detrás del nombre hay lo que no se nombra;
Hoy he sentido gravitar su sombra
En esta aguja azul, lúcida y leve,

Que hacia el confín de un mar tiende su empeño,
Con algo de reloj visto en un sueño
Y algo de ave dormida que se mueve.

UNA LLAVE EN SALÓNICA

Abarbanel, Farías o Pinedo,
Arrojados de España por impía
Persecución, conservan todavía
La llave de una casa de Toledo.

Libres ahora de esperanza y miedo,
Miran la llave al declinar el día;
En el bronce hay ayeres, lejanía,
Cansado brillo y sufrimiento quedo.

Hoy que su puerta es polvo, el instrumento
Es cifra de la diáspora y del viento,
Afín a esa otra llave del santuario

Que alguien lanzó al azul, cuando el romano
Acometió con fuego temerario,
Y que en el cielo recibió una mano.

UN POETA DEL SIGLO XIII

Vuelve a mirar los arduos borradores
De aquel primer soneto innominado,
La página arbitraria en que ha mezclado
Tercetos y cuartetos pecadores.

Lima con lenta pluma sus rigores
Y se detiene. Acaso le ha llegado
Del porvenir y de su horror sagrado
Un rumor de remotos ruiseñores.

¿Habrá sentido que no estaba solo
Y que el arcano, el increíble Apolo
Le había revelado un arquetipo,

Un ávido cristal que apresaría
Cuanto la noche cierra o abre el día:
Dédalo, laberinto, enigma, Edipo?

UN SOLDADO DE URBINA

Sospechándose indigno de otra hazaña
Como aquélla en el mar, este soldado,
A sórdidos oficios resignado,
Erraba oscuro por su dura España.

Para borrar o mitigar la saña
De lo real, buscaba lo soñado
Y le dieron un mágico pasado
Los ciclos de Rolando y de Bretaña.

Contemplaría, hundido el sol, el ancho
Campo en que dura un resplandor de cobre;
Se creía acabado, solo y pobre,

Sin saber de qué música era dueño;
Atravesando el fondo de algún sueño,
Por él ya andaban don Quijote y Sancho.

LÍMITES

De estas calles que ahondan el poniente,
Una habrá (no sé cuál) que he recorrido
Ya por última vez, indiferente
Y sin adivinarlo, sometido

A Quién prefija omnipotentes normas
Y una secreta y rígida medida
A las sombras, los sueños y las formas
Que destejen y tejen esta vida.

Si para todo hay término y hay tasa
Y última vez y nunca más y olvido
¿Quién nos dirá de quién, en esta casa,
Sin saberlo, nos hemos despedido?

Tras el cristal ya gris la noche cesa
Y del alto de libros que una trunca
Sombra dilata por la vaga mesa,
Alguno habrá que no leeremos nunca.

Hay en el Sur más de un portón gastado
Con sus jarrones de mampostería
Y tunas, que a mi paso está vedado
Como si fuera una litografía.

Para siempre cerraste alguna puerta
Y hay un espejo que te aguarda en vano;
La encrucijada te parece abierta
Y la vigila, cuadrifronte, Jano.

Hay, entre todas tus memorias, una
Que se ha perdido irreparablemente;
No te verán bajar a aquella fuente
Ni el blanco sol ni la amarilla luna.

No volverá tu voz a lo que el persa
Dijo en su lengua de aves y de rosas,
Cuando al ocaso, ante la luz dispersa,
Quieras decir inolvidables cosas.

¿Y el incesante Ródano y el lago,
Todo ese ayer sobre el cual hoy me inclino?
Tan perdido estará como Cartago
Que con fuego y con sal borró el latino.

Creo en el alba oír un atareado
Rumor de multitudes que se alejan;
Son lo que me ha querido y olvidado;
Espacio y tiempo y Borges ya me dejan.

BALTASAR GRACIÁN

Laberintos, retruécanos, emblemas,
Helada y laboriosa nadería,
Fue para este jesuita la poesía,
Reducida por él a estratagemas.

No hubo música en su alma; sólo un vano
Herbario de metáforas y argucias
Y la veneración de las astucias
Y el desdén de lo humano y sobrehumano.

No lo movió la antigua voz de Homero
Ni esa, de plata y luna, de Virgilio;
No vio al fatal Edipo en el exilio
Ni a Cristo que se muere en un madero.

A las claras estrellas orientales
Que palidecen en la vasta aurora,
Apodó con palabra pecadora
Gallinas de los campos celestiales.

Tan ignorante del amor divino
Como del otro que en las bocas arde,
Lo sorprendió la Pálida una tarde
Leyendo las estrofas del Marino.

Su destino ulterior no está en la historia;
Librado a las mudanzas de la impura
Tumba el polvo que ayer fue su figura,
El alma de Gracián entró en la gloria.

¿Qué habrá sentido al contemplar de frente
Los Arquetipos y los Esplendores?
Quizá lloró y se dijo: Vanamente
Busqué alimento en sombras y en errores.

¿Qué sucedió cuando el inexorable
Sol de Dios, La Verdad, mostró su fuego?
Quizá la luz de Dios lo dejó ciego
En mitad de la gloria interminable.

Sé de otra conclusión. Dado a sus temas
Minúsculos, Gracián no vio la gloria
Y sigue resolviendo en la memoria
Laberintos, retruécanos y emblemas.

UN SAJÓN
(449 A. D.)

Ya se había hundido la encorvada luna;
Lento en el alba el hombre rubio y rudo
Pisó con receloso pie desnudo
La arena minuciosa de la duna.

Más allá de la pálida bahía,
Blancas tierras miró y negros alcores,
En esa hora elemental del día
En que Dios no ha creado los colores.

Era tenaz. Obraron su fortuna
Remos, redes, arado, espada, escudo;
La dura mano que guerreaba pudo
Grabar con hierro una porfiada runa.

De una tierra de ciénagas venía
A ésta que roen los pesados mares;
Sobre él se abovedaba como el día
El Destino, y también sobre sus lares,

Woden o Thunor, que con torpe mano
Engalanó de trapos y de clavos
Y en cuyo altar sacrificó al arcano
Caballos, perros, pájaros y esclavos.

Para cantar memorias o alabanzas
Amonedaba laboriosos nombres;
La guerra era el encuentro de los hombres
Y también el encuentro de las lanzas.

Su mundo era de magias en los mares,
De reyes y de lobos y del Hado
Que no perdona y del horror sagrado
Que hay en el corazón de los pinares.

Traía las palabras esenciales
De una lengua que el tiempo exaltaría
A música de Shakespeare: noche, día,
Agua, fuego, colores y metales,

Hambre, sed, amargura, sueño, guerra,
Muerte y los otros hábitos humanos;
En arduos montes y en abiertos llanos,
Sus hijos engendraron a Inglaterra.

EL GOLEM

Si (como el griego afirma en el Cratilo)
El nombre es arquetipo de la cosa,
En las letras de *rosa* está la rosa
Y todo el Nilo en la palabra *Nilo*.

Y, hecho de consonantes y vocales,
Habrá un terrible Nombre, que la esencia
Cifre de Dios y que la Omnipotencia
Guarde en letras y sílabas cabales.

Adán y las estrellas lo supieron
En el Jardín. La herrumbre del pecado
(Dicen los cabalistas) lo ha borrado
Y las generaciones lo perdieron.

Los artificios y el candor del hombre
No tienen fin. Sabemos que hubo un día
En que el pueblo de Dios buscaba el Nombre
En las vigilias de la judería.

No a la manera de otras que una vaga
Sombra insinúan en la vaga historia,
Aún está verde y viva la memoria
De Judá León, que era rabino en Praga.

Sediento de saber lo que Dios sabe,
Judá León se dio a permutaciones
de letras y a complejas variaciones
Y al fin pronunció el Nombre que es la Clave,

La Puerta, el Eco, el Huésped y el Palacio,
Sobre un muñeco que con torpes manos
labró, para enseñarle los arcanos
De las Letras, del Tiempo y del Espacio.

El simulacro alzó los soñolientos
Párpados y vio formas y colores
Que no entendió, perdidos en rumores
Y ensayó temerosos movimientos.

Gradualmente se vio (como nosotros)
Aprisionado en esta red sonora
de Antes, Después, Ayer, Mientras, Ahora,
Derecha, Izquierda, Yo, Tú, Aquellos, Otros.

(El cabalista que ofició de numen
A la vasta criatura apodó Golem;
Estas verdades las refiere Scholem
En un docto lugar de su volumen.)

El rabí le explicaba el universo
"Esto es mi pie; esto el tuyo; esto la soga."
Y logró, al cabo de años, que el perverso
Barriera bien o mal la sinagoga.

Tal vez hubo un error en la grafía
O en la articulación del Sacro Nombre;
A pesar de tan alta hechicería,
No aprendió a hablar el aprendiz de hombre.

Sus ojos, menos de hombre que de perro
Y harto menos de perro que de cosa,
Seguían al rabí por la dudosa
penumbra de las piezas del encierro.

Algo anormal y tosco hubo en el Golem,
Ya que a su paso el gato del rabino
Se escondía. (Ese gato no está en Scholem
Pero, a través del tiempo, lo adivino.)

Elevando a su Dios manos filiales,
Las devociones de su Dios copiaba
O, estúpido y sonriente, se ahuecaba
En cóncavas zalemas orientales.

El rabí lo miraba con ternura
Y con algún horror. ¿*Cómo* (se dijo)
*Pude engendrar este penoso hijo
Y la inacción dejé, que es la cordura?*

¿Por qué di en agregar a la infinita
Serie un símbolo más? ¿Por qué a la vana
Madeja que en lo eterno se devana,
Di otra causa, otro efecto y otra cuita?

En la hora de angustia y de luz vaga,
En su Golem los ojos detenía.
¿Quién nos dirá las cosas que sentía
Dios, al mirar a su rabino en Praga?

1958

EL TANGO

¿Dónde estarán? pregunta la elegía
De quienes ya no son, como si hubiera
Una región en que el Ayer pudiera
Ser el Hoy, el Aún y el Todavía.

¿Dónde estará (repito) el malevaje
Que fundó en polvorientos callejones
De tierra o en perdidas poblaciones
La secta del cuchillo y del coraje?

¿Dónde estarán aquellos que pasaron,
Dejando a la epopeya un episodio,
Una fábula al tiempo, y que sin odio,
Lucro o pasión de amor se acuchillaron?

Los busco en su leyenda, en la postrera
Brasa que, a modo de una vaga rosa,
Guarda algo de esa chusma valerosa
De los Corrales y de Balvanera.

¿Qué oscuros callejones o qué yermo
Del otro mundo habitará la dura
Sombra de aquel que era una sombra oscura,
Muraña, ese cuchillo de Palermo?

¿Y ese Iberra fatal (de quien los santos
Se apiaden) que en un puente de la vía,
Mató a su hermano el Ñato, que debía
Más muertes que él, y así igualó los tantos?

Una mitología de puñales
lentamente se anula en el olvido;
Una canción de gesta se ha perdido
En sórdidas noticias policiales.

Hay otra brasa, otra candente rosa
De la ceniza que los guarda enteros;
Ahí están los soberbios cuchilleros
Y el peso de la daga silenciosa.

Aunque la daga hostil o esa otra daga,
El tiempo, los perdieron en el fango,
Hoy, más allá del tiempo y de la aciaga
Muerte, esos muertos viven en el tango.

En la música están, en el cordaje
De la terca guitarra trabajosa,
Que trama en la milonga venturosa
La fiesta y la inocencia del coraje.

Gira en el hueco la amarilla rueda
De caballos y leones, y oigo el eco
De esos tangos de Arolas y de Greco
Que yo he visto bailar en la vereda,

En un instante que hoy emerge aislado,
Sin antes ni después, contra el olvido,
Y que tiene el sabor de lo perdido,
De lo perdido y lo recuperado.

En los acordes hay antiguas cosas:
El otro patio y la entrevista parra.
(Detrás de las paredes recelosas
El Sur guarda un puñal y una guitarra.)

Esa ráfaga, el tango, esa diablura,
Los atareados años desafía;
Hecho de polvo y tiempo, el hombre dura
Menos que la liviana melodía,

Que sólo es tiempo. El tango crea un turbio
Pasado irreal que de algún modo es cierto,
El recuerdo imposible de haber muerto
Peleando, en una esquina del suburbio.

EL OTRO

En el primero de sus largos miles
De hexámetros de bronce invoca el griego
A la ardua musa o a un arcano fuego
Para cantar la cólera de Aquiles.
Sabía que otro —un Dios— es el que hiere
De brusca luz nuestra labor oscura;
Siglos después diría la Escritura
Que el Espíritu sopla donde quiere.
La cabal herramienta a su elegido
Da el despiadado dios que no se nombra:
A Milton las paredes de la sombra,
El destierro a Cervantes y el olvido.
Suyo es lo que perdura en la memoria
Del tiempo secular. Nuestra la escoria.

UNA ROSA Y MILTON

De las generaciones de las rosas
Que en el fondo del tiempo se han perdido
Quiero que una se salve del olvido,
Una sin marca o signo entre las cosas
Que fueron. El destino me depara
Este don de nombrar por vez primera
Esa flor silenciosa, la postrera
Rosa que Milton acercó a su cara,
Sin verla. Oh tú bermeja o amarilla
O blanca rosa de un jardín borrado,
Deja mágicamente tu pasado
Inmemorial y en este verso brilla,
Oro, sangre o marfil o tenebrosa
Como en sus manos, invisible rosa.

LECTORES

De aquel hidalgo de cetrina y seca
Tez y de heroico afán se conjetura
Que, en víspera perpetua de aventura,
No salió nunca de su biblioteca.
La crónica puntual que sus empeños
Narra y sus tragicómicos desplantes
Fue soñada por él, no por Cervantes,
Y no es más que una crónica de sueños.
Tal es también mi suerte. Sé que hay algo
Inmortal y esencial que he sepultado
En esa biblioteca del pasado
En que leí la historia del hidalgo.
Las lentas hojas vuelve un niño y grave
Sueña con vagas cosas que no sabe.

JUAN, I, 14

Refieren las historias orientales
La de aquel rey del tiempo, que sujeto
A tedio y esplendor, sale en secreto
Y solo, a recorrer los arrabales
Y a perderse en la turba de las gentes
De rudas manos y de oscuros nombres;
Hoy, como aquel Emir de los Creyentes,
Harún, Dios quiere andar entre los hombres
Y nace de una madre, como nacen
Los linajes que en polvo se deshacen,
Y le será entregado el orbe entero,
Aire, agua, pan, mañanas, piedra y lirio,
Pero después la sangre del martirio,
El escarnio, los clavos y el madero.

EL DESPERTAR

Entra la luz y asciendo torpemente
De los sueños al sueño compartido
Y las cosas recobran su debido
Y esperado lugar y en el presente
Converge abrumador y vasto el vago
Ayer: las seculares migraciones
Del pájaro y del hombre, las legiones
Que el hierro destrozó, Roma y Cartago.
Vuelve también la cotidiana historia:
Mi voz, mi rostro, mi temor, mi suerte.
¡Ah, si aquel otro despertar, la muerte,
Me deparara un tiempo sin memoria
De mi nombre y de todo lo que he sido!
¡Ah, si en esa mañana hubiera olvido!

A QUIEN YA NO ES JOVEN

Ya puedes ver el trágico escenario
Y cada cosa en el lugar debido;
La espada y la ceniza para Dido
Y la moneda para Belisario.
¿A qué sigues buscando en el brumoso
Bronce de los hexámetros la guerra
Si están aquí los siete pies de tierra,
La brusca sangre y el abierto foso?
Aquí te acecha el insondable espejo
Que soñará y olvidará el reflejo
De tus postrimerías y agonías.
Ya te cerca lo último. Es la casa
Donde tu lenta y breve tarde pasa
Y la calle que ves todos los días.

ALEXANDER SELKIRK

Sueño que el mar, el mar aquél, me encierra
Y del sueño me salvan las campanas
De Dios, que santifican las mañanas
De estos íntimos campos de Inglaterra.
Cinco años padecí mirando eternas
Cosas de soledad y de infinito,
Que ahora son esa historia que repito,
Ya como una obsesión, en las tabernas.
Dios me ha devuelto al mundo de los hombres,
A espejos, puertas, números y nombres,
Y ya no soy aquél que eternamente
Miraba el mar y su profunda estepa
¿Y cómo haré para que ese otro sepa
Que estoy aquí, salvado, entre mi gente?

ODISEA, LIBRO VIGÉSIMO TERCERO

Ya la espada de hierro ha ejecutado
La debida labor de la venganza;
Ya los ásperos dardos y la lanza
La sangre del perverso han prodigado.
A despecho de un dios y de sus mares
A su reino y su reina ha vuelto Ulises,
A despecho de un dios y de los grises
Vientos y del estrépito de Ares.
Ya en el amor del compartido lecho
Duerme la clara reina sobre el pecho
De su rey pero ¿dónde está aquel hombre
Que en los días y noches del destierro
Erraba por el mundo como un perro
Y decía que Nadie era su nombre?

ÉL

Los ojos de tu carne ven el brillo
Del insufrible sol, tu carne toca
Polvo disperso o apretada roca;
Él es la luz, lo negro y lo amarillo.
Es y los ve. Desde incesantes ojos
Te mira y es los ojos que un reflejo
Indagan y los ojos del espejo,
Las negras hidras y los tigres rojos.
No le basta crear. Es cada una
De las criaturas de Su extraño mundo:
Las porfiadas raíces del profundo
Cedro y las mutaciones de la luna.
Me llamaban Caín. Por mí el Eterno
Sabe el sabor del fuego del infierno.

SARMIENTO

No lo abruman el mármol y la gloria.
Nuestra asidua retórica no lima
Su áspera realidad. Las aclamadas
Fechas de centenarios y de fastos
No hacen que este hombre solitario sea
Menos que un hombre. No es un eco antiguo
Que la cóncava fama multiplica
O, como éste o aquél, un blanco símbolo
Que pueden manejar las dictaduras.
Es él. Es el testigo de la patria,
El que ve nuestra infamia y nuestra gloria,
La luz de Mayo y el horror de Rosas
Y el otro horror y los secretos días
Del minucioso porvenir. Es alguien
Que sigue odiando, amando y combatiendo.
Sé que en aquellas albas de setiembre
Que nadie olvidará y que nadie puede
Contar, lo hemos sentido. Su obstinado
Amor quiere salvarnos. Noche y día
Camina entre los hombres, que le pagan
(Porque no ha muerto) su jornal de injurias
O de veneraciones. Abstraído
En su larga visión como en un mágico
Cristal que a un tiempo encierra las tres caras
Del tiempo que es después, antes, ahora,
Sarmiento el soñador sigue soñándonos.

A UN POETA MENOR DE 1899

Dejar un verso para la hora triste
Que en el confín del día nos acecha,
Ligar tu nombre a su doliente fecha
De oro y de vaga sombra. Éso quisiste.
¡Con qué pasión, al declinar el día,
Trabajarías el extraño verso
Que, hasta la dispersión del universo,
La hora de extraño azul confirmaría!
No sé si lo lograste ni siquiera,
Vago hermano mayor, si has existido,
Pero estoy solo y quiero que el olvido
Restituya a los días tu ligera
Sombra para este ya cansado alarde
De unas palabras en que esté la tarde.

TEXAS

Aquí también. Aquí, como en el otro
Confín del continente, el infinito
Campo en que muere solitario el grito;
Aquí también el indio, el lazo, el potro.
Aquí también el pájaro secreto
Que sobre los fragores de la historia
Canta para una tarde y su memoria;
Aquí también el místico alfabeto
De los astros, que hoy dictan a mi cálamo
Nombres que el incesante laberinto
De los días no arrastra: San Jacinto
Y esas otras Termópilas, el Álamo.
Aquí también esa desconocida
Y ansiosa y breve cosa que es la vida.

COMPOSICIÓN ESCRITA EN UN EJEMPLAR DE LA GESTA DE BEOWULF

A veces me pregunto qué razones
Me mueven a estudiar sin esperanza
De precisión, mientras mi noche avanza,
La lengua de los ásperos sajones.
Gastada por los años la memoria
Deja caer la en vano repetida
Palabra y es así como mi vida
Teje y desteje su cansada historia.
Será (me digo entonces) que de un modo
Secreto y suficiente el alma sabe
Que es inmortal y que su vasto y grave
Círculo abarca todo y puede todo.
Más allá de este afán y de este verso
Me aguarda inagotable el universo.

HENGIST CYNING

EPITAFIO DEL REY

Bajo la piedra yace el cuerpo de Hengist
Que fundó en estas islas el primer reino
De la estirpe de Odín
Y sació el hambre de las águilas.

HABLA EL REY

No sé qué runas habrá marcado el hierro en la piedra
Pero mis palabras son éstas:
Bajo los cielos yo fui Hengist el mercenario.
Vendí mi fuerza y mi coraje a los reyes
De las regiones del ocaso que lindan
Con el mar que se llama
El Guerrero Armado de Lanza,
Pero la fuerza y el coraje no sufren
Que las vendan los hombres
Y así, después de haber acuchillado en el Norte
A los enemigos del rey britano,
Le quité la luz y la vida.
Me place el reino que gané con la espada;
Hay ríos para el remo y para la red
Y largos veranos
Y tierra para el arado y para la hacienda
Y britanos para trabajarla
Y ciudades de piedra que entregaremos
A la desolación,
Porque las habitan los muertos.
Yo sé que a mis espaldas
Me tildan de traidor los britanos,
Pero yo he sido fiel a mi valentía
Y no he confiado mi destino a los otros
Y ningún hombre se animó a traicionarme.

FRAGMENTO

Una espada,
Una espada de hierro forjada en el frío del alba,
Una espada con runas
Que nadie podrá desoír ni descifrar del todo,
Una espada del Báltico que será cantada en Nortumbria,
Una espada que los poetas
Igualarán al hielo y al fuego,
Una espada que un rey dará a otro rey
Y este rey a un sueño,
Una espada que será leal
Hasta una hora que ya sabe el Destino,
Una espada que iluminará la batalla.

Una espada para la mano
Que regirá la hermosa batalla, el tejido de hombres,
Una espada para la mano
Que enrojecerá los dientes del lobo
Y el despiadado pico del cuervo,
Una espada para la mano
Que prodigará el oro rojo,
Una espada para la mano
Que dará muerte a la serpiente en su lecho de oro,
Una espada para la mano
Que ganará un reino y perderá un reino,
Una espada para la mano
Que derribará la selva de lanzas.
Una espada para la mano de Beowulf.

A UNA ESPADA EN YORK MINSTER

En su hierro perdura el hombre fuerte,
Hoy polvo de planeta, que en las guerras
De ásperos mares y arrasadas tierras
Lo esgrimió, vano al fin, contra la muerte.
Vana también la muerte. Aquí está el hombre
Blanco y feral que de Noruega vino,
Urgido por el épico destino;
Su espada es hoy su imagen y su nombre.
Pese a la larga muerte y su destierro,
La mano atroz sigue oprimiendo el hierro
Y soy sombra en la sombra ante el guerrero
Cuya sombra está aquí. Soy un instante
Y el instante ceniza, no diamante.
Y sólo lo pasado es verdadero.

A UN POETA SAJÓN

Tú cuya carne, hoy dispersión y polvo,
Pesó como la nuestra sobre la tierra,
Tú cuyos ojos vieron el sol, esa famosa estrella,
Tú que viviste no en el rígido ayer
Sino en el incesante presente,
En el último punto y ápice vertiginoso del tiempo,
Tú que en tu monasterio fuiste llamado
Por la antigua voz de la épica,
Tú que tejiste las palabras,
Tú que cantaste la victoria de Brunanburh
Y no la atribuiste al Señor
Sino a la espada de tu rey,
Tú que con júbilo feroz cantaste,
La humillación del viking,
El festín del cuervo y del águila,
Tú que en la oda militar congregaste
Las rituales metáforas de la estirpe,
Tú que en un tiempo sin historia
Viste en el ahora el ayer
Y en el sudor y sangre de Brunanburh
Un cristal de antiguas auroras,
Tú que tanto querías a tu Inglaterra
Y no la nombraste,
Hoy no eres otra cosa que unas palabras
Que los germanistas anotan.
Hoy no eres otra cosa que mi voz
Cuando revive tus palabras de hierro.

Pido a mis dioses o a la suma del tiempo
Que mis días merezcan el olvido,
Que mi nombre sea Nadie como el de Ulises,
Pero que algún verso perdure
En la noche propicia a la memoria
O en las mañanas de los hombres.

SNORRI STURLUSON (1179-1241)

Tú, que legaste una mitología
De hielo y fuego a la filial memoria,
Tú, que fijaste la violenta gloria
De tu estirpe pirática y bravía,
Sentiste con asombro en una tarde
De espadas que tu triste carne humana
Temblaba. En esa tarde sin mañana
Te fue dado saber que eras cobarde.
En la noche de Islandia, la salobre
Borrasca mueve el mar. Está cercada
Tu casa. Has bebido hasta las heces
El deshonor inolvidable. Sobre
Tu pálida cabeza cae la espada
Como en tu libro cayó tantas veces.

A CARLOS XII

Viking de las estepas, Carlos doce
De Suecia, que cumpliste aquel camino
Del Septentrión al Sur de tu divino
Antecesor Odín, fueron tu goce
Los trabajos que mueven la memoria
De los hombres al canto, la batalla
Mortal, el duro horror de la metralla,
La firme espada y la sangrienta gloria.
Supiste que vencer o ser vencido
Son caras de un Azar indiferente,
Que no hay otra virtud que ser valiente
Y que el mármol, al fin, será el olvido.
Ardes glacial, más solo que el desierto;
Nadie llegó a tu alma y ya estás muerto.

EMANUEL SWEDENBORG

Más alto que los otros, caminaba
Aquel hombre lejano entre los hombres;
Apenas si llamaba por sus nombres
Secretos a los ángeles. Miraba
Lo que no ven los ojos terrenales:
La ardiente geometría, el cristalino
Edificio de Dios y el remolino
Sórdido de los goces infernales.
Sabía que la Gloria y el Averno
En tu alma están y sus mitologías;
Sabía, como el griego, que los días
Del tiempo son espejos del Eterno.
En árido latín fue registrando
Últimas cosas sin por qué ni cuándo.

JONATHAN EDWARDS
(1703-1785)

Lejos de la ciudad, lejos del foro
Clamoroso y del tiempo, que es mudanza,
Edwards, eterno ya, sueña y avanza
A la sombra de árboles de oro.
Hoy es mañana y es ayer. No hay una
Cosa de Dios en el sereno ambiente
Que no lo exalte misteriosamente,
El oro de la tarde o de la luna.
Piensa feliz que el mundo es un eterno
Instrumento de ira y que el ansiado
Cielo para unos pocos fue creado
Y casi para todos el infierno.
En el centro puntual de la maraña
Hay otro prisionero, Dios, la Araña.

EMERSON

Ese alto caballero americano
Cierra el volumen de Montaigne y sale
En busca de otro goce que no vale
Menos, la tarde que ya exalta el llano.
Hacia el hondo poniente y su declive,
Hacia el confín que ese poniente dora,
Camina por los campos como ahora
Por la memoria de quien esto escribe.
Piensa: Leí los libros esenciales
Y otros compuse que el oscuro olvido
No ha de borrar. Un dios me ha concedido
Lo que es dado saber a los mortales.
Por todo el continente anda mi nombre;
No he vivido. Quisiera ser otro hombre.

EDGAR ALLAN POE

Pompas del mármol, negra anatomía
Que ultrajan los gusanos sepulcrales,
Del triunfo de la muerte los glaciales
Símbolos congregó. No los temía.
Temía la otra sombra, la amorosa,
Las comunes venturas de la gente;
No lo cegó el metal resplandeciente
Ni el mármol sepulcral sino la rosa.
Como del otro lado del espejo
Se entregó solitario a su complejo
Destino de inventor de pesadillas.
Quizá, del otro lado de la muerte,
Siga erigiendo solitario y fuerte
Espléndidas y atroces maravillas.

CAMDEN, 1892

El olor del café y de los periódicos.
El domingo y su tedio. La mañana
Y en la entrevista página esa vana
Publicación de versos alegóricos
De un colega feliz. El hombre viejo
Está postrado y blanco en su decente
Habitación de pobre. Ociosamente
Mira su cara en el cansado espejo.
Piensa, ya sin asombro, que esa cara
Es él. La distraída mano toca
La turbia barba y la saqueada boca.
No está lejos el fin. Su voz declara:
Casi no soy, pero mis versos ritman
La vida y su esplendor. Yo fui Walt Whitman.

PARÍS, 1856

La larga postración lo ha acostumbrado
A anticipar la muerte. Le daría
Miedo salir al clamoroso día
Y andar entre los hombres. Derribado,
Enrique Heine piensa en aquel río,
El tiempo, que lo aleja lentamente
De esa larga penumbra y del doliente
Destino de ser hombre y ser judío.
Piensa en las delicadas melodías
Cuyo instrumento fue, pero bien sabe
Que el trino no es del árbol ni del ave
Sino del tiempo y de sus vagos días.
No han de salvarte, no, tus ruiseñores,
Tus noches de oro y tus cantadas flores.

RAFAEL CANSINOS-ASSÉNS

La imagen de aquel pueblo lapidado
Y execrado, inmortal en su agonía,
En las negras vigilias lo atraía
Con una suerte de terror sagrado.
Bebió como quien bebe un hondo vino
Los Psalmos y el Cantar de la Escritura
Y sintió que era suya esa dulzura
Y sintió que era suyo aquel destino.
Lo llamaba Israel. Íntimamente
La oyó Cansinos como oyó el profeta
En la secreta cumbre la secreta
Voz del Señor desde la zarza ardiente.
Acompáñeme siempre su memoria;
Las otras cosas las dirá la gloria.

LOS ENIGMAS

Yo que soy el que ahora está cantando
Seré mañana el misterioso, el muerto,
El morador de un mágico y desierto
Orbe sin antes ni después ni cuándo.
Así afirma la mística. Me creo
Indigno del Infierno o de la Gloria,
Pero nada predigo. Nuestra historia
Cambia como las formas de Proteo.
¿Qué errante laberinto, qué blancura
Ciega de resplandor será mi suerte,
Cuando me entregue el fin de esta aventura
La curiosa experiencia de la muerte?
Quiero beber su cristalino Olvido,
Ser para siempre; pero no haber sido.

EL INSTANTE

¿Dónde estarán los siglos, dónde el sueño
De espadas que los tártaros soñaron,
Dónde los fuertes muros que allanaron,
Dónde el Árbol de Adán y el otro Leño?
El presente está solo. La memoria
Erige el tiempo. Sucesión y engaño
Es la rutina del reloj. El año
No es menos vano que la vana historia.
Entre el alba y la noche hay un abismo
De agonías, de luces, de cuidados;
El rostro que se mira en los gastados
Espejos de la noche no es el mismo.
El hoy fugaz es tenue y es eterno;
Otro Cielo no esperes, ni otro Infierno.

AL VINO

En el bronce de Homero resplandece tu nombre,
Negro vino que alegras el corazón del hombre.

Siglos de siglos hace que vas de mano en mano
Desde el ritón del griego al cuerno del germano.

En la aurora ya estabas. A las generaciones
Les diste en el camino tu fuego y tus leones.

Junto a aquel otro río de noches y de días
Corre el tuyo que aclaman amigos y alegrías,

Vino que como un Éufrates patriarcal y profundo
Vas fluyendo a lo largo de la historia del mundo.

En tu cristal que vive nuestros ojos han visto
Una roja metáfora de la sangre de Cristo.

En las arrebatadas estrofas del sufí
Eres la cimitarra, la rosa y el rubí.

Que otros en tu Leteo beban un triste olvido;
Yo busco en tí las fiestas del fervor compartido.

Sésamo con el cual antiguas noches abro
Y en la dura tiniebla, dádiva y candelabro.

Vino del mutuo amor o la roja pelea,
Alguna vez te llamaré. Que así sea.

SONETO DEL VINO

¿En qué reino, en qué siglo, bajo qué silenciosa
Conjunción de los astros, en qué secreto día
Que el mármol no ha salvado, surgió la valerosa
Y singular idea de inventar la alegría?
Con otoños de oro la inventaron. El vino
Fluye rojo a lo largo de las generaciones
Como el río del tiempo y en el arduo camino
Nos prodiga su música, su fuego y sus leones.
En la noche del júbilo o en la jornada adversa
Exalta la alegría o mitiga el espanto
Y el ditirambo nuevo que este día le canto
Otrora lo cantaron el árabe y el persa.
Vino, enséñame el arte de ver mi propia historia
Como si ésta ya fuera ceniza en la memoria.

1964

I

Ya no es mágico el mundo. Te han dejado.
Ya no compartirás la clara luna
Ni los lentos jardines. Ya no hay una
Luna que no sea espejo del pasado,
Cristal de soledad, sol de agonías.
Adiós las mutuas manos y las sienes
Que acercaba el amor. Hoy sólo tienes
La fiel memoria y los desiertos días.
Nadie pierde (repites vanamente)
Sino lo que no tiene y no ha tenido
Nunca, pero no basta ser valiente
Para aprender el arte del olvido.
Un símbolo, una rosa, te desgarra
Y te puede matar una guitarra.

II

Ya no seré feliz. Tal vez no importa.
Hay tantas otras cosas en el mundo;
Un instante cualquiera es más profundo
Y diverso que el mar. La vida es corta
Y aunque las horas son tan largas, una
Oscura maravilla nos acecha,
La muerte, ese otro mar, esa otra flecha
Que nos libra del sol y de la luna
Y del amor. La dicha que me diste
Y me quitaste debe ser borrada;
Lo que era todo tiene que ser nada.
Sólo me queda el goce de estar triste,
Esa vana costumbre que me inclina
Al Sur, a cierta puerta, a cierta esquina.

EL HAMBRE

Madre antigua y atroz de la incestuosa guerra,
Borrado sea tu nombre de la faz de la tierra.

Tú que arrojaste al círculo del horizonte abierto
La alta proa del viking, las lanzas del desierto.

En la Torre del Hambre de Ugolino de Pisa
Tienes tu monumento y en la estrofa concisa

Que nos deja entrever (sólo entrever) los días
Últimos y en la sombra que cae las agonías.

Tú que de sus pinares haces que surja el lobo
Y que guiaste la mano de Jean Valjean al robo.

Una de tus imágenes es aquel silencioso
Dios que devora el orbe sin ira y sin reposo,

El tiempo. Hay otra diosa de tiniebla y de osambre;
Su lecho es la vigilia y su pan es el hambre.

Tú que a Chatterton diste la muerte en la bohardilla
Entre los falsos códices y la luna amarilla.

Tú que entre el nacimiento del hombre y su agonía
Pides en la oración el pan de cada día.

Tú cuya lenta espada roe generaciones
Y sobre los testuces lanzas a los leones.

Madre antigua y atroz de la incestuosa guerra,
Borrado sea tu nombre de la faz de la tierra.

EL FORASTERO

Despachadas las cartas y el telegrama,
camina por las calles indefinidas
y advierte leves diferencias que no le importan
y piensa en Aberdeen o en Leyden,
más vívidas para él que este laberinto
de líneas rectas, no de complejidad,
donde lo lleva el tiempo de un hombre
cuya verdadera vida está lejos.
En una habitación numerada
se afeitará después ante un espejo
que no volverá a reflejarlo
y le parecerá que ese rostro
es más inescrutable y más firme
que el alma que lo habita
y que a lo largo de los años lo labra.
Se cruzará contigo en una calle
y acaso notarás que es alto y gris
y que mira las cosas.
Una mujer indiferente
le ofrecerá la tarde y lo que pasa
del otro lado de unas puertas. El hombre
piensa que olvidará su cara y recordará,
años después, cerca del Mar del Norte,
la persiana o la lámpara.
Esa noche, sus ojos contemplarán
en un rectángulo de formas que fueron,
al jinete y su épica llanura,
porque el Far West abarca el planeta
y se espeja en los sueños de los hombres
que nunca lo han pisado.
En la numerosa penumbra, el desconocido
se creerá en su ciudad
y lo sorprenderá salir a otra,
de otro lenguaje y de otro cielo.

Antes de la agonía,
el infierno y la gloria nos están dados;
andan ahora por esta ciudad, Buenos Aires,
que para el forastero de mi sueño
(el forastero que yo he sido bajo otros astros)
es una serie de imprecisas imágenes
hechas para el olvido.

A QUIEN ESTÁ LEYÉNDOME

Eres invulnerable. ¿No te han dado
Los númenes que rigen tu destino
Certidumbre de polvo? ¿No es acaso
Tu irreversible tiempo el de aquel río
En cuyo espejo Heráclito vio el símbolo
De su fugacidad? Te espera el mármol
Que no leerás. En él ya están escritos
La fecha, la ciudad y el epitafio.
Sueños del tiempo son también los otros,
No firme bronce ni acendrado oro;
El universo es, como tú, Proteo.
Sombra, irás a la sombra que te aguarda
Fatal en el confín de tu jornada;
Piensa que de algún modo ya estás muerto.

EL ALQUIMISTA

Lento en el alba un joven que han gastado
La larga reflexión y las avaras
Vigilias considera ensimismado
Los insomnes braseros y alquitaras.

Sabe que el oro, ese Proteo, acecha
Bajo cualquier azar, como el destino;
Sabe que está en el polvo del camino,
En el arco, en el brazo y en la flecha.

En su oscura visión de un ser secreto
Que se oculta en el astro y en el lodo,
Late aquel otro sueño de que todo
Es agua, que vio Tales de Mileto.

Otra visión habrá; la de un eterno
Dios cuya ubicua faz es cada cosa,
Que explicará el geométrico Spinoza
En un libro más arduo que el Averno...

En los vastos confines orientales
Del azul palidecen los planetas,
El alquimista piensa en las secretas
Leyes que unen planetas y metales.

Y mientras cree tocar enardecido
El oro aquél que matará la Muerte.
Dios, que sabe de alquimia, lo convierte
En polvo, en nadie, en nada y en olvido.

ALGUIEN

Un hombre trabajado por el tiempo,
un hombre que ni siquiera espera la muerte
(las pruebas de la muerte son estadísticas
y nadie hay que no corra el albur
de ser el primer inmortal),
un hombre que ha aprendido a agradecer
las modestas limosnas de los días:
el sueño, la rutina, el sabor del agua,
una no sospechada etimología,
un verso latino o sajón,
la memoria de una mujer que lo ha abandonado
hace ya tantos años
que hoy puede recordarla sin amargura,
un hombre que no ignora que el presente
ya es el porvenir y el olvido,
un hombre que ha sido desleal
y con el que fueron desleales,
puede sentir de pronto, al cruzar la calle,
una misteriosa felicidad
que no viene del lado de la esperanza
sino de una antigua inocencia,
de su propia raíz o de un dios disperso.

Sabe que no debe mirarla de cerca,
porque hay razones más terribles que tigres
que le demostrarán su obligación
de ser un desdichado,
pero humildemente recibe
esa felicidad, esa ráfaga.

Quizá en la muerte para siempre seremos,
cuando el polvo sea polvo,
esa indescifrable raíz,
de la cual para siempre crecerá,
ecuánime o atroz,
nuestro solitario cielo o infierno.

EVERNESS

Sólo una cosa no hay. Es el olvido.
Dios, que salva el metal, salva la escoria
Y cifra en Su profética memoria
Las lunas que serán y las que han sido.
Ya todo está. Los miles de reflejos
Que entre los dos crepúsculos del día
Tu rostro fue dejando en los espejos
Y los que irá dejando todavía.
Y todo es una parte del diverso
Cristal de esa memoria, el universo;
No tienen fin sus arduos corredores
Y las puertas se cierran a tu paso;
Sólo del otro lado del ocaso
Verás los Arquetipos y Esplendores.

EWIGKEIT

Torne en mi boca el verso castellano
A decir lo que siempre está diciendo
Desde el latín de Séneca: el horrendo
Dictamen de que todo es del gusano.
Torne a cantar la pálida ceniza,
Los fastos de la muerte y la victoria
De esa reina retórica que pisa
Los estandartes de la vanagloria.
No así. Lo que mi barro ha bendecido
No lo voy a negar como un cobarde.
Sé que una cosa no hay. Es el olvido;
Sé que en la eternidad perdura y arde
Lo mucho y lo precioso que he perdido:
Esa fragua, esa luna y esa tarde.

EDIPO Y EL ENIGMA

Cuadrúpedo en la aurora, alto en el día
Y con tres pies errando por el vano
Ámbito de la tarde, así veía
La eterna esfinge a su inconstante hermano,
El hombre, y con la tarde un hombre vino
Qué descifró aterrado en el espejo
De la monstruosa imagen, el reflejo
De su declinación y su destino.
Somos Edipo y de un eterno modo
La larga y triple bestia somos, todo
lo que seremos y lo que hemos sido.
Nos aniquilaría ver la ingente
Forma de nuestro ser; piadosamente
Dios nos depara sucesión y olvido.

SPINOZA

Las traslúcidas manos del judío
Labran en la penumbra los cristales
Y la tarde que muere es miedo y frío.
(Las tardes a las tardes son iguales.)
Las manos y el espacio de jacinto
Que palidece en el confín del Ghetto
Casi no existen para el hombre quieto
Que está soñando un claro laberinto.
No lo turba la fama, ese reflejo
De sueños en el sueño de otro espejo,
Ni el temeroso amor de las doncellas.
Libre de la metáfora y del mito
Labra un arduo cristal: el infinito
Mapa de Aquél que es todas Sus estrellas.

ESPAÑA

Más allá de los símbolos,
más allá de la pompa y la ceniza de los aniversarios,
más allá de la aberración del gramático
que ve en la historia del hidalgo
que soñaba ser don Quijote y al fin lo fue,
no una amistad y una alegría
sino un herbario de arcaísmos y un refranero,
estás, España silenciosa, en nosotros.
España del bisonte, que moriría
por el hierro o el rifle,
en las praderas del ocaso, en Montana,
España donde Ulises descendió a la Casa de Hades,
España del ibero, del celta, del cartaginés, y de Roma.
España de los duros visigodos,
de estirpe escandinava,
que deletrearon y olvidaron la escritura de Ulfilas,
pastor de pueblos,
España del Islam, de la cábala
y de la Noche Oscura del Alma,
España de los inquisidores,
que padecieron el destino de ser verdugos
y hubieran podido ser mártires,
España de la larga aventura
que descifró los mares y redujo crueles imperios
y que prosigue aquí, en Buenos Aires,
en este atardecer del mes de julio de 1964,
España de la otra guitarra, la desgarrada,
no la humilde, la nuestra,
España de los patios,
España de la piedra piadosa de catedrales y santuarios,
España de la hombría de bien y de la caudalosa amistad,
España del inútil coraje,
podemos profesar otros amores,
podemos olvidarte
como olvidamos nuestro propio pasado,

porque inseparablemente estás en nosotros,
en los íntimos hábitos de la sangre,
en los Acevedo y los Suárez de mi linaje,
España,
madre de ríos y de espadas y de multiplicadas generaciones,
incesante y fatal.

ELEGÍA

Oh destino el de Borges,
haber navegado por los diversos mares del mundo
o por el único y solitario mar de nombres diversos,
haber sido una parte de Edimburgo, de Zürich, de las dos Córdobas,
de Colombia y de Texas,
haber regresado, al cabo de cambiantes generaciones,
a las antiguas tierras de su estirpe,
a Andalucía, a Portugal y a aquellos condados
donde el sajón guerreó con el danés y mezclaron sus sangres,
haber errado por el rojo y tranquilo laberinto de Londres,
haber envejecido en tantos espejos,
haber buscado en vano la mirada de mármol de las estatuas,
haber examinado litografías, enciclopedias, atlas,
haber visto las cosas que ven los hombres,
      la muerte, el torpe amanecer, la llanura
y las delicadas estrellas,
y no haber visto nada o casi nada
sino el rostro de una muchacha de Buenos Aires,
un rostro que no quiere que lo recuerde.
Oh destino de Borges, tal vez no más extraño que el tuyo.

Bogotá, 1963.

ADAM CAST FORTH

¿Hubo un Jardín o fue el Jardín un sueño?
Lento en la vaga luz, me he preguntado,
Casi como un consuelo, si el pasado
De que este Adán, hoy mísero, era dueño,
No fue sino una mágica impostura
De aquel Dios que soñé. Ya es impreciso
En la memoria el claro Paraíso,
Pero yo sé que existe y que perdura,
Aunque no para mí. La terca tierra
Es mi castigo y la incestuosa guerra
De Caínes y Abeles y su cría.
Y, sin embargo, es mucho haber amado,
Haber sido feliz, haber tocado
El viviente Jardín, siquiera un día.

A UNA MONEDA

Fría y tormentosa la noche que zarpé de Montevideo.
Al doblar el Cerro,
tiré desde la cubierta más alta
una moneda que brilló y se anegó en las aguas barrosas,
una cosa de luz que arrebataron el tiempo y la tiniebla.
Tuve la sensación de haber cometido un acto irrevocable,
de agregar a la historia del planeta
dos series incesantes, paralelas, quizá infinitas:
mi destino, hecho de zozobra, de amor y de vanas vicisitudes
y el de aquel disco de metal
que las aguas darían al blando abismo
o a los remotos mares que aún roen
despojos del sajón y del viking.
A cada instante de mi sueño o de mi vigilia
corresponde otro de la ciega moneda.
A veces he sentido remordimiento
y otras envidia,
de ti que estás, como nosotros, en el tiempo y su laberinto
y que no lo sabes.

OTRO POEMA DE LOS DONES

Gracias quiero dar al divino
Laberinto de los efectos y de las causas
Por la diversidad de las criaturas
Que forman este singular universo,
Por la razón, que no cesará de soñar
Con un plano del laberinto,
Por el rostro de Elena y la perseverancia de Ulises,
Por el amor, que nos deja ver a los otros
Como los ve la divinidad,
Por el firme diamante y el agua suelta,
Por el álgebra, palacio de precisos cristales,
Por las místicas monedas de Ángel Silesio,
Por Schopenhauer,
Que acaso descifró el universo,
Por el fulgor del fuego
Que ningún ser humano puede mirar sin un asombro antiguo,
Por la caoba, el cedro y el sándalo,
Por el pan y la sal,
Por el misterio de la rosa
Que prodiga color y que no lo ve,
Por ciertas vísperas y días de 1955,
Por los duros troperos que en la llanura
Arrean los animales y el alba,
Por la mañana en Montevideo,
Por el arte de la amistad,
Por el último día de Sócrates,
Por las palabras que en un crepúsculo se dijeron
De una cruz a otra cruz,
Por aquel sueño del Islam que abarcó
Mil noches y una noche,
Por aquel otro sueño del infierno,
De la torre del fuego que purifica
Y de las esferas gloriosas,
Por Swedenborg,
Que conversaba con los ángeles en las calles de Londres,
Por los ríos secretos e inmemoriales
Que convergen en mí,
Por el idioma que, hace siglos, hablé en Nortumbria,
Por la espada y el arpa de los sajones,

Por el mar, que es un desierto resplandeciente
Y una cifra de cosas que no sabemos
Y un epitafio de los vikings,
Por la música verbal de Inglaterra,
Por la música verbal de Alemania,
Por el oro, que relumbra en los versos,
Por el épico invierno,
Por el nombre de un libro que no he leído:
    Gesta Dei per Francos,
Por Verlaine, inocente como los pájaros,
Por el prisma de cristal y la pesa de bronce,
Por las rayas del tigre,
Por las altas torres de San Francisco y de la isla de Manhattan,
Por la mañana en Texas,
Por aquel sevillano que redactó la Epístola Moral
Y cuyo nombre, como él hubiera preferido, ignoramos,
Por Séneca y Lucano, de Córdoba,
Que antes del español escribieron
Toda la literatura española,
Por el geométrico y bizarro ajedrez,
Por la tortuga de Zenón y el mapa de Royce,
Por el olor medicinal de los eucaliptos,
Por el lenguaje, que puede simular la sabiduría,
Por el olvido, que anula o modifica el pasado,
Por la costumbre,
Que nos repite y nos confirma como un espejo,
Por la mañana, que nos depara la ilusión de un principio,
Por la noche, su tiniebla y su astronomía,
Por el valor y la felicidad de los otros,
Por la patria, sentida en los jazmines
O en una vieja espada,
Por Whitman y Francisco de Asís, que ya escribieron el poema,
Por el hecho de que el poema es inagotable
Y se confunde con la suma de las criaturas
Y no llegará jamás al último verso
Y varía según los hombres,
Por Frances Haslam, que pidió perdón a sus hijos
Por morir tan despacio,
Por los minutos que preceden al sueño,
Por el sueño y la muerte,
Esos dos tesoros ocultos,
Por los íntimos dones que no enumero,
Por la música, misteriosa forma del tiempo.

ODA ESCRITA EN 1966

Nadie es la patria. Ni siquiera el jinete
Que, alto en el alba de una plaza desierta,
Rige un corcel de bronce por el tiempo,
Ni los otros que miran desde el mármol,
Ni los que prodigaron su bélica ceniza
Por los campos de América
O dejaron un verso o una hazaña
O la memoria de una vida cabal
En el justo ejercicio de los días.
Nadie es la patria. Ni siquiera los símbolos.

Nadie es la patria. Ni siquiera el tiempo
Cargado de batallas, de espadas y de éxodos
Y de la lenta población de regiones
Que lindan con la aurora y el ocaso,
Y de rostros que van envejeciendo
En los espejos que se empañan
Y de sufridas agonías anónimas
Que duran hasta el alba
Y de la telaraña de la lluvia
Sobre negros jardines.

La patria, amigos, es un acto perpetuo
Como el perpetuo mundo. (Si el Eterno
Espectador dejara de soñarnos
Un solo instante, nos fulminaría,
Blanco y brusco relámpago, Su olvido.)
Nadie es la patria, pero todos debemos
Ser dignos del antiguo juramento
Que prestaron aquellos caballeros
De ser lo que ignoraban, argentinos,
De ser lo que serían por el hecho
De haber jurado en esa vieja casa.
Somos el porvenir de esos varones,

La justificación de aquellos muertos;
Nuestro deber es la gloriosa carga
Que a nuestra sombra legan esas sombras
Que debemos salvar.
Nadie es la patria, pero todos lo somos.
Arda en mi pecho y en el vuestro, incesante,
Ese límpido fuego misterioso.

EL SUEÑO

Si el sueño fuera (como dicen) una
Tregua, un puro reposo de la mente,
¿Por qué, si te despiertan bruscamente,
Sientes que te han robado una fortuna?
¿Por qué es tan triste madrugar? La hora
Nos despoja de un don inconcebible,
Tan íntimo que sólo es traducible
En un sopor que la vigilia dora
De sueños, que bien pueden ser reflejos
Truncos de los tesoros de la sombra,
De un orbe intemporal que no se nombra
Y que el día deforma en sus espejos.
¿Quién serás esta noche en el oscuro
Sueño, del otro lado de su muro?

JUNÍN

Soy, pero soy también el otro, el muerto,
El otro de mi sangre y de mi nombre;
Soy un vago señor y soy el hombre
Que detuvo las lanzas del desierto.
Vuelvo a Junín, donde no estuve nunca,
A tu Junín, abuelo Borges. ¿Me oyes,
Sombra o ceniza última, o desoyes
En tu sueño de bronce esta voz trunca?
Acaso buscas por mis vanos ojos
El épico Junín de tus soldados,
El árbol que plantaste, los cercados
Y en el confín la tribu y los despojos.
Te imagino severo, un poco triste.
Quién me dirá cómo eras y quién fuiste.

Junín, 1966.

UN SOLDADO DE LEE
(1862)

Lo ha alcanzado una bala en la ribera
De una clara corriente cuyo nombre
Ignora. Cae de boca. (Es verdadera
La historia y más de un hombre fue aquel hombre.)
El aire de oro mueve las ociosas
Hojas de los pinares. La paciente
Hormiga escala el rostro indiferente.
Sube el sol. Ya han cambiado muchas cosas
Y cambiarán sin término hasta cierto
Día del porvenir en que te canto
A ti que, sin la dádiva del llanto,
Caíste como cae un hombre muerto.
No hay un mármol que guarde tu memoria;
Seis pies de tierra son tu oscura gloria.

EL MAR

Antes que el sueño (o el terror) tejiera
Mitologías y cosmogonías,
Antes que el tiempo se acuñara en días,
El mar, el siempre mar, ya estaba y era.
¿Quién es el mar? ¿Quién es aquel violento
Y antiguo ser que roe los pilares
De la tierra y es uno y muchos mares
Y abismo y resplandor y azar y viento?
Quien lo mira lo ve por vez primera,
Siempre. Con el asombro que las cosas
Elementales dejan, las hermosas
Tardes, la luna, el fuego de una hoguera.
¿Quién es el mar, quién soy? Lo sabré el día
Ulterior que sucede a la agonía.

UNA MAÑANA DE 1649

Carlos avanza entre su pueblo. Mira
A izquierda y a derecha. Ha rechazado
Los brazos de la escolta. Liberado
De la necesidad de la mentira,
Sabe que hoy va a la muerte, no al olvido,
Y que es un rey. La ejecución lo espera;
La mañana es atroz y verdadera.
No hay temor en su carne. Siempre ha sido,
A fuer de buen tahur, indiferente.
Ha apurado la vida hasta las heces;
Ahora está solo entre la armada gente.
No lo infama el patíbulo. Los jueces
No son el Juez. Saluda levemente
Y sonríe. Lo ha hecho tantas veces.

A UN POETA SAJÓN

La nieve de Nortumbria ha conocido
Y ha olvidado la huella de tus pasos
Y son innumerables los ocasos
Que entre nosotros, gris hermano, han sido.
Lento en la lenta sombra labrarías
Metáforas de espadas en los mares
Y del horror que mora en los pinares
Y de la soledad que traen los días.
¿Dónde buscar tus rasgos y tu nombre?
Ésas son cosas que el antiguo olvido
Guarda. Nunca sabré cómo habrá sido
Cuando sobre la tierra fuiste un hombre.
Seguiste los caminos del destierro;
Ahora sólo eres tu cantar de hierro.

BUENOS AIRES

Antes, yo te buscaba en tus confines
Que lindan con la tarde y la llanura
Y en la verja que guarda una frescura
Antigua de cedrones y jazmines.
En la memoria de Palermo estabas,
En su mitología de un pasado
De baraja y puñal y en el dorado
Bronce de las inútiles aldabas,
Con su mano y sortija. Te sentía
En los patios del Sur y en la creciente
Sombra que desdibuja lentamente
Su larga recta, al declinar el día.
Ahora estás en mí. Eres mi vaga
Suerte, esas cosas que la muerte apaga.

BUENOS AIRES

Y la ciudad, ahora, es como un plano
De mis humillaciones y fracasos;
Desde esa puerta he visto los ocasos
Y ante ese mármol he aguardado en vano.
Aquí el incierto ayer y el hoy distinto
Me han deparado los comunes casos
De toda suerte humana; aquí mis pasos
Urden su incalculable laberinto.
Aquí la tarde cenicienta espera
El fruto que le debe la mañana;
Aquí mi sombra en la no menos vana
Sombra final se perderá, ligera.
No nos une el amor sino el espanto;
Será por eso que la quiero tanto.

AL HIJO

No soy yo quien te engendra. Son los muertos.
Son mi padre, su padre y sus mayores;
Son los que un largo dédalo de amores
Trazaron desde Adán y los desiertos
De Caín y de Abel, en una aurora
Tan antigua que ya es mitología,
Y llegan, sangre y médula, a este día
Del porvenir, en que te engendro ahora.
Siento su multitud. Somos nosotros
Y, entre nosotros, tú y los venideros
Hijos que has de engendrar. Los postrimeros
Y los del rojo Adán. Soy esos otros,
También. La eternidad está en las cosas
Del tiempo, que son formas presurosas.

LOS COMPADRITOS MUERTOS

Siguen apuntalando la recova
Del Paseo de Julio, sombras vanas
En eterno altercado con hermanas
Sombras o con el hambre, esa otra loba.
Cuando el último sol es amarillo
En la frontera de los arrabales,
Vuelven a su crepúsculo, fatales
Y muertos, a su puta y su cuchillo.
Perduran en apócrifas historias,
En un modo de andar, en el rasguido
De una cuerda, en un rostro, en un silbido,
En pobres cosas y en oscuras glorias.
En el íntimo patio de la parra
Cuando la mano templa la guitarra.

Para las seis cuerdas
(1965)

PRÓLOGO

Toda lectura implica una colaboración y casi una complicidad. En el Fausto, debemos admitir que un gaucho pueda seguir el argumento de una ópera cantada en un idioma que no conoce; en el Martín Fierro, un vaivén de bravatas y de quejumbres, justificadas por el propósito político de la obra, pero del todo ajenas a la índole sufrida de los paisanos y a los precavidos modales del payador.

En el modesto caso de mis milongas, el lector debe suplir la música ausente por la imagen de un hombre que canturrea, en el umbral de su zaguán o en un almacén, acompañándose con la guitarra. La mano se demora en las cuerdas y las palabras cuentan menos que los acordes.

He querido eludir la sensiblería del inconsolable "tango-canción" y el manejo sistemático del lunfardo, que infunde un aire artificioso a las sencillas coplas.

Que yo sepa, ninguna otra aclaración requieren estos versos.

J. L. B.

Buenos Aires, junio de 1965.

MILONGA DE DOS HERMANOS

Traiga cuentos la guitarra
De cuando el fierro brillaba,
Cuentos de truco y de taba,
De cuadreras y de copas,
Cuentos de la Costa Brava
Y el Camino de las Tropas.

Venga una historia de ayer
Que apreciarán los más lerdos;
El destino no hace acuerdos
Y nadie se lo reproche—
Ya estoy viendo que esta noche
Vienen del Sur los recuerdos.

Velay, señores, la historia
De los hermanos Iberra,
Hombres de amor y de guerra
Y en el peligro primeros,
La flor de los cuchilleros
Y ahora los tapa la tierra.

Suelen al hombre perder
La soberbia o la codicia;
También el coraje envicia
A quien le da noche y día—
El que era menor debía
Más muertes a la justicia.

Cuando Juan Iberra vio
Que el menor lo aventajaba,
La paciencia se le acaba
Y le armó no sé qué lazo—
Le dio muerte de un balazo,
Allá por la Costa Brava.

Sin demora y sin apuro
Lo fue tendiendo en la vía

Para que el tren lo pisara.
El tren lo dejó sin cara,
Que es lo que el mayor quería.

Así de manera fiel
Conté la historia hasta el fin;
Es la historia de Caín
Que sigue matando a Abel.

¿DÓNDE SE HABRÁN IDO?

Según su costumbre, el sol
Brilla y muere, muere y brilla
Y en el patio, como ayer,
Hay una luna amarilla,
Pero el tiempo, que no ceja,
Todas las cosas mancilla—
Se acabaron los valientes
Y no han dejado semilla.

¿Dónde están los que salieron
A libertar las naciones
O afrontaron en el Sur
Las lanzas de los malones?
¿Dónde están los que a la guerra
Marchaban en batallones?
¿Dónde están los que morían
En otras revoluciones?

—No se aflija. En la memoria
De los tiempos venideros
También nosotros seremos
Los tauras y los primeros.

El ruin será generoso
Y el flojo será valiente:
No hay cosa como la muerte
Para mejorar la gente.

¿Dónde está la valerosa
Chusma que pisó esta tierra,
La que doblar no pudieron
Perra vida y muerte perra,
Los que en el duro arrabal
Vivieron como en la guerra,
Los Muraña por el Norte
Y por el Sur los Iberra?

¿Qué fue de tanto animoso?
¿Qué fue de tanto bizarro?

A todos los gastó el tiempo,
A todos los tapa el barro.
Juan Muraña se olvidó
Del cadenero y del carro
Y ya no sé si Moreira
Murió en Lobos o en Navarro.

—No se aflija. En la memoria...

MILONGA DE JACINTO CHICLANA

Me acuerdo. Fue en Balvanera,
En una noche lejana
Que alguien dejó caer el nombre
De un tal Jacinto Chiclana.

Algo se dijo también
De una esquina y de un cuchillo;
Los años nos dejan ver
El entrevero y el brillo.

Quién sabe por qué razón
Me anda buscando ese nombre;
Me gustaría saber
Cómo habrá sido aquel hombre.

Alto lo veo y cabal,
Con el alma comedida,
Capaz de no alzar la voz
Y de jugarse la vida.

Nadie con paso más firme
Habrá pisado la tierra;
Nadie habrá habido como él
En el amor y en la guerra.

Sobre la huerta y el patio
Las torres de Balvanera
Y aquella muerte casual
En una esquina cualquiera.

No veo los rasgos. Veo,
Bajo el farol amarillo,
El choque de hombres o sombras
Y esa víbora, el cuchillo.

Acaso en aquel momento
En que le entraba la herida,
Pensó que a un varón le cuadra
No demorar la partida.

Sólo Dios puede saber
La laya fiel de aquel hombre;
Señores, yo estoy cantando
Lo que se cifra en el nombre.

Entre las cosas hay una
De la que no se arrepiente
Nadie en la tierra. Esa cosa
Es haber sido valiente.

Siempre el coraje es mejor,
La esperanza nunca es vana;
Vaya pues esta milonga
Para Jacinto Chiclana.

MILONGA DE DON NICANOR PAREDES

Venga un rasgueo y ahora,
Con el permiso de ustedes,
Le estoy cantando, señores,
A don Nicanor Paredes.

No lo vi rígido y muerto
Ni siquiera lo vi enfermo;
Lo veo con paso firme
Pisar su feudo, Palermo.

El bigote un poco gris
Pero en los ojos el brillo
Y cerca del corazón
El bultito del cuchillo.

El cuchillo de esa muerte
De la que no le gustaba
Hablar; alguna desgracia
De cuadreras o de taba.

De atrio, más bien. Fue caudillo,
Si no me marra la cuenta,
Allá por los tiempos bravos
Del ochocientos noventa.

Lacia y dura la melena
Y aquel empaque de toro;
La chalina sobre el hombro
Y el rumboso anillo de oro.

Entre sus hombres había
Muchos de valor sereno;
Juan Muraña y aquel Suárez
Apellidado el Chileno.

Cuando entre esa gente mala
Se armaba algún entrevero
Él lo paraba de golpe,
De un grito o con el talero.

Varón de ánimo parejo
En la buena o en la mala;
"En casa del jabonero
El que no cae se refala."

Sabía contar sucedidos,
Al compás de la vihuela,
De las casas de Junín
Y de las carpas de Adela.

Ahora está muerto y con él
Cuánta memoria se apaga
De aquel Palermo perdido
Del baldío y de la daga.

Ahora está muerto y me digo:
¿Qué hará usted, don Nicanor,
En un cielo sin caballos
Ni envido, retruco y flor?

UN CUCHILLO EN EL NORTE

Allá por el Maldonado,
Que hoy corre escondido y ciego,
Allá por el barrio gris
Que cantó el pobre Carriego,

Tras una puerta entornada
Que da al patio de la parra,
Donde las noches oyeron
El amor de la guitarra,

Habrá un cajón y en el fondo
Dormirá con duro brillo,
Entre esas cosas que el tiempo
Sabe olvidar, un cuchillo.

Fue de aquel Saverio Suárez,
Por más mentas el Chileno,
Que en garitos y elecciones
Probó siempre que era bueno.

Los chicos, que son el diablo,
Lo buscarán con sigilo
Y probarán en la yema
Si no se ha mellado el filo.

Cuántas veces habrá entrado
En la carne de un cristiano
Y ahora está arrumbado y solo,
A la espera de una mano,

Que es polvo. Tras el cristal
Que dora un sol amarillo,
A través de años y casas,
Yo te estoy viendo, cuchillo.

EL TÍTERE

A un compadrito le canto
Que era el patrón y el ornato
De las casas menos santas
Del barrio de Triunvirato.

Atildado en el vestir,
Medio mandón en el trato;
Negro el chambergo y la ropa,
Negro el charol del zapato.

Como luz para el manejo
Le firmaba un garabato
En la cara al más garifo,
de un solo brinco, a lo gato.

Bailarín y jugador,
No sé si chino o mulato,
Lo mimaba el conventillo,
Que hoy se llama inquilinato.

A las pardas zaguaneras
No les resultaba ingrato
El amor de ese valiente,
Que les dio tan buenos ratos.

El hombre, según se sabe,
Tiene firmado un contrato
Con la muerte. En cada esquina
Lo anda acechando el mal rato.

Un balazo lo tumbó
En Thames y Triunvirato;
Se mudó a un barrio vecino,
El de la Quinta del Ñato.

MILONGA DE LOS MORENOS.

Alta la voz y animosa
Como si cantara flor,
Hoy, caballeros, le canto
A la gente de color.

Marfil negro los llamaban
Los ingleses y holandeses
Que aquí los desembarcaron
Al cabo de largos meses.

En el barrio del Retiro
Hubo mercado de esclavos;
De buena disposición
Y muchos salieron bravos

De su tierra de leones
Se olvidaron como niños
Y aquí los aquerenciaron
La costumbre y los cariños.

Cuando la patria nació
Una mañana de Mayo,
El gaucho sólo sabía
Hacer la guerra a caballo.

Alguien pensó que los negros
No eran ni zurdos ni ajenos
Y se formó el Regimiento
De Pardos y de Morenos.

El sufrido regimiento
Que llevó el número seis
Y del que dijo Ascasubi:
"Más bravo que gallo inglés"

Y así fue que en la otra banda
Esa morenada, al grito
De Soler, atropelló
En la carga del Cerrito.

Martín Fierro mató un negro
Y es casi como si hubiera
Matado a todos. Sé de uno
Que murió por la bandera.

De tarde en tarde en el Sur
Me mira un rostro moreno,
Trabajado por los años
Y a la vez triste y sereno.

¿A qué cielo de tambores
Y siestas largas se han ido?
Se los ha llevado el tiempo,
El tiempo que es el olvido.

MILONGA PARA LOS ORIENTALES

Milonga que este porteño
Dedica a los orientales,
Agradeciendo memorias
De tardes y de ceibales.

El sabor de lo oriental
Con estas palabras pinto;
Es el sabor de lo que es
Igual y un poco distinto.

Milonga de tantas cosas
Que se van quedando lejos;
La quinta con mirador
y el zócalo de azulejos.

En tu banda sale el sol
Apagando la farola
Del Cerro y dando alegría
A la arena y a la ola.

Milonga de los troperos
Que hartos de tierra y camino
Pitaban tabaco negro
En el Paso del Molino.

A orillas del Uruguay,
Me acuerdo de aquel matrero
Que lo atravesó, prendido
De la cola de su overo.

Milonga del primer tango
Que se quebró, nos da igual,
En las casas de Junín
O en las casas de Yerbal.

Como los tientos de un lazo
Se entrevera nuestra historia,
Esa historia de a caballo
Que huele a sangre y a gloria.

Milonga de aquel gauchaje
que arremetió con denuedo
En la pampa, que es pareja,
O en la Cuchilla de Haedo.

¿Quién dirá de quiénes fueron
Esas lanzas enemigas
Que irá desgastando el tiempo,
Si de Ramírez o Artigas?

Para pelear como hermanos
Era buena cualquier cancha;
Que lo digan los que vieron
Su último sol en Cagancha.

Hombro a hombro o pecho a pecho,
Cuántas veces combatimos.
¡Cuántas veces nos corrieron,
Cuántas veces los corrimos!

Milonga del olvidado
Que muere y que no se queja;
Milonga de la garganta
Tajeada de oreja a oreja.

Milonga del domador
De potros de casco duro
Y de la plata que alegra
El apero del oscuro.

Milonga de la milonga
A la sombra del ombú,
Milonga del otro Hernández
Que se batió en Paysandú.

Milonga para que el tiempo
Vaya borrando fronteras;
Por algo tienen los mismos
Colores las dos banderas.

MILONGA DE ALBORNOZ

Alguien ya contó los días,
Alguien ya sabe la hora,
Alguien para Quien no hay
Ni premuras ni demora.

Albornoz pasa silbando
Una milonga entrerriana;
Bajo el ala del chambergo
Sus ojos ven la mañana,

La mañana de este día
Del ochocientos noventa;
En el bajo del Retiro
Ya le han perdido la cuenta

De amores y de trucadas
Hasta el alba y de entreveros
A fierro con los sargentos,
Con propios y forasteros.

Se la tienen bien jurada
Más de un taura y más de un pillo;
En una esquina del Sur
Lo está esperando un cuchillo.

No un cuchillo sino tres,
Antes de clarear el día,
Se le vinieron encima
Y el hombre se defendía.

Un acero entró en el pecho
Ni se le movió la cara;
Alejo Albornoz murió
Como si no le importara.

Pienso que le gustaría
Saber que hoy anda su historia
En una milonga. El tiempo
Es olvido y es memoria.

MILONGA DE MANUEL FLORES

Manuel Flores va a morir.
Eso es moneda corriente;
Morir es una costumbre
Que sabe tener la gente.

Y sin embargo me duele
Decirle adiós a la vida,
Esa cosa tan de siempre,
Tan dulce y tan conocida.

Miro en el alba mis manos,
Miro en las manos las venas;
Con extrañeza las miro
Como si fueran ajenas.

Vendrán los cuatro balazos
Y con los cuatro el olvido;
Lo dijo el sabio Merlín:
Morir es haber nacido.

¡Cuánta cosa en su camino
Estos ojos habrán visto!
Quién sabe lo que verán
Después que me juzgue Cristo.

Manuel Flores va a morir.
Eso es moneda corriente;
Morir es una costumbre
Que sabe tener la gente.

MILONGA DE CALANDRIA

Servando Cardoso el nombre
Y Ño Calandria el apodo;
No lo sabrán olvidar
Los años, que olvidan todo.

No era un científico de esos
Que usan arma de gatillo;
Era su gusto jugarse
En el baile del cuchillo.

Cuántas veces en Montiel
Lo habrá visto la alborada
En brazos de una mujer.
Ya tenida y ya olvidada.

El arma de su afición
Era el facón caronero.
Fueron una sola cosa
El cristiano y el acero.

Bajo el alero de sombra
O en el rincón de la parra,
Las manos que dieron muerte
Sabían templar la guitarra.

Fija la vista en los ojos,
Era capaz de parar
El hachazo más taimado.
¡Feliz quien lo vio pelear!

No tan felices aquellos
Cuyo recuerdo postrero
Fue la brusca arremetida
Y la entrada del acero.

Siempre la selva y el duelo,
Pecho a pecho y cara a cara.
Vivió matando y huyendo.
Vivió como si soñara.

Se cuenta que una mujer
Fue y lo entregó a la partida;
A todos, tarde o temprano,
Nos va entregando la vida.

Elogio de la sombra
(1969)

PRÓLOGO

Sin proponérmelo al principio, he consagrado mi ya larga vida a las letras, a la cátedra, al ocio, a las tranquilas aventuras del diálogo, a la filología, que ignoro, al misterioso hábito de Buenos Aires y a las perplejidades que no sin alguna soberbia se llaman metafísica. Tampoco le ha faltado a mi vida la amistad de unos pocos, que es lo que importa. Creo no tener un solo enemigo o, si los hubo, nunca me lo hicieron saber. La verdad es que nadie puede herirnos salvo la gente que queremos. Ahora, a los setenta años de mi edad (la frase es de Whitman), doy a la prensa este quinto libro de versos.

Carlos Frías me ha sugerido que aproveche su prólogo para una declaración de mi estética. Mi pobreza, mi voluntad, se oponen a ese consejo. No soy poseedor de una estética. El tiempo me ha enseñado algunas astucias: eludir los sinónimos, que tienen la desventaja de sugerir diferencias imaginarias; eludir hispanismos, argentinismos, arcaismos y neologismos; preferir las palabras habituales a las palabras asombrosas; intercalar en un relato rasgos circunstanciales, exigidos ahora por el lector; simular pequeñas incertidumbres, ya que si la realidad es precisa la memoria no lo es; narrar los hechos (esto lo aprendí en Kipling y en las sagas de Islandia) como si no los entendiera del todo; recordar que las normas anteriores no son obligaciones y que el tiempo se encargará de abolirlas. Tales astucias o hábitos no configuran ciertamente una estética. Por lo demás, descreo de las estéticas. En general no pasan de ser abstracciones inútiles; varían para cada escritor y aun para cada texto y no pueden ser otra cosa que estímulos o instrumentos ocasionales.

Éste, escribí, es mi quinto libro de versos. Es razonable presumir que no será mejor o peor que los otros. A los espejos, laberintos y espadas que ya prevé mi resignado lector se han agregado dos temas nuevos: la vejez y la ética. Ésta, según se sabe, nunca dejó de preocupar a cierto amigo muy querido que la literatura me ha dado, a Robert Louis Stevenson. Una de las virtudes por las cuales prefiero las naciones protestantes a las de tradición católica es su cuidado de la ética. Milton quería educar a los niños de su academia en el conocimiento de la física, de las matemáticas, de la astronomía y de las ciencias naturales; el doctor Johnson observaría al promediar el siglo XVIII: "La prudencia y la justicia son preeminencias y virtudes que corresponden a *todas las épocas y a todos los lugares; somos perpetuamente moralistas y sólo a veces geómetras."*

En estas páginas conviven, creo que sin discordia, las formas de la prosa y del verso. Podría invocar antecedentes ilustres —el De Consolatione de Boecio, los cuentos de Chaucer, el Libro de las Mil y Una Noches—; prefiero declarar que esas divergencias me parecen accidentales y que desearía que este libro fuera leído como un libro de versos. Un volumen, en sí, no es un hecho estético, es un objeto físico entre otros; el hecho estético sólo puede ocurrir cuando lo escriben o lo leen. Es común afirmar que el verso libre no es otra cosa que un simulacro tipográfico; pienso que en esa afirmación acecha un error. Más allá de su ritmo, la forma tipográfica del versículo sirve para anunciar al lector que la emoción poética, no la información o el razonamiento, es lo que está esperándolo. Yo anhelé alguna vez la vasta respiración de los psalmos [1] o de Walt Whitman; al cabo de los años compruebo, no sin melancolía, que me he limitado a alternar algunos metros clásicos: el alejandrino, el endecasílabo, el heptasílabo.

En alguna milonga he intentado imitar, respetuosamente, el florido coraje de Ascasubi y de las coplas de los barrios.

La poesía no es menos misteriosa que los otros elementos del orbe. Tal o cual verso afortunado no puede envanecernos, porque es don del Azar o del Espíritu; sólo los errores son nuestros. Espero que el lector descubra en mis páginas algo que pueda merecer su memoria; en este mundo la belleza es común.

J. L. B.

Buenos Aires, 24 de junio de 1969.

---

[1] *Deliberadamente escribo* psalmos. *Los individuos de la Real Academia Española quieren imponer a este continente sus incapacidades fonéticas; nos aconsejan el empleo de formas rústicas:* neuma, sicología, síquico. *Últimamente se les ha ocurrido escribir* vikingo *por* viking. *Sospecho que muy pronto oiremos hablar de la obra de* Kiplingo.

JUAN, I, 14

No será menos un enigma esta hoja
que las de Mis libros sagrados
ni aquellas otras que repiten
las bocas ignorantes,
creyéndolas de un hombre, no espejos
oscuros del Espíritu.
Yo que soy el Es, el Fue y el Será,
vuelvo a condescender al lenguaje,
que es tiempo sucesivo y emblema.
Quien juega con un niño juega con algo
cercano y misterioso;
yo quise jugar con Mis hijos.
Estuve entre ellos con asombro y ternura.
Por obra de una magia
nací curiosamente de un vientre.
Viví hechizado, encarcelado en un cuerpo
y en la humildad de un alma.
Conocí la memoria,
esa moneda que no es nunca la misma.
Conocí la esperanza y el temor,
esos dos rostros del incierto futuro.
Conocí la vigilia, el sueño, los sueños,
la ignorancia, la carne,
los torpes laberintos de la razón,
la amistad de los hombres,
la misteriosa devoción de los perros.
Fui amado, comprendido, alabado y pendí de una cruz.
Bebí la copa hasta las heces.
Vi por Mis ojos lo que nunca había visto:
la noche y sus estrellas.
Conocí lo pulido, lo arenoso, lo desparejo, lo áspero,
el sabor de la miel y de la manzana,
el agua en la garganta de la sed,
el peso de un metal en la palma,
la voz humana, el rumor de unos pasos sobre la hierba,
el olor de la lluvia en Galilea,
el alto grito de los pájaros.
Conocí también la amargura.
He encomendado esta escritura a un hombre cualquiera;

no será nunca lo que quiero decir,
no dejará de ser su reflejo.
Desde Mi eternidad caen estos signos.
Que otro, no el que es ahora su amanuense, escriba el poema.
Mañana seré un tigre entre los tigres
y predicaré Mi ley a su selva,
o un gran árbol en Asia.
A veces pienso con nostalgia
en el olor de esa carpintería.

HERÁCLITO

El segundo crepúsculo.
La noche que se ahonda en el sueño.
La purificación y el olvido.
El primer crepúsculo.
La mañana que ha sido el alba.
El día que fue la mañana.
El día numeroso que será la tarde gastada.
El segundo crepúsculo.
Ese otro hábito del tiempo, la noche.
La purificación y el olvido.
El primer crepúsculo...
El alba sigilosa y en el alba
la zozobra del griego.
¿Qué trama es ésta
del será, del es y del fue?
¿Qué río es éste
por el cual corre el Ganges?
¿Qué río es éste cuya fuente es inconcebible?
¿Qué río es éste
que arrastra mitologías y espadas?
Es inútil que duerma.
Corre en el sueño, en el desierto, en un sótano.
El río me arrebata y soy ese río.
De una materia deleznable fui hecho, de misterioso tiempo.
Acaso el manantial está en mí.
Acaso de mi sombra
surgen, fatales e ilusorios, los días.

CAMBRIDGE

Nueva Inglaterra y la mañana.
Doblo por Craigie.
Pienso (yo lo he pensado)
que el nombre Craigie es escocés
y que la palabra crag es de origen celta.
Pienso (ya lo he pensado)
que en este invierno están los antiguos inviernos
de quienes dejaron escrito
que el camino está prefijado
y que ya somos del Amor o del Fuego.
La nieve y la mañana y los muros rojos
pueden ser formas de la dicha,
pero yo vengo de otros ciudades
donde los colores son pálidos
y en las que una mujer, al caer la tarde,
regará las plantas del patio.
Alzo los ojos y los pierdo en el ubicuo azul.
Más allá están los árboles de Longfellow
y el dormido río incesante.
Nadie en las calles, pero no es un domingo.
No es un lunes,
el día que nos depara la ilusión de empezar.
No es un martes,
el día que preside el planeta rojo.
No es un miércoles,
el día de aquel dios de los laberintos
que en el Norte fue Odín.
No es jueves,
el día que ya se resigna al domingo.
No es un viernes,
el día regido por la divinidad que en las selvas
entreteje los cuerpos de los amantes.
No es un sábado.
No está en el tiempo sucesivo
sino en los reinos espectrales de la memoria.
Como en los sueños

detrás de las altas puertas no hay nada,
ni siquiera el vacío.
Como en los sueños,
detrás del rostro que nos mira no hay nadie.
Anverso sin reverso,
moneda de una sola cara, las cosas.
Esas miserias son los bienes
que el precipitado tiempo nos deja.
Somos nuestra memoria,
somos ese quimérico museo de formas inconstantes,
ese montón de espejos rotos.

NEW ENGLAND, 1967

Han cambiado las formas de mi sueño;
ahora son laterales casas rojas
y el delicado bronce de las hojas
y el casto invierno y el piadoso leño.
Como en el día séptimo, la tierra
es buena. En los crepúsculos persiste
algo que casi no es, osado y triste,
un antiguo rumor de Biblia y guerra.
Pronto (nos dicen) llegará la nieve
y América me espera en cada esquina,
pero siento en la tarde que declina
el hoy tan lento y el ayer tan breve.
Buenos Aires, yo sigo caminando
por tus esquinas, sin por qué ni cuándo.

Cambridge, 1967

JAMES JOYCE

En un día del hombre están los días
del tiempo, desde aquel inconcebible
día inicial del tiempo, en que un terrible
Dios prefijó los días y agonías
hasta aquel otro en que el ubicuo río
del tiempo terrenal torne a su fuente,
que es lo Eterno, y se apague en el presente,
el futuro, el ayer, lo que ahora es mío.
Entre el alba y la noche está la historia
universal. Desde la noche veo
a mis pies los caminos del hebreo,
Cartago aniquilada, Infierno y Gloria.
Dame, Señor, coraje y alegría
para escalar la cumbre de este día.

Cambridge, 1968

THE UNENDING GIFT

Un pintor nos prometió un cuadro.
Ahora, en New England, sé que ha muerto. Sentí, como otras veces, la tristeza de comprender que somos como un sueño. Pensé en el hombre y en el cuadro perdidos.
(Sólo los dioses pueden prometer, porque son inmortales.)
Pensé en un lugar prefijado que la tela no ocupará.
Pensé después: si estuviera ahí, sería con el tiempo una cosa más, una cosa, una de las vanidades o hábitos de la casa; ahora es ilimitada, incesante, capaz de cualquier forma y cualquier color y no atada a ninguno.
Existe de algún modo. Vivirá y crecerá como una música y estará conmigo hasta el fin. Gracias, Jorge Larco.
(También los hombres pueden prometer, porque en la promesa hay algo inmortal.)

MAYO 20, 1928

Ahora es invulnerable como los dioses.
Nada en la tierra puede herirlo, ni el desamor de una mujer, ni la tisis, ni las ansiedades del verso, ni esa cosa blanca, la luna, que ya no tiene que fijar en palabras.
Camina lentamente bajo los tilos; mira las balaustradas y las puertas, no para recordarlas.
Ya sabe cuántas noches y cuántas mañanas le faltan.
Su voluntad le ha impuesto una disciplina precisa. Hará determinados actos, cruzará previstas esquinas, tocará un árbol o una reja, para que el porvenir sea tan irrevocable como el pasado.
Obra de esa manera para que el hecho que desea y que teme no sea otra cosa que el término final de una serie.
Camina por la calle 49; piensa que nunca atravesará tal o cual zaguán lateral.
Sin que lo sospecharan, se ha despedido ya de muchos amigos.
Piensa lo que nunca sabrá, si el día siguiente será un día de lluvia.
Se cruza con un conocido y le hace una broma. Sabe que este episodio será, durante algún tiempo, una anécdota.
Ahora es invulnerable como los muertos.
En la hora fijada, subirá por unos escalones de mármol. (Esto perdurará en la memoria de otros.)
Bajará al lavatorio; en el piso ajedrezado el agua borrará muy pronto la sangre. El espejo lo aguarda.
Se alisará el pelo, se ajustará el nudo de la corbata (siempre fue un poco dandy, como cuadra a un joven poeta) y tratará de imaginar que el otro, el del cristal, ejecuta los actos y que él, su doble, los repite. La mano no le temblará cuando ocurra el último. Dócilmente, mágicamente, ya habrá apoyado el arma contra la sien.
Así, lo creo, sucedieron las cosas.

LABERINTO

No habrá nunca una puerta. Estás adentro
Y el alcázar abarca el universo
Y no tiene ni anverso ni reverso
Ni externo muro ni secreto centro.
No esperes que el rigor de tu camino
Que tercamente se bifurca en otro,
Que tercamente se bifurca en otro,
Tendrá fin. Es de hierro tu destino
Como tu juez. No aguardes la embestida
Del toro que es un hombre y cuya extraña
Forma plural da horror a la maraña
De interminable piedra entretejida.
No existe. Nada esperes. Ni siquiera
En el negro crepúsculo la fiera.

EL LABERINTO

Zeus no podría desatar las redes
de piedra que me cercan. He olvidado
los hombres que antes fui; sigo el odiado
camino de monótonas paredes
que es mi destino. Rectas galerías
que se curvan en círculos secretos
al cabo de los años. Parapetos
que ha agrietado la usura de los días.
En el pálido polvo he descifrado
rastros que temo. El aire me ha traído
en las cóncavas tardes un bramido
o el eco de un bramido desolado.
Sé que en la sombra hay Otro, cuya suerte
es fatigar las largas soledades
que tejen y destejen este Hades
y ansiar mi sangre y devorar mi muerte.
Nos buscamos los dos. Ojalá fuera
éste el último día de la espera.

RICARDO GÜIRALDES

Nadie podrá olvidar su cortesía;
Era la no buscada, la primera
Forma de su bondad, la verdadera
Cifra de un alma clara como el día.
No he de olvidar tampoco la bizarra
Serenidad, el fino rostro fuerte,
Las luces de la gloria y de la muerte,
La mano interrogando la guitarra.
Como en el puro sueño de un espejo
(Tú eres la realidad, yo su reflejo)
Te veo conversando con nosotros
En Quintana. Ahí estás, mágico y muerto.
Tuyo, Ricardo, ahora es el abierto
Campo de ayer, el alba de los potros.

EL ETNÓGRAFO

El caso me lo refirieron en Texas, pero había acontecido en otro estado. Cuenta con un solo protagonista, salvo que en toda historia los protagonistas son miles, visibles e invisibles, vivos y muertos. Se llamaba, creo, Fred Murdock. Era alto a la manera americana, ni rubio ni moreno, de perfil de hacha, de muy pocas palabras. Nada singular había en él, ni siquiera esa fingida singularidad que es propia de los jóvenes. Naturalmente respetuoso, no descreía de los libros ni de quienes escriben los libros. Era suya esa edad en que el hombre no sabe aún quién es y está listo a entregarse a lo que le propone el azar: la mística del persa o el desconocido origen del húngaro, las aventuras de la guerra o el álgebra, el puritanismo o la orgía. En la universidad le aconsejaron el estudio de las lenguas indígenas. Hay ritos esotéricos que perduran en ciertas tribus del oeste; su profesor, un hombre entrado en años, le propuso que hiciera su habitación en una reserva, que observara los ritos y que descubriera el secreto que los brujos revelan al iniciado. A su vuelta, redactaría una tesis que las autoridades del instituto darían a la imprenta. Murdock aceptó con alacridad. Uno de sus mayores había muerto en las guerras de la frontera; esa antigua discordia de sus estirpes era un vínculo ahora. Previó, sin duda, las dificultades que lo aguardaban; tenía que lograr que los hombres rojos lo aceptaran como uno de los suyos. Emprendió la larga aventura. Más de dos años habitó en la pradera, entre muros de adobe o a la intemperie. Se levantaba antes del alba, se acostaba al anochecer, llegó a soñar en un idioma que no era el de sus padres. Acostumbró su paladar a sabores ásperos, se cubrió con ropas extrañas, olvidó los amigos y la ciudad, llegó a pensar de una manera que su lógica rechazaba. Durante los primeros meses de aprendizaje tomaba notas sigilosas, que rompería después, acaso para no despertar la suspicacia de los otros, acaso porque ya no las precisaba. Al término de un plazo prefijado por ciertos ejercicios, de índole moral y de índole física, el sacerdote le ordenó que fuera recordando sus sueños y que se los confiara al clarear el día. Comprobó que en las noches de luna llena soñaba con bisontes. Confió estos sueños repetidos a su maestro; éste acabó por revelarle su doctrina secreta. Una mañana, sin haberse despedido de nadie, Murdock se fue.

En la ciudad, sintió la nostalgia de aquellas tardes iniciales de la pradera en que había sentido, hace tiempo, la nostalgia de la ciudad. Se encaminó al despacho del profesor y le dijo que sabía el secreto y que había resuelto no revelarlo.

—¿Lo ata su juramento? —preguntó el otro.

—No es ésa mi razón —dijo Murdock—. En esas lejanías aprendí algo que no puedo decir.

—¿Acaso el idioma inglés es insuficiente? —observaría el otro.

—Nada de eso, señor. Ahora que poseo el secreto, podría enunciarlo de cien modos distintos y aun contradictorios. No sé muy bien cómo decirle que el secreto es precioso y que ahora la ciencia, nuestra ciencia, me parece una mera frivolidad.

Agregó al cabo de una pausa:

—El secreto, por lo demás, no vale lo que valen los caminos que me condujeron a él. Esos caminos hay que andarlos.

El profesor le dijo con frialdad:

—Comunicaré su decisión al Consejo. ¿Usted piensa vivir entre los indios?

Murdock le contestó:

—No. Tal vez no vuelva a la pradera. Lo que me enseñaron sus hombres vale para cualquier lugar y para cualquier circunstancia.

Tal fue en esencia el diálogo.

Fred se casó, se divorció y es ahora uno de los bibliotecarios de Yale.

A CIERTA SOMBRA, 1940

Que no profanen tu sagrado suelo, Inglaterra,
El jabalí alemán y la hiena italiana.
Isla de Shakespeare, que tus hijos te salven
Y también tus sombras gloriosas.
En esta margen ulterior de los mares
Las invoco y acuden
Desde el innumerable pasado,
Con altas mitras y coronas de hierro,
Con Biblias, con espadas, con remos,
Con anclas y con arcos.
Se ciernen sobre mí en la alta noche
Propicia a la retórica y a la magia
Y busco la más tenue, la deleznable,
Y le advierto: oh, amigo,
El continente hostil se apresta con armas
A invadir tu Inglaterra,
Como en los días que sufriste y cantaste.
Por el mar, por la tierra y por el aire convergen los ejércitos.
Vuelve a soñar, De Quincey.
Teje para baluarte de tu isla
Redes de pesadillas.
Que por sus laberintos de tiempo
Erren sin fin los que odian.
Que su noche se mida por centurias, por eras, por pirámides,
Que las armas sean polvo, polvo las caras,
Que nos salven ahora las indescifrables arquitecturas
Que dieron horror a tu sueño.
Hermano de la noche, bebedor de opio,
Padre de sinuosos períodos que ya son laberintos y torres,
Padre de las palabras que no se olvidan,
¿Me oyes, amigo no mirado, me oyes
A través de esas cosas insondables
Que son los mares y la muerte?

LAS COSAS

El bastón, las monedas, el llavero,
La dócil cerradura, las tardías
Notas que no leerán los pocos días
Que me quedan, los naipes y el tablero,
Un libro y en sus páginas la ajada
Violeta, monumento de una tarde
Sin duda inolvidable y ya olvidada,
El rojo espejo occidental en que arde
Una ilusoria aurora. ¡Cuántas cosas,
Limas, umbrales, atlas, copas, clavos,
Nos sirven como tácitos esclavos,
Ciegas y extrañamente sigilosas!
Durarán más allá de nuestro olvido;
No sabrán nunca que nos hemos ido.

RUBAIYAT

Torne en mi voz la métrica del persa
A recordar que el tiempo es la diversa
Trama de sueños ávidos que somos
Y que el secreto Soñador dispersa.

Torne a afirmar que el fuego es la ceniza,
La carne el polvo, el río la huidiza
Imagen de tu vida y de mi vida
Que lentamente se nos va de prisa.

Torne a afirmar que el arduo monumento
Que erige la soberbia es como el viento
Que pasa, y que a la luz inconcebible
de Quien perdura, un siglo es un momento.

Torne a advertir que el ruiseñor de oro
Canta una sola vez en el sonoro
Ápice de la noche y que los astros
Avaros no prodigan su tesoro.

Torne la luna al verso que tu mano
Escribe como torna en el temprano
Azul a tu jardín. La misma luna
De ese jardín te ha de buscar en vano.

Sean bajo la luna de las tiernas
Tardes tu humilde ejemplo las cisternas,
En cuyo espejo de agua se repiten
Unas pocas imágenes eternas.

Que la luna del persa y los inciertos
Oros de los crepúsculos desiertos
Vuelvan. Hoy es ayer. Eres los otros
Cuyo rostro es el polvo. Eres los muertos.

PEDRO SALVADORES

A Juan Murchison

Quiero dejar escrito, acaso por primera vez, uno de los hechos más raros y más tristes de nuestra historia. Intervenir lo menos posible en su narración, prescindir de adiciones pintorescas y de conjeturas aventuradas es, me parece, la mejor manera de hacerlo.

Un hombre, una mujer y la vasta sombra de un dictador son los tres personajes. El hombre se llamó Pedro Salvadores; mi abuelo Acevedo lo vio, días o semanas después de la batalla de Caseros. Pedro Salvadores, tal vez, no difería del común de la gente, pero su destino y los años lo hicieron único. Sería un señor como tantos otros de su época. Poseería (nos cabe suponer) un establecimiento de campo y era unitario. El apellido de su mujer era Planes; los dos vivían en la calle Suipacha, no lejos de la esquina del Temple. La casa en que los hechos ocurrieron sería igual a las otras: la puerta de calle, el zaguán, la puerta cancel, las habitaciones, la hondura de los patios. Una noche, hacia 1842, oyeron el creciente y sordo rumor de los cascos de los caballos en la calle de tierra y los vivas y mueras de los jinetes. La mazorca, esta vez, no pasó de largo. Al griterío sucedieron los repetidos golpes, mientras los hombres derribaban la puerta, Salvadores pudo correr la mesa del comedor, alzar la alfombra y ocultarse en el sótano. La mujer puso la mesa en su lugar. La mazorca irrumpió; venían a llevárselo a Salvadores. La mujer declaró que éste había huido a Montevideo. No le creyeron; la azotaron, rompieron toda la vajilla celeste, registraron la casa, pero no se les ocurrió levantar la alfombra. A la medianoche se fueron, no sin haber jurado volver.

Aquí principia verdaderamente la historia de Pedro Salvadores. Vivió nueve años en el sótano. Por más que nos digamos que los años están hechos de días y los días de horas y que nueve años es un término abstracto y una suma imposible, esa historia es atroz. Sospecho que en la sombra que sus ojos aprendieron a descifrar, no pensaba en nada, ni siquiera en su odio ni en su peligro. Estaba ahí, en el sótano. Algunos ecos de aquel mundo que le estaba vedado le llegarían desde arriba: los pasos habituales de su mujer, el golpe del brocal y del balde, la pesada lluvia en el patio. Cada día, por lo demás, podía ser el último.

La mujer fue despidiendo a la servidumbre, que era capaz de

delatarlos. Dijo a todos los suyos que Salvadores estaba en la Banda Oriental. Ganó el pan de los dos cosiendo para el ejército. En el decurso de los años tuvo dos hijos; la familia la repudió, atribuyéndolos a un amante. Después de la caída del tirano, le pedirían perdón de rodillas.

¿Qué fue, quién fue, Pedro Salvadores? ¿Lo encarcelaron el terror, el amor, la invisible presencia de Buenos Aires y, finalmente, la costumbre? Para que no la dejara sola, su mujer le daría inciertas noticias de conspiraciones y de victorias. Acaso era cobarde y la mujer lealmente le ocultó que ella lo sabía. Lo imagino en su sótano, tal vez sin un candil, sin un libro. La sombra lo hundiría en el sueño. Soñaría, al principio, con la noche tremenda en que el acero buscaba la garganta, con las calles abiertas, con la llanura. Al cabo de los años no podría huir y soñaría con el sótano. Sería, al principio, un acosado, un amenazado; después no lo sabremos nunca, un animal tranquilo en su madriguera o una suerte de oscura divinidad.

Todo esto hasta aquel día del verano de 1852 en que Rosas huyó. Fue entonces cuando el hombre secreto salió a la luz del día; mi abuelo habló con él. Fofo y obeso, estaba del color de la cera y no hablaba en voz alta. Nunca le devolvieron los campos que le habían sido confiscados; creo que murió en la miseria.

Como todas las cosas, el destino de Pedro Salvadores nos parece un símbolo de algo que estamos a punto de comprender.

A ISRAEL

¿Quién me dirá si estás en el perdido
Laberinto de ríos seculares
De mi sangre, Israel? ¿Quién los lugares
Que mi sangre y tu sangre han recorrido?
No importa. Sé que estás en el sagrado
Libro que abarca el tiempo y que la historia
Del rojo Adán rescata y la memoria
Y la agonía del Crucificado.
En ese libro estás, que es el espejo
De cada rostro que sobre él se inclina
Y del rostro de Dios, que en su complejo
Y arduo cristal, terrible se adivina.
Salve, Israel, que guardas la muralla
De Dios, en la pasión de tu batalla.

ISRAEL

Un hombre encarcelado y hechizado,
un hombre condenado a ser la serpiente
que guarda un oro infame,
un hombre condenado a ser Shylock,
un hombre que se inclina sobre la tierra
y que sabe que estuvo en el Paraíso,
un hombre viejo y ciego que ha de romper
las columnas del templo,
un rostro condenado a ser una máscara,
un hombre que a pesar de los hombres
es Spinoza y el Baal Shem y los cabalistas,
un hombre que es el Libro,
una boca que alaba desde el abismo
la justicia del firmamento,
un procurador o un dentista
que dialogó con Dios en una montaña,
un hombre condenado a ser el escarnio,
la abominación, el judío,
un hombre lapidado, incendiado
y ahogado en cámaras letales,
un hombre que se obstina en ser inmortal
y que ahora ha vuelto a su batalla,
a la violenta luz de la victoria,
hermoso como un león al mediodía.

JUNIO, 1968

En la tarde de oro
o en una serenidad cuyo símbolo
podría ser la tarde de oro,
el hombre dispone los libros
en los anaqueles que aguardan
y siente el pergamino, el cuero, la tela
y el agrado que dan
la previsión de un hábito
y el establecimiento de un orden.
Stevenson y el otro escocés, Andrew Lang,
reanudarán aquí, de manera mágica,
la lenta discusión que interrumpieron
los mares y la muerte
y a Reyes no le desagradará ciertamente
la cercanía de Virgilio.
(Ordenar bibliotecas es ejercer,
de un modo silencioso y modesto,
el arte de la crítica.)
El hombre, que está ciego,
sabe que ya no podrá descifrar
los hermosos volúmenes que maneja
y que no le ayudarán a escribir
el libro que lo justificará ante los otros,
pero en la tarde que es acaso de oro
sonríe ante el curioso destino
y siente esa felicidad peculiar
de las viejas cosas queridas.

EL GUARDIÁN DE LOS LIBROS

Ahí están los jardines, los templos y la justificación de los templos,
La recta música y las rectas palabras,
Los sesenta y cuatro hexagramas,
Los ritos que son la única sabiduría
Que otorga el Firmamento a los hombres,
El decoro de aquel emperador
Cuya serenidad fue reflejada por el mundo, su espejo,
De suerte que los campos daban sus frutos
Y los torrentes respetaban sus márgenes,
El unicornio herido que regresa para marcar el fin,
Las secretas leyes eternas,
El concierto del orbe;
Esas cosas o su memoria están en los libros
Que custodio en la torre.

Los tártaros vinieron del Norte
En crinados potros pequeños;
Aniquilaron los ejércitos
Que el Hijo del Cielo mandó para castigar su impiedad,
Erigieron pirámides de fuego y cortaron gargantas,
Mataron al perverso y al justo,
Mataron al esclavo encadenado que vigila la puerta,
Usaron y olvidaron a las mujeres
Y siguieron al Sur,
Inocentes como animales de presa,
Crueles como cuchillos.
En el alba dudosa
El padre de mi padre salvó los libros.
Aquí están en la torre donde yazgo,
Recordando los días que fueron de otros,
Los ajenos y antiguos.

En mis ojos no hay días. Los anaqueles
Están muy altos y no los alcanzan mis años.
Leguas de polvo y sueño cercan la torre.
¿A qué engañarme?
La verdad es que nunca he sabido leer,
Pero me consuelo pensando
Que lo imaginado y lo pasado ya son lo mismo

Para un hombre que ha sido
Y que contempla lo que fue la ciudad
Y ahora vuelve a ser el desierto.
¿Qué me impide soñar que alguna vez
Descifré la sabiduría
Y dibujé con aplicada mano los símbolos?
Mi nombre es Hsiang. Soy el que custodia los libros,
Que acaso son los últimos,
Porque nada sabemos del Imperio
Y del Hijo del Cielo.
Ahí están en los altos anaqueles,
Cercanos y lejanos a un tiempo,
Secretos y visibles como los astros.
Ahí están los jardines, los templos.

LOS GAUCHOS

Quién les hubiera dicho que sus mayores vinieron por un mar, quién les hubiera dicho lo que son un mar y sus aguas.
Mestizos de la sangre del hombre blanco, lo tuvieron en poco, mestizos de la sangre del hombre rojo, fueron sus enemigos.
Muchos no habrán oído jamás la palabra gaucho, o la habrán oído como una injuria.
Aprendieron los caminos de las estrellas, los hábitos del aire y del pájaro, las profecías de las nubes del Sur y de la luna con un cerco.
Fueron pastores de la hacienda brava, firmes en el caballo del desierto que habían domado esa mañana, enlazadores, marcadores, troperos, hombres de la partida policial, alguna vez matreros; alguno, el escuchado, fue el payador.
Cantaba sin premura, porque el alba tarda en clarear, y no alzaba la voz.
Había peones tigreros; amparado en el poncho el brazo izquierdo, el derecho sumía el cuchillo en el vientre del animal, abalanzado y alto.
El diálogo pausado, el mate y el naipe fueron las formas de su tiempo.
A diferencia de otros campesinos, eran capaces de ironía.
Eran sufridos, castos y pobres. La hospitalidad fue su fiesta.
Alguna noche los perdió el pendenciero alcohol de los sábados.
Morían y mataban con inocencia.
No eran devotos, fuera de alguna oscura superstición, pero la dura vida les enseñó el culto del coraje.
Hombres de la ciudad les fabricaron un dialecto y una poesía de metáforas rústicas.
Ciertamente no fueron aventureros, pero un arreo los llevaba muy lejos y más lejos las guerras.
No dieron a la historia un solo caudillo. Fueron hombres de López, de Ramírez, de Artigas, de Quiroga, de Bustos, de Pedro Campbell, de Rosas, de Urquiza, de aquel Ricardo López Jordán que hizo matar a Urquiza, de Peñaloza y de Saravia.

No murieron por esa cosa abstracta, la patria, sino por un patrón casual, una ira o por la invitación de un peligro.

Su ceniza está perdida en remotas regiones del continente, en repúblicas de cuya historia nada supieron, en campos de batalla, hoy famosos.

Hilario Ascasubi los vio cantando y combatiendo.

Vivieron su destino como en un sueño, sin saber quiénes eran o qué eran.

Tal vez lo mismo nos ocurre a nosotros.

ACEVEDO

Campos de mis abuelos y que guardan
Todavía su nombre de Acevedo,
Indefinidos campos que no puedo
Del todo imaginar. Mis años tardan
Y no he mirado aún esas cansadas
Leguas de polvo y patria que mis muertos
Vieron desde el caballo, esos abiertos
Caminos, sus ocasos y alboradas.
La llanura es ubicua. Los he visto
En Iowa, en el Sur, en tierra hebrea,
En aquel saucedal de Galilea
Que hollaron los humanos pies de Cristo.
No los perdí. Son míos. Los poseo
En el olvido, en un casual deseo.

INVOCACIÓN A JOYCE

Dispersos en dispersas capitales,
solitarios y muchos,
jugábamos a ser el primer Adán
que dio nombre a las cosas.
Por los vastos declives de la noche
que lindan con la aurora,
buscamos (lo recuerdo aún) las palabras
de la luna, de la muerte, de la mañana
y de los otros hábitos del hombre.
Fuimos el imagismo, el cubismo,
los conventículos y sectas
que las crédulas universidades veneran.
Inventamos la falta de puntuación,
la omisión de mayúsculas,
las estrofas en forma de paloma
de los bibliotecarios de Alejandría.
Ceniza, la labor de nuestras manos
y un fuego ardiente nuestra fe.
Tú, mientras tanto, forjabas
en las ciudades del destierro,
en aquel destierro que fue
tu aborrecido y elegido instrumento,
el arma de tu arte,
erigías tus arduos laberintos,
infinitesimales e infinitos,
admirablemente mezquinos,
más populosos que la historia.
Habremos muerto sin haber divisado
la biforme fiera o la rosa
que son el centro de tu dédalo,
pero la memoria tiene sus talismanes,
sus ecos de Virgilio,
y así en las calles de la noche perduran
tus infiernos espléndidos,
tantas cadencias y metáforas tuyas,
los oros de tu sombra.

Qué importa nuestra cobardía si hay en la tierra
un solo hombre valiente,
qué importa la tristeza si hubo en el tiempo
alguien que se dijo feliz,
qué importa mi perdida generación,
ese vago espejo,
si tus libros la justifican.
Yo soy los otros. Yo soy todos aquellos
que ha rescatado tu obstinado rigor.
Soy los que no conoces y los que salvas.

ISRAEL, 1969

Temí que en Israel acecharía
con dulzura insidiosa
la nostalgia que las diásporas seculares
acumularon como un triste tesoro
en las ciudades del infiel, en las juderías,
en los ocasos de la estepa, en los sueños,
la nostalgia de aquéllos que te anhelaron,
Jerusalén, junto a las aguas de Babilonia.
¿Qué otra cosa eras, Israel, sino esa nostalgia,
sino esa voluntad de salvar,
entre las inconstantes formas del tiempo,
tu viejo libro mágico, tus liturgias,
tu soledad con Dios?
No así. La más antigua de las naciones
es también la más joven.
No has tentado a los hombres con jardines,
con el oro y su tedio
sino con el rigor, tierra última.
Israel les ha dicho sin palabras:
olvidarás quién eres.
Olvidarás al otro que dejaste.
Olvidarás quién fuiste en las tierras
que te dieron sus tardes y sus mañanas
y a las que no darás tu nostalgia.
Olvidarás la lengua de tus padres y aprenderás la lengua del
  Paraíso.
Serás un israelí, serás un soldado.
Edificarás la patria con ciénagas; la levantarás con desiertos.
Trabajará contigo tu hermano, cuya cara no has visto nunca.
Una sola cosa te prometemos:
tu puesto en la batalla.

DOS VERSIONES DE
"RITTER, TOD UND TEUFEL"

I

Bajo el yelmo quimérico el severo
Perfil es cruel como la cruel espada
Que aguarda. Por la selva despojada
Cabalga imperturbable el caballero.
Torpe y furtiva, la caterva obscena
Lo ha cercado: el Demonio de serviles
Ojos, los laberínticos reptiles
Y el blanco anciano del reloj de arena.
Caballero de hierro, quien te mira
Sabe que en ti no mora la mentira
Ni el pálido temor. Tu dura suerte
Es mandar y ultrajar. Eres valiente
Y no serás indigno ciertamente,
Alemán, del Demonio y de la Muerte.

II

Los caminos son dos. El de aquel hombre
De hierro y de soberbia, y que cabalga,
Firme en su fe, por la dudosa selva
Del mundo, entre las befas y la danza
Inmóvil del Demonio y de la Muerte,
Y el otro, el breve, el mío. ¿En qué borrada
Noche o mañana antigua descubrieron
Mis ojos la fantástica epopeya,
El perdurable sueño de Durero,
El héroe y la caterva de sus sombras
Que me buscan, me acechan y me encuentran?
A mí, no al paladín, exhorta el blanco
Anciano coronado de sinuosas

Serpientes. La clepsidra sucesiva
Mide mi tiempo, no su eterno ahora.
Yo seré la ceniza y la tiniebla;
Yo, que partí después, habré alcanzado
Mi término mortal; tú, que no eres,
Tú, caballero de la recta espada
Y de la selva rígida, tu paso
Proseguirás mientras los hombres duren.
Imperturbable, imaginario, eterno.

BUENOS AIRES

¿Qué será Buenos Aires?
Es la Plaza de Mayo a la que volvieron, después de haber guerreado en el continente, hombres cansados y felices.
Es el dédalo creciente de luces que divisamos desde el avión y bajo el cual están la azotea, la vereda, el último patio, las cosas quietas.
Es el paredón de la Recoleta contra el cual murió, ejecutado, uno de mis mayores.
Es un gran árbol de la calle Junín que, sin saberlo, nos depara sombra y frescura.
Es una larga calle de casas bajas, que pierde y transfigura el poniente.
Es la Dársena Sur de la que zarpaban el Saturno y el Cosmos.
Es la vereda de Quintana en la que mi padre, que había estado ciego, lloró, porque veía las antiguas estrellas.
Es una puerta numerada, detrás de la cual, en la oscuridad, pasé diez días y diez noches, inmóvil, días y noches que son en la memoria un instante.
Es el jinete de pesado metal que proyecta desde lo alto su serie cíclica de sombras.
Es el mismo jinete bajo la lluvia.
Es una esquina de la calle Perú, en la que Julio César Dabove nos dijo que el peor pecado que puede cometer un hombre es engendrar un hijo y sentenciarlo a esta vida espantosa.
Es Elvira de Alvear, escribiendo en cuidadosos cuadernos una larga novela, que al principio estaba hecha de palabras y al fin de vagos rasgos indescifrables.
Es la mano de Norah, trazando el rostro de una amiga que es también el de un ángel.
Es una espada que ha servido en las guerras y que es menos un arma que una memoria.
Es una divisa descolorida o un daguerrotipo gastado, cosas que son del tiempo.
Es el día en que dejamos a una mujer y el día en que una mujer nos dejó.
Es aquel arco de la calle Bolívar desde el cual se divisa la Biblioteca.
Es la habitación de la Biblioteca, en la que descubrimos, hacia

1957, la lengua de los ásperos sajones, la lengua del coraje y de la tristeza.

Es la pieza contigua, en la que murió Paul Groussac.

Es el último espejo que repitió la cara de mi padre.

Es la cara de Cristo que vi en el polvo, deshecha a martillazos, en una de las naves de la Piedad.

Es una alta casa del Sur en la que mi mujer y yo traducimos a Whitman, cuyo gran eco ojalá resuene en esta página.

Es Lugones, mirando por la ventanilla del tren las formas que se pierden y pensando que ya no lo abruma el deber de traducirlas para siempre en palabras, porque este viaje será el último.

Es, en la deshabitada noche, cierta esquina del Once en la que Macedonio Fernández, que ha muerto, sigue explicándome que la muerte es una falacia.

No quiero proseguir; estas cosas son demasiado individuales, son demasiado lo que son, para ser también Buenos Aires.

Buenos Aires es la otra calle, la que no pisé nunca, es el centro secreto de las manzanas, los patios últimos, es lo que las fachadas ocultan, es mi enemigo, si lo tengo, es la persona a quien le desagradan mis versos (a mi me desagradan también), es la modesta librería en que acaso entramos y que hemos olvidado, es esa racha de milonga silbada que no reconocemos y que nos toca, es lo que se ha perdido y lo que será, es lo ulterior, lo ajeno, lo lateral, el barrio que no es tuyo ni mío, lo que ignoramos y queremos.

FRAGMENTOS DE UN EVANGELIO APÓCRIFO

3. Desdichado el pobre en espíritu, porque bajo la tierra será lo que ahora es en la tierra.
4. Desdichado el que llora, porque ya tiene el hábito miserable del llanto.
5. Dichosos los que saben que el sufrimiento no es una corona de gloria.
6. No basta ser el último para ser alguna vez el primero.
7. Feliz el que no insiste en tener razón, porque nadie la tiene o todos la tienen.
8. Feliz el que perdona a los otros y el que se perdona a sí mismo.
9. Bienaventurados los mansos, porque no condescienden a la discordia.
10. Bienaventurados los que no tienen hambre de justicia, porque saben que nuestra suerte, adversa o piadosa, es obra del azar, que es inescrutable.
11. Bienaventurados los misericordiosos, porque su dicha está en el ejercicio de la misericordia y no en la esperanza de un premio.
12. Bienaventurados los de limpio corazón, porque ven a Dios.
13. Bienaventurados los que padecen persecución por causa de la justicia, porque les importa más la justicia que su destino humano.
14. Nadie es la sal de la tierra; nadie, en algún momento de su vida, no lo es.
15. Que la luz de una lámpara se encienda, aunque ningún hombre la vea. Dios la verá.
16. No hay mandamiento que no pueda ser infringido, y también los que digo y los que los profetas dijeron.
17. El que matare por la causa de la justicia, o por la causa que él cree justa, no tiene culpa.
18. Los actos de los hombres no merecen ni el fuego ni los cielos.
19. No odies a tu enemigo, porque si lo haces, eres de algún modo su esclavo. Tu odio nunca será mejor que tu paz.
20. Si te ofendiere tu mano derecha, perdónala; eres tu cuerpo y eres tu alma y es arduo, o imposible, fijar la frontera que los divide...
24. No exageres el culto de la verdad; no hay hombre que al cabo de un día, no haya mentido con razón muchas veces.

25. No jures, porque todo juramento es un énfasis.
26. Resiste al mal, pero sin asombro y sin ira. A quien te hiriere en la mejilla derecha, puedes volverle la otra, siempre que no te mueva el temor.
27. Yo no hablo de venganzas ni de perdones; el olvido es la única venganza y el único perdón.
28. Hacer el bien a tu enemigo puede ser obra de justicia y no es arduo; amarlo, tarea de ángeles y no de hombres.
29. Hacer el bien a tu enemigo es el mejor modo de complacer tu vanidad.
30. No acumules oro en la tierra, porque el oro es padre del ocio, y éste, de la tristeza y del tedio.
31. Piensa que los otros son justos o lo serán, y si no es así, no es tuyo el error.
32. Dios es más generoso que los hombres y los medirá con otra medida.
33. Da lo santo a los perros, echa tus perlas a los puercos; lo que importa es dar.
34. Busca por el agrado de buscar, no por el de encontrar...
39. La puerta es la que elige, no el hombre.
40. No juzgues al árbol por sus frutos ni al hombre por sus obras; pueden ser peores o mejores.
41. Nada se edifica sobre la piedra, todo sobre la arena, pero nuestro deber es edificar como si fuera piedra la arena...
47. Feliz el pobre sin amargura o el rico sin soberbia.
48. Felices los valientes, los que aceptan con ánimo parejo la derrota o las palmas.
49. Felices los que guardan en la memoria palabras de Virgilio o de Cristo, porque éstas darán luz a sus días.
50. Felices los amados y los amantes y los que pueden prescindir del amor.
51. Felices los felices.

LEYENDA

Abel y Caín se encontraron después de la muerte de Abel. Caminaban por el desierto y se reconocieron desde lejos, porque los dos eran muy altos. Los hermanos se sentaron en la tierra, hicieron un fuego y comieron. Guardaban silencio, a la manera de la gente cansada cuando declina el día. En el cielo asomaba alguna estrella, que aún no había recibido su nombre. A la luz de las llamas, Caín advirtió en la frente de Abel la marca de la piedra y dejó caer el pan que estaba por llevarse a la boca y pidió que le fuera perdonado su crimen.

Abel contestó:

—¿Tú me has matado o yo te he matado? Ya no recuerdo; aquí estamos juntos como antes.

—Ahora sé que en verdad me has perdonado —dijo Caín—, porque olvidar es perdonar. Yo trataré también de olvidar.

Abel dijo despacio:

—Así es. Mientras dura el remordimiento dura la culpa.

UNA ORACIÓN

Mi boca ha pronunciado y pronunciará, miles de veces y en los dos idiomas que me son íntimos, el padre nuestro, pero sólo en parte lo entiendo. Esta mañana, la del día primero de julio de 1969, quiero intentar una oración que sea personal, no heredada. Sé que se trata de una empresa que exige una sinceridad más que humana. Es evidente, en primer término, que me está vedado pedir. Pedir que no anochezcan mis ojos sería una locura; sé de millares de personas que ven y que no son particularmente felices, justas o sabias. El proceso del tiempo es una trama de efectos y de causas, de suerte que pedir cualquier merced, por ínfima que sea, es pedir que se rompa un eslabón de esa trama de hierro, es pedir que ya se haya roto. Nadie merece tal milagro. No puedo suplicar que mis errores me sean perdonados; el perdón es un acto ajeno y sólo yo puedo salvarme. El perdón purifica al ofendido, no al ofensor, a quien casi no le concierne. La libertad de mi albedrío es tal vez ilusoria, pero puedo dar o soñar que doy. Puedo dar el coraje, que no tengo; puedo dar la esperanza, que no está en mí; puedo enseñar la voluntad de aprender lo que sé apenas o entreveo. Quiero ser recordado menos como poeta que como amigo; que alguien repita una cadencia de Dunbar o de Frost o del hombre que vio en la medianoche el árbol que sangra, la Cruz, y piense que por primera vez la oyó de mis labios. Lo demás no me importa; espero que el olvido no se demore. Desconocemos los designios del universo, pero sabemos que razonar con lucidez y obrar con justicia es ayudar a esos designios, que no nos serán revelados.

Quiero morir del todo; quiero morir con este compañero, mi cuerpo.

HIS END AND HIS BEGINNING

Cumplida la agonía, ya solo, ya solo y desgarrado y rechazado, se hundió en el sueño. Cuando despertó, lo aguardaban los hábitos cotidianos y los lugares; se dijo que no debía pensar demasiado en la noche anterior y, alentado por esa voluntad, se vistió sin apuro. En la oficina, cumplió pasablemente con sus deberes, si bien con esa incómoda impresión de repetir algo ya hecho, que nos da la fatiga. Le pareció notar que los otros desviaban la mirada; acaso ya sabían que estaba muerto. Esa noche empezaron las pesadillas; no le dejaban el menor recuerdo, sólo el temor de que volvieran. A la larga el temor prevaleció; se interponía entre él y la página que debía escribir o el libro que trataba de leer. Las letras hormigueaban y pululaban; los rostros, los rostros familiares, iban borrándose; las cosas y los hombres fueron dejándolo. Su mente se aferró a esas formas cambiantes, como en un frenesí de tenacidad.

Por raro que parezca, nunca sospechó la verdad; ésta lo iluminó de golpe. Comprendió que no podía recordar las formas, los sonidos y los colores de los sueños; no había formas, colores ni sonidos, y no eran sueños. Eran su realidad, una realidad más allá del silencio y de la visión y, por consiguiente, de la memoria. Esto lo consternó más que el hecho de que a partir de la hora de su muerte, había estado luchando en un remolino de insensatas imágenes. Las voces que había oído eran ecos; los rostros, máscaras; los dedos de su mano eran sombras, vagas e insustanciales sin duda, pero también queridas y conocidas.

De algún modo sintió que su deber era dejar atrás esas cosas; ahora pertenecía a este nuevo mundo, ajeno de pasado, de presente y de porvenir. Poco a poco este mundo lo circundó. Padeció muchas agonías, atravesó regiones de desesperación y de soledad. Esas peregrinaciones eran atroces porque trascendían todas sus anteriores percepciones, memorias y esperanzas. Todo el horror yacía en su novedad y esplendor. Había merecido la Gracia, desde su muerte había estado siempre en el cielo.

UN LECTOR

Que otros se jacten de las páginas que han escrito;
a mí me enorgullecen las que he leído.
No habré sido un filólogo,
no habré inquirido las declinaciones, los modos, la laboriosa
    mutación de las letras,
la *de* que se endurece en *te*,
la equivalencia de la *ge* y de la *ka*,
pero a lo largo de mis años he profesado
la pasión del lenguaje.
Mis noches están llenas de Virgilio;
haber sabido y haber olvidado el latín
es una posesión, porque el olvido
es una de las formas de la memoria, su vago sótano,
la otra cara secreta de la moneda.
Cuando en mis ojos se borraron
las vanas apariencias queridas,
los rostros y la página,
me di al estudio del lenguaje de hierro
que usaron mis mayores para cantar
espadas y soledades,
y ahora, a través de siete siglos,
desde la Última Thule,
tu voz me llega, Snorri Sturluson.
El joven, ante el libro, se impone una disciplina precisa
y lo hace en pos de un conocimiento preciso;
a mis años, toda empresa es una aventura
que linda con la noche.
No acabaré de descifrar las antiguas lenguas del Norte,
no hundiré las manos ansiosas en el oro de Sigurd;
la tarea que emprendo es ilimitada
y ha de acompañarme hasta el fin,
no menos misteriosa que el universo
y que yo, el aprendiz.

ELOGIO DE LA SOMBRA

La vejez (tal es el nombre que los otros le dan)
puede ser el tiempo de nuestra dicha.
El animal ha muerto o casi ha muerto.
Quedan el hombre y su alma.
Vivo entre formas luminosas y vagas
que no son aún la tiniebla.
Buenos Aires,
que antes se desgarraba en arrabales
hacia la llanura incesante,
ha vuelto a ser la Recoleta, el Retiro,
las borrosas calles del Once
y las precarias casas viejas
que aún llamamos el Sur.
Siempre en mi vida fueron demasiadas las cosas;
Demócrito de Abdera se arrancó los ojos para pensar;
el tiempo ha sido mi Demócrito.
Esta penumbra es lenta y no duele;
fluye por un manso declive
y se parece a la eternidad.
Mis amigos no tienen cara,
las mujeres son lo que fueron hace ya tantos años,
las esquinas pueden ser otras,
no hay letras en las páginas de los libros.
Todo esto debería atemorizarme,
pero es una dulzura, un regreso.
De las generaciones de los textos que hay en la tierra
sólo habré leído unos pocos,
los que sigo leyendo en la memoria,
leyendo y transformando.
Del Sur, del Este, del Oeste, del Norte,
convergen los caminos que me han traído
a mi secreto centro.
Esos caminos fueron ecos y pasos,
mujeres, hombres, agonías, resurrecciones,
días y noches,
entresueños y sueños,

cada ínfimo instante del ayer
y de los ayeres del mundo,
la firme espada del danés y la luna del persa,
los actos de los muertos,
el compartido amor, las palabras,
Emerson y la nieve y tantas cosas.
Ahora puedo olvidarlas. Llego a mi centro,
a mi álgebra y mi clave,
a mi espejo.
Pronto sabré quién soy.

El informe de Brodie
(1970)

PRÓLOGO

Los últimos relatos de Kipling fueron no menos laberínticos y angustiosos que los de Kafka o los de James, a los que sin duda superan; pero en mil ochocientos ochenta y cinco, en Lahore, había emprendido una serie de cuentos breves, escritos de manera directa, que reuniría en mil ochocientos noventa. No pocos —In the House of Suddhoo, Beyond the Pale, The Gate of the Hundred Sorrows— son lacónicas obras maestras; alguna vez pensé que lo que ha concebido y ejecutado un muchacho genial puede ser imitado sin inmodestia por un hombre en los lindes de la vejez, que conoce el oficio. El fruto de esa reflexión es este volumen, que mis lectores juzgarán.

He intentado, no sé con qué fortuna, la redacción de cuentos directos. No me atrevo a afirmar que son sencillos; no hay en la tierra una sola página, una sola palabra, que lo sea, ya que todas postulan el universo, cuyo más notorio atributo es la complejidad. Sólo quiero aclarar que no soy, ni he sido jamás, lo que antes se llamaba un fabulista o un predicador de parábolas y ahora un escritor comprometido. No aspiro a ser Esopo. Mis cuentos, como los de las Mil y Una Noches, *quieren distraer y conmover y no persuadir. Este propósito no quiere decir que me encierre, según la imagen salomónica, en una torre de marfil. Mis convicciones en materia política son harto conocidas; me he afiliado al Partido Conservador, lo cual es una forma de escepticismo, y nadie me ha tildado de comunista, de nacionalista, de antisemita, de partidario de Hormiga Negra o de Rosas. Creo que con el tiempo mereceremos que no haya gobiernos. No he disimulado nunca mis opiniones, ni siquiera en los años arduos, pero no he permitido que interfieran en mi obra literaria, salvo cuando me urgió la exaltación de la Guerra de los Seis Días. El ejercicio de las letras es misterioso; lo que opinamos es efímero y apto por la tesis platónica de la Musa y no por la de Poe, que razonó, o fingió razonar, que la escritura de un poema es una operación de la inteligencia. No deja de admirarme que los clásicos profesaran una tesis romántica, y un poeta romántico, una tesis clásica.*

Fuera del texto que da nombre a este libro y que manifiesta-

mente procede del último viaje emprendido por Lemuel Gulliver, mis cuentos son realistas, para usar la nomenclatura hoy en boga. Observan, creo, todas las convenciones del género, no menos convencional que los otros y del cual pronto nos cansaremos o ya estamos cansados. Abundan en la requerida invención de hechos circunstanciales, de los que hay ejemplos espléndidos en la balada anglosajona de Maldon, que data del siglo diez, y en las ulteriores sagas de Islandia. Dos relatos —no diré cuáles— admiten una misma clave fantástica. El curioso lector advertirá ciertas afinidades íntimas. Unos pocos argumentos me han hostigado a lo largo del tiempo; soy decididamente monótono.

Debo a un sueño de Hugo Ramírez Moroni la trama general de la historia que se titula El Evangelio según Marcos, la mejor de la serie; temo haberla maleado con los cambios que mi imaginación o mi razón juzgaron convenientes. Por lo demás, la literatura no es otra cosa que un sueño dirigido.

He renunciado a las sorpresas de un estilo barroco; también a las que quiere deparar un final imprevisto. He preferido, en suma, la preparación de una expectativa o la de un asombro. Durante muchos años creí que me sería dado alcanzar una buena página mediante variaciones y novedades; ahora, cumplidos los setenta, creo haber encontrado mi voz. Las modificaciones verbales no estropearán ni mejorarán lo que dicto, salvo cuando éstas puedan aligerar una oración pesada o mitigar un énfasis. Cada lenguaje es una tradición, cada palabra, un símbolo compartido; es baladí lo que un innovador es capaz de alterar; recordemos la obra espléndida pero no pocas veces ilegible de un Mallarmé o de un Joyce. Es verosímil que estas razonables razones sean un fruto de la fatiga. La ya avanzada edad me ha enseñado la resignación de ser Borges.

Imparcialmente me tienen sin cuidado el Diccionario de la Real Academia, dont chaque édition fait regretter la précédente, según el melancólico dictamen de Paul Groussac, y los gravosos diccionarios de argentinismos. Todos, los de éste y los del otro lado del mar, propenden a acentuar las diferencias y a desintegrar el idioma. Recuerdo a este propósito que a Roberto Arlt le echaron en cara su desconocimiento del lunfardo y que replicó: "Me he criado en Villa Luro, entre gente pobre y malevos, y realmente no he tenido tiempo de estudiar esas cosas". El lunfardo, de hecho, es una broma literaria inventada por saineteros y por compositores de tangos y los orilleros lo ignoran, salvo cuando los discos del fonógrafo los han adoctrinado.

He situado mis cuentos un poco lejos, ya en el tiempo, ya en el espacio. La imaginación puede obrar así con más libertad. ¿Quién, en mil novecientos setenta, recordará con precisión lo que fueron, a fines del siglo anterior, los arrabales de Palermo o de Lomas? Por increíble que parezca, hay escrupulosos que ejercen la policía de las pequeñas distracciones. Observan, por ejemplo, que Martín Fierro hubiera hablado de una bolsa de huesos, no de un saco de huesos, y reprueban, acaso con injusticia, el pelaje overo rosado de cierto caballo famoso.

Dios te libre, lector, de prólogos largos. La cita es de Quevedo, que, para no cometer un anacronismo que hubiera sido descubierto a la larga, no leyó nunca los de Shaw.

J. L. B.

Buenos Aires, 19 de abril de 1970.

LA INTRUSA

2 Reyes, I, 26.

Dicen (lo cual es improbable) que la historia fue referida por Eduardo, el menor de los Nelson, en el velorio de Cristián, el mayor, que falleció de muerte natural, hacia mil ochocientos noventa y tantos, en el partido de Morón. Lo cierto es que alguien la oyó de alguien, en el decurso de esa larga noche perdida, entre mate y mate, y la repitió a Santiago Dabove, por quien la supe. Años después, volvieron a contármela en Turdera, donde había acontecido. La segunda versión, algo más prolija, confirmaba en suma la de Santiago, con las pequeñas variaciones y divergencias que son del caso. La escribo ahora porque en ella se cifra, si no me engaño, un breve y trágico cristal de la índole de los orilleros antiguos. Lo haré con probidad, pero ya preveo que cederé a la tentación literaria de acentuar o agregar algún pormenor.

En Turdera los llamaban los Nilsen. El párroco me dijo que su predecesor recordaba, no sin sorpresa, haber visto en la casa de esa gente una gastada Biblia de tapas negras, con caracteres góticos; en las últimas páginas entrevió nombres y fechas manuscritas. Era el único libro que había en la casa. La azarosa crónica de los Nilsen, perdida como todo se perderá. El caserón, que ya no existe, era de ladrillo sin revocar; desde el zaguán se divisaban un patio de baldosa colorada y otro de tierra. Pocos, por lo demás, entraron ahí; los Nilsen defendían su soledad. En las habitaciones desmanteladas dormían en catres; sus lujos eran el caballo, el apero, la daga de hoja corta, el atuendo rumboso de los sábados y el alcohol pendenciero. Sé que eran altos, de melena rojiza. Dinamarca o Irlanda, de las que nunca oirían hablar, andaban por la sangre de esos dos criollos. El barrio los temía a los Colorados; no es imposible que debieran alguna muerte. Hombro a hombro pelearon una vez a la policía. Se dice que el menor tuvo un altercado con Juan Iberra, en el que no llevó la peor parte, lo cual, según los entendidos, es mucho. Fueron troperos, cuarteadores, cuatreros y alguna vez tahures. Tenían fama de avaros, salvo cuando la bebida y el juego los volvían generosos. De sus deudos nada se sabe ni de

dónde vinieron. Eran dueños de una carreta y una yunta de bueyes.
Físicamente diferían del compadraje que dio su apodo forajido a la Costa Brava. Esto, y lo que ignoramos, ayuda a comprender lo unidos que fueron. Malquistarse con uno era contar con dos enemigos.
Los Nilsen eran calaveras, pero sus episodios amorosos habían sido hasta entonces de zaguán o de casa mala. No faltaron, pues, comentarios cuando Cristián llevó a vivir con él a Juliana Burgos. Es verdad que ganaba así una sirvienta, pero no es menos cierto que la colmó de horrendas baratijas y que la lucía en las fiestas. En las pobres fiestas de conventillo, donde la quebrada y el corte estaban prohibidos y donde se bailaba, todavía, con mucha luz. Juliana era de tez morena y de ojos rasgados, bastaba que alguien la mirara para que se sonriera. En un barrio modesto, donde el trabajo y el descuido gastan a las mujeres, no era mal parecida.
Eduardo los acompañaba al principio. Después emprendió un viaje a Arrecifes por no sé qué negocio; a su vuelta llevó a la casa una muchacha, que había levantado por el camino, y a los pocos días la echó. Se hizo más hosco; se emborrachaba solo en el almacén y no se daba con nadie. Estaba enamorado de la mujer de Cristián. El barrio, que tal vez lo supo antes que él, previó con alevosa alegría la rivalidad latente de los hermanos.
Una noche, al volver tarde de la esquina, Eduardo vio el oscuro de Cristián atado al palenque. En el patio, el mayor estaba esperándolo con sus mejores pilchas. La mujer iba y venía con el mate en la mano. Cristián le dijo a Eduardo:
—Yo me voy a una farra en lo de Farías. Ahí la tenés a la Juliana; si la querés, usala.
El tono era entre mandón y cordial. Eduardo se quedó un tiempo mirándolo; no sabía qué hacer. Cristián se levantó, se despidió de Eduardo, no de Juliana, que era una cosa, montó a caballo y se fue al trote, sin apuro.
Desde aquella noche la compartieron. Nadie sabrá los pormenores de esa sórdida unión, que ultrajaba las decencias del arrabal. El arreglo anduvo bien por unas semanas, pero no podía durar. Entre ellos, los hermanos no pronunciaban el nombre de Juliana, ni siquiera para llamarla, pero buscaban, y encontraban, razones para no estar de acuerdo. Discutían la venta de unos cueros, pero lo que discutían era otra cosa. Cristián solía alzar la voz y Eduardo callaba. Sin saberlo, estaban celándose. En el duro suburbio, un hombre no decía, ni se decía, que una mujer pudiera importarle, más allá del deseo y la posesión, pero los dos estaban enamorados. Esto, de algún modo, los humillaba.

Una tarde, en la plaza de Lomas, Eduardo se cruzó con Juan Iberra, que lo felicitó por ese primor que se había agenciado. Fue entonces, creo, que Eduardo lo injurió. Nadie, delante de él, iba hacer burla de Cristián.

La mujer atendía a los dos con sumisión bestial; pero no podía ocultar alguna preferencia por el menor, que no había rechazado la participación, pero que no la había dispuesto.

Un día, le mandaron a la Juliana que sacara dos sillas al primer patio y que no apareciera por ahí, porque tenían que hablar. Ella esperaba un diálogo largo y se acostó a dormir la siesta, pero al rato la recordaron. Le hicieron llenar una bolsa con todo lo que tenía, sin olvidar el rosario de vidrio y la crucecita que le había dejado su madre. Sin explicarle nada la subieron a la carreta y emprendieron un silencioso y tedioso viaje. Había llovido; los caminos estaban muy pesados y serían las cinco de la mañana cuando llegaron a Morón. Ahí la vendieron a la patrona del prostíbulo. El trato ya estaba hecho; Cristián cobró la suma y la dividió después con el otro.

En Turdera, los Nilsen, perdidos hasta entonces en la maraña (que también era una rutina) de aquel monstruoso amor, quisieron reanudar su antigua vida de hombres entre hombres. Volvieron a las trucadas, al reñidero, a las juergas casuales. Acaso, alguna vez, se creyeron salvados, pero solían incurrir, cada cual por su lado, en injustificadas o harto justificadas ausencias. Poco antes de fin de año el menor dijo que tenía que hacer en la Capital. Cristián se fue a Morón; en el palenque de la casa que sabemos reconoció al overo de Eduardo. Entró; adentro estaba el otro, esperando turno. Parece que Cristián le dijo:

—De seguir así, los vamos a cansar a los pingos. Más vale que la tengamos a mano.

Habló con la patrona, sacó unas monedas del tirador y se la llevaron. La Juliana iba con Cristián; Eduardo espoleó al overo para no verlos.

Volvieron a lo que ya se ha dicho. La infame solución había fracasado; los dos habían cedido a la tentación de hacer trampa. Caín andaba por ahí, pero el cariño entre los Nilsen era muy grande —¡quién sabe qué rigores y qué peligros habían compartido!— y prefirieron desahogar su exasperación con ajenos. Con un desconocido, con los perros, con la Juliana, que había traído la discordia.

El mes de marzo estaba por concluir y el calor no cejaba. Un domingo (los domingos la gente suele recogerse temprano) Eduardo, que volvía del almacén vio que Cristián uncía los bueyes. Cristián le dijo:

—Vení; tenemos que dejar unos cueros en lo del Pardo; ya los cargué; aprovechemos la fresca.

El comercio del Pardo quedaba, creo, más al Sur; tomaron por el Camino de las Tropas; después, por un desvío. El campo iba agrandándose con la noche.

Orillaron un pajonal; Cristián tiró el cigarro que había encendido y dijo sin apuro:

—A trabajar, hermano. Después nos ayudarán los caranchos. Hoy la maté. Que se quede aquí con sus pilchas. Ya no hará más perjuicios.

Se abrazaron, casi llorando. Ahora los ataba otro vínculo: la mujer tristemente sacrificada y la obligación de olvidarla.

EL INDIGNO

La imagen que tenemos de la ciudad siempre es algo anacrónica. El café ha degenerado en bar; el zaguán que nos dejaba entrever los patios y la parra es ahora un borroso corredor con un ascensor en el fondo. Así, yo creí durante años que a determinada altura de Talcahuano me esperaba la Librería Buenos Aires; una mañana comprobé que la había reemplazado una casa de antigüedades y me dijeron que don Santiago Fischbein, el dueño, había fallecido. Era más bien obeso; recuerdo menos sus facciones que nuestros largos diálogos. Firme y tranquilo, solía condenar el sionismo, que haría del judío un hombre común, atado, como todos los otros, a una sola tradición y un solo país, sin las complejidades y discordias que ahora lo enriquecen. Estaban compilando, me dijo, una copiosa antología de la obra de Baruch Spinoza, aligerada de todo ese aparato euclidiano que traba la lectura y que da a la fantástica teoría un rigor ilusorio. Me mostró, y no quiso venderme, un curioso ejemplar de la *Kabbala denudata* de Rosenroth, pero en mi biblioteca hay algunos libros de Ginsburg y de Waite que llevan su sello.
Una tarde en que los dos estábamos solos me confió un episodio de su vida, que hoy puedo referir. Cambiaré, como es de prever, algún pormenor.
—"Voy a revelarle una cosa que no he contado a nadie. Ana, mi mujer, no lo sabe, ni siquiera mis amigos más íntimos. Hace ya tanto años que ocurrió que ahora la siento como ajena. A lo mejor le sirve para un cuento, que usted, sin duda, surtirá de puñales. No sé si ya lo he dicho alguna otra vez que soy entrerriano. No diré que éramos gauchos judíos; gauchos judíos no hubo nunca. Éramos comerciantes y chacareros. Nací en Urdinarrain, de la que apenas guardo memoria; cuando mis padres se vinieron a Buenos Aires, para abrir una tienda, yo era muy chico. A unas cuadras quedaba el Maldonado y después los baldíos.
Carlyle ha escrito que los hombres precisan héroes. La historia de Grosso me propuso el culto de San Martín, pero en él no hallé más que un militar que había guerreado en Chile y que ahora era una estatua de bronce y el nombre de una plaza. El azar me dio un héroe muy distinto, para desgracia de los dos: Francisco Ferrari. Ésta debe ser la primera vez que lo oye nombrar.
El barrio no era bravo como lo fueron, según dicen, los Corrales y el Bajo, pero no había almacén que no contara con su barra

de compadritos. Ferrari paraba en el almacén de Triunvirato y Thames. Fue ahí donde ocurrió el incidente que me llevó a ser uno de sus adictos. Yo había ido a comprar un cuarto de yerba. Un forastero de melena y bigote se presentó y pidió una ginebra. Ferrari le dijo con suavidad:

—Dígame ¿no nos vimos anteanoche en el baile de la Juliana? ¿De dónde viene?

—De San Cristóbal —dijo el otro.

—Mi consejo —insinuó Ferrari— es que no vuelva por aquí. Hay gente sin respeto que es capaz de hacerle pasar un mal rato.

El de San Cristóbal se fue, con bigote y todo. Tal vez no fuera menos hombre que el otro, pero sabía que ahí estaba la barra.

Desde esa tarde Francisco Ferrari fue el héroe que mis quince años anhelaban. Era morocho, más bien alto, de buena planta, buen mozo a la manera de la época. Siempre andaba de negro. Un segundo episodio nos acercó. Yo estaba con mi madre y mi tía; nos cruzamos con unos muchachones y uno le dijo fuerte a los otros:

—Déjenlas pasar. Carne vieja.

Yo no supe qué hacer. En eso intervino Ferrari, que salía de su casa. Se encaró con el provocador y le dijo:

—Si andás con ganas de meterte con alguien ¿por qué no te metés conmigo más bien?

Los fue filiando, uno por uno, despacio, y nadie contestó una palabra. Lo conocían.

Se encogió de hombros, nos saludó y se fue. Antes de alejarse, me dijo:

—Si no tenés nada que hacer, pasá luego por el boliche.

Me quedé anonadado. Sarah, mi tía, sentenció:

—Un caballero que hace respetar a las damas.

Mi madre, para sacarme del apuro, observó:

—Yo diría más bien un compadre que no quiere que haya otros.

No sé cómo explicarle las cosas. Yo me he labrado ahora una posición, tengo esta librería que me gusta y cuyos libros leo, gozo de amistades como la nuestra, tengo mi mujer y mis hijos, me he afiliado al partido socialista, soy un buen argentino y un buen judío. Soy un hombre considerado. Ahora usted me ve casi calvo; entonces yo era un pobre muchacho ruso, de pelo colorado, en un barrio de las orillas. La gente me miraba por encima del hombro. Como todos los jóvenes, yo trataba de ser como los demás. Me había puesto Santiago para escamotear el Jacobo, pero quedaba el Fischbein. Todos nos parecemos a la imagen que tienen de nosotros. Yo sentía el desprecio de la gente y yo me despreciaba también. En aquel tiempo, y sobre todo en aquel medio, era importante ser valiente; yo me sabía cobarde. Las mujeres me intimidaban; yo sentía la íntima vergüenza de mi castidad temerosa. No tenía amigos de mi edad.

No fui al almacén esa noche. Ojalá nunca lo hubiera hecho. Acabé por sentir que en la invitación había una orden; un sábado, después de comer, entre en el local.

Ferrari presidía una de las mesas. A los otros yo los conocía de vista; serían unos siete. Ferrari era el mayor, salvo un hombre viejo, de pocas y cansadas palabras, cuyo nombre es el único que no se me ha borrado de la memoria: don Eliseo Amaro. Un tajo le cruzaba la cara, que era muy ancha y floja. Me dijeron, después, que había sufrido una condena.

Ferrari me sentó a su izquierda; a don Eliseo lo hicieron mudar de lugar. Yo no las tenía todas conmigo. Temía que Ferrari aludiera al ingrato incidente de días pasados. Nada de eso ocurrió; hablaron de mujeres, de naipes, de comicios, de un payador que estaba por llegar y que no llegó, de las cosas del barrio. Al principio les costaba aceptarme; luego lo hicieron, porque tal era la voluntad de Ferrari. Pese a los apellidos, en su mayoría italianos, cada cual se sentía (y lo sentían) criollo y aun gaucho. Alguno era cuarteador o carrero o acaso matarife; el trato con los animales los acercaría a la gente de campo. Sospecho que su mayor anhelo hubiera sido ser Juan Moreira. Acabaron por decirme el Rusito, pero en el apodo no había desprecio. De ellos aprendí a fumar y otras cosas.

En una casa de la calle Junín alguien me preguntó si yo no era amigo de Francisco Ferrari. Le contesté que no; sentí que haberle contestado que sí hubiera sido una jactancia.

Una noche la policía entró y nos palpó. Alguno tuvo que ir a la comisaría; con Ferrari no se metieron. A los quince días la escena se repitió; esta segunda vez arrearon con Ferrari también, que tenía una daga en el cinto. Acaso había perdido el favor del caudillo de la parroquia.

Ahora veo en Ferrari a un pobre muchacho, iluso y traicionado; para mí, entonces, era un dios.

La amistad no es menos misteriosa que el amor o que cualquiera de las otras faces de esta confusión que es la vida. He sospechado alguna vez que la única cosa sin misterio es la felicidad, porque se justifica por sí sola. El hecho es que Francisco Ferrari, el osado, el fuerte, sintió amistad por mí, el despreciable. Yo sentí que se había equivocado y que yo no era digno de esa amistad. Traté de rehuirlo y no me lo permitió. Esta zozobra se agravó por la desaprobación de mi madre, que no se resignaba a mi trato con lo que ella nombraba la morralla y que yo remedaba. Lo esencial de la historia que le refiero es mi relación con Ferrari, no los sórdidos hechos, de los que ahora no me arrepiento. Mientras dura el arrepentimiento dura la culpa.

El viejo, que había retomado su lugar al lado de Ferrari, secreteaba con él. Algo estarían tramando. Desde la otra punta de la mesa, creí percibir el nombre de Weidemann, cuya tejeduría quedaba por los confines del barrio. Al poco tiempo me encargaron, sin más explicaciones, que rondara la fábrica y me fijara bien en las puertas. Ya estaba por atardecer cuando crucé el arroyo y las vías. Me acuerdo de unas casas desparramadas, de un sauzal y unos huecos. La fábrica era nueva, pero de aire solitario y derruido; su color rojo, en la memoria, se confunde ahora con el poniente. La cercaba una verja. Además de la entrada principal, había dos puertas en el fondo que miraban al sur y que daban directamente a las piezas.

Confieso que tardé en comprender lo que usted ya habrá comprendido. Hice mi informe, que otro de los muchachos corroboró. La hermana trabajaba en la fábrica. Que la barra faltara al almacén un sábado a la noche hubiera sido recordado por todos; Ferrari decidió que el asalto se haría el otro viernes. A mí me tocaría hacer de campana. Era mejor que, mientras tanto, nadie nos viera juntos. Ya solos en la calle los dos, le pregunté a Ferrari:

—¿Usted me tiene fe?

—Sí —me contestó—. Sé que te portarás como un hombre.

Dormí bien esa noche y las otras. El miércoles le dije a mi madre que iba a ver en el centro una vista nueva de cowboys. Me puse lo mejor que tenía y me fui a la calle Moreno. El viaje en el Lacroze fue largo. En el Departamento de Policía me hicieron esperar, pero al fin uno de los empleados, un tal Eald o Alt, me recibió. Le dije que venía a tratar con él un asunto confidencial. Me respondió que hablara sin miedo. Le revelé lo que Ferrari andaba tramando. No dejó de admirarme que ese nombre le fuera desconocido; otra cosa fue cuando le hablé de don Eliseo.

—¡Ah! —me dijo—. Ése fue de la barra del Oriental.

Hizo llamar a otro oficial, que era de mi sección, y los dos conversaron. Uno me preguntó, no sin sorna:

—¿Vos venís con esta denuncia porque te creés un buen ciudadano?

Sentí que no me entendería y le contesté:

—Sí, señor. Soy un buen argentino.

Me dijeron que cumpliera con la misión que me había encargado mi jefe, pero que no silbara cuando viera venir a los agentes. Al despedirme, uno de los dos me advirtió:

—Andá con cuidado. Vos sabés lo que les espera a los batintines.

Los funcionarios de policía gozan con el lunfardo, como los chicos de cuarto grado. Le respondí:
—Ojalá me maten. Es lo mejor que puede pasarme.
Desde la madrugada del viernes, sentí el alivio de estar en el día definitivo y el remordimiento de no sentir remordimiento alguno. Las horas se me hicieron muy largas. Apenas probé la comida. A las diez de la noche fuimos juntándonos a una cuadra escasa de la tejeduría. Uno de los nuestros falló; don Eliseo dijo que nunca falta un flojo. Pensé que luego le echarían la culpa de todo. Estaba por llover. Yo temí que alguien se quedara conmigo, pero me dejaron solo en una de las puertas del fondo. Al rato aparecieron los vigilantes y un oficial. Vinieron caminando; para no llamar la atención habían dejado los caballos en un terreno. Ferrari había forzado la puerta y pudieron entrar sin hacer ruido. Me aturdieron cuatro descargas. Yo pensé que adentro, en la oscuridad, estaban matándose. En eso vi salir a la policía con los muchachos esposados. Después salieron dos agentes, con Francisco Ferrari y don Eliseo Amaro a la rastra. Los habían ardido a balazos. En el sumario se declaró que habían resistido la orden de arresto y que fueron los primeros en hacer fuego. Yo sabía que era mentira, porque no los vi nunca con revólver. La policía aprovechó la ocasión para cobrarse una vieja deuda. Días después, me dijeron que Ferrari trató de huir, pero que un balazo bastó. Los diarios, por supuesto, lo convirtieron en el héroe que acaso nunca fue y que yo había soñado.
A mí me arrearon con los otros y al poco tiempo me soltaron."

HISTORIA DE ROSENDO JUÁREZ

Serían las once de la noche; yo había entrado en el almacén, que ahora es un bar, en Bolívar y Venezuela. Desde un rincón el hombre me chistó. Algo de autoritario habría en él, porque le hice caso en seguida. Estaba sentado ante una de las mesitas; sentí de un modo inexplicable que hacía mucho tiempo que no se había movido de ahí, ante su copita vacía. No era ni bajo ni alto; parecía un artesano decente, quizá un antiguo hombre de campo. El bigote ralo era gris. Aprensivo a la manera de los porteños, no se había quitado la chalina. Me invitó a que tomara algo con él. Me senté y charlamos. Todo esto sucedió hacia mil novecientos treinta y tantos.

El hombre me dijo:

—Usted no me conoce más que de mentas, pero usted me es conocido, señor. Soy Rosendo Juárez. El finado Paredes le habrá hablado de mí. El viejo tenía sus cosas; le gustaba mentir, no para engañar, sino para divertir a la gente. Ahora que no tenemos nada que hacer, le voy a contar lo que de veras ocurrió aquella noche. La noche que lo mataron al Corralero. Usted, señor, ha puesto el sucedido en una novela, que yo no estoy capacitado para apreciar, pero quiero que sepa la verdad sobre esos infundios.

Hizo una pausa como para ir juntado los recuerdos y prosiguió:

—A uno le suceden las cosas y uno las va entendiendo con los años. Lo que me pasó aquella noche venía de lejos. Yo me crié en el barrio del Maldonado, más allá de Floresta. Era un zanjón de mala muerte, que por suerte ya lo entubaron. Yo siempre he sido de opinión que nadie es quién para detener la marcha del progreso. En fin, cada uno nace donde puede. Nunca se me ocurrió averiguar el nombre del padre que me hizo. Clementina Juárez, mi madre, era una mujer muy decente que se ganaba el pan con la plancha. Para mí, era entrerriana u oriental; sea lo que sea, sabía hablar de sus allegados en Concepción del Uruguay. Me crié como los yuyos. Aprendí a vistear con los otros, con un palo tiznado. Todavía no nos había ganado el fútbol, que era cosa de los ingleses.

En el almacén, una noche me empezó a buscar un mozo Garmendia. Yo me hice el sordo, pero el otro, que estaba tomado, insistió. Salimos; ya desde la vereda, medio abrió la puerta del almacén y dijo a la gente:

—Pierdan cuidado, que ya vuelvo en seguida.

Yo me había agenciado un cuchillo; tomamos para el lado del Arroyo, despacio, vigilándonos. Me llevaba unos años; había visteado muchas veces conmigo y yo sentí que iba a achurarme. Yo iba por la derecha del callejón y él iba por la izquierda. Tropezó contra unos cascotes. Fue tropezar Garmendia y fue venírmele yo encima, casi sin haberlo pensado. Le abrí la cara de un puntazo, nos trabamos, hubo un momento en el que pudo pasar cualquier cosa y al fin le di una puñalada, que fue la última. Sólo después sentí que él también me había herido, unas raspaduras. Esa noche aprendí que no es difícil matar a un hombre o que lo maten a uno. El arroyo estaba muy bajo; para ir ganando tiempo, al finado medio lo disimulé atrás de un horno de ladrillos. De puro atolondrado le refalé el anillo que él sabía llevar con un zarzo. Me lo puse, me acomodé el chambergo y volví al almacén. Entré sin apuro y les dije:

—Parece que el que ha vuelto soy yo.

Pedí una caña y es verdad que la precisaba. Fue entonces que alguien me avisó de la mancha de sangre.

Aquella noche me la pasé dando vueltas y vueltas en el catre; no me dormí hasta el alba. A la oración pasaron a buscarme dos vigilantes. Mi madre, pobre la finada, ponía el grito en el cielo. Arriaron conmigo, como si yo fuera un criminal. Dos días y dos noches tuve que aguantarme en el calabozo. Nadie fue a verme, fuera de Luis Irala, un amigo de veras, que le negaron el permiso. Una mañana el comisario me mandó a buscar. Estaba acomodado en la silla; ni me miró y me dijo:

—¿Así es que vos te lo despachaste a Garmendia?
—Si usted lo dice —contesté.
—A mí se me dice señor. Nada de agachadas ni de evasivas. Aquí están las declaraciones de los testigos y el anillo que fue hallado en tu casa. Firmá la confesión de una vez.

Mojó la pluma en el tintero y me la alcanzó.

—Déjeme pensar, señor comisario —atiné a responder.
—Te doy veinticuatro horas para que lo pensés bien, en el calabozo. No te voy a apurar. Si no querés entrar en razón, ite haciendo a la idea de un descansito en la calle Las Heras.

Como es de imaginarse, yo no entendí.

—Si te avenís, te quedan unos días nomás. Después te saco y ya don Nicolás Paredes me ha asegurado que te va a arreglar el asunto.

Los días fueron diez. A las cansadas se acordaron de mí. Firmé lo que querían y uno de los dos vigilantes me acompañó a la calle Cabrera.

Atados al palenque había caballos y en el zaguán y adentro más gente que en el quilombo. Parecía un comité. Don Nicolás, que estaba mateando, al fin me atendió. Sin mayor apuro me dijo que me iba a mandar a Morón, donde estaban preparando las elecciones. Me recomendó al señor Laferrer, que me probaría. La carta se la escribió un mocito de negro, que componía versos, a lo que oí, sobre conventillos y mugre, asuntos que no son del interés de un público ilustrado. Le agradecí el favor y salí. A la vuelta ya no se me pegó el vigilante.

Todo había sido para bien; la Providencia sabe lo que hace. La muerte de Garmendia, que al principio me había resultado un disgusto, ahora me abría un camino. Claro que la autoridad me tenía en un puño. Si yo no le servía al partido, me mandaban adentro, pero yo estaba envalentonado y me tenía fe.

El señor Laferrer me previno que con él yo iba a tener que andar derechito y que podía llegar a guardaespalda. Mi actuación fue la que se esperaba de mí. En Morón y luego en el barrio, merecí la confianza de mis jefes. La policía y el partido me fueron criando fama de guapo; fui un elemento electoral de valía en atrios de la capital y de la provincia. Las elecciones eran bravas entonces; no fatigaré su atención, señor, con uno que otro hecho de sangre. Nunca los pude ver a los radicales, que siguen viviendo prendidos a las barbas de Alem. No había un alma que no me respetara. Me agencié una mujer, la Lujanera, y un alazán dorado de linda pinta. Durante años me hice el Moreira, que a lo mejor se habrá hecho en su tiempo algún otro gaucho de circo. Me di a los naipes y al ajenjo.

Los viejos hablamos y hablamos, pero ya me estoy acercando a lo que le quiero contar. No sé si ya se lo menté a Luis Irala. Un amigo como no hay muchos. Era un hombre ya entrado en años, que nunca le había hecho asco al trabajo, y me había tomado cariño. En la vida había puesto los pies en el comité. Vivía de su oficio de carpintero. No se metía con nadie ni hubiera permitido que nadie se metiera con él. Una mañana vino a verme y me dijo:

—Ya te habrán venido con la historia de que me dejó la Casilda. El que me la quitó es Rufino Aguilera.

Con ese sujeto yo había tenido trato en Morón. Le contesté:

—Sí, lo conozco. Es el menos inmundicia de los Aguilera.

—Inmundicia o no, ahora tendrá que habérselas conmigo.

Me quedé pensando y le dije:

—Nadie le quita nada a nadie. Si la Casilda te ha dejado, es porque lo quiere a Rufino y vos no le importás.

—Y la gente ¿qué va a decir? ¿Que soy un cobarde?

—Mi consejo es que no te metás en historias por lo que la gente pueda decir y por una mujer que ya no te quiere.

—Ella me tiene sin cuidado. Un hombre que piensa cinco minutos seguidos en una mujer no es un hombre sino un marica. La Casilda no tiene corazón. La última noche que pasamos juntos me dijo que yo andaba para viejo.

—Te decía la verdad.

—La verdad es lo que duele. El que me está importando ahora es Rufino.

—Andá con cuidado. Yo lo he visto actuar a Rufino en el atrio de Merlo. Es una luz.

—¿Creés que le tengo miedo?

—Ya sé que no le tenés miedo, pero pensalo bien. Una de dos: o lo matás y vas a la sombra, o él te mata y vas a la Chacarita.

—Así será. ¿Vos, qué harías en mi lugar?

—No sé, pero mi vida no es precisamente un ejemplo. Soy un muchacho que, para escurrirle el bulto a la cárcel, se ha hecho un matón de comité.

—Yo no voy a hacerme el matón en ningún comité, voy a cobrar una deuda.

—Entonces ¿vas a jugar tu tranquilidad por un desconocido y por una mujer que ya no querés?

No quiso escucharme y se fue. Al otro día nos llegó la noticia de que lo había provocado a Rufino en un comercio de Morón y que Rufino lo había muerto.

Él fue a morir y lo mataron en buena ley, de hombre a hombre. Yo le había dado mi consejo de amigo, pero me sentía culpable.

Días después del velorio, fui al reñidero. Nunca me habían calentado las riñas, pero aquel domingo me dieron francamente asco. Qué les estará pasando a esos animales, pensé, que se destrozan porque sí.

La noche de mi cuento, la noche del final de mi cuento, me había apalabrado con los muchachos para un baile en lo de la Parda. Tantos años y ahora me vengo a acordar del vestido floreado que llevaba mi compañera. La fiesta fue en el patio. No faltó algún borracho que alborotara, pero yo me encargué de que las cosas anduvieran como Dios manda. No habían dado las doce cuando los forasteros aparecieron. Uno, que le decían el Corralero y que lo mataron a traición esa misma noche, nos pagó a todos unas copas. Quiso la casualidad que los dos éramos de una misma estampa. Algo andaba tramando; se me acercó y entró a ponderarme. Dijo que era del Norte, donde le habían llegado mis mentas. Yo lo dejaba hablar a su modo, pero ya estaba maliciándolo. No le daba descanso a la ginebra, acaso para darse coraje, y al fin me convidó a pelear. Sucedió entonces lo que nadie quiere entender. En ese botarate provocador me vi como en un espejo y me dio vergüenza. No sentí miedo; acaso de haberlo sentido,

salgo a pelear. Me quedé como si tal cosa. El otro, con la cara ya muy arrimada a la mía, gritó para que todos lo oyeran:
—Lo que pasa es que no sos más que un cobarde.
—Así será —le dije—. No tengo miedo de pasar por cobarde. Podés agregar, si te halaga, que me has llamado hijo de mala madre y que me he dejado escupir. Ahora ¿estás más tranquilo?

La Lujanera me sacó el cuchillo que yo sabía cargar en la sisa y me lo puso, como fula, en la mano. Para rematarla, me dijo:
—Rosendo, creo que lo estás precisando.

Lo solté y salí sin apuro. La gente me abrió cancha, asombrada. Qué podía importarme lo que pensaran.

Para zafarme de esa vida, me corrí a la República Oriental, donde me puse de carrero. Desde mi vuelta me he afincado aquí. San Telmo ha sido siempre un barrio de orden."

EL ENCUENTRO

A Susana Bombal

Quien recorre los diarios cada mañana lo hace para el olvido o para el diálogo casual de esa tarde, y así no es raro que ya nadie recuerde, o recuerde como en un sueño, el caso entonces discutido y famoso de Maneco Uriarte y de Duncan. El hecho aconteció, por lo demás, hacia 1910, el año del cometa y del Centenario, y son tantas las cosas que desde entonces hemos poseído y perdido. Los protagonistas ya han muerto; quienes fueron testigos del episodio juraron un solemne silencio. También yo alcé la mano para jurar y sentí la importancia de aquel rito, con toda la romántica seriedad de mis nueve o diez años. No sé si los demás advirtieron que yo había dado mi palabra; no sé si guardaron la suya. Sea lo que fuere, aquí va la historia, con las inevitables variaciones que traen el tiempo y la buena o la mala literatura.

Mi primo Lafinur me llevó esa tarde a un asado en la quinta de Los Laureles. No puedo precisar su topografía; pensemos en uno de esos pueblos del Norte, sombreados y apacibles, que van declinando hacia el río y que nada tienen que ver con la larga ciudad y con su llanura. El viaje en tren duró lo bastante para que me pareciera tedioso, pero el tiempo de los niños, como se sabe, fluye con lentitud. Había empezado a oscurecer cuando atravesamos el portón de la quinta. Ahí estaban, sentí, las antiguas cosas elementales: el olor de la carne que se dora, los árboles, los perros, las ramas secas, el fuego que reúne a los hombres.

Los invitados no pasaban de una docena; todos, gente grande. El mayor, lo supe después, no había cumplido aún los treinta años. Eran, no tardé en comprender, doctos en temas de los que sigo siendo indigno: caballos de carrera, sastrería, vehículos, mujeres notoriamente costosas. Nadie turbó mi timidez, nadie reparó en mí. El cordero, preparado con diestra lentitud por uno de los peones, nos demoró en el largo comedor. Las fechas de los vinos se discutieron. Había una guitarra; mi primo, creo recordar, entonó *La tapera* y *El gaucho* de Elías Regules y unas décimas en lunfardo, en el menesteroso lunfardo de aquellos años, sobre un duelo a cuchillo en una casa de la calle Junín. Trajeron el café y los cigarros de hoja. Ni una palabra de volver. Yo sentía (la frase es de Lugones) el miedo de lo demasiado tarde. No quise mirar el reloj. Para disimular mi soledad de chico entre mayores, apuré sin agrado una copa o dos. Uriarte propuso a gritos a Duncan un poker mano a mano. Alguien objetó que esa manera de jugar solía ser muy pobre y sugirió una mesa de cuatro. Duncan lo apoyó, pero Uriarte, con una obstinación que no entendí, ni traté de entender, insitió en lo primero. Fuera del truco, cuyo fin esencial es poblar el tiempo con diabluras y versos y de los modestos laberintos del solitario, nunca me gustaron los naipes. Me escurrí sin que nadie lo notara. Un caserón desconocido y oscuro (sólo en el comedor había luz) significa más para un niño que un país ignorado para un viajero. Paso a paso exploré las habitaciones; recuerdo una sala de billar, una galería de cristales con formas de rectángulos y de rombos, un par de sillones de hamaca y una ventana desde la cual se divisaba una glorieta. En la oscuridad me perdí; el dueño de casa, cuyo nombre, a la vuelta de los años, puede ser Acevedo o Acébal, dio por fin conmigo. Por bondad o para complacer su vanidad de coleccionista, me llevó a una vitrina. Cuando prendió la lámpara, vi que contenía armas blancas. Eran cuchillos que en su manejo se habían hecho famosos. Me dijo que tenía un campito por el lado de Pergamino y que yendo y viniendo por la provincia había ido juntando esas cosas. Abrió la vitrina y sin mirar las indicaciones de las tarjetas, me refirió su historia, siempre más o menos la misma, con diferencias de localidades y fechas. Le pregunté si entre las armas no figuraba la daga de Moreira, en aquel tiempo el arquetipo del gaucho, como después lo fueron Martín Fierro y Don Segundo Sombra. Hubo de confesar que no, pero que podía mostrarme una igual, con el gavilán en forma de U. Lo interrumpieron unas voces airadas. Cerró inmediatamente la vitrina; yo lo seguí.

Uriarte vociferaba que su adversario le había hecho una trampa. Los compañeros los rodeaban, de pie. Duncan, recuerdo, era más alto que los otros, robusto, algo cargado de hombros, inexpresivo, de un rubio casi blanco; Maneco Uriarte era movedizo, moreno, acaso achinado, con un bigote petulante y escaso. Era evidente que todos estaban ebrios; no sé si había en el piso dos o tres botellas tiradas o si el abuso del cinematógrafo me sugiere esa falsa memoria. Las injurias de Uriarte no cejaban, agudas y ya obscenas. Duncan parecía no oírlo; al fin, como cansado, se levantó y le dio un puñetazo. Uriarte, desde el suelo, gritó que no iba a tolerar esa afrenta y lo retó a batirse.

Duncan dijo que no, y agregó a manera de explicación:
—Lo que pasa es que le tengo miedo.
La carcajada fué general.
Uriarte, ya de pie, replicó:
—Voy a batirme con usted y ahora mismo.
Alguien, Dios lo perdone, hizo notar que armas no faltaban.

No sé quién abrió la vitrina. Maneco Uriarte buscó el arma más vistosa y más larga, la del gavilán en forma de U; Duncan, casi al desgaire, un cuchillo de cabo de madera, con la figura de un arbolito en la hoja. Otro dijo que era muy de Maneco elegir una espada. A nadie le asombró que le temblara en aquel momento la mano; a todos, que a Duncan le pasara lo mismo.

La tradición exige que los hombres en trance de pelear no ofendan la casa en que están y salgan afuera. Medio en jarana, medio en serio, salimos a la húmeda noche. Yo no estaba ebrio de vino, pero sí de aventura; yo anhelaba que alguien matara, para poder contarlo después y para recordarlo. Quizá en aquel momento los otros no eran más adultos que yo. También sentí que un remolino, que nadie era capaz de sujetar, nos arrastraba y nos perdía. No se prestaba mayor fe a la acusación de Maneco; todos la interpretaban como fruto de una vieja rivalidad, exacerbada por el vino.

Caminamos entre árboles, dejamos atrás la glorieta. Uriarte y Duncan iban a la cabeza; me extrañó que se vigilaran, como temiendo una sorpresa. Bordeamos un cantero de césped. Duncan dijo con suave autoridad:

—Este lugar es aparente.

Los dos quedaron en el centro, indecisos. Una voz les gritó:

—Suelten esa ferretería que los estorba y agárrense de veras.

Pero ya los hombres peleaban. Al principio lo hicieron con torpeza, como si temieran herirse; al principio miraban los aceros, pero después los ojos del contrario. Uriarte había olvidado su ira; Duncan, su indiferencia o desdén. El peligro los había transfigurado; ahora eran dos hombres los que peleaban, no dos muchachos. Yo había previsto la pelea como un caos de acero, pero pude seguirla, o casi seguirla, como si fuera un ajedrez. Los años, claro está, no habrán dejado de exaltar o de oscurecer lo que vi. No sé cuánto duró; hay hechos que no se sujetan a la común medida del tiempo.

Sin el poncho que hace de guardia, paraban con el antebrazo los golpes. Las mangas, pronto jironadas, se iban oscureciendo de sangre. Pensé que nos habíamos engañado al presuponer que desconocían esa clase de esgrima. No tardé en advertir que se manejaban de manera distinta. Las armas eran desparejas. Duncan, para salvar esa desventaja, quería estar muy cerca del otro; Uriarte retrocedía para tirarse en puñaladas largas y bajas. La misma voz que había indicado la vitrina gritó:

—Se están matando. No los dejen seguir.

Nadie se atrevió a intervenir. Uriarte había perdido terreno; Duncan entonces lo cargó. Ya casi se tocaban los cuerpos. El acero de Uriarte buscaba la cara de Duncan. Bruscamente nos pareció más corto, porque había penetrado en el pecho. Duncan quedó tendido en el césped. Fue entonces cuando dijo con voz muy baja:

—Qué raro. Todo esto es como un sueño.

No cerró los ojos, no se movió y yo había visto a un hombre matar a otro.

Maneco Uriarte se inclinó sobre el muerto y le pidió que lo perdonara. Sollozaba sin disimulo. El hecho que acababa de cometer lo sobrepasaba. Ahora sé que se arrepentía menos de un crimen que de la ejecución de un acto insensato.

No quise mirar más. Lo que yo había anhelado había ocurrido y me dejaba roto. Lafinur me dijo después que tuvieron que forcejear para arrancar el arma. Se formó un conciliábulo. Resolvieron mentir lo menos posible y elevar el duelo a cuchillo a un duelo con espadas. Cuatro se ofrecieron como padrinos, entre ellos Acebal. Todo se arregla en Buenos Aires; alguien es siempre amigo de alguien.

Sobre la mesa de caoba quedó un desorden de barajas inglesas y de billetes que nadie quería mirar o tocar.

En los años siguientes pensé más de una vez en confiar la historia a un amigo, pero siempre sentí que ser poseedor de un secreto me halagaba más que contarlo. Hacia 1929, un diálogo casual me movió de pronto a romper el largo silencio. El comisario retirado don José Olave me había contado historias de cuchilleros del bajo del Retiro; observó que esa gente era capaz de cualquier felonía, con tal de madrugar al contrario, y que antes de los Podestá y de Gutiérrez casi no hubo duelos criollos. Le dije haber sido testigo de uno y le narré lo sucedido hace tantos años.

Me oyó con atención profesional y después me dijo:

—¿Está seguro de que Uriarte y el otro no habían visteado nunca? A lo mejor, alguna temporada en el campo les había servido de algo.

—No —le contesté—. Todos los de esa noche se conocían y todos estaban atónitos.

Olave prosiguió sin apuro, como si pensara en voz alta:

—Una de las dagas tenía el gavilán en forma de U. Dagas como ésas hubo dos que se hicieron famosas: la de Moreira y la de Juan Almada, por Tapalquén.

Algo se despertó en mi memoria; Olave prosiguió:

—Usted mentó asimismo un cuchillo con cabo de madera, de la marca del Arbolito. Armas como ésas hay de a miles, pero hubo una...

Se detuvo un momento y prosiguió:

—El señor Acevedo tenía su establecimiento de campo cerca de Pergamino. Precisamente por aquellos pagos anduvo, a fines del siglo, otro pendenciero de mentas: Juan Almanza. Desde la primera muerte que hizo, a los catorce años, usaba siempre un cuchillo corto de ésos, porque le trajo suerte. Juan Almanza y Juan Almada se tomaron inquina, porque la gente los confundía. Durante mucho tiempo se buscaron y nunca se encontraron. A Juan Almanza lo mató una bala perdida, en unas elecciones. El otro, creo, murió de muerte natural en el hospital de Las Flores.

Nada más se dijo esa tarde. Nos quedamos pensando.

Nueve o diez hombres, que ya han muerto, vieron lo que vieron mis ojos —la larga estocada en el cuerpo y el cuerpo bajo el cielo— pero el fin de otra historia más antigua fue lo que vieron. Maneco Uriarte no mató a Duncan; las armas, no los hombres, pelearon. Habían dormido, lado a lado, en una vitrina, hasta que las manos las despertaron. Acaso se agitaron al despertar; por eso tembló el puño de Uriarte, por eso tembló el puño de Duncan. Las dos sabían pelear —no sus instrumentos, los hombres— y pelearon bien esa noche. Se habían buscado largamente, por los largos caminos de la provincia, y por fin se encontraron, cuando sus gauchos ya eran polvo. En su hierro dormía y acechaba un rencor humano.

Las cosas duran más que la gente. Quién sabe si la historia concluye aquí, quién sabe si no volverán a encontrarse.

JUAN MURAÑA

Durante años he repetido que me he criado en Palermo. Se trata, ahora lo sé, de un mero alarde literario; el hecho es que me crié del otro lado de una larga verja de lanzas, en una casa con jardín y con la biblioteca de mi padre y de mis abuelos. Palermo del cuchillo y de la guitarra andaba (me aseguran) por las esquinas; en 1930, consagré un estudio a Carriego, nuestro vecino cantor y exaltador de los arrabales. El azar me enfrentó, poco después, con Emilio Trápani. Yo iba a Morón; Trápani, que estaba junto a la ventanilla, me llamó por mi nombre. Tardé en reconocerlo; habían pasado tantos años desde que compartimos el mismo banco en una escuela de la calle Thames. Roberto Godel lo recordará.

Nunca nos tuvimos afecto. El tiempo nos había distanciado y también la recíproca indiferencia. Me había enseñado, ahora me acuerdo, los rudimentos del lunfardo de entonces. Entablamos una de esas conversaciones triviales que se empeñan en la busca de hechos inútiles y que nos revelan el deceso de un condiscípulo que ya no es más que un nombre. De golpe Trápani me dijo:

—Me prestaron tu libro sobre Carriego. Ahí hablás todo el tiempo de malevos; decime, Borges, vos, ¿qué podés saber de malevos?

Me miró con una suerte de santo horror.

—Me he documentado —le contesté.

No me dejó seguir y me dijo:

—Documentado es la palabra. A mí los documentos no me hacen falta; yo conozco a esa gente.

Al cabo de un silencio agregó, como si me confiara un secreto:

—Soy sobrino de Juan Muraña.

De los cuchilleros que hubo en Palermo hacia el noventa y tantos, el más mentado era Muraña. Trápani continuó:

—Florentina, mi tía, era su mujer. La historia puede interesarte.

Algunos énfasis de tipo retórico y algunas frases largas me hicieron sospechar que no era la primera vez que la refería.

—"A mi madre siempre le disgustó que su hermana uniera su vida a la de Juan Muraña, que para ella era un desalmado y para Tía Florentina un hombre de acción. Sobre la suerte de mi tío corrieron muchos cuentos. No faltó quien dijera que una noche, que estaba en copas, se cayó del pescante de su carro al doblar la esquina de Coronel y que las piedras le rompieron el cráneo. También se dijo que la ley lo buscaba y que se fugó al Uruguay.

Mi madre, que nunca lo sufrió a su cuñado, no me explicó la cosa. Yo era muy chico y no guardo memoria de él.

Por el tiempo del Centenario, vivíamos en el pasaje Russell, en una casa larga y angosta. La puerta del fondo, que siempre estaba cerrada con llave, daba a San Salvador. En la pieza del altillo vivía mi tía, ya entrada en años y algo rara. Flaca y huesuda, era, o me parecía, muy alta y gastaba pocas palabras. Le tenía miedo al aire, no salía nunca, no quería que entráramos en su cuarto y más de una vez la pesqué robando y escondiendo comida. En el barrio decían que la muerte, o la desaparición, de Muraña la había trastornado. La recuerdo siempre de negro. Había dado en el hábito de hablar sola.

La casa era de propiedad de un tal señor Luchessi, patrón de una barbería en Barracas. Mi madre, que era costurera de cargazón, andaba en la mala. Sin que yo las entendiera del todo, oía palabras sigilosas: oficial de justicia, lanzamiento, desalojo por falta de pago. Mi madre estaba de lo más afligida; mi tía repetía obstinadamente: Juan no va a consentir que el gringo nos eche. Recordaba el caso —que sabíamos de memoria— de un surero insolente que se había permitido poner en duda el coraje de su marido. Éste, en cuanto lo supo, se costeó a la otra punta de la ciudad, lo buscó, lo arregló de una puñalada y lo tiró al Riachuelo. No sé si la historia es verdad; lo que importa ahora es el hecho de que haya sido referida y creída.

Yo me veía durmiendo en los huecos de la calle Serrano o pidiendo limosna o con una canasta de duraznos. Me tentaba lo último, que me libraría de ir a la escuela.

No sé cuanto duró esa zozobra. Una vez, tu finado padre nos dijo que no se puede medir el tiempo por días, como el dinero por centavos o pesos, porque los pesos son iguales y cada día es distinto y tal vez cada hora. No comprendí muy bien lo que decía, pero me quedó grabada la frase.

Una de esas noches tuve un sueño que acabó en pesadilla. Soñé con mi tío Juan. Yo no había alcanzado a conocerlo, pero me lo figuraba aindiado, fornido, de bigote ralo y melena. Íbamos hacia el sur, entre grandes canteras y maleza, pero esas canteras y esa maleza eran también la calle Thames. En el sueño el sol estaba alto. Tío Juan iba trajeado de negro. Se paró cerca de una especie de andamio, en un desfiladero. Tenía la mano bajo el saco, a la altura del corazón, no como quien está por sacar un arma, sino como escondiéndola. Con una voz muy triste me dijo: He cambiado mucho. Fue sacando la mano y lo que vi fue una garra de buitre. Me desperté gritando en la oscuridad.

Al otro día mi madre me mandó que fuera con ella a lo de Luchessi. Sé que iba a pedirle una prórroga; sin duda me llevó para que el acreedor viera su desamparo. No le dijo una palabra a su hermana, que no le hubiera consentido rebajarse de esa manera. Yo no había estado nunca en Barracas; me pareció que había más gente, más tráfico y menos terrenos baldíos. Desde la esquina vimos vigilantes y una aglomeración frente al número que buscábamos. Un vecino repetía de grupo en grupo que hacia las tres de la mañana lo habían despertado unos golpes; oyó la puerta que se abría y alguien que entraba. Nadie la cerró; al alba lo encontraron a Luchessi tendido en el zaguán, a medio vestir. Lo habían cosido a puñaladas. El hombre vivía solo; la justicia no dio nunca con el culpable. No habían robado nada. Alguno recordó que, últimamente, el finado casi había perdido la vista. Con voz autoritaria dijo otro: 'Le había llegado la hora'. El dictamen y el tono me impresionaron; con los años pude observar que cada vez que alguien se muere no falta un sentencioso para hacer ese mismo descubrimiento.

Los del velorio nos convidaron con café y yo tomé una taza. En el cajón había una figura de cera en lugar del muerto. Comenté el hecho con mi madre; uno de los funebreros se rió y me aclaró que esa figura con ropa negra era el señor Luchessi. Me quedé como fascinado. mirándolo. Mi madre tuvo que tirarme del brazo.

Durante meses no se habló de otra cosa. Los crímenes eran raros entonces; pensá en lo mucho que dio que hablar el asunto del Melena, del Campana y del Silletero. La única persona en Buenos Aires a quien no se le movió un pelo fue Tía Florentina. Repetía con la insistencia de la vejez:

—Ya les dije que Juan no iba a sufrir que el gringo nos dejara sin techo.

Un día llovió a cántaros. Como yo no podía ir a la escuela, me puse a curiosear por la casa. Subí al altillo. Ahí estaba mi tía, con una mano sobre la otra; sentí que ni siquiera estaba pensando. La pieza olía a humedad. En un rincón estaba la cama de fierro, con el rosario en uno de los barrotes; en otro una petaca de madera para guardar la ropa. En una de las paredes blanqueadas había una estampa de la Virgen del Carmen. Sobre la mesita de luz estaba el candelero.

Sin levantar los ojos mi tía me dijo:

—Ya sé lo que te trae por aquí. Tu madre te ha mandado. No acaba de entender que fue Juan el que nos salvó.

—¿Juan? —atiné a decir—. Juan murió hace más de diez años.

—Juan está aquí —me dijo—. ¿Querés verlo?

Abrió el cajón de la mesita y sacó un puñal.

Siguió hablando con suavidad:

—Aquí lo tenés. Yo sabía que nunca iba a dejarme. En la tierra no ha habido un hombre como él. No le dio al gringo ni un respiro.

Fue sólo entonces que entendí. Esa pobre mujer desatinada había asesinado a Luchessi. Mandada por el odio, por la locura, y tal vez, quién sabe, por el amor, se había escurrido por la puerta que mira al sur, había atravesado en la alta noche las calles y las calles, había dado al fin con la casa y, con esas grandes manos huesudas, había hundido la daga. La daga era Muraña, era el muerto que ella seguía adorando.

Nunca sabré si le confió la historia a mi madre. Falleció poco antes del desalojo."

Hasta aquí el relato de Trápani, con el cual no he vuelto a encontrarme. En la historia de esa mujer que se quedó sola y que confunde a su hombre, a su tigre, con esa cosa cruel que le ha dejado, el arma de sus hechos, creo entrever un símbolo o muchos símbolos. Juan Muraña fue un hombre que pisó mis calles familiares, que supo lo que saben los hombres, que conoció el sabor de la muerte y que fue después un cuchillo y ahora la memoria de un cuchillo y mañana el olvido, el común olvido.

LA SEÑORA MAYOR

El catorce de enero de 1941, María Justina Rubio de Jáuregui cumpliría cien años. Era la única hija de guerreros de la Independencia que no había muerto aún.

El coronel Mariano Rubio, su padre, fue lo que sin irreverencia puede llamarse un prócer menor. Nacido en la parroquia de la Merced, hijo de hacendados de la provincia, fue promovido a alférez en el ejército de los Andes, militó en Chacabuco, en la derrota de Cancha Rayada, en Maipú y, dos años después, en Arequipa. Se cuenta que la víspera de esta acción, José de Olavarría y él cambiaron sus espadas. A principios de abril del 23 ocurriría el célebre combate de Cerro Alto que, por haberse librado en el valle, suele denominarse también de Cerro Bermejo. Siempre envidiosos de nuestras glorias, los venezolanos atribuyeron esta victoria al general Simón Bolívar, pero el observador imparcial, el historiador argentino, no se deja embaucar y sabe muy bien que sus laureles corresponden al coronel Mariano Rubio. Éste, a la cabeza de un regimiento de húsares colombianos, decidió la incierta contienda de sables y de lanzas, que preparó la no menos famosa acción de Ayacucho, en la que también se batió. En ésta recibió una herida. El 27 le fue dado actuar con denuedo en Ituzaingó, a las órdenes inmediatas de Alvear. Pese a su parentesco con Rosas, fue hombre de Lavalle y dispersó a los montoneros en una acción que él llamó siempre una sableada. Derrotados los unitarios, emigró al Estado Oriental, donde se casó. En el decurso de la Guerra Grande, murió en Montevideo, plaza sitiada por los blancos de Oribe. Estaba por cumplir cuarenta y cuatro años, que ya eran casi la vejez. Fue amigo de Florencio Varela. Es harto verosímil que los profesores del Colegio Militar lo hubieran aplazado; sólo había cursado batallas pero ni un solo examen. Dejó dos hijas, de las cuales María Justina, la menor, es la que nos importa.

A fines del 53 la viuda del coronel y sus hijas se fijaron en Buenos Aires. No recobraron el establecimiento de campo confiscado por el tirano, pero el recuerdo de esas leguas perdidas, que no habían visto nunca, perduró largamente en la familia. A la edad de diecisiete años, María Justina casó con el doctor Bernardo Jáuregui, que, aunque civil, se batió en Pavón y en Cepeda y murió en el ejercicio de su profesión durante la Fiebre Amarilla. Dejó un hijo y dos hijas; Mariano, el primogénito, era inspector de rentas y solía frecuentar la Biblioteca Nacional y el Archivo, urgido por el propósito de escribir una exhaustiva biografía del héroe, que nunca terminó y que acaso no empezó nunca. La mayor, María Elvira, se casó con un primo suyo, un Saavedra, empleado en el Ministerio de Hacienda; Julia, con un señor Molinari, que, aunque de apellido italiano, era profesor de latín y una persona de lo más ilustrada. Omito a nietos y a bisnietos; basta que mi lector se figure una familia honrosa y venida a menos, presidida por una sombra épica y por la hija que nació en el destierro.

Vivían modestamente en Palermo, no lejos de la Iglesia de Guadalupe, donde Mariano recordaba aún haber visto, desde un tranvía de La Gran Nacional, una laguna que bordeaba uno que otro rancho de ladrillo sin revocar, no de chapas de zinc; la pobreza de ayer era menos pobre que la que ahora nos depara la industria. También las fortunas eran menores.

La casa de los Rubio ocupaba los altos de una mercería del barrio. La escalera lateral era angosta; la baranda, que estaba a la derecha, se prolongaba en uno de los costados del oscuro vestíbulo, donde había una percha y unas sillas. El vestíbulo daba a la salita con muebles tapizados, y la salita al comedor, con muebles de caoba y una vitrina. Las persianas de hierro, siempre cerradas por temor a la resolana, dejaban pasar una media luz. Me acuerdo de un olor a cosas guardadas. En el fondo estaban los dormitorios, el baño, un patiecieto con pileta de lavar y la pieza de la sirvienta. En toda la casa no había otros libros que un volumen de Andrade, una monografía del héroe, con adiciones manuscritas, y el Diccionario Hispano-Americano de Montaner y Simón, adquirido porque lo pagaban a plazos y por el mueblecito correspondiente. Contaban con una pensión, que siempre les llegaba con atraso, y con el alquiler de un terreno —único resto de la estancia, antes vasta— en Lomas de Zamora.

En la fecha de mi relato, la señora mayor vivía con Julia, que había enviudado, y con un hijo de ésta. Seguía abominando de Artigas, de Rosas y de Urquiza; la primera guerra europea, que le hizo detestar a los alemanes, de los que sabía muy poco, fue menos real para ella que la revolución del noventa y que la carga de Cerro Alto. Desde 1932 había ido apagándose poco a poco; las metáforas comunes son las mejores, porque son las únicas verdaderas. Profesaba, por supuesto, la fe católica, lo cual no significa que creyera en un Dios que es Uno y es Tres, ni siquiera en la inmortalidad de las almas. Murmuraba oraciones que no entendía y las manos movían el rosario, En lugar de la Pascua y del Día de Reyes había aceptado la Navidad, así como el té en vez del mate. Las palabras *protestante, judío, masón, hereje* y *ateo* eran, para ella, sinónimas y no querían decir nada. Mientras pudo no hablaba de españoles sino de godos, como lo habían hecho sus padres. En 1910, no quería creer que la Infanta, que al fin y al cabo era una princesa, hablara, contra toda previsión, como una gallega cualquiera y no como una señora argentina. Fue en el velorio de su yerno donde una parienta rica, que nunca había pisado la casa pero cuyo nombre buscaban con avidez en la crónica social de los diarios, le dio la desconcertante noticia. La nomenclatura de la señora de Jáuregui siguió siendo anticuada; hablaba de la calle de las Artes, de la calle del Temple, de la calle Buen Orden, de la calle de la Piedad, de las dos Calles Largas, de la plaza del Parque y de los Portones. La familia afectaba esos arcaísmos, que eran espontáneos en ella. Decían *orientales* y no *uruguayos*. No salía de su casa; quizá no sospechaba que Buenos Aires había ido cambiando y creciendo. Los primeros recuerdos son los más vívidos; la ciudad que la señora se figuraba del otro lado de la puerta de calle sería muy anterior a la del tiempo en que tuvieron que mudarse del centro. Los bueyes de las carretas descansarían en la plaza del Once y las violetas muertas aromarían las quintas de Barracas. *Ya no sueño más que con muertos* fue una de las últimas cosas que le oyeron decir. Nunca fue tonta, pero no había gozado, que yo sepa, de placeres intelectuales; le quedarían los que da la memoria y después el olvido. Siempre fue generosa. Recuerdo los tranquilos ojos claros y la sonrisa. Quién sabe qué tumulto de pasiones, ahora perdidas y que ardieron, hubo en esa vieja mujer, que había sido agraciada. Muy sensible a las plantas, cuya modesta vida silenciosa era afín a la de ella, cuidaba unas begonias en su cuarto y tocaba las hojas que no veía. Hasta 1929, en que se hundió en el entresueño, contaba sucedidos históricos, pero siempre con las mismas palabras y en el mismo orden, como si fueran el Padrenuestro, y sospeché que ya no respondían a imágenes. Lo mismo le daba comer una cosa que otra. Era, en suma, feliz.

Dormir, según se sabe, es el más secreto de nuestros actos. Le dedicamos una tercera parte de la vida y no lo comprendemos. Para algunos no es otra cosa que un eclipse de la vigilia; para otros, un estado más complejo, que abarca a un tiempo el ayer, el ahora y el mañana; para otros, una no interrumpida serie de sueños. Decir que la señora de Jáuregui pasó diez años en un caos tranquilo es acaso un error; cada instante de esos diez años puede haber sido un puro presente, sin antes ni después. No nos maravillemos demasiado de ese presente que contamos por días y por noches y por los centenares de las hojas de muchos calendarios y por ansiedades y hechos; es el que atravesamos cada mañana antes de recordarnos y cada noche antes del sueño. Todos los días somos dos veces la señora mayor.

Los Jáuregui vivían, ya lo hemos visto, en una situación algo falsa. Creían pertenecer a la aristocracia, pero la gente que figura los ignoraba; eran descendientes de un prócer, pero los manuales de historia solían prescindir de su nombre. Es verdad que lo conmemoraba una calle, pero esa calle, que muy pocos conocen, estaba perdida en los fondos del cementerio del Oeste.

La fecha se acercaba. El diez, un militar de uniforme se presentó con una carta firmada por el propio Ministro anunciando su visita para el catorce; los Jáuregui mostraron esa carta a todo el vecindario y recalcaron el membrete y la firma autógrafa. Luego fueron llegando los periodistas para la redacción de la nota. Les facilitaron todos los datos; era evidente que en su vida habían oído hablar del coronel Rubio. Gente casi desconocida habló por teléfono para que los invitaran.

Con diligencia trabajaron para el gran día. Enceraron los pisos, limpiaron los cristales de las ventanas, desenfundaron las arañas, lustraron la caoba, pulieron la platería de la vitrina, modificaron la disposición de los muebles y dejaron abierto el piano de la sala para lucir el cubreteclas de terciopelo. La gente iba y venía. La única persona ajena a esa bulla era la señora de Jáuregui, que parecía no entender nada. Sonreía; Julia, asistida por la sirvienta, la acicaló, como si ya estuviera muerta. Lo primero que las visitas verían al entrar sería el óleo del prócer y, un poco más abajo y a la derecha, la espada de sus muchas batallas. Aun en las épocas de penuria se habían negado siempre a venderla y pensaban donarla al Museo Histórico. Una vecina de lo más atenta les prestó para la ocasión una maceta de malvones.

La fiesta empezaría a las siete. Fijaron como hora las seis y media, porque sabían que a nadie le gusta llegar a encender las luces. A las siete y diez no había un alma; discutieron con alguna acritud las desventajas y ventajas de la impuntualidad. Elvira, que se preciaba de llegar a la hora precisa, dictaminó que era una imperdonable desconsideración tener esperando a la gente; Julia, repitiendo palabras de su marido, opinó que llegar tarde es una cortesía, porque si todos lo hacen es más cómodo y nadie apura a nadie. A las siete y cuarto la gente no cabía en la casa. El barrio entero pudo ver y envidiar el coche y el *chauffeur* de la señora de Figueroa, que no las invitaba casi nunca, pero que recibieron con efusión, para que nadie sospechara que sólo se veían por muerte de un obispo. El presidente envió a su edecán, un señor muy amable, que dijo que para él era todo un honor estrechar la mano de la hija del héroe de Cerro Alto. El ministro, que tuvo que retirarse temprano, leyó un discurso muy conceptuoso, en el cual, si embargo, se hablaba más de San Martín que del coronel Rubio. La anciana estaba en su sillón, contra unos almohadones y a ratos inclinaba la cabeza o dejaba caer el abanico. Un grupo de señoras distinguidas, las Damas de la Patria, le cantaron el Himno, que pareció no oír. Los fotógrafos dispusieron a la concurrencia en grupos artísticos y prodigaron sus fogonazos. Las copitas de oporto y de jerez no daban abasto. Descorcharon varias botellas de *champagne*. La señora de Jáuregui no articuló una sola palabra: acaso ya no sabía quién era. Desde esa noche guardó cama.

Cuando los extraños se fueron la familia improvisó una pequeña cena fría. El olor del tabaco y del café ya había disipado el del tenue benjuí.

Los diarios de la mañana y de la tarde mintieron con lealtad; ponderaron la casi milagrosa retentiva de la hija del prócer, que "es archivo elocuente de cien años de la historia argentina". Julia quiso mostrarle esas crónicas. En la penumbra, la señora mayor seguía inmóvil, con los ojos cerrados. No tenía fiebre; el médico la examinó y declaró que todo andaba bien. A los pocos días murió. La irrupción de la turba, el tumulto insólito, los fogonazos, el discurso, los uniformes, los repetidos apretones de manos y el ruidoso *champagne* habían apresurado su fin. Tal vez creyó que era la Mazorca que entraba.

Pienso en los muertos de Cerro Alto, pienso en los hombres olvidados de América y de España que perecieron bajo los cascos de los caballos; pienso que la última víctima de ese tropel de lanzas en el Perú sería, más de un siglo después, una señora anciana.

EL DUELO

A Juan Osvaldo Viviano

Henry James —cuya labor me fue revelada por una de mis dos protagonistas, la señora de Figueroa— quizá no hubiera desdeñado la historia. Le hubiera consagrado más de cien páginas de ironía y ternura, exornadas de diálogos complejos y escrupulosamente ambiguos. No es improbable su adición de algún rasgo melodramático. Lo esencial no habría sido modificado por el escenario distinto: Londres o Boston. Los hechos ocurrieron en Buenos Aires y ahí los dejaré. Me limitaré a un resumen del caso, ya que su lenta evolución y su ámbito mundano son ajenos a mis hábitos literarios. Dictar este relato es para mí una modesta y lateral aventura. Debo prevenir al lector que los episodios importan menos que la situación que los causa y los caracteres.

Clara Glencairn de Figueroa era altiva y alta y de fogoso pelo rojo. Menos intelectual que comprensiva, no era ingeniosa, pero sí capaz de apreciar el ingenio de los otros y aun de las otras. En su alma había hospitalidad. Agradecía las diferencias; quizá por eso viajó tanto. Sabía que el ambiente que le había tocado en suerte era un conjunto a veces arbitrario de ritos y de ceremonias, pero esos ritos le hacían gracia y los ejercía con dignidad. Sus padres la casaron, muy joven, con el doctor Isidro Figueroa, que fue nuestro embajador en el Canadá y que acabó por renunciar a ese cargo, alegando que en una época de telégrafos y teléfonos, las embajadas eran anacronismos y constituían un gravamen inútil. Esta decisión le valió el rencor de todos sus colegas; a Clara le gustaba el clima de Ottawa —al fin y al cabo era de linaje escocés— y no le disgustaban los deberes de la mujer de un embajador, pero no soñó en protestar. Figueroa murió poco después; Clara, tras unos años de indecisión y de íntima busca, se entregó al ejercicio de la pintura, incitada acaso por el ejemplo de Marta Pizarro, su amiga.

Es típico de Marta Pizarro que, al referirse a ella, todos la definieran como hermana de la brillante Nélida Sara, casada y separada.

Antes de elegir el pincel, Marta Pizarro había considerado la alternativa de las letras. Podía ser ocurrente en francés, el idioma habitual de sus lecturas; el español, para ella, no pasaba de ser un mero utensilio casero, como el guaraní para las señoras de la provincia de Corrientes. Los diarios habían puesto a su alcance páginas de Lugones y del madrileño Ortega y Gasset; el estilo de esos maestros confirmó su sospecha de que la lengua a la que estaba predestinada es menos apta para la expresión del pensamiento o de las pasiones que para la vanidad palabrera. Sólo sabía de la música lo que debe saber toda persona que asiste correctamente a conciertos. Era puntana; inició su carrera con escrupulosos retratos de Juan Crisóstomo Lafinur y del coronel Pascual Pringles, que fueron previsiblemente adquiridos por el Museo Provincial. Del retrato de próceres locales pasó a las casas viejas de Buenos Aires, cuyos modestos patios delineó con modestos colores, no con la charra escenografía que otros les donan. Alguien —que ciertamente no fue la señora de Figueroa— dijo que todo su arte se alimentaba de los maestros de obras genoveses del siglo diecinueve. Entre Clara Glencairn y Nélida Sara (que, según dicen, había gustado alguna vez del doctor Figueroa) hubo siempre cierta rivalidad; quizá el duelo fue entre las dos y Marta un instrumento.

Todo, según se sabe, ocurre inicialmente en otros países y a la larga en el nuestro. La secta de pintores, hoy tan injustamente olvidada, que se llamó concreta o abstracta, como para indicar su desdén de la lógica y del lenguaje, es uno de tantos ejemplos. Argumentaba, creo, que de igual modo que a la música le está permitido crear un orbe propio de sonidos, la pintura, su hermana, podría ensayar colores y formas que no reprodujeran los de las cosas que nuestros ojos ven. Lee Kaplan escribió que sus telas, que indignaban a los burgueses, acataban la bíblica prohibición, compartida por el Islam, de labrar con manos humanas ídolos de seres vivientes. Los iconoclastas, argüía, estaban restaurando la genuina tradición del arte pictórico, falseada por herejes como Durero o como Rembrandt. Sus detractores lo acusaron de haber invocado el ejemplo que nos dan las alfombras, los calidoscopios y las corbatas. Las revoluciones estéticas proponen a la gente la tentación de lo irresponsable y lo fácil; Clara Glencairn optó por ser una pintora abstracta. Siempre había profesado el culto de Turner; se dispuso a enriquecer el arte concreto con sus esplendores indefinidos. Trabajó sin apremio, rehizo o destruyó varias composiciones y en el invierno de 1954 exhibió una serie de témperas en una sala de la calle Suipacha, cuya especialidad eran las obras que una metáfora militar, entonces en boga. llamaba de vanguardia. Ocurrió un hecho paradójico: la crítica general fue benigna, pero el órgano oficial de la secta reprobó esas formas anómalas que, si bien no eran figurativas, sugerían el tumulto de un ocaso, de una selva o del mar y no se resignaban a ser austeros redondeles y rayas. Acaso la primera en sonreír fuera Clara Glencairn. Había querido ser moderna y los modernos la rechazaban. La ejecución de su obra le importaba más que su éxito y no dejó de trabajar. Ajena a este episodio, la pintura seguía su camino.

Ya había empezado el duelo secreto. Marta no sólo era una artista; le interesaba con ahinco lo que no es injusto llamar lo administrativo del arte y era prosecretaria de la sociedad que se llama el Círculo de Giotto. Al promediar el año 55 logró que Clara, admitida ya como socia, figurara como vocal en la lista de las nuevas autoridades. El hecho, en apariencia baladí, merece un análisis. Marta había apoyado a su amiga, pero es indiscutible, aunque misterioso, que la persona que confiere un favor supera de algún modo a quien lo recibe.

Hacia el año sesenta, "dos pinceles a nivel internacional" —séanos perdonada esta jerga— se disputaban un primer premio. Uno de los candidatos, el mayor, había consagrado solemnes óleos a la figuración de gauchos tremebundos, de una altitud escandinava; su rival, harto joven, había logrado aplausos y escándalo mediante la aplicada incoherencia. Los jurados, que habían rebasado el medio siglo, temían que la gente les imputara un criterio anticuado y propendían a votar por el último, que íntimamente no les gustaba. Al cabo de tenaces debates, hechos al principio de cortesía y al fin de tedio, no se ponían de acuerdo. En el decurso de la tercera discusión, alguno opinó:

—B me parece malo; realmente me parece inferior a la misma señora de Figueroa.

—¿Usted la votaría? —dijo otro, con un dejo de sorna.

—Sí —replicó el primero, que ya estaba irritado.

Esa misma tarde, el premio fue otorgado por unanimidad a Clara Glencairn. Era distinguida, querible, de una moral sin tacha y solía dar fiestas, que las revistas más costosas fotografiaban, en su quinta del Pilar. La consabida cena de homenaje fue organizada y ofrecida por Marta. Clara la agradeció con pocas y atinadas palabras; observó que no existe una oposición entre lo tradicional y lo nuevo, entre el orden y la aventura, y que la tradición está hecha de una trama secular de aventuras. A la demostración asistieron numerosas personas de sociedad, casi todos los miembros del jurado y uno que otro pintor.

Todos pensamos que el azar nos ha deparado un ámbito mezquino y que los otros son mejores. El culto de los gauchos y el

Beatus ille son nostalgias urbanas; Clara Glencairn y Marta, hartas de las rutinas del ocio, codiciaban el mundo de los artistas, gente que había dedicado su vida a la creación de cosas bellas. Presumo que en el cielo los Bienaventurados opinan que las ventajas de ese establecimiento han sido exageradas por los teólogos que nunca estuvieron ahí. Acaso en el infierno los réprobos no son siempre felices.

Un par de años después ocurrió en la ciudad de Cartagena el Primer Congreso Internacional de Plásticos Latinoamericanos. Cada república mandó su representante. El temario —séanos perdonada la jerga— era de palpitante interés: ¿puede el artista prescindir de lo autóctono, puede omitir o escamotear la fauna y la flora, puede ser insensible a la problemática de carácter social, puede no unir su voz a la de quienes están combatiendo el imperialismo sajón, etcétera, etcétera? Antes de ser embajador en el Canadá, el doctor Figueroa había cumplido en Cartagena un cargo diplomático; a Clara, un tanto envanecida por el premio, le hubiera gustado volver, ahora como artista. Esa esperanza fracasó; Marta Pizarro fue designada por el gobierno. Su actuación (aunque no siempre persuasiva) fue no pocas veces brillante, según el testimonio imparcial de los corresponsales de Buenos Aires.

La vida exige una pasión. Ambas mujeres la encontraron en la pintura o, mejor dicho, en la relación que aquélla les impuso. Clara Glencairn pintaba contra Marta y de algún modo para Marta; cada una era juez de su rival y el solitario público. En esas telas, que ya nadie miraba, creo advertir, como era inevitable, un influjo recíproco. Es importante no olvidar que las dos se querían y que en el curso de aquel íntimo duelo obraron con perfecta lealtad.

Fue por aquellos años que Marta, que ya no era tan joven, rechazó una oferta de matrimonio; sólo le interesaba su batalla.

El día dos de febrero de mil novecientos sesenta y cuatro, Clara Glencairn murió de un aneurisma. Las columnas de los diarios le consagraron largas necrologías, de las que todavía son de rigor en nuestro país, donde la mujer es un ejemplar de la especie, no un individuo. Fuera de alguna apresurada mención de sus aficiones pictóricas y de su refinado buen gusto, se ponderó su fe, su bondad, su casi anónima y constante filantropía, su linaje patricio —el general Glencairn había militado en la campaña del Brasil— y su destacado lugar en los más altos círculos. Marta comprendió que su vida ya carecía de razón. Nunca se había sentido tan inútil. Recordó sus primeras tentativas, ahora lejanas, y expuso en el Salón Nacional un sobrio retrato de Clara, a la manera de aquellos maestros ingleses que habían admirado las dos. Alguno la juzgó su mejor obra. No volvería a pintar más.

En aquel duelo delicado que sólo adivinamos algunos íntimos no hubo derrotas ni victorias, ni siquiera un encuentro ni otras visibles circunstancias que las que he procurado registrar con respetuosa pluma. Sólo Dios (cuyas preferencias estéticas ignoramos) puede otorgar la palma final. La historia que se movió en la sombra acaba en la sombra.

EL OTRO DUELO

Hace ya tantos años que Carlos Reyles, hijo del novelista, me refirió la historia en Adrogué, en un atardecer de verano. En mi recuerdo se confunden ahora la larga crónica de un odio y su trágico fin con el olor medicinal de los eucaliptos y la voz de los pájaros.

Hablamos, como siempre, de la entreverada historia de las dos patrias. Me dijo que sin duda yo tenía mentas de Juan Patricio Nolan, que había ganado fama de valiente, de bromista y de pícaro. Le contesté, mintiendo, que sí. Nolan había muerto hacia el noventa, pero la gente seguía pensando en él como en un amigo. Tuvo también sus detractores, que nunca faltan. Me contó una de sus muchas diabluras. El hecho había ocurrido poco antes de la batalla de Manantiales; los protagonistas eran dos gauchos de Cerro Largo, Manuel Cardoso y Carmen Silveira.

¿Cómo y por qué se gestó su odio? ¿Cómo recuperar, al cabo de un siglo, la oscura historia de dos hombres, sin otra fama que la que les dio su duelo final? Un capataz del padre de Reyles, que se llamaba Laderecha y "que tenía un bigote de tigre", había recibido por tradición oral ciertos pormenores que ahora traslado sin mayor fe, ya que el olvido y la memoria son inventivos.

Manuel Cardoso y Carmen Silveira tenían sus campitos linderos. Como el de otras pasiones, el origen de un odio siempre es oscuro, pero se habla de una porfía por animales sin marcar o de una carrera a costilla, en la que Silveira, que era más fuerte, había echado a pechazos de la cancha al parejero de Cardoso. Meses después ocurría, en el comercio del lugar, una larga trucada mano a mano, de quince y quince; Silveira felicitaba a su contrario casi por cada baza, pero lo dejó al fin sin un cobre. Cuando guardó la plata en el tirador, agradeció a Cardoso la lección que le había dado. Fue entonces, creo, que estuvieron a punto de irse a las manos. La partida había sido muy reñida; los concurrentes, que eran muchos, los desapartaron. En esas asperezas y en aquel tiempo, el hombre se encontraba con el hombre y el acero con el acero; un rasgo singular de la historia es que Manuel Cardoso y Carmen Silveira se habrán cruzado en las cuchillas más de una vez, en el atardecer y en el alba, y que no se batieron hasta el fin. Quizá sus pobres vidas rudimentarias no poseían otro bien que su odio y por eso lo fueron acumulando. Sin sospecharlo, cada uno de los dos se convirtió en esclavo del otro.

Ya no sé si los hechos que narraré son efectos o causas. Cardoso, menos por amor que por hacer algo, se prendó de una muchacha vecina, la Serviliana; bastó que se enterara Silveira para que la festejara a su modo y se la llevara a su rancho. Al cabo de unos meses la echó porque ya lo estorbaba. La mujer, despechada, quiso buscar amparo en lo de Cardoso; éste pasó una noche con ella y la despidió al mediodía. No quería las sobras del otro.

Fue por aquellos años que sucedió, antes o después de la Serviliana, el incidente del ovejero. Silveira le tenía mucho apego y le había puesto Treinta y Tres como nombre. Lo hallaron muerto en una zanja; Silveira no dejó de maliciar quién se lo había envenenado.

Hacia el invierno del setenta, la revolución de Aparicio los encontró en la misma pulpería de la trucada. A la cabeza de un piquete de montoneros, un brasilero amulatado arengó a los presentes, les dijo que la patria los precisaba, que la opresión gubernista era intolerable, les repartió divisas blancas y, al cabo de ese exordio que no entendieron, arreó con todos. No les fue permitido despedirse de sus familias. Manuel Cardoso y Carmen Silveira aceptaron su suerte; la vida del soldado no era más dura que la vida del gaucho. Dormir a la intemperie, sobre el recado, era algo a lo que ya estaban hechos; matar hombres no le costaba mucho a la mano que tenía el hábito de matar animales. La falta de imaginación los libró del miedo y de la lástima, aunque el primero los tocó alguna vez, al iniciar las cargas. El temblor de los estribos y de las armas es una de las cosas que siempre se oyen al entrar en acción la caballería. El hombre que no ha sido herido al principio ya se cree invulnerable. No extrañaron sus pagos. El concepto de patria les era ajeno; a pesar de las divisas de los chambergos, un partido les daba lo mismo que otro. Aprendieron lo que se puede hacer con la lanza. En el curso de marchas y contramarchas, acabaron por sentir que ser compañeros les permitía seguir siendo rivales. Pelearon hombro a hombro y no cambiaron, que sepamos, una sola palabra.

En el otoño del setenta y uno, que fue pesado, les llegaría el fin.

El combate, que no duraría una hora, ocurrió en un lugar cuyo nombre nunca supieron. Los nombres los ponen después los historiadores. La víspera, Cardoso se metió gateando en la carpa del jefe y le pidió en voz baja que si al día siguiente ganaban, le reservara algún colorado, porque él no había degollado a nadie hasta entonces y quería saber cómo era. El superior le prometió que si se conducía como un hombre, le haría ese favor.

Los blancos eran más, pero los otros disponían de mejor armamento y los diezmaron desde lo alto de un cerro. Al cabo de dos cargas inútiles que no llegaron a la cumbre, el jefe, herido de gravedad, se rindió. Ahí mismo, a su pedido, lo despenaron.

Los hombres depusieron las armas. El capitán Juan Patricio Nolan, que comandaba a los colorados, ordenó con suma prolijidad la consabida ejecución de los prisioneros. Era de Cerro Largo y no desconocía el rencor antiguo de Silveira y Cardoso. Los mandó buscar y les dijo:

—Ya sé que ustedes dos no se pueden ver y que se andan buscando desde hace rato. Les tengo una buena noticia; antes que se entre el sol van a poder mostrar cuál es el más toro. Los voy a hacer degollar de parado y después correrán una carrera. Ya sabe Dios quién ganará.

El soldado que los había traído se los llevó.

La noticia no tardó en cundir por todo el campamento. Nolan había resuelto que la carrera coronaría la función de esa tarde, pero los prisioneros le mandaron un delegado para decirle que ellos también querían ser testigos y apostar a uno de los dos. Nolan, que era hombre razonable, se dejó convencer; se cruzaron apuestas de dinero, de prendas de montar, de armas blancas y de caballos, que serían entregados a su tiempo a las viudas y deudos. El calor era inusitado; para que nadie se quedara sin siesta, demoraron las cosas hasta las cuatro. (Les dio trabajo recordar a Silveira). Nolan, a la manera criolla, los tuvo esperando una hora. Estaría comentando la victoria con otros oficiales; el asistente iba y venía con la caldera.

A cada lado del camino de tierra, contra las carpas, aguardaban las filas de prisioneros, sentados en el suelo, con las manos atadas a la espalda, para no dar trabajo. Uno que otro se desahogaba en malas palabras, uno dijo el principio del Padrenuestro, casi todos estaban como aturdidos. Naturalmente, no podían fumar. Ya no les importaba la carrera, pero todos miraban.

—A mí también me van a agarrar de las mechas —dijo uno, envidioso.

—Sí, pero en el montón —reparó un vecino.

—Como a vos —el otro le retrucó.

Con el sable, un sargento marcó una raya a lo ancho del camino. A Silveira y a Cardoso les habían desatado las muñecas, para que no corrieran trabados. Un espacio de más de cinco varas quedaba entre los dos. Pusieron los pies en la raya; algunos jefes les pidieron que no les fueran a fallar, porque les tenían fe y las sumas que habían apostado eran de mucho monto.

A Silveira le tocó en suerte el Pardo Nolan, cuyos abuelos habían sido sin duda esclavos de la familia del capitán y llevaban su nombre; a Cardoso, el degollador regular, un correntino entrado en años, que para serenar a los condenados solía decirles, con una palmadita en el hombro: "Ánimo, amigo; más sufren las mujeres cuando paren".

Tendido el torso hacia adelante, los dos hombres ansiosos no se miraron.

Nolan dio la señal.

Al Pardo, envanecido por su actuación, se le fue la mano y abrió una sajadura vistosa que iba de oreja a oreja; al correntino le bastó con un tajo angosto. De las gargantas brotó el chorro de sangre; los hombres dieron unos pasos y cayeron de bruces. Cardoso, en la caída, estiró los brazos. Había ganado y tal vez no lo supo nunca.

GUAYAQUIL

No veré la cumbre del Higuerota duplicarse en las aguas del Golfo Plácido, no iré al Estado Occidental, no descifraré en esa biblioteca, que desde Buenos Aires imagino de tantos modos y que tiene sin duda su forma exacta y sus crecientes sombras, la letra de Bolívar.

Releo el párrafo anterior para redactar el siguiente y me sorprende su manera que a un tiempo es melancólica y pomposa. Acaso no se puede hablar de aquella república del Caribe sin reflejar, siquiera de lejos, el estilo monumental de su historiador más famoso, el capitán José Korzeniovski, pero en mi caso hay otra razón. El íntimo propósito de infundir un tono patético a un episodio un tanto penoso y más bien baladí me dictó el párrafo inicial. Referiré con toda probidad lo que sucedió; esto me ayudará tal vez a entenderlo. Además, confesar un hecho es dejar de ser el actor para ser un testigo, para ser alguien que lo mira y lo narra y que ya no lo ejecutó.

El caso me ocurrió el viernes pasado, en esta misma pieza en que escribo, en esta misma hora de la tarde, ahora un poco más fresca. Sé que tendemos a olvidar las cosas ingratas; quiero dejar escrito mi diálogo con el doctor Eduardo Zimmermann, de la Universidad del Sur, antes que lo desdibuje el olvido. La memoria que guardo es aún muy vívida.

Para que mi relato se entienda, tendré que recordar brevemente la curiosa aventura de ciertas cartas de Bolívar, que fueron exhumadas del archivo del doctor Avellanos, cuya *Historia de cincuenta años de desgobierno,* que se creyó perdida en circunstancias que son del dominio público, fue descubierta y publicada en 1939 por su nieto el doctor Ricardo Avellanos. A juzgar por las referencias que he recogido en diversas publicaciones, estas cartas no ofrecen mayor interés, salvo una fechada en Cartagena el 13 de agosto de 1822, en que el Libertador refiere detalles de su entrevista con el general San Martín. Inútil destacar el valor de este documento en el que Bolívar ha revelado, siquiera parcialmente, lo sucedido en Guayaquil. El doctor Ricardo Avellanos, tenaz opositor del oficialismo, se negó a entregar el epistolario a la Academia de la Historia y lo ofreció a diversas repúblicas latinoamericanas. Gracias al encomiable celo de nuestro embajador, el doctor Melaza, el gobierno argentino fue el primero en aceptar la desinteresada oferta. Se convino que un delegado se trasladaría a Sulaco, capital del Estado Occidental, y sacaría copia de las cartas para publicarlas aquí. El rector de nuestra Universidad, en la que ejerzo el cargo de titular de Historia Americana, tuvo la deferencia de recomendarme al ministro para cumplir esa misión; también obtuve los sufragios más o menos unánimes de la Academia Nacional de la Historia, a la que pertenezco. Ya fijada la fecha en que me recibiría el ministro, supimos que la Universidad del Sur, que ignoraba, prefiero suponer, esas decisiones, había propuesto el nombre del doctor Zimmermann. Trátase, como tal vez lo sepa el lector, de un historiógrafo extranjero, arrojado de su país por el Tercer Reich y ahora ciudadano argentino. De su labor, sin duda benemérita, sólo he podido examinar una vindicación de la república semítica de Cartago, que la posteridad juzga a través de los historiadores romanos, sus enemigos, y una suerte de ensayo que sostiene que el gobierno no debe ser una función visible y patética. Este alegato mereció la refutación decisiva de Martín Heidegger, que demostró, mediante fotocopias de los titulares de los periódicos, que el moderno jefe de estado, lejos de ser anónimo, es más bien el protagonista, el corega, el David danzante, que mima el drama de su pueblo, asistido de pompa escénica y recurriendo, sin vacilar, a las hipérboles del arte oratorio. Probó asimismo que el linaje de Zimmermann era hebreo, por no decir judío. Esta publicación del venerado existencialista fue la inmediata causa del éxodo y de las trashumantes actividades de nuestro huésped.

Sin duda, Zimmermann se había trasladado a Buenos Aires para entrevistarse con el ministro; éste me sugirió personalmente, por intermedio de un secretario, que hablara con Zimmermann y lo pusiera al tanto del asunto, para evitar el espectáculo ingrato de dos universidades en desacuerdo. Accedí, como es natural. De vuelta a casa, me dijeron que el doctor Zimmermann había anunciado por teléfono su visita, a las seis de la tarde. Vivo, según es fama, en la calle Chile. Daban exactamente las seis cuando sonó el timbre.

Yo mismo, con sencillez republicana, le abrí la puerta y lo conduje a mi escritorio particular. Se detuvo a mirar el patio; las baldosas negras y blancas, las dos magnolias y el aljibe suscitaron su verba. Estaba, creo, algo nervioso. Nada singular había en él; contaría unos cuarenta años y era algo cabezón. Lentes ahumados ocultaban los ojos; alguna vez los dejó sobre la mesa y los retomó. Al saludarnos, comprobé con satisfacción que yo era el más alto, e inmediatamente me avergoncé de tal satisfacción, ya que no se trataba de un duelo físico ni siquiera moral, sino de una *mise au point* quizá incómoda. Soy poco o nada observador, pero recuerdo lo que cierto poeta ha llamado, con fealdad que corresponde a lo que define, su torpe aliño indumentario. Veo aún esas prendas de un azul fuerte, con exceso de botones y de bolsillos. Su corbata, advertí, era uno de esos lazos de ilusionista que se ajustan con dos broches elásticos. Llevaba un cartapacio de cuero que presumí lleno de documentos. Usaba un mesurado bigote de corte militar; en el curso del coloquio encendió un cigarro y sentí entonces que había demasiadas cosas en esa cara. *Trop meublé*, me dije.

Lo sucesivo del lenguaje indebidamente exagera los hechos que indicamos, ya que cada palabra abarca un lugar en la página y un instante en la mente del lector; más allá de las trivialidades visuales que he enumerado, el hombre daba la impresión de un pasado azaroso.

Hay en el escritorio un retrato oval de mi bisabuelo, que militó en las guerras de la Independencia, y unas vitrinas con espadas, medallas y banderas. Le mostré, con alguna explicación, esas viejas cosas gloriosas; las miraba rápidamente como quien ejecuta un deber y completaba mis palabras, no sin alguna impertinencia, que creo involuntaria y mecánica. Decía, por ejemplo:

—Correcto. Combate de Junín. 6 de agosto de 1824. Carga de caballería de Juárez.

—De Suárez —corregí.

Sospecho que el error fue deliberado. Abrió los brazos con un ademán oriental y exclamó:

—¡Mi primer error, que no será el último! Yo me nutro de textos y me trabuco; en usted vive el interesante pasado.

Pronunciaba la ve casi como si fuera una efe.

Tales zalamerías no me agradaron. Más le interesaron los libros. Dejó errar la mirada sobre los títulos casi amorosamente y recuerdo que dijo:

—Ah, Schopenhauer, que siempre descreyó de la historia... Esa misma edición, al cuidado de Grisebach, la tuve en Praga, y creí envejecer en la amistad de esos volúmenes manuables, pero precisamente la historia, encarnada en un insensato, me arrojó de esa casa y de esa ciudad. Aquí estoy con usted, en América, en la grata casa de usted...

Hablaba con incorrección y fluidez; el perceptible acento alemán convivía con un ceceo español.

Ya estábamos sentados y aproveché lo dicho por él, para entrar en materia. Le dije:

—Aquí la historia es más piadosa. Espero morir en esta casa, en la que he nacido. Aquí trajo mi bisabuelo esa espada, que anduvo por América; aquí he considerado el pasado y he compuesto mis libros. Casi puedo decir que no he dejado nunca esta biblioteca, pero ahora saldré al fin, a recorrer la tierra que sólo he recorrido en los mapas.

Atenué con una sonrisa mi posible exceso retórico.

—¿Alude usted a cierta república del Caribe? —dijo Zimmermann.

—Así es. A ese viaje inmediato debo el honor de su visita —le respondí.

Trinidad nos sirvió café. Proseguí con lenta seguridad:

—Usted ya sabrá que el ministro me ha encomendado la misión de transcribir y prologar las cartas de Bolívar que un azar ha exhumado del archivo del doctor Avellanos. Esta misión corona, con una suerte de dichosa fatalidad, la labor de toda mi vida, la labor que de algún modo llevo en la sangre.

Fue para mí un alivio haber dicho lo que tenía que decir. Zimmermann no pareció haberme oído; sus ojos no miraban mi cara sino los libros a mi espalda. Asintió con vaguedad y luego con énfasis:

—En la sangre. Usted es el genuino historiador. Su gente anduvo por los campos de América y libró las grandes batallas, mientras la mía, oscura, apenas emergía del ghetto. Usted lleva la historia en la sangre, según sus elocuentes palabras; a usted le basta oír con atención esa voz recóndita. Yo, en cambio, debo transferirme a Sulaco y descifrar papeles y papeles acaso apócrifos. Créame, doctor, que lo envidio.

Ni un desafío ni una burla se dejaba traslucir en esas palabras; eran ya la expresión de una voluntad, que hacía del futuro algo tan irrevocable como el pasado. Sus argumentos fueron lo de menos; el poder estaba en el hombre, no en la dialéctica. Zimmermann continuó con una lentitud pedagógica:

—En materia bolivariana (perdón, sanmartiniana) su posición de usted, querido maestro, es harto conocida. *Votre siège est fait.* No he deletreado aún la pertinente carta de Bolívar, pero es inevitable o razonable conjeturar que Bolívar la escribió para justificarse. En todo caso, la cacareada epístola nos revelará lo que podríamos llamar el sector Bolívar, no el sector San Martín. Una vez publicada, habrá que sopesarla, examinarla, pasarla por el cedazo crítico y, si es preciso, refutarla. Nadie más indicado para ese dictamen final que usted, con su lupa. ¡El escalpelo, el bisturí, si el rigor científico los exige! Permítame asimismo agregar que el nombre del divulgador de la carta quedará vinculado a la carta. A usted no le conviene, en modo alguno, semejante vinculación. El público no percibe matices.

Comprendo ahora que lo que debatimos después fue esencialmente inútil. Acaso entonces lo sentí; para no hacerle frente, me así de un pormenor y le pregunté si en verdad creía que las cartas eran apócrifas.

—Que sean de puño y letra de Bolívar —me contestó— no significa que toda la verdad esté en ellas. Bolívar puede haber querido engañar a su corresponsal o, simplemente, puede haberse engañado. Usted, un historiador, un meditativo, sabe mejor que yo que el misterio está en nosotros mismo, no en las palabras.

Esas generalidades pomposas me fastidiaron y observé secamente que dentro del enigma que nos rodea, la entrevista de Guayaquil, en la que el general San Martín renunció a la mera ambición y dejó el destino de América en manos de Bolívar, es también un enigma que puede merecer el estudio.

Zimmermann respondió:

—Las explicaciones son tantas... Algunos conjeturan que San Martín cayó en una celada; otros, como Sarmiento, que era un militar europeo, extraviado en un continente que nunca comprendió; otros, por lo general argentinos, le atribuyeron un acto de abnegación; otros, de fatiga. Hay quienes hablan de la orden secreta de no sé qué logia masónica.

Observé que, de cualquier modo, sería interesante recuperar las precisas palabras que se dijeron el Protector del Perú y el Libertador.

Zimmermann sentenció:

—Acaso las palabras que cambiaron fueron triviales. Dos hombres se enfrentaron en Guayaquil; si uno se impuso, fue por su mayor voluntad, no por juegos dialécticos. Como usted ve, no he olvidado a mi Schopenhauer.

Agregó con una sonrisa:

—*Words, words, words.* Shakespeare, insuperado maestro de las palabras, las desdeñaba. En Guayaquil o en Buenos Aires, en Praga, siempre cuentan menos que las personas.

En aquel momento sentí que algo estaba ocurriéndonos o, mejor dicho, que ya había ocurrido. De algún modo ya éramos otros. El crepúsculo entraba en la habitación y yo no había encendido las lámparas. Un poco al azar, pregunté:

—¿Usted es de Praga, doctor?

—Yo era de Praga — contestó.

Para rehuir el tema central observé:

—Debe ser una extraña ciudad. No la conozco, pero el primer libro en alemán que leí fue la novela *El Golem* de Meyrink.

Zimmermann respondió:

—Es el único libro de Gustav Meyrink que merece el recuerdo. Más vale no gustar de los otros, hechos de mala literatura y de peor teosofía. Con todo, algo de la extrañeza de Praga anda por ese libro de sueños que se pierden en otros sueños. Todo es extraño en Praga o, si usted prefiere, nada es extraño. Cualquier

cosa puede ocurrir. En Londres, en algún atardecer, he sentido lo mismo.
—Usted —respondí— habló de la voluntad. En los Mabinogion, dos reyes juegan al ajedrez en lo alto de un cerro, mientras abajo sus guerreros combaten. Uno de los reyes gana el partido; un jinete llega con la noticia de que el ejército del otro ha sido vencido. La batalla de hombres era el reflejo de la batalla del tablero.
—Ah, una operación mágica —dijo Zimmermann.
Le contesté:
—O la manifestación de una voluntad en dos campos distintos. Otra leyenda de los celtas refiere el duelo de dos bardos famosos. Uno, acompañándose con el arpa, canta desde el crepúsculo del día hasta el crepúsculo de la noche. Ya bajo las estrellas o la luna, entrega el arpa al otro. Éste la deja a un lado y se pone de pie. El primero confiesa su derrota.
—¡Qué erudición, qué poder de síntesis! —exclamó Zimmermann.
Agregó, ya más serenado:
—Debo confesar mi ignorancia, mi lamentada ignorancia, de la materia de Bretaña. Usted, como el día, abarca el Occidente y el Oriente, en tanto que yo estoy reducido a mi rincón cartaginés, que ahora complemento con una pizca de historia americana. Soy un mero metódico.

El servilismo del hebreo y el servilismo del alemán estaban en su voz, pero sentí que nada le costaba darme la razón y adularme, dado que el éxito era suyo.

Me suplicó que no me preocupara de las gestiones de su viaje. (*Tratativas* fue la atroz palabra que usó.) Acto continuo, sacó del portafolio una carta dirigida al ministro, donde yo le exponía los motivos de mi renuncia, y las reconocidas virtudes del doctor Zimmermann, y me puso en la mano su estilográfica para que la firmara. Cuando guardó la carta, no pude dejar de entrever su pasaje sellado para el vuelo Ezeiza-Sulaco.

Al salir, volvió a detenerse ante los tomos de Schopenhauer y dijo:
—Nuestro maestro, nuestro común maestro, conjeturaba que ningún acto es involuntario. Si usted se queda en esta casa, en esta airosa casa patricia, es porque íntimamente quiere quedarse. Acato y agradezco su voluntad.

Acepté sin una palabra esta limosna última.
Fui con él hasta la puerta de calle. Al despedirnos, declaró:
—Excelente el café.
Releo estas desordenadas páginas, que no tardaré en entregar al fuego. La entrevista había sido corta.
Presiento que ya no escribiré más. *Mon siège est fait.*

EL EVANGELIO SEGÚN MARCOS

El hecho sucedió en la estancia Los Álamos, en el partido de Junín, hacia el sur, en los últimos días del mes de marzo de 1928. Su protagonista fue un estudiante de medicina, Baltasar Espinosa. Podemos definirlo por ahora como uno de tantos muchachos porteños, sin otros rasgos dignos de nota que esa facultad oratoria que le había hecho merecer más de un premio en el colegio inglés de Ramos Mejía y que una casi ilimitada bondad. No le gustaba discutir; prefería que el interlocutor tuviera razón y no él. Aunque los azares del juego le interesaban, era un mal jugador, porque le desagradaba ganar. Su abierta inteligencia era perezosa; a los treinta y tres años le faltaba rendir una materia para graduarse, la que más lo atraía. Su padre, que era librepensador, como todos los señores de su época, lo había instruido en la doctrina de Herbert Spencer, pero su madre, antes de un viaje a Montevideo, le pidió que todas las noches rezara el Padrenuestro e hiciera la señal de la cruz. A lo largo de los años no había quebrado nunca esa promesa. No carecía de coraje; una mañana había cambiado, con más indiferencia que ira, dos o tres puñetazos con un grupo de compañeros que querían forzarlo a participar en una huelga universitaria. Abundaba, por espíritu de aquiescencia, en opiniones o hábitos discutibles: el país le importaba menos que el riesgo de que en otras partes creyeran que usamos plumas; veneraba a Francia pero menospreciaba a los franceses; tenía en poco a los americanos, pero aprobaba el hecho de que hubiera rascacielos en Buenos Aires; creía que los gauchos de la llanura son mejores jinetes que los de las cuchillas o los cerros. Cuando Daniel, su primo, le propuso veranear en Los Álamos, dijo inmediatamente que sí, no porque le gustara el campo sino por natural complacencia y porque no buscó razones válidas para decir que no.

El casco de la estancia era grande y un poco abandonado; las dependencias del capataz, que se llamaba Gutre, estaban muy cerca. Los Gutres eran tres: el padre, el hijo, que era singularmente tosco, y una muchacha de incierta paternidad. Eran altos, fuertes, huesudos, de pelo que tiraba a rojizo y de caras aindiadas. Casi no hablaban. La mujer del capataz había muerto hace años.

Espinosa, en el campo, fue aprendiendo cosas que no sabía y que no sospechaba. Por ejemplo, que no hay que galopar cuando uno se está acercando a las casas y que nadie sale a andar a caballo sino para cumplir con una tarea. Con el tiempo llegaría a distinguir los pájaros por el grito.

A los pocos días, Daniel tuvo que ausentarse a la capital para cerrar una operación de animales. A lo sumo, el negocio le tomaría una semana. Espinosa, que ya estaba un poco harto de las *bonnes fortunes* de su primo y de su infatigable interés por las variaciones de la sastrería, prefirió quedarse en la estancia, con sus libros de texto. El calor apretaba y ni siquiera la noche traía un alivio. En el alba, los truenos lo despertaron. El viento zamarreaba las casuarinas. Espinosa oyó las primeras gotas y dio gracias a Dios. El aire frío vino de golpe. Esa tarde, el Salado se desbordó.

Al otro día, Baltasar Espinosa, mirando desde la galería los campos anegados, pensó que la metáfora que equipara la pampa con el mar no era, por lo menos esa mañana, del todo falsa, aunque Hudson había dejado escrito que el mar nos parece más grande, porque lo vemos desde la cubierta del barco y no desde el caballo o desde nuestra altura. La lluvia no cejaba; los Gutres, ayudados o incomodados por el pueblero, salvaron buena parte de la hacienda, aunque hubo muchos animales ahogados. Los caminos para llegar a la estancia eran cuatro: a todos los cubrieron las aguas. Al tercer día, una gotera amenazó la casa del capataz; Espinoza les dio una habitación que quedaba en el fondo, al lado del galpón de las herramientas. La mudanza los fue acercando; comían juntos en el gran comedor. El diálogo resultaba difícil; los Gutres, que sabían tantas cosas en materia de campo, no sabían explicarlas. Una noche, Espinosa les preguntó si la gente guardaba algún recuerdo de los malones, cuando la comandancia estaba en Junín. Le dijeron que sí, pero lo mismo hubieran contestado a una pregunta sobre la ejecución de Carlos Primero. Espinosa recordó que su padre solía decir que casi todos los casos de longevidad que se dan en el campo son casos de mala memoria o de un concepto vago de las fechas. Los gauchos suelen ignorar por igual el año en que nacieron y el nombre de quien los engendró.

En toda la casa no había otros libros que una serie de la revista *La Chacra*, un manual de veterinaria, un ejemplar de lujo del *Tabaré*, una *Historia del Shorthorn en la Argentina*, unos cuantos relatos eróticos o policiales y una novela reciente: *Don Segundo Sombra*. Espinosa, para distraer de algún modo la sobremesa inevitable, leyó un par de capítulos a los Gutres, que eran analfabetos. Desgraciadamente, el capataz había sido tropero y no le podían importar las andanzas de otro. Dijo que ese trabajo era liviano, que llevaban siempre un carguero con todo lo que se precisa y que, de no haber sido tropero, no habría llegado nunca hasta la Laguna de Gómez, hasta el Bragado y hasta los campos de los Núñez, en Chacabuco. En la cocina había una guitarra; los peones, antes de los hechos que narro, se sentaban en rueda; alguien la templaba y no llegaba nunca a tocar. Esto se llamaba una guitarreada.

Espinosa, que se había dejado crecer la barba, solía demorarse ante el espejo para mirar su cara cambiada y sonreía al pensar que en Buenos Aires aburriría a los muchachos con el relato de la inundación del Salado. Curiosamente, extrañaba lugares a los que no iba nunca y no iría: una esquina de la calle Cabrera en la que hay un buzón, unos leones de mampostería en un portón de la calle Jujuy, a unas cuadras del Once, un almacén con piso de baldosa que no sabía muy bien dónde estaba. En cuanto a sus hermanos y a su padre, ya sabrían por Daniel que estaba aislado —la palabra, etimológicamente, era justa— por la creciente.

Explorando la casa, siempre cercada por las aguas, dio con una Biblia en inglés. En las páginas finales los Guthrie —tal era su nombre genuino— habían dejado escrita su historia. Eran oriundos de Inverness, habían arribado a este continente, sin duda como peones, a principios del siglo diecinueve, y se habían cruzado con indios. La crónica cesaba hacia mil ochocientos setenta y tantos; ya no sabían escribir. Al cabo de unas pocas generaciones habían olvidado el inglés; el castellano, cuando Espinosa los conoció, les daba trabajo. Carecían de fe, pero en su sangre perduraban, como rastros oscuros, el duro fanatismo del calvinista y las supersticiones del pampa. Espinosa les habló de su hallazgo y casi no escucharon.

Hojeó el volumen y sus dedos lo abrieron en el comienzo del Evangelio según Marcos. Para ejercitarse en la traducción y acaso para ver si entendían algo, decidió leerles ese texto después de la comida. Le sorprendió que lo escucharan con atención y luego con callado interés. Acaso la presencia de las letras de oro en la tapa le diera más autoridad. Lo llevan en la sangre, pensó. También se le ocurrió que los hombres, a lo largo del tiempo, han repetido siempre dos historias: la de un bajel perdido que busca por los mares mediterráneos una isla querida, y la de un dios que se hace crucificar en el Gólgota. Recordó las clases de elocución en Ramos Mejía y se ponía de pie para predicar las parábolas.

Los Gutres despachaban la carne asada y las sardinas para no demorar el Evangelio.

Una corderita que la muchacha mimaba y adornaba con una

cintita celeste se lastimó con un alambrado de púa. Para parar la sangre, querían ponerle una telaraña; Espinosa la curó con unas pastillas. La gratitud que esa curación despertó no dejó de asombrarlo. Al principio, había desconfiado de los Gutres y había escondido en uno de sus libros los doscientos cuarenta pesos que llevaba consigo; ahora, ausente el patrón, él había tomado su lugar y daba órdenes tímidas, que eran inmediatamente acatadas. Los Gutres lo seguían por las piezas y por el corredor, como si anduvieran perdidos. Mientras leía, notó que le retiraban las migas que él había dejado sobre la mesa. Una tarde los sorprendió hablando de él con respeto y pocas palabras. Concluido el Evangelio según Marcos, quiso leer otro de los tres que faltaban; el padre le pidió que repitiera el que ya había leído, para entenderlo bien. Espinosa sintió que eran como niños, a quienes la repetición les agrada más que la variación o la novedad. Una noche soñó con el Diluvio, lo cual no es de extrañar; los martillazos de la fabricación del arca lo despertaron y pensó que acaso eran truenos. En efecto, la lluvia, que había amainado, volvió a recrudecer. El frío era intenso. Le dijeron que el temporal había roto el techo del galpón de las herramientas y que iban a mostrárselo cuando estuvieran arregladas las vigas. Ya no era un forastero y todos lo trataban con atención y casi lo mimaban. A ninguno le gustaba el café, pero había siempre una tacita para él, que colmaban de azúcar.

El temporal ocurrió un martes. El jueves a la noche lo recordó un golpecito suave en la puerta que, por las dudas, él siempre cerraba con llave. Se levantó y abrió: era la muchacha. En la oscuridad no la vio, pero por los pasos notó que estaba descalza y después, en el lecho, que había venido desde el fondo, desnuda. No lo abrazó, no dijo una sola palabra; se tendió junto a él y estaba temblando. Era la primera vez que conocía a un hombre. Cuando se fue, no le dio un beso; Espinosa pensó que ni siquiera sabía cómo se llamaba. Urgido por una íntima razón que no trató de averiguar, juró que en Buenos Aires no le contaría a nadie esa historia.

El día siguiente comenzó como los anteriores, salvo que el padre habló con Espinosa y le preguntó si Cristo se dejó matar para salvar a todos los hombres. Espinosa, que era librepensador pero que se vio obligado a justificar lo que les había leído, le contestó:

—Sí. Para salvar a todos del infierno.

Gutre le dijo entonces:

—¿Qué es el infierno?

—Un lugar bajo tierra donde las ánimas arderán y arderán.

—¿Y también se salvaron los que le clavaron los clavos?

—Sí —replicó Espinosa, cuya teología era incierta.

Había temido que el capataz le exigiera cuentas de lo ocurrido anoche con su hija. Después del almuerzo, le pidieron que releyera los últimos capítulos.

Espinosa durmió una siesta larga, un leve sueño interrumpido por persistentes martillos y por vagas premoniciones. Hacia el atardecer se levantó y salió al corredor. Dijo como si pensara en voz alta:

—Las aguas están bajas. Ya falta poco.

—Ya falta poco —repitió Gutre, como un eco.

Los tres lo habían seguido. Hincados en el piso de piedra le pidieron la bendición. Después lo maldijeron, lo escupieron y lo empujaron hasta el fondo. La muchacha lloraba. Espinosa entendió lo que le esperaba del otro lado de la puerta. Cuando la abrieron, vio el firmamento. Un pájaro gritó; pensó: Es un jilguero. El galpón estaba sin techo; habían arrancado las vigas para construir la Cruz.

EL INFORME DE BRODIE

En un ejemplar del primer volumen de las *Mil y Una Noches* (Londres, 1840) de Lane, que me consiguió mi querido amigo Paulino Keins, descubrimos el manuscrito que ahora traduciré al castellano. La esmerada caligrafía —arte que las máquinas de escribir nos están enseñando a perder— sugiere que fue redactado por esa misma fecha. Lane prodigó, según se sabe, las extensas notas explicativas; los márgenes abundan en adiciones, en signos de interrogación y alguna vez en correcciones, cuya letra es la misma del manuscrito. Diríase que a su lector le interesaron menos los prodigiosos cuentos de Shahrazad que los hábitos del Islam. De David Brodie, cuya firma exornada de una rúbrica figura al pie, nada he podido averiguar, salvo que fue un misionero escocés, oriundo de Aberdeen, que predicó la fe cristiana en el centro de África y luego en ciertas regiones selváticas del Brasil, tierra a la cual lo llevaría su conocimiento del portugués. Ignoro la fecha y el lugar de su muerte. El manuscrito, que yo sepa, no fue dado nunca a la imprenta.

Traduciré fielmente el informe, compuesto en un inglés incoloro, sin permitirme otras omisiones que las de algún versículo de la Biblia y la de un curioso pasaje sobre las prácticas sexuales de los Yahoos que el buen presbiteriano confió pudorosamente al latín. Falta la primera página.

*

"... de la región que infestan los hombres monos (*Apemen*) tienen su morada los *Mlch*,[1] que llamaré Yahoos, para que mis lectores no olviden su naturaleza bestial y porque una precisa transliteración es casi imposible, dada la ausencia de vocales en su áspero lenguaje. Los individuos de la tribu no pasan, creo, de setecientos, incluyendo los *Nr*, que habitan más al sur, entre los matorrales. La cifra que he propuesto es conjetural, ya que, con excepción del rey, de la reina y de los hechiceros, los Yahoos duermen donde los encuentra la noche, sin lugar fijo. La fiebre palúdica y las incursiones continuas de los hombres-monos disminuyen su número. Sólo unos pocos tienen nombre. Para llamarse, lo hacen arrojándose fango. He visto asimismo a Yahoos que, para llamar a un amigo, se tiraban por el suelo y se revolcaban.

[1] Doy a la *ch* el valor que tiene en la palabra *loch*. (*Nota del autor*.)

Físicamente no difieren de los Kroo, salvo por la frente más baja y por cierto tinte cobrizo que amengua su negrura. Se alimentan de frutos, de raíces y de reptiles; beben leche de gato y de murciélago y pescan con la mano. Se ocultan para comer o cierran los ojos; lo demás lo hacen a la vista de todos, como los filósofos cínicos. Devoran los cadáveres crudos de los hechiceros y de los reyes, para asimilar su virtud. Les eché en cara esa costumbre; se tocaron la boca y la barriga, tal vez para indicar que los muertos también son alimento o —pero esto acaso es demasiado sutil— para que yo entendiera que todo lo que comemos es, a la larga, carne humana.

En sus guerras usan las piedras, de las que hacen acopio, y las imprecaciones mágicas. Andan desnudos; las artes del vestido y del tatuaje les son desconocidas.

Es digno de atención el hecho de que, disponiendo de una meseta dilatada y herbosa, en la que hay manantiales de agua clara y árboles que dispensan la sombra, hayan optado por amontonarse en las ciénagas que rodean la base, como deleitándose en los rigores del sol ecuatorial y de la impureza. Las laderas son ásperas y formarían una especie de muro contra los hombres-monos. En las Tierras Altas de Escocia los clanes erigían sus castillos en la cumbre de un cerro; he alegado este uso a los hechiceros, proponiéndolo como ejemplo, pero todo fue inútil. Me permitieron, sin embargo, armar una cabaña en la meseta, donde el aire de la noche es más fresco.

La tribu está regida por un rey, cuyo poder es absoluto, pero sospecho que los que verdaderamente gobiernan son los cuatro hechiceros que lo asisten y que lo han elegido. Cada niño que nace está sujeto a un detenido examen; si presenta ciertos estigmas, que no me han sido revelados, es elevado a rey de los Yahoos. Acto continuo lo mutilan (*he is gelded*), le queman los ojos y le cortan las manos y los pies, para que el mundo no lo distraiga de la sabiduría. Vive confinado en una caverna, cuyo nombre es Alcázar (*Qzr*), en la que sólo pueden entrar los cuatro hechiceros y el par de esclavas que lo atienden y lo untan de estiércol. Si hay una guerra, los hechiceros lo sacan de la caverna, lo exhiben a la tribu para estimular su coraje y lo llevan, cargado sobre los hombros, a lo más recio del combate, a guisa de bandera o de talismán. En tales casos lo común es que muera inmediatamente, bajo las piedras que le arrojan los hombres-monos.

En otro Alcázar vive la reina, a la que no le está permitido ver a su rey. Ésta se dignó recibirme; era sonriente, joven y agraciada, hasta donde lo permite su raza. Pulseras de metal y de marfil y collares de dientes adornan su desnudez. Me miró, me husmeó y me tocó y concluyó por ofrecérseme, a la vista de todas las azafatas. Mi hábito (*my cloth*) y mis hábitos me hicieron declinar ese honor, que suele conceder a los hechiceros y a los cazadores de esclavos, por lo general musulmanes, cuyas cáfilas (caravanas) cruzan el reino. Me hundió dos o tres veces un alfiler de oro en la carne; tales pinchazos son las marcas del favor real y no son pocos los Yahoos que se los infieren, para simular que fue la reina la que los hizo. Los ornamentos que he enumerado vienen de otras regiones; los Yahoos los creen naturales, porque son incapaces de fabricar el objeto más simple. Para la tribu mi cabaña era un árbol, aunque muchos me vieron edificarla y me dieron su ayuda. Entre otras cosas, yo tenía un reloj, un casco de corcho, una brújula y una Biblia; los Yahoos las miraban y sopesaban y querían saber donde las había recogido. Solían agarrar por la hoja mi cuchillo de monte; sin duda lo veían de otra manera. No sé hasta dónde hubieran podido ver una silla. Una casa de varias habitaciones constituiría un laberinto para ellos, pero tal vez no se perdieran, como tampoco un gato se pierde, aunque no puede imaginársela. A todos les maravillaba mi barba, que era bermeja entonces; la acariciaban largamente.

Son insensibles al dolor y al placer, salvo al agrado que les dan la carne cruda y rancia y las cosas fétidas. La falta de imaginación los mueve a ser crueles.

He hablado de la reina y del rey; paso ahora a los hechiceros. He escrito que son cuatro; este número es el mayor que abarca su aritmética. Cuentan con los dedos uno, dos, tres, cuatro, muchos; el infinito empieza en el pulgar. Lo mismo, me aseguran, ocurre con las tribus que merodean en las inmediaciones de Buenos-Ayres. Pese a que el cuatro es la última cifra de que disponen, los árabes que trafican con ellos no los estafan, porque en el canje todo se divide por lotes de uno, de dos, de tres y de cuatro, que cada cual pone a su lado. Las operaciones son lentas, pero no admiten el error o el engaño. De la nación de los Yahoos, los hechiceros son realmente los únicos que han suscitado mi interés. El vulgo les atribuye el poder de cambiar en hormigas o en tortugas a quienes así lo desean; un individuo que advirtió mi incredulidad me mostró un hormiguero, como si éste fuera una prueba. La memoria les falta a los Yahoos o casi no la tienen; hablan de los estragos causados por una invasión de leopardos, pero no saben si ellos la vieron o sus padres o si cuentan un sueño. Los hechiceros la poseen, aunque en grado mínimo; pueden recordar a la tarde hechos que ocurrieron en la mañana o aun la tarde anterior. Gozan también de la facultad de la previsión; declaran con tranquila certidumbre lo que sucederá dentro de diez o quince minutos. Indican, por ejemplo: *Una mosca me rozará la nuca* o *No tardaremos en oír el grito de un pájaro*. Centenares de veces he atestiguado este curioso don. Mucho he vacilado sobre él. Sabemos que el pasado, el presente y el porvenir ya están, minucia por minucia, en la profética memoria de Dios, en Su eternidad; lo extraño es que los hombres puedan mirar, indefinidamente, hacia atrás pero no hacia adelante. Si recuerdo con toda nitidez aquel velero de alto bordo que vino de Noruega cuando yo contaba apenas cuatro años ¿a qué sorprenderme del hecho de que alguien sea capaz de prever lo que está a punto de ocurrir? Filosóficamente, la memoria no es menos prodigiosa que la adivinación del futuro; el día de mañana está más cerca de nosotros que la travesía del Mar Rojo por los hebreos, que, sin embargo, recordamos. A la tribu le está vedado fijar los ojos en las estrellas, privilegio reservado a los hechiceros. Cada hechicero tiene un discípulo, a quien instruye desde niño en las disciplinas secretas y que lo sucede a su muerte. Así siempre son cuatro, número de carácter mágico, ya que es el último a que alcanza la mente de los hombres. Profesan, a su modo, la doctrina del infierno y del cielo. Ambos son subterráneos. En el infierno, que es claro y seco, morarán los enfermos, los ancianos, los maltratados, los hombres-monos, los árabes y los leopardos; en el cielo, que se figuran pantanoso y oscuro, el rey, la reina, los hechiceros, los que en la tierra han sido felices, duros y sanguinarios. Veneran asimismo a un dios, cuyo nombre es Estiércol, y que posiblemente han ideado a imagen y semejanza del rey; es un ser mutilado, ciego, raquítico y de ilimitado poder. Suele asumir la forma de una hormiga o de una culebra.

A nadie le asombrará, después de lo dicho, que durante el espacio de mi estadía no lograra la conversión de un solo Yahoo. La frase *Padre nuestro* los perturbaba, ya que carecen del concepto de la paternidad. No comprenden que un acto ejecutado hace nueve meses pueda guardar alguna relación con el nacimiento de un niño; no admiten una causa tan lejana y tan inverosímil. Por lo demás, todas las mujeres conocen el comercio carnal y no todas son madres.

El idioma es complejo. No se asemeja a ningún otro de los que yo tenga noticia. No podemos hablar de partes de la oración, ya que no hay oraciones. Cada palabra monosílaba corresponde a una idea general, que se define por el contexto o por los visajes. La palabra *nrz*, por ejemplo, sugiere la dispersión o las manchas; puede significar el cielo estrellado, un leopardo, una bandada de aves, la viruela, lo salpicado, el acto de desparramar o la fuga que sigue a la derrota. *Hrl*, en cambio, indica lo apretado o lo denso; puede significar la tribu, un tronco, una piedra, un montón de piedras, el hecho de apilarlas, el congreso de los cuatro hechiceros, la unión carnal y un bosque. Pronunciada de otra manera o con otros visajes, cada palabras puede tener un sentido contrario. No nos maravillemos con exceso; en nuestra lengua, el verbo *to cleave* vale por hendir y adherir. Por supuesto, no hay oraciones, ni siquiera frases truncas.

La virtud intelectual de abstraer que semejante idioma postula, me sugiere que los Yahoos, pese a su barbarie, no son una nación primitiva sino degenerada. Confirman esta conjetura las inscripciones que he descubierto en la cumbre de la meseta y cuyos caracteres, que se asemejan a las runas que nuestros mayores grababan, ya no se dejan descifrar por la tribu. Es como si ésta hubiera olvidado el lenguaje escrito y sólo le quedara el oral.

Las diversiones de la gente son las riñas de gatos adiestrados y las ejecuciones. Alguien es acusado de atentar contra el pudor de la reina o de haber comido a la vista de otro; no hay declaración de testigos ni confesión y el rey dicta su fallo condenatorio. El sentenciado sufre tormentos que trato de no recordar y después lo lapidan. La reina tiene el derecho de arrojar la primera piedra y la última, que suele ser inútil. El gentío pondera su destreza y la hermosura de sus partes y la aclama con frenesí, arrojándole rosas y cosas fétidas. La reina, sin una palabra, sonríe.

Otra costumbre de la tribu son los poetas. A un hombre se le ocurre ordenar seis o siete palabras, por lo general enigmáticas. No puede contenerse y las dice a gritos, de pie, en el centro de un círculo que forman, tendidos en la tierra, los hechiceros y la plebe. Si el poema no excita, no pasa nada; si las palabras del poeta los sobrecogen, todos se apartan de él, en silencio, bajo el mandato de un horror sagrado (*under a holy dread*). Sienten que lo ha tocado el espíritu; nadie hablará con él ni lo mirará, ni siquiera su madre. Ya no es un hombre sino un dios y cualquiera puede matarlo. El poeta, si puede, busca refugio en los arenales del Norte.

He referido ya cómo arribé a la tierra de los Yahoos. El lector recordará que me cercaron, que tiré al aire un tiro de fusil y que tomaron la descarga por una suerte de trueno mágico. Para alimentar ese error, procuré andar siempre sin armas. Una mañana de primavera, al rayar el día, nos invadieron bruscamente los hombres-monos; bajé corriendo de la cumbre arma en mano, y maté a dos de esos animales. Los demás huyeron, atónitos. Las balas, ya se sabe, son invisibles. Por primera vez en mi vida, oí que me aclamaban. Fue entonces, creo, que la reina me recibió. La memoria de los Yahoos es precaria; esa misma tarde me fui. Mis aventuras en la selva no importan. Di al fin con una población de hombres negros, que sabían arar, sembrar y rezar y con los que me entendí en portugués. Un misionero romanista, el Padre Fernandes, me hospedó en su cabaña y me cuidó hasta que pude reanudar mi penoso viaje. Al principio me causaba algún asco verlo abrir la boca sin disimulo y echar adentro piezas de comida. Yo me tapaba con la mano o desviaba los ojos; a los pocos días me acostumbré. Recuerdo con agrado nuestros debates en materia teológica. No logré que volviera a la genuina fe de Jesús. Escribo ahora en Glasgow. He referido mi estadía entre los Yahoos, pero no su horror esencial, que nunca me deja del todo y que me visita en los sueños. En la calle creo que me cercan aún. Los Yahoos, bien lo sé, son un pueblo bárbaro, quizá el más bárbaro del orbe, pero sería una injusticia olvidar ciertos rasgos que los redimen. Tienen instituciones, gozan de un rey, manejan un lenguaje basado en conceptos genéricos, creen, como los hebreos y los griegos, en la raíz divina de la poesía y adivinan que el alma sobrevive a la muerte del cuerpo. Afirman la verdad de los castigos y de las recompensas. Representan, en suma, la cultura, como la representamos nosotros, pese a nuestros muchos pecados. No me arrepiento de haber combatido en sus filas, contra los hombres-monos. Tenemos el deber de salvarlos. Espero que el Gobierno de Su Majestad no desoiga lo que se atreve a sugerir este informe."

El oro de los tigres
(1972)

PRÓLOGO

De un hombre que ha cumplido los setenta años que nos aconseja David poco podemos esperar, salvo el manejo consabido de unas destrezas, una que otra ligera variación y hartas repeticiones. Para eludir o siquiera para atenuar esa monotonía, opté por aceptar, con tal vez temeraria hospitalidad, los misceláneos temas que se ofrecieron a mi rutina de escribir. La parábola sucede a la confidencia, el verso libre o blanco al soneto. En el principio de los tiempos, tan dócil a la vaga especulación y a las inapelables cosmogonías, no habrá habido cosas poéticas o prosaicas. Todo sería un poco mágico. Thor no era el dios del trueno; era el trueno y el dios.

Para un verdadero poeta, cada momento de la vida, cada hecho, debería ser poético, ya que profundamente lo es. Que yo sepa, nadie ha alcanzado hasta hoy esa alta vigilia. Browning y Blake se acercaron más que otro alguno; Whitman se la propuso, pero sus deliberadas enumeraciones no siempre pasan de catálogos insensibles.

Descreo de las escuelas literarias, que juzgo simulacros didácticos para simplificar lo que enseñan, pero si me obligaran a declarar de dónde proceden mis versos, diría que del modernismo, esa gran libertad, que renovó las muchas literaturas cuyo instrumento común es el castellano y que llegó, por cierto, hasta España. He conversado más de una vez con Leopoldo Lugones, hombre solitario y soberbio; éste solía desviar el curso del diálogo para hablar de "mi amigo y maestro, Rubén Darío". (Creo, por lo demás, que debemos recalcar las afinidades de nuestro idioma, no sus regionalismos.)

Mi lector notará en algunas páginas la preocupación filosófica. Fue mía desde niño, cuando mi padre me reveló, con ayuda del tablero del ajedrez (que era, lo recuerdo, de cedro) la carrera de Aquiles y la tortuga.

En cuanto a las influencias que se advertirán en este volumen... En primer término, los escritores que prefiero —he nombrado ya a Robert Browning—; luego, los que he leído y repito; luego, los que nunca he leído pero que están en mí. Un idioma es una tradición, un modo de sentir la realidad, no un arbitrario repertorio de símbolos.

J. L. B.

Buenos Aires, 1972.

TAMERLAN *
(1336-1405)

Mi reino es de este mundo. Carceleros
Y cárceles y espadas ejecutan
La orden que no repito. Mi palabra
Más ínfima es de hierro. Hasta el secreto
Corazón de las gentes que no oyeron
Nunca mi nombre en su confín lejano
Es instrumento dócil a mi arbitrio.
Yo, que fui un rabadán de la llanura,
He izado mis banderas en Persépolis
Y he abrevado la sed de mis caballos
En las aguas del Ganges y del Oxus.
Cuando nací, cayó del firmamento
Una espada con signos talismánicos;
Yo soy, yo seré siempre, aquella espada.
He derrotado al griego y al egipcio,
He devastado las infatigables
Leguas de Rusia con mis duros tártaros,
He elevado pirámides de cráneos,
He uncido a mi carroza cuatro reyes
Que no quisieron acatar mi cetro,
He arrojado a las llamas en Alepo
El Alcorán, el Libro de los Libros,
Anterior a los días y a las noches.
Yo, el rojo Tamerlán, tuve en mi abrazo
A la blanca Zenócrate de Egipto,
Casta como la nieve de las cumbres.
Recuerdo las pesadas caravanas
Y las nubes de polvo del desierto,
Pero también una ciudad de humo
Y mecheros de gas en las tabernas.
Sé todo y puedo todo. Un ominoso
Libro no escrito aún me ha revelado
Que moriré como los otros mueren
Y que, desde la pálida agonía,
Ordenaré que mis arqueros lancen
Flechas de hierro contra el cielo adverso
Y embanderen de negro el firmamento
Para que no haya un hombre que no sepa

Que los dioses han muerto. Soy los dioses.
Que otros acudan a la astrología
Judiciaria, al compás y al astrolabio,
Para saber qué son. Yo soy los astros.
En las albas inciertas me pregunto
Por qué no salgo nunca de esta cámara,
Por qué no condesciendo al homenaje
Del clamoroso Oriente. Sueño a veces
Con esclavos, con instrusos, que mancillan
A Tamerlán con temeraria mano
Y le dicen que duerma y que no deje
De tomar cada noche las pastillas
Mágicas de la paz y del silencio.
Busco la cimitarra y no la encuentro.
Busco mi cara en el espejo; es otra.
Por eso lo rompí y me castigaron.
¿Por qué no asisto a las ejecuciones,
Por qué no veo el hacha y la cabeza?
Esas cosas me inquietan, pero nada
Puede ocurrir si Tamerlán se opone
Y Él, acaso, las quiere y no lo sabe.
Y yo soy Tamerlán. Rijo el Poniente
Y el Oriente de oro, y sin embargo...

ESPADAS

Gram, Durendal, Joyeuse, Excalibur.
Sus viejas guerras andan por el verso,
Que es la única memoria. El universo
Las siembra por el Norte y por el Sur.
En la espada persiste la osadía
De la diestra viril, hoy polvo y nada;
En el hierro o el bronce, la estocada
Que fue sangre de Adán un primer día.
Gestas he enumerado de lejanas
Espadas cuyos hombres dieron muerte
A reyes y serpientes. Otra suerte
De espadas hay, murales y cercanas.
Déjame, espada, usar contigo el arte;
Yo, que no he merecido manejarte.

EL PASADO

Todo era fácil, nos parece ahora,
En el plástico ayer irrevocable:
Sócrates que, apurada la cicuta,
Discurre sobre el alma y su camino
Mientras la muerte azul le va subiendo
Desde los pies helados; la implacable
Espada que retumba en la balanza;
Roma, que impone el numeroso hexámetro
Al obstinado mármol de esa lengua
Que manejamos hoy, despedazada;
Los piratas de Hengist que atraviesan
A remo el temerario Mar del Norte
Y con las fuertes manos y el coraje
Fundan un reino que será el Imperio;
El rey sajón que ofrece al rey noruego
Los siete pies de tierra y que ejecuta,
Antes que el sol decline, la promesa
En la batalla de hombres; los jinetes
Del desierto, que cubren el Oriente
Y amenazan las cúpulas de Rusia;
Un persa que refiere la primera
De las Mil y Una Noches y no sabe
Que inicia un libro que los largos siglos
De las generaciones ulteriores
No entregarán al silencioso olvido;
Snorri que salva en su perdida Thule,
A la luz de crepúsculos morosos
O en la noche propicia a la memoria,
Las letras y los dioses de Germania;
El joven Schopenhauer, que descubre
El plano general del universo;
Whitman, que en una redacción de Brooklyn,
Entre el olor a tinta y a tabaco,
Toma y no dice a nadie la infinita
Resolución de ser todos los hombres
Y de escribir un libro que sea todos;
Arredondo, que mata a Idiarte Borda
En la mañana de Montevideo
Y se da a la justicia, declarando

Que ha obrado solo y que no tiene cómplices;
El soldado que muere en Normandía,
El soldado que muere en Galilea.

Esas cosas pudieron no haber sido.
Casi no fueron. Las imaginamos
En un fatal ayer inevitable.
No hay otro tiempo que el ahora, este ápice
Del ya será y del fue, de aquel instante
En que la gota cae en la clepsidra.
El ilusorio ayer es un recinto
De figuras inmóviles de cera
O de reminiscencias literarias
Que el tiempo irá perdiendo en sus espejos.
Erico el Rojo, Carlos Doce, Breno
Y esa tarde inasible que fue tuya
Son en su eternidad, no en la memoria.

TANKAS *

1

Alto en la cumbre
Todo el jardín es luna,
Luna de oro.
Más precioso es el roce
De tu boca en la sombra.

2

La voz del ave
Que la penumbra esconde
Ha enmudecido.
Andas por tu jardín.
Algo, lo sé, te falta.

3

La ajena copa,
La espada que fue espada
En otra mano,
La luna de la calle,
¿Dime, acaso no bastan?

4

Bajo la luna
El tigre de oro y sombra
Mira sus garras.
No sabe que en el alba
Han destrozado un hombre.

5

Triste la lluvia
Que sobre el mármol cae,
Triste ser tierra.
Triste no ser los días
Del hombre, el sueño, el alba.

6

No haber caído,
Como otros de mi sangre,
En la batalla.
Ser en la vana noche
El que cuenta las sílabas.

TRECE MONEDAS

UN POETA ORIENTAL

Durante cien otoños he mirado
Tu tenue disco.
Durante cien otoños he mirado
Tu arco sobre las islas.
Durante cien otoños mis labios
No han sido menos silenciosos.

EL DESIERTO

El espacio sin tiempo.
La luna es del color de la arena.
Ahora, precisamente ahora,
Mueren los hombres del Metauro y de Tannenberg.

LLUEVE

¿En qué ayer, en qué patios de Cartago,
Cae también esta lluvia?

ASTERIÓN

El año me tributa mi pasto de hombres
Y en la cisterna hay agua.
En mí se anudan los caminos de piedra.
¿De qué puedo quejarme?
En los atardeceres
Me pesa un poco la cabeza de toro.

UN POETA MENOR

La meta es el olvido.
Yo he llegado antes.

GÉNESIS, IV, 8

Fue en el primer desierto.
Dos brazos arrojaron una gran piedra.
No hubo un grito. Hubo sangre.
Hubo por vez primera la muerte.
Ya no recuerdo si fui Abel o Caín.

NORTUMBRIA, 900 A. D.

Que antes del alba lo despojen los lobos;
La espada es el camino más corto.

MIGUEL DE CERVANTES

Crueles estrellas y propicias estrellas
Presidieron la noche de mi génesis;
Debo a las últimas la cárcel
En que soñé el Quijote.

EL OESTE

El callejón final con su poniente.
Inauguración de la pampa.
Inauguración de la muerte.

ESTANCIA EL RETIRO

El tiempo juega un ajedrez sin piezas
En el patio. El crujido de una rama
Rasga la noche. Fuera la llanura
Leguas de polvo y sueño desparrama.
Sombras los dos, copiamos lo que dictan
Otras sombras: Heráclito y Gautama.

EL PRISIONERO

Una lima.
La primera de las pesadas puertas de hierro.
Algún día seré libre.

MACBETH

Nuestros actos prosiguen su camino,
Que no conoce término.
Maté a mi rey para que Shakespeare
Urdiera su tragedia.

ETERNIDADES

La serpiente que ciñe el mar y es el mar,
El repetido remo de Jasón, la joven espada de Sigurd.
Sólo perduran en el tiempo las cosas
Que no fueron del tiempo.

SUSANA BOMBAL

Alta en la tarde, altiva y alabada,
Cruza el casto jardín y está en la exacta
Luz del instante irreversible y puro
Que nos da este jardín y la alta imagen,
Silenciosa. La veo aquí y ahora,
Pero también la veo en un antiguo
Crepúsculo de Ur de los Caldeos
O descendiendo por las lentas gradas
De un templo, que es innumerable polvo
Del planeta y que fue piedra y soberbia,
O descifrando el mágico alfabeto
De las estrellas de otras latitudes
O aspirando una rosa en Inglaterra.
Está donde haya música, en el leve
Azul, en el hexámetro del griego,
En nuestras soledades que la buscan,
En el espejo de agua de la fuente,
En el mármol del tiempo, en una espada,
En la serenidad de una terraza
Que divisa ponientes y jardines.

Y detrás de los mitos y las máscaras,
El alma, que está sola.

Buenos Aires, 3 de noviembre de 1970.

A JOHN KEATS
(1795-1821)

Desde el principio hasta la joven muerte
La terrible belleza te acechaba
Como a los otros la propicia suerte
O la adversa. En las albas te esperaba
De Londres, en las páginas casuales
De un diccionario de mitología,
En las comunes dádivas del día,
En un rostro, una voz, y en los mortales
Labios de Fanny Brawne. Oh sucesivo
Y arrebatado Keats, que el tiempo ciega,
El alto ruiseñor y la urna griega
Serán tu eternidad, oh fugitivo.
Fuiste el fuego. En la pánica memoria
No eres hoy la ceniza. Eres la gloria.

SUEÑA ALONSO QUIJANO

El hombre se despierta de un incierto
Sueño de alfanjes y de campo llano
Y se toca la barba con la mano
Y se pregunta si está herido o muerto.
¿No lo perseguirán los hechiceros
Que han jurado su mal bajo la luna?
Nada. Apenas el frío. Apenas una
Dolencia de sus años postrimeros.
El hidalgo fue un sueño de Cervantes
Y don Quijote un sueño del hidalgo.
El doble sueño los confunde y algo
Esta pasando que pasó mucho antes.
Quijano duerme y sueña. Una batalla:
Los mares de Lepanto y la metralla.

A UN CÉSAR

En la noche propicia a los lemures
Y a las larvas que hostigan a los muertos,
Han cuartelado en vano los abiertos
Ámbitos de los astros tus augures.
Del toro yugulado en la penumbra
Las vísceras en vano han indagado;
En vano el sol de esta mañana alumbra
La espada fiel del pretoriano armado.
En el palacio tu garganta espera
Temblorosa el puñal. Ya los confines
Del imperio que rigen tus clarines
Presienten las plegarias y la hoguera.
De tus montañas el horror sagrado
El tigre de oro y sombra ha profanado.

EL CIEGO

A Mariana Grondona

I

Lo han despojado del diverso mundo,
De los rostros, que son lo que eran antes,
De las cercanas calles, hoy distantes,
Y del cóncavo azul, ayer profundo.
De los libros le queda lo que deja
La memoria, esa forma del olvido
Que retiene el formato, no el sentido,
Y que los meros títulos refleja.
El desnivel acecha. Cada paso
Puede ser la caída. Soy el lento
Prisionero de un tiempo soñoliento
Que no marca su aurora ni su ocaso.
Es de noche. No hay otros. Con el verso
Debo labrar mi insípido universo.

II

Desde mi nacimiento, que fue el noventa y nueve
De la cóncavas parras y el aljibe profundo,
El tiempo minucioso, que en la memoria es breve,
Me fue hurtando las formas visibles de este mundo.
Los días y las noches limaron los perfiles
De las letras humanas y los rostros amados;
En vano interrogaron mis ojos agotados
Las vanas bibliotecas y los vanos atriles.
El azul y el bermejo son ahora una niebla
Y dos voces inútiles. El espejo que miro
Es una cosa gris. En el jardín aspiro,
Amigos, una lóbrega rosa de la tiniebla.
Ahora sólo perduran las formas amarillas
Y sólo puedo ver para ver pesadillas.

ON HIS BLINDNESS

Indigno de los astros y del ave
Que surca el hondo azul, ahora secreto,
De esas líneas que son el alfabeto
Que ordenan otros y del mármol grave
Cuyo dintel mis ya gastados ojos
Pierden en su penumbra, de las rosas
Invisibles y de las silenciosas
Multitudes de oros y de rojos
Soy, pero no de las Mil Noches y Una
Que abren mares y auroras en mi sombra
Ni de Walt Whitman, ese Adán que nombra
Las criaturas que son bajo la luna,
Ni de los blancos dones del olvido
Ni del amor que espero y que no pido.

LA BUSCA

Al término de tres generaciones
Vuelvo a los campos de los Acevedo,
Que fueron mis mayores. Vagamente
Los he buscado en esta vieja casa
Blanca y rectangular, en la frescura
De sus dos galerías, en la sombra
Creciente que proyectan los pilares,
En el intemporal grito del pájaro,
En la lluvia que abruma la azotea,
En el crepúsculo de los espejos,
En un reflejo, un eco, que fue suyo
Y que ahora es mío, sin que yo lo sepa.
He mirado los hierros de la reja
Que detuvo las lanzas del desierto,
La palmera partida por el rayo,
Los negros toros de Aberdeen, la tarde,
Las casuarinas que ellos nunca vieron.
Aquí fueron la espada y el peligro,
Las duras proscripciones, las patriadas;
Firmes en el caballo, aquí rigieron
La sin principio y la sin fin llanura
Los estancieros de las largas leguas.
Pedro Pascual, Miguel, Judas Tadeo...
Quién me dirá si misteriosamente,
Bajo ese techo de una sola noche,
Más allá de los años y del polvo,
Más allá del cristal de la memoria,
No nos hemos unido y confundido,
Yo en el sueño, pero ellos en la muerte.

LO PERDIDO

¿Dónde estará mi vida, la que pudo
Haber sido y no fue, la venturosa
O la de triste horror, esa otra cosa
Que pudo ser la espada o el escudo
Y que no fue? ¿Dónde estará el perdido
Antepasado persa o el noruego,
Dónde el azar de no quedarme ciego,
Dónde el ancla y el mar, dónde el olvido
De ser quien soy? ¿Dónde estará la pura
Noche que al rudo labrador confía
El iletrado y laborioso día,
Según lo quiere la literatura?
Pienso también en esa compañera
Que me esperaba, y que tal vez me espera.

H. O.

En cierta calle hay cierta firme puerta
Con su timbre y su número preciso
Y un sabor a perdido paraíso,
Que en los atardeceres no está abierta
A mi paso. Cumplida la jornada,
Una esperada voz me esperaría
En la disgregación de cada día
Y en la paz de la noche enamorada.
Esas cosas no son. Otra es mi suerte:
Las vagas horas, la memoria impura,
El abuso de la literatura
Y en el confín la no gustada muerte.
Sólo esa piedra quiero. Sólo pido
Las dos abstractas fechas y el olvido.

RELIGIO MEDICI, 1643

Defiéndeme, Señor. (El vocativo
No implica a Nadie. Es sólo una palabra
De este ejercicio que el desgano labra
Y que en la tarde del temor escribo.)
Defiéndeme de mí. Ya lo dijeron
Montaigne y Browne y un español que ignoro;
Algo me queda aún de todo ese oro
Que mis ojos de sombra recogieron.
Defiéndeme, Señor, del impaciente
Apetito de ser mármol y olvido;
Defiéndeme de ser el que ya he sido,
El que ya he sido irreparablemente.
No de la espada o de la roja lanza
Defiéndeme, sino de la esperanza.

1971

Dos hombres caminaron por la luna.
Otros después. ¿Qué puede la palabra,
Qué puede lo que el arte sueña y labra,
Ante su real y casi irreal fortuna?
Ebrios de horror divino y de aventura,
Esos hijos de Whitman han pisado
El páramo lunar, el inviolado
Orbe que, antes de Adán, pasa y perdura.
El amor de Endimión en su montaña,
El hipogrifo, la curiosa esfera
De Wells, que en mi recuerdo es verdadera,
Se confirman. De todos es la hazaña.
No hay en la tierra un hombre que no sea
Hoy más valiente y más feliz. El día
Inmemorial se exalta de energía
Por la sola virtud de la Odisea
De esos amigos mágicos. La luna,
Que el amor secular busca en el cielo
Con triste rostro y no saciado anhelo,
Será su monumento, eterna y una.

COSAS

El volumen caído que los otros
Ocultan en la hondura del estante
Y que los días y las noches cubren
De lento polvo silencioso. El ancla
De Sidón que los mares de Inglaterra
Oprimen en su abismo ciego y blando.
El espejo que no repite a nadie
Cuando la casa se ha quedado sola.
Las limaduras de uña que dejamos
A lo largo del tiempo y del espacio.
El polvo indescifrable que fue Shakespeare.
Las modificaciones de la nube.
La simétrica rosa momentánea
Que el azar dio una vez a los ocultos
Cristales del pueril calidoscopio.
Los remos de Argos, la primera nave.
Las pisadas de arena que la ola
Soñolienta y fatal borra en la playa.
Los colores de Turner cuando apagan
Las luces en la recta galería
Y no resuena un paso en la alta noche.
El revés del prolijo mapamundi.
La tenue telaraña en la pirámide.
La piedra ciega y la curiosa mano.
El sueño que he tenido antes del alba
Y que olvidé cuando clareaba el día.
El principio y el fin de la epopeya
De Finsburh, hoy unos contados versos
De hierro, no gastado por los siglos.
La letra inversa en el papel secante.
La tortuga en el fondo del aljibe.
Lo que no puede ser. El otro cuerno
Del unicornio. El Ser que es Tres y es Uno.
El disco triangular. El inasible
Instante en que la flecha del eleata,
Inmóvil en el aire, da en el blanco.
La flor entre las páginas de Bécquer.
El péndulo que el tiempo ha detenido.
El acero que Odín clavó en el árbol.

El texto de las no cortadas hojas.
El eco de los cascos de la carga
De Junín, que de algún eterno modo
No ha cesado y es parte de la trama.
La sombra de Sarmiento en las aceras.
La voz que oyó el pastor en la montaña.
La osamenta blanqueando en el desierto.
La bala que mató a Francisco Borges.
El otro lado del tapiz. Las cosas
Que nadie mira, salvo el Dios de Berkeley

EL AMENAZADO

Es el amor. Tendré que ocultarme o que huir.
Crecen los muros de su cárcel, como en un sueño atroz. La hermosa máscara ha cambiado, pero como siempre es la única. ¿De qué me servirán mis talismanes: el ejercicio de las letras, la vaga erudición, el aprendizaje de las palabras que usó el áspero Norte para cantar sus mares y sus espadas, la serena amistad, las galerías de la Biblioteca, las cosas comunes, los hábitos, el joven amor de mi madre, la sombra militar de mis muertos, la noche intemporal, el sabor del sueño?
Estar contigo o no estar contigo es la medida de mi tiempo.
Ya el cántaro se quiebra sobre la fuente, ya el hombre se levanta a la voz del ave, ya se han oscurecido los que miran por las ventanas, pero la sombra no ha traído la paz.
Es, ya lo sé, el amor: la ansiedad y el alivio de oír tu voz, la espera y la memoria, el horror de vivir en lo sucesivo.
Es el amor con sus mitologías, con sus pequeñas magias inútiles.
Hay una esquina por la que no me atrevo a pasar.
Ya los ejércitos me cercan, las hordas.
(Esta habitación es irreal; ella no la ha visto.)
El nombre de una mujer me delata.
Me duele una mujer en todo el cuerpo.

PROTEO

Antes que los remeros de Odiseo
Fatigaran el mar color de vino
Las inasibles formas adivino
De aquel dios cuyo nombre fue Proteo.
Pastor de los rebaños de los mares
Y poseedor del don de profecía,
Prefería ocultar lo que sabía
Y entretejer oráculos dispares.
Urgido por las gentes asumía
La forma de un león o de una hoguera
O de árbol que da sombra a la ribera
O de agua que en el agua se perdía.
De Proteo el egipcio no te asombres,
Tú, que eres uno y eres muchos hombres.

OTRA VERSIÓN DE PROTEO

Habitador de arenas recelosas,
Mitad dios y mitad bestia marina,
Ignoró la memoria, que se inclina
Sobre el ayer y las perdidas cosas.
Otro tormento padeció Proteo
No menos cruel, saber lo que ya encierra
El porvenir: la puerta que se cierra
Para siempre, el troyano y el aqueo.
Atrapado, asumía la inasible
Forma del huracán o de la hoguera
O del tigre de oro o la pantera
O de agua que en el agua es invisible.
Tú también estás hecho de inconstantes
Ayeres y mañanas. Mientras, antes...

HABLA UN BUSTO DE JANO

Nadie abriere o cerrare alguna puerta
Sin honrar la memoria del Bifronte,
Que las preside. Abarco el horizonte
De inciertos mares y de tierra cierta.
Mi dos caras divisan el pasado
Y el porvenir. Los veo y son iguales
Los hierros, las discordias y los males
Que Alguien pudo borrar y no ha borrado
Ni borrará. Me faltan las dos manos
Y soy de piedra inmóvil. No podría
Precisar si contemplo una porfía
Futura o la de ayeres hoy lejanos.
Veo mi ruina: la columna trunca
Y las caras, que no se verán nunca.

EL GAUCHO

Hijo de algún confín de la llanura
Abierta, elemental, casi secreta,
Tiraba el firme lazo que sujeta
Al firme toro de cerviz oscura.

Se batió con el indio y con el godo,
Murió en reyertas de baraja y taba;
Dio su vida a la patria, que ignoraba,
Y así perdiendo, fue perdiendo todo.

Hoy es polvo de tiempo y de planeta;
Nombres no quedan, pero el nombre dura.
Fue tantos otros y hoy es una quieta
Pieza que mueve la literatura.

Fue el matrero, el sargento y la partida.
Fue el que cruzó la heroica cordillera.
Fue soldado de Urquiza o de Rivera,
Lo mismo da. Fue el que mató a Laprida.

Dios le quedaba lejos. Profesaron
La antigua fe del hierro y del coraje,
Que no consiente súplicas ni gaje.
Por esa fe murieron y mataron.

En los azares de la montonera
Murió por el color de una divisa;
Fue el que no pidió nada, ni siquiera
La gloria, que es estrépito y ceniza.

Fue el hombre gris que, oscuro en la pausada
Penumbra del galpón, sueña y matea,
Mientras en el oriente ya clarea
La luz de la desierta madrugada.

Nunca dijo: Soy gaucho. Fue su suerte
No imaginar la suerte de los otros.
No menos ignorante que nosotros,
No menos solitario, entró en la muerte.

LA PANTERA

Tras los fuertes barrotes la pantera
Repetirá el monótono camino
Que es (pero no lo sabe) su destino
De negra joya, aciaga y prisionera.
Son miles las que pasan y son miles
Las que vuelven, pero es una y eterna
La pantera fatal que en su caverna
Traza la recta que un eterno Aquiles
Traza en el sueño que ha soñado el griego
No sabe que hay praderas y montañas
De ciervos cuyas trémulas entrañas
Deleitarían su apetito ciego.
En vano es vario el orbe. La jornada
Que cumple cada cual ya fue fijada.

TÚ

Un solo hombre ha nacido, un solo hombre ha muerto en la tierra.
Afirmar lo contrario es mera estadística, es una adición imposible.
No menos imposible que sumar el olor de la lluvia y el sueño que antenoche soñaste.
Ese hombre es Ulises, Abel, Caín, el primer hombre que ordenó las constelaciones, el hombre que erigió la primer pirámide, el hombre que escribió los hexagramas del Libro de los Cambios, el forjador que grabó runas en la espada de Hengist, el arquero Einar Tamberskelver, Luis de León, el librero que engendró a Samuel Johnson, el jardinero de Voltaire, Darwin en la proa del Beagle, un judío en la cámara letal, con el tiempo, tú y yo.
Un solo hombre ha muerto en Ilión, en el Metauro, en Hastings, en Austerlitz, en Trafalgar, en Gettysburg.
Un solo hombre ha muerto en los hospitales, en barcos, en la ardua soledad, en la alcoba del hábito y del amor.
Un solo hombre ha mirado la vasta aurora.
Un solo hombre ha sentido en el paladar la frescura del agua, el sabor de las frutas y de la carne.
Hablo del único, del uno, del que siempre está solo.

Norman, Oklahoma.

POEMA DE LA CANTIDAD

Pienso en el parco cielo puritano
De solitarias y perdidas luces
Que Emerson miraría tantas noches
Desde la nieve y el rigor de Concord.
Aquí son demasiadas las estrellas.
El hombre es demasiado. Las innúmeras
Generaciones de aves y de insectos,
Del jaguar constelado y de la sierpe,
De ramas que se tejen y entretejen,
Del café, de la arena y de las hojas
Oprimen las mañanas y prodigan
Su minucioso laberinto inútil.
Acaso cada hormiga que pisamos
Es única ante Dios, que la precisa
Para la ejecución de las puntuales
Leyes que rigen Su curioso mundo.
Si así no fuera, el universo entero
Sería un error y un oneroso caos.
Los espejos del ébano y del agua,
El espejo inventivo de los sueños,
Los líquenes, los peces, las madréporas,
Las filas de tortugas en el tiempo,
Las luciérnagas de una sola tarde,
Las dinastías de las araucarias,
Las perfiladas letras de un volumen
Que la noche no borra, son sin duda
No menos personales y enigmáticas
Que yo, que las confundo. No me atrevo
A juzgar a la lepra o a Calígula.

San Pablo, 1970.

EL CENTINELA

Entra la luz y me recuerdo; ahí está.
Empieza por decirme su nombre, que es (ya se entiende) el mío.
Vuelvo a la esclavitud que ha durado más de siete veces diez años.
Me impone su memoria.
Me impone las miserias de cada día, la condición humana.
Soy su viejo enfermero; me obliga a que le lave los pies.
Me acecha en los espejos, en la caoba, en los cristales de las tiendas.
Una u otra mujer lo ha rechazado y debo compartir su congoja.
Me dicta ahora este poema, que no me gusta.
Me exige el nebuloso aprendizaje del terco anglosajón.
Me ha convertido al culto idolátrico de militares muertos, con los que acaso no podría cambiar una sola palabra.
En el último tramo de la escalera siento que está a mi lado.
Está en mis pasos, en mi voz.
Minuciosamente lo odio.
Advierto con fruición que casi no ve.
Estoy en una celda circular y el infinito muro se estrecha.
Ninguno de los dos engaña al otro, pero los dos mentimos.
Nos conocemos demasiado, inseparable hermano.
Bebes el agua de mi copa y devoras mi pan.
La puerta del suicida está abierta, pero los teólogos afirman que en la sombra ulterior del otro reino estaré yo, esperándome.

AL IDIOMA ALEMÁN

Mi destino es la lengua castellana,
El bronce de Francisco de Quevedo,
Pero en la lenta noche caminada
Me exaltan otras músicas más íntimas.
Alguna me fue dada por la sangre—
Oh voz de Shakespeare y de la Escritura—,
Otras por el azar, que es dadivoso,
Pero a ti, dulce lengua de Alemania,
Te he elegido y buscado, solitario.
A través de vigilias y gramáticas,
De la jungla de las declinaciones,
Del diccionario, que no acierta nunca
Con el matiz preciso, fui acercándome.
Mis noches están llenas de Virgilio,
Dije una vez; también pude haber dicho
de Hölderlin y de Angelus Silesius.
Heine me dio sus altos ruiseñores;
Goethe, la suerte de un amor tardío,
A la vez indulgente y mercenario;
Keller, la rosa que una mano deja
En la mano de un muerto que la amaba
Y que nunca sabrá si es blanca o roja.
Tú, lengua de Alemania, eres tu obra
Capital: el amor entrelazado
De las voces compuestas, las vocales
Abiertas, los sonidos que permiten
El estudioso hexámetro del griego
Y tu rumor de selvas y de noches.
Te tuve alguna vez. Hoy, en la linde
De los años cansados, te diviso
Lejana como el álgebra y la luna.

AL TRISTE

Ahí está lo que fue: la terca espada
Del sajón y su métrica de hierro,
Los mares y las islas del destierro
Del hijo de Laertes, la dorada
Luna del persa y los sin fin jardines
De la filosofía y de la historia,
El oro sepulcral de la memoria
Y en la sombra el olor de los jazmines.
Y nada de eso importa. El resignado
Ejercicio del verso no te salva
Ni las aguas del sueño ni la estrella
Que en la arrasada noche olvida el alba.
Una sola mujer es tu cuidado,
Igual a las demás, pero que es ella.

EL MAR

El mar. El joven mar. El mar de Ulises
Y el de aquel otro Ulises que la gente
Del Islam apodó famosamente
Es-Sindibad del Mar. El mar de grises
Olas de Erico el Rojo, alto en su proa,
Y el de aquel caballero que escribía
A la vez la epopeya y la elegía
De su patria, en la ciénaga de Goa.
El mar de Trafalgar. El que Inglaterra
Cantó a lo largo de su larga historia,
El arduo mar que ensangrentó de gloria
En el diario ejercicio de la guerra.
El incesante mar que en la serena
Mañana surca la infinita arena.

AL PRIMER POETA DE HUNGRÍA

En esta fecha para ti futura
Que no alcanza el augur que la prohibida
Forma del porvenir ven los planetas
Ardientes o en las vísceras del toro,
Nada me costaría, hermano y sombra,
Buscar tu nombre en las enciclopedias
Y descubrir qué ríos reflejaron
Tu rostro, que hoy es perdición y polvo,
Y qué reyes, qué ídolos, qué espadas,
Qué resplandor de tu infinita Hungría,
Elevaron tu voz al primer canto.
Las noches y los mares nos apartan,
Las modificaciones seculares,
Los climas, los imperios y las sangres,
Pero nos une indescifrablemente
El misterioso amor de las palabras,
Este hábito de sones y de símbolos.
Análogo al arquero del eleata,
Un hombre solo en una tarde hueca
Deja correr sin fin esta imposible
Nostalgia, cuya meta es una sombra.
No nos veremos nunca cara a cara,
Oh antepasado que mi voz no alcanza.
Para ti ni siquiera soy un eco;
Para mí soy un ansia y un arcano,
Una isla de magia y de temores,
Como lo son tal vez todos los hombres,
Como lo fuiste tú, bajo otros astros.

EL ADVENIMIENTO

Soy el que fui en el alba, entre la tribu.
Tendido en mi rincón de la caverna,
Pujaba por hundirme en las oscuras
Aguas del sueño. Espectros de animales
Heridos por la esquirla de la flecha
Daban horror a las tinieblas. Algo,
Quizá la ejecución de una promesa,
La muerte de un rival en la montaña,
Quizá el amor, quizá una piedra mágica,
Me había sido otorgado. Lo he perdido.
Gastada por los siglos, la memoria
Sólo guarda esa noche y su mañana.
Yo anhelaba y temía. Bruscamente
Oí el sordo tropel interminable
De una manada atravesando el alba.
Arco de roble, flechas que se clavan,
Los dejé y fui corriendo hasta la grieta
Que se abre en el confín de la caverna.
Fue entonces que los vi. Brasa rojiza,
Crueles los cuernos, montañoso el lomo
y lóbrega la crin como los ojos
Que acechaban malvados. Eran miles.
Son los bisontes, dije. La palabra
No había pasado nunca por mis labios,
Pero sentí que tal era su nombre.
Era como si nunca hubiera visto,
Como si hubiera estado ciego y muerto
Antes de los bisontes de la aurora.
Surgían de la aurora. Eran la aurora.
No quise que los otros profanaran
Aquel pesado río de bruteza
Divina, de ignorancia, de soberbia,
Indiferente como las estrellas.
Pisotearon un perro del camino;
Lo mismo hubieran hecho con un hombre.
Después los trazaría en la caverna
Con ocre y bermellón. Fueron los Dioses
Del sacrificio y de las preces. Nunca
Dijo mi boca el nombre de Altamira.
Fueron muchas mis formas y mis muertes.

LA TENTACIÓN

El general Quiroga va a su entierro;
Lo invita el mercenario Santos Pérez
Y sobre Santos Pérez está Rosas,
La recóndita araña de Palermo.
Rosas, a fuer de buen cobarde, sabe
Que no hay entre los hombres uno solo
Más vulnerable y frágil que el valiente.
Juan Facundo Quiroga es temerario
Hasta la insensatez. El hecho puede
Merecer el examen de su odio.
Ha resuelto matarlo. Piensa y duda.
Al fin da con el arma que buscaba.
Será la sed y el hambre del peligro.
Quiroga parte al Norte. El mismo Rosas
Le advierte, casi al pie de la galera,
Que circulan rumores de que López
Premedita su muerte. Le aconseja
No acometer la osada travesía
Sin una escolta. Él mismo se la ofrece.
Facundo ha sonreído. No precisa
Laderos. Él se basta. La crujiente
Galera deja atrás las poblaciones.
Leguas de larga lluvia la entorpecen,
Neblina y lodo y las crecidas aguas.
Al fin avistan Córdoba. Los miran
Como si fueran sus fantasmas. Todos
Los daban ya por muertos. Antenoche
Córdoba entera ha visto a Santos Pérez
Distribuir las espadas. La partida
Es de treinta jinetes de la sierra.
Nunca se ha urdido un crimen de manera
Más descarada, escribirá Sarmiento.
Juan Facundo Quiroga no se inmuta.
Sigue al Norte. En Santiago del Estero
Se da a los naipes y a su hermoso riesgo.
Entre el ocaso y la alborada pierde
O gana centenares de onzas de oro.
Arrecian las alarmas. Bruscamente
Resuelve regresar y da la orden.

Por esos descampados y esos montes
Retoman los caminos del peligro.
En un sitio llamado el Ojo de Agua
El maestro de posta le revela
Que por ahí ha pasado la partida
Que tiene por misión asesinarlo
Y que lo espera en un lugar que nombra.
Nadie debe escapar. Tal es la orden.
Así lo ha declarado Santos Pérez,
El capitán. Facundo no se arredra.
No ha nacido aún el hombre que se atreva
A matar a Quiroga, le responde.
Los otros palidecen y se callan.
Sobreviene la noche, en la que sólo
Duerme el fatal, el fuerte, que confía
En sus oscuros dioses. Amanece.
No volverán a ver otra mañana.
¿A qué concluir la historia que ya ha sido
Contada para siempre? La galera
Toma el camino de Barranca Yaco.

1891

Apenas lo entreveo y ya lo pierdo.
Ajustado el decente traje negro,
La frente angosta y el bigote ralo,
Y con una chalina como todas,
Camina entre la gente de la tarde
Ensimismado y sin mirar a nadie.
En una esquina de la calle Piedras
Pide una caña brasilera. El hábito.
Alguien le grita adiós. No le contesta.
Hay en los ojos un rencor antiguo.
Otra cuadra. Una racha de milonga
Le llega desde un patio. Esos changangos
Están siempre amolando la paciencia,
Pero al andar se hamaca y no lo sabe.
Sube su mano y palpa la firmeza
Del puñal en la sisa del chaleco.
Va a cobrarse una deuda. Falta poco.
Unos pasos y el hombre se detiene.
En el zaguán hay una flor de cardo.
Oye el golpe del balde en el aljibe
Y una voz que conoce demasiado.
Empuja la cancel que aún está abierta
Como si lo esperaran. Esta noche
Tal vez ya lo habrán muerto.

1929

Antes, la luz entraba más temprano
En la pieza que da al último patio;
Ahora la vecina casa de altos
Le quita el sol, pero en la vaga sombra
Su modesto inquilino está despierto
Desde el amanecer. Sin hacer ruido,
Para no incomodar a los de al lado,
El hombre está mateando y esperando.
Otro día vacío, como todos.
Y siempre los ardores de la úlcera.
Ya no hay mujeres en mi vida, piensa.
Los amigos lo aburren. Adivina
Que él también los aburre. Hablan de cosas
Que no alcanza, de arqueros y de cuadros.
No ha mirado la hora. Sin apuro
Se levanta y se afeita con inútil
Prolijidad. Hay que llenar el tiempo.
El rostro que el espejo le devuelve
Guarda el aplomo que antes era suyo.
Envejecemos más que nuestra cara,
Piensa, pero ahí están las comisuras,
El bigote ya gris, la hundida boca.
Busca el sombrero y sale. En el vestíbulo
Ve un diario abierto. Lee las grandes letras,
Crisis ministeriales en países
Que son apenas nombres. Luego advierte
La fecha de la víspera. Un alivio;
Ya no tiene por qué seguir leyendo.
Afuera, la mañana le depara
Su ilusión habitual de que algo empieza
Y los pregones de los vendedores.
En vano el hombre inútil dobla esquinas
Y pasajes y trata de perderse.
Ve con aprobación las casas nuevas,
Algo, tal vez el viento sur, lo anima.
Cruza Rivera, que hoy le dicen Córdoba,
Y no recuerda que hace muchos años
Que sus pasos la eluden. Dos, tres cuadras.
Reconoce una larga balaustrada,

Los redondeles de un balcón de fierro,
Una tapia erizada de pedazos
De vidrio. Nada más. Todo ha cambiado.
Tropieza en una acera. Oye la burla
De unos muchachos. No los toma en cuenta.
Ahora está caminando más despacio.
De golpe se detiene. Algo ha ocurrido.
Ahí donde ahora hay una heladería,
Estaba el Almacén de la Figura.
(La historia cuenta casi medio siglo.)
Ahí un desconocido de aire avieso
Le ganó un largo truco, quince y quince,
Y él malició que el juego no era limpio.
No quiso discutir, pero le dijo:
Ahí le entrego hasta el último centavo,
Pero después salgamos a la calle.
El otro contestó que con el fierro
No le iría mejor que con el naipe.
No había ni una estrella. Benavides
Le prestó su cuchillo. La pelea
Fue dura. En la memoria es un instante,
Un solo inmóvil resplandor, un vértigo.
Se tendió en una larga puñalada,
Que bastó. Luego en otra, por si acaso.
Oyó el caer del cuerpo y del acero.
Fue entonces que sintió por vez primera
La herida en la muñeca y vio la sangre.
Fue entonces que brotó de su garganta
Una mala palabra, que juntaba
La exultación, la ira y el asombro.
Tantos años y al fin ha rescatado
La dicha de ser hombre y ser valiente
O, por lo menos, la de haberlo sido
Alguna vez, en un ayer del tiempo.

LA PROMESA

En Pringles, el doctor Isidro Lozano me refirió la historia. Lo hizo con tal economía que comprendí que ya lo había hecho, como era de prever, muchas veces; agregar o variar un pormenor sería un pecado literario.

"El hecho ocurrió aquí, hacia mil novecientos veintitantos. Yo había regresado de Buenos Aires con mi diploma. Una noche me mandaron buscar del hospital. Me levanté de mal humor, me vestí y atravesé la plaza desierta. En la sala de guardia, el doctor Eudoro Ribera me dijo que a uno de los malevos del comité, Clemente Garay, lo habían traído con una puñalada en el vientre. Lo examinamos; ahora me he endurecido, pero entonces me sacudió ver a un hombre con los intestinos afuera. Estaba con los ojos cerrados y la respiración era trabajosa.

El doctor Ribera me dijo:

—Ya no hay nada que hacer, mi joven colega. Vamos a dejar que se muera esta porquería.

Le contesté que me había costeado hasta ahí a las dos de la mañana pasadas y que haría lo posible para salvarlo. Ribera se encogió de hombros; lavé los intestinos, los puse en su lugar y cosí la herida. No oí una sola queja.

Al otro día volví. El hombre no había muerto; me miró, me estrechó la mano y me dijo:

—Para usted, gracias, y mi cabo de plata para Ribera.

Cuando a Garay lo dieron de alta, Ribera ya se había ido a Buenos Aires.

Desde esa fecha, todos los años recibí un corderito el día de mi santo. Hacia el cuarenta el regalo cesó."

EL ESTUPOR

Un vecino de Morón me refirió el caso:
"Nadie sabe muy bien por qué se enemistaron Moritán y el Pardo Rivarola y de un modo tan enconado. Los dos eran del partido conservador y creo que trabaron relación en el comité. No lo recuerdo a Moritán porque yo era muy chico cuando su muerte. Dicen que la familia era de Entre Ríos. El Pardo lo sobrevivió muchos años. No era caudillo ni cosa que se le parezca, pero tenía la pinta. Era más bien bajo y pesado y muy rumboso en el vestir. Ninguno de los dos era flojo, pero el más reflexivo era Rivarola, como luego se vio. Desde hace tiempo se la tenía jurada a Moritán, pero quiso obrar con prudencia. Le doy la razón; si uno mata a alguien y tiene que penar en la cárcel, procede como un zonzo. El Pardo tramó bien lo que haría.
Serían las siete de la tarde, un domingo. La plaza rebosaba de gente. Como siempre, ahí estaba Rivarola caminando despacio, con su clavel en el ojal y su ropa negra. Iba con su sobrina. De golpe la apartó, se sentó en cuclillas en el suelo y se puso a aletear y a cacarear como si fuera un gallo. La gente le abrió cancha, asustada. ¡Un hombre de respeto como el Pardo, haciendo esas cosas, a la vista y paciencia de todo Morón y en un día domingo! A la media cuadra dobló y, siempre cacareando y aleteando, se metió en la casa de Moritán. Empujó la puerta cancel y de un brinco estuvo en el patio. La turba se agolpaba en la calle. Moritán, que oyó la alharaca, se vino desde el fondo. Al ver ese monstruoso enemigo, que se le abalanzaba, quiso ganar las piezas, pero un balazo lo alcanzó y después otro. A Rivarola se lo llevaron entre dos vigilantes. El hombre forcejeó, cacareando.
Al mes estaba en libertad. El médico forense declaró que había sido víctima de un brusco ataque de locura. ¿Acaso el pueblo entero no lo había visto, conduciéndose como un gallo?"

LOS CUATRO CICLOS

Cuatro son las historias. Una, la más antigua, es la de una fuerte ciudad que cercan y defienden hombres valientes. Los defensores saben que la ciudad será entregada al hierro y al fuego y que su batalla es inútil; el más famoso de los agresores, Aquiles, sabe que su destino es morir antes de la victoria. Los siglos fueron agregando elementos de magia. Se dijo que Helena de Troya, por la cual los ejércitos murieron, era una hermosa nube, una sombra; se dijo que el gran caballo hueco en el que se ocultaron los griegos era también una apariencia. Homero no habrá sido el primer poeta que refirió la fábula; alguien, en el siglo catorce, dejó esta línea que anda por mi memoria: *The borgh brittened and brent to brondes and askes* *. Dante Gabriel Rossetti imaginaría que la suerte de Troya quedó sellada en aquel instante en que Paris arde en amor de Helena; Yeats elegirá el instante en que se confunden Leda y el cisne que era un dios.

Otra, que se vincula a la primera, es la de un regreso. El de Ulises, que, al cabo de diez años de errar por mares peligrosos y de demorarse en islas de encantamiento, vuelve a su Itaca; el de las divinidades del Norte que, una vez destruida la tierra, la ven surgir del mar, verde y lúcida, y hallan perdidas en el césped las piezas de ajedrez con que antes jugaron.

La tercera historia es la de una busca. Podemos ver en ella una variación de la forma anterior. Jasón y el Vellocino; los treinta pájaros del persa, que cruzan montañas y mares y ven la cara de su Dios, el Simurgh, que es cada uno de ellos y todos. En el pasado toda empresa era venturosa. Alguien robaba, al fin, las prohibidas manzanas de oro; alguien, al fin, merecía la conquista del Grial. Ahora, la busca está condenada al fracaso. El capitán Ahab da con la ballena y la ballena lo deshace; los héroes de James o de Kafka sólo pueden esperar la derrota. Somos tan pobres de valor y de fe que ya el *happy-ending* no es otra cosa que un halago industrial. No podemos creer en el cielo, pero sí en el infierno.

La última historia es la del sacrificio de un dios. Attis, en Frigia, se mutila y se mata; Odín, sacrificado a Odín, Él mismo a Sí Mismo, pende del árbol nueve noches enteras y es herido de lanza; Cristo es crucificado por los romanos.

Cuatro son las historias. Durante el tiempo que nos queda seguiremos narrándolas, transformadas.

EL SUEÑO DE
PEDRO HENRÍQUEZ UREÑA

El sueño que Pedro Henríquez Ureña tuvo en el alba de uno de los días de 1946 curiosamente no constaba de imágenes sino de pausadas palabras. La voz que las decía no era la suya pero se parecía a la suya. El tono, pese a las posibilidades patéticas que el tema permitía, era impersonal y común. Durante el sueño, que fue breve. Pero sabía que estaba durmiendo en su cuarto y que su mujer estaba a su lado. En la oscuridad el sueño le dijo:

Hará unas cuantas noches, en una esquina de la calle Córdoba, discutiste con Borges la invocación del Anónimo Sevillano *Oh Muerte, ven callada como sueles venir en la saeta*. Sospecharon que era el eco deliberado de algún texto latino, ya que esas traslaciones correspondían a los hábitos de una época, del todo ajena a nuestro concepto del plagio, sin duda menos literario que comercial. Lo que no sospecharon, lo que no podían sospechar, es que el diálogo era profético. Dentro de unas horas, te apresurarás por el último andén de Constitución, para dictar tu clase en la Universidad de La Plata. Alcanzarás el tren, pondrás la cartera en la red y te acomodarás en tu asiento, junto a la ventanilla. Alguien, cuyo nombre no sé pero cuya cara estoy viendo, te dirigirá unas palabras. No le contestarás, porque estarás muerto. Ya te habrás despedido como siempre de tu mujer y de tus hijas. No recordarás este sueño porque tu olvido es necesario para que se cumplan los hechos.

EL PALACIO

El Palacio no es infinito.

Los muros, los terraplenes, los jardines, los laberintos, las gradas, las terrazas, los antepechos, las puertas, las galerías, los patios circulares o rectangulares, los claustros, las encrucijadas, los aljibes, las antecámaras, las cámaras, las alcobas, las bibliotecas, los desvanes, las cárceles, las celdas sin salida y los hipogeos, no son menos cuantiosos que los granos de arena del Ganges, pero su cifra tiene un fin. Desde las azoteas, hacia el poniente, no falta quien divise las herrerías, las carpinterías, las caballerizas, los astilleros y las chozas de los esclavos.

A nadie le está dado recorrer más que una parte infinitesimal del palacio. Alguno no conoce sino los sótanos. Podemos percibir unas caras, unas voces, unas palabras, pero lo que percibimos es ínfimo. Ínfimo y precioso a la vez. La fecha que el acero graba en la lápida y que los libros parroquiales registran es posterior a nuestra muerte; ya estamos muertos cuando nada nos toca, ni una palabra, ni un anhelo, ni una memoria. Yo sé que no estoy muerto.

HENGIST QUIERE HOMBRES
(449 A.D.)

Hengist quiere hombres.

Acudirán de los confines de arena que se pierden en largos mares, de chozas llenas de humo, de tierras pobres, de hondos bosques de lobos, en cuyo centro indefinido está el Mal.

Los labradores dejarán el arado y los pescadores las redes. Dejarán sus mujeres y sus hijos, porque el hombre sabe que en cualquier lugar de la noche puede hallarlas y hacerlos.

Hengist el mercenario quiere hombres.

Los quiere para debelar una isla que todavía no se llama Inglaterra.

Lo seguirán sumisos y crueles.

Saben que siempre fue el primero en la batalla de hombres.

Saben que una vez olvidó su deber de venganza y que le dieron una espada desnuda y que la espada hizo su obra.

Atravesarán a remo los mares, sin brújula y sin mástil.

Traerán espadas y broqueles, yelmos con la forma del jabalí, conjuros para que se multipliquen las mieses, vagas cosmogonías, fábulas de los hunos y de los godos.

Conquistarán la tierra, pero nunca entrarán en las ciudades que Roma abandonó, porque son cosas demasiado complejas para su mente bárbara.

Hengist los quiere para la victoria, para el saqueo, para la corrupción de la carne y para el olvido.

Hengist los quiere (pero no lo sabe) para la fundación del mayor imperio, para que canten Shakespeare y Whitman, para que dominen el mar las naves de Nelson, para que Adán y Eva se alejen, tomados de la mano y silenciosos, del Paraíso que han perdido.

Hengist los quiere (pero no lo sabrá) para que yo trace estas letras.

EPISODIO DEL ENEMIGO

Tantos años huyendo y esperando y ahora el enemigo estaba en mi casa. Desde la ventana lo vi subir penosamente por el áspero camino del cerro. Se ayudaba con un bastón, con el torpe bastón que en sus viejas manos no podía ser un arma sino un báculo. Me costó percibir lo que esperaba: el débil golpe contra la puerta. Miré, no sin nostalgia, mis manuscritos, el borrador a medio concluir y el tratado de Artemidoro sobre los sueños, libro un tanto anómalo ahí, ya que no sé griego. Otro día perdido, pensé. Tuve que forcejear con la llave. Temí que el hombre se desplomara, pero dio unos pasos inciertos, soltó el bastón, que no volví a ver, y cayó en mi cama, rendido. Mi ansiedad lo había imaginado muchas veces, pero sólo entonces noté que se parecía, de un modo casi fraternal, al último retrato de Lincoln. Serían las cuatro de la tarde.

Me incliné sobre él para que me oyera.

—Uno cree que los años pasan para uno —le dije— pero pasan también para los demás. Aquí nos encontramos al fin y lo que antes ocurrió no tiene sentido.

Mientras yo hablaba, se había desabrochado el sobretodo. La mano derecha estaba en el bolsillo del saco. Algo me señalaba y yo sentí que era un revólver.

Me dijo entonces con voz firme:

—Para entrar en su casa, he recurrido a la compasión. Lo tengo ahora a mi merced y no soy misericordioso.

Ensayé unas palabras. No soy un hombre fuerte y sólo las palabras podían salvarme. Atiné a decir:

—Es verdad que hace tiempo maltraté a un niño, pero usted ya no es aquel niño ni yo aquel insensato. Además, la venganza no es menos vanidosa y ridícula que el perdón.

—Precisamente porque ya no soy aquel niño —me replicó— tengo que matarlo. No se trata de una venganza sino de un acto de justicia. Sus argumentos, Borges, son meras estratagemas de su terror para que no lo mate. Usted ya no puede hacer nada.

—Puedo hacer una cosa —le contesté.

—¿Cuál? —me preguntó.

—Despertarme.

Y así lo hice.

A ISLANDIA

De las regiones de la hermosa tierra
Que mi carne y su sombra han fatigado
Eres la más remota y la más íntima,
Última Thule, Islandia de las naves,
Del terco arado y del constante remo,
De las tendidas redes marineras,
De esa curiosa luz de tarde inmóvil
Que efunde el vago cielo desde el alba
Y del viento que busca los perdidos
Velámenes del viking. Tierra sacra
Que fuiste la memoria de Germania
Y rescataste su mitología
De una selva de hierro y de su lobo
Y de la nave que los dioses temen,
Labrada con las uñas de los muertos.
Islandia, te he soñado largamente
Desde aquella mañana en que mi padre
Le dio al niño que he sido y que no ha muerto
Una versión de la *Völsunga Saga*
Que ahora está descifrando mi penumbra
Con la ayuda del lento diccionario.
Cuando el cuerpo se cansa de su hombre,
Cuando el fuego declina y ya es ceniza,
Bien está el resignado aprendizaje
De una empresa infinita; yo he elegido
El de tu lengua, ese latín del Norte
Que abarcó las estepas y los mares
De un hemisferio y resonó en Bizancio
Y en las márgenes vírgenes de América.
Sé que no la sabré, pero me esperan
Los eventuales dones de la busca,
No el fruto sabiamente inalcanzable.
Lo mismo sentirán quienes indagan
Los astros o la serie de los números...
Sólo el amor, el ignorante amor, Islandia.

AL ESPEJO

¿Por qué persistes, incesante espejo?
¿Por qué duplicas, misterioso hermano,
El menor movimiento de mi mano?
¿Por qué en la sombra el súbito reflejo?
Eres el otro yo de que habla el griego
Y acechas desde siempre. En la tersura
Del agua incierta o del cristal que dura
Me buscas y es inútil estar ciego.
El hecho de no verte y de saberte
Te agrega horror, cosa de magia que osas
Multiplicar la cifra de las cosas
Que somos y que abarcan nuestra suerte.
Cuando esté muerto, copiarás a otro
y luego a otro, a otro, a otro, a otro...

A UN GATO

No son más silenciosos los espejos
Ni más furtiva el alba aventurera;
Eres, bajo la luna, esa pantera
Que nos es dado divisar de lejos.
Por obra indescifrable de un decreto
Divino, te buscamos vanamente;
Más remoto que el Ganges y el poniente,
Tuya es la soledad, tuyo el secreto.
Tu lomo condesciende a la morosa
Caricia de mi mano. Has admitido,
Desde esa eternidad que ya es olvido,
El amor de la mano recelosa.
En otro tiempo estás. Eres el dueño
De un ámbito cerrado como un sueño.

EAST LANSING

Los días y las noches
están entretejidos (*interwoven*) de memoria y de miedo,
de miedo, que es un modo de la esperanza,
de memoria, nombre que damos a las grietas del obstinado olvido
Mi tiempo ha sido siempre un Jano bifronte
que mira el ocaso y la aurora;
mi propósito de hoy es celebrarte, oh futuro inmediato.
Regiones de la Escritura y del hacha,
árboles que miraré y no veré,
viento con pájaros que ignoro, gratas noches de frío
que irán hundiéndose en el sueño y tal vez en la patria,
llaves de luz y puertas giratorias que con el tiempo serán hábitos,
despertares en que me diré *Hoy es Hoy*,
libros que mi mano conocerá,
amigos y amigas que serán voces,
arenas amarillas del poniente, el único color que me queda,
todo eso estoy cantando y asimismo
la insufrible memoria de lugares de Buenos Aires
en los que no he sido feliz
y en los que no podré ser feliz.

Canto en la víspera tu crepúsculo, East Lansing,
Sé que las palabras que dicto son acaso precisas,
pero sutilmente serán falsas,
porque la realidad es inasible
y porque el lenguaje es un orden de signos rígidos.
Michigan, Indiana, Wisconsin, Iowa, Texas, California, Arizona:
ya intentaré cantarlas.

9 de marzo de 1972.

AL COYOTE

Durante siglos la infinita arena
De los muchos desiertos ha sufrido
Tus pasos numerosos y tu aullido
De gris chacal o de insaciada hiena.
¿Durante siglos? Miento. Esa furtiva
Substancia, el tiempo, no te alcanza, lobo;
Tuyo es el puro ser, tuyo el arrobo,
Nuestra, la torpe vida sucesiva.
Fuiste un ladrido casi imaginario
En el confín de arena de Arizona
Donde todo es confín, donde se encona
Tu perdido ladrido solitario.
Símbolo de una noche que fue mía,
Sea tu vago espejo esta elegía.

UN MAÑANA

Loada sea la misericordia
De Quien, ya cumplidos mis setenta años
Y sellados mis ojos,
Me salva de la venerada vejez
Y de las galerías de precisos espejos
De los días iguales
Y de los protocolos, marcos y cátedras
Y de la firma de incansables planillas
Para los archivos del polvo
Y de los libros, que son simulacros de la memoria,
Y me prodiga el animoso destierro,
Que es acaso la forma fundamental del destino argentino,
Y el azar y la joven aventura
Y la dignidad del peligro,
Según dictaminó Samuel Johnson.
Yo, que padecí la vergüenza
De no haber sido aquel Francisco Borges que murió en 1874
O mi padre, que enseñó a sus discípulos
El amor de la psicología y no creyó en ella,
Olvidaré las letras que me dieron alguna fama,
Seré hombre de Austin, de Edimburgo, de España,
Y buscaré la aurora en mi occidente.
En la ubicua memoria serás mía,
Patria, no en la fracción de cada día.

EL ORO DE LOS TIGRES

Hasta la hora del ocaso amarillo
Cuántas veces habré mirado
Al poderoso tigre de Bengala
Ir y venir por el predestinado camino
Detrás de los barrotes de hierro,
Sin sospechar que eran su cárcel.
Después vendrían otros tigres,
El tigre de fuego de Blake;
Después vendrían otros oros,
El metal amoroso que era Zeus,
El anillo que cada nueve noches *
Engendra nueve anillos y éstos, nueve,
Y no hay un fin.
Con los años fueron dejándome
Los otros hermosos colores
Y ahora sólo me quedan
La vaga luz, la inextricable sombra
Y el oro del principio.
Oh ponientes, oh tigres, oh fulgores
Del mito y de la épica,
Oh un oro más precioso, tu cabello
Que ansían estas manos.

East Lansing, 1972.

NOTAS

TAMERLAN. Mi pobre Tamerlán había leído, a fines del siglo diecinueve, la tragedia de Christopher Marlowe y algún manual de historia.

TANKAS. He querido adaptar a nuestra prosodia la estrofa japonesa que consta de un primer verso de cinco sílabas, de uno de siete, de uno de cinco y de dos últimos de siete. Quién sabe cómo sonarán estos ejercicios a oídos orientales. La forma original prescinde asimismo de rimas.

LOS CUATRO CICLOS. El verso en inglés medio quiere decir *La fortaleza rota y reducida a incendio y cenizas.* Pertenece al admirable poema aliterativo *Sir Gawain and the Green Knight,* que guarda la primitiva música del sajón, aunque fue compuesto siglos después de la conquista que dirigió Guillermo el Bastardo.

EL ORO DE LOS TIGRES. Para el anillo de las nueve noches, el curioso lector puede interrogar el capítulo 49 de la *Edda Menor.* El nombre del anillo era Draupnir.

Epílogo

Epílogo

A riesgo de cometer un anacronismo, delito no previsto por el código penal, pero condenado por el cálculo de probabilidades y por el uso, transcribiremos una nota de la Enciclopedia Sudamericana, *que se publicará en Santiago de Chile, el año 2074. Hemos omitido algún párrafo que puede resultar ofensivo y hemos anticuado la ortografía, que no se ajusta siempre a las exigencias del moderno lector. Reza así el texto:*

"Borges, José Francisco Isidoro Luis: *Autor y autodidacta, nacido en la ciudad de Buenos Aires, a la sazón capital de la Argentina, en 1899. La fecha de su muerte se ignora, ya que los periódicos, género literario de la época, desaparecieron durante los magnos conflictos que los historiadores locales ahora compendian. Su padre era profesor de psicología. Fue hermano de Norah Borges* (q. v.). *Sus preferencias fueron la literatura, la filosofía y la ética. Prueba de lo primero es lo que nos ha llegado de su labor, que sin embargo deja entrever ciertas incurables limitaciones. Por ejemplo, no acabó nunca de gustar de las letras hispánicas, pese al hábito de Quevedo. Fue partidario de la tesis de su amigo Luis Rosales, que argüía que el autor de los inexplicables* Trabajos de Persiles y Segismunda *no pudo haber escrito el* Quijote. *Esta novela, por lo demás, fue una de las pocas que merecieron la indulgencia de Borges; otras fueron las de Voltaire, las de Stevenson, las de Conrad y las de Eça de Queiroz. Se complacía en los cuentos, rasgo que nos recuerda el fallo de Poe,* There is no such thing as a long poem, *que confirman los usos de la poesía de ciertas naciones orientales. En lo que se refiere a la metafísica, bástenos recordar cierta* Clave de Baruch Spinoza, 1975. *Dictó cátedras en las universidades de Buenos Aires, de Texas y de Harvard, sin otro título oficial que un vago bachillerato ginebrino que la crítica sigue pesquisando. Fue doctor honoris causa de Cuyo y de Oxford. Una tradición repite que en los exámenes no formuló jamás una pregunta y que invitaba a los alumnos a elegir y considerar un aspecto cualquiera del tema. No exigía fechas, alegando que él mismo las ignoraba. Abominaba de la bibliografía, que aleja de las fuentes al estudiante.*

"*Le agradaba pertenecer a la burguesía, atestiguada por su nombre. La plebe y la aristocracia, devotas del dinero, del juego, de los deportes, del nacionalismo, del éxito y de la publicidad, le parecían casi idénticas. Hacia 1960 se afilió al Partido Conservador, porque (decía) 'es indudablemente el único que no puede suscitar fanatismos'.*

"El renombre de que Borges gozó durante su vida, documentado por un cúmulo de monografías y de polémicas, no deja de asombrarnos ahora. Nos consta que el primer asombrado fue él y que siempre temió que lo declararan un impostor o un chapucero o una singular mezcla de ambos. Indagaremos las razones de ese renombre, que hoy nos resulta misterioso.

"No hay que olvidar, en primer término, que los años de Borges correspondieron a una declinación del país. Era de estirpe militar y sintió la nostalgia del destino épico de sus mayores. Pensaba que el valor es una de las pocas virtudes de que son capaces los hombres, pero su culto lo llevó, como a tantos otros, a la veneración atolondrada de los hombres del hampa. Así, el más leído de sus cuentos fue Hombre de la esquina rosada, *cuyo narrador es un asesino. Compuso letras de milonga, que conmemoran a homicidas congéneres. Sus estrofas de corte popular, que son un eco de Ascasubi, exhuman la memoria de cuchilleros muy razonablemente olvidados. Redactó una piadosa biografía de cierto poeta menor, cuya única proeza fue descubrir las posibilidades retóricas del conventillo. Los saineteros ya habían armado un mundo que era esencialmente el de Borges, pero la gente culta no podía gozar de sus espectáculos con la conciencia tranquila. Es perdonable que aplaudieran a quien les autorizaba ese gusto. Su secreto y acaso inconsciente afán fue tramar la mitología de un Buenos Aires, que jamás existió. Así, a lo largo de los años, contribuyó sin saberlo y sin sospecharlo a esa exaltación de la barbarie que culminó en el culto del gaucho, de Artigas y de Rosas.*

"Pasemos al anverso. Pese a Las fuerzas extrañas *(1906) de Lugones, la prosa narrativa argentina no rebasaba, por lo común, el alegato, la sátira y la crónica de costumbres; Borges, bajo la tutela de sus lecturas septentrionales, la elevó a lo fantástico. Groussac y Reyes le enseñaron a simplificar el vocabulario, entorpecido entonces de curiosas fealdades:* acomplejado, agresividad, alienación, búsqueda, concientizar, conducción, coyuntural, generacional, grupal, negociado, promocionarse, recepcionar, sentirse motivado, sentirse realizado, situacionismo, verticalidad, vivenciar... *Las academias, que hubieran podido desaconsejar el*

empleo de tales adefesios, no se animaron. Quienes condescendían a esa jerga exaltaban públicamente el estilo de Borges.
"¿Sintió Borges alguna vez la discordia íntima de su suerte? Sospechamos que sí. Descreyó del libre albedrío y le complacía repetir esta sentencia de Carlyle: 'La historia universal es un texto que estamos obligados a leer y a escribir incesantemente y en el cual también nos escriben'.

"Puede consultarse su Obra Completa, Emecé Editores, Buenos Aires, 1974, que sigue con suficiente rigor el orden cronológico".

Índice

Dedicatoria 9

FERVOR DE BUENOS AIRES (1923)

Prólogo	13
A quien leyere	15
Las calles	17
La Recoleta	18
El Sur	19
Calle desconocida	20
La Plaza San Martín	21
El truco	22
Un patio	23
Inscripción sepulcral	24
La rosa	25
Barrio reconquistado	26
Sala vacía	27
Rosas	28
Final de año	30
Carnicería	·31
Arrabal	32
Remordimiento por cualquier muerte	33
Jardín	34
Inscripción en cualquier sepulcro	35
La vuelta	36
Afterglow	37
Amanecer	38
Benarés	40
Ausencia	41
Llaneza	42
Caminata	43
La noche de San Juan	44
Cercanías	45
Sábados	46
Trofeo	47
Atardeceres	48
Campos atardecidos	49
Despedida	50
Líneas que pude haber escrito y perdido hacia 1922	51
Notas	52

LUNA DE ENFRENTE (1925)

Prólogo	55
Calle con almacén rosado	57
Al horizonte de un suburbio	58
Amorosa anticipación	59
Una despedida	60
El general Quiroga va en coche al muere	61
Jactancia de quietud	62
Montevideo	63
Manuscrito hallado en un libro de Joseph Conrad	64
Singladura	65
Dakar	66
La promisión en alta mar	67
Dulcia linquimus arva	68
Casi Juicio Final	69
Mi vida entera	70
Último sol en Villa Ortúzar	71
Para una calle del Oeste	72
Versos de catorce	73

CUADERNO SAN MARTÍN (1929)

Prólogo	79
Fundación mítica de Buenos Aires	81
Elegía de los Portones	82
Curso de los recuerdos	84
Isidoro Acevedo	86
La noche que en el Sur lo velaron	88
Muertes de Buenos Aires	90
I. La Chacarita	90
II. La Recoleta	91
A Francisco López Merino	93
Barrio Norte	94
El Paseo de Julio	95

EVARISTO CARRIEGO (1930)

Prólogo	101
Declaración	103
I. Palermo de Buenos Aires	105
II. Una vida de Evaristo Carriego	113
III. Las Misas Herejes	121
IV. La Canción del Barrio	130

V. Un posible resumen	142
VI. Páginas complementarias	143
I. Del segundo capítulo	143
II. Del cuarto capítulo: El truco	145
VII. Las inscripciones de los carros	148
VIII. Historias de jinetes	152
IX. El puñal	156
X. Prólogo a una edición de las poesías completas de Evaristo Carriego	157
XI. Historia del tango	159
El tango pendenciero	160
Un misterio parcial	162
Las letras	163
El desafío	165
XII. Dos cartas	169

DISCUSIÓN (1932)

Prólogo	177
La poesía gauchesca	179
La penúltima versión de la realidad	198
La supersticiosa ética del lector	202
El otro Whitman	206
Una vindicación de la cábala	209
Una vindicación del falso Basílides	213
La postulación de la realidad	217
Films	222
El arte narrativo y la magia	226
Paul Groussac	233
La duración del infierno	235
Las versiones homéricas	239
La perpetua carrera de Aquiles y la tortuga	244
Nota sobre Walt Whitman	249
Avatares de la tortuga	254
Vindicación de "Bouvard et Pécuchet"	259
Flaubert y su destino ejemplar	263
El escritor argentino y la tradición	267
Notas	275
H. G. Wells y las parábolas	275
Edward Kasner and James Newman	276
Gerald Heard	277
Gilbert Waterhouse	279
Leslie D. Weatherhear	280
M. Davidson	282

Sobre el doblaje 283
El doctor Jekyll y Edward Hyde, transformados 285

HISTORIA UNIVERSAL DE LA INFAMIA (1935)

Prólogo a la primera edición 289
Prólogo a la edición de 1954 291
El atroz redentor Lazarus Morell 295
    La causa remota 295
    El lugar 295
    Los hombres 296
    El hombre 297
    El método 297
    La libertad final 298
    La catástrofe 299
    La interrupción 300
El impostor inverosímil Tom Castro 301
    El idolatrado hombre muerto 302
    Las virtudes de la disparidad 302
    El encuentro 303
    Ad Majorem Dei Gloriam 303
    El carruaje 304
    El espectro 305
La viuda Ching, pirata 306
    Los años de aprendizaje 306
    El comando 307
    Habla Kia-King, el joven emperador 308
    Las riberas despavoridas 309
    El dragón y la zorra 309
    La apoteosis 310
El proveedor de iniquidades Monk Eastman 311
    Los de esta América 311
    Los de la otra 311
    El héroe 312
    El mando 313
    La batalla de Rivington 314
    Los crujidos 314
    Eastman contra Alemania 315
    El misterioso, lógico fin 315
El asesino desinteresado Bill Harrigan 316
    El estado larval 316
    Go West! 317
    Demolición de un mejicano 317
    Muertes porque sí 318

El incivil Maestro de Ceremonias Kotsuké no Suké 320
  La cinta desatada 320
  El simulador de la infamia 321
  La cicatriz 322
  El testimonio 323
  El hombre de Satsuma 323
El tintorero enmascarado Hákim de Merv 324
  La púrpura escarlata 324
  El toro 325
  El leopardo 325
  El profeta velado 326
  Los espejos abominables 327
  El rostro 328
Hombre de la esquina rosada 329
Etcétera 335
  Un teólogo en la muerte 335
  La cámara de las estatuas 336
  Historia de los dos que soñaron 338
  El brujo postergado 339
  El espejo de tinta 341
  Un doble de Mahoma 343
Índice de las fuentes 345

HISTORIA DE LA ETERNIDAD (1936)

Prólogo 351
Historia de la eternidad 353
Las *kenningar* 368
·La metáfora 382
La doctrina de los ciclos 385
El tiempo circular 393
Los traductores de las 1001 Noches 397
  1. El capitán Burton 397
  2. El doctor Mardrus 406
  3. Enno Littmann 410
Dos notas 414
  El acercamiento a Almotásim 414
  Arte de injuriar 419

FICCIONES (1944)

EL JARDÍN DE SENDEROS QUE SE BIFURCAN (1941) 427
Prólogo 429
Tlön, Uqbar, Orbis Tertius 431

Pierre Menard, autor del Quijote 444
Las ruinas circulares 451
La lotería en Babilonia 456
Examen de la obra de Herbert Quain 461
La biblioteca de Babel 465
El jardín de senderos que se bifurcan 472

Artificios (1944) 481

Prólogo 483
Funes el memorioso 485
La forma de la espada 491
Tema del traidor y del héroe 496
La muerte y la brújula 499
El milagro secreto 508
Tres versiones de Judas 514
El fin 519
La secta del Fénix 522
El Sur 525

EL ALEPH (1949)

El inmortal 533
El muerto 545
Los teólogos 550
Historia del guerrero y de la cautiva 557
Biografía de Tadeo Isidoro Cruz (1829-1874) 561
Emma Zunz 564
La casa de Asterión 569
La otra muerte 571
Deutsches Requiem 576
La busca de Averroes 582
El Zahir 589
La escritura del Dios 596
Abenjacán el Bojarí, muerto en su laberinto 600
Los dos reyes y los dos laberintos 607
La espera 608
El hombre en el umbral 612
El Aleph 617
Epílogo 629

OTRAS INQUISICIONES (1952)

La muralla y los libros 633
La esfera de Pascal 636

La flor de Coleridge	639
El sueño de Coleridge	642
El tiempo y J. W. Dunne	646
La Creación y P. H. Gosse	650
Las alarmas del doctor Américo Castro	653
Nuestro pobre individualismo	658
Quevedo	660
Magias parciales del Quijote	667
Nathaniel Hawthorne	670
Valéry como símbolo	686
El enigma de Edward Fitzgerald	688
Sobre Oscar Wilde	691
Sobre Chesterton	694
El primer Wells	697
El "Biathanatos"	700
Pascal	703
El idioma analítico de John Wilkins	706
Kafka y sus precursores	710
Del culto de los libros	713
El ruiseñor de Keats	717
El espejo de los enigmas	720
Dos libros	723
Anotación al 23 de agosto de 1944	727
Sobre el "Vathek" de William Beckford	729
Sobre "The Purple Land"	733
De alguien a nadie	737
Formas de una leyenda	740
De las alegorías a las novelas	744
Nota sobre (hacia) Bernard Shaw	747
Historia de los ecos de un nombre	750
El pudor de la historia	754
Nueva refutación del tiempo	757
Sobre los clásicos	772
Epílogo	775

EL HACEDOR (1960)

A Leopoldo Lugones	779
El hacedor	781
Dreamtigers	783
Diálogo sobre un diálogo	784
Las uñas	785
Los espejos velados	786
Argumentum Ornithologicum	787
El cautivo	788

El simulacro	789
Delia Elena San Marco	790
Diálogo de muertos	791
La trama	793
Un problema	794
Una rosa amarilla	795
El testigo	796
Martín Fierro	797
Mutaciones	798
Parábola de Cervantes y de Quijote	799
Paradiso, XXXI, 108	800
Parábola del palacio	801
Everything and nothing	803
Ragnarök	805
Inferno, I, 32	807
Borges y yo	808
Poema de los dones	809
El reloj de arena	811
Ajedrez	813
Los espejos	814
Elvira de Alvear	816
Susana Soca	817
La luna	818
La lluvia	821
A la efigie de un capitán de los ejércitos de Cromwell	822
A un viejo poeta	823
El otro tigre	824
Blind Pew	826
Alusión a una sombra de mil ochocientos noventa y tantos	827
Alusión a la muerte del coronel Francisco Borges (1833-74)	828
In Memoriam A. R.	829
Los Borges	831
A Luis de Camoens	832
Mil novecientos veintitantos	833
Oda compuesta en 1960	834
Ariosto y los árabes	836
Al iniciar el estudio de la gramática anglosajona	839
Lucas, XXIII	840
Adrogué	841
Arte poética	843
MUSEO	845
Del rigor en la ciencia	847
Cuarteta	848

Límites 849
    El poeta declara su nombradía 850
    El enemigo generoso 851
    Le *regret* d'*Héraclite* 852
    In memoriam J. F. K. 853
Epílogo 854

EL OTRO, EL MISMO (1964)

Prólogo 857
Insomnio 859
Two English Poems 861
La noche cíclica 863
Del infierno y del cielo 865
Poema conjetural 867
Poema del cuarto elemento 869
A un poeta menor de la Antología 871
Página para recordar al coronel Suárez, vencedor en Junín . 872
Mateo, XXV, 30 874
Una brújula 875
Una llave en Salónica 876
Un poeta de siglo XIII 877
Un soldado de Urbina 878
Límites 879
Baltasar Gracián 881
Un sajón (449 A. D.) 883
El golem 885
El tango 888
El otro 890
Una rosa y Milton 891
Lectores 892
Juan, I, 14 893
El despertar 894
A quien ya no es joven 895
Alexander Selkirk 896
Odisea, Libro vigésimo tercero 897
Él 898
Sarmiento 899
A un poeta menor de 1899 900
Texas 901
Composición escrita en un ejemplar de la Gesta de Beowulf . 902
Hengist cyning 903
Fragmento 904
A una espada en York Minster 905
A un poeta sajón 906

Snorri Sturluson (1179-1241) 907
A Carlos XII 908
Emanuel Swedenborg 909
Jonathan Edwards (1703-1785) 910
Emerson 911
Edgar Allan Poe 912
Camden, 1892 913
París, 1856 914
Rafael Cansinos-Asséns 915
Los enigmas 916
El instante 917
Al vino 918
Soneto del vino 919
1964 920
El hambre 921
El forastero 922
A quien está leyéndome 924
El alquimista 925
Alguien 926
Everness 927
Ewigkeit 928
Edipo y el enigma 929
Spinoza 930
España 931
Elegía 933
Adam cast forth 934
A una moneda 935
Otro poema de los dones 936
Oda escrita en 1966 938
El sueño 940
Junín 941
Un soldado de Lee (1862) 942
El mar 943
Una mañana de 1649 944
A un poeta sajón 945
Buenos Aires 946
Buenos Aires 947
Al hijo 948
Los compadritos muertos 949

PARA LAS SEIS CUERDAS (1965)

Prólogo 953
Milonga de dos hermanos 955
¿Dónde se habrán ido? 957

Milonga de Jacinto Chiclana	959
Milonga de don Nicanor Paredes	961
Un cuchillo en el norte	963
El Títere	964
Milonga de los morenos	965
Milonga para los orientales	967
Milonga de Albornoz	969
Milonga de Manuel Flores	970
Milonga de Calandria	971

ELOGIO DE LA SOMBRA (1969)

Prólogo	975
Juan, I, 14	977
Heráclito	979
Cambridge	980
New England, 1967	982
James Joyce	983
The Unending Gift	984
Mayo 20, 1928	985
Laberinto	986
El laberinto	987
Ricardo Güiraldes	988
El etnógrafo	989
A cierta sombra, 1940	991
Las cosas	992
Rubaiyat	993
Pedro Salvadores	994
A Israel	996
Israel	997
Junio, 1968	998
El guardián de los libros	999
Los gauchos	1001
Acevedo	1003
Invocación a Joyce	1004
Israel, 1969	1006
Dos versiones de "Ritter, Tod und Teufel"	1007
Buenos Aires	1009
Fragmentos de un Evangelio apócrifo	1011
Leyenda	1013
Una oración	1014
His end and his beginning	1015
Un lector	1016
Elogio de la sombra	1017

EL INFORME DE BRODIE (1970)

Prólogo 1021
La intrusa 1025
El indigno 1029
Historia de Rosendo Juárez 1034
El encuentro 1039
Juan Muraña 1044
La señora mayor 1048
El duelo 1053
El otro duelo 1058
Guayaquil 1062
El Evangelio según Marcos 1068
El informe de Brodie 1073

EL ORO DE LOS TIGRES (1972)

Prólogo 1081
Tamerlán (1336-1405) 1083
Espadas 1085
El pasado 1086
Tankas 1088
Trece monedas 1090
    Un poeta oriental 1090
    El desierto 1090
    Llueve 1091
    Asterión 1091
    Un poeta menor 1091
    Génesis, IV, 8 1092
    Nortumbria, 900 A. D. 1092
    Miguel de Cervantes 1092
    El Oeste 1092
    Estancia El Retiro 1093
    El prisionero 1093
    Macbeth 1093
    Eternidades 1093
Susana Bombal 1094
A John Keats (1795-1821) 1095
Sueña Alonso Quijano 1096
A un César 1097
El ciego 1098
On his blindness 1099
La busca 1100
Lo perdido 1101

ÍNDICE

H. O.	1102
Religio Medici, 1643	1103
1971	1104
Cosas	1105
El amenazado	1107
Proteo	1108
Otra versión de Proteo	1109
Habla un busto de Jano	1110
El gaucho	1111
La pantera	1112
Tú	1113
Poema de la cantidad	1114
El centinela	1115
Al idioma alemán	1116
Al triste	1117
El mar	1118
Al primer poeta de Hungría	1119
El advenimiento	1120
La tentación	1121
1891	1123
1929	1124
La promesa	1126
El estupor	1127
Los cuatro ciclos	1128
El sueño de Pedro Henríquez Ureña	1129
El palacio	1130
Hengist quiere hombres (449 A. D.)	1131
Episodio del enemigo	1132
A Islandia	1133
Al espejo	1134
A un gato	1135
East Lansing	1136
Al coyote	1137
Un mañana	1138
El oro de los tigres	1139
Notas	1140
EPÍLOGO	1141

BUENOS AIRES, JULIO DE 1974
PRIMERA EDICIÓN: 2.900 EJEMPLARES. Se tiraron, además, cien ejemplares numerados a mano de 1 a 100, constituyendo la totalidad de estos 3.000 ejemplares la primera edición de la obra.
2ª A 5ª IMPRESIÓN EN OFFSET: 20.000 EJEMPLARES
BUENOS AIRES, JULIO DE 1976
6ª IMPRESIÓN EN OFFSET: 5.000 EJEMPLARES
Editor: EMECÉ EDITORES, S. A. - CARLOS PELLEGRINI 1069, Bs. As.
Impresor: COMPAÑÍA IMPRESORA ARGENTINA, S. A. - ALSINA 2049, Bs. As.
Distribuidor: EMECÉ DISTRIBUIDORA, S.A.C.I.F. y M. - ALSINA 2062, Bs. As.
39.009

